GESTION STRATÉGIQUE ET OPÉRATIONNELLE

DES RESSOURCES HUMAINES

Petit, Bélanger, Benabou,
Foucher, Bergeron

GESTION STRATÉGIQUE ET OPÉRATIONNELLE

DES RESSOURCES HUMAINES

**gaëtan morin
éditeur**

Montréal ▫ Paris ▫ Casablanca

Données de catalogage avant publication (Canada)

Vedette principale au titre :

Gestion stratégique et opérationnelle des ressources humaines

Publ. antérieurement sous le titre : Gestion des ressources humaines. c1978.

Comprend des réf. bibliogr. et un index.

ISBN 2-89105-448-2

1. Personnel–Direction. 2. Relations industrielles. 3. Personnel–Recrutement. 4. Personnel–Direction–Problèmes et exercices. I. Bélanger, Laurent, 1934-   . II. Titre : Gestion des ressources humaines.

HF5549.15.B363 1992   658.3   C92-096532-6

Montréal, Gaëtan Morin Éditeur ltée
171, boul. de Mortagne, Boucherville (Québec), Canada J4B 6G4, Tél. : (514) 449-2369
Paris, Gaëtan Morin Éditeur, Europe
27 bis, avenue de Lowendal, 75015 Paris, France, Tél. : 01.45.66.08.05
Casablanca, Gaëtan Morin Éditeur – Maghreb S.A.
Rond-point des sports, angle rue Point du jour, Racine, 20000 Casablanca, Maroc, Tél. : 212 (2) 49.02.17

Révision linguistique : Gaétane Trempe

Dépôt légal 1er trimestre 1993 – Bibliothèque nationale du Québec – Bibliothèque nationale du Canada

4   5   6   7   8   9   0   1   2   3   G   M   E   9   3   6   5   4   3   2   1   0   9   8   7

REMERCIEMENTS

Même s'il s'agit d'un ouvrage collectif, chacun des auteurs assume personnellement la responsabilité de ses écrits, et la contribution de chacun est bien identifiée dans la table des matières et au début de chacun des chapitres. L'ordre de présentation des auteurs s'explique par le nombre de chapitres écrits par chacun et par le fait que le soussigné a joué un rôle de coordination dans la préparation du présent volume. Chaque auteur est également redevable à diverses personnes qui ont contribué à la préparation de l'ouvrage. Il convient donc de remercier mesdames Diane Lemay, Joanne Renaud et Chantal Gaboriau, secrétaires au Département des sciences administratives de l'Université du Québec à Montréal. Nous remercions également madame France Busque, secrétaire au Département des relations industrielles de l'Université Laval.

À la Faculté d'administration de l'Université de Sherbrooke, trois personnes ont particulièrement contribué à la dactylographie et à la révision des textes. Ce sont mesdames Mireille Boudreau et Pierrette Poisson, secrétaires, et madame Claire Loubier, adjointe administrative. Madame Hélène Laliberté, adjointe à l'édition chez Gaëtan Morin, a eu la délicate mission d'interagir avec les auteurs et de tenter de faire respecter les échéances fixées. Madame Gaétane Trempe a assumé la responsabilité de la révision linguistique, et Christiane Desjardins, celle de la charge du projet. Ces collaboratrices méritent nos plus chaleureux remerciements.

Finalement, nous remercions globalement toutes celles et tous ceux qui nous ont apporté leur aide et qui ont contribué, directement ou indirectement, à la production de cet ouvrage. Nous espérons qu'il répondra aux attentes des lecteurs.

André Petit, Ph.D.
Professeur titulaire de GRH
Faculté d'administration
Université de Sherbrooke

Avertissement

Dans cet ouvrage, le masculin est utilisé comme représentant des deux sexes, sans discrimination à l'égard des hommes et des femmes et dans le seul but d'alléger le texte.

AVANT-PROPOS

par André Petit

À quelques années du prochain siècle et compte tenu de la crise économique que nous avons vécue avec plus ou moins d'intensité depuis les 15 dernières années, il apparaît de plus en plus évident, pour un nombre croissant de gestionnaires, que l'efficacité organisationnelle, base du succès des entreprises, n'est possible que grâce à une gestion efficace, efficiente et équitable des ressources humaines.

Le contexte difficile des dernières années a fait surgir des préoccupations stratégiques dans toutes les facettes de la gestion, et la GRH n'y a pas fait exception. Cet ouvrage constitue donc, pour tous ceux et celles qui veulent se familiariser avec les concepts et les pratiques de la GRH, une synthèse des connaissances disponibles en ce domaine. Il fournit également des mises en situation qui font ressortir la pertinence contemporaine des questions et des sujets abordés, et il propose des exercices, des cas et des questions qui constituent autant d'instruments pour faciliter une meilleure compréhension des textes et le développement de quelques-unes des habiletés requises pour une pratique efficace de la GRH.

Ce volume est différent du précédent, rédigé par les mêmes auteurs et intitulé *Gestion stratégique des ressources humaines* (1988), en ce que le contenu de chacun des 15 chapitres a été réaménagé, restructuré et mis à jour en fonction d'une compréhension renouvelée de l'approche privilégiée qui, rappelons-le, est à la fois stratégique et opérationnelle. L'ouvrage est d'abord destiné à servir d'outil de formation pour les cohortes étudiantes qui doivent acquérir des connaissances générales ou spécialisées en GRH. Il vise également à nourrir la réflexion de tout gestionnaire, spécialisé ou non en GRH, intéressé à mieux comprendre l'une des facettes importantes reliées au meilleur fonctionnement des entreprises publiques, parapubliques ou privées.

La structure en quatre parties de ce volume vise à faciliter les objectifs d'apprentissage et à refléter l'orientation souhaitée par les auteurs.

Dans la première partie (chapitres 1 à 3), le contenu présenté correspond à une introduction au domaine. Le premier chapitre porte sur la nature et l'évolution de la gestion des ressources humaines. Le deuxième traite de l'environnement dans lequel sont prises les initiatives en gestion des ressources humaines. Le troisième chapitre a pour objet les services de ressources humaines, appelés les «directions de ressources humaines».

La deuxième partie de l'ouvrage comprend les chapitres 4 à 9. Dans chacun de ces chapitres, une facette particulière des programmes administratifs de la gestion des ressources humaines est abordée. Ainsi, le chapitre 4 décrit le processus de la planification stratégique des ressources humaines, en proposant un modèle qui retient les éléments essentiels des modèles déjà connus et largement diffusés à ce jour. Le chapitre 5 est consacré au thème de l'organisation du travail, allant de la conception des structures organisationnelles et des postes de travail jusqu'à la rédaction des descriptions de postes, en passant par le processus d'analyse des postes. Ces diverses opérations s'avèrent essentielles pour pouvoir aborder efficacement les processus de recrutement et de sélection (chapitre 6), les mouvements de personnel (chapitre 7), l'évaluation du rendement individuel (chapitre 8) et, finalement, les activités de formation des ressources humaines (chapitre 9).

La troisième partie de l'ouvrage comprend les chapitres 10 à 14, dont le contenu concerne la dynamique de la relation entre les membres d'une direction d'entreprise et les employés de cette même entreprise. D'une gestion «individuelle» des ressources humaines, on passe à une gestion «collective» de ces ressources. On explique dans ces chapitres comment aborder d'une façon stratégique la relation d'échange qui existe entre chaque organisation et la collectivité d'hommes et de femmes qui y œuvrent. Ainsi, le chapitre 10 porte sur la communication entre les membres de la direction et les employés. Le chapitre 11 traite de la rémunération et décrit les divers outils de gestion utilisés pour tenter d'attirer les ressources humaines requises, les conserver et les motiver à l'aide des considérations financières qui constituent la base fondamentale des conditions de travail et de la relation contractuelle de travail. Le chapitre 12 amène la réflexion sur les relations du travail, c'est-à-dire les relations qui existent entre des dirigeants d'entreprise et une collectivité d'employés qui peuvent avoir choisi de se faire représenter par un syndicat. Le chapitre 13 traite du phénomène des négociations collectives et de quelques-uns des problèmes que soulève l'application des conventions collectives. Enfin, le chapitre 14 traite de la santé et de la sécurité au travail, dossier que les directions d'entreprises doivent également assumer dans une perspective de relations collectives avec leurs employés.

La dernière partie de l'ouvrage n'est constituée que d'un seul chapitre (chapitre 15). On y traite des mécanismes d'évaluation de l'ensemble de la gestion des ressources humaines. Ce contenu permet de resituer les différentes facettes de la gestion des ressources humaines dans un cadre global qui sert de conclusion à l'ouvrage.

Chaque chapitre de ce livre fait ressortir les choix critiques, les méthodes et les programmes d'action propres au domaine de la GRH, tout en s'inscrivant dans la perspective stratégique retenue au départ. Chaque chapitre comporte donc une analyse des liens qu'on peut établir entre les stratégies d'entreprise et les stratégies de gestion des ressources humaines. Chacun comporte également une composante opérationnelle, où sont décrits et expliqués les principes, les démarches et les méthodes qui se sont graduellement développés en gestion des ressources humaines et qui en ont fait un domaine d'interventions faisant de plus en plus appel à des professionnels compétents.

TABLE DES MATIÈRES

PARTIE I

INTRODUCTION

CHAPITRE 1: LA NATURE ET L'ÉVOLUTION DE LA GESTION DES RESSOURCES HUMAINES
par Laurent Bélanger

CHAPITRE 2: LES EFFETS DE L'ENVIRONNEMENT EXTERNE ET INTERNE SUR LES RESSOURCES HUMAINES
par Laurent Bélanger

Partie —— *II* ——

LA GESTION STRATÉGIQUE DES PROGRAMMES D'ACQUISITION ET DE DÉVELOPPEMENT DES RESSOURCES HUMAINES

CHAPITRE 5 : *L'ORGANISATION DU TRAVAIL* 141
par Roland Foucher

CHAPITRE 6: *L'ACQUISITION STRATÉGIQUE
DES RESSOURCES HUMAINES* 229
par Charles Benabou

CHAPITRE 9: LA FORMATION
ET LE PERFECTIONNEMENT
DES RESSOURCES HUMAINES   413
par Charles Benabou

PARTIE ___ *III* ___

LA GESTION STRATÉGIQUE DES ÉCHANGES ENTRE L'ORGANISATION ET LES INDIVIDUS

CHAPITRE 14 : **L**A SANTÉ ET LA SÉCURITÉ AU TRAVAIL .. 671
par André Petit

PARTIE ___ *IV* ___

CONCLUSION

PARTIE I

INTRODUCTION

CHAPITRE 1

LA NATURE ET L'ÉVOLUTION DE LA GESTION DES RESSOURCES HUMAINES

par Laurent Bélanger

OBJECTIFS

Après l'étude de ce chapitre, vous devriez être en mesure:
- d'établir une distinction entre la «fonction ressources humaines» et le service des ressources humaines;
- de reconnaître chacun des volets qui caractérisent une première phase de l'évolution de la gestion des ressources humaines;
- de reconnaître les principales composantes d'un système et d'en faire une application à la «fonction ressources humaines»;
- de décrire la nature d'une vision stratégique de la gestion d'une entreprise et de saisir la place et l'importance de la gestion des ressources humaines dans cette perspective.

MISE EN SITUATION

LES RESSOURCES HUMAINES: UN ÉLÉMENT ESSENTIEL DE LA CAPACITÉ CONCURRENTIELLE

Les entreprises doivent reconnaître que les ressources humaines sont un facteur essentiel à leur capacité concurrentielle. C'est le message qu'a livré Dave Ulrich aux membres de l'Association des professionnels en ressources humaines du Québec, réunis à Montréal dans le cadre de leur congrès annuel.

Selon monsieur Ulrich, professeur à l'école d'administration de l'Université du Michigan et consultant pour General Electric, Digital, Colgate, Champion et Bell Canada:

> *Six grandes tendances influencent la place que les ressources humaines prennent dans l'avantage compétitif que peut détenir une organisation.*
>
> *La **première tendance** a trait à la démographie. Présentement, 34 % des travailleurs ont entre 35 et 55 ans, mais, en l'an 2000, ce pourcentage passera à 51 %. Or, au même moment, le niveau d'éducation de la population nord-américaine est en chute libre, et on compte 13,5 % d'illettrés. Une crise guette donc les employeurs, puisque le bassin de main-d'œuvre diminuera au moment où la compétence sera une ressource rare.*
>
> *Ce qui est le plus inquiétant, c'est que, selon une enquête réalisée par la firme TPF & C, 90,9 % des entreprises canadiennes sont conscientes du défi de la démographie, mais seulement 10 % s'y préparent.*

La **deuxième tendance** est l'influence qu'exercent les attitudes des employés sur les clients des entreprises:

> *Le service à la clientèle est devenu un outil de compétitivité, et il est évident que l'attitude des employés influence la performance commerciale d'une société. Les politiques de ressources humaines doivent donc s'assurer d'expliquer à tous les employés pourquoi ils sont importants pour la compagnie et comment ils peuvent l'appuyer avec une attitude positive envers les clients.*

La **troisième tendance** consiste, pour les chefs d'entreprise, à apprendre à forger de nouveaux contrats avec leurs employés:

> *La notion de sécurité d'emploi est en train de disparaître en Amérique du Nord. Les compagnies ne peuvent plus s'engager à garantir un emploi à vie et elles doivent donc apprendre à offrir de nouvelles choses pour leurs employés.*
>
> *Chez General Electric, on ne parle plus de sécurité d'emploi. Toutefois, la compagnie s'engage à trois choses envers tous ses employés: d'abord, les consulter dans toutes les*

décisions qui peuvent les toucher; ensuite, leur offrir des chances de croissance professionnelle; enfin, leur donner un système de rémunération très compétitif.

Les quatrième et cinquième tendances consistent respectivement en la gestion du changement et en l'action stratégique:

Les entreprises doivent apprendre à gérer le changement et aussi à le faire accepter par leurs employés.

Agir stratégiquement, c'est se demander comment et où seront allouées les ressources, et quelle direction doit prendre la compagnie, compte tenu de la conjoncture. Beaucoup d'entreprises s'empêtrent toutefois dans ce processus. Leurs cadres supérieurs développent des énoncés de mission, des plans d'action et des stratégies globales. Malheureusement, tous ces exercices n'ont aucun effet s'ils ne sont pas expliqués et partagés avec les employés.

La **sixième tendance** en ressources humaines est la création d'une organisation sans frontières:

Les entreprises brisent de plus en plus les frontières qui existent entre la direction et les employés, et entre la compagnie et ses clients et ses fournisseurs. C'était déjà le cas pour les entreprises japonaises, mais plusieurs sociétés nord-américaines emboîtent le pas. C'est ainsi que Whirlpool, qui fabrique des appareils électroménagers, construit de nouvelles usines qui ne comptent qu'une centaine d'employés et un ou deux dirigeants.

Source: DES ROBERTS, G., *Les Affaires*, 29 mars 1991.

QUESTION

Démontrez que les principes de gestion des ressources humaines énoncés par le professeur Dave Ulrich s'inscrivent dans la troisième phase de l'évolution de la gestion des ressources humaines.

1.1 INTRODUCTION

Depuis le tournant du XXe siècle, le domaine de la gestion des ressources humaines, tant sur le plan conceptuel que pratique, a connu une évolution en trois phases:

- la **première phase**, qui couvre les années 1920 à 1960, a été le moment fort de ce qu'on a convenu d'appeler la **gestion du personnel**, incluant, comme nous le verrons plus loin, la gestion des relations du travail (ou relations patronales–syndicales, au sens restreint de cette expression);
- la **deuxième phase**, celle des années 1960 à 1980, est la période où l'expression «gestion du personnel» a cédé graduellement la place à l'appellation **gestion des ressources humaines**;
- enfin, la **troisième phase**, qui s'étend de 1980 à aujourd'hui, est marquée par une utilisation intensive des concepts et des modèles tirés du courant des «stratégies d'entreprise» et est progressivement qualifiée de **gestion stratégique des ressources humaines**.

Après avoir procédé à la définition de quelques concepts ou expressions couramment utilisés dans le domaine, nous décrirons chacune des phases selon l'ordre annoncé plus haut.

1.2 *LA DÉFINITION DES PRINCIPAUX CONCEPTS*

On ne saurait accéder à une connaissance juste et précise de l'évolution de la gestion des ressources humaines, du moins dans un contexte nord-américain, en passant outre à une définition précise de ce concept et sans établir une distinction entre la «fonction ressources humaines» et le «service des ressources humaines».

La gestion du personnel, expression couramment utilisée dans le passé, traduisait l'éventail plus ou moins intégré des activités de recrutement, de sélection, de formation, d'appréciation et de rémunération des personnes à l'emploi d'une organisation.

On reconnaissait par là le caractère administratif d'une gestion fortement axée sur la mise en œuvre de politiques, de procédures, de règlements concernant le personnel à l'emploi des organisations.

Avec l'introduction d'une certaine vision d'ensemble, d'une certaine cohérence des activités propres à la gestion du personnel, et avec le développement d'une conception de la personne au travail comme un actif, une ressource, l'expression «gestion des ressources humaines» a été retenue pour traduire l'ensemble des activités d'acquisition, de développement et de rétention (conservation) des ressources humaines, visant à fournir aux organisations de travail une **main-d'œuvre productive, stable et satisfaite**. Cette définition recouvre trois types d'activités.

déf. l'activité de gestion RH

1. **L'acquisition** des ressources humaines comprend la description des fonctions ou des emplois, la planification des ressources humaines, le recrutement, la sélection et l'accueil.

2. Le **développement** des ressources humaines englobe les activités de détermination des besoins de formation chez les différentes catégories de personnel, la mise sur pied de programmes de formation et leur évaluation. Ces activités permettent aux personnes d'acquérir les connaissances et les habiletés nécessaires pour une meilleure performance ou encore pour accéder à des emplois comportant des responsabilités plus importantes.

3. La **rétention** (ou conservation) des ressources humaines regroupe les activités d'appréciation du rendement, de gestion de la rémunération et des avantages sociaux. Au sein des entreprises syndiquées, une convention collective encadre la nature des décisions qui sont prises dans l'un ou l'autre de ces secteurs d'activité. La négociation d'une telle convention et son application occupent la majeure partie du temps des spécialistes des relations du travail. Elles concourent, bien entendu, au maintien des ressources humaines à l'emploi d'une organisation en instaurant un régime formel de traitement équitable.

Une distinction s'impose également entre les expressions «fonction ressources humaines» et «service des ressources humaines». La première renvoie à l'ensemble des responsabilités que doit assumer tout cadre détenteur de l'autorité hiérarchique (*line manager*) en matière *fonction →* d'utilisation efficace et de traitement équitable des personnes au travail. La deuxième désigne l'unité administrative regroupant les différents *service →* spécialistes des ressources humaines, dont les tâches consistent à fournir le soutien administratif, les conseils et l'assistance en matière d'acquisition, de développement et de rétention des ressources. Si cette distinction se justifie bien sur le plan conceptuel, il n'en demeure pas moins qu'en pratique un certain chevauchement subsiste à des degrés différents, selon les phases de développement du domaine.

En effet, au tournant du siècle, en l'absence de services au personnel structurés, les gestionnaires devaient forcément assumer des responsabilités en matière d'allocation et de traitement équitable des personnes qui œuvraient sous leur supervision.

Par la suite, avec la mise en place des services spécialisés dans ce domaine, les gestionnaires des autres services, tellement absorbés par des problèmes économiques et techniques reliés aux opérations, ont permis aux spécialistes des «questions de personnel» d'assumer les responsabilités importantes dans le domaine, à un point tel que la fonction et le service sont devenus deux réalités qui se sont passablement chevauchées.

Aujourd'hui, par un juste retour des choses, nous assistons à un rééquilibrage de la situation. En effet, les ressources humaines sont devenues tellement importantes qu'elles affectent, dans une grande mesure, la capacité concurrentielle de nombreuses entreprises. La direction de ces entreprises soutient donc que les ressources humaines sont devenues si «stratégiques» que les décisions importantes doivent être prises conjointement par elle-même et les spécialistes du domaine.

1.3 L'ÉVOLUTION DE LA GESTION DES RESSOURCES HUMAINES

1.3.1 PRÉAMBULE

Les grandes phases de l'évolution de la gestion des ressources humaines, identifiées sommairement plus haut, sont apparues en réponse à des caractéristiques de l'environnement tant interne qu'externe des organisations de travail. Nous avons retenu les plus significatives en les regroupant sous les rubriques suivantes :

— les technologies de fabrication et l'évolution générale de la demande des biens et services ;

— la perception qu'on se fait de la main-d'œuvre et de la personne humaine à l'emploi des organisations ;

— les coalitions dominantes où l'on peut déceler une certaine alternance de l'influence exercée par ce qu'il a été convenu d'appeler les «spécialistes des ressources humaines», ou par les «spécialistes des relations du travail» (ou relations patronales–syndicales) ;

— l'éventail des activités dominantes marquées dans le temps d'abord par une absence évidente de coordination, puis par une meilleure intégration.

Ces quatre facteurs permettent de mieux comprendre l'évolution de la gestion des ressources humaines (tableau 1.1).

1.3.2 PREMIÈRE PHASE : DE LA GESTION DU PERSONNEL À LA GESTION DES RESSOURCES HUMAINES (1920-1960)

Depuis le tournant du siècle jusqu'au début des années 60, la «fonction personnel», en l'absence de services au personnel bien structurés, était

TABLEAU 1.1 L'ÉVOLUTION DE LA GESTION DES RESSOURCES HUMAINES
ET LES FACTEURS QUI EN FACILITENT LA COMPRÉHENSION

Facteurs	Phase 1 (1920-1960) Centrée sur des activités	Phase 2 (1960-1980) Vision systémique	Phase 3 (depuis 1980) Vision stratégique
Technologie	Chaîne de montage pour une production de masse	Automatisation	Nouvelle technologie de production (CFAO) pour une demande plus sélective
Perception de la main-d'œuvre	– Est abondante – Représente un coût de production – Est moins importante que la technologie – Forme un tout homogène	Devient un investissement, un actif, plutôt qu'une dépense	– Pénurie de main-d'œuvre dans certains secteurs – Recherche d'une plus grande flexibilité
Coalitions dominantes	– Spécialistes du personnel au premier rang – Montée des syndicats – Intervention de l'État	– Apogée des spécialistes des relations du travail – Début de la remontée des spécialistes des ressources humaines	– Responsabilisation des cadres – Importance des spécialistes des ressources humaines
Intégration des activités	– Sélection – Formation – Rémunération – Absence de coordination	Reconnaissance de l'interdépendance des activités	Planification stratégique des ressources humaines et alignement des pratiques

Source : BÉLANGER, L., « Évolution historique de la gestion des ressources humaines », dans BLOUIN, R. (dir.), *Vingt-cinq ans de pratique en relations industrielles au Québec*, Éd. Yvon Blais, 1989.

assumée en grande partie par les gestionnaires des différentes unités administratives, qui jouaient un rôle prépondérant dans les décisions concernant l'acquisition, l'affectation, le développement, l'appréciation et la rémunération de la main-d'œuvre. Avec la venue des spécialistes du personnel, les figures dominantes en matière d'influence se modifièrent et se succédèrent, imprégnant ainsi les principales activités de gestion du personnel d'un caractère technique, juridique et psycho-sociologique.

Par conséquent, cette époque fut caractérisée par une multiplicité d'activités et de programmes juxtaposés les uns aux autres, sans qu'on puisse vraiment en faire ressortir le caractère d'interdépendance. Toutefois, cette préoccupation évidente pour les activités se divise en trois orientations dominantes :

- une **orientation technique** (activités envisagées dans une perspective d'ingénierie);

- une **orientation juridique** (importance accordée aux activités de négociation et de gestion des conditions de travail contenues dans les conventions collectives);

- une **orientation psychosociale** (importance accordée aux relations humaines, à la supervision et aux attitudes du personnel).

UNE ORIENTATION TECHNIQUE

La disparition graduelle de la production artisanale fit place à la chaîne de montage, et l'accroissement de la taille des organisations obligea les directions d'entreprise à faire appel à une main-d'œuvre peu scolarisée, peu formée à l'exécution de tâches parcellaires et répétitives. Les entreprises créèrent donc un embryon de service du personnel chargé de mettre au point des méthodes et des techniques de sélection, de formation et de rémunération, et d'aider les gestionnaires à s'acquitter de leurs responsabilités en matière d'affectation et d'utilisation efficaces des employés à leur disposition. L'introduction de cette nouvelle technologie de fabrication pour répondre à une consommation standard de produits et de services a été rendue possible, en grande partie, par l'application intensive des principes de l'organisation scientifique du travail, dont les plus répandus sont les suivants :

- décomposer une tâche complexe en ses plus simples éléments afin d'éliminer ceux qui sont inutiles et de ne retenir que les gestes qui contribuent directement à la réalisation efficace et rapide de la tâche;

- choisir les personnes qui sont le plus qualifiées pour accomplir ces tâches simplifiées;

- former rapidement ces travailleurs aux méthodes les plus efficaces pour accomplir le travail;

- mettre en place un système de rémunération selon lequel les travailleurs les plus productifs reçoivent une rétribution plus élevée. C'est ainsi qu'au principe du *one best way* (de la meilleure manière d'accomplir une tâche) vint s'ajouter le principe de la rémunération au rendement.

Avec l'application intensive de ces principes dans les usines et, par la suite, dans les bureaux et avec cette technologie propre à la production en série, on s'est vite rendu compte que la personne humaine était loin de recevoir toute la considération qu'elle méritait. Déjà, F. W. Taylor (le concepteur de l'organisation scientifique du travail) soutenait que l'argent constituait la principale motivation au travail, la personne étant perçue plutôt comme une « commodité », un facteur de production ou encore un prolongement de la machine.

Sur ce point, Guérin, Le Louarn et Wils (1992) font état des attitudes à l'endroit de la main-d'œuvre qui prévalaient chez les gestionnaires à ce moment-là : la main-d'œuvre était considérée comme abondante, comme un coût, comme moins importante que la technologie et comme une entité homogène au sein d'une entreprise. En ce qui concerne le caractère abondant et interchangeable de la main-d'œuvre, les auteurs remarquent qu'« une telle mentalité ignore les pénuries de main-d'œuvre et ne tient pas compte des disparités dans les motivations et les besoins des travailleurs. Tous les employés qui ont les mêmes qualifications sont considérés comme interchangeables pour un même poste de travail. L'homme y est ramené à sa simple dimension de force de travail ».

Quant à la main-d'œuvre considérée comme un coût, les mêmes auteurs s'expriment ainsi : « Une entreprise est propriétaire de ses équipements, elle ne peut l'être ni des hommes ni même de leur capacité de travail. En conséquence, un employé reçoit un salaire en échange de son travail et ce salaire est considéré comme un coût ou une charge, alors que des terrains, des immeubles ou des machines sont comptés comme des investissements ». Par ailleurs, ils soutiennent que « lorsque la technique prime sur l'humain, elle impose alors un certain type de tâches, et le rôle de la gestion du personnel (généralement par une démarche en harmonie avec la théorie X de McGregor) consiste à adapter la main-d'œuvre à ces tâches ».

Dans un tel contexte technologique, qui s'accommode des attitudes traditionnelles à l'endroit d'une main-d'œuvre peu familière avec la discipline industrielle, on comprend que les spécialistes du génie industriel (organisation du travail et étude des temps et mouvements) et ceux de la nouvelle discipline de la psychologie industrielle aient accaparé la part du gâteau en matière de gestion du personnel, alors que les gestionnaires ont assisté à une réduction de leurs interventions dans ce domaine.

UNE ORIENTATION JURIDIQUE

En se cantonnant dans des attitudes aussi traditionnelles, les directions d'entreprise créaient en même temps un terrain propice à l'émergence et au développement des syndicats, qui ont vu leur effectif s'accroître constamment après avoir obtenu une reconnaissance légale et le monopole de représentation. Bénéficiant d'une reconnaissance juridique, les syndicats entraient, avec les directions d'entreprise, dans un régime de détermination conjointe des conditions de travail devant s'appliquer à l'ensemble des salariés d'un établissement. Au régime des contrats individuels de travail venait s'ajouter un régime de contrats collectifs. Il faut comprendre que les activités de négociation de tels contrats et leur application occupaient une place dominante dans les services du personnel, qui ont alors pris le nom de services du personnel et des relations industrielles. Par ailleurs, on estime à 60 % le temps consacré par les spécialistes des relations du travail à la négociation et à l'administration des conventions collectives.

Dans un tel contexte d'industrialisation intensive, à partir de la Seconde Guerre mondiale, le développement d'une législation du travail favorable à l'éclosion du syndicalisme vint imprégner d'un certain juridisme le domaine des relations du travail ou des relations patronales–syndicales. Ce phénomène a permis aux spécialistes des relations du travail de prendre plus de place et une plus grande importance au sein des services du personnel, forçant ainsi les spécialistes du personnel à demeurer momentanément dans l'ombre.

Même si les conditions de travail étaient en grande partie protégées par une convention collective, le travailleur ne bénéficiait pas pour autant d'une plus grande considération de la part des dirigeants d'entreprise. En effet, selon Guérin, Le Louarn et Wils (1992), l'attitude conventionnelle qui prévalait alors consistait en une vision de la main-d'œuvre comme «un tout homogène, solidaire, qui s'exprime par la voix des syndicats. Les rapports entre les gestionnaires et les employés baignent donc dans un climat de suspicion continuelle et ces derniers sont rarement traités en tant qu'individus, autonomes et uniques, tant est grande la peur qu'un traitement particulier accordé à un individu soit réclamé par l'ensemble de la main-d'œuvre».

UNE ORIENTATION PSYCHOSOCIALE

L'application intensive des principes de l'organisation scientifique du travail, l'entrée dans une économie de guerre (Seconde Guerre mondiale), la conversion industrielle à une économie de paix sont autant d'événements qui caractérisent une époque fortement préoccupée par la «dimension collective» de la gestion du personnel, et plus particulièrement les relations du travail. Cependant, cette période demeure marquée par un questionnement constant sur la place de la personne humaine dans les organisations. Déjà, à la fin des années 20 et au début des années 30, les sociologues du travail signalaient le caractère parcellaire, répétitif, aliénant du travail à la chaîne, et ses effets sur la satisfaction au travail. Un premier courant de recherche et de réflexion sur la place de l'individu dans un système de production prit forme avec les travaux et les enseignements de l'École des relations humaines (Elton Mayo et ses collègues). Tout en s'intéressant d'abord à l'environnement physique du travail et à son influence sur le rendement des ouvriers, ces chercheurs, formés aux méthodes de l'anthropologie, en vinrent, à leur propre insu, à découvrir l'importance du facteur humain dans l'explication d'un niveau plus ou moins élevé de rendement tant individuel que collectif. Non seulement le travailleur est-il motivé par l'argent, comme le prétendaient les partisans du taylorisme, mais également et surtout par un besoin d'appartenance sociale. Par conséquent, aux besoins d'ordre physique et de sécurité économique vient s'ajouter la nécessité, pour l'individu au travail, de se retrouver dans un contexte de relations interpersonnelles significatives, de se sentir membre à part entière d'une équipe de travail. On découvrit presqu'en même temps qu'un tel besoin d'appartenance sociale pouvait être en partie satisfait par la possibilité de contacts informels sur les lieux du travail et par le recours à un style approprié de supervision, c'est-à-dire plutôt permissif.

Les enseignements de l'École des relations humaines vinrent se fondre, vers la fin des années 50, dans un deuxième courant de recherche beaucoup plus vaste, celui des systèmes sociaux. De fait, la psychologie, la psychologie sociale et la sociologie appliquées plus particulièrement au travail ont apporté de nouveaux éclairages sur la motivation au travail et sur les conditions intrinsèques et extrinsèques à la tâche qui sont susceptibles de créer une satisfaction au travail, et même d'offrir la possibilité de se développer ou de se réaliser dans le travail.

Sans modifier substantiellement la vision de la main-d'œuvre qui prévalait alors chez les dirigeants des entreprises, ces deux courants des relations humaines et du début des systèmes sociaux ont favorisé la multiplication des programmes de formation des cadres axés sur la philosophie de gestion, les styles de supervision, la satisfaction au travail et la productivité. Ces programmes s'adressaient surtout aux superviseurs de première ligne, sans exercer une influence considérable sur les attitudes des directions supérieures des entreprises, toujours préoccupées d'asseoir leur autorité sur une masse de travailleurs difficilement adaptables à la sévérité d'une discipline industrielle, et de tenir à distance un syndicalisme de plus en plus envahissant.

Les spécialistes du personnel ont été appelés à jouer un rôle actif dans la mise sur pied de programmes de formation basés sur ces enseignements. La formation des cadres de premier niveau devint alors une activité dominante. Tout en redonnant aux spécialistes du personnel une certaine importance, une telle activité était loin d'occuper l'avant-scène au même titre que la négociation et l'administration des conventions collectives, qui demeuraient l'apanage des spécialistes des relations du travail.

1.3.3 DEUXIÈME PHASE: LA GESTION SYSTÉMIQUE DES RESSOURCES HUMAINES (1960-1980)

LES NOTIONS DE SYSTÈME ET DE RESSOURCES HUMAINES

Au tournant de la décennie 1960, la fonction personnel se présentait comme un éventail d'activités juxtaposées, sans référence à une vision d'ensemble, pour répondre aux demandes ponctuelles des responsables des opérations dans les entreprises. De plus, le caractère d'interdépendance inhérent à cet éventail d'activités échappait tant aux théoriciens qu'aux praticiens du domaine. Une telle absence de coordination des activités rendait difficile la reconnaissance et la réalisation d'objectifs communs pour une utilisation efficace et un traitement équitable des hommes et des femmes à l'emploi des organisations.

Au cours des années 60 et de la décennie suivante, avec l'introduction de l'automatisation des procédés de fabrication (lignes d'assemblage, de montage, procédés en continu) et la diffusion intensive des sciences des organismes vivants et de la cybernétique, les notions de système furent déterminantes dans notre façon d'accéder à une vision globale et intégrée des organisations et des personnes qui les composent. Soulignons immédiatement que la notion de système renvoie à une de ses composantes: les ressources. La personne humaine apparaît donc comme une ressource importante, ce qui explique en partie l'abandon graduel de l'expression «gestion du personnel» au bénéfice de «gestion des ressources humaines».

D'une façon très générale, la notion de système se définit comme une entité composée de parties différentes et interdépendantes, chacune contribuant à l'équilibre du système. Puisque l'entreprise est une réalité dynamique qui transforme des matières premières ou des ressources en produit ou en service dans un environnement bien caractérisé, il est préférable de retenir une définition plus dynamique, à savoir une entité composée d'éléments différenciés et interdépendants qui complète et renouvelle un cycle d'activités en utilisant des ressources dans le but de produire des résultats déterminés. Par exemple, l'entreprise qui fabrique des meubles fait subir à la matière première (le bois ou le métal) une série d'opérations qui sont autant d'activités spécialisées pour obtenir un produit (une table, des chaises, etc.), qui constitue le résultat, prêt à être livré à la clientèle désignée. La figure 1.1 fournit une représentation visuelle de cette notion.

L'APPLICATION DE LA NOTION DE SYSTÈME À LA GESTION DES RESSOURCES HUMAINES

Les résultats recherchés

Les organisations ou les entreprises sont des organismes de transformation des ressources physiques et financières en des biens et des services destinés à une clientèle précise, dans le but de réaliser un profit, du moins dans le secteur privé de la production et de la distribution des biens et services. Leurs objectifs (ou résultats recherchés) sont la rentabilité et la satisfaction de leur clientèle. La poursuite de tels objectifs à la fois économiques et humains implique, entre autres choses, l'utilisation de ressources humaines. Dans un tel contexte et pour répondre aux exigences des entreprises, la fonction ressources humaines doit atteindre les résultats suivants :

FIGURE 1.1 LES COMPOSANTES DE LA NOTION DE SYSTÈME ET LEUR INTERDÉPENDANCE

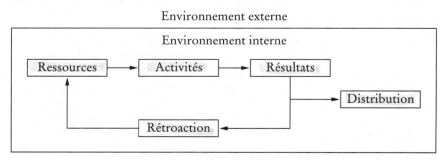

- une main-d'œuvre en quantité et en qualité suffisantes pour combler tous les postes de l'entreprise;
- une main-d'œuvre productive;
- une main-d'œuvre relativement stable;
- une main-d'œuvre satisfaite et valorisée par les tâches à accomplir.

Les résultats recherchés ou les objectifs de la fonction ressources humaines énumérés ci-dessus impliquent la coexistence de deux fins distinctes: une première d'ordre économique, la productivité du travail; une seconde d'ordre humain, la satisfaction au travail. On ne peut croire qu'une organisation réussisse à maximiser l'atteinte de cette double finalité, du moins à court terme. On voudrait bien, comme le soutient une croyance fort répandue, qu'un accroissement de la satisfaction au travail se traduise en tout temps par un accroissement de la productivité. Il n'en est pas toujours ainsi. Par exemple, si la direction d'une entreprise décide de changer la machinerie existante pour une autre plus performante qui nécessite moins de personnes, la productivité de celles qui demeurent en emploi sera probablement accrue, mais au prix d'un climat d'incertitude, d'insatisfaction (frustration) engendré par une réduction éventuelle de l'effectif. Il faut reconnaître que l'objectif de productivité renvoie à ceux de rentabilité, d'efficacité, de profitabilité, qui sont des objectifs d'ordre organisationnel, alors que la satisfaction au travail renvoie en grande partie à la poursuite d'intérêts individuels. À ce sujet, Warnotte (1978) remarque que «l'affirmation de la compatibilité entre objectifs de l'organisation et objectifs des individus serait incorrecte dans la mesure où elle ne refléterait pas la nature exacte de la dynamique des rapports internes de l'organisation». Il est clair qu'en pratique, la réalisation des objectifs de productivité, de rentabilité et de croissance peut être en conflit direct avec les intérêts de certains individus et de certains groupes et nécessiter un sacrifice de leur part. Bien avant, pour contrer cette réelle difficulté, P. Sappey (1972) proposait qu'on s'en tienne plutôt à une optimisation conjointe de la productivité et de la satisfaction:

> *La fonction personnel est donc par essence une fonction d'optimisation dans la mesure où ce terme implique non pas la satisfaction totale des besoins en présence (souvent impossible), mais la recherche d'un point d'équilibre optimal, variable d'un moment à l'autre, tel que les attentes des uns comme des autres soient satisfaites dans toute la mesure du possible, et que l'action des forces en présence aille dans un sens correspondant à la finalité de l'entreprise, ou du moins acceptable par elle.*

Les activités reliées à la gestion des ressources humaines

Il existe un consensus assez répandu à l'effet de regrouper la panoplie des activités de gestion des ressources humaines sous quatre grandes catégories.

1. La **planification** des ressources humaines : l'analyse des emplois et des qualifications exigées, l'analyse de l'environnement interne et externe de l'organisation, la détermination des besoins en effectif, l'élaboration des objectifs et des politiques en matière d'affectation et d'utilisation efficace des ressources.

2. L'**acquisition** des ressources humaines : le recrutement, la sélection et l'accueil.

3. Le **développement** des ressources humaines et de l'organisation : l'appréciation de la performance et du potentiel des personnes, la détermination des besoins en formation, l'élaboration des programmes de formation, la conduite des actions de formation, et l'évaluation, l'élaboration et la mise en place d'un programme de développement de l'organisation.

4. La **conservation** des ressources humaines (rétention) : la détermination de la valeur relative des postes de travail, la mise en place de structures de rémunération, la gestion des avantages sociaux, la négociation et la gestion des conventions collectives, la gestion de la santé et de la sécurité au travail, la mise sur pied de programmes d'aide aux employés.

D'autres activités également importantes peuvent s'ajouter à celles déjà énumérées, sans se retrouver sous l'une ou l'autre des rubriques mentionnées. Ainsi, la possibilité, pour les personnes, de participer aux décisions qui les concernent par la mise sur pied de cercles de qualité, de groupes semi-autonomes ou de groupes de progrès, et l'élaboration d'un projet partagé constituent autant d'activités qui concourent à motiver ou à mobiliser les ressources humaines dans un effort collectif de production. Elles concourent également à la création et au maintien d'un milieu de travail qui favorisera autant la progression individuelle que l'accomplissement dans le travail.

Les ressources reliées à la fonction ressources humaines

Sous cette rubrique, on retrouve les ressources humaines issues du marché du travail externe, qui entreront au service de l'organisation par les mécanismes de recrutement et de sélection. On retrouve également les ressources qui sont actuellement à l'emploi de l'organisation, et qu'il faudra réaffecter, former, promouvoir, apprécier, rémunérer, motiver. Des ressources particulières, tels les spécialistes et les techniciens de la gestion des ressources humaines, viennent s'ajouter. On retrouve aussi des ressources financières (budgets) et des ressources physiques nécessaires à l'accomplissement efficace des activités de gestion des ressources humaines.

La rétroaction

La rétroaction consiste à obtenir de l'information sur le degré d'atteinte des objectifs de la fonction en vue d'effectuer des corrections quant à la quantité et à l'utilisation des ressources, quant aux programmes d'action et aux objectifs actuels dont la révision s'impose. De fait, nous disposons d'un certain nombre d'indicateurs qui permettent de juger du degré d'atteinte des objectifs.

L'environnement

Sans être une composante du système de gestion des ressources humaines, l'environnement interne et externe de l'organisation devient à son tour une réalité importante étroitement associée à celle du système et de ses composantes. En effet, un système de gestion des ressources humaines, pour demeurer dynamique et permettre d'effectuer des ajustements, doit être sensible aux changements dans l'environnement. Une telle vision systémique, globale ou intégrée de la fonction ressources humaines invite à dépasser une conception jadis centrée sur le caractère particulier et isolé de chacune des activités pour envisager leur caractère d'interdépendance, pour saisir la contribution particulière de chacune à la réalisation des objectifs de la fonction. De plus, l'adoption d'une telle vision permet de réaliser plus facilement qu'il est approprié de délaisser l'expression «gestion du personnel» au profit de «gestion des ressources humaines» pour mettre en évidence le caractère dynamique de la fonction, et les liens organiques qu'elle entretient avec les objectifs des autres fonctions et ceux de l'organisation dans son ensemble.

Cependant, cette vision n'a peut-être pas connu toute la diffusion qu'on aurait souhaité. Il faut se rappeler qu'au début de la période 1960-1980, le spécialiste des ressources humaines n'avait pas toute la renommée et l'admiration dont jouissait le spécialiste des relations du travail, qui pouvait alors soutenir qu'il valait mieux chercher à éviter une grève «à tout prix» que chercher à améliorer la qualité de la vie au travail. Toutefois, au cours de cette même période, les spécialistes des ressources humaines, excluant le volet «relations du travail», ont repris la place qu'ils occupaient jadis. Il faut ajouter que certains facteurs externes à l'entreprise ont contribué à leur redonner plus de pouvoir ou d'importance. Mentionnons, à titre d'exemple, l'entrée en vigueur de nouvelles législations visant à réduire la discrimination au travail ou à favoriser l'égalité d'accès à l'emploi. Par ailleurs, vers la fin de cette période, nous constatons que, malgré sa cohérence quant à l'agencement des activités, malgré la conception de la personne humaine qu'elle véhicule, cette vision empruntée à la théorie des systèmes comporte certaines faiblesses, à un point tel qu'on tente aujourd'hui non pas de lui en substituer une autre, mais plutôt d'en assurer le prolongement par la formulation et la mise en pratique de ce qu'on va décrire comme étant une nouvelle approche: celle de la gestion stratégique des ressources humaines.

1.3.4 *Troisième phase: la gestion stratégique des ressources humaines (1980 à aujourd'hui)*

Au début des années 80, la relative stabilité de la demande pour les biens et les services qu'on avait connue au cours des «trente glorieuses» (c'est-à-dire les trente années d'une croissance économique constante) faisait place à l'ouverture graduelle de l'économie au marché mondial, forçant les entreprises à diversifier leurs gammes de produits pour répondre à une demande plus sélective, soit par la création de produits nouveaux, soit par des fusions ou des acquisitions. Au même moment apparaissait une nouvelle législation introduisant une ère de déréglementation dans les services publics plus particulièrement, et dans les secteurs des transports et des services financiers. Dans un tel contexte, après avoir en grande partie épuisé le réservoir de productivité que représentait l'utilisation intensive des technologies nouvelles, les directions d'entreprise se tournèrent du côté des ressources humaines pour accroître la productivité par le biais d'efforts de restructuration et d'amélioration de la qualité des produits et des services. C'est ainsi qu'elles en sont venues à conclure que la «ressource humaine» bien sélectionnée, bien formée et bien rémunérée pouvait procurer à l'entreprise un avantage compétitif.

Les auteurs Dertouzos, Lester et Solow (1990), dans un ouvrage intitulé *Made in America*, font état des faiblesses de l'industrie américaine: stratégies dépassées, vision à court terme, faiblesse technologique dans le développement des produits, mauvaise communication entre le gouvernement et l'industrie, négligence en matière d'utilisation des ressources humaines. On voit donc que les ressources humaines, si elles étaient bien utilisées, deviendraient un élément important, voire stratégique, dans la relance de l'économie nord-américaine. On saisit en même temps la nécessité d'établir des liens organiques entre une vision plus stratégique de la gestion des entreprises et les politiques et pratiques de gestion des ressources humaines.

Dans un tel contexte, la gestion des ressources humaines se retrouvait à une croisée de chemins: ou bien s'adapter, comme on le faisait dans le passé, aux décisions importantes déjà prises par la direction générale, ou bien effectuer une planification des ressources humaines parallèle et s'intégrant à une démarche de gestion stratégique globale.

Le premier cheminement implique que la gestion des ressources humaines se fait a posteriori, en demeurant à la remorque des décisions critiques prises par la direction générale et en effectuant les accommodements exigés. Le deuxième cheminement implique plutôt que la personne responsable des ressources humaines occupe une place importante au sein d'un comité de planification stratégique, et que la réflexion stratégique portant sur l'affectation des ressources humaines se fait en même temps que les études et les discussions sur l'avenir de l'entreprise, sur les choix à retenir qui vont par la suite engager un tel avenir.

Au fur et à mesure qu'une telle vision s'installe dans les entreprises, un éventail assez considérable de chercheurs élaborent des modèles pouvant intégrer la planification stratégique des ressources humaines à l'effort de planification stratégique des entreprises. Par conséquent, nous disposons d'un certain nombre de ces modèles et nous en présentons ici quelques-uns d'une manière, il va sans dire, plutôt brève.

Auparavant, pour en faciliter la compréhension, nous définissons sommairement les concepts de stratégie, de gestion stratégique et de gestion des ressources humaines.

LA DÉFINITION DE CERTAINS CONCEPTS

La notion de stratégie, qui est intensivement utilisée dans le domaine militaire, concerne le «choix du moyen le plus approprié pour atteindre un objectif, tenant compte de la réaction anticipée de l'adversaire». Par exemple, un corps d'armée à qui l'on a confié la mission de déloger l'ennemi retranché dans une position névralgique, dont on veut s'emparer à tout prix, retiendra le moyen à la fois le plus efficace et inconnu de l'ennemi.

Donc, on peut aussi bien parler de conquête d'un marché par une entreprise que de conquête d'un territoire par une armée. Il devient alors utile et convenable de transposer le concept de stratégie dans le domaine de la gestion des entreprises et des ressources. On élargira alors ce concept de façon à inclure non seulement les moyens les plus appropriés pour atteindre des objectifs, mais également le processus même d'élaboration et du choix de ces objectifs. La gestion stratégique se présente alors comme «le processus (ou la séquence des activités) qui consiste en l'élaboration et la mise en œuvre des moyens appropriés en vue d'atteindre les objectifs d'une entreprise et de réaliser sa mission, dans un environnement difficilement prévisible et fortement concurrentiel».

À son tour, la mission se présente comme étant la raison d'être de l'entreprise, lui imprimant ainsi en grande partie son caractère. Par exemple, dans le cas de l'entreprise Bombardier, la mission a trait à la fabrication de matériel de transport, et non uniquement à la fabrication de rames de métro. Appliquée au domaine de la gestion des ressources humaines, la notion de gestion stratégique des ressources humaines renvoie en grande partie à une préoccupation touchant l'harmonisation des pratiques de gestion des ressources humaines dans les entreprises ou les organisations qui sont gérées dans une perspective stratégique. Pour nous en convaincre, pensons à l'avalanche d'articles et d'ouvrages spécialisés qui traitent de ce sujet, c'est-à-dire l'alignement ou l'appariement des pratiques (ou stratégies) de gestion des ressources humaines avec les stratégies de l'entreprise. Cependant, une telle expression couvre plus qu'une préoccupation pour l'alignement des pratiques. Elle veut, d'une part, décrire la contribution des directions de ressources humaines aux processus d'élaboration et de mise en œuvre des stratégies d'entreprise; d'autre part, elle entend appliquer au domaine des ressources humaines la démarche, les modes de raisonnement propres à la formulation et à la mise en œuvre des stratégies. Par conséquent, une définition appropriée de la gestion stratégique des ressources humaines serait la suivante: c'est un processus de gestion qui consiste à prendre en considération les ressources humaines lors de l'élaboration et de la mise en œuvre des stratégies de gestion d'une entreprise, de façon que les orientations et les pratiques dans ce domaine soient harmonisées avec celles de l'entreprise, en tenant compte des contextes interne et externe qui ont cours à un moment donné.

DEUX MODÈLES DE GESTION STRATÉGIQUE DES RESSOURCES HUMAINES

Le modèle de Fombrun, Tichy et Devanna

Fombrun, Tichy et Devanna (1984) ont cherché à présenter les principales pratiques de gestion des ressources humaines dans une perspective intégrée, cohérente et stratégique. Ils reconnaissent d'abord que certains facteurs environnementaux ont une influence considérable sur la définition de la mission et des stratégies de l'entreprise qui, à leur tour, se répercutent sur la structure de l'entreprise et son système de gestion des ressources humaines. La mission et la stratégie traduisent la raison d'être de l'organisation et déterminent dans une certaine mesure le choix des moyens en matière de ressources humaines, financières, technologiques et informationnelles. La structure organisationnelle se présente comme une mosaïque d'activités différenciées et coordonnées de façon à mettre en œuvre la stratégie et à réaliser la mission. Le système de gestion des ressources humaines dont les composantes entretiennent un lien très étroit avec la stratégie recouvre les quatre éléments suivants :

— la **sélection**, incluant la planification des flux de main-d'œuvre ;

— l'**appréciation** de la performance, de façon à offrir une rémunération équitable et stimulante en récompensant une performance élevée ;

— la **rémunération** ou, pour reprendre un concept beaucoup plus vaste, les récompenses sous forme de salaire, de boni, de participation aux bénéfices ou à l'achat d'actions, de considération, d'avancement ;

— le **développement**, qui comprend les activités de formation offertes à toutes les catégories de travailleurs en vue d'améliorer leur performance dans leurs fonctions actuelles et de les doter de connaissances et d'habiletés nouvelles pour accéder à des fonctions comportant des responsabilités plus importantes.

Les composantes du modèle de ces trois auteurs et les liens étroits d'interdépendance qu'elles entretiennent, dans un environnement dont les dimensions culturelles, économiques et politiques sont importantes, sont présentées dans la figure 1.2. On remarquera que les décisions concernant la rémunération, l'appréciation, la formation et la sélection sont avant tout déterminées par le niveau de performance et l'appréciation qui en est faite.

FIGURE 1.2 LE MODÈLE DE FOMBRUN, TICHY ET DEVANNA

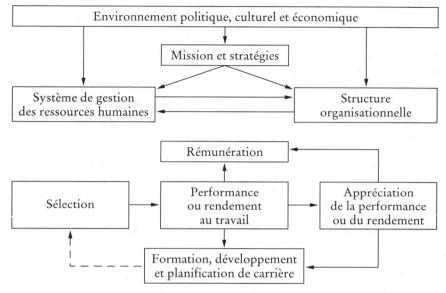

Source: FOMBRUN, C., TICHY, N. et DEVANNA, M.A., *Strategic Human Resource Management*, New York, John Wiley & Sons, 1984.

La logique qui sous-tend ce modèle renvoie au caractère de contingence que prennent les stratégies et les structures d'une entreprise et, partant, les choix en matière de gestion des ressources humaines. Dans le même ordre d'idées, illustrons par quelques propositions les relations qui peuvent exister entre les variables d'un tel modèle.

Une entreprise qui en est à son lancement adoptera une stratégie entrepreneuriale. Elle adoptera une structure linéaire simple et fera appel, pour la sélection, à un personnel inventif, créateur, capable de collaborer à la réalisation d'un projet. L'appréciation du rendement sera effectuée sans système formel et elle portera surtout sur l'observation des résultats. Une bonne partie de la rémunération sera variable, c'est-à-dire établie en fonction des résultats obtenus. La formation se fera sur place et sera étroitement reliée à l'acquisition des compétences nécessaires à la fabrication d'un produit unique ou à la réalisation d'un projet.

Par contre, l'entreprise qui a atteint un stade de maturité et qui pratique une stratégie de diversification (addition de nouvelles gammes de produits soit par acquisition ou par voie de croissance interne) adoptera possiblement une structure multidivisionnelle avec un état-major nombreux. La poursuite d'une telle stratégie nécessite des procédures de recrutement et de sélection assez formalisées, comportant des critères explicites et objectifs. L'appréciation se fera à l'aide de systèmes multicritères, mettant l'accent sur l'atteinte ou non des résultats escomptés ou sur le renforcement de comportements attendus dans les postes. La rémunération, tout en répondant à des critères d'équité interne, sera fonction du degré d'efficacité. La formation visera également l'efficacité à court terme par un apprentissage rapide des tâches définies de façon étroite, sans inciter les personnes à s'engager affectivement dans leur travail.

Ces quelques exemples de liens organiques entre des stratégies d'entreprise et des pratiques de gestion des ressources humaines ne doivent pas nous inciter à conclure pour autant que la nature des stratégies retenues par une entreprise, dans un contexte donné, détermine de façon mécanique les pratiques à adopter sur le plan de l'allocation et de l'utilisation des ressources humaines. À ce sujet, Guérin et Wils (1989) soulignent que d'autres facteurs entrent en ligne de compte : « la structure, la technologie, la philosophie de gestion, l'environnement externe, les aspirations et besoins de la main-d'œuvre interne ».

Le modèle de Dyer et Holder

Dyer et Holder (1988) ont conçu un modèle de gestion stratégique des ressources humaines qui met en relation des facteurs environnementaux, plus particulièrement la stratégie de développement de l'entreprise et son influence dans l'élaboration des objectifs, et des moyens qui vont imprimer un caractère stratégique à la gestion des ressources humaines. Les objectifs sont définis sous les quatre volets suivants :

- la **contribution**, c'est-à-dire les objectifs de rendement ou les comportements attendus des individus et des groupes à l'emploi de l'entreprise ;

- la **composition de l'effectif**, c'est-à-dire la distribution des compétences, la proportion de l'effectif d'encadrement sur l'effectif d'exécution, le nombre de niveaux d'autorité ;

- la **compétence**, c'est-à-dire le niveau général de qualification que l'entreprise exige des différentes catégories de personnel qui composent l'effectif ;

- l'**engagement**, c'est-à-dire le degré d'identification des employés aux objectifs de l'entreprise et le degré d'attachement visé.

Quant aux moyens retenus ou à retenir pour atteindre l'un ou l'autre des objectifs décrits plus haut, le modèle propose un éventail d'activités ou de programmes d'action beaucoup plus large que pour les modèles précédents. En effet, on retrouve les champs d'activités de la gestion des ressources humaines qui concernent aussi bien les spécialistes des services de gestion des ressources humaines que les dirigeants des services opérationnels. Sans les décrire en détail, nous en donnons ici la liste: le recrutement et la sélection; la formation; la rémunération; l'organisation du travail; l'appréciation du rendement; la communication descendante et ascendante, c'est-à-dire la possibilité de régler les plaintes ou les griefs; les relations de travail; les rapports avec les diverses agences gouvernementales. Ces champs d'activités ou de responsabilités propres aux ressources humaines constituent autant de choix de pratiques qu'il faut créer et maintenir dans la poursuite des objectifs de la gestion des ressources humaines, en tenant compte des facteurs d'environnement interne et externe.

La figure 1.3 fournit une représentation visuelle du raisonnement des auteurs quant aux liens à établir entre l'éventail des variables qui peuvent influer sur la formulation des objectifs et des moyens en matière de gestion des ressources humaines.

FIGURE 1.3 LE MODÈLE DE DYER ET HOLDER

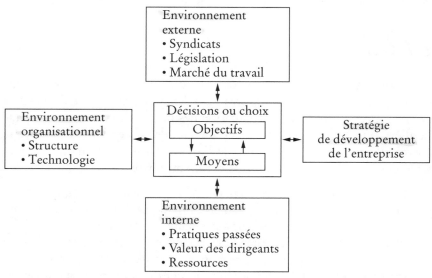

Source: DYER, L. et HOLDER, G., « A strategic perspective of human resource management », dans DYER, L. (dir.), *Human Resource Management: Evolving Roles and Responsibilities,* Washington, Bureau of National Affairs, 1988.

Dyer et Holder, pour compléter leur modèle, ont retenu trois grandes stratégies de ressources humaines qui font partie du répertoire des stratégies déjà connues: une stratégie d'incitation ou d'encouragement fortement axée sur la réduction des coûts; une stratégie d'investissement dont l'élément principal est la promotion de la qualité; enfin, une stratégie d'engagement mettant l'accent sur la flexibilité et l'innovation.

Sous chacun de ces volets stratégiques s'établissent des liens de cohérence entre les fins poursuivies, le choix des moyens dans chacun des champs d'activités, en tenant compte des variables de contexte interne, externe, organisationnel et de la stratégie de développement de l'entreprise. Par exemple, à une stratégie d'incitation correspondent une structure organisationnelle centralisée, des normes élevées de rendement, un personnel d'encadrement réduit, une compétence juste suffisante pour répondre aux exigences actuelles des tâches, et un engagement utilitaire de la part du personnel. Quant au choix des moyens dans les principaux champs d'activités de la gestion des ressources humaines, on constate le caractère soigné et systématique de la sélection du personnel, des occasions de formation, une rémunération à la pièce, des tâches simplifiées, une supervision minimale, peu de communication avec les employés, des mesures pour tenir le syndicat à distance, une satisfaction minimale aux exigences des lois concernant la santé et la sécurité au travail, la discrimination en emploi, etc.

1.4 CONCLUSION

Ces modèles, en dépit de leur formulation différente, comportent des points communs tels que l'importance des activités clés de la gestion des ressources humaines, l'articulation des liens entre une stratégie particulière retenue par l'entreprise et le choix des objectifs et des moyens correspondants dans le domaine de l'allocation et du traitement équitable des ressources à l'emploi de cette entreprise.

La formulation et la mise en place d'une vision stratégique de la gestion des ressources humaines met en évidence l'importance du rôle du spécialiste des ressources humaines dans l'entreprise. En effet, l'alignement des stratégies de gestion des ressources humaines sur celles de l'entreprise rend nécessaire la présence du spécialiste des ressources humaines au sein de l'équipe de direction et du comité de planification stratégique. Le rôle du spécialiste des ressources humaines consistera alors à véhiculer l'information pertinente concernant l'état actuel et l'état souhaité des ressources humaines aux différents moments de l'élaboration et de la mise en œuvre de la stratégie de l'entreprise. Dans la même foulée, les activités importantes en gestion des ressources humaines seront la cueillette et le traitement de l'information nécessaire à la planification des ressources humaines et à la planification stratégique de l'entreprise. Le contexte qui prévaut et qui continuera de prévaloir au cours de la prochaine décennie sera marqué surtout par la mondialisation de l'économie, la recherche d'une plus grande souplesse ou flexibilité tant sur le plan de la technologie que de l'organisation du travail et de la main-d'œuvre nécessaire à la production des biens et des services.

En retraçant ainsi les trois grandes phases de l'évolution de la fonction ressources humaines, il ne faudrait pas en déduire que toutes les organisations, dans tous les secteurs de l'activité économique, ont adopté la perspective stratégique. Loin de là : certaines qui épousent toutes les caractéristiques de la bureaucratie centralisée comme forme dominante de structure organisationnelle éprouvent des difficultés à prendre le tournant, tellement le poids des résistances au changement demeure présent. Par contre, d'autres organisations plus souples, ou pour se donner un avantage compétitif en matière de productivité accrue du travail, ont opté pour une vision qui cherche à harmoniser les choix critiques en matière de gestion des ressources humaines avec les stratégies d'entreprise.

QUESTIONS

1. Décrivez les principales caractéristiques de chacune des trois phases de l'évolution de la gestion des ressources humaines.

2. Établissez un parallèle entre les objectifs d'une entreprise et ceux de la gestion des ressources humaines en utilisant la notion de « système ».

3. Établissez une distinction entre les objectifs de gestion des ressources humaines qui seraient compatibles avec ceux de l'entreprise et les objectifs qui ne seraient pas toujours compatibles.

4. Pourquoi serait-il souhaitable que le responsable du service des ressources humaines fasse partie du comité de planification stratégique de l'entreprise ?

5. La prise en considération des ressources humaines lors de la formulation des stratégies de l'entreprise serait l'élément suffisant pour conclure à l'existence d'une gestion stratégique des ressources humaines. Commentez cette affirmation.

BIBLIOGRAPHIE

BÉLANGER, L., «Évolution historique de la gestion des ressources humaines», dans BLOUIN, R. (dir.), *Vingt-cinq ans de pratique en relations industrielles au Québec*, Éditions Yvon Blais, 1989, p. 651-667.

DERTOUZOS, M., LESTER, R. et SOLOW, R., *Made in America*, Paris, Inter-Éditions, 1990.

DYER, L. et HOLDER, G., «A strategic perspective of human resource management», dans DYER, L. (dir.), *Human Resource Management: Evolving Roles and Responsibilities*, Washington, Bureau of National Affairs, 1988.

FOMBRUN, C., TICHY, N. et DEVANNA, M.A., *Strategic Human Resource Management*, New York, John Wiley & Sons, 1984.

GUÉRIN, G. et WILS, T., «L'harmonisation des pratiques de gestion des ressources humaines au contexte stratégique: une synthèse», dans BLOUIN, R. (dir.), *Vingt-cinq ans de pratique en relations industrielles au Québec*, Éditions Yvon Blais, 1989, p. 690.

GUÉRIN, G. et WILS, T., *Gestion des ressources humaines*, Montréal, Presses de l'Université de Montréal, 1992.

SAPPEY, P., «La fonction Personnel: finalités et objectifs possibles», *Personnel*, Paris, n° 148, 1972.

WARNOTTE, G., «De l'administration du personnel à la gestion sociale: le véritable enjeu», *Revue des sciences économiques*, Louvain, Belgique, 1978.

CHAPITRE 2

LES EFFETS DE L'ENVIRONNEMENT EXTERNE ET INTERNE SUR LES RESSOURCES HUMAINES

par Laurent Bélanger

OBJECTIFS

Après l'étude de ce chapitre, vous devriez être en mesure :
- d'identifier les changements qui ont cours dans l'environnement technologique, économique, politico-juridique et socioculturel des entreprises ;
- de reconnaître l'influence de tels changements sur la gestion des ressources humaines au sein des entreprises ;
- d'identifier les changements dans l'environnement interne des entreprises en matière de gestion et de culture ;
- de reconnaître l'influence de ces changements sur les choix importants en matière de gestion des ressources humaines.

MISE EN SITUATION

LE JUSTE-À-TEMPS

Il n'y a pas si longtemps, chez Kraft, il fallait 184 minutes pour régler et mettre en marche la chaîne de remplissage des pots de

Cheez Whiz. Aujourd'hui, cette opération prend 16 minutes. Le géant de l'alimentation peut désormais modifier sa chaîne de production pour s'adapter immédiatement à la demande. Résultat: les produits finis n'ont plus à être stockés.

« Dans le secteur de l'alimentation, les consommateurs exigent aujourd'hui une plus grande variété de produits, toujours plus frais, explique Edward Smeds, vice-président à la production et à la technologie chez Kraft. Dans l'usine québécoise, le simple réglage de quelques boulons sur la chaîne de remplissage a permis de réduire le temps de production. On a aussi modifié le système de rails afin de remplir plusieurs formats sur la même chaîne. » De cette façon, le fabricant n'est plus obligé de préparer à l'avance les Cheez-Whiz-à-saveur-mexicaine et de les entreposer. Il peut remplir les commandes au fur et à mesure.

Le juste-à-temps n'est pas une nouvelle philosophie orientale, mais un ensemble de techniques bien concrètes qui permettent de produire au moment voulu et dans le plus court laps de temps possible. La productivité de l'usine s'en trouve automatiquement accrue, puisque ce type de gestion vise à réduire le temps consacré à la fabrication d'un produit et supprime les frais de stockage des pièces qui attendent d'être livrées ou terminées.

Selon André Telmosse, ingénieur consultant chez Arthur Andersen, une firme spécialisée notamment dans l'organisation de la production: « Le grand principe à la base de ce système consiste à passer de la production de masse à la fabrication de plus petits lots, non pas en fonction des ventes prévues, mais plutôt des commandes réelles ». Idéalement, la fabrication ne commence que lorsque le produit est commandé.

Plusieurs croient à tort que le juste-à-temps consiste surtout à réduire les stocks en obligeant les fournisseurs à livrer les pièces détachées ou les matières premières au moment voulu, afin de réduire les stocks en amont de la chaîne de fabrication.

En fait, il s'agit d'abord d'organiser la production de façon à réduire les stocks de produits en cours de fabrication, grâce à une meilleure configuration des chaînes de fabrication, à une diminution du temps de mise en marche, à une réduction de la manutention des produits, etc. Quant aux négociations avec les fournisseurs pour obtenir les produits à l'heure et à l'endroit souhaités, il s'agit là de la dernière étape de l'implantation du système.

Le juste-à-temps est loin d'être une formule toute faite qu'il suffit de «plaquer» à une entreprise en l'adaptant à sa situation particulière. Chaque fois, il faut inventer les façons de procéder qui permettront de changer pour le mieux les opérations de production. Il faut trouver, parmi les milliers de combinaisons possibles, la façon la plus simple d'accélérer la production.

«Les changements varient énormément selon le type de production. Mais à la base du juste-à-temps se trouve souvent le concept de la cellule manufacturière en forme de U», explique Mario Godard, professeur de génie industriel à l'École polytechnique.

Ainsi, pour fabriquer 10 000 tables dans les usines traditionnelles nord-américaines, la première étape consiste à faire passer les 10 000 dessus de table sur la chaîne afin de percer le coin inférieur droit par la perceuse numéro un. On achemine ensuite le lot sur une autre chaîne pour faire le trou inférieur gauche avec la perceuse numéro deux. La cellule manufacturière en forme de U, c'est tout simplement une chaîne qui regroupe les différents équipements, les perceuses, les fraiseuses, etc. La cellule, une sorte de mini-usine, permet de fabriquer au complet toutes les pièces qui seront ensuite assemblées et livrées.

«L'implantation des nouveaux procédés oblige les fabricants à revoir en profondeur toutes les étapes de fabrication, souligne Mario Godard, à commencer par l'équipement.» Actuellement, lorsque la production est interrompue à cause d'un bris d'équipement, on fait venir le technicien. Dans les usines de l'avenir, les travailleurs seront appelés à réparer eux-mêmes les appareils. Ils devront connaître les fonctions vitales des machines, d'où la nécessité d'acheter des équipements faciles à comprendre et d'investir dans la formation des travailleurs.

Au Québec, une poignée d'entreprises se sont converties au juste-à-temps, comme Venmar, Alcan, Bombardier, Kraft, Papier Rolland, Johnson & Johnson.

Les ingénieurs d'Andersen ont piloté durant deux ans un projet de productivité de la société japonaise Yamaha. Depuis 1982, leurs experts ont implanté le juste-à-temps dans quelque 600 usines à travers le monde. Leroy D. Peterson, ingénieur de la firme Yamaha à Chicago, affirme qu'en Amérique du Nord, neuf usines sur dix fonctionnent avec des techniques datant de 1920. «Les usines québécoises accusent un retard important en automatisation, dit-il, mais pour le moment, c'est un atout. Le juste-à-temps n'exclut pas l'automatisation ni les robots, bien au contraire. Les équipements de haute technologie sont un élément essentiel des usines du futur. Mais il faut d'abord faire le ménage.»

Source: FRÉCHET, L., «Le juste-à-temps», *Commerce*, mai 1990, p. 92-96 (extrait).

QUESTIONS

1. En vous aidant de cet extrait, définissez ce nouveau procédé de fabrication qu'est le juste-à-temps.

2. Quelles sont les principales caractéristiques de ce nouveau procédé?

3. Avec l'implantation de ce nouveau procédé, peut-on parler d'une «nouvelle» chaîne de fabrication? Si oui, en quoi est-elle si différente de l'ancienne?

4. Quels changements entraîne l'implantation de ce nouveau procédé de fabrication sur les qualifications des travailleurs?

2.1 INTRODUCTION

L'analyse des contraintes et des opportunités de l'environnement externe et des forces et des faiblesses de l'environnement interne constitue le point de départ d'une vision stratégique de l'entreprise et des ressources humaines à sa disposition. On procède à une telle analyse par un relevé du comportement passé et actuel des grandes variables technologiques, économiques, socioculturelles et politico-juridiques, pour arriver à dégager les tendances susceptibles d'influer sur la survie même de l'entreprise. Pour être efficace et pour conserver un niveau acceptable de rentabilité, l'entreprise doit mettre en place un éventail de moyens facilitant son adaptation à un contexte changeant; il est possible qu'elle soit, à la suite de cet exercice, obligée de redéfinir son marché ou sa clientèle, voire sa mission et sa raison d'être.

L'effort d'adaptation à un environnement complexe et turbulent ne va pas sans un réexamen à l'interne des forces et des faiblesses qui caractérisent l'entreprise quant à la nature des produits ou des services, à la technologie de fabrication et de distribution, à la structure organisationnelle, de même qu'au climat et à la qualité des ressources humaines dont elle sollicitera la collaboration dans l'avenir.

On ne saurait trop insister sur l'importance d'une telle analyse qui se veut une étape importante de la réflexion stratégique. Le présent chapitre traitera donc, dans un premier temps, des tendances de l'environnement externe susceptibles d'avoir un effet sur la survie et la croissance d'une entreprise et sur l'utilisation des ressources humaines. Nous étudierons les grandes tendances ou les défis en les regroupant sous les rubriques suivantes :

– la technologie ;

– l'économie ;

– l'évolution politico-juridique ;

– la dimension socioculturelle.

Dans un deuxième temps, nous aborderons les aspects importants de l'environnement interne de l'entreprise, qui constitueront autant d'éléments d'un bilan à effectuer en vue de décider des stratégies à adopter dans le domaine des ressources humaines et de l'harmonisation des pratiques de gestion des ressources humaines avec celles de l'entreprise.

2.2 L'ANALYSE DE L'ENVIRONNEMENT EXTERNE

2.2.1 LES NOUVELLES TECHNOLOGIES

Nous sommes tous en mesure de constater qu'au cours des deux dernières décennies l'industrie de l'armement militaire a appliqué de façon intensive la haute technologie. La variété des armes d'attaque et de défense présente un degré de précision, de rapidité et de manœuvrabilité jamais égalé. Une telle percée a influé sur la technologie de production des biens et des services.

Au cours des dernières années, dans un effort de modernisation des équipements de production, les entreprises se sont tournées vers l'utilisation graduelle des robots sur les chaînes de montage, réduisant ainsi le nombre de tâches répétitives et fastidieuses. Elles ont également informatisé leur production en introduisant la conception et la fabrication assistées par ordinateur (CAO et FAO).

D'autres technologies nouvelles, telles la gestion de la production assistée par ordinateur (GPAO) et la planification des besoins en composants (PBC) font leur apparition dans les usines. Un premier effet de l'utilisation de ces technologies est d'introduire une certaine flexibilité dans le processus de fabrication et dans l'organisation du travail, rendant ainsi possible l'application des concepts de juste-à-temps (JAT) et de qualité totale (QT). L'idée du juste-à-temps renvoie à une planification de la production qui prend comme point de départ la demande pour le produit ou le service en tenant compte de son caractère très fluctuant et très sélectif à court terme. On voit disparaître la rigidité des anciennes chaînes de montage qui liait l'effort de production à l'état des inventaires des produits finis, des encours ou encore des matières premières. Par ailleurs, produire juste à temps n'exclut pas, bien au contraire, la possibilité de faire bien du premier coup (zéro défaut), ce qui nous amène à penser que la notion de qualité totale est compatible avec l'application du concept de juste-à-temps.

L'introduction de ces nouvelles technologies laisse déjà entrevoir, entre autres, des effets sur l'organisation du travail et sur les qualifications exigées. Guérin et ses collaborateurs (1990) ont procédé à une étude du cas de Marconi en retenant trois catégories d'effets sociaux, à savoir les conséquences sur le volume d'emploi, sur les qualifications et sur la qualité de vie au travail (travail en soi, conditions de travail, santé et sécurité au travail, contexte organisationnel).

En matière d'organisation du travail, on fait de plus en plus appel à la constitution d'équipes de travail (*work teams*), de petites unités relativement autonomes, responsables d'une section de la fabrication d'un produit et de l'affectation des ressources humaines. Quelques-unes de ces petites unités prennent la forme de groupes semi-autonomes, de groupes de progrès, de groupes d'amélioration de la productivité, de cercles de qualité, etc.

La flexibilité de l'organisation du travail se répercute aussi sur la nature des postes de travail et les qualifications exigées. À des postes polyvalents doit correspondre une certaine polyvalence des qualifications. L'aptitude à apprendre de nouvelles tâches, à travailler en équipe, et la capacité d'analyse et de jugement deviennent des critères d'embauche aussi importants, sinon plus importants que l'expérience dans une spécialisation unique. Il faut retenir, cependant, qu'on ne connaît pas avec certitude l'effet des systèmes informatisés de production.

Certains y voient une accentuation de la déqualification, d'autres une requalification de certains emplois de production, des techniciens et des ingénieurs.

Les employés de bureau délaissent la machine à écrire au profit des machines à traitement de texte, alors que les techniciens, les professionnels et les cadres gestionnaires se familiarisent avec les ordinateurs personnels et les ordinateurs centraux. L'informatisation du travail de bureau et de gestion produit également des effets, dont la nature exacte fait l'objet de controverses. On assiste à un mouvement de décentralisation de la prise de décision et de simplification des règles bureaucratiques au sein des organisations, dû en partie à la possibilité de véhiculer l'information d'une façon rapide et précise. L'accroissement de l'autonomie décisionnelle s'accompagne d'une simplification des structures administratives, qui se traduit par une réduction des niveaux d'autorité, entraînant dans son sillage une réduction du personnel d'encadrement, surtout celui de niveau intermédiaire.

Dans ce contexte des années 2000, on peut imaginer des emplois de bureau, de techniciens et de cadres substantiellement modifiés. La sélection du personnel cadre deviendra plus rigoureuse et fortement axée sur la capacité d'animer des équipes de travail. Un tel aplatissement des structures administratives entraîne un certain décloisonnement des spécialités et modifiera les filières de mobilité professionnelle en les rendant plus flexibles et moins axées sur la profession ou la possession d'un savoir ultraspécialisé. Chez les employés de bureau, on assiste plus particulièrement à un glissement de l'autorité des supérieurs immédiats vers la clientèle, au fur et à mesure que l'orientation «services à la clientèle» se développe. Il ne faudrait cependant pas attribuer ces modifications de l'emploi et de l'organisation du travail au seul fait de l'implantation graduelle de la robotique et de la bureautique dans les entreprises. D'autres facteurs peuvent aussi contribuer à la transformation du monde du travail, telles la philosophie de gestion, la diffusion d'une culture d'entreprise, etc. (Saint-Pierre, 1989).

2.2.2 L'ÉCONOMIE

On assiste actuellement à la disparition lente mais progressive de la base industrielle, caractéristique de la «deuxième vague» (Toffler, 1980), qui reposait sur le textile, l'acier, la construction de navires, pour faire place à une industrie de pointe dans le secteur de la haute technologie, ou encore à l'industrie des services qui occupe la plus grande proportion de la population active. Le capital, qui était alors la ressource stratégique, cède le pas au savoir: à la société «industrielle» se superpose une société dont le fondement réside dans la circulation de l'information.

Un tel passage remet en question les qualifications de la main-d'œuvre et la sécurité d'emploi. On voit donc poindre à l'horizon le cortège des travailleurs du savoir qui succéderont aux travailleurs manuels. Ce changement dans la base industrielle s'accompagne aussi de transformations sociales: on a fait grand état du phénomène Silicone Valley aux États-Unis, alors que le Québec développe au même moment certaines localités, telles Bromont, Ville Saint-Laurent, Bécancour, etc. La montée massive des travailleurs du savoir implique que les uns doivent faire preuve de créativité, d'entrepreneuriat, alors que d'autres se retireront de la course, n'ayant pas la possibilité ou la capacité d'apprendre.

Sur le plan conjoncturel de la demande pour les biens et les services, on assiste là aussi à une transformation majeure, due à l'abandon graduel d'une production et d'une consommation de masse pour répondre à une demande de plus en plus sélective et personnalisée. En même temps, c'est la course aux créneaux, l'obsession d'un positionnement stratégique sur le marché. La consommation n'est plus monolithique, indifférenciée: on reconnaît tout l'éventail des catégories de consommateurs, en passant des «yuppies» (jeunes cadres urbains) aux «grumpies» (groupes du troisième âge) (Audet et Bélanger, 1989).

D'autres événements bien connus, tels l'accord de libre-échange, l'Europe de 1993, l'internationalisation de l'économie, l'ingéniosité du monde économique et financier japonais qui pénètre rapidement l'économie occidentale, présentent des défis pour les entreprises canadiennes et québécoises. Ces dernières devront survivre et se développer par un accroissement de la productivité des ressources humaines et par une plus grande flexibilité en matière de technologie de fabrication et d'organisation du travail. Des choix importants devront donc se faire quant à l'utilisation efficace et au développement des ressources humaines, au fur et à mesure que la concurrence se fera plus vive.

2.2.3 L'ÉVOLUTION POLITICO-JURIDIQUE

Des modifications importantes apportées à la législation du travail en matière d'équité salariale, d'accès à l'égalité, de non-discrimination en emploi et de normes minimales du travail obligent à remettre en question les pratiques de sélection et de rémunération. On assiste donc à une sorte d'individualisation des droits reliés à l'activité du travail, ce qui en rend l'administration plus minutieuse et nécessite un suivi quotidien auprès des salariés susceptibles d'en bénéficier. Quelques-unes de ces législations, en particulier la *Loi sur la santé et la sécurité du travail*, prévoient la mise sur pied de comités employeur–salariés. Pour assurer un bon fonctionnement de ces comités, il faut fournir une formation adéquate à ceux qui désirent en devenir membres.

Déjà, les politiques et les procédures de sélection, d'appréciation et de rémunération des employés ont fait l'objet d'une révision au cours des dernières années. On doit s'attendre à d'autres modifications dans un avenir rapproché, lorsqu'on songe à la multitude de groupes de pression qui vont bientôt faire connaître leurs exigences, tels les autochtones pour ne citer qu'un groupe de plus en plus actif.

2.2.4 LE CONTEXTE SOCIOCULTUREL

Nous ferons état ici des nouvelles tendances qui se dessinent dans la population et la société quant à la composition future de la main-d'œuvre et au changement de valeurs.

LES TENDANCES DÉMOGRAPHIQUES

L'ampleur du développement du secteur tertiaire de l'économie se manifeste par un glissement de la main-d'œuvre qui délaisse les industries primaires et secondaires pour venir gonfler les rangs de l'industrie des services dans les secteurs privé et public. En effet, on estime à 80 % la proportion des salariés réguliers à temps partiel qui se retrouvent dans ce secteur.

Ce glissement s'accompagne également d'une transformation majeure des statuts d'emploi: on voit croître à un rythme sans pareil les emplois «précaires», alors que les emplois réguliers à plein temps diminuent. C'est la panoplie des emplois à temps partiel, temporaires, occasionnels, intermittents qui se développe, en partie à cause d'une mauvaise conjoncture, d'un besoin de flexibilité du travail et de l'accroissement du phénomène de sous-traitance (Larouche, 1987).

L'augmentation des emplois précaires coïncide aussi avec l'arrivée d'une plus grande proportion de femmes sur le marché du travail. Entre 1979 et 1989, le taux d'activité des femmes passait de 49 % à 58 %, alors que le pourcentage des femmes travaillant à plein temps diminuait légèrement (Côté, 1988). La plus forte augmentation du taux d'activité a été enregistrée chez les femmes ayant des enfants de moins de 16 ans.

Une autre tendance importante qu'on ne saurait passer sous silence est le vieillissement de la population active. En effet, depuis quelques années, on assiste à un déclin de la proportion de jeunes qui entrent dans la population active; ce phénomène est susceptible de se maintenir jusqu'en l'an 2020. La proportion des personnes actives de 55 ans ou plus diminue aussi de façon progressive en raison de la multiplicité des régimes de retraite graduelle ou de retraite anticipée. Si les tendances démographiques se maintiennent, on assistera, au cours des années 90 et au début de l'an 2000, à une augmentation de l'âge moyen de la population active, due en grande partie au vieillissement des *baby-boomers*. Ces derniers sont entrés massivement dans la population active à la fin des deux décennies qui ont suivi la Seconde Guerre mondiale. On peut prévoir qu'ils vieilliront au travail, si ce dernier demeure une valeur centrale et importante dans leur vie. Par conséquent, de tels phénomènes sont susceptibles d'agir sur la main-d'œuvre qu'il faudra recruter ou dont il faudra se séparer au cours des prochaines décennies. Également, ils peuvent entraîner une révision des politiques et des pratiques de gestion prévisionnelle des ressources humaines en matière d'effectif, de sélection, de formation et de préparation à la retraite.

LES TENDANCES SOCIALES

L'importance et la signification que les personnes accordent au travail, et la satisfaction qu'elles en retirent constituent une préoccupation majeure au moment où l'on s'apprête à mettre en place un éventail de mesures susceptibles non seulement d'accroître la motivation, mais surtout de mobiliser les personnes dans un effort collectif de production. D'un côté, des études à l'échelle nationale sur la satisfaction au travail concluent à un taux constant et élevé de satisfaction (au-delà de 80 %) pour l'ensemble des catégories socioprofessionnelles. Cependant, les taux de satisfaction sont différents lorsqu'on passe d'une catégorie à une autre: les professionnels et les cadres supérieurs d'entreprises affichent un taux de satisfaction plus élevé que les employés de bureau et les travailleurs de la base. D'un autre côté, lorsqu'on met en relation le niveau de scolarisation et les aspirations des individus, surtout les jeunes, on entrevoit l'apparition d'une nouvelle génération de travailleurs (*new breed*), appelés «travailleurs du 3ᵉ type» (Audet *et al.*, 1986) par analogie avec le concept d'entreprise du 3ᵉ type.

Dans un premier temps, on constate qu'un écart se creuse entre les aspirations des personnes et la déqualification progressive du travail, surtout dans les catégories ouvrières et d'emplois de bureau. Ne pouvant satisfaire certaines aspirations personnelles au travail, les travailleurs vont se tourner de plus en plus vers les loisirs ou la vie hors travail en général, ce qui implique que la famille et les associations de toutes sortes vont prendre une importance plus grande. Il faudra alors s'attendre à un accroissement du taux d'absentéisme de longue durée, déjà favorisé par les dispositions pertinentes des conventions collectives au chapitre des longs congés ; ce phénomène rendra plus difficile la gestion prévisionnelle de l'effectif des organisations.

Les nouvelles aspirations chez cette main-d'œuvre du 3e type trouvent en grande partie leur source dans la réinterprétation de la notion de succès personnel. Autrefois, c'est-à-dire au cours des 30 années qui ont suivi la Seconde Guerre mondiale, la réalisation de soi ou le succès personnel dépendait étroitement de la possession de biens matériels, tels une maison, une automobile, une chaîne stéréo, un téléviseur, etc. L'accumulation de biens matériels ne suffit plus de nos jours pour conférer à une personne une identité personnelle et ne représente plus un indicateur valide de réussite professionnelle. Aujourd'hui, on assiste à une modification considérable des aspirations des individus au travail, sans minimiser la rémunération et la sécurité d'emploi qui demeurent des préoccupations importantes. Chez les nouveaux salariés, les valeurs associées à la possession de biens matériels cèdent du terrain pour faire place à :

– un désir d'accomplissement ou de réalisation de soi dans un travail significatif qui offre une possibilité de progrès personnel ;
– un désir d'être reconnu, respecté comme personne humaine entière, et non d'être perçu uniquement comme une tête ou un bras au service d'une organisation ;
– un plus grand désir de participation aux décisions qui les concernent ;
– des perspectives de carrière mieux structurées, axées aussi bien sur les aspirations des travailleurs que sur les besoins des organisations ;
– une meilleure qualité de vie au travail en général.

Ce ne sont là que quelques-unes des aspirations, possiblement les plus importantes, qui se dégagent des conclusions des études sur le sujet, en particulier celles de Katzell (1979) et de Yankelovich (1979). Récemment, Roberts Giles, dans le Journal *Les Affaires*, faisait état des conclusions d'une étude de l'International Survey Research Corporation

(ISR) menée auprès de 6 198 cadres et 24 465 travailleurs d'entreprises en Amérique du Nord. Plus de 50 % des répondants placent les facteurs «justice et respect» au premier rang, avant les salaires et la sécurité d'emploi; les possibilités de promotion arrivent au dernier rang. Par conséquent, ces données s'inscrivent dans la foulée des observations faites plus haut sur la nouvelle génération, en ce sens qu'on s'achemine vers une certaine individualisation du traitement équitable des personnes au travail, alors que pendant les décennies antérieures, l'accent était plutôt mis sur la dimension collective de l'amélioration des conditions de travail, appuyée par une syndicalisation qui a connu son apogée au début des années 70, sauf au Québec. À son tour, la gestion des ressources humaines, face à ces grandes tendances, deviendra de plus en plus personnalisée quant à la sélection, à la planification des carrières, à la rémunération et à l'aide individuelle à apporter aux salariés. Des programmes seront mis de l'avant pour repenser et restructurer le travail de façon que les travailleurs puissent y trouver des possibilités de développement et de réalisation personnelle. On favorisera notamment la création d'unités sociales restreintes (groupes semi-autonomes, cercles de qualité, groupes de progrès) où les participants assumeront des responsabilités de gestion.

2.3 L'ANALYSE DE L'ENVIRONNEMENT INTERNE

Poursuivant leur effort pour assurer leur survie et leur croissance dans un contexte économique, politique et culturel fort turbulent, les directions d'entreprise emprunteront une démarche de revitalisation qui se manifestera par:

- une gestion plus stratégique de l'entreprise et de ses ressources humaines;
- le passage d'une conception mécanique des organisations à une vision organique;
- le passage d'une culture organisationnelle implicite et cachée à une culture forte et visible.

Voilà quelques-unes des grandes tendances qui marqueront les organisations dans leur structure et leur fonctionnement au cours des prochaines décennies. Ces tendances constituent autant de balises à l'intérieur desquelles viendront s'insérer une réflexion et une analyse beaucoup plus fine portant sur les forces et les faiblesses de la gestion des ressources humaines; nous décrirons la démarche de cette analyse dans un chapitre subséquent. Ici, nous voulons plutôt esquisser dans leurs grandes lignes ces nouvelles tendances qui viendront petit à petit caractériser le milieu ou l'environnement interne des organisations de l'avenir.

2.3.1 LE CARACTÈRE STRATÉGIQUE DE LA GESTION

Longtemps habitués à une planification budgétaire ou financière à court terme, ou encore à une planification à long terme basée presque uniquement sur une extrapolation de données, on s'oriente maintenant vers une conception plus stratégique de la planification en ce sens qu'en plus d'assurer un appariement entre les exigences de l'environnement et celles de survie et de croissance de l'entreprise, on veut aussi établir une certaine cohérence entre une planification à long terme et une planification opérationnelle de l'utilisation des ressources.

Comme nous l'avons signalé au chapitre précédent, une direction des ressources humaines ne saurait demeurer en dehors de ce cheminement. Elle doit non seulement effectuer une lecture de l'environnement externe lorsque les ressources humaines sont concernées, mais aussi adopter une attitude proactive en mettant au point les scénarios qui assurent une indispensable cohérence entre la stratégie de l'entreprise et l'utilisation des ressources humaines à son service. De tels scénarios vont porter sur des énoncés de mission, d'objectifs généraux, de politiques, de programmes d'activités, de pratiques susceptibles de promouvoir la stratégie de l'entreprise, sans nécessairement négliger les objectifs et les aspirations personnelles des personnes mobilisées dans l'actualisation d'une telle stratégie.

2.3.2 L'ÉMERGENCE D'UNE NOUVELLE VISION DES ORGANISATIONS

Il devient de plus en plus manifeste que la structure pyramidale (ou hiérarchique et bureaucratique) n'est pas la seule forme de structure organisationnelle permettant de coordonner adéquatement la contribution différenciée d'une multitude de personnes employées dans un effort commun de production de biens ou de fourniture de services. En effet, la structure bureaucratique, caractérisée par une division minutieuse du travail, une définition précise de l'autorité, une multiplication des règles et des procédures, une formalisation des rapports entre les individus qui accentue la distance sociale entre eux, n'est plus l'instrument le plus efficace pour susciter et maintenir la collaboration des personnes

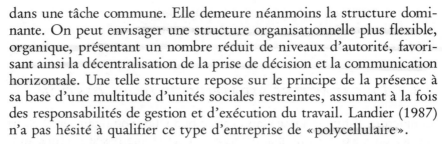

dans une tâche commune. Elle demeure néanmoins la structure dominante. On peut envisager une structure organisationnelle plus flexible,
organique, présentant un nombre réduit de niveaux d'autorité, favorisant ainsi la décentralisation de la prise de décision et la communication
horizontale. Une telle structure repose sur le principe de la présence à
sa base d'une multitude d'unités sociales restreintes, assumant à la fois
des responsabilités de gestion et d'exécution du travail. Landier (1987)
n'a pas hésité à qualifier ce type d'entreprise de «polycellulaire».

Une telle flexibilité des structures peut signifier également la bal-
kanisation des organisations en plus petites divisions, ou centres de
profits. Carlzon (1986), qui a effectué le redressement des lignes
aériennes scandinaves (SAS) a, dans ses propres termes, procédé à une
«inversion de la pyramide de l'autorité», c'est-à-dire qu'il a cherché à
développer chez les salariés une forte orientation vers les désirs de la
clientèle, faisant ainsi glisser en partie le pouvoir des gestionnaires vers
la clientèle. À des structures plus flexibles doit également correspondre
une main-d'œuvre plus polyvalente, c'est-à-dire qui possède une
palette d'habiletés favorisant le passage d'une fonction à une autre au
sein d'une équipe de travail.

2.3.3 L'IMPORTANCE DE LA CULTURE ORGANISATIONNELLE

Les auteurs Peters et Waterman (1983) de même que Archier et Sérieyx
(1984) ont dévoilé le «secret» des entreprises qui poursuivent une
orientation d'excellence. Ces entreprises sont plus performantes que
d'autres parce qu'elles présentent une culture manifeste, plus forte,
cherchant à orienter les comportements des individus et des groupes
sans recourir constamment à l'élaboration de règles et de procédures.
La variable «culture» est donc devenue, avec le temps, une caractéristique interne importante, au point de faciliter ou d'empêcher la réalisation même de la mission de l'entreprise.

Sans en faire un corpus de valeurs explicites, les auteurs tracent le
profil du caractère social et culturel des entreprises performantes. On
les reconnaît :

– à une forte tendance à l'action, capables d'apporter une réponse
  rapide et efficace aux changements dans l'environnement externe,
  ce qui correspond, chez Archier et Sérieyx, à la «réactique» ou
  vitesse de réaction ;

- à l'accent mis sur la qualité du produit ou du service, à une orientation vers la clientèle;

- à l'encouragement qu'elles donnent aux entrepreneurs, aux innovateurs, à ceux qui veulent prendre des risques;

- à l'encouragement qu'elles fournissent aux employés en les incitant à utiliser et à développer leurs capacités créatrices;

- à un effet de mobilisation des employés autour d'une ou de plusieurs valeurs, par exemple, chez McDonald's, la propreté, le service, la qualité et la valeur du produit;

- à un certain respect du métier, c'est-à-dire en s'en tenant autant que possible à ce qu'on sait bien faire;

- à la simplicité des structures, caractérisées par la réduction des niveaux hiérarchiques et la décentralisation de la prise de décision;

- à une centralisation minimale des décisions qui assure une cohérence à l'ensemble des objectifs.

Au-delà du caractère social des entreprises qu'on qualifie d'«excellentes» ou d'«avant-garde» (O'Toole, 1988), d'autres auteurs, tels Schein (1984), Deal et Kennedy (1982), s'attardent plutôt à faire ressortir la dimension principale de la culture d'entreprise, c'est-à-dire un système de valeurs, de croyances, de significations ou de représentations suffisamment partagées par les membres d'une unité sociale donnée, et auxquelles ces derniers acceptent de se conformer pour maintenir leur appartenance à cette unité. Par conséquent, le système de valeurs explicites permet à une unité sociale ou à un groupement humain de se distinguer d'un autre, de développer une solidarité et une identité collective.

Même si on fait état d'un certain consensus autour de la définition du concept de «culture organisationnelle», il n'en demeure pas moins qu'une telle réalité se prête mal à l'observation directe et à la mesure quantitative.

Pour effectuer un relevé de la culture dominante au sein d'une organisation, certains auteurs, dont Thèvenet (1986), proposent une démarche en procédant à un «audit de la culture». Un tel document peut être élaboré après avoir recueilli un ensemble de données sur les traits culturels suivants:

- les caractéristiques et les valeurs du ou des fondateurs de l'entreprise (le cas Hewlett Packard, par exemple);

- un profil des événements marquants qui ont jalonné ou façonné l'histoire de l'entreprise;

- le ou les produits qui permettent d'identifier adéquatement l'entreprise (ce qu'on appelle «le métier» en France);

- les valeurs qui sont manifestées dans les décisions de la direction ou les comportements des membres de l'organisation et celles qui sont cachées, implicites, qui sous-tendent l'univers du discours ou les représentations qu'on se fait de l'organisation (rigide, bureaucratique, flexible, paternaliste, ouverte, etc.);

- un profil des signes et des symboles qui permettent de distinguer l'organisation d'une autre, et qui lui confient une identité (le logo, par exemple).

La direction des ressources humaines devrait procéder à un relevé de l'information pertinente sur ce sujet, de façon que la culture actuelle ou celle qu'on devra adopter soit compatible avec la mission et les objectifs généraux que l'entreprise entend poursuivre à la suite d'une réflexion sur la stratégie. Sur ce point, une mise en garde s'impose. S'il est, d'une certaine manière, opportun de donner à l'entreprise une culture forte pour soutenir la concurrence et se différencier, il ne faut cependant pas qu'elle se développe en une sorte de «culte de l'entreprise» qui obligerait le salarié à se couler dans une masse indifférenciée, perdant ainsi toute possibilité de développer une identité personnelle. Le directeur des ressources humaines devra alors freiner l'ardeur de certains dirigeants qui aimeraient à tout prix prendre la direction de la culture de l'entreprise. La culture devient donc une dimension importante, voire un enjeu de l'environnement interne de l'organisation; cette dimension prendra de plus en plus d'importance au cours des prochaines années, et elle pourra même se substituer aux règles et aux procédures rigides.

2.4 CONCLUSION

Nous avons tenté de souligner les tendances lourdes, tant dans l'environnement externe de l'entreprise que dans son environnement interne. Ces tendances ont été retenues à cause de leur pertinence au domaine de la gestion des ressources humaines. D'autres tendances sur les plans de l'économie, de la technologie, de la culture, des structures et du fonctionnement des organisations auraient pu faire l'objet d'un traitement particulier. Nous les avons volontairement passées sous silence pour accorder plus d'attention à celles qui sont vraiment susceptibles d'influer sur la gestion des ressources humaines.

QUESTIONS

1. Identifiez deux tendances de la technologie de fabrication et décrivez leurs effets sur les emplois et les qualifications exigées.

2. Avec la montée de la bureautique et de la robotique, est-il justifié d'introduire le concept de «société de l'information»?

3. Que signifie l'expression «individualisation des droits»? Ce phénomène pourrait-il influer sur les relations patronales–syndicales?

4. Quels effets peut avoir sur la main-d'œuvre une contraction de la proportion des jeunes qui entrent sur le marché du travail?

5. Que signifie l'expression «main-d'œuvre du 3e type»?

6. «La sécurité d'emploi demeure toujours en tête du palmarès des valeurs associées au travail.» Commentez cette affirmation.

7. Peut-on concevoir une structure d'autorité dans l'entreprise, qui serait différente de la structure bureaucratique? Si oui, quelles seraient les caractéristiques d'une telle structure? Quel serait l'effet sur la sélection et les qualifications des personnes qu'il faudrait alors embaucher pour le bon fonctionnement d'une entreprise utilisant ce type de structure?

8. Quelles sont les caractéristiques des entreprises qu'on qualifie «d'avant-garde»?

BIBLIOGRAPHIE

ARCHIER, C. et SÉRIEYX, H., *L'entreprise du 3e type*, Paris, Seuil, 1984, 213 p.

AUDET M. *et al.*, «La mobilisation des ressources humaines, tendances et impact», *Rapport du XLIe congrès des relations industrielles*, Presses de l'Université Laval, 1986.

AUDET, M. et BÉLANGER, L., «Nouveaux modes de gestion et relations industrielles au Canada», *Relations industrielles*, Québec, 44, 1, 1989, p. 80.

CARLZON, J., *Renversons la pyramide! Pour une nouvelle répartition des rôles dans l'entreprise*, Paris, Inter-Éditions, 1986, 221 p.

CÔTÉ, M., «La population active au seuil des années 1990», *Perspective*, printemps 1988, p. 11-12.

DEAL, T. F. et KENNEDY, A.H., *Corporate Cultures: The Rites and Rituals of Corporate Life*, Reading (Mass.), Addison Wesley, 1982, 232 p.

GUÉRIN, G., GAGNIER, F., TRUDEL, H., DENIS, H. et BOILY, C., «L'impact de la conception et fabrication assistées par ordinateur sur la qualité de vie des utilisateurs: le cas Marconi», *Relations industrielles*, document de recherche 90-01, Université de Montréal, 1990, p. 90.

JULIEN, P. et THIBODEAU, J., «Bilan et impact des nouvelles technologies sur la structure industrielle du Québec 1985, 1991, 1996», rapport du Sommet québécois de la technologie, 1988.

KATZELL, R.A., «Changing attitudes. Towards work», dans KERR, C. et ROSOW, J.M. (dir.), *Work in America*, New York, The Decade Ahead, Reinhold, 1979.

LANDIER, H., *L'entreprise polycellulaire*, Paris, Entreprise moderne d'édition, 1987, 206 p.

LAROUCHE, R., «Réaction: les nouveaux statuts d'emploi au Québec», *Vers de nouvelles frontières*, actes du Congrès CRI, 1987, p. 53.

O'TOOLE, J., *Le management d'avant-garde*, Paris, Les Éditions d'Organisation, 1988, 352 p.

PETERS, T. et WATERMAN Jr., R.H., *Le prix de l'excellence: les secrets des meilleures entreprises*, Paris, Inter-Éditions, 1983, 359 p.

SAINT-PIERRE, C., «Transformations du monde du travail – Changements technologiques», *Nouveaux modes de gestion et d'organisation*, colloque de l'IQRC, 1989.

SCHEIN, E., «Coming to a new awareness of organisational culture», *Sloan Management Review*, 25, 2, 1984.

THÉVENET, M., *Audit de la culture d'entreprise*, Paris, Les Éditions d'organisation, 1986.

TOFFLER, A., *The Third Wave*, New York, Morrow, 1980.

YANKELOVICH, D., «Work, values and the new breed», dans KERR, C. et ROSOW, J.M. (dir.), *Work in America*, New York, The Decade Ahead, Reinhold, 1979.

CHAPITRE 3

LES DIRECTIONS DE RESSOURCES HUMAINES

par Roland Foucher

OBJECTIFS

Après l'étude de ce chapitre, vous devriez être en mesure:

- d'énoncer et de justifier certains principes qui devraient guider le choix des responsabilités confiées à la direction des ressources humaines et l'aménagement de ses composantes;
- d'énumérer les missions et les rôles des directions de ressources humaines, en les intégrant dans un cadre cohérent;
- de préciser ce qui peut aider la direction des ressources humaines à exercer une influence d'ordre stratégique;
- d'énumérer les principales catégories de tâches qu'ont à assumer les directions de ressources humaines, en justifiant leur existence;
- de préciser les transformations qui s'effectuent actuellement dans les rôles et les tâches des directions de ressources humaines;
- de proposer un partage d'autorité entre la direction des ressources humaines et les cadres hiérarchiques en utilisant des critères appropriés;
- d'identifier les principes qui guident l'élaboration d'organigrammes typiques de la direction des ressources humaines;
- d'énoncer les exigences qu'est appelé à satisfaire le responsable de la direction des ressources humaines;
- d'analyser le changement d'orientation d'une direction de ressources humaines en identifiant les principes qui guident son action.

MISE EN SITUATION

UN EXEMPLE DE TRANSFORMATION D'UNE DIRECTION DES RESSOURCES HUMAINES[1]

Comme d'autres organismes parapublics, celui dont il est question dans ce texte a connu des relations du travail difficiles au cours des années 70. Dans ce cas-ci, ces relations ont toutefois été particulièrement tumultueuses. Les grèves se sont succédé et, à la fin de la décennie, plus de 1 000 griefs n'avaient pas été résolus. Les parties en étaient même venues à «laver leur linge sale» sur la place publique.

Les relations du travail conflictuelles canalisaient toutes les énergies de l'administration. Les affrontements périodiques avaient eu pour effets d'installer un climat de discorde permanent, de déstabiliser l'organisation du travail et de perturber les activités. Les employés semblaient travailler sans satisfaction. À l'affût des griefs, les représentants syndicaux s'activaient régulièrement. Face à cette situation, les cadres ressentaient de l'impuissance. En plus de se faire ballotter entre les activités routinières et les crises, il arrivait même que ce soient les employés qui les informent de ce qui se passait, à partir de l'information que les représentants syndicaux leur avaient livrée.

Pendant ce temps, la direction des ressources humaines (alors appelée bureau du personnel) était condamnée à l'avance, par et pour son incapacité à régler les problèmes passés et présents. En raison de son poste, le directeur du bureau du personnel était devenu le bouc émissaire. Il n'est donc pas étonnant qu'il y ait eu dix titulaires de ce poste durant la décennie 70.

Pris lui aussi entre les routines et les conflits, le bureau du personnel était à la remorque des événements, à la marge des grandes décisions administratives, et trop souvent consulté après coup. Ses interventions se faisaient au jour le jour et d'une manière

---

1. Cet exemple a été conçu par R. Foucher et G. Tormen. Il s'inspire de faits vécus. Les événements rapportés ont cependant été aménagés pour constituer une source de réflexion. Nous n'avons donc pas la prétention de relater avec exactitude ce qui s'est passé.

désordonnée. Il ne réussissait à répondre que partiellement aux besoins des chefs de service. Les problèmes irrésolus, les solutions inadéquates et les griefs accumulés avaient transformé le bureau du personnel en une véritable poudrière. De plus, sa crédibilité et son pouvoir étaient faibles; les syndicats avaient même réglé certains problèmes directement avec le conseil d'administration.

Au tournant de la décennie, la situation se détériora davantage. L'application de certaines mesures administratives et un projet de réduction de l'effectif furent à l'origine de nouveaux débrayages qui suscitèrent une intervention gouvernementale. Un sentiment général de lassitude commençait cependant à se manifester: la situation avait assez duré.

Engagé plus tôt, un des membres du bureau du personnel, monsieur Benoît, avait eu le temps de prendre connaissance de la situation et d'accomplir des choses qui l'avaient rapproché des cadres et des employés. Par exemple, il avait réussi à réviser les classifications salariales qui comportaient de nombreuses anomalies, certaines personnes étant payées en trop alors que d'autres étaient sous-payées (selon les critères de classification reconnus par les parties patronale et syndicale). Pour certaines de ces personnes, la situation durait depuis quelques années. La solution suivante fut appliquée:

– dans le cas des versements excédentaires, on prit des ententes pour que les individus échelonnent le remboursement de ces sommes;

– dans le cas des versements insuffisants, il y eut remise des sommes dues, celles-ci couvrant jusqu'à quatre ans d'arrérage, même si un grief n'aurait pu être déposé, en vertu des dispositions de la convention collective, que pour une période remontant à six mois;

– les mêmes principes servirent à réviser les salaires du personnel syndiqué et des cadres.

Immédiatement après la démission du directeur des ressources humaines qui suivit les nouveaux débrayages, le directeur général demanda à monsieur Benoît d'occuper ce poste par interim, en assumant aussi ses autres fonctions. La discussion entre les deux parties permit d'élaborer le mandat suivant, rédigé par écrit: faire un «ménage» dans les griefs et assainir les relations et le climat de travail, en évitant les affrontements et le «lavage de linge sale» sur la place publique. Ayant aussi obtenu par mandat toute latitude quant aux choix des moyens d'action, monsieur Benoît demanda au directeur général de réunir tous les cadres dans le but de leur faire part de l'information suivante:

> *À la suite du départ du directeur du bureau du personnel, le directeur adjoint a reçu le mandat d'assurer l'interim. Il a toute la responsabilité et l'autorité pour agir. Il a la confiance et l'appui du conseil d'administration et du directeur général pour faire le ménage dans les griefs et «régulariser» la situation.*

Sentant qu'il fallait agir vite, le nouveau directeur rencontra à tour de rôle les délégués syndicaux, en commençant par la plus grosse et la plus menaçante des unités d'accréditation. Ces rencontres initiales s'étalèrent sur deux mois, afin d'éviter un front commun des syndicats lors des discussions futures, et permirent des échanges au cours desquels le nouveau directeur du personnel fit part, entre autres, de son intention ferme de régler rapidement les problèmes d'administration courante des conventions collectives. Comme preuve de bonne volonté, la direction accorda des jours supplémentaires de libération aux agents syndicaux de griefs, afin de faciliter leur travail[2].

En plus d'inventorier les griefs, le bureau du personnel dut les analyser, procéder aux enquêtes et constituer les éléments de preuve à verser au dossier. La grande majorité des 1 000 griefs recensés n'avait fait l'objet d'aucune enquête et n'avait été appuyée par aucun dossier. L'exemple suivant montre un des résultats du recensement: en matière d'affichage de postes, on dénombra plus de 50 griefs déposés par deux syndicats et échelonnés sur plusieurs années. Ce type de classification facilita l'analyse et l'établissement d'une stratégie de négociation.

Dans l'ensemble, cette démarche fut entreprise en respectant les individus, les droits de gérance, les conventions collectives de travail et certains principes administratifs. Par exemple, la stratégie

---

2. Disposition des conventions collectives en vertu desquelles les représentants syndicaux sont libérés d'un certain nombre de jours de travail pour exercer leurs tâches syndicales.

de négociation visa la recherche de solutions adéquates pour les deux parties, ce qui exigea des compromis ou la résolution de problèmes. De plus, il fut établi que l'on n'irait en arbitrage que si l'on était assuré de gagner ou pour défendre certains principes.

La négociation des griefs commença quelques mois plus tard. Chacune des rencontres fut minutieusement préparée, et le compte rendu des discussions fut reproduit avec précision. Ces documents servirent à suivre le déroulement des négociations et, plus tard, à faire état des progrès enregistrés en permettant le décompte des griefs retirés, réglés ou envoyés à l'arbitrage. La rigueur démontrée permit aussi au bureau du personnel de faire respecter les engagements, même lorsque la partie syndicale voulut provoquer des arrêts de négociation dans le but d'exercer des pressions.

En plus de contribuer à améliorer les relations du travail, la négociation des griefs permit à l'organisme d'économiser des centaines de milliers de dollars. Voici un exemple de résultat atteint moins d'un an après la nomination de monsieur Benoît. Dans une des unités administratives, le règlement de 75 griefs coûta 4 000 $. Si tous les griefs étaient allés en arbitrage et que la partie patronale les avait tous gagnés, il lui en aurait coûté 185 000 $, à raison de 2 500 $ de frais encourus pour chaque grief. Le bureau du personnel avait d'ailleurs élaboré des scénarios sur les coûts de chaque catégorie de griefs. Trois ans plus tard, la plus grande partie des 1 000 griefs avait été soit retirée sans admission de faute de part et d'autre, soit réglée hors cours, avec ou sans compensation (monétaire ou autre).

Parallèlement à la négociation des griefs, le bureau du personnel effectua diverses tâches dans le but d'améliorer les communications organisationnelles, d'identifier les principaux problèmes de gestion des ressources humaines et de formuler des politiques adaptées aux besoins de l'organisation. Des efforts furent également faits pour modifier l'image du bureau du personnel et accroître son influence.

Au chapitre des communications, les cadres furent les premiers informés des résultats des négociations. Cette façon de procéder visait différents objectifs: redonner aux cadres l'importance qui leur revient, les aider à exercer leurs rôles en matière de communications, faire en sorte qu'ils soient les premiers à informer leurs employés, et susciter leur engagement à l'égard des actions entreprises. L'information fut livrée en fonction d'un plan rigoureux de communications. De plus, le bureau du personnel mit sur pied deux journaux à diffusion interne : un destiné aux cadres, et l'autre aux employés.

Par sa fiabilité (en raison notamment du souci d'équité qui guidait ses décisions) et ses réalisations, le bureau du personnel modifia progressivement son image. Cette transformation se concrétisa par un changement de nom. Le bureau du personnel devint la «direction des ressources humaines», et son directeur siégea dorénavant au comité de direction de l'établissement. Il put ainsi exercer un rôle de premier plan dans les orientations à donner à la gestion des ressources humaines, en influençant la direction générale et les autres directeurs. Ce changement contribua aussi à intégrer les ressources humaines à l'ensemble de la gestion. Il s'avérait d'ailleurs essentiel de susciter une concertation en matière de gestion des ressources humaines et de favoriser l'adoption d'une perspective d'ensemble, en vertu de laquelle l'affectation du personnel, par exemple, serait prise en considération dès la conception d'un projet qui pourrait avoir une incidence sur la mobilité des ressources humaines.

Les nouvelles orientations s'appuyèrent sur un plan d'action. Celui-ci fut élaboré à la suite d'un diagnostic préliminaire des carences en matière de gestion des ressources humaines dans l'ensemble de l'organisation ; ainsi, chaque directeur de service dut procéder, par exemple, à la révision de la structure des postes et à l'identification des priorités. Ces nouvelles orientations, appuyées aussi sur une vision intégrant l'organisation du travail et la dotation, aidèrent à résoudre de nouveaux problèmes causés par des restrictions budgétaires.

Le redressement budgétaire donna cependant l'occasion de concrétiser la restructuration des postes dont la conception avait été amorcée, en considérant les besoins du moment et ceux à venir. Les directeurs et leurs chefs de service préparèrent ces plans. En raison, notamment, de la façon dont il fut effectué, ce changement permit de consolider les relations avec les syndicats, plutôt que de provoquer de nouveaux conflits.

Pour arriver à cette entente, il fallut que les parties réalisent qu'elles avaient avantage à chercher des solutions ou des compromis mutuellement acceptables. De leur côté, la direction générale et la direction des ressources humaines se firent un devoir de pratiquer la transparence. Élaborés de concert avec tous les directeurs, les plans visaient à régulariser la structure des postes et les budgets, en produisant cependant le moins possible d'effets négatifs sur le personnel. La direction élabora aussi un ensemble de solutions pour réduire les coûts administratifs et les coûts de fonctionnement des services, en proposant aux syndicats des solutions qui nécessitaient leur collaboration pour réduire au minimum l'impact sur les postes et les conditions de travail.

Voici un exemple qui démontre la façon dont les dossiers de fermeture de postes furent traités. On s'efforça de convenir à l'avance (deux ans dans certains cas) de l'abolition d'un poste à la suite de la restructuration. Le directeur des ressources humaines rencontrait la personne concernée et lui suggérait un plan de recyclage, en lui promettant que tous les efforts seraient faits pour lui donner un poste correspondant à ses nouvelles qualifications. Le moment venu, cette personne avait effectivement la priorité d'embauchage aux postes vacants auxquels elle était admissible.

Durant les trois années qui ont suivi la nomination de monsieur Benoît, les interventions de la direction des ressources humaines permirent d'obtenir d'autres résultats concrets. Par exemple, l'absentéisme fut réduit du tiers. En matière de santé et de sécurité du travail, on élabora des programmes avant d'y être tenu juridiquement. Ces actions permirent de réaliser des économies, tout en étant profitables aux individus.

La direction des ressources humaines a par la suite continué d'exercer son influence au comité de direction. La priorité accordée aux ressources humaines, et l'intégration de cette dimension aux grandes décisions, s'est poursuivie. Ainsi, la direction des ressources humaines a étroitement collaboré avec la direction générale et les autres directions pour établir un plan stratégique visant à donner à l'organisation une compétence distinctive, ce qui a exigé de redéfinir sa mission.

QUESTIONS

1. Quels sont les rôles exercés par la direction des ressources humaines avant et après la nomination de monsieur Benoît? Appuyez vos affirmations sur des faits.

2. Quels sont les principaux facteurs qui ont contribué au redressement de la gestion des ressources humaines et à l'évolution de la direction des ressources humaines dans cette organisation ? Démontrez pourquoi ces facteurs ont exercé une influence.

3.1 INTRODUCTION

La gestion des ressources humaines est une fonction de gestion ou, en d'autres termes, un sous-système du management général; en conséquence, elle fait partie des responsabilités qui incombent aux dirigeants et aux cadres hiérarchiques. Dans plusieurs organisations cependant, particulièrement celles qui comptent plus de 200 employés, ces derniers partagent cette responsabilité avec une entité administrative spécialisée et différenciée qui est susceptible de porter divers noms, notamment: vice-présidence ou direction des ressources humaines; direction ou service du personnel et des relations de travail; direction ou service du personnel. Pour simplifier la lecture de ce chapitre, nous appellerons ces unités administratives **directions de ressources humaines ou DRH**, même si elles ne satisfont pas toutes aux deux conditions inhérentes à ce titre, soit avoir un statut de direction et intégrer la gestion du personnel et des relations du travail de façon à traiter les personnes comme des ressources. L'expression **service des ressources humaines** servira à désigner les **structures** mises sur pied pour livrer les services en matière de gestion des ressources humaines.

À partir des premières décennies du xxᵉ siècle, des organisations ont mis sur pied les premières unités administratives[3] spécialisées en gestion des ressources humaines; depuis, leurs missions, leurs rôles et leurs tâches[4] ont évolué. Certains résultats de recherche (Allard, 1990; Dolan, Hogue et Harbottle, 1990; Foucher, 1991) tendent à démontrer

---

3. Nous nous permettons d'étendre le sens de l'expression unité administrative qui provient du milieu militaire, selon le *Larousse* encyclopédique.
4. Par mission, nous entendons ce qu'une direction est chargée d'accomplir ou, en d'autres termes, ses raisons d'être. Le rôle peut être défini comme la somme des attentes que l'entité concernée et des personnes significatives entretiennent à propos de la façon dont elles doivent se comporter. Le rôle fait donc référence à un rapport social et à des comportements. Les tâches se situent à un autre niveau, plus concret celui-là; elles ont trait à ce qui est fait ou doit être fait.

qu'une transformation profonde s'est amorcée au Québec durant les années 80. Celle-ci est résumée dans le rapport (Wagner, 1989) d'un comité de travail de l'Association des professionnels en ressources humaines du Québec (APRHQ) portant sur les aspects qui, selon ses membres, ont caractérisé l'évolution des DRH au cours des dernières années. Le tableau 3.1 rapporte ces aspects qui ont trait à des rôles et à des tâches de cette unité administrative, ainsi qu'à des politiques et

TABLEAU 3.1 L'ÉVOLUTION DES DIRECTIONS DE RESSOURCES HUMAINES SELON UN COMITÉ DE L'APRHQ

Aspects en décroissance	Aspects en croissance
Contribution d'ordre administratif liée à la gestion courante de l'entreprise	Apport d'ordre stratégique par la contribution à la poursuite des objectifs de l'entreprise
« Maintenance » des systèmes opérationnels	Développement de l'organisation et de la culture d'entreprise
Contrôle des normes organisationnelles	Promotion des valeurs organisationnelles
Application de décisions prises par la haute direction	Conseil accru auprès de la haute direction et participation à la prise de décision
Fonction conseil limitée à la résolution de problèmes à court terme, selon une perspective réactive	Fonction conseil élargie aux grandes stratégies de développement et aux grandes orientations de l'entreprise, selon une perspective proactive
Protection des droits de gérance et maintien de relations de travail harmonieuses	Recherche et développement de nouvelles formes de partenariat entre employeurs, employés et syndicats
Évitement des conflits, achat de la paix	Résolution des conflits
Gestion d'activités	Gestion de processus interactifs
Utilisation de techniques éprouvées	Imagination, créativité et innovation
Actions à court terme de recrutement, de sélection et d'embauchage	Actions à long terme de gestion de la relève et des carrières
Modèle traditionnel d'organisation du travail	Recherche de nouveaux modèles d'organisation du travail
Rigueur et uniformité des politiques et des pratiques de gestion	Flexibilité et harmonisation des politiques et des pratiques de gestion
Organisation hiérarchique avec délégation contrôlée	Organisation aplatie avec un accroissement des responsabilités confiées au personnel
Centralisation générale	Décentralisation en plus petits centres de profits
Programme uniforme de rémunération globale	Programmes flexibles de rémunération liés à la contribution individuelle et tenant compte des besoins

des pratiques de gestion des ressources humaines. Comme on peut l'observer, une des principales composantes de ce changement est l'accroissement des apports d'ordre stratégique de la part des DRH.

Voici un exemple qui peut aider à mieux comprendre ce type d'apport. Dans une grande entreprise manufacturière qui avait pour stratégie de gestion un leadership de coûts, le vice-président aux ressources humaines a exercé un rôle clé lors d'une restructuration d'envergure effectuée au cours des années 80. Cette restructuration permettait à l'entreprise de se concentrer sur ce qu'elle fait bien et ainsi d'accroître sa rentabilité, notamment en réduisant ses coûts de production. Cet objectif fut atteint par la création de centres de profits permettant de mieux adapter les structures aux modes de production, à la technologie, aux marchés et à la culture des entreprises formant cette organisation. Pour réaliser ce nouvel aménagement, qui demandait entre autres de redéfinir les responsabilités des cadres supérieurs, il a fallu procéder à des remplacements de personnel. Quoique le vice-président aux ressources humaines ait participé à toutes les étapes de ce changement, son influence a été la plus déterminante :

— par les programmes de préparation de la relève qu'il avait mis sur pied et les organigrammes de remplacement qu'il avait fait préparer, la direction a pu non seulement percevoir que le changement était possible, mais réussir à l'implanter ;

— par les politiques de gestion qu'il avait contribué à faire accepter plus tôt par la haute direction (lesquelles prônaient, par exemple, le respect des individus et la promotion du rendement), il a été possible d'orienter le changement vers les cibles appropriées et d'effectuer ce dernier en évitant qu'une détérioration du climat ne contrebalance les effets positifs de la restructuration.

Comme l'indique cet exemple, l'influence d'ordre stratégique exercée par la DRH provient de divers types d'interventions. La troisième section de ce chapitre fournira des précisions sur ces apports et sur ce qui peut être fait pour les faciliter. Ce texte serait cependant incomplet, voire trompeur, s'il n'englobait pas les apports de la DRH au fonctionnement quotidien de l'organisation. En conséquence, la troisième section aura aussi pour objet les missions, les rôles et les tâches d'ordre opérationnel. L'ensemble de cette information sera traité avec un double objectif : favoriser une meilleure compréhension de la mission des DRH et, à partir du cadre de référence qui sera présenté, faciliter l'élaboration d'un guide de gestion de ces unités administratives.

Bien orienter les directions de ressources humaines constitue une condition essentielle mais non suffisante à leur efficacité. Il faut aussi qu'elles soient dotées de structures et d'un personnel adaptés à leur mission et à leurs objectifs, et qu'elles parviennent à un partage d'autorité adéquat avec les cadres hiérarchiques. Ces aspects feront l'objet de la quatrième section de ce chapitre, et seront eux aussi traités en fonction des deux objectifs suivants: favoriser une meilleure compréhension des principes pouvant orienter l'aménagement des DRH et, à partir du cadre de référence qui sera présenté, faciliter l'élaboration d'un guide de gestion de ces unités administratives.

L'évolution des besoins de l'organisation, des problèmes de gestion des ressources humaines et des carences de la DRH peuvent nécessiter des changements dans les responsabilités de cette unité administrative, dans son aménagement ou dans ces deux aspects à la fois. Nous traiterons de ce thème dans la conclusion de ce chapitre.

L'orientation et l'aménagement des DRH sont toutefois déterminés par des facteurs se rapportant à la nature de ces unités administratives et au fonctionnement des organisations. Nous traitons de ces facteurs dans les pages suivantes.

3.2 DES PRINCIPES DIRECTEURS

Avec ou sans la présence d'une DRH, une organisation doit gérer ses ressources humaines. Elle doit donc avoir une vue d'ensemble des responsabilités à assumer en matière de gestion des ressources humaines avant de préciser celles qu'elle confie à la DRH.

Ce premier principe directeur est intimement relié au suivant. Pour que la DRH fonctionne adéquatement et réalise ses missions, il importe d'effectuer une double harmonisation. La première a trait à l'insertion appropriée de la DRH dans l'ensemble de l'organisation; la seconde a trait à la compatibilité entre l'aménagement et les orientations de la DRH.

En tant qu'unité administrative qui offre des services, il est essentiel que la DRH connaisse bien la demande à laquelle elle est exposée et ce qui peut la modifier, de façon à ajuster son offre de services. Le troisième principe dont nous traiterons est cette recherche d'équilibre entre l'offre et la demande de services.

3.2.1 UNE VUE D'ENSEMBLE DES RESPONSABILITÉS

Gérer les ressources humaines demande d'assumer divers types de responsabilités. Certaines ont trait à l'exercice d'un leadership permettant d'orienter les actions en matière de gestion des ressources humaines; d'autres concernent l'exercice de tâches destinées à attirer le personnel requis, à le retenir pendant une période de temps adéquate et à l'inciter à produire; d'autres enfin se rapportent à l'exercice de tâches administratives qui font partie intégrante de la gestion des ressources humaines (par exemple, fournir des statistiques sur la main-d'œuvre à des organismes gouvernementaux et administrer les rémunérations).

Au fur et à mesure que les organisations se développent, les tâches à effectuer sont plus nombreuses et plus complexes. Comme le mentionnent plusieurs écrits sur les structures organisationnelles (Mintzberg, 1979), les organisations s'adaptent à ce changement en créant des unités administratives spécialisées et différenciées, et en formalisant davantage leurs politiques et leurs pratiques de gestion. Il est donc logique que ce soit après avoir atteint une certaine taille que les organisations mettent sur pied une unité administrative spécialisée en gestion des ressources humaines et qu'elles structurent davantage leurs politiques et leurs pratiques.

Quelques relevés statistiques (De Spelder, 1962) montrent que les organisations ont tendance à créer des postes spécialisés en gestion des ressources humaines lorsqu'elles comptent de 100 à 150 salariés. Ces chiffres n'ont toutefois pas un caractère absolu. Certaines recherches, entre autres celle de Baker (1955), révèlent que des organisations créent un poste de chef du personnel avec moins de 100 salariés. Plusieurs organisations forment une unité administrative spécialisée en gestion des ressources humaines lorsqu'elles emploient de 200 à 500 salariés, mais ce n'est pas nécessairement la première unité administrative spécialisée qu'une organisation crée. Dans des entreprises manufacturières, c'est en règle générale le service de production qui est le premier à voir le jour. Le fait qu'il n'y ait pas un nombre fixe d'employés associé à la mise sur pied d'une DRH dépend de divers facteurs. Comme nous l'avons observé dans deux organisations qui refusaient de créer ce type d'unité administrative malgré le nombre de leurs employés, le désir de ne pas bureaucratiser la gestion des ressources humaines est un de ces facteurs.

Une fois créée, la DRH passe par des étapes au cours desquelles ses responsabilités évoluent et deviennent mieux intégrées aux fonctions des cadres hiérarchiques en matière de gestion des ressources humaines. C'est ce que Baird et Meshoulam (1984) ont constaté à la suite d'une recherche empirique sur l'évolution d'une DRH au sein d'une même organisation.

– La première étape constitue l'élaboration initiale, au cours de laquelle la DRH assume des tâches de soutien administratif pour l'embauchage et la rémunération des employés, ainsi que l'administration des avantages sociaux. Ces responsabilités sont assumées en marge des cadres hiérarchiques qui expriment de l'indifférence à leur égard, sauf en période de crise.

– Les deux étapes suivantes permettent la croissance d'une fonction spécialisée dont les objectifs consistent à développer et à implanter des programmes de recrutement, de sélection, de formation, etc. Les cadres hiérarchiques participent peu à ces tâches, et ils risquent de ressentir de la confusion et d'exprimer de la résistance quant aux objectifs poursuivis par les nouveaux programmes.

– Après l'étape d'intégration des fonctions, la DRH en arrive à une association complète avec les cadres hiérarchiques, qui collaborent alors avec les professionnels de la gestion des ressources humaines pour déterminer les buts et les stratégies de ce secteur d'activité. À ce stade d'évolution, la DRH cherche à créer et à implanter des programmes liés aux objectifs stratégiques de l'organisation.

Durant les étapes qui précèdent l'association complète, il peut y avoir une absence de leadership en matière de gestion des ressources humaines si celui-ci n'est pas assumé par la direction générale, puisque la DRH se voit attribuer d'autres types de responsabilités. Au problème du leadership risque de se greffer un manque de vision à long terme. Concentrée à offrir des services administratifs ou à améliorer les pratiques de gestion des ressources humaines, la DRH peut ne pas avoir le temps ni les appuis requis pour préparer une relève et aider le personnel à s'adapter à l'évolution de l'organisation.

3.2.2 L'HARMONISATION DES COMPOSANTES

Comme les organisations, les DRH constituent un système aux composantes interdépendantes. En raison de cette caractéristique, des chercheurs, tels Allaire et Firsirotu (1983), estiment qu'il faut harmoniser les composantes d'une organisation de façon que ses orientations et son aménagement s'appuient mutuellement. Les DRH satisfaisant à ce critère pourraient être regroupées en configurations qui différeraient selon leur autorité, leurs responsabilités, leurs clients et leur main-d'œuvre.

Ces aspects font partie des critères que Tyson et Fell (1986) ont retenus pour distinguer trois types de DRH qui ont caractérisé des époques différentes au cours du XXᵉ siècle, et que l'on retrouve encore de nos jours dans différents genres d'organisations. Comme l'indique le tableau 3.2, ces types sont l'**exécutant** (qui a été la forme la plus fréquemment observée jusqu'à la Seconde Guerre mondiale, et qui continue de caractériser les PME), l'**administrateur de contrats** (qui a été la forme la plus courante entre la Seconde Guerre mondiale et les années 70, et que l'on retrouve encore souvent dans les organismes publics, parapublics et péripublics) et l'**architecte** (qui est le type en émergence depuis environ 20 ans, mais que l'on retrouve encore le plus fréquemment dans les grandes entreprises privées). Chaque type de direction a un aménagement (degré d'autorité et de contrôle, type de ressources humaines, etc.) qui varie, entre autres, selon les politiques mises de l'avant, l'horizon de la planification et les clientèles desservies. La possibilité d'identifier diverses configurations confirme la pertinence du principe d'harmonisation. Celui-ci ne doit cependant pas faire oublier que les responsabilités qui ne sont pas assumées par la DRH doivent l'être par la direction générale et les cadres hiérarchiques.

3.2.3 L'ÉQUILIBRE ENTRE LA DEMANDE ET L'OFFRE DE SERVICES

L'orientation et l'aménagement des DRH devraient être conçus de façon à faciliter la réalisation d'un équilibre entre la demande et l'offre de services. Dans cette partie du chapitre, nous traiterons des principaux facteurs susceptibles d'influer sur la demande et l'offre de services, en précisant les liens entre ces deux phénomènes.

Selon leur nature, certains facteurs de l'environnement des DRH peuvent engendrer des obligations, des contraintes ou de nouvelles possibilités qui déterminent les services à offrir. Il importe donc que le personnel des DRH et les structures dans lesquelles il œuvre facilitent l'adoption des actions appropriées. Ces facteurs proviennent de l'environnement de l'organisation, de la direction générale et des caractéristiques de l'organisation.

Selon sa façon de réagir aux facteurs de l'environnement, ses compétences, ses aspirations et les stratégies qu'il met de l'avant, le personnel de la DRH influence l'offre de services. C'est le dernier facteur dont nous traiterons.

L'INFLUENCE DE L'ENVIRONNEMENT DE L'ORGANISATION

Les facteurs de l'environnement de l'organisation qui influent sur les DRH sont principalement d'ordre juridique, économique, socioculturel

TABLEAU 3.2 *LA TYPOLOGIE DES DIRECTIONS DE RESSOURCES HUMAINES PROPOSÉE PAR TYSON ET FELL*

Aspects	L'exécutant	L'administrateur de contrats	L'architecte
Politiques	À la pièce ; elles ne sont pas intégrées à celles de l'organisation et proviennent de la direction.	Bien établies mais souvent implicites ; elles s'inspirent des pratiques de relations industrielles.	Explicites ; elles visent l'atteinte de plans stratégiques et se basent sur la planification des ressources humaines.
Horizon de la planification	À court terme ; met l'accent sur les budgets, et non sur les plans stratégiques de l'organisation.	À court terme ; d'une durée possible d'un à deux ans.	Conforme à la durée de la planification stratégique et tactique ; considère les objectifs financiers et humains.
Latitude	Faible	Encadrée	Grande
Clients	Cadres de premier niveau	Cadres de niveau intermédiaire	Direction
Autorité	Entre les mains des cadres hiérarchiques ; soumise au leadership des gestionnaires.	Détenue par les cadres supérieurs ; la DRH agit comme agent, mais peut assumer un leadership à l'intérieur de la marge d'autonomie qu'elle détient.	Collaboration avec les plus hautes instances ; participe aux changements avec ces derniers.
Contrôle	Cadres hiérarchiques disposent de l'autorité, et seul un cadre de niveau plus élevé peut apporter un changement.	Influencé par la présence syndicale ; recherche d'ententes formelles.	Contrôle plus traditionnel est remplacé par des décisions plus rationnelles en raison d'une meilleure intégration des cadres hiérarchiques et de ceux de la DRH.
Systèmes	*Ad hoc* ; sont fonction des exigences juridiques et sont reliés au système de paye.	Complexification, surtout pour faciliter les négociations.	Tendance à être complexes ; présence de techniques de planification et d'un système d'information.
Activités de la DRH	Routinières ; se composent de tâches administratives qui ont trait aux personnes et non aux affaires.	Soutien offert aux cadres hiérarchiques ; exercent un rôle d'interprète en matière de relations du travail.	Recherche d'occasions pour favoriser la mise en valeur des habiletés du personnel ; conceptualisation et innovation.
Imputabilité	Relève d'un cadre hiérarchique supérieur (par exemple, chef comptable).	En règle générale, relève d'un cadre supérieur, mais peut se rapporter au directeur général ou au président.	Relève du directeur général ou du président.

**TABLEAU 3.2 LA TYPOLOGIE DES DIRECTIONS DE RESSOURCES HUMAINES PROPOSÉE
PAR TYSON ET FELL (suite)**

Aspects	L'exécutant	L'administrateur de contrats	L'architecte
Enjeux politiques	En règle générale, les aspects politiques ne constituent pas un enjeu; on évite les conflits.	Pouvoir qui provient de la gestion des relations du travail; en raison de son autorité mal définie et des ententes qu'elle négocie, elle peut être impliquée dans des conflits.	Pouvoir qui provient de sa contribution aux objectifs de l'organisation; dispose d'un statut égal à celui des autres directions; doit entraîner des collègues dans l'arène politique et peut ouvertement s'engager dans des conflits.
Carrière dans la DRH	Accession habituelle à des postes par voie de promotion interne, sans posséder de compétences particulières.	Postes d'entrée comblés par des personnes provenant d'autres unités administratives; les postes plus élevés permettent de devenir professionnel de la gestion des ressources humaines; le critère de sélection est la capacité de résoudre rapidement les problèmes quotidiens.	Comprend des professionnels de la gestion des ressources humaines, mais peut attirer des cadres hiérarchiques de façon permanente ou temporaire.

Source: TYSON, S. et FELL, A., *Evaluating the Personnel Function*, Londres, Hutchison, 1986, p. 23, 27, 28 et 29.

et démographique. Quoique certains facteurs agissent directement sur l'offre de travail, la plupart ont pour caractéristique de déterminer la demande de services et ainsi d'influer sur les tâches des DRH. Pour exercer ces tâches, les DRH peuvent avoir à faire des ajustements de leur main-d'œuvre et de leur pouvoir dans l'organisation.

Au fil des ans, **la législation en matière de relations individuelles et collectives du travail** s'est complexifiée. Au Québec, les organisations de compétence provinciale sont soumises à une législation répartie dans près de 80 lois, qui couvrent l'ensemble des activités de gestion des ressources humaines. En conséquence, les DRH doivent se doter des connaissances requises pour aider leur organisation à agir dans la légalité.

Certaines lois obligent les organisations à enregistrer des données sur leurs employés auprès d'organismes et de ministères, et à transmettre des rapports sur des pratiques précises de gestion des ressources humaines. Ainsi, les entreprises qui exercent des activités au Québec peuvent avoir à produire des rapports, entre autres, sur certains de leurs programmes (équité en emploi, embauchage de personnes handicapées et francisation), sur leur politique de santé et de sécurité du travail et sur les statistiques d'accidents du travail.

En raison des exigences particulières qu'elles imposent, certaines lois ont même une influence sur les priorités que se donnent les DRH. Par exemple, lors d'un sondage effectué par Dolan, Hogue et Harbottle (1990), une centaine d'entreprises exerçant leurs activités au Québec ont dit accorder de l'importance à la santé et à la sécurité au travail et à l'équité en emploi, ce qui peut s'expliquer par les exigences juridiques.

Par les tâches qu'il demande d'effectuer, l'encadrement juridique exerce aussi une influence sur la quantité et le type de main-d'œuvre à engager dans les DRH. Par exemple, le nombre de spécialistes en santé et en sécurité du travail s'est considérablement accru au Québec depuis que de nouvelles lois en ces matières ont été adoptées.

Enfin, l'encadrement juridique peut aussi influer sur le pouvoir des DRH à cause des effets négatifs qu'entraîne le non-respect de certaines lois. Par exemple, un sondage effectué aux États-Unis par Janger (1977) indique que les législations en matière de gestion des ressources humaines, notamment celles qui ont trait à l'équité en emploi, ont eu pour effet d'inciter plusieurs entreprises à rapprocher la DRH du groupe de décision stratégique et à centraliser l'élaboration des politiques de ressources humaines.

En raison de leurs effets sur le nombre de postes disponibles et la mobilité du personnel, **les cycles économiques** influent sur la quantité de tâches que les DRH ont à effectuer en matière de gestion des entrées et des départs de personnel, en plus de leur poser des défis sur le plan de la gestion des carrières. Ces cycles exercent également des pressions pour que les DRH aident leur organisation à se préparer aux périodes d'expansion et de récession.

Les cycles économiques influent aussi sur l'effectif et les ressources des DRH, donc sur l'offre de services. Par exemple, Fombonne (1988) rapporte un sondage effectué en 1962, selon lequel 75 % des DRH ont été mises sur pied après 1945, soit en période de croissance économique. À l'opposé, les périodes de récession ou de crise créent une pression pour que les DRH diminuent leur effectif et rationalisent leurs activités. Par exemple, lors de la crise économique du début des années 80, les DRH ont dû sacrifier des programmes de formation intéressants dont la rentabilité pouvait difficilement être démontrée (Rush et Gantz, 1983).

Le contexte socioculturel a, lui aussi, des effets que les organisations ont avantage à prendre en considération. Par son influence sur les mentalités, il détermine les pratiques de gestion des ressources humaines et le pouvoir de la DRH. Bournois (1991) fait ressortir ces effets en classant, à la suite de traitements statistiques, les pratiques européennes de gestion des ressources humaines selon deux axes : la formalisation et la valorisation de la gestion des ressources humaines. En vertu de cette classification, les plans stratégiques sont, par exemple, plus souvent écrits en Suède qu'en France, alors que plus de DRH participent au comité de direction de l'entreprise en France qu'en Suède.

De même, par certains problèmes qu'il entretient, le contexte socioculturel influe sur les tâches des DRH. Par exemple, la gravité des problèmes de toxicomanie a récemment incité plusieurs organisations à offrir des programmes d'aide aux employés.

Les caractéristiques démographiques qui sont le plus susceptibles d'influer sur les tâches, les pratiques de gestion et le pouvoir des DRH sont :

- le vieillissement de la population, qui compliquera le recrutement et incitera à trouver des moyens pour garder le personnel plus longtemps au travail ;

- l'accroissement du niveau moyen de scolarité de la main-d'œuvre, qui crée des pressions à l'enrichissement des tâches et à la révision des cheminements de carrière, et la rareté de certaines ressources qualifiées sur le marché du travail, qui contribue, selon Freedman (1990), à augmenter l'influence des DRH ;

- l'accroissement du nombre de couples dont les deux partenaires font carrière et du nombre de familles monoparentales, qui crée des pressions à la création de garderies en entreprise et complique les mutations géographiques ;

- la présence d'ethnies multiples, qui incite certaines organisations à consacrer des efforts particuliers à leur recrutement et à leur intégration ; un sondage récent de l'Association des professionnels en ressources humaines du Québec (1990) indique même que l'intégration des minorités visibles constitue une priorité pour plusieurs de ses membres.

L'INFLUENCE DE LA DIRECTION DE L'ORGANISATION

Le deuxième type d'influence dont il faut tenir compte provient de la direction de l'organisation. Diverses recherches[5] montrent que la personnalité du président de l'entreprise influe sur la stratégie et les structures des organisations, notamment les petites. Ces résultats permettent de postuler que les croyances et les valeurs de la direction contribuent à modeler les structures et les rôles des DRH. À titre d'exemple, il est possible de formuler les hypothèses suivantes à partir des liens que Miller, Kets de Vries et Toulouse (1982) ont observés entre les croyances du président à l'égard de la maîtrise de sa destinée[6] et les structures qu'il met sur pied :

– dans les organisations dont le président croit que sa destinée est déterminée par des facteurs externes, la DRH se compose d'un plus grand nombre de personnes (en raison de son caractère plus centralisateur et bureaucratique), exerce des rôles qui se rapportent davantage au maintien qu'au développement, et est davantage cantonnée dans des tâches techniques ;

– dans les organisations dont le président croit maîtriser lui-même sa destinée, la DRH exerce des rôles plus dynamiques et novateurs : elle s'occupe davantage de développement, est moins centralisatrice et contribue plus à la stratégie de gestion de l'organisation.

Le deuxième exemple d'influence a trait à l'appui de la direction générale aux programmes de gestion des ressources humaines. Par exemple, des recherches montrent que cet appui est essentiel à la participation des contremaîtres en matière de prévention des accidents du travail (Simard, 1990) et à l'implantation de systèmes et de techniques de gestion participative (Rondeau et Lemelin, 1990), dont les cercles de qualité (Fabi, 1990). Pour que cette contribution soit possible, il faut cependant que la direction générale ait la motivation et la disponibilité requises. Une enquête récemment effectuée en France (Noharet, 1990) révèle que le manque de temps de la direction générale constitue, selon le responsable de l'unité administrative spécialisée en gestion des ressources humaines, un des principaux freins à une efficacité accrue de la fonction personnel au sein de l'entreprise.

---

5. Kets de Vries et Miller (1984), Miller et Dröge (1986), et Miller, Kets de Vries et Toulouse (1982).
6. À la suite de Rotter (1966) qui fut l'un des pionniers de la théorie de l'attribution, les auteurs distinguent deux types de personnes : celles qui croient gérer elles-mêmes leur destinée (*internal locus of control*) et celles qui considèrent leur destinée comme étant déterminée par des forces extérieures (*external locus of control*).

L'INFLUENCE DES CARACTÉRISTIQUES DE L'ORGANISATION

Plusieurs caractéristiques de l'organisation influent sur les DRH. Les principales sont: la taille de l'organisation, son secteur d'activité économique, son stade de développement et sa stratégie de gestion, ses structures, ses ressources financières, le degré de syndicalisation de son personnel et le type d'actionnariat qui la régit. Le choix de ces caractéristiques s'inspire, en partie, d'un modèle proposé par Dimick et Murray (1978).

Le degré de structuration de certaines activités de gestion des ressources humaines, telle la planification, augmente en fonction de **la taille de l'entreprise**. Murray et Dimick (1977) ont aussi constaté que la complexité des programmes de gestion des ressources humaines mesurée par leur grille s'accroît avec la taille de l'organisation.

La taille constitue aussi un des principaux facteurs qui font varier le ratio entre le nombre de personnes dans la DRH (à l'exclusion des employés de bureau) et le nombre total d'employés de l'organisation. Selon un sondage publié par Prentice-Hall / ASPA en 1977, ce ratio varie de 1 pour 96 dans les entreprises manufacturières ayant moins de 500 employés, à 1 pour 352 dans celles qui comptent plus de 5 000 employés. Des données plus récentes rapportées par le Bureau of National Affairs (1990) confirment cette tendance. Le ratio varie de 1,1 (organisations avec moins de 250 employés) à 0,3 (organisations avec plus de 2 500 employés).

Le ratio entre le nombre de cadres et de professionnels travaillant dans les DRH et le nombre total d'employés diffère aussi selon **le secteur d'activité économique de l'organisation**. D'après des données récentes publiées par le Bureau of National Affairs (1990), il est, aux États-Unis, de 0,4 dans le secteur de la santé, de 0,9 dans le secteur de la finance et de 0,6 dans le secteur manufacturier. Ces écarts s'expliquent, entre autres, par le degré de réglementation du secteur économique (Freedman, 1990). En matière de tâches effectuées par les DRH, il y a une différence entre les pratiques de recrutement (telle l'utilisation du recrutement par ses propres employés) et de sélection (telle l'utilisation de comités de sélection) des secteurs privé et public.

Divers auteurs (Crandall, 1987; Kochan et Chalykoff, 1987; Miller, 1985; Smith, 1982a, 1982b) traitent des liens entre les cycles qui marquent **le développement des organisations** (et de leurs produits ou services) et **les pratiques de gestion des ressources humaines**. Ces cycles exercent aussi une influence sur les tâches et les priorités des DRH, comme le montre le tableau 3.3.

✸✸ TABLEAU 3.3 *LES TÂCHES DES DIRECTIONS DE RESSOURCES HUMAINES ASSOCIÉES À DES ÉTAPES DE CROISSANCE DE L'ORGANISATION*

Étapes	Tâches
Émergence	– Pas de planification – Peu ou pas de formation ni d'aide à la gestion des carrières – Beaucoup de recrutement et de sélection
Croissance	– Nécessité d'effectuer des prévisions de main-d'œuvre – Beaucoup de recrutement et de sélection – Émergence de la formation – Début de la centralisation de certaines politiques, dont la rémunération
Maturité	– Plus de planification – Contribution à la «formalisation» des pratiques de gestion des ressources humaines – Élaboration de plans de carrière pour retenir le personnel qualifié – Moins de recrutement et de sélection, mais plus de formation et de développement du personnel
Revitalisation	– Communications organisationnelles accrues – Gestion de la mobilité du personnel – Contribution au recrutement et à la sélection de personnes clés pour assurer les nouvelles orientations – Contribution à la réorganisation du travail – Mobilisation des énergies de groupe pour assurer la survie
Décroissance	– Gestion des départs (par exemple, licenciements, retraites anticipées) – Réaffectations – Aide aux employés (*outplacement* et counseling)

Les travaux portant sur les liens entre des stratégies précises de gestion et la gestion des ressources humaines s'intéressent aux pratiques en cette matière, mais ils portent peu sur les rôles, les tâches, la main-d'œuvre et la structuration des DRH. Pour l'instant, il faut donc postuler que les actes posés par la DRH varient selon la stratégie générique de l'organisation. Par contre, les travaux sur les stratégies radicales de changement (Allaire et Firsirotu, 1989; Gosselin, 1989; Tichy et Ulrich, 1986), telles les réorientations et la revitalisation, fournissent des données sur les effets avec lesquels les DRH ont à composer. C'est ce que montrent les exemples suivants.

– Comme d'autres membres de la haute direction, le responsable de la DRH risque d'être congédié s'il n'épouse pas les nouvelles valeurs, s'il ne peut contribuer au changement d'orientation et s'il n'a pas d'appui politique.

– En raison de la nature de ces stratégies, la DRH qui assume des rôles stratégiques aura à implanter des changements, entre autres par des actions de formation visant à modifier la culture.

– La transformation des pratiques de gestion des ressources humaines et, indirectement, des tâches de la DRH varie selon la stratégie de changement radical. Quelle que soit la stratégie, il est probable cependant qu'il faille travailler à l'amélioration de l'organisation du travail et des communications, et qu'il y ait des actions à poser en matière de dotation.

La présence du syndicat est une autre caractéristique à laquelle il importe de porter attention. Selon 1 400 cadres œuvrant en gestion des ressources humaines dans des organisations dont le personnel est syndiqué (Prentice-Hall / ASPA, 1977), **les relations collectives du travail** représentent les tâches les plus importantes lorsque les employés sont syndiqués. Cette opinion peut se justifier, entre autres, par les facteurs suivants :

– la nécessité d'exercer certaines tâches reliées à la négociation et à l'administration de la convention collective ;

– la nécessité d'exercer certaines tâches, telle la formation des cadres hiérarchiques à la gestion des conventions collectives, si l'on veut éviter certains problèmes (comme le suggèrent les résultats des recherches de Dalton et Todor, 1979, 1982 ; Fleishman et Harris, 1962 ; Walker et Robinson, 1977) ;

– la difficulté de développer certaines pratiques de gestion des ressources humaines en raison de dispositions rigides des conventions collectives (Dimick et Murray (1978) ont observé que les activités de planification, de sélection et de gestion des mouvements de personnel sont moins développées dans les organisations dont les employés sont syndiqués).

Les structures de l'organisation influent elles aussi sur les DRH. C'est ce que les trois propositions suivantes visent à expliciter :

– le choix de structures par fonctions ou par marchés détermine le degré de centralisation de la gestion des ressources humaines (Janger, 1977) ;

– le fonctionnement, en totalité ou en partie, par franchisage incite davantage la DRH à faire la mise en marché de ses services ;

– le niveau hiérarchique de la DRH a des effets sur son pouvoir et ses rôles.

Les deux derniers facteurs dont nous traiterons sont **les profits de l'entreprise** et **certaines caractéristiques de ses propriétaires**. Dimick et Murray (1978) ont constaté que les entreprises qui réalisent le plus de profits ont tendance à avoir des mécanismes de sélection et de gestion des mouvements de personnel plus complexes, à se servir de l'évaluation du rendement à plus de fins, à offrir une gamme plus étendue d'activités de formation du personnel sans responsabilité administrative et à offrir, au total, un nombre plus élevé de cours. Gomez-Mejia (1985) a lui aussi observé des liens entre les pratiques de gestion des ressources humaines et divers critères de rendement financier de l'entreprise. Enfin, certains chercheurs ont observé une relation négative entre la concentration de la propriété et les aspects suivants : le degré de complexité des programmes de ressources humaines (Dimick et Murray, 1978) et l'étendue des services de soutien offerts aux employés (Morley, 1974).

L'INFLUENCE DU PERSONNEL DE LA DIRECTION DES RESSOURCES HUMAINES

Selon sa capacité d'identifier la demande de services et d'apporter les ajustements requis dans les services offerts, le personnel de la DRH influence l'équilibre entre la demande et l'offre de services. Par ses aspirations et ses compétences, le personnel de la DRH influe aussi directement sur l'offre de services. Ce n'est pas par hasard que Baird et Meshoulam (1984) ont trouvé que le responsable de la DRH a des caractéristiques différentes selon le stade de développement de cette unité administrative. Ainsi, le responsable sera un commis ou un administrateur au stade de l'élaboration initiale, un spécialiste des ressources humaines lorsque croît une fonction spécialisée, et un généraliste au stade de l'intégration des fonctions et à celui de l'association complète. Tyson et Fell (1986) ont fait des observations semblables, en constatant que les caractéristiques du responsable de la DRH varient selon que cette unité administrative est du type exécutant, administrateur de contrats ou architecte. Enfin, la façon dont la DRH est elle-même gérée détermine sa connaissance des besoins de l'organisation et sa capacité d'obtenir les appuis et les ressources pour les satisfaire. La partie de ce chapitre qui traite de la gestion interne des DRH apportera des précisions sur les tâches à effectuer pour connaître les besoins de l'organisation et les moyens pour les satisfaire.

3.3 LES ORIENTATIONS DES DIRECTIONS DE RESSOURCES HUMAINES

En raison de ce qu'elle peut faire pour l'organisation et de ses effets possibles sur l'équilibre interne de cette dernière, la mise sur pied et le maintien d'une DRH constituent des décisions stratégiques à prendre avec soin, en considérant la situation actuelle et future de l'organisation. Pour prendre cette décision, il importe de préciser les missions, les rôles et les tâches de cette unité administrative.

3.3.1 LES MISSIONS, OU TYPES D'APPORTS, DES DIRECTIONS DE RESSOURCES HUMAINES

Les apports de la DRH se répartissent en quatre catégories : **apports stratégiques, apports au fonctionnement ou à la cohésion du système social de l'organisation, apports professionnels et techniques,** et **apports à la réalisation des objectifs de gestion des ressources humaines.** Ces quatre différentes catégories de contributions que l'on peut exiger de la DRH se justifient par des caractéristiques de l'organisation ou des exigences inhérentes aux activités de gestion des ressources humaines.

– En tant que système social et économique, une organisation doit entretenir des relations adéquates avec les composantes sociales et les composantes économiques de son environnement si elle veut survivre et se développer. La DRH peut contribuer à cette adaptation par des apports de nature stratégique qui consistent à harmoniser les pratiques de gestion des ressources humaines avec les besoins de la stratégie de gestion, à accroître la capacité de l'organisation à changer cette stratégie s'il y a lieu, et à développer une stratégie propre aux ressources humaines.

– En tant que système social, une organisation doit se doter de moyens pour assurer son fonctionnement et sa cohésion. Le règlement des conflits et l'uniformisation des pratiques de gestion se classent dans cette catégorie.

– Par sa nature même, la gestion des ressources humaines comporte des tâches de nature professionnelle et technique qui s'avèrent essentielles au fonctionnement de l'organisation. Recruter du personnel et contribuer à sa formation font partie de ces tâches.

– En raison des résultats que l'organisation doit atteindre sur les plans économique et social, la DRH se doit d'avoir ce double type d'objectif. Cette contribution constitue d'ailleurs une caractéristique de son champ d'activités.

Une DRH peut aussi produire des effets dysfonctionnels ou, en d'autres termes, dévier de ses missions. L'intensité de ce problème varie en fonction de différents facteurs : les objectifs, les valeurs et les croyances des personnes qui composent la DRH, les structures dans lesquelles elles œuvrent, etc. Les principaux dysfonctionnements dont la DRH doit se méfier sont :

– négliger certains types d'apports ;

– chercher à accroître ses ressources et son pouvoir au détriment de l'organisation, notamment par la centralisation des décisions, la complexification des procédures et l'uniformisation des techniques ;

– provoquer inutilement des conflits d'idéologie et de juridiction à propos de la gestion des ressources humaines ;

– encourager les cadres hiérarchiques à abdiquer certaines de leurs responsabilités sous prétexte que la DRH les assume.

Des mécanismes de contrôle et d'évaluation peuvent toutefois aider à prévenir et, le cas échéant, à limiter les dysfonctionnements. Ces mécanismes devraient permettre d'obtenir de l'information, entre autres, sur les aspects suivants : la conformité entre les actions posées par la DRH et les missions qui lui sont confiées ; la capacité de la DRH de répondre rapidement et adéquatement aux demandes des cadres hiérarchiques.

3.3.2 LES RÔLES DES DIRECTIONS DE RESSOURCES HUMAINES

C'est en exerçant divers rôles que les DRH réalisent les différents types d'apports dont nous avons traité. Le tableau 3.4 fournit une liste de rôles pour chaque catégorie d'apports. Cette liste se base sur une recension des écrits[7] ayant trait aux rôles exercés par les DRH, et sur une

---

7. Il y a de nombreux essais et écrits normatifs sur les rôles des directions de ressources humaines et sur les rôles du responsable de cette unité administrative, mais peu de travaux scientifiques sur le sujet. Plusieurs auteurs se limitent à proposer une liste de rôles, sans justifier la cohérence de cette dernière et sans toujours préciser ses fondements. Les lecteurs qui veulent avoir plus d'information sur ce thème peuvent consulter, entre autres, les listes de rôles proposées par les auteurs suivants : Carroll et Schuler (1983), French, Dittrich et Zawacki (1978), Hall et Goodale (1986),

TABLEAU 3.4 *LA CLASSIFICATION DES RÔLES EXERCÉS PAR LES DIRECTIONS*
DES RESSOURCES HUMAINES SELON QUATRE TYPES D'APPORTS

Apports stratégiques	Apports professionnels et techniques	Apports au fonctionnement et à la cohésion de l'organisation	Apports à la réalisation des objectifs de gestion des ressources humaines
Promoteur d'une vision intégrée de la gestion des ressources humaines	Gestionnaire d'activités fonctionnelles de nature professionnelle et administrative	Agent d'uniformisation	Stimulateur du rendement
Évaluateur des pratiques de gestion des ressources humaines	Promoteur de services appropriés en matière de gestion des ressources humaines	Transmetteur des valeurs fondamentales de l'organisation	Protecteur de la santé physique et mentale
Concepteur de la culture et du climat	Conseiller auprès des cadres hiérarchiques	Intermédiaire entre la direction et les employés	
Soutien de la stratégie d'entreprise par l'harmonisation des pratiques fonctionnelles	Chargé de résoudre des problèmes courants de gestion des ressources humaines	Gestionnaire du climat de travail	
Analyste de l'environnement et planificateur	Gardien de l'efficacité de la gestion des ressources humaines		
Agent de changement			
Conseiller auprès de la direction			
Gestionnaire de sa propre position stratégique et conseiller auprès de la direction			

recherche empirique effectuée auprès de quelque 200 unités administratives spécialisées en gestion des ressources humaines dans la région de Montréal (Foucher, 1991).

Sikula (1976), Srinivas (1984) et Watson (1977).
À la suite d'une recension des écrits, Allard (1990) a proposé une classification des rôles de nature stratégique qui lui a servi à élaborer un plan d'entrevue qu'elle a administré dans une vingtaine d'organisations. La classification qu'elle a proposée comporte six catégories de rôles stratégiques : leader de la fonction RH, consultant, gestion de la culture, agent de changement, partenaire stratégique et marketing. Chacune de ces catégories se subdivise en rôles particuliers.

Les différents **rôles de nature stratégique** se complètent les uns les autres de la façon suivante. Premièrement, les DRH ont à aider l'organisation à s'adapter à des facteurs externes tels que l'évolution quantitative et qualitative du marché du travail, et l'évolution du cadre juridique régissant la gestion des ressources humaines, ce qui explique le rôle d'analyste de l'environnement et de planificateur. Deuxièmement, ces mêmes directions et services ont à développer une stratégie propre à leur fonction ; par exemple, ils sont appelés à promouvoir une vision de la gestion des ressources humaines en développant une philosophie en cette matière et en s'assurant que les cadres y adhèrent. Troisièmement, les DRH sont appelées à développer des programmes de gestion des ressources humaines qui appuient la stratégie de gestion de l'organisation. Une recherche de Misa et Stein (1983) montre que les directeurs d'entreprises qui sont des chefs de file sur le plan de la productivité ont plus tendance à dire qu'ils font participer le responsable de la DRH aux décisions de l'entreprise et à évaluer positivement sa contribution aux objectifs stratégiques de l'organisation, que les directeurs des autres entreprises (54 % comparativement à 10 %). En raison des liens entre le développement d'une stratégie de gestion et la culture de l'organisation, ces directions ont aussi à contribuer à la conception de la culture et du climat que l'on veut privilégier. Quatrièmement, l'exercice d'une gestion stratégique des ressources humaines peut demander d'agir à titre d'agent de changement, que ce soit auprès des cadres ou des employés. Comme le révèle une recherche d'Ulrich, Brockbank et Yeung (1989), la capacité d'agir comme agent de changement est la caractéristique qui contribue le plus à ce que les responsables de DRH soient perçus comme efficaces par divers membres de leur organisation. Enfin, l'exercice de ces différents rôles serait impossible si la DRH ne gérait pas sa propre position dans l'organisation et ne pouvait agir comme conseiller auprès de la direction générale. Lors de notre sondage, les DRH ont d'ailleurs mentionné que l'exercice de ces rôles faisait partie de leurs priorités.

Les alliances sur lesquelles la DRH peut compter, le système d'information de gestion dont elle dispose, les mécanismes la reliant aux concepteurs de la stratégie de gestion de l'organisation, et sa crédibilité sur le plan professionnel sont les déterminants de son influence d'ordre stratégique. Le texte qui suit porte sur ces deux derniers facteurs.

Relier la DRH aux preneurs de décisions stratégiques vise notamment à assurer que l'implantation de la stratégie soit faisable et désirable sur le plan des ressources humaines. Cet objectif peut être atteint de diverses façons. En se basant sur des observations, Dyer (1983) estime que l'un ou l'autre des mécanismes suivants peut assurer la liaison entre les planificateurs stratégiques et la DRH, chacun ayant ses avantages et ses limites :

- l'insertion à la conception de la stratégie, par les liens qui sont établis dès le stade où l'on étudie l'environnement ;
- l'intégration à la conception de la stratégie, une partie de cette dernière devant se rapporter aux ressources humaines ;
- l'inspection de la conception stratégique et de son « opérationnalisation », ce qui implique la révision des plans stratégiques en fonction des critères de faisabilité et de désirabilité, selon un point de vue de gestion des ressources humaines ;
- l'inspection de la conception stratégique et de son « opérationnalisation », dans le but notamment d'identifier des aspects du plan qui nécessitent des précisions immédiates ou des études futures en matière de gestion des ressources humaines ;
- l'« interconnexion », qui consiste à établir des plans parallèles à propos des ressources humaines.

Quel que soit le mécanisme utilisé, celui-ci devrait favoriser une influence réciproque entre le groupe de planification stratégique et la direction des ressources humaines. Lors de recherches réalisées il y a quelques années, Alpander et Botter (1981) de même que Golden et Ramanujam (1985) ont observé une influence réciproque dans 60 % des organisations étudiées. Comme ils le mentionnent, l'existence de ce type de relation est toutefois déterminée par divers facteurs.

- Du côté de l'organisation, ce sont le degré de dépendance à l'égard des ressources humaines, les situations organisationnelles causant du stress (telle une croissance très rapide), les attentes de la direction à l'égard de la DRH, les exigences de la stratégie, le degré d'autonomie des unités administratives et le pouvoir informel.
- Du côté de la DRH, ce sont la connaissance de l'organisation, la capacité de démontrer sa compétence, la qualité de son système d'information de gestion, et l'habileté à planifier un changement et à identifier un défi futur.

Pour apporter une contribution de nature stratégique, la DRH aura probablement à faire au préalable la preuve qu'elle comprend l'organisation et que ses apports professionnels et techniques sont adéquats ; c'est la base de sa crédibilité. Certaines priorités mentionnées par les DRH que nous avons rejointes lors de notre sondage vont dans le sens de cette prise de position. Celles-ci ont dit se montrer particulièrement soucieuses de la qualité des services qu'elles offrent. Adapter leurs services aux besoins de leurs clients, répondre rapidement aux demandes de ces derniers et assurer le traitement équitable du personnel constituent des dimensions qui définissent la qualité des services offerts. La crédibilité professionnelle et technique s'obtient aussi en agissant comme gardien de l'efficacité de la gestion des ressources humaines, ce qui demande de faire connaître à la direction les besoins du personnel, de réduire certains dysfonctionnements (par exemple, l'absentéisme trop élevé) et d'améliorer le rapport coûts–bénéfices des activités de gestion des ressources humaines.

Les **apports professionnels et techniques** se concrétisent aussi par les rôles de conseiller que la DRH assume auprès des cadres, et par l'aide qu'elle apporte à la résolution des problèmes courants de gestion des ressources humaines. Ce rôle de sapeur-pompier est inévitable, mais il risque de prendre trop de place si la DRH n'a pas d'action dont la portée est à plus long terme.

La DRH est aussi appelée à **contribuer à la cohésion de l'organisation** en uniformisant certaines pratiques de gestion des ressources humaines. Les mécanismes suivants peuvent lui permettre de parvenir à cette fin : l'application de politiques et de procédures, l'administration d'instruments uniformes (tels des tests de sélection), la centralisation de certaines tâches et décisions, et la formation des cadres hiérarchiques pour que leurs pratiques soient appropriées. Les structures et la culture de l'organisation déterminent le choix de ces mécanismes.

Pour assurer le fonctionnement et la cohésion de l'organisation, la DRH a aussi à agir comme transmetteur des valeurs de l'organisation. Alors qu'elle peut contribuer, sur le plan stratégique, à définir la culture et le climat à privilégier, elle a pour rôles, sur le plan opérationnel, d'aider à implanter cette culture et à gérer le climat. Les apports à la cohésion de l'organisation seraient cependant difficilement réalisables si la DRH n'exerçait pas cet autre rôle qui consiste à servir d'intermédiaire entre les groupes constitutifs de l'organisation, soit les employés, les syndicats, les cadres hiérarchiques, la direction générale et le conseil d'administration. Dans l'exercice de ce rôle, les membres de la DRH doivent éviter d'être de simples émissaires de la direction générale et, à l'opposé, des défenseurs inconditionnels des employés. Ils doivent donc être attentifs à divers points de vue et besoins, et faire circuler l'information. Ils doivent aussi être capables, le cas échéant, de concilier divers points de vue et de faire valoir le leur. Ces affirmations vont dans le sens des résultats obtenus par Paolillo (1987) à la suite d'une recherche comparant les rôles de cadres œuvrant dans divers secteurs de l'entreprise. Cette recherche a permis de constater, entre autres, que les cadres de la DRH exercent davantage les rôles de recherchistes et d'informateurs que les autres cadres, et que le plus important de leurs rôles est celui de porte-parole.

Enfin, la DRH est appelée à agir comme **gardienne des objectifs inhérents à son champ d'activités**. Accroître la contribution au rendement de l'organisation s'effectue, entre autres, en mettant sur pied des moyens pour que le personnel s'engage activement dans son travail et s'identifie aux objectifs de l'organisation, en améliorant la productivité et en créant un milieu de travail où le personnel a un niveau de satisfaction approprié. Selon les DRH rejointes lors de notre recherche, les aspects ayant une portée économique et sociale sont d'ailleurs intimement reliés.

3.3.3 LES TÂCHES DES DIRECTIONS DE RESSOURCES HUMAINES

En effectuant diverses tâches, la DRH concrétise ses apports à l'organisation. Le tableau 3.5 fournit une liste du type de tâches pouvant lui incomber. Celles-ci peuvent se regrouper selon un double critère. Le premier a trait à la nature même des tâches : tâches de type professionnel et technique, tâches administratives et de gestion, etc. Le second a trait à leur cible. Alors que certaines tâches visent à offrir des services aux clients, d'autres servent au maintien ou au développement de la DRH. Le texte qui suit est structuré en fonction de ce second critère.

LES SERVICES OFFERTS

Il y a plusieurs façons de classer les services offerts par les DRH. Celle que nous utilisons se base sur une vision systémique de la gestion des ressources humaines et permet de regrouper les services en cinq ensembles d'actions plus ou moins intégrés : l'encadrement, la dotation et le développement, l'appui, l'organisation du travail et les relations du travail.

Les actions d'encadrement

Le programme d'encadrement regroupe des tâches ayant trait à la planification des ressources humaines, à l'élaboration de certains instruments qui appuient les autres programmes d'action, et à l'évaluation

TABLEAU 3.5 LES DIFFÉRENTS TYPES DE TÂCHES

Nature des tâches	Exemples de tâches
Tâches stratégiques	– Analyser l'environnement – Formuler des politiques – Élaborer des plans d'action pour implanter ces politiques
Tâches techniques et professionnelles (services offerts)	– Appliquer des instruments, des techniques – Choisir ou élaborer des instruments, des techniques – Évaluer des instruments, des techniques – Fournir un avis professionnel – Vérifier l'application de lois
Tâches administratives et de gestion (services offerts)	– Planifier et organiser des activités – Formuler et appliquer des règles d'utilisation des services – Concevoir des formulaires administratifs – Communiquer avec les utilisateurs des services – Décider d'interventions – Prendre des décisions concernant directement le personnel
Relations publiques	– Informer les autres unités administratives des services offerts – Recevoir les commentaires des autres unités administratives sur les services offerts – Se renseigner sur les besoins des autres unités administratives
Tâches de bureau	– Remplir des formulaires – Tenir des dossiers à jour – Classer des dossiers – Faire parvenir des avis, des convocations, etc.
Tâches administratives et de gestion (gestion interne)	– Distribuer le travail entre les membres du service – Recruter, sélectionner et former le personnel du service
Tâches techniques et professionnelles (personnelles)	– Écrire des articles scientifiques – Assister à des colloques, à des congrès, etc. – Prononcer des conférences lors de colloques, etc.

de la gestion des ressources humaines. Ses raisons d'être sont d'orienter, d'intégrer et d'appuyer les autres types de tâches. Il a donc une contribution essentielle au développement et à la mise sur pied d'une stratégie de ressources humaines.

Selon les conclusions que dégage Janger (1977) de sondages réalisés par le Conference Board au cours de trois décennies différentes, la période de 1947 à 1977 a permis d'assister à une montée des actions d'ordre stratégique destinées à encadrer la gestion des ressources humaines. Au Québec, des recherches réalisées récemment par Allard (1990), Dolan, Hogue et Harbottle (1990) et Foucher (1991) permettent de conclure que, selon les personnes rejointes, la DRH a accru son influence d'ordre stratégique. De plus, les 135 directions de ressources humaines rejointes par Dolan, Hogue et Harbottle (1990) ont estimé, lorsqu'elles ont répondu au sondage, que l'importance accordée à la planification s'accroîtrait davantage au cours des années à venir. Comme le montrent les résultats de certaines recherches (Guérin, 1984a, 1984b ; Walker et Wolfe, 1978), la formulation de plans de ressources humaines ainsi que les analyses, les prévisions et la planification de l'effectif constituent des ensembles de tâches largement pratiquées par le personnel qui s'occupe de la planification des ressources humaines dans les grandes organisations. Différents sondages[8] ayant trait aux pratiques de planification des ressources humaines permettent aussi de dégager des conclusions sur ces mêmes ensembles de tâches.

Ainsi, la taille de l'organisation et son secteur d'activité économique influent sur la structuration des activités de planification, la durée des plans envisagés, la nature des tâches effectuées et le type de techniques utilisées. De plus, comme l'indique la recherche de Quinn Mills et Balbaky (1985), les organisations traversent différents stades d'évolution en matière de planification des ressources humaines, et celles qui sont rendues aux stades les plus avancés se distinguent des autres de plusieurs façons : leurs activités de gestion des ressources humaines sont mieux intégrées ; elles insèrent plus d'éléments de gestion des ressources humaines dans leurs plans d'entreprise ; elles essaient davantage d'influencer le rendement de leurs employés ; leur plan de ressources humaines est davantage développé à la lumière de l'environnement économique, juridique et social ; elles essaient davantage d'agir sur la culture, ont plus tendance à planifier la relève et s'efforcent plus d'améliorer les communications.

Divers sondages révèlent cependant que d'autres tâches d'encadrement sont moins pratiquées, surtout l'utilisation de systèmes intégrés d'information sur les ressources humaines et l'évaluation de la gestion en cette matière. Ainsi, très souvent, les systèmes d'information ne

---

8. Notamment ceux de Dolan, Hogue et Harbottle (1990), Fiorito, Stone et Greer (1985), Greer et Armstrong (1980), Guérin (1984a, 1984b), Kahalas *et al.* (1980), Miller et Burack (1981), Quinn Mills et Balbaky (1985), Rowland et Summers (1983), Walker et Wolfe (1978).

dépassent pas le stade d'un système intégré de traitement de données[9] et peu d'organisations ont un véritable système de soutien aux décisions. Deuxièmement, les données de Dolan, Hogue et Harbottle (1990) et de Guérin (1984a, 1984b) indiquent que les DRH n'ont pas tendance à évaluer formellement la gestion des ressources humaines.

En matière d'encadrement de la gestion des ressources humaines, deux autres ensembles de tâches méritent l'attention. Toutes deux ont trait à la conception et à l'application d'instruments servant aux diverses activités de gestion des ressources humaines; ce sont la description et l'analyse des postes de travail, et l'élaboration de systèmes d'évaluation du rendement[10].

La recherche de Guérin (1984b) révèle que le temps passé à l'évaluation du rendement par les équipes de planification en ressources humaines est considérable; l'énoncé qui porte sur ce thème atteint une moyenne qui le classe au nombre des 20 (sur 85) qui reçoivent les cotes les plus fortes. La complexité des tâches relevant de la mise sur pied des instruments d'évaluation, et les problèmes qu'ils peuvent poser justifient le temps à leur consacrer.

Un sondage de Schwartz (1985), mené auprès de 203 membres de la Human Resource Planning Society, indique que quatre des cinq principaux problèmes de gestion des ressources humaines ont trait à des activités d'encadrement. Ces problèmes sont: la valeur des descriptions de postes, l'obtention de données valides sur le rendement, la sous-estimation des coûts engendrés par les activités de gestion des ressources humaines et la capacité à démontrer les apports des programmes de gestion des ressources humaines aux cadres des premiers niveaux hiérarchiques.

En raison de leur caractère stratégique et de leurs apports aux autres activités de gestion des ressources humaines, les grandes organisations ont tendance à centraliser les tâches d'encadrement au siège social. C'est ce que montre la recherche de Janger (1977).

La dotation et le développement

Le deuxième sous-système de tâches dont nous traiterons est celui de la dotation et du développement du personnel. Son objectif consiste

---

9. Stade 1 de développement, selon la classification de Hennessey (1979).
10. Thériault (1983), par exemple, rapporte des données sur les pratiques des organisations en ces matières.

à équilibrer le marché interne du travail, à la fois sur les plans du nombre de personnes et des compétences requises de leur part. Il regroupe les champs d'activités suivants, qui ont tous trait aux individus: la gestion des entrées du nouveau personnel, la gestion des mouvements internes de personnel et des départs, la gestion des carrières et la gestion du système de formation.

Les DRH assument depuis longtemps diverses tâches en matière de recrutement et de sélection: choix ou élaboration d'instruments de sélection, administration de ces instruments, participation à des décisions de sélection, etc. Alors qu'auparavant peu d'unités administratives spécialisées en gestion des ressources humaines pouvaient contribuer au choix des cadres supérieurs, divers auteurs mentionnent que cette pratique s'accroît.

La planification et la gestion des carrières ont pris de l'importance dans certaines organisations, notamment les grandes entreprises privées. Le sondage de Guérin (1984b) montre que ces activités se classent au deuxième rang (en temps qui leur est consacré) parmi les neuf ensembles de tâches réalisées par les services de planification des ressources humaines des grandes entreprises. Selon les réponses obtenues par Dolan, Hogue et Harbottle (1990), l'importance de la planification des carrières et de la planification de la relève devrait s'accroître considérablement dans les entreprises œuvrant au Québec. Comme le mentionnent Wils et Guérin (1990) dans leur typologie des activités de carrière, certaines tâches en cette matière, telles l'élaboration de plans de relève et l'évaluation du potentiel, sont de nature prévisionnelle. D'autres, comme l'élaboration de cheminements de carrière (ou filières d'emploi) et le conseil sur les problèmes de carrière, sont de nature opérationnelle.

La gestion des mouvements internes de personnel et des départs dépend directement de la fluctuation de l'offre et de la demande de travail. Comme le montrent les exemples suivants, divers facteurs influent sur le temps consacré à la gestion de cette composante de la dotation et sur la façon de l'effectuer:

- les politiques ayant trait aux promotions et à la sécurité d'emploi orientent les actions à entreprendre;
- des prévisions adéquates peuvent faciliter l'adaptation à une modification de l'offre de travail (nombre et nature des emplois disponibles);
- certaines dispositions des lois et des conventions collectives imposent des obligations et des contraintes.

Plusieurs aspects de la dotation sont influencés par les lois en matière d'équité en emploi. Le sondage de Janger (1977) a montré que ce fut un des principaux changements en gestion des ressources humaines aux États-Unis. Au Québec, les personnes ayant répondu au sondage de Dolan, Hogue et Harbottle (1990) ont mentionné que l'équité en emploi est une des dimensions dont l'importance est appelée à augmenter fortement.

Alors que la dotation a trait à la mobilité des individus, la formation a pour cible l'amélioration de leurs connaissances, de leurs habiletés et de leurs attitudes. Elle consiste à effectuer diverses tâches, comme formuler une politique de formation, analyser les besoins, administrer des budgets, concevoir et offrir des cours, et évaluer des activités de formation. Divers auteurs s'entendent pour dire qu'il faudrait consacrer plus d'énergie à l'analyse des besoins et à l'évaluation des services offerts.

La DRH peut cependant n'avoir aucune responsabilité à assumer en matière de formation pour certaines catégories de personnel, notamment les vendeurs dont la formation relève souvent de la direction du marketing. Dans certaines entreprises de technologie où la formation est intimement liée à la distribution du produit et peut elle-même être l'objet d'une vente, il arrive qu'une direction indépendante de la formation soit créée. Il convient enfin de mentionner que les organisations d'une certaine taille ont tendance à confier à des sous-unités différentes la formation des cadres et celle des employés de production.

Les actions d'appui

Le troisième sous-système dont nous traiterons est celui que nous nommons programme d'appui, en raison de sa capacité d'équilibrer les effets des autres sous-systèmes, notamment par son influence sur la motivation. Ce titre regroupe les ensembles de tâches suivants : la rémunération et les avantages sociaux, les communications organisationnelles, le counseling et la discipline.

Comme l'ont constaté Baird et Meshoulam (1984), les DRH doivent assumer des responsabilités administratives en matière de rémunération dès le premier stade de leur évolution. Même dans les grandes entreprises où les DRH ont atteint des stades d'évolution plus avancés, les avantages sociaux et la rémunération directe, surtout celle des cadres, constituent des responsabilités majeures (Janger, 1977). Un sondage effectué au Québec (Foucher, 1991) indique même que l'administration des salaires et des avantages sociaux est la tâche qui requiert le plus d'énergies de la part des DRH. Les autres tâches que ces unités administratives ont à assumer en matière de rémunération sont, par exemple, le développement d'une politique de rémunération, l'évaluation des emplois et la réalisation ou l'analyse d'enquêtes sur la rémunération. Depuis quelques années, ces unités administratives ont eu à relever des défis en matière d'équité salariale et de rémunération incitative. Il convient enfin de mentionner que, en raison des tâches et des connaissances différentes qu'exigent la rémunération directe et les avantages sociaux, de grandes entreprises confient ces responsabilités à des sous-unités administratives différentes.

Dans plusieurs organisations, certains aspects des communications organisationnelles relèvent de la DRH. Le sondage de Janger (1977), effectué aux États-Unis, indique que 84 % des entreprises rejointes jugent que cette fonction est très importante. Au Québec, les personnes ayant répondu à l'enquête de Dolan, Hogue et Harbottle (1990) estiment que les communications deviendront leur priorité au cours des prochaines années. En plus de la publication du journal d'entreprise et de la réalisation de sondages, la contribution de la DRH aux communications organisationnelles peut avoir trait, entre autres, au rapport annuel, aux efforts pour développer l'image interne et externe de l'organisation, aux dépliants et aux rencontres portant sur des aspects tels que le fonctionnement de l'organisation et les services qu'elle offre aux employés, et aux mécanismes utilisés pour recevoir les suggestions.

La discipline constitue le quatrième ensemble de tâches à inclure dans les actions d'appui. À ce chapitre, la DRH peut élaborer des politiques et des règlements, former les cadres, contribuer à la solution de litiges, effectuer du counseling auprès d'employés en difficulté et évaluer le système en vigueur.

L'aide apportée aux employés, entre autres à ceux qui ont des problèmes de toxicomanie, est un autre ensemble de tâches pouvant relever de la DRH, même si celle-ci fait appel à des ressources externes pour du counseling ou un programme de réadaptation. Comme l'indiquent les exemples rapportés par Sylvestre (1990), plusieurs organisations ont récemment mis sur pied un programme d'aide aux employés (interne ou externe), alors que d'autres ont une tradition beaucoup plus longue en cette matière (Beaudoin, 1986). Des problèmes d'absentéisme, d'accidents du travail et de discipline ou les options sociales des dirigeants sont des facteurs qui motivent la mise sur pied de ce type de service, lequel dépend souvent de la sous-unité administrative responsable de santé et de sécurité au travail (Sylvestre, 1990).

L'organisation du travail

Divers facteurs militent en faveur de la participation de la DRH à l'organisation du travail. Les principaux sont une meilleure gestion de la motivation, la réduction des effets négatifs du travail sur la santé physique et mentale des individus, et l'implantation plus efficace des changements technologiques. Comme le révèlent diverses recherches (Janger, 1977 ; Guérin, 1984a, 1984b ; Templer, 1985 ; White et Boynton, 1974), l'organisation du travail est cependant le domaine où la contribution de la DRH est le moins acceptée. Les principales interventions que cette unité administrative peut entreprendre à ce chapitre ont trait à la conception des postes de travail, à l'aménagement des horaires et à l'implantation de changements dans les modes de gestion et la technologie.

En raison des effets que produit l'organisation du travail, il importe d'associer étroitement la gestion de ce sous-système à la gestion de la santé et de la sécurité du travail. Les principales tâches que les DRH peuvent effectuer en cette matière, dont l'importance va en s'accroissant, comme l'indique entre autres le sondage de Dolan, Hogue et Harbottle (1990), sont la formulation et l'application d'une politique de santé et de sécurité, la formation des cadres à la gestion de ces tâches, l'analyse des facteurs de risque, la participation au comité de santé et de sécurité, l'analyse des accidents et l'administration des réclamations. Cette dernière tâche est celle qui accapare le plus d'énergies, selon un sondage récent effectué au Québec (Foucher, 1991). Les responsabilités en matière de santé et de sécurité peuvent être assumées par une sous-unité de la DRH et par une unité administrative indépendante (bureau médical).

Les relations du travail

Les relations du travail englobent l'ensemble des dimensions contractuelles liant l'employeur et ses employés. Elles ont donc des liens étroits avec les autres sous-systèmes de la gestion des ressources humaines. Dans les organisations dont le personnel est syndiqué, cette influence est accrue : aux dispositions législatives ayant trait au contrat individuel de travail s'ajoute la convention collective qui régit les rapports de travail des groupes auxquels elle s'applique.

Ces rapports collectifs du travail, centrés sur la négociation et l'application d'une convention collective, influent fortement sur les tâches des unités administratives spécialisées en gestion des ressources humaines, au point que gestion du personnel et relations du travail deviennent parfois synonymes. C'est le cas des services que Tyson et Fell (1986) qualifient d'administrateurs de contrats. Cette influence se manifeste au moins de trois façons : par les effets que la convention collective exerce sur l'ensemble des activités de gestion des ressources humaines, par les tâches que requièrent la négociation et l'administration de la convention collective, et par la structuration des activités ayant trait aux relations du travail.

Par sa nature même, la convention collective encadre les rapports de travail et, en conséquence, la marge de manœuvre des cadres hiérarchiques. Selon les dispositions de cette convention et les forces en présence, les cadres peuvent se sentir plus ou moins libres de prendre des initiatives en matière de gestion des ressources humaines. Le deuxième type d'effet, qui est associé au premier, a trait à la bureaucratisation des rapports. Celle-ci provient de l'uniformisation des pratiques de gestion des ressources humaines par rapport auxquelles des critères précis d'exercice sont prévus à la convention collective, et de la centralisation de certaines responsabilités. Le troisième type d'effet a trait à l'esprit dans lequel s'effectuent les rapports de travail, ceux-ci pouvant devenir plus légalistes lorsqu'il y a une convention collective.

La présence d'un syndicat demande aussi d'effectuer diverses tâches. Certaines ont trait à la préparation et à la négociation de la convention collective (analyse d'autres contrats, évaluation de l'entente précédente, élaboration d'une stratégie, etc.), d'autres à l'administration de la convention collective (formation des cadres hiérarchiques en cette matière, gestion de plaintes, préparation de griefs, etc.).

Enfin, la nature et le volume des tâches reliées à la gestion des relations collectives du travail ont incité certaines organisations à créer un service du personnel et un service de relations du travail. D'autres mettent sur pied une sous-unité spécialisée en relations du travail, à l'intérieur d'une DRH.

Avec ou sans la présence d'un syndicat, gérer les relations du travail, ou, en d'autres termes, gérer le conflit inhérent à la situation d'emploi, exige que les parties recherchent la justice et l'équité. C'est une des conditions essentielles à l'établissement d'une confiance mutuelle menant à la collaboration. Les autres conditions sont des communications régulières et ouvertes, le respect et l'honnêteté. C'est pour obtenir cette relation de collaboration que plusieurs organisations dont les employés ne sont pas syndiqués mettent sur pied des mécanismes visant à accroître la justice organisationnelle et à gérer les conflits (Wils et Labelle, 1989). C'est ce même motif qui guide les entreprises dont le personnel est syndiqué à réviser leur philosophie et leurs pratiques de gestion des ressources humaines.

Quelques remarques

Les DRH peuvent effectuer ces différentes tâches de façon technique et plus ou moins intégrée. Elles peuvent aussi les accomplir en adoptant une philosophie de gestion des ressources humaines, une perspective prévisionnelle et une approche visant à harmoniser les pratiques de gestion des ressources humaines à la stratégie d'entreprise. Des recherches effectuées récemment au Québec (Allard, 1990; Foucher, 1991) tendent à montrer qu'un bon nombre d'organisations s'efforcent d'adopter cette seconde optique.

Les DRH peuvent chercher à assurer la qualité de la gestion des ressources humaines en centralisant les décisions et en uniformisant les pratiques. Elles peuvent aussi poursuivre le même objectif en assurant la formation des cadres hiérarchiques aux pratiques de gestion des ressources humaines telles que la sélection, la formation et l'évaluation du rendement. Les pressions qu'exercent l'environnement pour la décentralisation devraient inciter les DRH qui en ont la possibilité à opter pour la seconde perspective. Une recherche effectuée récemment au Québec (Foucher, 1991) révèle que plusieurs DRH ont des préoccupations de cette nature.

LA GESTION DE L'UNITÉ ADMINISTRATIVE

Pour offrir des services adéquats, la DRH doit assurer sa propre gestion. Celle-ci se compose notamment des actions suivantes: connaître les besoins, les attentes et les intérêts des différents acteurs de l'organisation, analyser ses propres forces et faiblesses, se doter d'alliances appropriées, définir des orientations et des objectifs à atteindre, accorder le temps requis aux relations avec les différents acteurs de l'organisation, faire preuve d'efficience et d'efficacité, travailler à son propre perfectionnement et soigner son image. Avant de fournir des précisions sur ces actions, il convient de mentionner qu'elles aident la DRH à assurer son propre marketing. Selon Fitz-Enz (1986), ce marketing requiert l'élaboration d'une stratégie, la définition d'un plan d'action et le choix d'indices de rendement.

Des rencontres, des sondages d'opinion et l'analyse de statistiques (sur l'absentéisme, les griefs, etc.) sont des moyens dont disposent les DRH pour **connaître les besoins, les attentes et les intérêts des**

différents acteurs de l'organisation et pour poser un diagnostic et identifier les contraintes et les possibilités. Comme l'a montré une recherche de White et Boynton (1974), il peut exister à la fois des zones d'accord et de désaccord sur les priorités de la DRH. L'ensemble de l'information recueillie a donc pour objectif d'aider la DRH à savoir ce qu'elle devrait faire et ne pas faire.

Même si la DRH sait quelles orientations adopter, il se peut qu'elle ne puisse passer à l'action en raison de carences internes, d'une mauvaise image, de l'absence d'alliances appropriées ou de divergences entre acteurs. L'analyse de ces aspects sert à **identifier les forces et les faiblesses**. Ce diagnostic permet à son tour de choisir des moyens qui permettront de passer à l'action en s'appuyant sur des assises solides.

Ce passage à l'action ne saurait cependant se faire de façon ordonnée, sans orientations bien intégrées. **Définir des orientations** fondées sur une philosophie de gestion que l'on s'efforcera de faire partager constitue une composante essentielle de la stratégie de marketing, en raison de la cohérence et du sens qu'elle apporte aux plans d'action. Pour accroître la probabilité de réussite de ces plans et faciliter l'atteinte des résultats, il importe aussi de formuler des indices de rendement.

Les plans d'action risquent cependant de ne pas produire les résultats escomptés si l'on n'accorde pas **le temps requis aux relations avec les différents acteurs de l'organisation**. Ces relations visent à encourager le partage de valeurs et d'objectifs nécessaire à l'implantation des plans, à vérifier les réactions à l'égard des tâches accomplies et à faciliter les réajustements, s'il y a lieu. Pour que la DRH ait des apports de nature stratégique, elle se doit d'ailleurs de porter une attention particulière à ses relations avec le président ou le directeur général et les autres dirigeants, à la fois pour des raisons fonctionnelles et symboliques. La recherche d'Allard (1990) apporte des précisions sur ces relations. Enfin, il convient d'ajouter que l'ensemble de ces communications sert aussi à assurer des relations régulières qui facilitent la résolution des conflits, et à établir les alliances appropriées.

Les organisations sont des réseaux de relations politiques ayant leurs intérêts propres; il est donc difficile d'exercer une influence durable si l'on n'a pas les appuis requis. **L'établissement d'alliances appropriées** sert notamment à cette fin. En période d'expansion de l'organisation, la relation avec la direction du marketing est particulièrement importante. En période de décroissance, il importe de porter une attention particulière à la relation avec la direction des finances.

Les appuis ne sont cependant pas suffisants pour assurer le succès. Il faut aussi que la DRH **fasse preuve d'efficacité** en livrant ses services dans les délais requis et en terminant ses projets selon les échéances prévues. En démontrant qu'elle est fiable et attentive à ses clients, la DRH accroît sa crédibilité. En raison de son champ d'activités, la DRH aurait intérêt à obtenir des résultats supérieurs avec des ressources ne dépassant pas celles d'unités administratives du même type opérant dans un contexte semblable. Elle ferait alors office de modèle et pourrait plus facilement promouvoir la productivité.

Pour être efficace, la DRH a aussi intérêt à **travailler à son propre perfectionnement**, entre autres en étudiant les pratiques d'entreprises très performantes et les innovations dans son champ d'activités. L'insertion dans un réseau de contacts professionnels, par l'adhésion à des associations professionnelles ou par d'autres moyens, peut contribuer à ce perfectionnement. Au Québec, il existe une association générale regroupant les professionnels de la gestion des ressources humaines (l'Association des professionnels en ressources humaines du Québec), une corporation professionnelle à titre réservé (la Corporation des conseillers en relations industrielles) et des associations et des corporations professionnelles couvrant des champs particuliers de la gestion des ressources humaines.

Dans ses efforts de perfectionnement, la DRH doit cependant éviter de succomber à des modes et de rechercher la recette miracle. Elle risque alors de mal implanter certaines innovations en matière de gestion des ressources humaines, et de les faire échouer. Ces erreurs de parcours ne doivent toutefois pas faire perdre de vue les contributions des travaux scientifiques à la qualité de la pratique professionnelle. Comme le mentionnent Jain et Murray (1984), plusieurs organisations n'intègrent pas ces apports. Par exemple, des sondages montrent que plusieurs organisations ne valident pas leurs instruments de sélection alors qu'elles pourraient le faire, malgré 75 années de recherche démontrant l'utilité de cette pratique.

Enfin, l'unité administrative spécialisée en gestion des ressources humaines a intérêt à **porter l'attention requise à son image**. Informer de ses réalisations, célébrer certaines d'entre elles et recevoir une reconnaissance externe (par la participation à des concours ou par des publications) sont des moyens pouvant aider à donner une image positive. Cette tâche s'avère particulièrement importante lorsqu'il y a un changement ou des réalisations que des membres de l'organisation ne reconnaissent pas à leur juste valeur.

En l'absence d'information scientifique sur la gestion interne des DRH, nous proposons un cadre normatif qui se base sur les postulats suivants :

- la DRH étant une entité de service et de leadership fonctionnel, elle doit se montrer attentive à ses clients tout en fondant ses actions sur une vision intégrée ;
- les organisations étant des entités culturelles et politiques, les DRH ont intérêt à tenir compte des valeurs, des symboles, des jeux d'intérêts et des alliances ;
- l'intervention sera facilitée par une certaine proximité entre les acteurs organisationnels, la communication étant un moyen d'accroître cette dernière.

3.4 L'AMÉNAGEMENT DES DIRECTIONS DE RESSOURCES HUMAINES

L'aménagement de la DRH a pour objectif de faciliter ses apports. Cet aménagement porte sur trois aspects : l'autorité, les structures et le personnel de la DRH.

3.4.1 L'AUTORITÉ DES DIRECTIONS DE RESSOURCES HUMAINES

La DRH est appelée à collaborer avec la direction générale et les cadres hiérarchiques. Pour limiter les conflits de rôle, cette collaboration doit s'inscrire dans un partage d'autorité qui détermine le pouvoir de cette unité administrative dans diverses prises de décision. Après avoir traité de ce thème, nous discuterons d'autres aires de conflit entre ces deux entités. Au préalable, il est utile de définir les trois formes d'autorité, soit l'autorité hiérarchique, l'autorité de conseil et l'autorité fonctionnelle.

L'autorité hiérarchique se fonde principalement sur le pouvoir légitime. C'est la forme d'autorité qui confère à la direction le droit de donner des directives à un subordonné hiérarchique et de s'attendre à ce qu'il les suive. C'est la forme d'autorité qui s'exerce à l'intérieur même de la DRH.

L'autorité de conseil fournit à celui qui la détient le droit d'être consulté en raison de ses connaissances ou de ses habiletés. Elle se fonde donc essentiellement sur le pouvoir de compétence. C'est la forme d'autorité qui est à la base des rôles de conseiller qu'exerce la DRH, que ce soit auprès de la direction générale ou des cadres de niveau hiérarchique inférieur.

L'autorité fonctionnelle prend deux formes. Premièrement, c'est la forme d'autorité en vertu de laquelle une unité administrative spécialisée a juridiction en raison d'une délégation de pouvoir. Élaborer un instrument de sélection est un exemple de tâches se rattachant à cette forme d'autorité fonctionnelle. Deuxièmement, c'est la forme d'autorité en vertu de laquelle des spécialistes ont le droit de donner des directives à d'autres unités administratives que la leur, et d'en surveiller l'application, à la condition qu'ils se limitent à leur champ de compétence et qu'ils se basent sur des politiques approuvées par la direction. Faire appliquer une politique d'équité en emploi par les unités administratives de l'organisation est un exemple de mandat dont l'exécution dépend de cette forme d'autorité fonctionnelle.

Ces définitions fournissent un éclairage sur les critères de partage d'autorité, mais elles ne traitent pas des objets par rapport auxquels celui-ci se fait. La recherche de Mealiea et Lee (1980) apporte des précisions intéressantes.

Utilisant une échelle qui mesure sept modes de prise de décision[11], Mealiea et Lee ont déterminé le degré d'autorité qu'exerce la DRH par rapport à 33 tâches. Leur sondage, réalisé dans plus de 500 entreprises canadiennes, permet de constater divers phénomènes.

– La DRH exerce une autorité fonctionnelle dans les tâches de nature professionnelle et technique (approuver l'utilisation de tests psychologiques, déterminer le nombre de classes d'emploi, etc.), quels que soient les programmes d'activités auxquels appartiennent ces tâches; par contre, la DRH exerce une autorité de conseil dans les tâches demandant de prendre des décisions qui touchent directement le personnel (approuver les mutations entre les différents services, déterminer les salaires individuels, etc.). Ainsi, la DRH n'exerce aucune autorité hiérarchique en dehors du service des ressources

11. Les sept modes de prise de décision sont: 1. les cadres hiérarchiques seuls; 2. les cadres hiérarchiques avec les conseils de la DRH; 3. la décision conjointe des cadres hiérarchiques et de la DRH; 4. la DRH seule; 5. la décision conjointe des cadres supérieurs et de la DRH; 6. les cadres supérieurs avec les conseils de la DRH; 7. les cadres supérieurs seuls.

humaines, celle-ci étant la prérogative des cadres hiérarchiques en raison des responsabilités de gestion qu'ils ont à assumer.

– Les activités en matière de formation sont celles sur lesquelles la DRH exerce le plus d'autorité fonctionnelle.

– En matière de sélection, de placement, de rémunération et d'avantages sociaux, la DRH participe fortement aux décisions de nature technique et professionnelle, mais elle a peu d'autorité quant aux décisions qui concernent directement le personnel.

– En matière d'organisation du travail, la DRH participe surtout aux décisions qui relèvent de la santé et de la sécurité au travail.

Le tableau 3.6 fournit des exemples de partage de responsabilités entre les cadres hiérarchiques et la DRH par rapport à la sélection et à l'embauchage du personnel:

TABLEAU 3.6 DES EXEMPLES DE PARTAGE DES RESPONSABILITÉS ENTRE LES CADRES HIÉRARCHIQUES ET LA DRH

Tâches	Cadres	DRH
Sélection		
– Choix et conception des instruments de sélection	Peuvent être consultés	Responsabilité première
– Formulation des exigences du poste et des critères de sélection	Responsabilité conjointe	Responsabilité conjointe
– Administration du formulaire de demande d'emploi (ou réception des curriculum vitae) et administration des tests	Aucune responsabilité	Responsabilité exclusive
– Entrevue de sélection	Responsabilité première	Collaboration
– Vérification des références	Collaboration	Responsabilité première
– Application de la politique d'équité en emploi	Collaboration	Responsabilité première
– Décision d'embauchage	Responsabilité première	Collaboration
Embauchage		
– Communication de la décision aux candidats	Collaboration	Responsabilité première
– Tâches administratives reliées à l'embauchage	Aucune responsabilité	Responsabilité exclusive
– Conception d'un programme d'accueil des nouveaux employés	Collaboration technique	Responsabilité première
– Accueil des nouveaux employés	Responsabilité conjointe	Responsabilité conjointe

- les cadres hiérarchiques prennent les décisions qui concernent directement le personnel, seuls ou en consultant la DRH ;

- les cadres hiérarchiques apportent une contribution administrative ou technique aux tâches qui sont susceptibles de les influencer ;

- les cadres hiérarchiques délèguent à la DRH la responsabilité principale de certaines tâches qui exigent des connaissances techniques approfondies, et lui confient l'entière exécution de diverses tâches administratives ;

- les cadres hiérarchiques sont soumis à l'autorité fonctionnelle de la DRH pour l'application de la politique d'équité en emploi, en raison du pouvoir que la direction générale a accordé à la DRH.

Cette façon de faire ne constitue toutefois pas une norme. Comme l'indiquent les exemples suivants, les pratiques des organisations sont susceptibles de varier en raison de différents facteurs. Dans certaines fonctions publiques, le cadre juridique fait en sorte que la décision finale d'embauche est prise par un organisme faisant office de service des ressources humaines. Dans diverses entreprises où les nouveaux employés peuvent adhérer au syndicat après 90 jours consécutifs de travail, et ainsi acquérir la sécurité d'emploi, c'est la DRH qui s'occupe du placement et qui veille à maintenir le nombre d'employés permanents à l'intérieur de normes acceptées par la direction.

Des ententes sur le partage d'autorité ne sont cependant pas garantes de l'absence de conflits d'objectifs dans des domaines où les cadres hiérarchiques et la DRH ont des intérêts propres. Ces conflits d'objectifs, dont traitent Dalton (1966) et Myers et Turnbull (1969), ont principalement trait aux aspects suivants : le désir d'obtenir des résultats à court terme ou à long terme, le style de gestion à privilégier et les changements à effectuer. Ces conflits peuvent être attisés par des facteurs de personnalité qu'une clarification de rôles ne réussit pas nécessairement à contrebalancer. Par exemple, Miner et Miner (1976) constatent que les directeurs de personnel sont moins compétitifs, expriment moins d'intérêt à l'égard des tâches administratives et cherchent moins à exercer l'autorité que les cadres hiérarchiques.

S'ils ne sont pas résolus, ces conflits d'objectifs peuvent aboutir à la démission ou au congédiement du directeur des ressources humaines. Nos observations auprès de personnes qui ont subi ce sort le confirment. L'adhésion de la direction générale à des pratiques illégales de gestion des ressources humaines et son refus d'appliquer certaines politiques justifiées sont des exemples de conflits qui ont mené à une impasse.

Certains sondages (Prentice-Hall / ASPA, 1976; Dolan, Hogue et Harbottle, 1990) indiquent cependant que les relations entre la direction générale et la DRH peuvent être harmonieuses. Dans les diverses catégories d'organisations couvertes par l'enquête de Prentice-Hall / ASPA, moins de 20 % des directeurs de ressources humaines (1 400 au total) ont dit vivre des conflits au moins mineurs avec leur supérieur hiérarchique immédiat.

3.4.2 *La structuration des directions de ressources humaines*

L'autorité de la DRH et les tâches qu'elle effectue se reflètent, en partie du moins, dans des structures. Celles-ci peuvent être considérées de deux façons complémentaires. La première a trait à la position qu'occupe la DRH dans l'organigramme de l'organisation ou, en d'autres termes, à son rattachement structurel; elle fournit des renseignements sur l'influence de cette unité administrative, comme l'indiquent les recherches de Blake (1988) et de Janger (1977). La seconde a pour objet l'organigramme interne de la DRH; elle permet de jeter un éclairage sur l'organisation des services offerts par cette unité administrative. En nous inspirant de ces deux façons d'envisager les structures, nous traiterons, dans une première partie, des cas où la DRH constitue une entité administrative unique et centralisée. La seconde partie portera sur les organisations ayant des unités administratives spécialisées en gestion des ressources humaines, à la fois dans les succursales et au siège social. Auparavant, nous rappellerons quelques principes de design organisationnel pouvant guider la structuration de ces unités administratives.

Quelques principes de structuration organisationnelle

La structuration d'une organisation et de ses composantes détermine la division ou la répartition du travail. Comme le recommande Galbraith (1977), il importe de bien identifier le travail à faire avant de préciser comment il sera réparti. Selon ce qui doit être accompli, on peut choisir de constituer des postes de généraliste ou de spécialiste. Une fois cette étape franchie, on constitue des regroupements en sous-unités administratives et on prévoit des mécanismes pour assurer la coordination du travail et la gestion des conflits. Cet aménagement doit cependant avoir la flexibilité requise pour permettre une adaptation à des changements de l'environnement.

LES UNITÉS ADMINISTRATIVES CENTRALISÉES

Alors que diverses organisations structurent la DRH en une entité administrative unique et centralisée, plusieurs optent pour un autre mode d'organisation. Selon le sondage rapporté par Janger (1977), 39 % des 673 entreprises rejointes ont une unité administrative centralisée; elles se classent essentiellement parmi celles qui ont moins de 10 000 employés et ont davantage tendance à être structurées par fonctions ou de façon mixte (fonctions et division). L'aménagement de la DRH dépend donc du mode général d'organisation de l'entreprise. La figure 3.1 fournit des exemples de DRH ayant ces caractéristiques.

Des éléments de nature différente militent en faveur de la centralisation des services offerts en gestion des ressources humaines; certains sont d'ordre professionnel, d'autres d'ordre administratif. Les premiers ont trait à la qualité des services: ce sont principalement la nécessité d'assurer la spécialisation des personnes œuvrant dans les divers secteurs de la DRH et l'utilité de les regrouper dans une même unité administrative pour faciliter la collaboration. Les principaux arguments d'ordre administratif sont la possibilité accrue de contrôles et les économies d'échelle.

À l'encontre de cette position, certains considèrent qu'il est nécessaire de rapprocher la DRH des cadres hiérarchiques qui ont à travailler quotidiennement avec le personnel. Ils proposent à cette fin d'attribuer une partie des budgets de la DRH à la création de postes dont les titulaires sont appelés à travailler davantage avec les cadres hiérarchiques. Ces personnes doivent être des généralistes capables d'effectuer des tâches faisant partie des divers programmes de gestion des ressources humaines.

Les structures internes des DRH varient beaucoup. En se basant sur la nature des services offerts et les modalités d'organisation de ces unités administratives, McFarland (1962) distingue quatre types de services. Nous nous basons sur les mêmes critères pour proposer les catégories rapportées au tableau 3.7. Le premier type d'unité administrative offre uniquement des **services spécialisés** en gestion des ressources humaines; certains sont unifiés, alors que d'autres ne le sont pas. Le second type d'unité administrative offre des **services élargis**, c'est-à-dire qui n'ont pas directement trait à la gestion des ressources

FIGURE 3.1 UN EXEMPLE DE DIRECTION CENTRALISÉE DES RESSOURCES HUMAINES DANS UNE ENTREPRISE COMPRENANT DEUX DIVISIONS

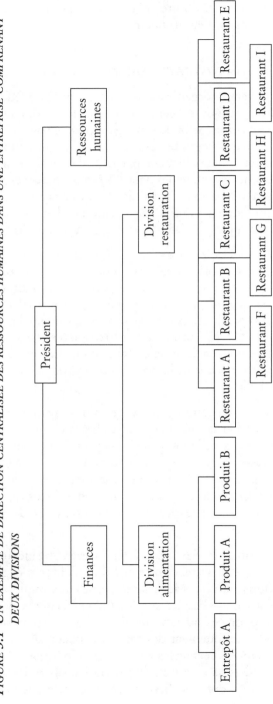

TABLEAU 3.7 LES TYPES DE STRUCTURES INTERNES DES SERVICES CENTRALISÉS

Types	Caractéristiques
Unité administrative spécialisée unifiée	Selon les données rapportées par Janger (1977), c'est le type le plus fréquent. Il regroupe, sous une même direction, les services qui touchent directement le personnel, soit les relations avec les employés et les relations du travail.
Unité administrative spécialisée séparée	Unité administrative où il existe une nette distinction entre les relations du travail et la gestion du personnel; ces deux «sous-fonctions» forment des unités administratives séparées qui relèvent directement du président de l'entreprise ou d'un autre dirigeant. La mise sur pied d'unités séparées n'est toutefois pas une pratique répandue; comme le montrent les résultats rapportés par Janger (1977), ce mode d'organisation existerait dans environ 20 % des entreprises rejointes.
Unité administrative élargie unifiée	En plus des relations du travail et des liens avec les employés, elle comprend les relations publiques ou d'autres services administratifs. Ces divers programmes sont regroupés sous une même direction spécialisée en gestion des ressources humaines. Selon les résultats du sondage publié par le Conference Board (Janger, 1977), 13 % des directeurs de ressources humaines disent avoir des programmes de cette nature sous leur juridiction.
Unité administrative élargie coordonnée	Elle regroupe des programmes divers. Contrairement au type précédent, elle relève d'une direction qui n'est pas nécessairement spécialisée en gestion des ressources humaines, comme la vice-présidence à la production ou les services administratifs.

humaines; ces unités administratives peuvent être unifiées ou simplement coordonnées.

Cette diversité de modes d'organisation de la DRH montre qu'il n'existe pas de structure applicable à toutes les organisations. Lorsqu'on choisit un mode d'organisation, il est toutefois essentiel de respecter les principes suivants:

– celui qui dirige les divers programmes sous sa juridiction doit posséder les connaissances et les habiletés requises pour en effectuer la coordination, et être capable d'accorder à chaque programme l'attention requise;

– les programmes interdépendants ou complémentaires doivent être liés afin de favoriser une meilleure coordination et une meilleure intégration, sans que soient mêlées des tâches disparates que l'on risque de ne pas pouvoir gérer.

Cette façon d'envisager les structures internes de la DRH ne fournit toutefois qu'un éclairage partiel. Lorsque sa taille s'accroît, la DRH peut se diviser en sous-unités administratives qui offrent des services reliés à des programmes précis d'activités. Ces formes de regroupement sont toutefois susceptibles de varier considérablement. Quelle que soit la division du travail, il importe que la DRH sache maintenir une collaboration et une unité d'action entre les sous-unités. La figure 3.2 fournit un exemple de DRH dont les sous-unités administratives offrent des programmes spécialisés.

Une autre modalité d'organisation du service centralisé des ressources humaines consiste à créer des sous-unités administratives qui s'occupent de groupes particuliers, tels les cadres, les employés sans responsabilités administratives, le personnel affecté à des projets internationaux, etc. Peu de services des ressources humaines sont toutefois organisés à partir de ce seul critère. Une forme d'organisation stricte-

FIGURE 3.2 *UN EXEMPLE DE REGROUPEMENT D'ACTIVITÉS À L'INTÉRIEUR D'UNE DIRECTION DES RESSOURCES HUMAINES*

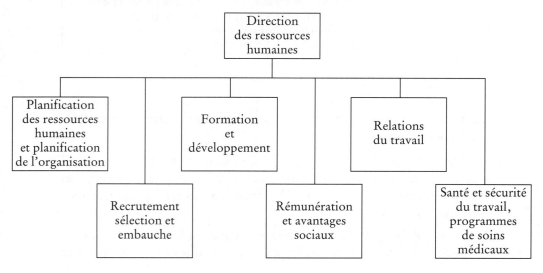

ment fondée sur les clientèles peut d'ailleurs accentuer les divisions entre les groupes de personnes.

LES AUTRES TYPES D'UNITÉS ADMINISTRATIVES

De nombreuses organisations préfèrent une autre forme de structure à un service centralisé. La décentralisation que certaines entreprises effectuent en créant des centres de profits incite les directions de ressources humaines à opter pour ces autres types de structures :

– un service centralisé des ressources humaines et des unités administratives spécialisées dans les succursales;

– un service centralisé des ressources humaines et des unités administratives spécialisées qui travaillent auprès des divisions (restauration ou alimentation, dans la figure 3.3) ou des fonctions (marketing dans la figure 3.3);

– un service centralisé des ressources humaines, des unités administratives spécialisées dans les divisions ou les fonctions et des unités administratives spécialisées au niveau des succursales.

3.4.3 LE PERSONNEL DES DIRECTIONS DE RESSOURCES HUMAINES

Pour que les DRH assument leurs responsabilités, il importe qu'elles soient dotées d'un personnel qualifié. Ce troisième aspect de l'aménagement des DRH demande de considérer les postes à créer et les personnes qui devraient les occuper.

LES POSTES

La nature et le nombre de postes que comporte une DRH varient en fonction des divers facteurs mentionnés dans ce chapitre : la taille de l'organisation, son secteur d'activité économique, les structures de la DRH, la présence de syndicats, etc. Le texte qui suit portera sur les types de postes (ou d'emplois) dans les DRH, et il comportera des précisions sur les critères qui peuvent inciter une direction à créer ces catégories de postes.

La DRH est en mesure d'offrir des emplois de commis, de technicien ou de professionnel, de gérant, de directeur et de cadre

FIGURE 3.3 *UN EXEMPLE DE DIRECTION DES RESSOURCES HUMAINES À UNITÉS ADMINISTRATIVES DÉCENTRALISÉES DANS UNE ENTREPRISE À SUCCURSALES MULTIPLES*

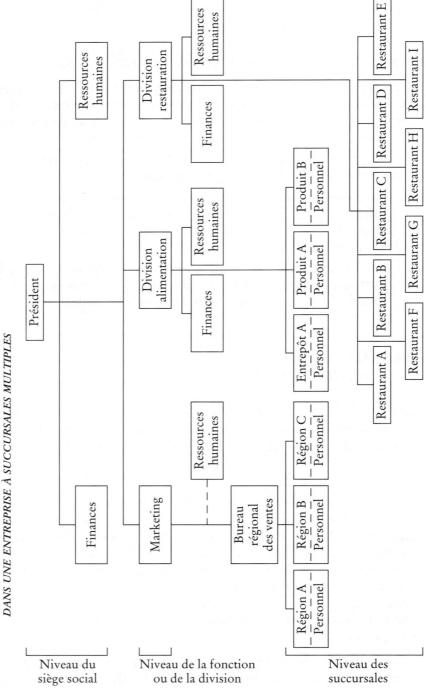

supérieur[12]. En raison des différences de tâches, les critères de sélection varient pour chaque emploi.

Les principales fonctions du **commis** ont trait à la cueillette et à la compilation de données, et à la tenue de dossiers. En d'autres termes, il doit effectuer des tâches administratives simples, prendre des décisions de routine dans un cadre délimité et sous supervision, sans avoir à surveiller les employés. Dans les petites organisations où ils sont susceptibles de relever d'un supérieur hiérarchique qui doit assumer d'autres responsabilités que la gestion des ressources humaines, les commis peuvent avoir un travail comportant plus de variété et d'autonomie que dans les grandes organisations, où les postes sont plus spécialisés et mieux définis.

Dans les emplois de **technicien**, le champ de travail s'avère plus restreint, les techniques à utiliser plus délimitées et la liberté d'action moindre que dans les emplois de professionnel. En conséquence, ils exigent moins de polyvalence, de créativité et d'autonomie. Dans la pratique, il arrive cependant que les techniciens exercent des fonctions de professionnels.

De niveau hiérarchique semblable à celui d'un **professionnel**, le **gérant de personnel** œuvrant dans une usine ou une succursale effectue des tâches variées qui peuvent avoir trait aux différents programmes de gestion des ressources humaines. En plus d'avoir à appliquer des politiques et parfois à les formuler, il est appelé à travailler en étroite collaboration avec les cadres hiérarchiques, notamment pour les conseiller et les aider à résoudre des problèmes.

Les postes de **directeur du personnel** ou de **directeur des relations du travail** se situent à un niveau hiérarchique plus élevé. Ils demandent d'exercer les différentes fonctions normalement dévolues à un gestionnaire, soit planifier, organiser, diriger et contrôler. Ils exigent une expérience professionnelle plus vaste, qui ne se limite pas à un seul champ de la gestion des ressources humaines.

Ces postes de direction peuvent comporter des responsabilités différentes. Dans les DRH dont les structures sont unifiées, le directeur doit s'occuper à la fois de la gestion du personnel et des relations du travail; dans les services divisés, il peut exister un poste de direction dans chacun de ces champs d'activités. La taille de la DRH peut aussi

---

12. La description de ces postes se base sur la Classification canadienne descriptive des professions (CCDP) et sur Yoder et Heneman (1979).

exercer une influence. Dans les grandes organisations, celui qui dirige une sous-unité administrative, telle la rémunération et les avantages sociaux, peut occuper un poste dont le niveau hiérarchique et la rémunération équivalent à ce dont bénéficie le directeur de la DRH d'une plus petite organisation.

Les données de Statistique Canada (1973, 1983) montrent que les catégories d'emploi créées par les organisations varient et qu'il n'y a pas de règle absolue guidant les décisions en cette matière. Ainsi, le Québec compte une proportion plus élevée de directeurs que l'Ontario (23 % comparativement à 10 % en 1971 ; 52 % comparativement à 33 % en 1981) ; à l'inverse, le pourcentage de commis est plus élevé en Ontario qu'au Québec (12 % comparativement à 5 % en 1970 ; 15 % comparativement à 8 % en 1981).

Les organisations peuvent créer des postes en ne considérant que les tâches à effectuer. Elles peuvent aussi prendre des décisions en la matière en examinant l'ensemble des besoins de soutien à la gestion des ressources humaines et la façon dont les postes créés s'insèrent dans les structures. Ainsi, une petite entreprise qui commence par créer un poste spécialisé en gestion des ressources humaines pour combler des besoins de nature administrative et technique a avantage à décider en même temps de la façon dont elle assurera le leadership de la fonction ressources humaines. En envisageant le problème de cette façon, elle peut, par exemple, décider de créer un poste de commis, mais en précisant son rattachement structurel, et élargir l'éventail des solutions possibles en créant un poste de directeur comportant des tâches administratives et techniques.

Pour avoir une vue d'ensemble, il est utile d'effectuer un diagnostic des problèmes à résoudre et des bénéfices à tirer sur les plans suivants : stratégique (intégration des dimensions de ressources humaines aux décisions stratégiques, vision à plus long terme, etc.), professionnel (résolution de certains problèmes, aide apportée aux cadres, etc.), administratif (économie d'échelle, allégement de la tâche des cadres, etc.), cohésion de l'organisation (qualité du climat, etc.) et objectifs atteints en gestion des ressources humaines (amélioration du rendement, réduction des accidents du travail, etc.). Les solutions envisagées devraient ensuite être évaluées à la lumière de critères tels que la cohérence de la structure de postes en gestion des ressources humaines, la compatibilité avec la structure de postes dans d'autres fonctions et les coûts. Ce dernier critère peut inciter à recourir à des ressources externes si cette solution est plus avantageuse que la création d'un poste régulier.

LES PERSONNES

En raison des rôles et des tâches qui incombent aux DRH, les personnes qui œuvrent dans ces unités administratives ont à satisfaire à divers types d'exigences, dont la nature précise et l'importance varient selon le poste occupé et les attentes de l'organisation. Ces exigences peuvent être regroupées dans les catégories suivantes :

- la maîtrise de connaissances et d'habiletés directement reliées à la gestion des ressources humaines ;
- la maîtrise de connaissances et d'habiletés en matière de gestion, d'intervention et de changement ;
- la compréhension de l'organisation et du secteur d'activité économique dans lequel œuvre la DRH ;
- la maîtrise d'habiletés professionnelles générales, telle la rédaction ;
- la possession de certaines aptitudes intellectuelles, telle la capacité d'analyse ;
- la possession de certaines caractéristiques de la personnalité, telle l'initiative ;
- l'expression d'intérêts et d'attitudes appropriés dans les relations professionnelles, tel l'encouragement manifesté à l'entourage.

En raison de son influence, le poste de responsable de la DRH exige une attention particulière. Plusieurs écrits normatifs (Baird et Meshoulam, 1984 ; Byrne *et al.*, 1988 ; Hubben, 1983 ; Murphy, 1986 ; Miles et Snow, 1984) portent sur les exigences auxquelles doivent satisfaire ces responsables. D'autres rapportent des recherches visant à mesurer les attentes de la direction (Walker et Moorhead, 1987) ou de membres de l'organisation (Ulrich, Brockbank et Yeung, 1989) à l'égard du responsable de la DRH. Le tableau 3.8 propose une liste d'exigences inspirées de ces écrits, et classées dans les catégories que nous avons mentionnées.

La recherche d'Ulrich, Brockbank et Yeung (1989) fournit de l'information sur l'importance relative de certaines de ces exigences. Effectuée dans 91 grandes entreprises (dont la plupart font partie des 200 meilleures entreprises, selon *Fortune Magazine*), leur enquête révèle dans quelle mesure la connaissance de l'organisation (16 %), la livraison adéquate de services professionnels (24 %) et la capacité de gérer des changements (43 %) contribuent à ce que les professionnels de la gestion des ressources humaines soient perçus comme efficaces par leurs collègues. Chez les cadres supérieurs, la capacité de gérer le changement se mesure notamment par les aspects suivants : la vision de ce que

Tableau 3.8 Les exigences rattachées au poste de responsable de la direction des ressources humaines

Type d'exigence	Nature spécifique
Compétences en gestion des ressources humaines	– Compréhension des divers programmes de gestion des ressources humaines – Connaissance et compréhension des innovations en gestion des ressources humaines – Capacité de prévision – Capacité de conceptualiser un système de gestion des ressources humaines – Capacité d'établir des priorités en gestion des ressources humaines
Compréhension de l'organisation	– Compréhension de la culture et des structures de l'organisation – Capacité d'analyser le potentiel de l'organisation dans le domaine de la finance, de la technologie et des positions stratégiques – Capacité d'identifier les problèmes de l'organisation – Expression de valeurs compatibles à celles de l'organisation (par exemple, avoir une mentalité d'affaires)
Compétences en management	– Compréhension du langage et de la pratique de la gestion stratégique – Capacité de prévoir, de susciter, de planifier et de gérer le changement – Capacité de gérer l'information
Habiletés professionnelles générales	– Habiletés de rédaction – Capacité de faire valoir ses succès – Capacité d'apprendre
Aptitudes intellectuelles	– Capacité de concevoir les choses de façon systémique – Capacité d'analyse – Complexité cognitive – Imagination, créativité – Jugement social
Qualités personnelles	– Capacité de travailler en équipe – Sens politique – Flexibilité – Confiance, affirmation de soi, autonomie – Capacité de prendre des risques – Esprit de décision – Capacité d'écoute – Capacité de convaincre – Faculté d'adaptation – Honnêteté – Sens des responsabilités, fiabilité

TABLEAU 3.8 LES EXIGENCES RATTACHÉES AU POSTE DE RESPONSABLE DE LA DIRECTION DES RESSOURCES HUMAINES (suite)

Type d'exigence	Nature spécifique
Intérêts, attitudes sur le plan des relations professionnelles	– Souci de la clientèle – Sens du service – Souci de la qualité et de l'efficacité – Souci d'aider les autres – Caractère positif – Souci de clarifier les rôles

devrait être l'organisation, l'aptitude à identifier les problèmes de l'organisation et à prévoir les besoins de changement, l'entretien de relations basées sur la crédibilité et la confiance, le soutien apporté aux cadres, la qualité des communications et la capacité de clarifier les rôles. Selon les résultats de cette recherche, on s'attend donc fortement à ce que le responsable de la DRH suscite et soutienne des changements, par ses aptitudes intellectuelles, ses attitudes et ses qualités personnelles.

Comme le montre le tableau 3.9, qui provient d'une recherche effectuée par Tyson et Fell (1986), ces exigences sont celles auxquelles doit satisfaire le responsable d'une DRH de type architecte. Les organisations où la DRH est de type exécutant ou administrateur de contrats ont tendance à rechercher des personnes qui ont une formation et une expérience différentes.

Quoiqu'elle n'ait pas été conçue pour mettre en relation le type de DRH et les cheminements de carrière suivis par le responsable de cette unité administrative, une recherche récemment effectuée au Québec (Foucher et Cardin, 1990) révèle que la carrière du responsable de la DRH varie selon certaines caractéristiques de l'organisation pour laquelle il travaille. Par exemple, les responsables de DRH dans les organisations de moins de 500 employés ont, en moyenne, une expérience professionnelle et une formation scolaire moins longues; la plupart n'ont pas commencé leur carrière dans une DRH et, depuis leur entrée dans ce type d'unité administrative, ils sont nombreux à avoir toujours occupé un poste de généraliste.

Les données de cette recherche indiquent donc que le mode d'accès à une DRH diffère. Plus précisément, seulement le tiers des personnes à la tête d'une DRH dans la région de Montréal a toujours œuvré dans ce type d'unité administrative. Quant aux autres, elles ont en majorité (50 %) fait une carrière plus ou moins longue dans d'autres unités

TABLEAU 3.9 *LES CARACTÉRISTIQUES DU RESPONSABLE DES RESSOURCES HUMAINES SELON LE TYPE DE DIRECTION*

Type de direction	Caractéristiques du responsable
Type exécutant	**Exigences :** – Capacité d'accomplir des tâches administratives routinières – Connaissances techniques assez limitées (tâches de bureau) – Connaissance des normes et des procédures du milieu de travail **Provenance :** – Tâches semblables dans l'organisation ou ailleurs – Expérience dans l'organisation ou ailleurs – Formation technique
Type administrateur de contrats	**Exigences :** – Aptitudes à la gestion, dont une partie ou la totalité dans un service du personnel – Connaissances diversifiées en gestion des ressources humaines et habiletés de négociation – Connaissance du contexte de travail **Provenance :** – Poste semblable dans l'organisation ou ailleurs – Formation universitaire de 1er cycle favorisant la polyvalence – Expérience en négociation
Type architecte	**Exigences :** – Capacité de planifier et de diriger – Autonomie – Capacité de travailler dans une équipe de direction – Capacité de comprendre les stratégies de l'organisation et leurs liens avec la gestion des ressources humaines – Capacité de conceptualiser un système de gestion des ressources humaines – Capacité de gérer des systèmes complexes en gestion des ressources humaines **Provenance :** – Cadre supérieur de l'organisation ou spécialiste en gestion des ressources humaines ayant occupé un poste de cadre – Formation poussée en management (par exemple M.B.A.) avec une spécialisation en personnel, ou formation poussée en personnel avec une bonne expérience de gestion

administratives avant d'œuvrer en gestion des ressources humaines (17 %), ou ont occupé plus d'un poste avant de travailler dans une DRH. Les données de cette recherche indiquent aussi que les responsables de DRH ont suivi des cheminements de carrière différents à l'intérieur de l'unité administrative spécialisée en gestion des ressources humaines. Quoique la majorité (50 %) ait toujours occupé un poste de généraliste, plusieurs ont été spécialistes[13] (une première spécialité, puis une deuxième) avant d'être généralistes.

La capacité accrue de comprendre les activités et la dynamique de l'organisation et l'engagement envers cette dernière sont les principales raisons qui incitent les entreprises à embaucher dans la DRH certains de leurs propres employés qui ont acquis une expérience en dehors de cette unité administrative. Le passage à la DRH peut alors représenter une étape de la carrière qui permettra à l'individu de réinvestir ses apprentissages dans des postes futurs à l'intérieur d'autres unités administratives.

Au cours des dernières décennies, de nombreuses organisations ont cependant embauché des diplômés universitaires spécialisés en gestion des ressources humaines, en raison de la complexification des tâches dans ce secteur d'activité. Plusieurs organisations pratiquent d'ailleurs l'embauche mixte: pourcentage de diplômés universitaires, notamment pour combler des postes de professionnels, et pourcentage de personnes provenant de l'organisation. La gestion de ces deux types d'employés demande de résoudre divers problèmes, principalement par rapport à l'harmonisation de leurs connaissances respectives.

Les données de recensement de Statistique Canada (1971 et 1981) indiquent que la scolarisation des personnes œuvrant dans les DRH s'est accrue au cours des dernières décennies (Cousineau, 1987). Des données plus récentes, recueillies par Foucher et Cardin (1990) dans la région de Montréal, révèlent que le pourcentage de responsables de DRH ayant une scolarité de deuxième ou de troisième cycle universitaire (30 % de la population totale) est plus élevé dans les organisations comptant plus de 1 000 employés, et que le pourcentage de personnes n'ayant pas de baccalauréat (20 % de la population totale) est plus élevé dans les organisations ayant moins de 1 000 employés. S'il y a encore place pour l'accroissement de la scolarité, il y a aussi des efforts à faire pour que les femmes soient mieux représentées dans les emplois de

---

13. « Spécialiste » désigne une personne qui remplit une seule sous-fonction de la gestion des ressources humaines, telle la sélection ou la formation.

cadres en gestion des ressources humaines. Les données de Statistique Canada pour 1981 (Foucher, 1990) et les données sur la population des responsables de DRH (Foucher et Cardin, 1990) montrent que les femmes occupant ce type de poste sont encore peu nombreuses, surtout dans les grandes entreprises.

Le choix des personnes affectées aux DRH doit enfin se faire à la lumière des types de carrière qu'elles envisagent et de ceux qu'il est possible de leur offrir. Le tableau 3.10 rapporte les quatre principaux types de carrière. L'aménagement des cheminements que proposent les

TABLEAU 3.10 LES TYPES DE CARRIÈRE EN GESTION DES RESSOURCES HUMAINES

Types	Cheminements de carrière
Carrière de professionnel	Elle consiste à évoluer dans des postes spécialisés en gestion des ressources humaines et elle requiert une formation en cette matière. Les ouvertures qui peuvent se présenter sont, par exemple, un poste de professionnel dans une autre sous-unité administrative du même service des ressources humaines, un poste de professionnel à l'intérieur du même champ de spécialisation dans une plus grande organisation, un poste dans une firme de conseillers, ou un poste de professeur. La progression peut se mesurer par la complexité et la variété des tâches.
Carrière de gestionnaire en ressources humaines	Elle consiste à occuper des postes de direction en gestion des ressources humaines, dans la même organisation ou dans différents milieux de travail. Selon le cas, la progression se mesure par le niveau hiérarchique, la taille de l'organisation et la rémunération. Une formation spécialisée est souhaitable.
Carrière de gestionnaire	Le fait d'occuper des postes dans le service des ressources humaines ne constitue qu'une étape dans le cheminement de ces personnes. Ce cheminement demande souvent de quitter assez tôt le secteur de la gestion des ressources humaines pour acquérir la polyvalence requise. Cette progression existe davantage à l'intérieur des grandes organisations offrant des promotions en priorité à leurs employés.
Carrière de dirigeant	L'accession à un poste de directeur général ou de directeur d'un autre service peut se faire de deux façons: à la suite d'une carrière en gestion des ressources humaines et, ce qui est plus fréquent, à la suite d'une carrière de gestionnaire.

organisations pour chacun de ces types devrait permettre des apprentissages qui seront réinvestis dans les étapes ultérieures de la carrière.

3.5 CONCLUSION

La direction des ressources humaines ne constitue pas une entité organisationnelle neutre. Reflet des conceptions de la direction générale en matière de gestion des ressources humaines, elle exerce elle aussi une influence sur ce secteur d'activité. Cette influence peut se manifester par une meilleure adaptation de l'organisation à son environnement, par la qualité des actions en matière de gestion des ressources humaines, par une plus grande cohésion de l'organisation et par les résultats atteints au chapitre de la gestion des ressources humaines. Ces effets varient cependant selon les orientations et l'aménagement de la DRH.

Si l'on veut assurer les apports les plus adéquats possible, il importe de considérer la mise sur pied et le maintien d'une DRH comme étant des décisions stratégiques qui doivent respecter les principes suivants: la distribution des responsabilités de soutien à la gestion des ressources humaines de façon que toutes ces responsabilités soient assumées; l'insertion de la DRH dans les structures, la culture et les réseaux politiques de l'organisation, de façon qu'il y ait une compatibilité; la recherche d'un équilibre entre la demande de services adressée à la DRH et l'offre de services de cette dernière.

Au moment de leur création et au cours de leur évolution, les DRH sont cependant confrontées à des déséquilibres qui sont des occasions de changement. Ces déséquilibres peuvent découler d'une modification de la demande de services ou de l'offre de services; ils peuvent provenir de la DRH ou d'une source externe. Dans les paragraphes suivants, nous traiterons des quatre situations types auxquelles donne lieu le croisement de ces variables.

Le premier type de situation se définit ainsi: l'incitation au changement provient de facteurs qui modifient la demande de services; c'est la DRH qui est à l'origine des efforts pour équilibrer l'offre et la demande de services. De nouvelles exigences juridiques et des problèmes organisationnels sont des exemples de facteurs modifiant la demande de services. Selon l'ouverture de la direction générale, la DRH doit alors investir plus ou moins d'énergies pour démontrer qu'elle peut assumer des responsabilités nouvelles ou accrues. La capacité de la DRH à faire sentir les effets de ces facteurs et sa propre crédibilité peuvent aussi influer sur les possibilités de modifier l'offre de services.

Le deuxième type de situation se définit ainsi: l'incitation provient de facteurs extérieurs qui modifient la demande de services; c'est la direction générale qui décide de réorienter les services offerts par la DRH. Des changements de cette nature sont requis notamment lorsque l'organisation doit opter pour des stratégies de changement radical. Cette demande de réorientation représente une menace ou une occasion pour la DRH, selon qu'elle peut ou non s'adapter. Si la DRH est incapable d'assumer ces nouvelles orientations, la direction générale doit alors procéder à des remplacements de personnel dans cette unité administrative. La capacité de la DRH de prévoir ces nouvelles demandes et de s'y préparer influe sur l'ampleur des changements qu'elle devra subir.

La direction générale peut aussi décider de modifier le volume ou la nature des services offerts par la DRH, sans que la demande ne soit modifiée. La DRH est alors confrontée aux options suivantes: démontrer qu'elle ne doit pas modifier son offre de services, négocier pour arriver à une entente acceptable pour les deux parties, ou s'adapter par une rationalisation de ses activités ou des réductions de postes. Ce type de situation est fréquent en période de restrictions budgétaires. Même si elle représente une menace à première vue, elle peut inciter à une meilleure productivité.

Enfin, il est possible que ce soit la DRH elle-même qui veuille modifier son offre de services, pour combler ses propres aspirations ou pour s'adapter par anticipation à une modification de la demande de services. La DRH se trouve alors dans une situation où elle doit convaincre les autres acteurs de l'organisation du bien-fondé de ses aspirations. Un bon système d'information de gestion, la capacité d'assumer la nouvelle offre de services, des appuis politiques et une bonne crédibilité sont essentiels à cette entreprise. Cette situation se produit lorsque la DRH franchit de son propre chef des étapes d'évolution.

Comme le montre cette brève description, chaque situation est susceptible de produire divers types d'effets, positifs ou négatifs. Ces changements peuvent être facilités si la DRH a prévu les modifications qu'elle aurait à apporter, si elle a bien géré les transitions et si elle a des relations adéquates avec les autres membres de la direction générale, notamment le président ou le directeur général. Ces relations permettent entre autres de préparer les changements, en facilitant le consensus. Par contre, l'isolement et des attitudes réactives risquent de provoquer des discontinuités qui nécessitent des changements radicaux si l'on veut équilibrer la demande et l'offre de services.

QUESTIONS

1. Après avoir précisé en quoi consistent les trois principes suivants : avoir une vue d'ensemble des responsabilités, harmoniser les composantes et équilibrer l'offre et la demande de services, montrez comment ils peuvent guider le choix des responsabilités et l'aménagement des composantes d'une direction des ressources humaines.

2. Quels sont les rôles et les missions d'une direction des ressources humaines ? Justifiez votre réponse.

3. Quels sont les facteurs qui peuvent aider une direction de ressources humaines à exercer une influence d'ordre stratégique ?

4. Quelles sont les principales catégories de tâches des directions de ressources humaines ?

5. Quelles sont les transformations qui s'effectuent actuellement dans les rôles et les tâches des directions de ressources humaines ? Comment les expliquez-vous ?

6. Quelles suggestions feriez-vous à une organisation qui vous demande comment partager l'autorité entre la direction et les cadres hiérarchiques en matière de gestion des ressources humaines ?

7. Quels sont les principes qui devraient guider une organisation dans la structuration de la direction des ressources humaines ?

8. Quels sont les critères de sélection pour le poste de responsable de la direction des ressources humaines ?

BIBLIOGRAPHIE

ALLAIRE, Y. et FIRSIROTU, M.E., « Comment créer des organisations performantes : l'art subtil des stratégies radicales », *Gestion, revue internationale de gestion*, 14, 1989, p. 47-60.

ALLAIRE, Y. et FIRSIROTU, M.E., « La dimension culturelle des organisations : conséquences pour la gestion et le changement des organisations complexes », dans TARRAB, G. (dir.), *La psychologie organisationnelle au Québec*, Montréal, Presses de l'Université de Montréal, 1983, p. 481-495.

ALLARD, E., *Le rôle stratégique du leader de la gestion au sein de l'organisation*, mémoire de maîtrise inédit, École des hautes études commerciales, Montréal, 1990.

ALPANDER, G. et BOTTER, C., « An integrated model of strategic human resource planning and utilization », *Human Resource Planning*, 4, 1981, p. 189-207.

ASSOCIATION DES PROFESSIONNELS EN RESSOURCES HUMAINES, *Rapport sur les priorités des gestionnaires en ressources humaines de l'APRHQ*, Montréal, APRHQ, 1990.

BAIRD, L. et MESHOULAM, I., « The HRS matrix : managing the human resource strategically », *Human Resource Planning*, 7, 1984, p. 1-21.

BAKER, A.W., *Personnel Management in Small Plants*, Columbus (Ohio), Bureau of Business Research, Ohio State University, 1955.

BEAUDOIN, O., *Le counseling en milieu de travail. Programmes d'aide aux employés (PAE)*, Montréal, Agence d'Arc, 1986.

BLAKE, R.W., *The Role of the Senior Human Resource Executive : Orientation and Influence*, conférence prononcée lors du congrès annuel de l'Association des sciences administratives du Canada, St Mary's University, 1988.

BOURNOIS, F., « Pratiques de gestion des ressources humaines en Europe : données comparées », *Revue française de gestion*, 83, mars-avril-mai 1991, p. 68-83.

BOWEN, D.E. et GREINER, L.E., « Moving from production to service in human resources management », *Organizational Dynamics*, 14, 1986, p. 35-53.

BUREAU OF NATIONAL AFFAIRS, *Bulletin to Management (BNA Policy and Practice Series)*, 41, 26, Part II, p. 8-28, juin 1990.

BYRNE, J.A., EMERMAN, E.A., McLAUGLING, D.J., SCHLESINGER, L.A. et BARNETT, C.K., « Selecting the head of HR : a round-table discussion », *Human Resource Management*, 27, 1988, p. 413-431.

CARROLL, S.J. et SCHULER, R.S., « Professional HRM : changing functions and problems », dans CARROLL, S.J. et SCHULER, R.S. (dir.), *Human Resource Management in the 1980's*, Washington (D.C.), Bureau of National Affairs, 1983, p. 8.1-8.28.

COUSINEAU, J.-M., « Labour market trends and their implications for PRH training in Canada », dans DOLAN, S. et SCHULER, R.S. (dir.), *Canadian Readings in Personnel and Human Resource Management*, Toronto, West Publishing, 1987, p. 27-37.

CRANDALL, R., « Company life cycles : the effects of growth on structure and personnel », *Personnel*, 64, 1987, p. 28-36.

DALTON, D.R. et TODOR, W.D., « Antecedents of grievance filing behavior : attitude behavior consistency and the union steward », *Academy of Management Journal*, 25, 1982, p. 158-169.

DALTON, M., « Changing staff-line relationship », *Personnel Administration*, 4-5, 1966, p. 40-49.

DE SPELDER, B.E., *Ratio of Staff to Line Personnel*, Columbus (Ohio), O.S.U., Bureau of Business Research, 1962.

DIMICK, D.E. et MURRAY, V.V., « Correlates of substantive policy decisions in organisations : the case of human resource management », *Academy of Management Journal*, 21, 1978, p. 611-623.

DOLAN, S.I., HOGUE, J.-P. et HARBOTTLE, « L'évolution des tendances en gestion des ressources humaines au Québec : une étude comparative en fonction des tailles des entreprises », dans BLOUIN, R. (dir.), *Vingt-cinq ans de pratique en relations industrielles au Québec*, Cowansville (Québec), Éditions Yvon Blais, 1990, p. 775-789.

DYER, L., « Bringing human resources into the strategy formulation process », *Human Resource Management*, 22, 1983, p. 257-271.

DYER, L. et HOLDER, G.W., « A strategic perspective of human resource management », dans DYER, L. (dir.), *Human Resource Management Evolving Roles and Responsibilities*, ASPA-BNA Series, Washington (D.C.), Bureau of National Affairs, 1988, p. 1.1-1.46.

FABI, B., *Les facteurs de succès des cercles de qualité: une analyse internationale de la documentation empirique*, conférence prononcée lors du VIe Congrès de psychologie du travail de langue française, Nivelles (Belgique), mai 1990.

FIORITO, J., STONE, T.H. et GREER, C.R., «Factors affecting choice of human resource forecasting techniques», *Human Resource Planning*, 8, 1985, p. 1-19.

FITZ-ENZ, J., «How to market the H.R. departments», *Personnel*, 63, 1986, p. 16-24.

FLEISHMAN, E.A. et HARRIS, E.F., «Pattern of leadership behavior related to employee grievances and turnover», *Personnel Psychology*, 15, 1962, p. 43-56.

FOMBONNE, J., «Pour un historique de la fonction personnel», dans WEISS, D. (dir.), *La fonction ressources humaines*, Paris, Les Éditions d'Organisation, 1988, p. 49-138.

FOUCHER, R., *Les rôles des directions ou services de ressources humaines: résultats d'un sondage récent*, conférence prononcée lors du congrès annuel de l'Association des professionnels en ressources humaines du Québec, Montréal, mars 1991.

FOUCHER, R., *Does Canadian Human Resource Management Play an Exemplary Role in the Area of Equal Employment Opportunity with Regard to its Male and Female Employees?*, document de travail n° 28-90, Montréal, Centre de recherche en gestion, Université du Québec à Montréal, 1990.

FOUCHER, R. et CARDIN, S., *Les caractéristiques démographiques et les cheminements de carrière des personnes à la tête d'un service ou d'une direction des ressources humaines (région de Montréal, 1989)*, document de travail n° 20-90, Montréal, Centre de recherche en gestion, Université du Québec à Montréal, 1990.

FOULKES, F.K. et MORGAN, H.M., «Organizing and staffing the personnel function», dans FOULKES, F.K. (dir.), *Strategic Human Resource Management*, Englewood Cliffs (N.J.), Prentice-Hall, 1986, p. 168-174.

FREEDMAN, A., *The Changing Human Resources Function*, New York, The Conference Board, 1990.

FRENCH, W.L., DITTRICH, J.E. et ZAWACKI, R.A., *The Personnel Management Process. Cases on Human Resources Administration*, Boston, Houghton Mifflin Company, 1978.

GALBRAITH, J., *Organization Design*, Reading (Mass.), Addison-Wesley, 1977.

GOLDEN, K. et RAMANUJAM, V., «Between a dream and a nightmare: on the integration of the HRM and strategic business planning processes», *Human Resource Management*, 24, 1985, p. 429-452.

GOMEZ-MEJIA, L.R., «Dimensions and correlates of the personnel audit as an organizational assessment tool», *Personnel Psychology*, 38, 1985, p. 293-308.

GOSSELIN, A., «La revitalisation et la transformation des organisations: un nouveau défi pour la GRH», *Gestion, revue internationale de gestion*, 13, 1988, p. 36-40.

GREER, C.R. et ARMSTRONG, D., «Human resource forecasting and planning: a state of the art investigation», *Human Resource Planning*, 3, 1980, p. 67-78.

GUÉRIN, G., «Organisation des activités de planification des ressources humaines dans les grandes entreprises québécoises», partie I, *Gestion*, 9, 1984a, p. 28-36.

GUÉRIN, G., «Organisation des activités de planification des ressources humaines dans les grandes entreprises québécoises», partie II, *Gestion*, 9, 1984b, p. 36-43.

HALL, D.T. et GOODALE, J.G., *Human Resource Management and Implementation*, Glenview (Ill.), Scott, Foresman and Co., 1986.

HENNESSEY, H.W. Jr., «Computer applications in human resource information systems», *Human Resource Planning*, 2, 1979, p. 205-213.

HUBBEN, H., «What line managers expect of human resource managers», *Human Resource Planning*, 6, 1983, p. 153-157.

JAIN, H. et MURRAY, V.V., «Why the human resource management fails?», *California Management Review*, 26, 1984, p. 95-110.

JANGER, A.R., *The Personnel Function: Changing Objectives and Organization*, New York, The Conference Board, 1977.

KAHALAS, H., PAZER, H.L., HOAGLANO, J.S. et LEVITT, A., «Human resource planning activities in U.S. firms», *Human Resource Planning*, 3, 1980, p. 53-66.

KETS de VRIES, M. et MILLER, D., *The Neurotic Organization*, San Francisco, Jossey-Bass, 1984.

KOCHAN, T. et CHALYKOFF, A.J., «Human resource management and business life cycles: some preliminary propositions», dans KLEINGARTNER, A. et ANDERSON, C. (dir.), *Human Resource Management in High Technology Firms*, Lexington (Mass.), Lexington Books, 1987, p. 183-200.

McFARLAND, D.F., *Cooperation and Conflict in Personnel Administration*, New York, American Foundation for Management Research, 1962.

MEALIEA, L.W. et LEE, D., «Contemporary personnel practices in Canadian firms. An empirical evaluation», *Relations industrielles*, 35, 1980, p. 410-421.

MILES, R.E. et SNOW, C.C., «Designing strategic human resource systems», *Organizational Dynamics*, 13, 1984, p. 36-52.

MILLER, D. et DRÖGE, C., «Psychological and traditional determinants of structure», *Administrative Science Quarterly*, 31, 1986, p. 539-560.

MILLER, D., KETS de VRIES, M. et TOULOUSE, J.M., «Top executive locus of control and its relationship to strategy-making, structure and environment», *Academy of Management Journal*, 25, 1982, p. 237-253.

MILLER, E.L. et BURACK, E.H., «A status report on human resource planning from the perspective of human resource planners», *Human Resource Planning*, 4, 1981, p. 33-40.

MILLER, E.L. et BURACK, E.H., «The emerging personnel function», *MSU Business Topics*, 25, 1977, p. 27-32.

MILLER, R., «La stratégie d'entreprise et la gestion des ressources humaines», *Relations industrielles*, 40, 1985, p. 68-86.

MINER, J. et MINER, M., «Managerial characteristics of personnel managers», *Industrial Relations*, 15, 1976, p. 225-234.

MINTZBERG, H., *The Structuring of Organizations*, Englewood Cliffs (N.J.), Prentice-Hall, 1979.

MISA, K.F. et STEIN, T., «Strategic HRM and the bottom line», *Personnel Administration*, 28, 1983, p. 27-30.

MORLEY, E., «Human support services in complex manufacturing organizations», *Administrative Science Quarterly*, 19, 1974, p. 295-318.

MURPHY, R.H., «A line manager's view of the human resource role», dans FOULKES, F.K. (dir.), *Strategic Human Resource Management. A Guide for Effective Practice*, Englewood Cliffs (N.J.), Prentice-Hall, 1986, p. 144-151.

MURRAY, V.V. et DIMICK, D.E., *L'administration du personnel dans les grandes et moyennes entreprises*, recherche scientifique, étude nº 25, Commission royale d'enquête sur les groupements de sociétés, Ottawa, ministère des Approvisionnements et Services Canada, 1977.

MYERS, C. et TURNBULL, J., «Line and staff in industrial relations», *Harvard Business Review*, 34, 1969, p. 1-12.

NOHARET, J., «Quelle fonction personnel à l'horizon 1995?», *Personnel*, 313, mars-avril 1990, p. 28-33.

ODIORNE, G.S., «Personnel management for the 1980's», dans YODER, D. (dir.), *ASPA Handbook of Personnel and Industrial Relations*, Washington (D.C.), Bureau of National Affairs, 1979, chap. 1.8.

PAOLILLO, J.G., «Role profiles for managers in different functional areas», *Group and Organization Studies*, 12, 1987, p. 109-118.

QUINN MILLS, D. et BALBAKY, M.L., « Planning for morale and culture », dans WALTON, R.E. et LAWRENCE, P.R., *H.R.M. Trends and Challenges*, Boston, Harvard Business School Press, 1985, p. 255-284.

RITZER, G. et TRICE, H.M., *An Occupation in Conflict: A Study of the Personnel Manager*, Ithaca (N.Y.), New York State School of Industrial and Labor Relation (ILR Press), 1969.

RONDEAU, A. et LEMELIN, M., *Implantation et impact des pratiques de gestion participative au Québec*, conférence prononcée lors du vi^e Congrès de psychologie du travail de langue française, Nivelles (Belgique), mai 1990.

ROTTER, J.B., « Generalized expectancies for internal versus external control of reinforcement », *Psychological Monographs*, 80, 609, 1966.

ROWLAND, K.M. et SUMMERS, S.L., « Current practice and future potential in human resource planning », dans ROWLAND, K.M., FERRIS, G.R. et SHERMAN, J.L. (dir.), *Current Issues in Personnel Management*, 2e éd., Boston, Allyn and Bacon, 1983, p. 43-49.

RUSH, J.C. et GANTZ, J., « Developing human resource management », *Business Quarterly*, 48, 1983, p. 65-71.

SCHWARTZ, R.H., « Practitioner's perception of factors associated with human resource planning success », *Human Resource Planning*, 8, 1985, p. 55-66.

SIKULA, A.F., *Personnel Administration and Human Resources Management*, New York, John Wiley & Sons, 1976.

SIMARD, M., *L'implication des contremaîtres en prévention des accidents du travail: une analyse stratégique*, conférence prononcée lors du vi^e Congrès de psychologie du travail de langue française, Nivelles (Belgique), mai 1990.

SMITH, F., « Strategic business and human resources: Part I », *Personnel Journal*, 61, 1982a, p. 606-610.

SMITH, F., « Strategic business and human resources: Part II », *Personnel Journal*, 61, 1982b, p. 680-683.

SRINIVAS, K.M. (dir.), *Human Resource Management. Contemporary Perspectives in Canada*, Toronto, McGraw-Hill, 1984.

STATISTIQUE CANADA, *Population active: tendances historiques des professions*, catalogue 92-920, Ottawa, ministère des Approvisionnements et Services Canada, 1983.

STATISTIQUE CANADA, *Sondage sur la main-d'œuvre hautement qualifiée*, Ottawa, ministère des Approvisionnements et Services Canada, 1973.

SYLVESTRE, C., « Les programmes d'aide aux employés: 25 ans de développement », dans BLOUIN, R. (dir.), *Vingt-cinq ans de pratique en relations industrielles au Québec*, Cowansville (Québec), Éditions Yvon Blais, 1990, p. 889-915.

TEMPLER, A., « Managers downplay the role of the H.R. function in introducing new technology », *Personnel Administrator*, 30, 1985, p. 88-95.

The Personnel Executive's Job, Englewood Cliffs (N.J.), Prentice-Hall / ASPA, 1977.

THÉRIAULT, R., *Gestion de la rémunération: politiques et pratiques efficaces et équitables*, Chicoutimi (Québec), Gaëtan Morin Éditeur, 1983.

TICHY, N.M. et ULRICH, D., « Le défi de la revitalisation », *Revue française de gestion*, 56-57, mars-avril-mai 1986, p. 72-89.

TYSON, S. et FELL, A., *Evaluating the Personnel Function*, London, Hutchison, 1986.

ULRICH, D., BROCKBANK, W. et YEUNG, A., *Human Resource Competencies in the 1990's: An Empirical Assessment*, Working Paper, Ann Harbor, University of Michigan, 1989.

WAGNER, S., *La gestion des ressources humaines. Un aperçu des transformations qui attendent la profession. Rapport du comité. Relations avec les membres*, Montréal, APRHQ, 1989.

WALKER, J.W. et MOORHEAD, G., « CEO's : what they want from HRM », *Personnel Administrator*, 32, 1987.

WALKER, R.L. et ROBINSON, J.W., « The first-line supervisor's role in the grievance procedure », *Arbitration Journal*, 33, 1977, p. 279-292.

WALKER, R.L. et WOLFE, M., « Patterns in human resource planning practices », *Human Resource Planning*, 4, 1978.

WATSON, F.J., *The Personnel Managers. A Study in the Sociology of Work and Employment*, Londres, Rœitledge & Kegan, 1977.

WHITE, H. et BOYNTON, R., « The role of personnel : a management view », *Arizona Business*, 21, 1974, p. 17-21.

WILS, T. et GUÉRIN, G., « La gestion du système de carrière », dans BLOUIN, R. (dir.), *Vingt-cinq ans de pratique en relations industrielles au Québec*, Cowansville (Québec), Éditions Yvon Blais, 1990, p. 821-851.

WILS, T. et LABELLE, C., « Les systèmes internes de résolution des conflits : des mécanismes de justice pour les employés non syndiqués de l'an 2000 », *Gestion, revue internationale de gestion*, 17, 1989, p. 51-57.

YODER, D. et HENEMAN, H. Jr. (dir.), *Handbook of Personnel and Industrial Relations*, Washington (D.C.), Bureau of National Affairs, 1979.

LA GESTION STRATÉGIQUE DES PROGRAMMES D'ACQUISITION ET DE DÉVELOPPEMENT DES RESSOURCES HUMAINES

CHAPITRE 4

LA PLANIFICATION STRATÉGIQUE DE LA GESTION DES RESSOURCES HUMAINES

par Laurent Bélanger

OBJECTIFS

Après l'étude de ce chapitre, vous devriez être en mesure:

- de reconnaître la place et l'importance de la planification stratégique des ressources humaines;
- d'identifier les principales composantes d'un modèle de gestion stratégique d'une entreprise et de gestion des ressources humaines;
- d'établir les liens d'interdépendance entre les différentes composantes du modèle;
- d'identifier trois types de stratégies d'entreprise et de gestion des ressources humaines;
- d'établir des plans d'effectif en respectant les étapes de cette démarche.

MISE EN SITUATION

LA BANQUE NATIONALE DU CANADA

La mission

Être une banque particulièrement sensible aux besoins de ses diverses clientèles, notamment au Québec, visant une

*rentabilité supérieure à la moyenne des grandes banques
canadiennes par une gestion efficace de ses opérations, par
la diversification de ses activités en fonction des marchés
et par l'amélioration de la qualité de ses ressources
humaines.*

La gestion des ressources humaines

Les employés constituent l'actif le plus précieux dont dispose
la Banque Nationale. Dans un contexte de concurrence accrue, la
dimension opérationnelle occupe une place de tout premier ordre.
La Banque s'estime heureuse de pouvoir compter sur la compétence et le travail soutenu de son personnel afin d'assurer la qualité
et la stabilité des services offerts aux diverses clientèles. Trois
principes guident sa gestion des ressources humaines: la reconnaissance du travail accompli en fonction d'objectifs précis de
performance, l'accessibilité à la formation et l'équité en matière
d'embauche et de promotion. La Banque tend, par les moyens les
plus divers, à associer ses employés à l'amélioration du milieu de
travail. Une décentralisation des responsabilités combinée à différents programmes incitatifs axés sur la performance lui permet
de conjuguer le développement personnel de ses employés et le
succès de la Banque.

Des investissements considérables dans la technologie de
pointe permettront à la Banque de réorienter une partie des ressources affectées aux opérations administratives courantes et de
les redistribuer plus judicieusement pour l'amélioration du service
à la clientèle. En outre, la nouvelle configuration des succursales
a permis de créer un environnement plus propice à la distribution
des produits et des services financiers.

La formation du personnel

Pour bien marquer sa préoccupation à l'égard de la formation
de ses employés, la Banque offre plusieurs programmes: formation
interne, éducation permanente, formation linguistique, cours de
l'Institut des banquiers canadiens, etc. En outre, elle décerne
annuellement deux prix de 7 500 $ chacun, dans la cadre de la
bourse Michel Bélanger. Les lauréats sont appelés à poursuivre

leurs études universitaires de dernier cycle à temps plein dans une discipline reliée aux activités bancaires.

L'équité en matière d'emploi

La Banque favorise activement l'équité en matière d'emploi. Elle met tout en œuvre pour que la composition de son personnel soit à l'image de la diversité qui caractérise notre société. Cela se traduit par des progrès importants quant à l'embauche et à la promotion des divers groupes visés par son programme d'équité en matière d'emploi. La progression significative des femmes dans les postes de cadres ainsi que le recrutement de candidats et candidates chez les autochtones, les personnes handicapées et les membres des minorités visibles démontrent sa détermination en matière d'équité en emploi.

Source: BANQUE NATIONALE DU CANADA, *Rapport annuel*, 1990.

QUESTIONS

1. Identifiez chacun des éléments de la mission de la Banque Nationale du Canada.
2. Quels moyens la Banque Nationale du Canada a-t-elle retenus en matière de ressources humaines pour réaliser sa mission?

4.1 INTRODUCTION

Dans le premier chapitre, nous avons défini la gestion stratégique des ressources humaines comme étant la prise en considération des ressources humaines dans la formation et la mise en œuvre des stratégies d'entreprise dans un contexte donné. Le moment privilégié pour effectuer cette prise en considération en contexte fort concurrentiel se situe idéalement avant qu'une décision définitive soit arrêtée quant aux choix des stratégies.

Le point central d'une réflexion stratégique en matière de planification des ressources humaines porte donc sur le lien organique et logique à établir entre la planification stratégique de l'entreprise et celle des ressources humaines. L'importance d'un tel lien a déjà été signalée depuis longtemps. Walker (1978) à tenté d'établir un parallèle entre les processus de planification stratégique à l'échelle d'une entreprise et le processus de planification des ressources humaines à court, à moyen et à long termes. Cinq éléments critiques de la planification stratégique ont retenu son attention à cause de leurs conséquences sur la qualité et la quantité des ressources humaines nécessaires à la réalisation des stratégies: la raison d'être de l'entreprise, l'environnement externe, les forces et les faiblesses internes, les objectifs opérationnels et les types de programmes d'action nécessaires.

Par la suite, Golden et Ramanujam (1985) ont mené une étude empirique dans une dizaine d'entreprises de la région de Cleveland (É.-U.) et ont identifié trois types de liens (ou d'arrimage) entre la planification stratégique d'une entreprise et celle des ressources humaines. Quatre entreprises sur les dix visitées pratiquent un arrimage à sens unique: la planification des ressources humaines se fait une fois les stratégies d'entreprise arrêtées, ou l'inverse, c'est-à-dire qu'une analyse du contexte et de la nature des ressources humaines se fait avant l'adoption de stratégies d'entreprise. Quatre autres entreprises pratiquent plutôt un type d'arrimage qui s'éloigne de la relation linéaire ou séquentielle, pour emprunter une relation de réciprocité ou d'interdépendance entre les deux catégories de stratégies: les stratégies d'entreprise et celles des ressources humaines influent les unes sur les autres, tant sur le plan de leur élaboration que de leur mise en œuvre. Enfin, un autre type de lien existe, de caractère interactif celui-là, où le responsable du service des ressources humaines devient, sur une base plutôt informelle, un partenaire actif au sein de la direction supérieure de l'entreprise. Il peut alors exercer une influence sur les décisions qui concernent les ressources humaines et sur celles qui concernent l'avenir ou la survie de l'entreprise.

Tout en reconnaissant l'importance des liens organiques à établir et à maintenir entre la planification stratégique de l'entreprise et celle des ressources humaines, il ne faudrait pas pour autant faire de la stratégie de l'entreprise le seul déterminant des stratégies à adopter en matière de gestion des ressources humaines. En d'autres termes, nous ne voulons pas nous enfermer dans une relation bivariée déjà dénoncée par les auteurs Guérin et Wils (1989). Pour se soustraire à ce défaut d'une relation bivariée, ils suggèrent d'apporter des modifications au raisonnement linéaire en élargissant le concept de stratégie et en y incluant les deux volets suivants: celui des objectifs de la gestion des ressources humaines et celui des moyens ou des systèmes d'activités à mettre en œuvre pour atteindre ces objectifs qui tiennent compte, au départ, de la stratégie d'entreprise. Une telle modification, ou raisonnement, est souhaitable pour éviter que la gestion des ressources humaines d'une entreprise ne soit à la merci de considérations uniquement économiques.

Dans ce chapitre, nous présentons un modèle qui s'inscrit, autant que possible, en dehors de cette vision linéaire, où les stratégies des ressources humaines dépendraient uniquement de celles de l'entreprise. Nous verrons que d'autres considérations viennent s'ajouter au moment d'arrêter des choix critiques en matière d'utilisation des ressources humaines. En décrivant chacune des composantes du modèle et leurs relations d'interdépendance, nous faisons état des principales questions qu'une direction d'entreprise doit se poser au cours d'un processus d'élaboration des stratégies d'entreprise et de celles des ressources humaines. Nous aborderons, par la suite, la présentation d'une démarche précise en matière de planification opérationnelle des ressources humaines: une planification à court terme qui complète la réflexion sur les stratégies d'entreprise et les stratégies des ressources humaines.

4.2 *La présentation d'un modèle*

Nous proposons un modèle simplifié d'une démarche qui met en parallèle la gestion stratégique des entreprises et la gestion des ressources humaines. Ce modèle est illustré à la figure 4.1.

4.3 *Les composantes du modèle et les liens d'interdépendance*

4.3.1 *L'analyse de l'environnement externe*

La première étape de toute réflexion stratégique consiste à définir la mission première de l'entreprise et les valeurs qu'elle entend promouvoir dans la poursuite de cette mission. On s'attend à ce que la direction supérieure, après avoir consulté toutes les instances concernées par le processus de planification, arrive à un consensus sur ce que sera l'entreprise au cours des prochaines années visées par la période de planification. On tentera ainsi de circonscrire comment l'entreprise se forgera une identité, un caractère unique quant aux produits à fabriquer et à la nature des services qu'elle veut offrir, et de définir les valeurs à être partagées par toutes les personnes intéressées à sa survie et à sa croissance. Une telle décision concernant la mission et les valeurs fournira le cadre à l'intérieur duquel se poursuivra la réflexion stratégique.

FIGURE 4.1 UN MODÈLE SIMPLIFIÉ D'UNE DÉMARCHE DE PLANIFICATION STRATÉGIQUE DES RESSOURCES HUMAINES EN PARALLÈLE AVEC UNE DÉMARCHE DE PLANIFICATION STRATÉGIQUE DE L'ENTREPRISE

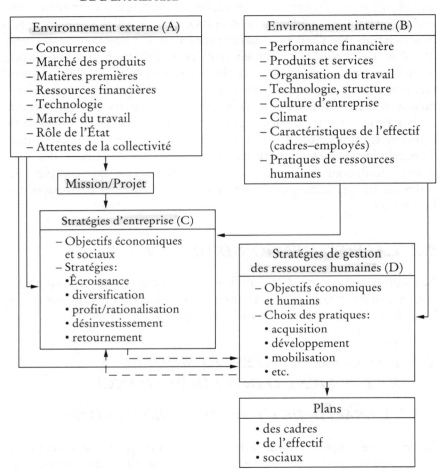

La deuxième étape de cette réflexion consistera à déterminer les possibilités et les contraintes que présente l'environnement externe, tels la concurrence, l'appariement produit–marché, l'état actuel et l'avenir des technologies de production et de circulation de l'information, le rôle qu'entendent jouer les gouvernements quant à la survie et à la croissance des institutions économiques.

Dans la même foulée, le directeur des ressources humaines procédera à une analyse des possibilités ou des contraintes de l'environnement externe qui serviront à façonner les choix des objectifs et des stratégies à adopter dans le domaine des ressources humaines. Il verra à obtenir de l'information sur l'une ou l'autre des tendances de l'environnement économique et social externe.

Une considération particulière sera accordée aux caractéristiques actuelles du marché du travail et au comportement futur des différentes catégories socioprofessionnelles qui intéressent l'entreprise. En d'autres termes, il s'agit d'effectuer une cueillette de données sur le marché actuel et futur de l'emploi, ventilées selon les connaissances et les habiletés nécessaires pour satisfaire aux exigences des postes de travail qu'on retrouve au sein même de l'entreprise. Concernant les aspects quantitatifs du marché de l'emploi, Besseyre des Hors (1988) signale que le responsable de la fonction sociale s'intéressera:

- à la taille des cohortes, par tranches d'âge, arrivant sur le marché de l'emploi;

- à l'importance croissante des femmes dans la population active, dans des emplois auparavant occupés uniquement par les hommes;

- aux changements dans la composition de la famille type (nombre d'enfants, phénomène du parent unique, partage du rôle de chef de famille, etc.);

- à l'évolution de la population immigrée par rapport aux emplois du secteur industriel dans lequel se trouve l'entreprise;

- à la localisation et à la mobilité de la main-d'œuvre;

- aux données sur les aspirations, les valeurs, le style de vie de certaines tranches de la population active, en tenant compte de leur influence sur les affectations et les mouvements des employés et du personnel d'encadrement à l'interne.

4.3.2 L'ANALYSE DE L'ENVIRONNEMENT INTERNE

La réflexion stratégique se poursuit en abordant la deuxième composante de la démarche, qui consiste en un relevé des forces et des faiblesses de l'entreprise, tant sur le plan de sa performance économique ou financière que sur le plan de sa performance sociale.

La direction générale recueillera et analysera une foule de données sur le rendement des produits ou des services offerts, en tenant compte de l'état actuel de la concurrence. Elle tentera alors de dégager des hypothèses sur le comportement futur du couple produit–marché et sur le meilleur positionnement possible de l'entreprise sur les marchés au cours des prochaines années, selon les conditions économiques prévues. Elle s'interrogera également sur la désuétude ou la modernité de la technologie qu'elle utilise, sur la faisabilité de l'implantation d'une technologie nouvelle et de ses effets sur les habiletés et les connaissances qui seront alors exigées de sa force de travail. D'autres données seront recueillies et analysées pour rendre compte de la performance financière de l'entreprise, de sa liquidité, de son niveau d'endettement et de sa capacité à générer des profits. De telles données sur la réalité financière de l'entreprise peuvent influer sur le choix des pratiques en matière d'investissement dans le développement des ressources humaines. À ce sujet, voici quelques exemples de questions que les directions d'entreprise devront se poser :

– Quel type d'activités exerçons-nous ?

– Quelle place occupons-nous dans ce secteur d'activité ?

– Quelle est notre mission, notre raison d'être ?

– Devons-nous modifier notre mission ?

– Quelles sont nos valeurs concernant la place de l'entreprise dans la société, la protection de l'environnement, les ressources humaines existantes ?

– Devons-nous introduire de nouvelles gammes de produits ?

– Devons-nous abandonner certaines gammes de produits ?

– Devons-nous modifier de façon importante la technologie existante ?

– Devons-nous modifier nos procédés de fabrication des produits ou de fourniture de services ?

– Devons-nous procéder à une expansion par voie de fusion ou d'acquisition ?

– Quelles seront les conséquences de l'une ou l'autre de ces réponses sur l'état actuel et futur des ressources humaines existantes ?

De son côté, et en collaboration avec la direction générale de l'entreprise, la direction des ressources humaines procédera à un inventaire des forces et des faiblesses des employés et du personnel d'encadrement. Cet inventaire fera état de l'âge, de la scolarité, des connaissances, des habiletés, du taux de productivité, du degré de satisfaction au travail, des attentes et des besoins des différentes catégories de personnel. De plus, on procédera à l'analyse de l'organisation du travail et des structures de rémunération pour saisir l'écart possible entre les échelles de salaire à l'interne et celles qui prévalent sur le marché du travail pour des emplois comparables. On élaborera des scénarios de rémunération pour les différentes catégories d'employés, dont l'un sera possiblement retenu comme étant la stratégie à adopter en matière de rémunération. L'inventaire fera aussi état des indicateurs de roulement de personnel, d'absentéisme, de fréquence et de gravité d'accidents du travail, etc. L'étalement des indicateurs donnera lieu, par la suite, à une étude des causes possibles de tel ou tel phénomène observé, en s'interrogeant sur les politiques et les pratiques existantes en matière de ressources humaines.

Enfin, on abordera une dimension de l'environnement interne qui prend de plus en plus d'importance au moment où les entreprises tentent de mobiliser leur personnel: celle, bien entendu, de la culture, c'est-à-dire de l'ensemble des représentations symboliques (signes et symboles), des croyances et des valeurs qui ont cours, qui sont partagées et qui façonnent les comportements des individus. Tout en étant une occasion de mobiliser le personnel, la culture peut, dans certains cas, devenir une contrainte, c'est-à-dire une force négative qui rend difficile la conception et la mise en œuvre des changements nécessaires en matière de philosophie de gestion, de structure et de fonctionnement. Le responsable des ressources humaines essaiera de tracer un profil de la culture actuelle et formulera des propositions sur des changements possibles qui tiennent compte des nouvelles valeurs ou de valeurs plus explicites, susceptibles d'être partagées par les différentes catégories de personnel.

Sur ce point, on assiste actuellement, en France, à la diffusion intensive de l'idée de «projet partagé» (ou de culture à développer) et on compte également plusieurs exemples de conception et de réalisation d'un tel projet. Les auteurs Boyer et Equilbey (1986) font remarquer qu'«il ne peut y avoir de projet d'entreprise sans diagnostic culturel (ou audit de la culture) préalable». Besseyre des Hors (1988) fait état d'une définition de la notion de projet d'entreprise élaborée par le groupe Entreprise et Progrès: «Le projet d'entreprise est la synthèse des priorités économiques et sociales. Concrètement, il se matérialise par une charte qui peut aller de quelques mots à quelques pages».

4.4 L'INTERDÉPENDANCE DES STRATÉGIES D'ENTREPRISE ET DES RESSOURCES HUMAINES

La cueillette et l'analyse des informations sur les possibilités et les contraintes de l'environnement externe de même que sur les forces et les faiblesses de l'environnement interne permettent d'élaborer différents scénarios quant aux options stratégiques concernant l'entreprise et l'utilisation efficace des ressources qui seront mises à sa disposition. À ce stade-ci du processus de planification stratégique, au moment d'effectuer des choix de stratégies parmi les options répertoriées, la nécessité d'un appariement entre stratégies d'entreprise et stratégies de gestion des ressources humaines s'impose.

Sur ce point, le modèle proposé postule une forme d'appariement non pas a priori ni a posteriori, mais concomitant, c'est-à-dire qui cherche à établir une certaine compatibilité entre deux types de stratégies, de façon que l'une ne dépende pas uniquement de l'autre au moment de sa formulation et de sa mise en œuvre. Il faut donc envisager des situations où la stratégie d'entreprise sera révisée ou réajustée si, sur le plan des ressources humaines, telle ou telle stratégie doit prévaloir, étant donné les exigences de l'environnement. Ceci explique, dans notre modèle (figure 4.1), la présence de lignes pointillées symbolisant la double circulation de l'information de la case C (stratégies d'entreprise) vers la case D (stratégies de gestion des ressources humaines), et vice versa. Par exemple, l'entreprise qui voudrait procéder rapidement à une diversification de ses produits, soit pour le marché existant ou un marché nouveau, devrait s'assurer de posséder, à court terme, des ressources humaines en qualité et en quantité suffisantes pour poursuivre une telle stratégie. Autrement, un réajustement s'imposerait quant au calendrier de sa mise en application.

4.5 LES STRATÉGIES ET LES PLANS DÉCOULANT DU MODÈLE

L'analyse économique et sociale de l'environnement externe et interne de l'entreprise débouche sur la formulation des stratégies d'entreprise et de gestion des ressources humaines pour ce qui est des objectifs et des moyens ou encore d'un choix de pratiques. Une fois cette information connue, la dernière étape de la planification des ressources humaines consiste à élaborer et à faire connaître la nature des plans de ressources humaines, c'est-à-dire la structure des programmes d'activités et des pratiques qui vont concourir à la réalisation des orientations stratégiques.

À ce sujet, pour qualifier la nature des plans à développer et à diffuser, nous retiendrons la classification de Guérin et Wils (1989), obtenue à la suite d'une revue de la documentation sur le sujet. Ils distinguent trois types de plans de ressources humaines :

– le plan des cadres et des professionnels ;
– le plan de l'effectif ;
– les plans sociaux.

Chacun de ces plans comprend différents volets : celui des cadres et des professionnels contient les plans de remplacement, de relève, de développement, de recrutement ; celui de l'effectif comprend les plans de formation, de valorisation, de déploiement, de réduction ; enfin, les plans sociaux renvoient aux plans d'actions positives, d'intégration des personnes handicapées, et même de francisation de l'entreprise.

Dans la dernière partie de ce chapitre, nous accorderons un traitement particulier à la planification de l'effectif. Malgré leur diversité et leur caractère opérationnel, de tels plans visent à établir un équilibre non seulement quantitatif, mais également qualitatif des besoins de l'entreprise et des ressources humaines disponibles, ou qui peuvent être mises à sa disposition.

Pour illustrer le fonctionnement du modèle que nous venons de présenter, nous retenons les travaux de Porter (1986) qui traitent de stratégies de l'« avantage compétitif » et de l'appariement des pratiques des ressources humaines à ces stratégies. Nous prendrons soin d'expliciter la variable de la culture de l'entreprise et ses liens avec le choix des pratiques en gestion des ressources humaines.

4.5.1 *LA STRATÉGIE DE DOMINATION PAR LA RÉDUCTION DES COÛTS*

L'entreprise qui veut se donner un avantage compétitif en mettant l'accent sur la réduction des coûts, plus particulièrement les coûts de main-d'œuvre, optera pour une orientation fortement axée sur le contrôle, appuyée par une culture d'entreprise fortement autoritaire et bureaucratique. Cette orientation, qui implique une centralisation de la prise de décision, la multiplication des niveaux d'autorité, une délimitation rigide des responsabilités et de l'autorité, se reflète dans les pratiques. Par exemple, en matière de dotation, on fera valoir les exigences formelles des postes et on favorisera la progression selon l'ancienneté ; en matière de rémunération, l'accent sera placé sur les incitations d'ordre extrinsèque à la tâche ; en matière de relations de travail, on cherchera à garder le syndicat à distance.

✎ 4.5.2 LA STRATÉGIE DE DOMINATION PAR LA QUALITÉ

La situation sera passablement différente dans le cas d'une entreprise qui veut obtenir un avantage compétitif en faisant des choix qui traduisent une stratégie de domination par la qualité. Dans ce cas, l'orientation fondamentale sera plutôt axée sur l'engagement et la participation des catégories de personnel, en créant les conditions pour une plus grande expression des idées et des sentiments sur les lieux mêmes du travail. Les salariés auront donc l'occasion de s'exprimer soit au moment de la prise de décision qui les concerne, soit au moment de l'exécution du travail, faisant ainsi davantage appel à l'intelligence qu'aux habiletés d'ordre manuel.

Quant aux pratiques qui peuvent s'harmoniser avec une stratégie de domination par la qualité, l'entreprise mettra sur pied des groupes de progrès ou des groupes de qualité (cercles de qualité). Pour ce faire, une attention particulière doit être accordée au personnel en place pour s'assurer qu'il possède les aptitudes nécessaires à la discussion en groupe et au travail d'équipe, les connaissances et la capacité nécessaires à l'étude et à la résolution de problèmes quotidiens qui, auparavant, relevaient presque exclusivement du personnel d'encadrement.

Par conséquent, la formation en relations interpersonnelles et en résolution de problèmes prendra de l'importance et exigera des coûts additionnels qui pourront être absorbés par une amélioration de la qualité du produit. L'entreprise, au besoin, peut recruter du personnel nouveau en révisant ses exigences de façon à inclure les aptitudes nécessaires à l'amélioration de la qualité, ce qui, à long terme, peut enrayer un accroissement trop rapide des coûts de formation.

✎ 4.5.3 LA STRATÉGIE DE DOMINATION PAR L'INNOVATION

L'entreprise qui veut se donner un avantage compétitif en optant pour une stratégie de domination par l'innovation peut emprunter une orientation et des pratiques qui se rapprochent sensiblement de celles de la stratégie de domination par l'amélioration de la qualité.

L'orientation fondamentale qui conviendrait à l'entreprise fortement axée sur l'innovation des produits et des procédés de fabrication serait la participation ou l'engagement des différentes catégories de personnel. Un tel engagement peut être grandement favorisé par la mise en place d'une structure organisationnelle comprenant un minimum de niveaux d'autorité et un réseau de modules travaillant en étroite relation d'interdépendance. Des structures simples favoriseraient grandement la communication horizontale entre les personnes des différentes spécialisations et services. Avec l'informatisation massive du travail de bureau et des services, on doit parallèlement créer un contexte favorisant la communication horizontale.

En harmonie avec une stratégie d'innovation et une orientation fondamentale en gestion des ressources humaines fortement axée sur l'engagement, les pratiques de ressources humaines peuvent prendre les caractéristiques suivantes : un aménagement des postes de travail qui fait place à la polyvalence ; la constitution d'équipes de travail ; des pratiques d'appréciation axées sur la reconnaissance de l'initiative et de la créativité. Les cadres supérieurs doivent également adapter leur style de supervision de façon à permettre l'erreur et à récompenser les réussites. Le recrutement et la sélection du personnel, surtout le personnel professionnel, doivent couvrir un large éventail de compétences ou de formations. Il faudra également repenser les pratiques de rémunération de façon à signaler et à encourager les idées nouvelles et leur concrétisation dans l'amélioration du produit ou du processus de fabrication.

4.6 LA GESTION PRÉVISIONNELLE DE L'EFFECTIF

Nous présentons ici une démarche de prévision de l'effectif facilement adaptable, selon les situations auxquelles peuvent faire face les entreprises.

L'analyse économique et sociale de l'environnement externe et interne de l'entreprise génère des informations qui permettent à la direction de définir la mission et les objectifs généraux et spécifiques de l'entreprise, de même que les moyens physiques, financiers et humains nécessaires à leur réalisation. Ces objectifs et moyens sont traduits dans les plans stratégiques de l'entreprise et se répercutent dans le choix des pratiques d'acquisition, de développement et de conservation des ressources humaines. Pour apporter une plus grande précision dans l'élaboration des plans de ressources humaines, nous proposons une démarche de gestion prévisionnelle de l'effectif. Cette démarche consiste en l'établissement des prévisions quantitatives et qualitatives de l'effectif requis à court terme. La gestion prévisionnelle de l'effectif se présente donc comme un processus d'identification des besoins futurs de l'entreprise en matière de compétence, pour couvrir l'éventail des emplois qu'elle entend maintenir ou créer.

La démarche comporte un ensemble d'étapes pour évaluer les déséquilibres possibles et les corrections à apporter au cours d'une période de temps qui équivaut habituellement à la durée d'une année financière ou à une période déjà précisée dans les plans stratégiques établis par la direction générale. Bien qu'une telle démarche puisse varier d'une entreprise à une autre, retenons les étapes suivantes.

1. La collecte et l'interprétation de l'information sur les plans stratégiques de l'entreprise et les programmes d'action.

2. La prévision des emplois ou du nombre de postes requis dans chacune des unités ou sous-unités administratives.

3. L'évaluation quantitative et qualitative des employés susceptibles de demeurer disponibles.

4. L'évaluation des déséquilibres possibles (pénurie ou surplus) entre le nombre de postes à combler et le nombre de personnes qui demeurent disponibles.

5. Le choix et l'élaboration de mesures pour réduire ces déséquilibres.

6. L'élaboration de plans d'effectif qui tiennent compte des mesures retenues, et la mise en place d'un calendrier de réalisation.

La figure 4.2 illustre ces différentes étapes.

4.6.1 LA COLLECTE D'INFORMATIONS

En l'absence d'une participation active au comité de planification stratégique de l'entreprise, le responsable de la planification de l'effectif doit procéder à la collecte d'informations sur les orientations stratégiques formulées par la direction générale et leur influence sur les caractéristiques générales de la main-d'œuvre recherchée. Le responsable doit trouver des réponses aux questions suivantes.

— L'entreprise compte-t-elle mettre sur le marché de nouvelles gammes de produits ? Quels seront alors la nature des installations et des équipements et le volume de cette production additionnelle ?

— Si l'entreprise maintient les mêmes gammes de produits, entend-elle accaparer une plus grande part du marché régional, national ou international ? Si c'est le cas, quel sera le taux de pénétration de ce nouveau marché et à quel rythme ?

— Si l'entreprise maintient son volume de production ou de fourniture de services au niveau actuel, entend-elle bénéficier d'une nouvelle technologie de fabrication ou de traitement de l'information à l'in-

FIGURE 4.2 LES ÉTAPES DU PROCESSUS DE GESTION PRÉVISIONNELLE
DE L'EFFECTIF

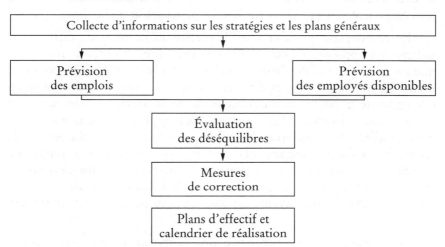

terne et avec la clientèle? Si oui, quelle sera l'ampleur de l'introduction de l'une ou l'autre de ces technologies, ou des deux, au
cours de la même période?

– L'entreprise s'orientera-t-elle vers une réduction substantielle et
progressive des heures de travail? Si oui, cette décision modifiera-
t-elle le régime de vacances annuelles, de congés fériés et de congés
de maladie? Peut-on prévoir une modification de la législation du
travail qui obligerait la direction de l'entreprise à agir en ce sens,
ou peut-on prévoir que les demandes syndicales seront formulées
en ce sens lors du renouvellement des conventions collectives?

Ce ne sont là que quelques-unes des principales questions auxquelles
la direction générale devra répondre, si on tient pour acquis un travail
de réflexion stratégique à ce niveau. Par ailleurs, si le responsable du
service des ressources humaines est membre à part entière de l'équipe
managériale chargée de la planification stratégique, il devrait normalement disposer de l'information pertinente.

4.6.2 LA PRÉVISION DES EMPLOIS

Le responsable de la planification des ressources humaines doit évaluer
l'effet de l'une ou l'autre des stratégies retenues, sur l'éventail des
emplois ou des catégories d'emplois qui forment l'ossature même de la

structure organisationnelle. Il s'adressera alors à chacune des grandes directions de services et aux responsables des unités administratives qui les composent, en vue de connaître la structure actuelle des emplois.

Le responsable prendra soin de mettre au point et de diffuser les indicateurs appropriés pour faciliter la prévision et obtenir une information préparée sur des bases de calcul aussi homogènes que possible, même s'il existe d'énormes différences entre les unités opérationnelles (chargées de la production des biens ou de la fourniture des services) et les unités fonctionnelles (services des approvisionnements, de la comptabilité, des ressources humaines, des relations publiques, de la recherche et du développement). Il existe sur ce point une multitude d'indicateurs qu'on utilise en prenant comme base la situation ou les données actuelles et en les projetant dans le futur à l'aide de ratios, en tenant compte, bien entendu, des facteurs qui peuvent influer sur ces ratios.

Par exemple, une entreprise qui fabrique et met en marché 5 000 000 de litres de peinture par année, avec une main-d'œuvre de 500 personnes directement affectées à la production, obtient un ratio de production annuel de 10 000 litres par poste de travail, en considérant que l'entreprise fonctionne cinq jours par semaine, huit heures par jour. Cet exemple utilise comme indicateur du nombre de postes un ratio de productivité construit sur la base du volume de production. Pour déterminer le nombre de postes, on peut aussi utiliser comme base le volume des ventes, allié à celui de la charge de travail annuelle par poste.

Après avoir obtenu cette information de la part des cadres responsables des différentes unités opérationnelles, le responsable de la planification se chargera de la traiter de façon à déterminer le nombre de postes nécessaires pour la période envisagée. Le nombre de postes ainsi prévu comprend les postes actuels déjà comblés, les postes actuellement vacants, les postes qui seront abolis et ceux qui seront créés.

4.6.3 LA PRÉVISION DES DISPONIBILITÉS EN RESSOURCES HUMAINES

Après avoir établi le nombre de postes nécessaires pour la période prévue dans le plan, de même que l'inventaire des qualifications exigées, le responsable de la planification évaluera le nombre de personnes (et leurs qualifications) sur lesquelles l'entreprise peut compter pour assurer son bon fonctionnement.

Au préalable, pour prévoir le nombre de personnes susceptibles de demeurer au service de l'entreprise, il faut dresser l'inventaire des ressources humaines actuelles en les ventilant selon :

- l'âge ;
- le nombre d'années de service ;
- le sexe ;
- la scolarité et l'expérience ;
- le potentiel (en se basant en partie sur les résultats obtenus à l'évaluation du rendement) ;
- les perspectives de carrière.

Il faut également établir le taux de roulement (TR) de l'effectif actuel. On distingue le taux de roulement interne et le taux de roulement externe. Le taux de roulement interne représente l'ensemble des entrées et des sorties d'employés dans une catégorie d'emploi, en raison des mutations, des promotions, des rétrogradations. Le taux de roulement externe est le pourcentage de l'effectif qui quitte l'organisation au cours d'une période donnée. La mesure la plus courante est la suivante :

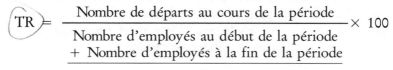

$$TR = \frac{\text{Nombre de départs au cours de la période}}{\dfrac{\text{Nombre d'employés au début de la période} + \text{Nombre d'employés à la fin de la période}}{2}} \times 100$$

Le roulement de personnel est associé à l'un ou l'autre des événements suivants :

- départ volontaire ;
- congédiement ;
- retraite ou préretraite ;
- décès ;
- absence pour maladie (longue durée).

Le taux de roulement global devrait être ventilé selon l'âge, le sexe, la catégorie d'emploi, le nombre d'années d'expérience ou de service.

Avec cette information en main, le responsable de la planification est en mesure de prévoir l'effectif susceptible de demeurer à l'emploi de l'organisation au cours d'une période donnée. Le tableau 4.1 est un exemple des multiples formes de tableaux de mouvements d'effectif. Il s'agit là, bien entendu, d'une représentation simplifiée basée sur un taux de roulement moyen. Pour obtenir plus de précision, il faut répartir

TABLEAU 4.1   UN EXEMPLE DE TABLEAU DE MOUVEMENTS D'EFFECTIF
POUR UNE PÉRIODE DONNÉE

Catégories d'emploi	Effectif actuel	Départs de l'organisation	Départs de la catégorie	Accessions à la catégorie	Effectif disponible
Contremaîtres					
Employés de bureau					
Ouvriers et hommes de métier					
Opérateurs					
Personnel d'entretien					
Manœuvres					

les catégories d'emploi en sous-catégories, utiliser un taux de roulement par année de service, plutôt que le taux de roulement moyen de la catégorie. En effet, les personnes nouvellement embauchées présentent généralement un taux de roulement différent et beaucoup plus élevé que celles comptant plusieurs années de service.

4.6.4 *L'ÉVALUATION DES DÉSÉQUILIBRES*

Cette étape consiste à comparer le nombre de postes prévus dans chacune des catégories d'emploi, en tenant compte des exigences de ces postes et d'une période donnée, et le nombre d'employés susceptibles d'être disponibles, c'est-à-dire l'effectif sur lequel l'entreprise peut compter, au cours de cette même période. Pour ce faire, on dresse un tableau de projection d'effectif où apparaissent en abscisse les catégories d'emploi, rangées selon les lignes de promotion et indiquant le nombre de postes prévus, et en ordonnée la liste des employés susceptibles d'occuper ces postes. Dans la partie droite du tableau, une colonne indique les déséquilibres, les surplus ou les déficits (tableau 4.2).

Le tableau 4.2 montre un déficit possible de 62 personnes, réparties selon les différentes catégories d'emploi. Au cours des trois prochaines années, 4 cadres intermédiaires accéderont à des postes comportant une plus grande part de responsabilités ; 7 ouvriers qualifiés seront promus

TABLEAU 4.2 UN EXEMPLE DE TABLEAU DE PROJECTION D'EFFECTIF

Catégories d'emploi	Nombre actuel de postes	Départs / Promotions / Même poste	Effectif disponible dans 3 ans	Nombre de postes dans 3 ans	Déséquilibre
Cadres supérieurs	7	2 ↗ 5 →	9	10	− 1
Cadres intermédiaires	20	4 ↗ 4 12 →	19	25	− 6
Ouvriers qualifiés	30	8 ↗ 7 15 →	35	40	− 5
Manœuvres	60	10 ↗ 20 30 →	30	80	− 50
		Départs / **Promotions**			
Total	117	24 31	93	155	− 62

Source: EMPLOI ET IMMIGRATION CANADA, *La planification des ressources humaines dans l'entreprise*, 2ᵉ éd., Ottawa, p. 27.

au poste de cadres intermédiaires et 20 manœuvres deviendront des ouvriers qualifiés.

Cet exemple montre des déséquilibres quantitatifs. Cependant, si on inclut dans les calculs des données qui mettent en évidence les qualifications, les aspirations et les perspectives de carrière (potentiel) du personnel, on obtient une vision beaucoup plus précise et complète de la nature des déséquilibres possibles et des conséquences futures qu'ils peuvent entraîner pour l'entreprise et sa main-d'œuvre. Ainsi, en plus d'identifier des déséquilibres quantitatifs, on peut aussi entrevoir des déséquilibres qualitatifs et structurels.

Un déséquilibre quantitatif se manifeste par une pénurie de main-d'œuvre: le nombre d'emplois que l'entreprise se propose d'offrir est supérieur au nombre de personnes sur lesquelles elle peut compter. Une telle situation, si elle n'est pas corrigée par des plans d'embauche et de formation appropriés, risque d'occasionner une augmentation des coûts de production et des heures supplémentaires et une détérioration de la qualité des produits. Un déséquilibre d'ordre quantitatif peut aussi se manifester par un surplus: le nombre de personnes qualifiées sera alors sensiblement supérieur au nombre de postes qu'on aura réussi à combler. Cette situation peut engendrer un gaspillage des ressources à court terme et démotiver les personnes en poste, puisque les chances de progresser seront alors plutôt réduites.

Par ailleurs, les déséquilibres qualitatifs se manifestent soit par l'incompétence (les qualifications des employés sont en deçà des exigences), soit par un état de surqualification (l'inverse de la situation précédente), soit par l'insatisfaction au travail (écart important entre les attentes des employés et les conditions de travail offertes par la direction de l'entreprise).

Des déséquilibres structurels peuvent également se produire. Ils se manifestent par un vieillissement du personnel (accroissement de l'âge moyen); cette situation rend la progression difficile au sein de la pyramide des emplois, indique un problème éventuel de relève et peut expliquer en partie une baisse de productivité. Les déséquilibres structurels se manifestent aussi par une proportion trop faible de femmes, d'autochtones et d'handicapés dans certaines catégories d'emploi, ce qui peut engendrer une situation de tension et un sentiment d'iniquité et, partant, détériorer l'image de l'entreprise dans la communauté.

4.6.5 La correction des déséquilibres

Une fois qu'on a identifié les déséquilibres quantitatifs, qualitatifs ou structurels et leurs effets éventuels sur la main-d'œuvre actuelle et le bon fonctionnement de l'entreprise, l'élaboration de mesures correctrices ou de scénarios en vue de les éliminer devient une tâche plutôt facile. Nous nous limiterons ici à un rappel des scénarios les plus connus.

Dans l'hypothèse où certaines catégories d'emploi accusent un surplus au cours d'une période, il faut songer à placer les employés excédentaires sur une liste de rappel ou de mise en disponibilité, ou effectuer des mises à pied; tout dépend des clauses des conventions collectives ou de la réglementation en vigueur concernant la réduction de personnel dans l'entreprise. La direction peut aussi offrir la possibilité aux plus âgés de prendre une retraite anticipée, en tenant compte de l'impact d'une telle mesure si elle prive l'entreprise d'une certaine « mémoire vive » nécessaire à la continuité des opérations. On ne peut cependant songer à éliminer le surplus par voie d'attrition normale (roulement externe), puisqu'on a déjà tenu compte du taux de roulement de chaque catégorie lors du calcul des surplus.

Dans le cas où certaines catégories d'emploi affichent des déficits considérables, plusieurs solutions peuvent se présenter, qui donneront lieu à des choix ou à l'établissement de priorités. On peut d'abord mettre sur pied un programme de recrutement et de sélection approprié, selon la disponibilité ou la pénurie de main-d'œuvre sur le marché du travail externe à l'entreprise. Il faut aussi chercher les causes véritables du taux de roulement afin d'entreprendre des programmes d'actions visant à conserver un plus grand nombre d'employés. En effet, les personnes que l'entreprise a déjà formées sont une valeur précieuse ; peut-être sont-elles compétentes pour occuper des postes autres que ceux qu'elles détenaient avant de quitter leur emploi.

4.6.6 LES PLANS D'EFFECTIF

L'établissement des plans d'effectif consiste à réaliser l'un ou l'autre des scénarios envisagés pour réduire les surplus ou enrayer les déficits au moyen de priorités, d'objectifs et de programmes d'actions. Ces plans tracent les grandes lignes de ce que l'entreprise entend faire et les moyens à mettre en œuvre à travers les programmes d'actions suivants :

– programme de recrutement externe et interne ;
– programme de sélection utilisant des instruments connus et fiables et qui tient compte des catégories de personnel ;
– programme d'évaluation de la performance pour décider de la progression, de la mutation ou de la rétrogradation du personnel ;
– programme de formation en vue d'actualiser les connaissances et les habiletés des différentes catégories de personnel ;
– programme de création d'un milieu de travail satisfaisant et valorisant en vue d'accroître la qualité de vie au travail et d'assurer la stabilité relative du personnel ;
– programme d'amélioration des relations de travail pour faciliter l'application et le renouvellement des conventions collectives dans les entreprises syndiquées ;
– programme d'ajustement de la rémunération en fonction des descriptions de tâches révisées et, s'il y a lieu, des résultats financiers ou de la rentabilité des opérations ;
– programme de santé et de sécurité au travail qui tient compte des législations en vigueur.

D'autres programmes peuvent être introduits selon le degré et la forme de participation des employés, l'aide personnelle que l'entreprise se propose de fournir, l'information économique, financière et technologique, etc.

4.7 Conclusion

La démarche que nous venons de décrire s'insère dans une perspective qui tente d'harmoniser le flux des ressources humaines avec les stratégies organisationnelles élaborées en fonction de l'appariement optimal du couple produit–marché. La planification des mouvements d'effectif permettra alors de concevoir des politiques et des programmes d'actions en matière de gestion des ressources humaines, susceptibles d'exercer une influence favorable sur la rentabilité des opérations d'une entreprise et de répondre aux attentes des employés quant à l'équité, à la satisfaction et à la qualité des rapports sociaux au travail.

Questions

1. Que signifie l'expression «alignement des stratégies» dans une perspective de planification stratégique des ressources humaines?

2. Peut-on postuler l'existence d'une parfaite compatibilité entre les stratégies d'entreprise et celles des ressources humaines?

3. «La stratégie d'entreprise est le seul déterminant des stratégies à adopter en gestion des ressources humaines.» Commentez cette affirmation.

4. «Dans un environnement aussi instable que le nôtre, la planification de la main-d'œuvre est un exercice plutôt inutile.» Commentez cette affirmation.

5. Quels effets peut engendrer un changement dans la technologie de fabrication d'un produit? Comment tenir compte de ces effets dans les prévisions des besoins en main-d'œuvre d'une entreprise?

6. Élaborez différents scénarios permettant d'éliminer un surplus éventuel de main-d'œuvre.

7. À titre de conseiller en planification des ressources humaines, on vous accorde un important contrat. En effet, une société multinationale européenne, Alu-Lingots S.A., vient d'annon-

cer la construction d'une usine de fabrication de lingots d'aluminium dans le parc industriel de Bécancour.

Votre mandat est double : vous devez planifier les ressources humaines pour le démarrage de l'usine et pour le début de la deuxième année d'exploitation. La direction vous transmet les renseignements confidentiels suivants :

- la capacité de production de l'usine sera de 400 000 lingots par année et elle sera stable pendant les deux prochaines années d'exploitation ;

- l'usine étant hautement informatisée et automatisée, la productivité des employés (la main-d'œuvre directe) atteindra un niveau exceptionnel de 1 000 lingots par travailleur au début, et augmentera de 5 % à la fin de la première année.

L'expérience de l'entreprise, acquise dans d'autres usines de ce type dans le monde, permet de considérer les données suivantes :

- le pourcentage des employés de bureau par rapport aux employés de production sera de 20 % au début, et se stabilisera à 15 % à la fin de la première année d'exploitation ;

- le pourcentage des employés d'entretien par rapport aux employés de production sera maintenu en permanence à 20 % ;

- le pourcentage des employés cadres par rapport aux employés de production sera de 30 % au début, et de 40 % à la fin de la première année. On peut également s'attendre à un taux de roulement assez élevé, soit 15 % chez les employés de production et 5 % chez toutes les autres catégories. Par contre, le pourcentage des employés qui pourront être promus à un poste de cadre sera de 2 % pour les employés de production, de 1 % pour les employés de bureau et de 1 % pour les employés d'entretien. De plus, il existe une politique pour ne pas se départir du personnel cadre. Un programme d'échange existe avec les autres usines, qui permet d'utiliser les éventuels surplus de personnel d'une catégorie et de les réaffecter au besoin.

a) À partir d'un tableau de projection d'effectif qui couvre la période de démarrage, la première année d'exploitation et le début de la deuxième année, déterminez le nombre d'employés requis dans les différentes catégories d'emploi au moment du démarrage.

b) À partir du même tableau, déterminez le nombre d'employés à recruter ou à muter dans chaque catégorie d'emploi, pour combler tous les postes au début de la deuxième année d'exploitation.

BIBLIOGRAPHIE

BESSEYRE DES HORS, C.H., *Vers une gestion stratégique des ressources humaines*, Paris, Les Éditions d'Organisation, 1988.

BOYER, L. et EQUILBEY, N., *Le projet d'entreprise*, Paris, Les Éditions d'Organisation, 1986.

GOLDEN, K.A. et RAMANUJAM, V., «Between a dream and a nightmare : on the integration of the human resource management and strategic business planning processes», *Human Resource Management*, 24, 4, 1985, p. 429-452.

GUÉRIN, G. et WILS, T., «L'harmonisation des pratiques de gestion des ressources humaines au contexte stratégique : une synthèse», dans BLOUIN, R., *Vingt-cinq ans de pratique en relations industrielles au Québec*, Éditions Yvon Blais, 1989, p. 690.

PORTER, M., *L'avantage concurrentiel*, Paris, Inter-Éditions, 1986.

WALKER, J.W., «Linking human resources planning and strategic planning», *Human Resource Planning*, 1, p. 1-18.

CHAPITRE 5

L'ORGANISATION DU TRAVAIL

par Roland Foucher

OBJECTIFS

Après l'étude de ce chapitre, vous devriez être en mesure :

- d'identifier les composantes internes du système d'organisation du travail, de définir ce qu'est l'organisation du travail et de préciser ses objectifs ;
- d'expliquer les effets qu'exerce le travail sur les individus et de montrer comment ces effets varient selon les caractéristiques des postes de travail ;
- d'expliquer les liens entre l'organisation du travail et les diverses activités de gestion des ressources humaines ;
- d'expliquer comment l'interdépendance et l'incertitude influent directement sur l'aménagement des structures et de la technologie, et indirectement sur les postes de travail ;
- de préciser ce qui différencie les approches technique, humaniste (ou centrée sur les besoins des individus) et sociotechnique de l'aménagement des postes de travail ;
- de fournir un exemple d'enrichissement des tâches en précisant les critères auxquels satisfait le nouvel aménagement ;
- de préciser les critères devant guider l'aménagement des horaires de travail et les caractéristiques des différents types d'horaires de travail ;
- de préciser en quoi l'ergonomie contribue à l'aménagement des conditions de travail, en fournissant des exemples ;
- de préciser les dimensions à considérer pour que le système d'organisation du travail soit compatible avec les exigences de l'environne-

ment et harmonisé aux autres composantes de l'organisation, en fournissant un exemple approprié ;

• de préciser les liens entre la gestion par la qualité totale et la gestion des ressources humaines ;

• de préciser les facteurs à considérer lors d'une démarche de changement de l'organisation du travail ;

• de définir le contenu des descriptions et des analyses des postes de travail ;

• de préciser comment peuvent s'effectuer les descriptions et les analyses de postes.

MISE EN SITUATION

L'INSTITUT ALPHA

L'institut Alpha est un organisme public de recherche dont la mission est de produire de nouvelles connaissances et technologies dans le domaine biomédical. Il s'est doté d'un groupe de production dans le but de fabriquer, au Québec, certains types de produits (qui sont le fruit de ses recherches ou qui sont connexes à ces dernières) et d'obtenir des revenus additionnels lui permettant de financer ses activités scientifiques.

Au cours des années, l'institut Alpha s'est éloigné de sa mission. Il a récemment raté la chance d'obtenir deux commandites importantes dans des secteurs de pointe qui le concernent. Le ratio de revenus provenant de sources externes (commandites et subventions) sur la subvention gouvernementale assurant le financement de base de l'Institut a dangereusement baissé au cours des dernières années. Dans le secteur de la production, l'Institut cumule actuellement des déficits importants qui menacent sa survie.

Une étude sommaire de l'organisation permet de faire les observations suivantes.

1. La productivité de la section recherche est adéquate quant au nombre d'articles publiés dans les revues scientifiques. Le directeur actuel de cette section insiste d'ailleurs beaucoup

sur cet aspect dans les critères d'évaluation qu'il a mis en place. Une analyse des articles publiés montre cependant qu'il y a des répétitions et que peu d'articles constituent des apports vraiment novateurs.

2. La section recherche se compose d'un directeur adjoint qui est responsable de cette section, et de cinq directeurs de département. Les projets de recherche sont principalement menés à l'intérieur de chacun des départements.

3. La structure est très hiérarchisée. Les personnes qui font les demandes de subvention et de commandite sont les plus anciennes. Les plus jeunes travaillent comme adjoints.

4. Les techniciens et les assistants de recherche sont confinés à des tâches techniques qui leur laissent peu d'initiatives. Plusieurs d'entre eux possèdent des diplômes universitaires de deuxième cycle et se plaignent d'être sous-utilisés.

5. Certains jeunes chercheurs ont proposé des projets novateurs qui n'ont pas été retenus en raison des risques qu'ils présentent. Ces personnes ne peuvent y travailler, faute de ressources et de temps.

6. Environ 15 % des chercheurs sont à l'âge de la retraite. Certains d'entre eux sont ceux qui contribuent le plus aux entrées de fonds sous la forme de subventions de recherche.

7. Il y aurait intérêt à développer plus de projets multidisciplinaires exigeant la contribution de personnes provenant de plusieurs départements.

8. L'Institut dispose d'un budget discrétionnaire pour des projets précis, que le directeur adjoint attribue aux chercheurs les plus expérimentés.

9. La section production se compose d'un directeur adjoint, de trois chefs de production qui s'occupent chacun d'un type de produit, et d'un service de contrôle de la qualité qui regroupe plusieurs personnes.

10. L'organisation du travail dans la section production est très rigide. Les tâches sont très spécialisées et les personnes sont soumises à de nombreux contrôles. En raison de la nature des produits fabriqués, il importe qu'il n'y ait pas d'erreur.

11. Le personnel est syndiqué. Il y a deux syndicats: un regroupe les chercheurs et l'autre les techniciens et le personnel de secré-

tariat. Les relations de travail ont été quelque peu tendues, et les syndicats sentent que l'Institut éprouve de sérieux problèmes.

12. Une analyse de l'organisation du travail dans la section production révèle qu'il serait possible de réduire l'effectif en décentralisant les responsabilités et en favorisant une polyvalence accrue du personnel. Cette solution nécessiterait cependant un réaménagement des modes de rémunération et de la convention collective.

13. L'analyse de l'organisation du travail montre aussi que les rapports entre la section recherche et la section production sont ténus. Il est possible que les deux services se développent mieux dans des structures indépendantes. Par exemple, il serait plus facile de développer, sinon à court terme, du moins à moyen terme, des pratiques de gestion adaptées à chacun des secteurs, et d'élaborer d'autres types de relations entre les deux entités. Cette solution pose cependant des problèmes.

Premièrement, certaines personnes influentes de l'Institut s'objectent à la création de deux structures indépendantes. Deuxièmement, les conditions de travail du personnel continueraient de s'appliquer (en raison des dispositions du *Code du travail du Québec*), à moins qu'il y ait une renégociation; en conséquence, il n'est pas garanti que l'on puisse adopter une nouvelle organisation du travail. Troisièmement, il faudrait certainement chercher de nouveaux capitaux, en raison de la précarité de la situation financière. Une firme ontarienne a fait des propositions en ce sens, mais l'adoption de cette solution contreviendrait à une des missions de la section production. Enfin, l'abandon des activités de la section production est difficilement envisageable pour des motifs d'ordre politique; il serait difficilement acceptable que l'on dépende de firmes extérieures au Québec pour la production de certains produits fabriqués par l'institut Alpha.

L'institut Alpha est donc à une croisée des chemins en raison des discontinuités avec l'environnement. Une réorganisation s'impose. Un plan prévoyant des actions qui s'étaleront sur un an doit être élaboré.

(Remarques : Cet exercice expose un problème auquel une organisation québécoise a été confrontée au cours des dernières années. Les données sont cependant fictives et ont été rapportées à des fins didactiques. La commandite fait référence à des sommes d'argent pouvant être obtenues de la part de ministères ou de firmes privées ; ces contrats prévoient des profits possibles et sont essentiellement destinés au développement de la recherche appliquée. La subvention de recherche s'obtient auprès d'organismes gouvernementaux officiels et n'est pas conçue pour laisser une marge de profits. Elle est destinée à favoriser le développement de la recherche fondamentale et appliquée.)

QUESTIONS

1. Quelles missions et stratégies de gestion proposez-vous pour chacun des secteurs d'activité ? Seront-elles les mêmes pour la section recherche et pour la section production ?

2. Quelles solutions proposez-vous sur le plan structurel ? Par exemple, maintiendrez-vous les deux secteurs d'activité à l'intérieur de l'institut Alpha ? Si oui, à quelles conditions ? Sinon, quelles solutions proposez-vous ?

3. Quels changements proposez-vous en matière d'organisation du travail pour appuyer les stratégies de gestion ?

4. Quels changements proposez-vous dans les autres systèmes de gestion et chez les individus pour appuyer ces changements ?

5. Comment implanterez-vous ces changements ?

5.1 INTRODUCTION

L'harmonisation des individus et du travail favorise l'atteinte des objectifs stratégiques, comme le montrent les deux exemples suivants.

Dans les restaurants McDonald's, le travail est aménagé de façon à réduire les coûts de production, à offrir constamment un produit de qualité égale et à assurer un service rapide. Pour atteindre ces objectifs, la direction a, entre autres, effectué les choix suivants quant à l'organisation du travail et aux autres systèmes de gestion des ressources humaines.

– Un service centralisé de recherche et de développement met au point des produits uniformes, après avoir effectué de nombreux tests. Les restaurants ont pour rôle de distribuer ces produits en se conformant à des règles et à des façons de faire précises.

— Dans les restaurants, les postes de travail demandent d'exécuter des tâches simples, répétitives et aménagées selon des séquences préétablies. Les employés ont une marge de manœuvre restreinte et sont soumis à une surveillance. Cet aménagement permet d'engager des personnes sans formation spécialisée ni expérience directement reliée au poste occupé, de les payer au salaire minimum et de les remplacer assez facilement.

— Dans les restaurants, il faut un nombre adéquat d'employés pour offrir des services dont la demande fluctue selon les heures de la journée et les jours. L'embauchage de personnes à temps partiel ayant une disponibilité flexible permet d'éviter les surplus et les carences de personnel, tout en limitant les coûts.

— Pour renforcer la notion de service à la clientèle et la loyauté à l'égard de l'organisation, McDonald's utilise divers mécanismes, telle la nomination de l'employé du mois.

La main-d'œuvre qu'embauchent les restaurants McDonald's est compatible avec le type de postes et d'horaires de travail qu'ils offrent. Une forte proportion des employés travaille à temps partiel; plusieurs sont des étudiants qui peuvent concilier leur propre horaire et celui de l'organisation. En raison du caractère temporaire de leur emploi et de leurs motivations, qui sont par exemple de payer leurs études ou d'acquérir une première expérience de travail, ces personnes sont souvent satisfaites des conditions de travail qui leur sont offertes. Les restaurants McDonald's diminuent ainsi les risques de dysfonctionnement qui se manifestent souvent, à long terme, dans les organisations qui offrent des emplois semblables (c'est-à-dire conçus selon les mêmes principes d'organisation du travail) à des employés permanents.

Le second exemple est celui de Chaparall Steel, décrit par Dyer et Holder (1988). En 1988, les coûts de main-d'œuvre de cette entreprise représentaient le quart des coûts moyens dans le secteur industriel de la production d'acier, et la productivité était trois fois plus élevée. Selon son président, l'innovation technologique et le mode d'organisation du travail, associés à des programmes complémentaires de gestion des ressources humaines, sont les facteurs qui ont le plus contribué à l'atteinte de l'objectif stratégique suivant: surpasser les autres manufacturiers et importateurs par un marketing de niche, des produits novateurs et des bas prix. L'organisation du travail se caractérise par le nombre restreint de niveaux hiérarchiques, la décentralisation administrative (y compris la recherche et le développement qui s'effectuent dans les unités de production) et la participation des travailleurs à certaines décisions; elle s'appuie sur une sélection rigoureuse des candidats (qui vise à choisir des personnes compétentes et «intrapreneures»), de forts investissements dans la formation du personnel, des rencontres fréquentes de rétro-information et une rémunération incitative (comprenant entre autres un partage des profits).

Comme le montrent ces deux exemples, les organisations peuvent effectuer divers choix en matière d'organisation du travail, chacun ayant des effets sur les autres systèmes de gestion des ressources humaines. C'est ce que nous préciserons dans la troisième section de ce chapitre, après avoir déterminé la nature et les objectifs de l'organisation du travail.

Dans la quatrième section, nous apporterons des précisions sur les facteurs à prendre en considération pour effectuer une gestion straté-gique de l'organisation du travail, soit l'environnement, la mission et la stratégie de gestion, les autres systèmes de gestion des ressources humaines, la culture de l'organisation et les caractéristiques des indi-vidus. Cette section portera aussi sur la façon d'effectuer des change-ments en matière d'organisation du travail. Nous y traiterons enfin des défis qui se posent actuellement aux organisations à ce chapitre, et des solutions que certaines ont récemment apportées.

La dernière partie du chapitre portera sur l'analyse et la description des postes de travail. En plus de traiter de la nature et de la façon d'élaborer cette technique qui permet de concrétiser l'organisation du travail, nous préciserons comment elle peut être utilisée dans les diverses activités de gestion des ressources humaines.

L'ensemble de cette information devrait aider à mieux comprendre la nature de l'organisation du travail, ses liens avec les autres activités de gestion des ressources humaines et ses effets, à la fois sur les indi-vidus et sur l'organisation.

5.2 LA NATURE ET LES OBJECTIFS DE L'ORGANISATION DU TRAVAIL

Pour avoir un aperçu plus complet des choix que la direction d'une entreprise peut effectuer en matière d'organisation du travail, il est nécessaire de préciser sa nature et ses objectifs. Nous pourrons ensuite traiter de ces choix, en mentionnant certains liens avec les autres sys-tèmes de gestion des ressources humaines.

5.2.1 LA NATURE DE L'ORGANISATION DU TRAVAIL

L'organisation du travail consiste à aménager les tâches, les conditions de travail et les rapports entre les postes à la lumière des facteurs suivants, qu'elle contribue à harmoniser: la mission de l'organisation (ou sa tâche première), la stratégie de gestion et les caractéristiques des individus réalisant le travail. En fait, elle consiste à poser les actions suivantes:

- déterminer les modes de structuration ou d'encadrement du travail et les modes de regroupement en unités administratives;
- choisir des technologies appropriées à la réalisation du travail;
- aménager les tâches à effectuer et les rapports entre les postes (ou les rôles);
- doser les charges physiques et mentales;
- préciser les moments au cours desquels s'effectuent les tâches;
- aménager les lieux de travail.

Au-delà de la gestion des ressources humaines, l'organisation du travail est un champ d'activités complexe auquel s'intéressent des spécialistes de diverses disciplines: design organisationnel, ergonomie[1], génie industriel, gestion des opérations, psychologie industrielle et organisationnelle, recherche opérationnelle et sociologie du travail. Dans plusieurs organisations (principalement les entreprises manufacturières) qui ont atteint une taille leur permettant de créer des services spécialisés, la responsabilité de l'organisation du travail relève d'une direction de la production. Pour s'assurer que l'on prend en considération les influences réciproques entre les individus et le travail, et les liens entre l'organisation du travail et les autres systèmes de gestion des ressources humaines, il est souhaitable que la direction de la production et celle des ressources humaines collaborent étroitement.

5.2.2 LES OBJECTIFS DE L'ORGANISATION DU TRAVAIL

Comme le montre la figure 5.1, l'organisation du travail vise l'atteinte d'objectifs terminaux, d'ordre économique, social et juridique, et des

---

1. Le IVe Congrès international d'ergonomie, tenu en 1969 (Gillet, 1987), la définit ainsi: *L'ergonomie est l'étude scientifique de la relation entre l'homme et ses moyens, méthodes et lieux de travail. Son objectif est d'élaborer, avec le concours des diverses disciplines scientifiques qui la composent, un corps de connaissances qui, dans une perspective d'adaptation, doit aboutir à une meilleure adaptation à l'homme des moyens technologiques de production et des milieux de travail et de vie.*

FIGURE 5.1 LES OBJECTIFS DE L'ORGANISATION DU TRAVAIL

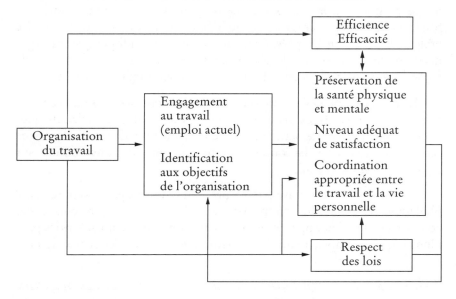

objectifs intermédiaires. Le texte qui suit fournit des précisions sur ces différents objectifs.

LES OBJECTIFS TERMINAUX D'ORDRE ÉCONOMIQUE

Sur le plan économique, l'organisation du travail doit viser deux objectifs : l'efficience et l'efficacité. Ainsi, le travail doit être aménagé de façon à éviter les pertes de temps, d'énergie et d'argent. Faire en sorte que les individus n'aient pas à perdre inutilement du temps pour obtenir des ressources ou des approbations et disposer d'un nombre approprié de personnes pour effectuer le travail sont deux moyens pour parvenir à cette fin. L'aménagement des tâches doit aussi faciliter la livraison, en qualité et en quantité adéquates, des produits ou des services qui constituent la raison d'être du travail. Définir clairement les rôles et les tâches, éviter les chevauchements de responsabilités et attribuer une charge adéquate de travail sont des moyens qui favorisent l'efficacité. La poursuite d'objectifs précis, clairs et réalistes, dont l'importance a été mise en évidence entre autres par la théorie de Locke (1968), exerce elle aussi une influence.

LES OBJECTIFS TERMINAUX D'ORDRE SOCIAL

L'organisation du travail vise aussi l'atteinte d'objectifs d'ordre social. Les raisons d'être de ces objectifs sont de trois types : l'éthique et la responsabilité sociale, l'intérêt de se comporter en citoyen corporatif qui se conforme à la loi sous peine de poursuites juridiques, et l'établissement de liens entre les objectifs économiques et sociaux. Le tableau 5.1 fournit des précisions sur ces liens et indique que les organisations ont intérêt, sur le plan économique, à aménager le travail de façon à poursuivre à la fois des objectifs économiques et sociaux.

La préservation de la santé physique et mentale des individus constitue un des objectifs de nature sociale. L'esprit de la législation québécoise, en matière de santé et de sécurité du travail, est d'ailleurs de réduire les risques à la source, notamment par une intervention sur l'organisation du travail.

L'organisation du travail peut présenter des risques pour la santé physique des individus en provoquant des maladies, en créant des comportements d'adaptation qui peuvent éventuellement causer des problèmes (par exemple, mauvaises postures entraînant des maux de dos)

TABLEAU 5.1 *LES LIENS ENTRE LES OBJECTIFS SOCIAUX ET LES OBJECTIFS ÉCONOMIQUES*

Types de liens	Effets possibles
Effets des objectifs sociaux sur les objectifs économiques	En plus des coûts d'assurances et de remplacement, les maladies et les accidents du travail peuvent influer sur le rendement, à court et à long termes.
	L'insatisfaction au travail risque de contribuer à l'adoption de comportements, tels le sabotage, l'absentéisme et les départs volontaires, qui engendrent des coûts et affectent le rendement.
	Les horaires de travail peuvent compliquer l'exercice des responsabilités personnelles et contribuer à l'absentéisme, engendrant ainsi des coûts. Par exemple, les personnes qui ont la responsabilité de jeunes enfants risquent de s'absenter davantage si les horaires de travail sont rigides.
Effets des objectifs économiques sur les objectifs sociaux	Le rendement est susceptible d'influer sur la motivation et la satisfaction au travail.
	Des pressions trop fortes pour augmenter le rendement peuvent causer l'adoption de comportements qui nuisent à la sécurité et à la santé.

ou en occasionnant des accidents. Ces facteurs de risque sont de quatre types: biomécaniques et mécaniques, spectraux (par exemple, radiations), chimiques et biologiques. Il est possible d'intervenir sur ces facteurs de risque en analysant les conditions de travail et en adoptant des mesures préventives, dont l'ergonomie de conception et l'analyse de la sécurité des postes de travail.

L'organisation du travail peut aussi engendrer des problèmes de santé mentale chez les individus, tels des symptômes psychosomatiques (maladies cardiovasculaires, ulcères, etc.) et des troubles de comportement (toxicomanie, épuisement professionnel[2], etc.). Nous nous limiterons à rapporter certains éléments du travail qui sont susceptibles d'engendrer du stress[3], un facteur à l'origine des problèmes que nous venons de mentionner. Ces éléments sont les tâches (qui sont incluses dans divers modèles explicatifs du stress, dont celui d'Ivancevich et Matteson, 1980) et les rôles, comme le montrent les exemples suivants:

– le travail répétitif à cadence rapide (Frankenhaeuser et Gardell, 1976), le travail répétitif qui comporte de grandes responsabilités et demande une forte concentration, tel celui de contrôleur aérien (Cobb et Rose, 1973; Rose *et al.*, 1979), et le travail répétitif entraînant une sous-stimulation (French et Caplan, 1973) sont propices à engendrer de l'hypertension;

– la surcharge de travail (Margolis *et al.*, 1974), l'absence de rétro-information (Kasl, 1973) et l'insuffisance d'autorité, d'influence et d'information (Burke, 1976), notamment celle qui crée un déséquilibre entre les responsabilités et l'autorité (Kiev et Kohn, 1979), méritent aussi l'attention;

– plusieurs chercheurs (Kahn *et al.*, 1964; Van Sell *et al.*, 1981) ont observé des relations entre les conflits de rôle[4] (attentes contradictoires), l'ambiguïté de rôle (attentes imprécises) et le stress.

---

2. L'épuisement professionnel, ou *burnout*, a suscité plusieurs travaux (Freudenberger, 1987; Jackson *et al.*, 1986; Maslach, 1982; Perlman et Hartman, 1982). Plusieurs de ces écrits traitent des liens entre l'organisation du travail et l'épuisement professionnel.

3. Selon Cooper et Marshall (1976), le stress peut résulter de l'écart entre, d'une part, les besoins et les habiletés de l'individu, et, d'autre part, les attentes, les demandes, les changements et les occasions provenant de l'environnement.
Cette réaction de l'organisme ne pose pas de problème si elle est maintenue à un niveau tolérable; elle peut causer des problèmes si elle dépasse ce seuil de tolérance qui varie selon les individus.

4. Le rôle peut être défini comme la somme des attentes que l'individu et des personnes significatives entretiennent à propos de la façon dont il doit se comporter dans le poste de travail. Le rôle fait référence à un rapport social et à des comportements, alors que les tâches ont trait à ce qui est fait.

Il importe aussi de maintenir un niveau adéquat de satisfaction au travail. Comme le montrent les données suivantes, les tâches constituent un déterminant important de la satisfaction au travail. En effet, quoique tous les résultats de recherche n'aillent pas dans ce sens, plusieurs auteurs (Burke, 1966 ; Halpern, 1966) indiquent que ce sont les facteurs intrinsèques (travail lui-même, possibilités de se réaliser, autonomie, etc.) qui entretiennent les relations les plus fortes avec un indice général de satisfaction. De même, le relevé rapporté par Kelly (1982) indique que plusieurs expériences d'enrichissement des tâches ont contribué à l'accroissement du taux de satisfaction des employés. Enfin, lors des sondages nationaux sur la satisfaction au travail, les ouvriers se sont déclarés moins satisfaits que les cadres et les professionnels (Côté-Desbiolles et Turgeon, 1979). Comme le montrent plusieurs recherches (Evan, 1966 ; Hackman, 1969 ; Hackman et Lawler, 1971), la relation entre les caractéristiques du travail et la satisfaction est cependant influencée par les besoins de l'individu. Le modèle de Hackman et Oldham (1980), que nous exposerons dans la section 5.3.5 de cet ouvrage, permet d'aménager le travail en considérant ce type de facteur.

Enfin, l'aménagement des tâches, des horaires et de la charge de travail influe sur la distribution du temps entre le travail et la vie privée, et plus particulièrement sur la coordination entre ces deux composantes de la vie des individus. Certains théoriciens de la qualité de vie au travail (Boisvert et al., 1980 ; Cummings et Malloy, 1977 ; Davis et Cherns, 1975) portent d'ailleurs une attention particulière aux liens entre le travail et la vie privée. Comme le montrent les exemples suivants, les organisations ont intérêt à considérer cet aspect lorsqu'elles aménagent le travail :

– diverses recherches (Goodman, Atkin et al., 1984) révèlent que l'absentéisme est moins élevé dans les postes qui comportent les caractéristiques suivantes : tâches jugées intéressantes, responsabilité à l'égard des résultats atteints et non-remplacement des personnes pour des absences de courte durée ;

– diverses recherches (Turgeon, 1976) révèlent que les horaires variables contribuent à diminuer le taux d'absence ;

– la surcharge de travail risque d'engendrer du stress et, à long terme, de nuire au rendement, en affectant la santé.

LES OBJECTIFS TERMINAUX D'ORDRE JURIDIQUE

Le travail doit être aménagé de façon à satisfaire aux exigences du cadre juridique. Au Québec, ces exigences ont trait à la santé et à la sécurité du travail et aux horaires de travail. Dans certains pays européens, notamment en Allemagne et en Suède, le champ couvert par la législation est plus large et inclut, entre autres, des dispositions sur la participation des travailleurs.

Cette législation permet notamment d'établir des balises qui protègent les individus. Selon nos observations, les organisations qui ont tendance à réagir aux événements et à ne rechercher que le profit à court terme éprouvent des difficultés à accepter ces contraintes et à mettre des mesures en place pour les respecter. À l'opposé, les organisations qui ont une vision à long terme et qui considèrent que leur personnel est une ressource se conforment plus facilement à ces lois, en raison des liens qu'elles font entre les objectifs économiques et sociaux. Ces organisations ont même tendance à adopter des politiques qui vont au-delà des exigences juridiques.

LES OBJECTIFS INTERMÉDIAIRES

Comme l'indique la figure 5.1, l'organisation du travail comporte aussi deux objectifs intermédiaires : l'engagement au travail et l'identification aux objectifs de l'organisation. L'engagement envers l'emploi[5] mérite l'attention en raison de ses liens, d'une part, avec l'assiduité, les efforts et le rendement, et, d'autre part, avec la satisfaction au travail. L'intérêt porté aux objectifs de l'organisation[6] se justifie principalement par ses liens avec l'assiduité et la satisfaction au travail, quoique certains chercheurs (Meyer *et al.*, 1989) aient établi des liens avec le rendement.

---

5. Nous avons traduit l'expression anglaise *job involvement* par « engagement au travail ». À la suite des travaux de Kanungo (1982), on distingue deux formes d'engagement : l'engagement à l'égard du travail en général et de la carrière, et l'engagement à l'égard de l'emploi actuel. Dans le texte, nous ne faisons référence qu'à ce dernier concept. Alors que certains auteurs estiment que l'engagement à l'égard de l'emploi est une résultante de la satisfaction au travail, d'autres (Bateman et Strasser, 1984) ont affirmé qu'il précède la satisfaction. Dans le modèle proposé à la figure 5.1 de ce texte, l'engagement est considéré comme une cause de la satisfaction, tout en étant à son tour déterminé par cette dernière.

6. Selon Mowday *et al.* (1982), l'identification à l'organisation (*organizational commitment*) comporte trois dimensions : l'acceptation des objectifs de l'organisation, la volonté d'y investir des énergies et le ferme désir d'y demeurer. Benabou (1983) distingue l'identification aux objectifs de l'organisation et l'identification à l'image de l'organisation. Enfin, Becker (1960) conçoit l'identification à l'organisation comme la tendance à adopter une ligne de conduite en raison des coûts qu'occasionne le choix d'autres comportements. Meyer *et al.* (1989) estiment que cette forme d'attachement n'est reliée ni à la satisfaction ni au rendement, alors que l'identification à l'organisation définie par Mowday *et al.* l'est.

Diverses recherches (Jans, 1985; Lawler et Hall, 1970) indiquent que l'engagement au travail est influencé par certaines caractéristiques de l'emploi, entre autres par les conflits de rôle et les possibilités d'expression. Cette influence varie cependant selon les besoins de l'individu (Kanungo, 1982; Misra *et al.*, 1985) et les étapes de la carrière (Rabinowitz et Hall, 1981). Quant à l'identification aux objectifs de l'organisation, elle est déterminée, entre autres, par deux composantes du travail : la gamme des habiletés que l'individu peut investir et un climat de participation (Morrow et McElroy, 1986; Welsch et La Van, 1981).

Selon Early et Kanfer (1985) et Erez *et al.* (1985), qui ont relevé une influence de la participation à la définition des objectifs sur l'engagement et le rendement, cet effet s'explique par l'acceptation et la satisfaction plus grandes. Comme en fait état la recension d'écrits de Locke *et al.* (1988), l'effet de la participation dépend cependant de certains facteurs, dont les habitudes des individus en cette matière. D'après les données mentionnées par ces mêmes auteurs, les supérieurs hiérarchiques qui savent présenter les objectifs à leurs employés et qui entretiennent un lien de confiance avec eux peuvent obtenir des effets aussi positifs que les supérieurs hiérarchiques dont les employés participent à la définition des objectifs.

La recension d'écrits de Miller et Monge (1988) rappelle cependant qu'il ne faut pas oublier les effets bénéfiques d'un climat de participation sur la satisfaction au travail. En d'autres termes, l'organisation du travail ne peut être considérée indépendamment des communications, ce qui inclut les possibilités d'expression.

Enfin, il importe de mentionner que des individus trop engagés dans leur emploi risquent, entre autres, de nuire à leur santé. De même, une trop forte identification à l'organisation peut causer un attachement inapproprié aux objectifs et aux méthodes du passé, et ainsi entraîner un manque d'innovation et des résistances au changement (Randall, 1987). La direction doit donc s'efforcer de prévenir et, le cas échéant, de gérer les dysfonctionnements provenant d'un engagement trop grand vis-à-vis du travail et de l'organisation.

QUELQUES REMARQUES

Les constatations faites dans ce texte permettent de formuler les remarques suivantes, qui sont lourdes de conséquences sur le plan pratique. Quoique certaines caractéristiques du travail (défis, autonomie, etc.) influent sur l'atteinte des objectifs visés par l'organisation du travail, il n'existe pas de méthode unique pour atteindre ces derniers, en raison notamment des effets exercés par les individus. En conséquence, il n'est pas souhaitable d'aménager le travail sans porter une attention aux individus qui ont à l'effectuer et, à l'inverse, d'engager des individus sans savoir ce qu'ils auront à faire. Les deux sections suivantes sont rédigées à la lumière de ce postulat.

5.3 *LES CHOIX EN MATIÈRE D'ORGANISATION DU TRAVAIL*

Chaque poste de travail ne peut être isolé des structures dans lesquelles il s'insère, de la technologie qui est utilisée et des lieux où s'effectuent les tâches, en raison des effets exercés par ces trois facteurs. C'est la raison pour laquelle nous avons défini l'organisation du travail comme une activité qui les inclut.

Comme l'indique la figure 5.2, l'organisation du travail a cependant pour objet central les tâches, les horaires et les autres conditions de travail. En conséquence, le texte qui suit a pour premier objectif de préciser les choix ayant trait à l'aménagement de ces trois aspects, tout en mentionnant comment ces derniers sont influencés par les structures, la technologie et l'aménagement des lieux de travail. Le second objectif est de traiter de l'influence des choix des tâches et des conditions de travail sur les autres systèmes de gestion des ressources humaines.

FIGURE 5.2 *LES COMPOSANTES INTERNES DU SYSTÈME D'ORGANISATION DU TRAVAIL*

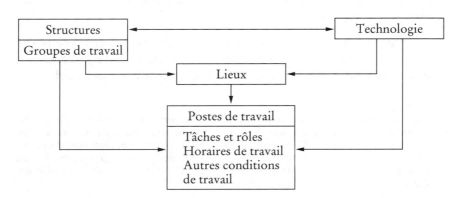

5.3.1 LES STRUCTURES ORGANISATIONNELLES

Les structures organisationnelles[7] servent à répartir (ou à diviser) le travail et à coordonner les efforts. Chacun de ces aspects est l'objet de choix qui produisent des effets.

LA RÉPARTITION DU TRAVAIL

En matière de répartition du travail, nous distinguerons d'abord la différenciation verticale, qui comprend trois aspects. Le premier se rapporte au nombre de degrés hiérarchiques dont se compose l'organisation. Celui-ci influe sur les possibilités de promotion ; une organisation qui en comporte peu doit offrir des tâches plus attrayantes et enrichissantes si elle désire éviter le roulement de personnel. Le deuxième aspect se rapporte au nombre de personnes par palier hiérarchique, lequel détermine le rapport entre le nombre de postes de gestion et le nombre de postes de production. Dans les organisations où ce rapport est élevé, les tâches de production risquent de présenter un faible degré d'autonomie. Enfin, le troisième aspect a trait à la répartition du pouvoir et des responsabilités selon les niveaux hiérarchiques. Celle-ci a une incidence sur l'autonomie et les possibilités d'initiatives.

La différenciation horizontale est un autre mécanisme de répartition du travail. Elle se rapporte au regroupement des activités par fonctions ou par marchés. Les structures par fonctions consistent en un regroupement d'activités sur la base des connaissances, des habiletés ou des procédés de travail utilisés. Une entreprise manufacturière, où les activités d'achat, de fabrication et de livraison sont gérées séparément, a une structuration par fonctions. Les structures par marchés peuvent être constituées sur la base d'un produit, d'une clientèle ou d'une région géographique. Le tableau 5.2 présente certains effets de ces deux formes d'aménagement.

Enfin, la répartition du travail demande de déterminer les tâches et la taille de chacune des unités administratives. Certaines recherches démontrent que les plus grandes unités administratives ont tendance à

---

7. Pour de l'information additionnelle sur l'aménagement des structures organisationnelles et leurs effets, il convient de consulter les auteurs suivants, qui ont chacun des apports particuliers. Mintzberg (1979) effectue une étude approfondie des structures organisationnelles. Galbraith (1977) traite du design des organisations. Dalton *et al.* (1980) de même que Nystrom et Starbuck (1984) effectuent une recension des écrits sur les effets exercés par les structures.

TABLEAU 5.2 LES EFFETS DES MODES DE REGROUPEMENT DES ACTIVITÉS

Mode	Effets	Actions de gestion
Par fonctions	Spécialisation du travail	Exiger un degré de spécialisation adéquat et offrir une formation précise
	Vision parcellaire de la réalité organisationnelle	Fournir de l'information sur les autres fonctions
	Avenir plus ou moins attrayant selon l'intérêt de la spécialisation	Établir des critères de passage aux autres fonctions et assurer la formation; plan de carrière dans la fonction
Par marchés	Polyvalence et travail interdisciplinaire facilités	Vérifier les valeurs et les habiletés en ces matières lors de la sélection, et offrir la formation appropriée
	Avenir plus ou moins attrayant selon le cycle de vie du produit	Faire de bonnes prévisions pour éviter les mises à pied; voir à la flexibilité de la main-d'œuvre pour qu'elle puisse être mutée à un autre produit

être associées à un taux de roulement de personnel plus élevé (Porter et Steers, 1973), à un climat de travail moins positif (Payne et Pugh, 1976) et à un degré moindre de satisfaction au travail (Herzberg *et al.*, 1959).

LA COORDINATION DES EFFORTS

L'aménagement des structures demande aussi de décider des moyens à utiliser pour orienter les efforts. Mintzberg (1979) les regroupe ainsi : la «supervision directe», l'uniformisation des méthodes de travail, l'uniformisation des résultats à atteindre, l'uniformisation des compétences des personnes qui effectuent le travail et l'ajustement mutuel (provenant de communications informelles entre les personnes qui effectuent le travail). Ces mécanismes font émaner le contrôle de sources différentes. L'ajustement mutuel situe l'origine du contrôle chez les personnes qui effectuent le travail; il postule donc la compétence et l'adhésion à un code d'éthique ou aux valeurs de l'organisation. Une autre différence profonde a trait à la marge de manœuvre laissée aux individus; l'uniformisation des méthodes de travail est le moyen de coordination qui la restreint le plus.

La coordination du travail peut aussi s'effectuer par des mécanismes plus ou moins formels de liaison et de résolution des conflits (par exemple, des comités). À cause de l'investissement de temps qu'ils exigent, ces mécanismes ont une incidence sur la charge de travail. Ils fournissent cependant l'occasion de résoudre les problèmes reliés à l'exécution des tâches et sont donc susceptibles d'influer à la fois sur le rendement et la satisfaction.

5.3.2 L'AMÉNAGEMENT STRUCTUREL DES GROUPES

Les structures se composent d'unités de production et d'unités administratives qui regroupent les postes de travail, tout en déterminant leur aménagement. Comme l'indiquent divers modèles explicatifs (Cummings, 1984; Gladstein, 1984; Goodman *et al.*, 1986; Van de Ven, 1981), le fonctionnement des groupes de travail met en cause de nombreux facteurs qui sont susceptibles d'influer sur les efforts investis, l'efficience, l'efficacité et la satisfaction des membres. Plusieurs recherches, dont Cummings (1984) et Goodman *et al.* (1986) font la recension, ont pour objet les effets isolés de ces facteurs. D'autres les examinent selon une perspective systémique; leurs résultats suggèrent de prendre les décisions concernant l'aménagement des groupes de travail de façon intégrée, en prenant pour point de départ le degré d'incertitude et d'interdépendance des tâches.

Comme le mentionne Susman (1975, 1976), l'incertitude provient principalement de deux sources: la nature et la quantité des entrées et des sorties du système (échanges à travers les frontières du groupe) et le processus de transformation à utiliser. L'interdépendance fait référence à la nécessité d'effectuer des échanges (par exemple, de nature séquentielle ou réciproque) pour réaliser un travail.

Mentionnons en premier lieu l'influence des tâches sur les stratégies de travail. Alors que les groupes qui réalisent des tâches complexes comportant beaucoup d'incertitude définissent les objectifs généraux et laissent aux membres le choix des moyens, les groupes effectuant des tâches simples et prévisibles ont tendance à avoir des normes très précises sur les moyens d'action et les objectifs à atteindre ou, en d'autres termes, à se doter de programmes d'action très structurés (Van de Ven et Delbecq, 1974; Comstock et Scott, 1977).

Deuxièmement, les mécanismes de coordination dont se dotent les groupes sont eux aussi appelés à varier en fonction du degré d'incertitude et d'interdépendance. Les résultats obtenus par Van de Ven *et al.* (1976) suggèrent que les groupes ayant un travail moins prévisible coordonnent leurs efforts par l'ajustement mutuel et les réunions, et se servent moins de mécanismes impersonnels, tels les règlements et les plans. Une forte interdépendance inciterait à l'application de tous ces mécanismes.

Selon Paquin (1986), l'incertitude et l'interdépendance constituent les deux principaux critères pour décider de la création de groupes semi-autonomes, soit ce type de groupe qui dispose d'une marge de latitude pour prendre des décisions en rapport avec divers aspects. L'opinion formulée par Paquin se fonde sur l'observation suivante: plus l'incertitude est élevée, moins le contrôle extérieur (par supervision ou par règles) sera efficace. Il devient alors utile de faire gérer ces aléas par le groupe, en lui conférant les pouvoirs identifiés par Cummings et Griggs (1977): l'exercice d'une tâche complète (ou différenciée) dont les parties sont interdépendantes, le contrôle des frontières (possibilité de déterminer le type et le volume d'entrées et de sorties et d'établir les transactions avec l'environnement) et le contrôle de la tâche (possibilité de revoir les objectifs de production de façon à tenir compte d'imprévus et de régulariser le processus de transformation).

L'interdépendance influe aussi sur les modes de rémunération à privilégier. Des tâches qui demandent de la polyvalence interdisent la présence de nombreuses catégories de salaire. De plus, si le rendement du groupe est fonction de la collaboration entre les individus, il est préférable d'accorder des primes collectives plutôt que des primes individuelles.

L'aménagement des groupes en fonction des critères d'incertitude et d'interdépendance a également des conséquences sur la sélection des membres. Par exemple, les groupes semi-autonomes doivent se composer de membres qui, en plus des aptitudes, des habiletés et des connaissances requises pour effectuer leurs tâches, ont la capacité de contribuer aux décisions, de gérer les conflits et d'adhérer à l'esprit de groupe.

5.3.3 LA TECHNOLOGIE

En plus de ses relations avec les **structures**, la technologie utilisée a des effets sur le **travail** (nature des tâches, conditions de travail, rapports entre les individus et les mécanismes de coordination) et les **individus** (quantité de main-d'œuvre requise, qualifications de cette dernière, satisfaction et santé au travail). Les changements provoqués par l'informatisation montrent bien que les effets de la technologie constituent un problème contemporain de premier plan. Nous traiterons de ces aspects dans cette partie du texte.

LES EFFETS DE LA TECHNOLOGIE

Selon Griffin (1982), la technologie se rapporte à l'ensemble des moyens utilisés pour transformer des entrées en sorties. Les phases de conversion comportent un degré variable d'incertitude (Perrow, 1967) et d'interdépendance (Thompson, 1967). L'incertitude provient du caractère plus ou moins prévisible des tâches à effectuer (lequel dépend du nombre d'exceptions à traiter) et des différentes possibilités d'analyser le travail (en d'autres termes, la somme de recherche requise pour traiter les cas d'exception). Le degré d'interdépendance se divise en trois catégories : réalisations indépendantes les unes des autres, réalisations séquentielles (l'étape B présuppose l'étape A) et relations réciproques (processus d'aller et de retour).

En se basant respectivement sur une de ces dimensions, Perrow et Thompson établissent une relation entre la technologie utilisée, le degré de spécialisation et les mécanismes de contrôle du travail. Randolph (1981) fait de même, mais en considérant à la fois l'influence de l'incertitude et de l'interdépendance. Le tableau 5.3, qui rapporte le cadre de référence proposé par cet auteur, montre entre autres que les technologies moins routinières sont associées à des tâches plus riches. Les résultats obtenus par Brass (1985) vont dans le même sens : le degré d'interdépendance et d'incertitude (des entrées et du processus de conversion) accroît l'autonomie, la variété et la signification du travail.

LES EFFETS SUR LES STRUCTURES

La technologie utilisée se répercute aussi sur les structures. Comme l'indiquent les exemples suivants, divers chercheurs ont mesuré les relations entre certains aspects précis de ces deux dimensions dans les unités de travail :

- Hage et Aiken (1969) ont remarqué que le caractère routinier de la technologie (et en conséquence des tâches) entrave la participation aux décisions importantes et favorise la spécificité et le formalisme des descriptions de postes et des règles de fonctionnement ;
- Van de Ven *et al.* ont observé un lien positif entre le degré d'incertitude de la tâche, les canaux horizontaux de communication et les mécanismes de coordination.

À la suite de Woodward (1965), certains chercheurs se sont aussi intéressés aux relations entre les structures, la technologie et le rendement. Par exemple, Alexander et Randolph (1985) ont constaté que l'harmonisation des structures et de la technologie prédit mieux le ren-

TABLEAU 5.3 LES EFFETS DE DIFFÉRENTS TYPES DE TECHNOLOGIES

Types de technologies	Effets sur le travail et la gestion des ressources humaines
Technologies routinières (caractère prédictible des tâches et fortes possibilités d'analyser les problèmes) Réalisation indépendante (par exemple, unité de tenue de livres dans une grande organisation) Réalisation séquentielle (par exemple, chaîne fabriquant une gamme restreinte de produits) Relations réciproques (par exemple, production de produits chimiques par lots)	Tâches fragmentées Utilisation de mécanismes simples d'intégration avec les décisions centralisées Faible degré d'autonomie Peu de communication Travailleurs peu qualifiés sur les plans technique et interpersonnel
Technologies dynamiques (caractère peu prédictible des demandes et fortes possibilités d'analyser les problèmes) Réalisation indépendante (par exemple, succursale bancaire) Réalisation séquentielle (par exemple, chaîne d'assemblage où le produit peut être modifié en fonction des demandes des clients) Relations réciproques (par exemple, unité de soins chroniques dans un hôpital)	Tâches fragmentées Décisions centralisées À mesure que l'interdépendance augmente, les mécanismes de coordination deviennent plus complexes, les communications horizontales sont plus nombreuses et les habiletés techniques et interpersonnelles à utiliser s'accroissent
Technologies problématiques (caractère très prédictible des tâches, mais faibles possibilités d'analyser les problèmes) Réalisation indépendante (par exemple, souffleur de verre : commandes selon les besoins du client) Réalisation séquentielle (par exemple, classe de formation technique) Relations réciproques (par exemple, construction d'un édifice)	Pour la réalisation indépendante, les tâches sont très spécialisées et les mécanismes de coordination requis sont simples Plus l'interdépendance s'accroît, moins la fragmentation devient possible, plus les mécanismes de coordination deviennent complexes
Technologies non routinières (caractère peu prédictible des tâches et faibles possibilités d'analyser les problèmes) Réalisation indépendante (par exemple, le chercheur travaillant à la solution d'un problème restreint, seul ou en petit groupe, dans une organisation)	Système décentralisé de prise de décision Forte autonomie Accent mis sur les mécanismes de coordination

TABLEAU 5.3 *LES EFFETS DE DIFFÉRENTS TYPES DE TECHNOLOGIES (suite)*

Types de technologies	Effets sur le travail et la gestion des ressources humaines
Technologies non routinières *(suite)* Réalisation séquentielle (par exemple, production d'un véhicule spatial) Relations réciproques (par exemple, équipe de recherche travaillant à un grand projet)	Les mécanismes de coordination incluent la hiérarchie et les communications verticales et horizontales

dement que chacun de ces facteurs pris isolément. Enfin, d'autres recherches ont porté sur l'évolution des structures à la suite de changements technologiques. Par exemple, Barley (1986) a constaté que l'implantation de scanners en milieu hospitalier a modifié, entre autres, les rapports de pouvoir entre les radiologues et les techniciens.

LA MAÎTRISE DES EFFETS EXERCÉS

Nous n'avons pas la prétention d'avoir exposé des données exhaustives sur les effets de la technologie. Nous ne visions qu'à montrer la complexité de ce phénomène, qui est d'ailleurs à l'origine d'interprétations divergentes. En se basant principalement sur l'automatisation apportée par les processus de production continue (par exemple, raffinerie de pétrole), des chercheurs, tels Blauner (1961) et Woodward (1958), ont considéré que ces processus mènent à une restructuration des emplois et à une qualification moins limitée de la main-d'œuvre que la chaîne de montage. Par contre, plusieurs auteurs estiment que les choix technologiques sont fonction de décisions politiques. Selon eux, les entreprises déqualifient le travail en se servant de la technologie pour abaisser les coûts et acquérir une plus grande maîtrise du processus de production. Enfin, d'autres auteurs, tels Sorge *et al.* (1983), rapportent des cas d'augmentation des habiletés requises et d'élargissement du travail résultant des nouvelles technologies.

Les effets divergents de la technologie sur les qualifications, les tâches et la satisfaction des individus indiquent qu'ils ne sont pas le produit d'un simple déterminisme. Les objectifs poursuivis par la direction (par exemple, le contrôle plus grand du travail et la réalisation d'économies par la simplification du travail et la réduction de la main-d'œuvre) et la façon d'implanter le changement (participation des employés, formation accordée, délais, etc.) peuvent expliquer les variations observées. En d'autres termes, l'implantation de nouvelles technologies est conditionnée par une conception de l'organisation du travail. Ainsi, même si toute technologie s'accompagne de l'instauration d'un nouveau système hiérarchique en partie déterminé par elle (Salemi, 1979), la direction peut vouloir se servir du changement pour mieux contrôler le rendement et divers comportements (Bernier *et al.*, 1983). Les études de cas réalisées par Rothwell (1985) permettent d'ailleurs de constater que les nouvelles technologies sont souvent implantées sans tenir compte des besoins des employés.

5.3.4 L'AMÉNAGEMENT DES LIEUX

L'aménagement des lieux est déterminé par la technologie, les structures et la culture de l'organisation. Voici un exemple d'influence exercée par ce dernier facteur. Au Japon, le personnel administratif travaille autour de grandes tables; en Amérique du Nord, cette façon de faire heurterait les habitudes des individus en matière d'espace personnel. À son tour, l'aménagement des lieux influe sur le travail et les individus qui l'effectuent. En plus de leurs effets possibles sur la santé (par exemple, le bruit), les lieux de travail ont une incidence sur les communications (qu'ils facilitent ou compliquent), le bien-être (en raison d'un espace personnel plus ou moins adéquat), la stimulation (par l'aménagement plus ou moins plaisant) et l'efficience (en raison des pertes de temps qu'ils peuvent occasionner).

5.3.5 L'AMÉNAGEMENT DES TÂCHES ET DES RÔLES

Comme nous l'avons vu, le choix des structures et des technologies détermine les caractéristiques des postes de travail. Ces choix ne sont pas le fruit du hasard; ils sont notamment influencés par des approches à l'organisation du travail.

Après avoir fourni des précisions sur ces approches et montré comment elles influent sur les tâches et les rôles, nous traiterons des liens entre ces facteurs et les critères de sélection. La dernière partie du texte portera sur certains problèmes que peut poser l'aménagement des rôles et des tâches.

LES APPROCHES À L'ORGANISATION DU TRAVAIL

Comme le montre la figure 5.3, chaque entité de travail, soit un individu ou un groupe, peut être considérée comme un système ouvert en

FIGURE 5.3 UNE VISION SYSTÉMIQUE DU POSTE DE TRAVAIL

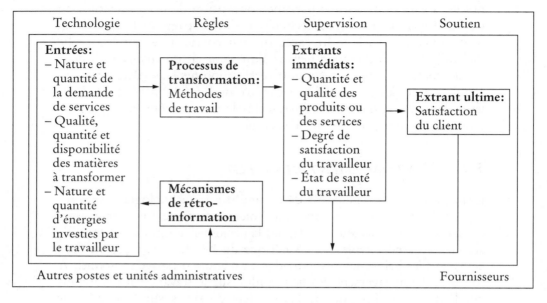

relation avec des facteurs de l'environnement. Ce système se compose d'intrants, d'un processus de transformation, d'extrants et de mécanismes de rétro-information. Les approches à l'organisation du travail diffèrent selon la façon dont elles assurent la régulation de ce système et l'importance qu'elles accordent à chacune de ses composantes.

L'approche technique

L'approche technique ou mécaniste vise à assurer la régulation par l'uniformisation des processus de transformation (qui sont conçus par des spécialistes ou par les cadres hiérarchiques, et non par les personnes qui effectuent le travail) et par l'utilisation de mécanismes externes (technologie, règles ou supervision directe) pour orienter les énergies des individus, contrôler l'application des processus et vérifier les résultats atteints. On cherche ainsi à réduire au minimum l'effet exercé par les personnes qui réalisent le travail, en postulant qu'il existe une seule façon de bien faire les choses et que les personnes s'y plieront nécessairement.

La rationalisation des méthodes de production et le contrôle externe s'avèrent plus faciles si les tâches à effectuer sont bien circonscrites, et en nombre restreint. Il n'est donc pas surprenant que l'approche technique ou mécaniste prenne appui sur la spécialisation morcelée du travail (dont les origines remontent au début de la révolution industrielle), qui consiste à diviser l'ensemble du processus de production en différentes étapes, chacune comprenant des tâches précises qui font appel à une gamme restreinte d'habiletés, et à en confier la réalisation à des personnes différentes.

L'approche technique ou mécaniste réunit des contributions diverses. Certaines, qui remontent aux travaux de Taylor (1911, édition 1967) et de ses disciples, ont trait à l'aménagement du travail: elles constituent un corpus de connaissances visant l'aménagement scientifique du travail. D'autres portent sur les structures organisationnelles soutenant cette conception (Fayol, 1916; Gullick et Urwick, 1937; Koontz et O'Donnell, 1980; etc.). Toutes ces contributions ont cependant pour caractéristique de subordonner l'individu au travail ou, en d'autres termes, au système technique de l'organisation.

En raison des méthodes uniformes d'exécution imposées au travailleur, l'approche technique ou mécaniste confère une rigidité au processus de production qui s'applique bien en système fermé, mais qui pose des problèmes lorsque la demande de travail ou les conditions d'exécution changent. Réduit à des rôles d'exécutant, le travailleur ne dispose parfois ni de la marge de manœuvre, ni d'une formation adéquate pour résoudre les problèmes au fur et à mesure qu'ils se présentent. De leur côté, les spécialistes de la production qui aménagent le travail risquent d'être trop éloignés de l'action pour bien identifier les problèmes structuraux. Enfin, même lorsqu'il est en contact direct avec un client, le travailleur a de la difficulté à s'ajuster à ce dernier, son rôle consistant à appliquer des règles et des méthodes uniformes. Les travaux sur les dysfonctionnements de la bureaucratie (Crozier, 1963; Merton, 1949) traitent de ce problème.

En plus de rendre difficiles l'identification aux objectifs de l'organisation et l'engagement au travail, la division parcellaire du travail entraîne de la monotonie et, possiblement, une surcharge physique. La rotation et l'élargissement des tâches peuvent aider à diminuer ces problèmes.

Buchanan (1979) rapporte des expériences de rotation des tâches permettant d'observer des effets sur la productivité, qui varient toutefois selon le nombre de changements au cours de la journée et la tolérance individuelle à la monotonie. Certaines recherches ont aussi révélé qu'il est possible de réduire la fatigue et les problèmes de santé s'il y a une alternance des tâches selon la charge physique.

En montrant que les ouvriers de l'automobile les plus satisfaits de leur travail sont ceux qui effectuent plusieurs opérations, la recherche de Walker et Guest (1952) stimula les expériences consistant à accroître le nombre de tâches confiées aux employés et à allonger les cycles de travail (qui demeurent toutefois courts). Dans les usines, l'élargissement des tâches s'est le plus souvent effectué en remplaçant les chaînes de montage par des postes individuels d'assemblage, où l'employé travaille à un sous-ensemble plus ou moins important d'un produit, voire à sa totalité. Citant la recension d'écrits de Kelly (1982) sur ce type d'expérience, Paquin (1986) rapporte qu'il est difficile d'identifier les facteurs qui ont pu contribuer aux gains de productivité observés ; en plus de l'accroissement de la satisfaction, il faut aussi considérer des améliorations, telle la réduction des temps improductifs.

L'approche humaniste, ou centrée sur les besoins des individus

Quoique l'approche humaniste à l'organisation du travail regroupe des travaux sur la participation (Likert, 1961 ; McGregor, 1960), nous nous limiterons à deux théories qui proposent de concevoir les tâches de façon à satisfaire des besoins humains, soit celles de Herzberg (1968, 1971) et de Hackman et Oldham (1980). Ces deux théories visent à aménager le travail pour qu'il suscite la motivation, mais elles ne portent aucune attention aux composantes techniques du travail (méthodes de travail, par exemple), ce qui constitue une faiblesse. Les dimensions qu'elles proposent de considérer s'intègrent cependant bien dans le modèle systémique proposé à la figure 5.3.

Le concept d'enrichissement des tâches proposé par Herzberg (1971) consiste à modifier le travail de façon qu'il puisse satisfaire les besoins d'estime et de réalisation de soi des individus. Alors que la rotation et l'élargissement des tâches apportent essentiellement un ajout d'activités (modification horizontale), l'enrichissement consiste à restructurer les responsabilités en empruntant sur celles du niveau hiérarchique supérieur (modification verticale). Les transformations suggérées, qui ont pour but d'agir sur la motivation et d'ouvrir le système de travail, sont mentionnées au tableau 5.4.

En décrivant les caractéristiques du travail avant et après son enrichissement, l'exemple rapporté au tableau 5.5 aide à mieux comprendre ces principes. La période d'expérimentation, qui s'est étendue sur 12 mois, a permis aux techniciens de réaliser 34 rapports (lesquels proviennent tous des groupes expérimentaux), comparativement à 12

TABLEAU 5.4 LES EFFETS ESCOMPTÉS DES PROPOSITIONS DE HERZBERG
SUR LE SYSTÈME DE TRAVAIL

Effets	Modifications suggérées
Ouvrir le système et permettre des réajustements	Fournir une rétro-information aux travailleurs au moyen de rapports périodiques
	Offrir la possibilité de communiquer directement avec d'autres personnes qui ont un lien avec le travail, y compris les supérieurs hiérarchiques
Accroître la marge de manœuvre, entre autres pour faciliter les ajustements	Accorder aux travailleurs une autorité accrue dans l'exercice de leurs fonctions, afin qu'ils se sentent responsables de leur travail
	Accroître les possibilités d'initiative des employés vis-à-vis de leur travail
	Permettre aux employés de planifier leur travail, ce qui demande de remplacer le contrôle des méthodes de travail (moyens utilisés, temps requis, etc.) par la vérification des résultats atteints
Rendre le travail plus significatif et mieux tirer profit de l'expertise des personnes concernées	Confier la réalisation d'un ensemble plutôt que d'une partie et, en ce sens, favoriser la relation directe de l'employé avec le client
	Favoriser des apprentissages nouveaux par l'introduction de nouvelles tâches qui présentent un défi
	Permettre à l'employé de devenir un expert dans ses tâches et lui attribuer des responsabilités lui permettant de le démontrer, telle la formation de nouveaux employés

l'année précédente. Selon des experts externes, ces travaux se comparent avantageusement à ceux des chercheurs sur le plan de la qualité. Enfin, un service ministériel a évalué un projet élaboré par un technicien comme le plus prometteur des 200 qu'il avait eu à examiner. Toutes les expériences d'enrichissement des tâches n'ont cependant pas des résultats aussi éclatants.

Contrairement à Herzberg, Hackman et Oldham (1980) formulent une théorie, une démarche d'intervention et un instrument de mesure pour effectuer le diagnostic du travail (le *Job Diagnostic Survey* ou *JDS*); ils prennent en considération à la fois les caractéristiques des individus et celles du travail. Leur théorie, à la base de la démarche et du questionnaire qu'ils proposent, postule que plus le travail lui-même

TABLEAU 5.5 L'ENRICHISSEMENT DU POSTE DE TECHNICIEN DE LABORATOIRE

Avant	Après (nouvelles tâches et responsabilités)
Tâches Les techniciens de laboratoire appliquent les programmes expérimentaux des chercheurs en mettant en place le dispositif approprié, en relevant les données et en rédigeant les rapports des assistants qui s'occupent des tâches plus simples **Personnes** Les techniciens possèdent de bonnes ressources professionnelles, mais il leur manque le doctorat détenu par les chercheurs; plusieurs ont beaucoup d'expérience, et le quart d'entre eux ont même atteint le salaire maximal **Situation** Le nombre de techniciens qui peuvent recevoir une promotion diminue, en raison de la complexité de certains emplois où ils auraient cependant pu être mutés antérieurement; ces personnes considèrent que leurs ressources ne sont pas mises à profit, en raison du refus des chercheurs de déléguer une responsabilité quelconque en dehors du travail habituel	Ils rédigent le rapport final de chaque projet dont ils ont la responsabilité (**nouvelles responsabilités; apprentissage**) Ils peuvent publier ce rapport, signé en même temps que celui des chercheurs (**expertise reconnue**) Ils peuvent décider que leur rapport soit revu par leur supérieur hiérarchique avant d'être imprimé, la responsabilité de répondre à des demandes d'explication étant toujours conservée (**autorité accrue**) Ils participent davantage à la planification des projets et des expériences (**réalisation d'un ensemble plutôt que d'une partie**) Ils obtiennent, sur demande, la possibilité de poursuivre leurs idées personnelles même si elles vont au-delà du projet, à condition notamment de soumettre des rapports sur ces travaux (**initiative**) Ils peuvent signer des commandes de matériel, faire des analyses et demander certains services, tel l'entretien (**autorité accrue**) Les plus anciens peuvent élaborer et mettre en place un programme de formation destiné à leurs collègues (**expertise reconnue**) Les plus anciens participent à la sélection des candidats au poste d'aide, et ils sont les premiers consultés lors des évaluations de rendement de leurs propres assistants (**autorité accrue, expertise reconnue**)

possède certaines caractéristiques, plus il peut satisfaire certains états psychologiques et, en conséquence, susciter la motivation, la satisfaction et le rendement, quoique certains facteurs puissent atténuer ces effets. Les propositions suivantes constituent l'épine dorsale de la théorie :

–   la motivation à l'égard des tâches dépend de trois états psychologiques : le degré de signification que prend le travail, le fait de se sentir plus ou moins responsable des résultats obtenus et la connaissance de ces derniers;

- ces états psychologiques ne peuvent faire l'objet d'interventions directes, mais il est possible de les susciter indirectement en agissant sur les caractéristiques des tâches;
- les caractéristiques des tâches sont la variété des habiletés mises à profit, le caractère global ou intégré du travail, l'importance de ce dernier, l'autonomie et la rétro-information fournie;
- trois des caractéristiques agissent sur le degré de signification que prend le travail: la variété des habiletés mises à profit, le caractère global et intégré du travail, et son importance;
- l'autonomie détermine la responsabilité ressentie à l'égard du travail, alors que la rétro-information améliore la connaissance des résultats;
- ces caractéristiques déterminent la capacité du travail de susciter la motivation ou, en d'autres termes, d'agir sur les états psychologiques qui la déclenchent;
- pour que cette capacité (ou potentiel) de motivation soit élevée, les conditions suivantes sont requises: au moins une des caractéristiques influençant la signification du travail doit être très positive et, en même temps, le degré d'autonomie et la rétro-information doivent être considérables;
- l'équation suivante permet de représenter ce modèle multiplicatif:

$$\text{Potentiel de motivation} = \frac{\text{Variété} + \frac{\text{Caractère global et intégré}}{} + \text{Importance}}{3} \times \text{Autonomie} \times \text{Rétro-information}$$

- l'effet des caractéristiques des tâches sur les états psychologiques n'est toutefois pas automatique;
- il varie principalement en fonction des trois facteurs suivants: les connaissances et les habiletés, la force du besoin de croissance et le degré de satisfaction à l'égard de l'environnement de travail.

S'il est nécessaire, le réaménagement du travail se fait en fonction des cinq principes suivants:

- **combiner les tâches** dans le but d'agir sur les caractéristiques suivantes du travail: la variété des habiletés utilisées et le caractère global ou intégré du travail;
- **former des unités naturelles** afin de donner au travail un caractère global et intégré et d'accroître son importance;

- **établir des relations avec les clients** de façon à augmenter la variété des habiletés utilisées, l'autonomie et les possibilités de rétro-information;

- **accorder plus de responsabilités** (ou enrichir le travail verticalement) afin d'accroître l'autonomie;

- **ouvrir des canaux de rétro-information.**

Les résultats positifs mentionnés par diverses recensions d'expériences d'enrichissement des tâches (Kelly, 1982; Kopelman, 1985; Lawler, 1969; Pierce et Dunham, 1976) ne doivent pas faire oublier que la motivation n'est pas le seul facteur susceptible d'influer sur les résultats du travail. Certains éléments, tels les caractéristiques des produits à transformer, la qualité des services de soutien et le rythme des demandes, exercent eux aussi une influence. De plus, ces expériences ne s'appliquent qu'à des postes individuels, et les théories sur lesquelles elles se basent ne prennent pas suffisamment en considération les rapports avec la technologie. L'approche sociotechnique vise à pallier ces deux lacunes.

L'approche sociotechnique

L'approche sociotechnique est le résultat de recherches entreprises au Tavistock Institute de Londres au cours des années 50. S'inspirant d'une vision systémique et humaniste, les travaux se rattachant à ce courant de pensée ont pour principales caractéristiques d'aménager le travail en se basant sur la participation des employés, de considérer conjointement le système technique et le système social, et de concevoir le travail de façon qu'il satisfasse des besoins autres qu'instrumentaux.

Premièrement, l'organisation est perçue comme un système ouvert. Cette prise de position a une double conséquence. La première a trait aux interrelations entre les composantes de l'organisation. Ainsi, l'aménagement du travail doit être conçu à la lumière des missions de l'organisation et des individus qui la composent, et non pour maintenir une technologie, des règles ou des paliers hiérarchiques. La seconde conséquence concerne les relations de l'organisation avec son milieu. Comme le mentionne Trist (1981), l'environnement turbulent rend les prévisions difficiles et nécessite de ce fait une capacité d'adaptation très rapide. Par la polyvalence et la flexibilité de la main-d'œuvre qu'il procure, l'aménagement sociotechnique du travail peut donc s'avérer particulièrement utile aux organisations qui œuvrent dans ce type d'environnement, telles les entreprises de haute technologie.

Deuxièmement, le travail est perçu comme ayant une valeur en soi. Pour faire ressortir cet aspect, les sociotechniciens recommandent un aménagement par fonctions, de préférence à un découpage des tâches allant des plus complexes aux plus simples.

Enfin, les employés sont considérés comme des personnes; ils ont une valeur en soi et constituent une ressource. Leur relation avec le travail ne doit pas nuire à leur santé et doit satisfaire leurs besoins fondamentaux. Selon Engelstad (1972), ces besoins sont la recherche de variété et de défi, le fait d'avoir un avenir désirable, la réalisation de nouveaux apprentissages, la possibilité de prendre des décisions, l'appréciation et le soutien des collègues, et l'exercice d'activités qui ont un sens sur les plans de l'organisation et de la société.

L'ensemble de ces principes détermine le **modèle idéal d'organisation** qui guide les interventions sociotechniques en matière d'aménagement ou de réaménagement du travail. C'est ce qu'indiquent les objectifs suivants, qui s'inspirent d'un texte de Boisvert (1980):

– orienter le travail vers la réalisation de la tâche première, c'est-à-dire les services ou les produits constituant la raison d'être de l'organisation;

– permettre le soutien mutuel des aspects techniques et sociaux, de façon à favoriser l'autorégulation des activités, la réduction des écarts entre la réalité et les exigences, et l'innovation;

– réduire le plus possible les variances (ou résultats non désirés) par des modifications de la technologie, des mécanismes de coordination et la résolution de problèmes en groupe;

– créer des allégeances multiples en instaurant, par exemple, des comités de travail (sécurité, changements technologiques, etc.);

– aménager le travail pour que les employés puissent participer aux décisions qui les concernent et acquérir une autonomie en ce qui a trait à la gestion de leur travail;

– modifier les responsabilités des gestionnaires de premier niveau (contremaîtres) pour qu'ils deviennent des gardiens de frontière ou des agents de liaison (Westley, 1981) et pour que la régulation interne des unités de travail (découpées en blocs autosuffisants) soit confiée au groupe.

Comme l'indique ce dernier objectif, les sociotechniciens ont tendance à privilégier la création de groupes semi-autonomes de travail. Le tableau 5.6 rapporte un exemple d'intervention sociotechnique réalisée dans des mines de charbon (Trist et Bamforth, 1951; Trist *et al.*,

TABLEAU 5.6 UN EXEMPLE D'INTERVENTION SOCIOTECHNIQUE:
L'EXTRACTION DU CHARBON

Étapes	Principales données
Organisation préalable du travail	– Unités spécialisées dans la préparation des fronts de taille du charbon, le déplacement d'équipement et l'extraction – Une seule équipe d'extraction par 24 heures de travail ; postes individuels dont les tâches sont spécialisées et fragmentées – Lieux différents de travail pour la préparation et l'extraction – Contrôle assuré par la hiérarchie – Rémunération selon les tâches et prime au rendement
Symptômes	– Productivité moindre que celle escomptée – Problèmes de santé et roulement du personnel
Analyse sociotechnique	– À la suite de la délimitation des frontières de l'intervention, soit les unités responsables de la préparation et de la réalisation de l'extraction dans un endroit de la mine (lesquelles constituent un sous-système identifiable), l'analyse du travail permet d'identifier les pertes d'énergie et de temps engendrées par les difficultés de coordination (entre les postes et les équipes), par le maintien de voies d'accès à différentes galeries et par la sous-utilisation des ressources individuelles – L'analyse du système social fait ressortir, entre autres, l'isolement ressenti par les travailleurs, la compétition pour améliorer leur propre sort et le faible sentiment d'appartenance à l'organisation
Nouvelle organisation du travail	– Création de groupes semi-autonomes qui ont chacun la responsabilité de la préparation du minerai, des déplacements d'équipement et de l'extraction – Nouvel aménagement qui permet d'avoir trois équipes d'extraction par 24 heures plutôt qu'une seule
Effets observés et suites	– À l'intérieur de chacun des groupes, les travailleurs sont formés à effectuer la totalité des tâches – Chaque groupe décide des affectations et il y a rotation des tâches

TABLEAU 5.6 UN EXEMPLE D'INTERVENTION SOCIOTECHNIQUE:
L'EXTRACTION DU CHARBON (suite)

Étapes	Principales données
Effets observés et suites (suite)	— Le rôle des agents de maîtrise est modifié : ils deviennent des gardiens de frontière qui s'occupent des échanges du groupe avec son environnement
	— Tous les travailleurs sont rémunérés de la même façon, ce principe étant jugé plus adéquat pour un processus d'extraction de cette nature
	— Le groupe continue de collaborer à la résolution de problèmes de production
	— On note une diminution de l'absentéisme, des accidents et du roulement, et une augmentation de la productivité ; on supprime un niveau hiérarchique à l'intérieur de la mine
	— On met sur pied un centre de formation à la nouvelle approche, en offrant des sessions d'une durée d'une semaine à des groupes de huit personnes composés d'agents de maîtrise, de mécaniciens et d'opérateurs de chaque centre d'extraction

1963). Le nouvel aménagement ne conduit toutefois pas automatiquement à la mise sur pied de groupes semi-autonomes, en raison, par exemple, des limites qu'impose la technologie.

Premièrement, l'utilisation d'une approche sociotechnique constitue un changement profond, à la fois de la philosophie de gestion et du mode d'organisation du travail. Le caractère menaçant de cette transformation a fait échouer certaines expériences qui donnaient pourtant des résultats très intéressants sur le plan du rendement (Trist, 1981). Deuxièmement, l'aménagement de groupes semi-autonomes peut conférer au groupe des responsabilités qu'il n'est pas facile d'assumer, en raison notamment des conflits de pouvoir entre les individus. Brossard et Simard (1990) traitent entre autres de ce phénomène dans leur analyse des groupes semi-autonomes chez Steinberg. Troisièmement, il est plus facile d'implanter une approche sociotechnique dans une nouvelle usine où l'harmonisation des composantes organisationnelles (stratégie, culture, structures, technologie et individus) pose moins de problèmes. C'est le choix qu'ont récemment fait la compagnie General Electric à son usine de Bromont, au Québec, et la compagnie General Motors à son usine californienne du projet Saturne (Messine, 1987). Quatrièmement, le contexte culturel ambiant est un facteur à considérer. Ainsi, l'importance de la qualité de vie au travail, les pratiques de négociation (dans les entreprises œuvrant en Suède, les conventions collectives ne sont pas écrites) et les valeurs de groupe font en sorte que le contexte scandinave est certes plus propice à l'approche sociotechnique que le contexte nord-américain. Cinquièmement, la stratégie de gestion et, plus précisément, la position visée sur le marché constituent des facteurs très importants. En raison des caractéristiques qu'elles confèrent aux tâches, les expériences sociotechniques sont plus appropriées dans les entreprises qui cherchent à se démarquer par la qualité et le caractère novateur de leurs produits. Par exemple, il y a moins de risques à accroître les coûts du produit chez Volvo (qui a adopté l'approche sociotechnique depuis plusieurs années dans certaines de ses usines) que chez un fabricant de voitures qui cherche à avoir les plus bas prix possible (l'élasticité des prix étant alors moindre). Enfin, quoique l'approche sociotechnique propose une démarche d'analyse qui porte sur le système technique (cette démarche sera exposée dans une autre section de ce chapitre), le manque d'outils pratiques pour la gestion des opérations peut être un facteur qui explique certains échecs.

L'approche par la **qualité totale** pallie cette dernière carence et est directement associée à des objectifs stratégiques. Nous traiterons de cette approche, qui regroupe divers types d'apports (dont les travaux sur les cercles de qualité), à la section 5.4.2.

LES LIENS ENTRE LES CARACTÉRISTIQUES DU TRAVAIL ET LES CRITÈRES DE SÉLECTION

Comme nous l'avons vu, les théories qui portent sur l'aménagement des postes de travail et les questionnaires que certaines d'entre elles inspirent distinguent diverses caractéristiques des postes de travail[8]. Les suivantes ont une incidence directe sur les critères de sélection:

- le degré de spécialisation, de complexité et de cohérence, qui provient de la répartition du travail entre les individus;
- le degré d'autonomie, qui varie selon l'intensité et les formes de contrôle;
- la nature et la quantité des relations avec l'environnement, qui sont fonction de l'interdépendance avec d'autres acteurs;

---

8. Griffin (1982) et Paquin (1986) traitent des théories portant sur l'aménagement des postes de travail.

– la quantité et la qualité de la rétro-information permettant d'ajuster ou de renforcer le comportement.

Le tableau 5.7 rapporte des exemples de liens entre les critères de sélection et ces caractéristiques, tout en fournissant des précisions sur ces dernières.

LES PROBLÈMES OCCASIONNÉS PAR L'AMÉNAGEMENT DES RÔLES

En plus des tâches, la conception des postes de travail comprend l'aménagement des rôles ou, en d'autres termes, des rapports sociaux. Les trois aspects à considérer sont l'ambiguïté, la surcharge et les conflits

TABLEAU 5.7 *LES LIENS ENTRE LES CARACTÉRISTIQUES DU POSTE DE TRAVAIL ET LES CRITÈRES DE SÉLECTION*

Caractéristiques du poste	Critères de sélection
Degré de spécialisation : quantité de tâches de natures différentes et nombre de champs d'activités dans lesquels elles s'effectuent	Nature et étendue des connaissances et habiletés professionnelles ; nature des aptitudes ; force du besoin de variété
Degré de complexité : composantes des tâches (qui dépendent du nombre de tâches différentes et de la quantité d'informations distinctes à traiter), coordination à effectuer et adaptations exigées (Wood, 1986)	Force des aptitudes ; qualité des connaissances et habiletés professionnelles
Degré de cohérence : liens logiques entre les tâches (Lemaître et Begouën Demeaux, 1982)	Capacité plus ou moins grande de gérer son temps, de décider rapidement et de tolérer l'ambiguïté
Degré d'autonomie : possibilité de choisir les méthodes de travail, les horaires et les critères d'évaluation (Breaugh, 1985) ; contrôle des frontières du poste et gestion à l'intérieur de ces dernières (Susman, 1976)	Qualité du jugement ; capacité plus ou moins grande de planifier ; force du besoin d'autonomie
Quantité et qualité de la rétro-information : proviennent des tâches elles-mêmes (par exemple, rapports périodiques sur les résultats atteints), de la direction, des clients et des subordonnés hiérarchiques	Force des besoins de sécurité et de reconnaissance ; degré de tolérance de l'ambiguïté
Force de l'interdépendance : degré de dépendance à l'égard des fournisseurs et des autres étapes de la réalisation du travail ; collaboration requise et mécanismes de coordination à mettre sur pied pour assurer cette dernière	Force du besoin d'indépendance ; qualité des communications (écoute, etc.) ; degré de souplesse

de rôle. L'ambiguïté des rôles résulte du manque d'information claire à propos des attentes reliées à un rôle, des méthodes à utiliser pour satisfaire celles-ci et des conséquences résultant de l'exercice du rôle. Les conflits de rôle ont pour origine l'émission d'attentes incompatibles. Enfin, la surcharge de rôle provient d'une demande excessive de travail, que ce soit par rapport au temps ou aux ressources disponibles.

Quoique les recherches ne confirment pas tous ces effets, certaines révèlent que l'ambiguïté, la surcharge et les conflits de rôles influent sur la fatigue, la tension et l'anxiété, la satisfaction au travail, le rendement et les démissions volontaires. Il est cependant possible de réduire ces effets en aménageant mieux le travail et, si c'est impossible, en choisissant des personnes mieux adaptées à leur travail.

5.3.6 L'AMÉNAGEMENT DES CONDITIONS DE TRAVAIL

Les conditions de travail regroupent une série de dimensions qui varient selon la nature des postes et le niveau de qualification exigé (Jardillier, 1979). Des grilles d'observation permettent de les analyser ; cependant, plusieurs ne s'appliquent qu'au travail ouvrier. Les plus connues sont celles du LEST (Laboratoire d'économie et de sociologie du travail) d'Aix-en-Provence (Guélaud, 1975) et de la Régie Renault. Le tableau 5.8

TABLEAU 5.8 LA GRILLE DU LEST

Dimensions	Facteurs
Environnement physique	Ambiance thermique Bruit Éclairage Vibrations
Charge physique	Statique (postures) Dynamique (mouvements)
Charge mentale	Contraintes de temps Complexité des tâches, vitesse d'exécution Attention Minutie
Aspects psychosociologiques	Initiative Reconnaissance sociale de la fonction Possibilité de coopération Possibilité de communication Possibilité d'appréciation des résultats
Temps	Horaire en vigueur

rapporte les dimensions et les facteurs mesurés par la grille du LEST. Après une formation de courte durée, les membres de la direction des ressources humaines, le personnel de maîtrise et les employés peuvent se servir de certains de ces instruments.

Les conditions de travail proviennent en partie des tâches effectuées, plus précisément d'aspects dont nous avons traité dans les paragraphes précédents : degré de variété, d'autonomie, etc. Les autres ont trait aux dimensions suivantes :

- la charge physique (statique et dynamique) qui provoque des efforts, une dépense d'énergie et l'adoption de postures ;
- la charge mentale qu'occasionnent, par exemple, les contraintes de temps, le degré d'attention et de minutie, la complexité des tâches et la vitesse d'exécution, et qui peut engendrer de la fatigue, du stress et un manque d'efficacité ;
- les blessures et autres atteintes à la santé, qui sont susceptibles de survenir à la suite, notamment, d'incendies, d'explosions, de chutes d'objets ou de bris d'équipement.

En raison de leur interaction avec les individus, il est cependant préférable de ne pas considérer les conditions de travail de façon isolée. C'est le sens de la démarche de Christol (1981), qui demande d'analyser cinq séries d'éléments reliés aux intrants du système de production, aux activités de transformation et aux extrants. Ces éléments sont :

- la situation de travail, qui est constituée d'aspects semblables à ceux que nous avons mentionnés et qui peut être mesurée par une grille d'analyse des conditions de travail ;
- les caractéristiques des employés, qui peuvent influer sur leur adaptation à la situation de travail (âge, sexe, expérience, habiletés et traits de personnalité) ;
- les mécanismes d'adaptation aux contraintes des intrants et des extrants, lesquels peuvent prendre diverses formes : augmentation des efforts ou du rythme pour éviter une baisse de productivité, choix de méthodes dangereuses pour gagner du temps ou diminuer les efforts, adoption de postures inadéquates pour diminuer la fatigue, etc. ;
- les résultats atteints, qui peuvent se mesurer par la productivité (quantité et qualité des extrants par rapport aux ressources investies), les bris d'équipement et les accidents ;
- les effets sur les individus, qui regroupent les attitudes (satisfaction, hostilité, etc.), les comportements engendrant des dysfonctionne-

ments (absentéisme, alcoolisme, griefs, grèves, etc.), les réactions physiologiques (problèmes digestifs ou cardiovasculaires) et les réactions psychologiques (anxiété et stress).

L'ergonomie[9], qui regroupe des contributions de différentes disciplines (biologie, génie, psychologie, etc.), aide à la fois à l'aménagement des postes de travail et à la correction de problèmes, entre autres en améliorant les postes pour qu'ils conviennent mieux à ceux qui les occupent.

L'ergonomie rassemble des travaux visant, sur le plan théorique, à mieux comprendre les aspects suivants de la relation homme–travail : les facteurs humains susceptibles d'influer sur le travail (perception de signaux, mémoire, mécanisme de traitement de l'information et de décision, etc.), les éléments de la situation de travail exerçant une influence sur l'être humain (aménagement des lieux, temps de travail, etc.), les aspects humains en jeu dans le travail (structures biologiques, aspects physiologiques et psychologiques de la fatigue, attention sélective, charge mentale, calcul du risque d'accident, etc.) et les mécanismes d'adaptation de l'individu (méthodes de travail, postures, etc.). Dans leur pratique professionnelle, les ergonomes visent deux objectifs complémentaires.

Le premier objectif est d'améliorer le rendement en considérant les aspects humains par des actions comme :

– élaborer des équipements et des logiciels informatiques adaptés aux processus humains de traitement de l'information, de façon à faciliter leur apprentissage et leur utilisation (Card *et al.*, 1983);

– aménager une surveillance d'écran de façon à stimuler et à maintenir l'attention, et ainsi prévenir les situations fâcheuses que pourrait causer un manque de vigilance.

Le second objectif est de préserver la santé physique et mentale par des actions comme :

– concevoir des sièges qui évitent les maux de dos, qui réduisent la fatigue et qui facilitent le travail;

– aménager des temps de repos adaptés à la nature du travail effectué (par exemple, les personnes travaillant devant un écran cathodique ont régulièrement besoin d'une récupération visuelle);

---

9. Les volumes suivants, par exemple, traitent de l'ergonomie : De Montmollin (1986), Gillet (1987), Grandjean (1967), Paganiol (1980) et Régnier (1980).

– concevoir des mécanismes d'arrêt automatique ou une barrière de protection si l'ouvrier risque de se blesser lorsqu'il dispose des matériaux dans une machine.

5.3.7 L'AMÉNAGEMENT DES HORAIRES DE TRAVAIL

L'aménagement des horaires, que certains auteurs classent dans les conditions de travail, vise à ce que le nombre adéquat de personnes (sans surplus ni carence) assure la production de biens ou de services au bon moment, en limitant les effets négatifs sur la santé et le bien-être des individus concernés, en respectant les obligations juridiques et contractuelles, et en faisant en sorte que les frais de gestion demeurent acceptables. Après avoir traité de chacun de ces aspects, nous fournirons des précisions sur la nature, les exigences et les effets des différents horaires de travail.

LES CRITÈRES D'AMÉNAGEMENT DES HORAIRES DE TRAVAIL

L'aménagement des horaires de travail doit se faire à la lumière des **exigences de la production**. Comme le montre le tableau 5.9, celles-ci se divisent en trois catégories : les facteurs qui déterminent la longueur de la journée et de la semaine de travail, ceux qui influent sur la flexibilité des horaires et ceux qui agissent sur l'équilibre entre l'offre et la demande de services.

Alors que certains de ces facteurs imposent des contraintes fixes (par exemple, certaines technologies), d'autres laissent une marge de manœuvre, notamment ceux qui ont trait à l'équilibre entre l'offre et la demande de services. Les choix pour assurer cette harmonisation peuvent cependant engendrer des coûts plus ou moins élevés. Par exemple, le remplacement d'employés absents par l'octroi d'heures supplémentaires peut constituer une pratique plus coûteuse que l'ajout d'employés occasionnels. Kamel *et al.* (1987) permettent de le vérifier par leur modèle de calcul des coûts totaux du travail (inspiré d'Ehrenberg, 1971) dans lequel ils incluent, entre autres, les coûts fixes par travailleur, les coûts des heures supplémentaires, la présence des employés à temps partiel et le taux d'absence.

La conception des horaires de travail doit aussi se faire à la lumière des **effets exercés sur les individus**, principalement les suivants :

– le temps dont disposent les individus pour leur vie personnelle, lequel est fonction de la durée du travail, et la liberté dont ils

TABLEAU 5.9 L'AMÉNAGEMENT DES HORAIRES ET LES EXIGENCES DE PRODUCTION

Catégories de facteurs	Facteurs
Facteurs qui déterminent la longueur de la journée et de la semaine de travail requises pour réaliser la quantité de biens ou de services	– Possibilité de ne répondre à la demande de services qu'à certaines heures (par exemple, contrairement à la clinique externe, le service d'urgence d'un centre hospitalier doit être continuellement ouvert) – Technologies utilisées (par exemple, les technologies en processus continu exigent un fonctionnement continuel) – Décisions stratégiques quant aux heures d'ouverture (par exemple, ouvrir un commerce sept jours par semaine), selon la position concurrentielle et la législation
Facteurs qui influent sur la flexibilité des horaires	– Nécessité d'une présence continue – Exigences de coordination – Possibilité d'exercer d'autres modes de contrôle que la supervision directe et la vérification des heures de travail effectué
Facteurs qui agissent sur l'équilibre entre l'offre et la demande de travail	– Variations cycliques et prévisibles de production (base journalière, hebdomadaire, mensuelle et saisonnière) – Variations non cycliques et temporaires de production (à la suite, par exemple, d'une augmentation des commandes) – Baisses temporaires de personnel en raison des vacances ou d'autres absences – Accroissement ou baisse de production en raison de l'état de développement de l'organisation et de sa position sur le marché

jouissent pour vaquer à leurs activités personnelles, laquelle dépend de l'aménagement des horaires (à la suite d'analyses factorielles, Dunham et Pierce (1986) regroupent les activités personnelles en trois catégories : famille et loisirs ; accès aux services, aux événements et aux commerces ; finances personnelles) ;

– la fatigue et les risques d'accidents et de maladie (en raison, par exemple, de l'exposition trop longue à certains polluants).

Enfin, l'aménagement des horaires de travail demande de considérer diverses **dispositions juridiques**. Par exemple, les organisations soumises à la législation québécoise doivent respecter les articles de la *Loi sur les normes du travail* ayant trait à la durée de la semaine normale de travail, au paiement des heures supplémentaires, aux indemnités à verser en cas d'appel, et aux heures non travaillées mais payées. Les organisations dont les employés sont syndiqués doivent aussi respecter les dispositions contractuelles ayant trait aux horaires de travail.

LES DIFFÉRENTS HORAIRES DE TRAVAIL

En plus de l'aménagement traditionnel des heures de travail (par exemple, de 9:00 à 17:00, cinq jours par semaine), il existe divers arrangements que nous classons en deux groupes. Le premier comprend des modifications de l'horaire traditionnel qui ne comportent pas de réduction de la durée du travail, mais simplement un nouvel aménagement. Les principales formes d'horaires modifiés sont l'horaire flexible (dont l'horaire variable et l'horaire libre), l'horaire décalé, la semaine de travail comprimée et le travail posté. Le second type d'aménagement comporte une réduction du temps de travail; il comprend principalement le travail à temps partiel et le travail partagé. Après avoir traité de chacun de ces arrangements, nous fournirons des précisions sur un aspect particulier des horaires de travail, soit les heures supplémentaires.

L'horaire variable

L'horaire variable constitue sans doute la forme la plus connue d'horaire flexible. Cet aménagement des périodes de travail permet à l'employé, selon certaines limites, de choisir sur une base quotidienne ses heures d'arrivée et de départ. Il comporte des plages fixes, durant lesquelles la présence de l'employé est obligatoire, et des plages mobiles, dont la durée est en partie laissée au choix de l'employé. Celui-ci doit toutefois effectuer un nombre déterminé d'heures de travail à la fin de la période de référence (une journée, une semaine, 15 jours ou un mois, selon le cas); certaines formules permettent cependant de compenser un débit ou un crédit d'heures durant la période suivante. L'horaire variable constitue donc un assouplissement de l'aménagement traditionnel des heures de travail, qui permet des choix en rapport avec les trois aspects suivants: les heures d'arrivée et de départ, la durée des repas et la durée de la journée de travail. Contrairement à l'horaire libre, il comporte cependant des contraintes, notamment celle des plages fixes et des plages mobiles.

Les plages fixes correspondent aux heures de la journée pendant lesquelles la présence de tous les employés est obligatoire. Elles sont comprises entre les périodes libres de commencement et de cessation de travail. Leur rôle est de garantir la disponibilité de tous les employés pendant au moins une partie de la journée, afin d'assurer les communications et la bonne marche du travail. Les plages mobiles représentent les heures durant lesquelles l'employé peut être présent ou absent (en début et en fin de journée, et au cours de la période des repas).

L'aménagement de l'horaire variable demande de prendre des décisions en rapport avec les aspects suivants :

- la durée d'ouverture des locaux de travail, qui se trouve ainsi allongée ;
- la longueur de la période de référence (période de présence obligatoire) et le mode de calcul des heures créditées et débitées (heures de présence excédentaires ou manquantes par rapport au temps de présence exigé durant la période de référence) ;
- les critères d'admissibilité aux heures supplémentaires payées à taux majoré et le mode d'autorisation de ces dernières ;
- le mode de contrôle des heures de présence.

Les principaux bénéfices[10] que l'organisation peut retirer des horaires variables sont l'amélioration du rendement, la plus grande facilité de recruter et de retenir le personnel, et la réduction de l'absentéisme, des retards et des heures supplémentaires. En règle générale, les employés se disent très satisfaits de cette forme d'horaire ; ils craignent moins les retards, ils peuvent concilier plus facilement le travail et la vie personnelle, mais ils ont des possibilités moindres d'effectuer des heures supplémentaires à taux majoré.

La mise sur pied d'horaires variables engendre cependant des coûts (frais d'étude, d'implantation et de matériel de contrôle) et rend plus complexe la gestion de la présence au travail (coordination des horaires et supervision directe rendues plus difficiles). Quant aux personnes concernées par cette forme d'horaire, elles risquent de se montrer moins satisfaites si leur présence est davantage contrôlée.

L'horaire décalé

L'horaire décalé consiste à modifier l'horaire traditionnel en retardant ou en devançant les heures d'arrivée et de départ de certains groupes d'employés. Il n'y a cependant pas de choix quotidien des

---

10. Côté et Lewis (1976) rapportent les raisons qui incitent les entreprises à aménager des horaires variables ; Turgeon (1976) a effectué une recension des écrits sur les effets des horaires variables.

heures d'arrivée et de départ; le nouvel horaire attribué à l'employé ou choisi par ce dernier vaut pour une certaine période de temps, dont la durée varie selon les cas. Malgré ses limites, cette forme d'aménagement des périodes de travail peut contribuer à faciliter les déplacements des employés en leur évitant les heures de circulation dense.

L'horaire comprimé

Surtout répandue dans le secteur secondaire, la semaine comprimée consiste à distribuer la durée hebdomadaire de travail sur un plus petit nombre de jours (de trois à quatre jours et demi, selon l'enquête publiée par Acoca *et al.* en 1975), en allongeant la journée de travail (de une à quatre heures, selon cette même enquête). Cette décision doit être prise en considérant les facteurs suivants: les exigences de la production, les effets sur la santé (par exemple, le risque de développer la surdité s'accroît en fonction du temps d'exposition à un niveau élevé de décibels) et la durée de la semaine de travail (une semaine de 40 heures s'aménage moins bien sur quatre jours qu'une semaine de 35 heures). Selon les données rapportées par Acoca *et al.* (1975), les personnes concernées par la semaine comprimée de travail se disent satisfaites de certains de ses apports, notamment en ce qui concerne l'aménagement de leur vie familiale et de leurs loisirs. Elles estiment cependant dépenser davantage d'argent, et celles qui sont soumises à de plus lourdes charges physiques se disent moins satisfaites.

Le travail posté

Le travail posté représente la période de travail d'un ou de plusieurs employés dans les organisations dont l'activité productive se divise en deux ou trois espaces de temps successifs au cours d'une même journée[11]. Comme le mentionne Jardillier (1979, p. 39), il «concerne les salariés qu'il est techniquement nécessaire, ou croit-on économiquement avantageux, de maintenir de manière continue (3 × 8 avec ou sans feu continu) ou semi-continue (2 × 8)». Le travail posté peut s'effectuer avec ou sans alternance d'horaire.

Surtout pratiqué dans le secteur des services dont les heures d'ouverture sont étendues (centres hospitaliers, transports publics, etc.), du transport de longue distance et dans certains types d'industries (notam-

---

11. Inspiré de Dion (1986). Les termes travail par poste, quart de travail, travail par quart et travail par équipes sont jugés synonymes.

ment celles à procédés continus), le travail posté peut poser de nombreux problèmes à la fois aux individus et à l'organisation[12]. En plus de ses effets sur les rapports familiaux et sociaux, le travail de nuit (qui est une des formes du travail posté) occasionne des perturbations du sommeil et de la digestion, qui peuvent causer des ulcères et des troubles psychologiques. Pour l'organisation, il convient de mentionner la productivité réduite des équipes de nuit, l'absentéisme plus élevé et les primes à verser. Le choix du travail posté doit donc se faire avec circonspection. En d'autres termes, il faut s'assurer que la somme des bénéfices excède celle des inconvénients. C'est pourquoi certains pays, dont la France, ont réglementé le travail posté en ne l'autorisant que dans les organisations qui ne peuvent pas faire autrement.

Le travail à temps partiel et le travail partagé

Les formes précédentes d'horaires ne modifient pas la durée hebdomadaire moyenne du travail, contrairement au travail à temps partiel et au travail partagé. Il existe de nombreuses définitions du travail à temps partiel, chacune permettant d'inclure un nombre plus ou moins grand de travailleurs. Le Bureau de la statistique du Québec définit cette forme d'horaire à partir de trois critères: la réduction du temps normal de travail, la régularisation et la continuité de l'emploi (ce qui exclut les travailleurs occasionnels) et l'acceptation volontaire. La Commission Wallace (1983) propose une définition plus large, qui inclut tout travailleur dont les horaires sont inférieurs aux horaires hebdomadaires ou mensuels normaux des personnes effectuant des tâches semblables.

Le travail à temps partiel satisfait en premier lieu les objectifs économiques des organisations. Ainsi, il constitue un moyen pour pallier les variations de production, notamment les augmentations cycliques et passagères. Le recours à cette forme d'horaire peut aussi viser la diminution des coûts de main-d'œuvre. Comme d'autres auteurs qui ont traité ce thème, la Commission Wallace (1983) se prononce d'ailleurs sur la rémunération et les autres conditions de travail de cette catégorie d'employés, et elle formule des recommandations pour améliorer leur sort. Pour les personnes qui choisissent de travailler à temps partiel, cette forme d'horaire peut satisfaire divers besoins: assurer un revenu d'appoint, acquérir une nouvelle expérience de travail, faciliter la ré-

---

12. Alcide (1982), Exiga *et al.* (1984), Simard (1979) et Wisner (1976), entre autres, traitent de ces problèmes.

intégration sur le marché du travail, etc. La poursuite de ces objectifs ne signifie cependant pas que ces personnes sont satisfaites de leur rétribution, si elle est inéquitable par comparaison avec celle des employés à temps plein.

Le travail partagé constitue une forme particulière de travail à temps partiel. Il signifie le partage volontaire d'un poste à temps plein entre deux personnes ou plus. Contrairement aux autres formes de travail à temps partiel, le partage d'un poste vise premièrement à satisfaire des besoins individuels, tels un style de vie plus équilibré et une retraite graduelle. Quoique la Commission Wallace fasse état des avantages que peut tirer une organisation du travail partagé, il faut malheureusement constater que ce type de pratique s'avère peu répandu et qu'il en est encore au stade expérimental. Les coûts de certains avantages sociaux obligatoires et les difficultés (réelles ou non) de coordination dans certains emplois sont parmi les facteurs qui expliquent cette situation.

Les heures supplémentaires

Gérer les heures supplémentaires[13] demande d'effectuer diverses tâches si l'on veut limiter les coûts qu'entraîne cette solution. La première tâche est de conserver des données sur la distribution des heures supplémentaires selon les unités administratives, les individus, les périodes de l'année et les motifs invoqués pour les justifier. Cette information permet de vérifier si le nombre d'heures accordé est acceptable et s'il existe des problèmes de distribution. La deuxième tâche consiste à vérifier s'il y a un lien entre l'absentéisme et les heures supplémentaires, les deux phénomènes étant susceptibles de s'alimenter mutuellement. Le même exercice peut être fait pour les accidents. L'ensemble de cette information sert à décider s'il y a lieu d'améliorer la planification du travail, de mieux gérer l'absentéisme ou d'adopter d'autres solutions que les heures supplémentaires pour assurer la réalisation du travail.

5.4 LES ASPECTS STRATÉGIQUES DE L'ORGANISATION DU TRAVAIL

Comme l'indique la figure 5.4, le système d'organisation du travail a des liens avec l'environnement et avec les autres composantes de l'or-

---

13. Guilloteau (1985) et Kamel et Roy (1987) fournissent de l'information sur la distribution des heures supplémentaires.

FIGURE 5.4 *LES LIENS ENTRE LE SYSTÈME D'ORGANISATION DU TRAVAIL*
ET LES AUTRES COMPOSANTES DE L'ORGANISATION

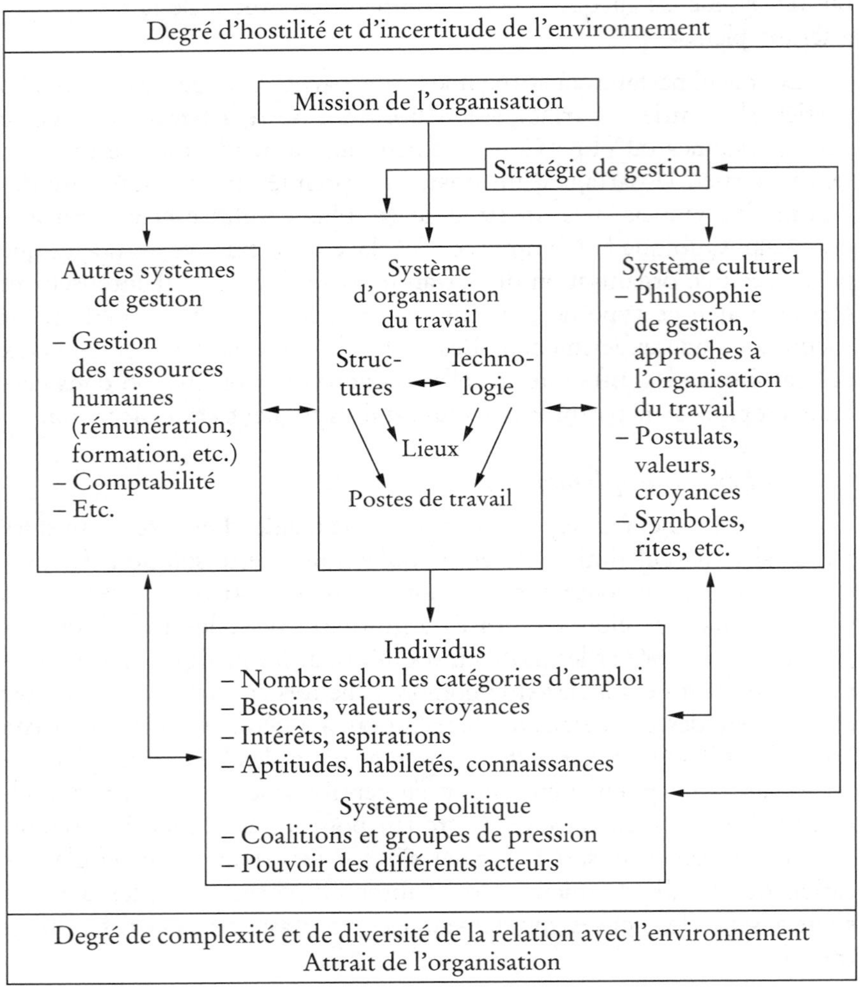

```
┌─────────────────────────────────────────────────────────────┐
│      Degré d'hostilité et d'incertitude de l'environnement    │
│                                                               │
│                 ┌──────────────────────────┐                  │
│                 │  Mission de l'organisation │                 │
│                 └──────────────────────────┘                  │
│                        ┌──────────────────────┐               │
│                        │ Stratégie de gestion │               │
│                        └──────────────────────┘               │
│                                                               │
│  ┌──────────────┐   ┌──────────────┐   ┌──────────────────┐   │
│  │ Autres systèmes│  │   Système    │   │ Système culturel │   │
│  │  de gestion   │   │ d'organisation│  │ – Philosophie    │   │
│  │               │   │  du travail   │   │   de gestion,    │   │
│  │ – Gestion     │   │              │   │   approches à    │   │
│  │  des ressources│  │ Struc-  Techno-│  │   l'organisation │   │
│  │  humaines     │   │ tures ↔ logie │   │   du travail     │   │
│  │ (rémunération,│   │      ↘ ↙      │   │ – Postulats,     │   │
│  │  formation, etc.)│ │     Lieux     │   │   valeurs,       │   │
│  │ – Comptabilité│   │      ↙ ↘      │   │   croyances      │   │
│  │ – Etc.        │   │ Postes de travail│ │ – Symboles,      │   │
│  │               │   │              │   │   rites, etc.    │   │
│  └──────────────┘   └──────────────┘   └──────────────────┘   │
│                                                               │
│  ┌─────────────────────────────────────────────────────┐     │
│  │                    Individus                          │     │
│  │ – Nombre selon les catégories d'emploi                │     │
│  │ – Besoins, valeurs, croyances                         │     │
│  │ – Intérêts, aspirations                               │     │
│  │ – Aptitudes, habiletés, connaissances                 │     │
│  │              Système politique                        │     │
│  │ – Coalitions et groupes de pression                   │     │
│  │ – Pouvoir des différents acteurs                      │     │
│  └─────────────────────────────────────────────────────┘     │
│                                                               │
│  Degré de complexité et de diversité de la relation avec l'environnement │
│              Attrait de l'organisation                        │
└─────────────────────────────────────────────────────────────┘
```

ganisation : mission, stratégie de gestion, culture, autres systèmes de gestion et individus. En raison de ces liens, il faut éviter de concevoir ou de changer l'organisation du travail sans considérer ces facteurs, et veiller à ce que les divers sous-systèmes se soutiennent mutuellement.

En plus de fournir des précisions sur ces liens, le texte qui suit apporte des suggestions sur la démarche à suivre pour changer l'organisation du travail. Toute cette information vise à mieux faire comprendre ce qu'est une vision stratégique en cette matière.

5.4.1 LA DOUBLE HARMONISATION

Les organisations sont appelées à rechercher une double congruence: une avec l'environnement et l'autre entre leurs composantes internes. Cette double harmonisation, dont traitent certains auteurs tels Allaire et Firsirotu (1983, 1989), est à la base d'une orientation stratégique et elle ne peut s'effectuer sans considérer le système d'organisation du travail.

L'HARMONISATION AVEC L'ENVIRONNEMENT

Selon la façon dont elles aménagent leurs composantes internes, les organisations ont une relation plus ou moins harmonieuse avec l'environnement. Une relation appropriée devrait permettre aux organisations de satisfaire aux critères suivants:

- pouvoir attirer et retenir la clientèle et la main-d'œuvre requises à leur survie et à leur développement;

- être compétitives par le prix, la qualité ou la nouveauté des produits et des services offerts, en maintenant des coûts de fonctionnement qui permettent la survie et le développement;

- être capables de livrer les différents produits et services aux clientèles visées, dans des délais appropriés et à la satisfaction des clients;

- avoir la flexibilité pour s'ajuster aux changements qui influent sur la nature et la quantité des produits et des services à offrir.

La façon dont une organisation se structure et organise le travail détermine sa capacité de satisfaire à ces critères. Selon Mintzberg (1979), l'aménagement des structures exige de porter une attention particulière aux caractéristiques suivantes: le degré d'hostilité et de stabilité de l'environnement, et le degré de complexité et de variété des tâches qui mettent l'organisation en relation avec l'environnement. Ces quatre caractéristiques sont reliées à la mission, à la stratégie et aux autres composantes de l'organisation.

L'hostilité de l'environnement provient notamment du degré de compétition. Une forte compétition peut, entre autres, forcer les organisations à redéfinir leurs objectifs stratégiques, à réorienter certaines de leurs activités et à revoir leur système d'organisation du travail, y compris leurs structures et leurs technologies. Pour être plus compétitives, diverses entreprises ont récemment choisi d'accroître la qualité de leurs produits en décentralisant certaines décisions et en revoyant leurs mécanismes de contrôle.

Dans un environnement instable, où la demande pour les produits et les services varie (en quantité et en qualité) et où les compétiteurs sont susceptibles de redéfinir leur façon de pénétrer le marché (quant aux extrants qu'ils livrent et à leur façon de les produire), la rigidité des méthodes de production et des règles de fonctionnement risque de causer des dysfonctionnements. Un environnement instable incite donc à plus de flexibilité dans l'organisation du travail et à des décisions plus rapides.

Le degré de complexité de la relation avec l'environnement se définit par l'étendue et la difficulté de la formation requise pour effectuer le travail, et par le nombre de champs de spécialisation que comporte l'organisation. En raison de l'information qu'elles détiennent et de la latitude dont elles ont besoin pour réagir rapidement, les personnes qui effectuent des tâches complexes et peu prévisibles doivent bénéficier d'autonomie. Mintzberg (1979) estime d'ailleurs que plus les tâches sont complexes, plus la structure doit favoriser la décentralisation.

Enfin, la relation avec l'environnement peut être plus ou moins diversifiée. Par exemple, une organisation qui n'offre qu'un seul produit, dans une région géographique délimitée et à un seul type de clientèle, a une relation simple avec l'environnement; la localisation en un seul endroit et une structure par fonctions s'avèrent alors appropriées. À l'opposé, si sa technologie permet de le faire, une organisation qui a une relation diversifiée avec l'environnement a intérêt à adopter une ou plusieurs des formes structurelles suivantes: par régions géographiques, par clients ou par produits. La transformation choisie devrait contribuer à la réalisation des objectifs suivants: posséder le niveau de spécialisation qui permet d'effectuer plus adéquatement la production des biens et des services offerts par l'organisation, pouvoir mieux adapter les produits ou les services aux besoins de la clientèle, lui livrer ces derniers dans des délais plus appropriés ou s'adapter à des contraintes juridiques et politiques.

À ces quatre caractéristiques, il convient d'ajouter la suivante: pour attirer et retenir le personnel dont elle a besoin, une organisation doit présenter un attrait, qui provient entre autres de son système d'organisation du travail. À titre d'exemple, les personnes scolarisées peuvent être rebutées par des tâches qui ne comportent pas suffisamment de défis.

Le tableau 5.10 fournit un exemple montrant comment des modifications de la relation entre l'entreprise et l'environnement peuvent susciter l'adaptation des autres composantes organisationnelles. Cet exemple est celui des banques canadiennes, récemment soumises à divers changements qui ont eu des effets sur leur mission, leur stratégie et leurs autres composantes. Quoique les banques n'aient pas toutes choisi les mêmes moyens d'action, toutes ont apporté les changements mentionnés au tableau 5.10.

L'HARMONISATION DES COMPOSANTES INTERNES

Pour être congruente avec l'environnement, une organisation doit harmoniser ses composantes internes. Nous verrons dans cette section comment il est possible d'harmoniser le système d'organisation du travail avec les autres composantes de l'organisation.

La mission

Pour avoir une relation adéquate avec l'environnement, les organisations se doivent de bien définir leur mission ou, en d'autres termes, leur raison d'être. Comme le montrent les exemples suivants, une définition large peut s'avérer appropriée dans certains cas, alors qu'elle pose problème dans d'autres.

– La compagnie Canadien Pacifique, qui s'est définie comme une entreprise spécialisée dans le transport, a réussi une diversification (transport par mer, par route, etc.) qui lui a, entre autres, évité de péricliter lorsque le transport par rail a subi un déclin; par contre, plusieurs entreprises américaines de transport ferroviaire, qui avaient adopté une définition étroite de leur mission, n'ont pas réussi à surmonter ce déclin.

– Au cours des années 80, certaines chaînes d'alimentation québécoises se sont définies comme des spécialistes de la distribution au détail et ont entrepris un programme de diversification horizontale dans des domaines comme les articles de sport et les produits pharmaceutiques; en raison de divers facteurs, cette stratégie s'est avérée moins fructueuse que prévu, et ces entreprises ont dû se concentrer à nouveau sur ce qu'elles savent le mieux faire, soit la distribution de produits alimentaires.

La façon de concevoir la mission a des effets sur le choix des structures. Par exemple, une définition élargie peut inciter à choisir une structure par produits qui permet de développer des centres de profits

TABLEAU 5.10 LES LIENS ENTRE L'ENVIRONNEMENT ET LES COMPOSANTES
DE L'ORGANISATION DANS LES BANQUES CANADIENNES

Facteurs	Changements
Changement dans l'environnement	Décloisonnement de l'activité bancaire à la suite d'un changement de la réglementation régissant ce secteur économique; intensification de la compétition en raison, entre autres, de l'implantation de banques étrangères.
Caractéristiques du secteur économique	Faible différenciation des produits; forte densité de main-d'œuvre (concentrée traditionnellement dans des tâches de bureau); politique de main-d'œuvre (qui est pratiquée depuis la création de cette industrie) visant l'entrée dans des postes de base et la promotion interne; bureaucratie mécaniste ayant traditionnellement tablé sur l'uniformisation des méthodes de travail et la centralisation des décisions; pratiques courantes de mutation géographique du personnel.
Mission	Passage progressif de spécialistes des services bancaires (dépôts, prêts, etc.) à généralistes des services financiers (conseillers financiers, offre de produits financiers de divers types, etc.).
Actions stratégiques	Diversification par des acquisitions (bureaux de courtage en valeurs mobilières, trusts, etc.) et par la création de nouvelles divisions; établissement d'un portefeuille sélectionné de prêts, et recherche d'investisseurs pour les produits financiers offerts; augmentation de la qualité des services offerts (notamment à certaines clientèles précises) et diminution des coûts de fonctionnement, plus particulièrement dans certaines banques.
Caractéristiques de la relation avec l'environnement	Relation plus diversifiée (en raison de la gamme plus étendue des services et des produits offerts, ces derniers s'élevant actuellement à plus d'une centaine) et plus complexe (en raison de la nature même des produits offerts).
Système d'organisation du travail: technologie	Implantation de technologies informatiques qui permettent, entre autres, de faire effectuer par l'ordinateur une série d'activités routinières (libérant ainsi du temps pour faire effectuer d'autres tâches par le personnel) et de fournir de l'information facilitant les décisions (donnant ainsi la possibilité d'accroître la marge de décision dans certains postes de travail).
Système d'organisation du travail: structures	Aménagement de structures par clientèles de façon à offrir des services adaptés à chacune (services de plus en plus différenciés); diverses solutions structurelles par rapport aux entreprises qui ont été acquises (intégration, création de divisions) de façon à assurer la distribution de services et de produits différenciés tout en assurant une coordination.

TABLEAU 5.10 LES LIENS ENTRE L'ENVIRONNEMENT ET LES COMPOSANTES DE L'ORGANISATION DANS LES BANQUES CANADIENNES (suite)

Facteurs	Changements
Système d'organisation du travail : postes de travail	Tâches de vente confiées au personnel des succursales pour assurer la diffusion des produits et des services ; accroissement de la marge de manœuvre de certaines catégories de personnel travaillant directement auprès de la clientèle ; diverses solutions, qui varient selon les banques, pour résoudre le problème suivant : avoir le niveau de spécialisation requis pour diffuser certains produits (qui exigent des connaissances plus grandes) et faire en sorte que le client puisse connaître l'ensemble des produits susceptibles de l'intéresser.
Individus	Accroissement du niveau de scolarisation à la suite de l'intensification du recrutement de diplômés universitaires au cours des années 80 et des efforts pour assurer la formation du personnel déjà embauché ; moins grande disponibilité pour des mutations géographiques en raison d'un plus grand nombre de couples dont les deux membres font carrière ; possibilités accrues de départs volontaires en raison de la formation plus grande.
Culture organisationnelle	Valorisation à peu près exclusive de la sécurité des dépôts à la valorisation d'autres aspects, tels que la rapidité du service ; importance accrue de la fonction marketing à divers niveaux de l'organisation ; valorisation plus grande de l'initiative (variable selon les banques).
Autres systèmes de gestion	Critères d'évaluation du personnel prenant en considération les nouvelles tâches et valeurs ; efforts accrus en matière de préparation de la relève et de développement des individus ; assouplissement du système de gestion des carrières et marge de manœuvre plus grande laissée aux individus sur le choix des affectations.

ayant des stratégies précises. Chaque division a alors une marge de manœuvre qui produit des effets sur la gestion des ressources humaines. Purcell (1989) s'est intéressé à ce phénomène.

La stratégie de gestion

La définition de la mission de l'organisation est étroitement reliée au choix d'une stratégie de gestion. Comme le montre l'exemple que nous avons fourni, une définition élargie de la mission a amené certaines chaînes de distribution alimentaire à effectuer une diversification horizontale. La façon de concevoir la mission permet aussi de savoir comment l'organisation veut se différencier sur le marché. Par exemple, un fabricant d'automobiles qui veut offrir les meilleures voitures au monde doit offrir des produits novateurs et de qualité; le prix que le consommateur accepte de payer constitue alors un facteur moins important, voire secondaire. À l'opposé, un fabricant qui veut effectuer une production de masse doit accorder beaucoup plus d'importance au prix de ses produits. Henry Ford orientait d'ailleurs son entreprise en implantant, dès le début du xxe siècle, des chaînes de montage qui permettaient de réduire les coûts de production et d'offrir des automobiles dont le prix d'achat était accessible même aux ouvriers de la compagnie.

Pour soutenir sa mission et sa stratégie de gestion, l'organisation doit entre autres se doter d'un système approprié d'organisation du travail. Comme le montrent les deux exemples suivants, certains systèmes sont mieux adaptés que d'autres aux objectifs stratégiques qui sont poursuivis.

–   Évoluant dans un secteur où la compétition est très forte, la compagnie United Parcel Service (Schuler et Jackson, 1987) cherche depuis ses origines à maintenir ses coûts le plus bas possible. À cette fin, elle simplifie et uniformise le travail. Les descriptions de tâches sont très précises. De nombreux ingénieurs industriels étudient les temps et les mouvements pour identifier la meilleure façon de procéder. Les itinéraires des chauffeurs pour la cueillette et la livraison des colis sont soigneusement planifiés à l'aide de programmes de recherche opérationnelle. Pour compenser la monotonie, l'entreprise offre à ses chauffeurs, qui sont syndiqués, un salaire plus élevé que la moyenne de l'industrie.

–   La compagnie Volvo, qui cherche à se démarquer par la sécurité et la durabilité (qualités à long terme) des automobiles qu'elle fabrique, investit beaucoup dans l'amélioration de ces dernières et a implanté depuis longtemps des groupes semi-autonomes de travail dans plusieurs de ses usines. Cette façon de faire lui permet, entre autres, de rendre le personnel responsable de la qualité des produits et de disposer d'une main-d'œuvre polyvalente capable de s'adapter à divers types de changements.

Les objectifs stratégiques qui ont une incidence directe sur l'organisation du travail sont de trois types : le contrôle des coûts, la qualité et l'innovation. Les tableaux 5.11, 5.12 et 5.13 rapportent les exigences de chacun de ces types d'objectifs stratégiques, et la façon dont le

TABLEAU 5.11 LES OBJECTIFS STRATÉGIQUES DE CONTRÔLE DES COÛTS ET L'ORGANISATION DU TRAVAIL

Exigences	Organisation du travail
Réaliser des économies d'échelle par la production de masse d'une gamme stable de biens ou de services et par la répétition des mêmes tâches	Centralisation de l'autorité
	Recours probable à des analystes du travail pour réduire les coûts de production
Contrôler les coûts de main-d'œuvre en s'assurant, par exemple, que cette dernière ne dépasse pas le volume requis	Uniformisation du processus de production
	Division ou spécialisation du travail, qui se fait souvent par cycles courts
Aménager le processus de transformation de façon à réduire les pertes de temps et à assurer un rythme rapide de production	Contrôles effectués par la hiérarchie et par la technologie
	Rythme de production fixé par la hiérarchie
Assurer que les travailleurs limitent les pertes de temps et accomplissent leur travail	Travail souvent effectué individuellement
	Tâches répétitives laissant peu ou pas de latitude au travailleur

TABLEAU 5.12 LES OBJECTIFS STRATÉGIQUES D'INNOVATION ET L'ORGANISATION DU TRAVAIL

Exigences	Organisation du travail
Mettre à profit les ressources des individus	Décentralisation de l'autorité; autonomie et responsabilité en matière d'innovation laissées aux individus
Accorder suffisamment d'autonomie pour permettre l'initiative	
Encourager la collaboration, notamment le travail interdisciplinaire, pour stimuler la créativité	Contrôle par l'uniformisation des compétences (critères rigoureux de sélection), l'ajustement mutuel et les résultats obtenus
Gérer l'ouverture d'esprit, le risque et la tolérance de l'ambiguïté nécessaires à la créativité	Constitution d'équipes multidisciplinaires ou multisectorielles de projets novateurs
Permettre la production de prototypes, de nouveautés	Liberté de travailler (par exemple, une journée par semaine) à des projets personnels novateurs

système d'organisation du travail peut contribuer à les satisfaire. Ces propositions, qui s'inspirent en partie des travaux de Schuler et de ses collaborateurs (Schuler, 1987; Schuler *et al.*, 1987; Schuler et Jackson, 1987), proviennent d'observations et de déductions; **elles ne sont pas le résultat de recherches systématiques.** De plus, il faut être conscient que **d'autres facteurs que la stratégie**, notamment la philosophie de

TABLEAU 5.13 *LES OBJECTIFS STRATÉGIQUES DE QUALITÉ ET L'ORGANISATION DU TRAVAIL*

Exigences	Organisation du travail
Assurer que les entrées et le processus de transformation permettent de faire le moins d'erreurs possible, et garantir la livraison des produits et des services dans des délais qui satisfont le client	Contribution des travailleurs à l'analyse du processus de transformation et à la correction des problèmes de production
Satisfaire à des normes de qualité (organisationnelles, nationales ou internationales)	Contrôle du rendement pouvant être assumé en partie par les travailleurs
Produire des biens et des services dont le niveau de qualité varie le moins possible	Rythme de production pouvant être fixé conjointement avec les travailleurs
Être assez flexible pour s'adapter à la variation des demandes du client et à d'autres types de changements	Nombre de niveaux hiérarchiques moins grand que dans une organisation visant la domination par les coûts, et diminution, voire disparition, des postes d'analystes du travail
Assurer que la main-d'œuvre adhère aux objectifs de qualité et contribue à cette dernière	Uniformisation du processus de production, laissant cependant une marge discrétionnaire aux travailleurs (qui varie notamment selon le nombre de cas d'exception à traiter)
	Division du travail avec un élargissement des tâches et une rotation des postes de travail visant à assurer une certaine polyvalence
	Travail individuel avec des mécanismes de liaison, mais aménagement possible en groupes de production

gestion, la nature des tâches à effectuer et les contraintes technologiques, déterminent les choix en matière d'organisation du travail.

Le contrôle des coûts est essentiel si l'on veut offrir des produits et des services dont le prix constitue, pour de nombreux acheteurs, un critère fondamental. Selon Porter (1980), les organisations qui visent à acquérir de larges parts de marché ont donc intérêt à adopter une stratégie de domination par les coûts. Les organisations que Miles et Snow (1978, 1984) appellent des « défenseurs » ont tendance à privilégier ce type de stratégie. En règle générale, ces organisations exploitent un marché étroitement défini et stable, qu'elles connaissent bien, et elles ne cherchent pas à se diversifier. Leurs structures sont de type fonctionnel et centralisé, ce qui est compatible avec le niveau de spécialisation et de contrôle requis par leur stratégie.

Si certains acheteurs sont prêts à payer davantage pour un produit, en raison de caractéristiques telles que l'originalité et la grande qualité, il peut être avantageux de se différencier pour atteindre cette clientèle cible. Selon Porter (1980), une stratégie de différenciation bien appliquée est rentable. Elle permet d'obtenir une marge de bénéfices plus élevée qu'une stratégie de domination par les coûts; la part de marché est cependant moindre. Les entreprises que Miles et Snow (1978, 1984) appellent des «prospecteurs», telle la compagnie Hewlett-Packard, se caractérisent par la différenciation de leurs produits. En règle générale, ces entreprises exploitent un marché où il y a un large éventail de produits ou de services qui sont périodiquement redéfinis. Elles valorisent beaucoup la conception de nouveaux produits ou services et la conquête de nouveaux marchés. Pour gérer la diversité, elles se dotent de structures par produits ou par clients. Pour encourager l'innovation, elles adoptent une organisation du travail qui s'inspire des principes mentionnés au tableau 5.12. Pour les divisions dont les produits se différencient par la qualité, elles peuvent s'inspirer des principes rapportés au tableau 5.13.

Enfin, certaines entreprises, que Miles et Snow (1978, 1984) appellent des «analystes», ont une stratégie qui tient des deux précédentes. Une partie de leurs activités se situe dans un secteur stable, et l'autre dans un secteur en mouvement qui exige de l'innovation. Les compagnies IBM et Texas Instruments sont de ce type. Aménagées par fonctions, ces entreprises se servent cependant de structures matricielles pour permettre la collaboration entre leurs différents secteurs, et ainsi encourager l'innovation nécessaire à la pénétration de nouveaux marchés.

Au cours de leur évolution, les entreprises peuvent être appelées à revoir leur stratégie, en raison de discontinuités vécues ou prévues. Ces discontinuités peuvent provenir d'une modification de l'environnement (par exemple, compétiteurs qui grugent des parts de marché) ou de l'organisation elle-même (par exemple, problèmes de relations du travail). Selon la nature de la discontinuité[14], un réaménagement plus ou moins considérable du système d'organisation du travail devra être fait. Alors qu'une rationalisation administrative peut permettre de corriger une mauvaise utilisation des ressources de l'entreprise, une réorientation de la stratégie et du système d'organisation du travail est nécessaire pour changer radicalement la relation avec l'environnement. Ce type de changement est essentiel pour freiner ou prévenir le déclin

---

14. Allaire et Firsirotu (1989) et Wils *et al.* (1991), entre autres, fournissent des précisions sur ces situations de changement.

de produits ou de services, à moins que l'on ait décidé d'en céder ou d'en cesser la production.

Ce stade d'évolution n'est cependant pas le seul à exercer une influence sur l'organisation du travail. Au stade de lancement, on a tendance à observer les pratiques suivantes : tâches larges, descriptions informelles des tâches, chevauchement des rôles et polyvalence. Lorsqu'un produit ou un service atteint sa maturité, on a tendance à effectuer une spécialisation et une uniformisation dans le but, notamment, de réaliser des économies.

Enfin, le système d'organisation du travail peut faire échouer une stratégie de portefeuille. Ainsi, une entreprise de type défenseur peut difficilement acquérir une entreprise de type prospecteur ; en raison de ses structures par fonctions, elle ne peut certes pas envisager une fusion de systèmes d'organisation du travail et de cultures aussi différents.

Les autres composantes de l'organisation

Pour que l'organisation ait une congruence interne, le système d'organisation du travail doit être harmonisé avec les autres systèmes de gestion des ressources humaines. C'est ce que montrent les exemples suivants.

– Dans une organisation qui se sert d'un système technique d'organisation du travail pour assurer une domination par les coûts, il est utile de compenser le manque d'engagement que suscitent les tâches. La rémunération incitative (pour accroître l'adhésion aux objectifs de l'organisation) et les communications organisationnelles appropriées (entre autres pour assurer l'identification à l'image de l'organisation) constituent certains des moyens qui aident à établir un équilibre.

– Une organisation qui utilise une approche de type sociotechnique à l'organisation du travail, pour appuyer une stratégie de différenciation, a intérêt à rémunérer en fonction des compétences (pour encourager la polyvalence) et à offrir des primes de groupe (pour stimuler les contributions collectives). Elle devrait aussi s'assurer que les individus ont la capacité d'analyser le travail et de gérer leurs interactions de façon appropriée.

– Les entreprises de type prospecteur et de type analyste se servent de divers moyens pour stimuler le risque et l'innovation. Par exemple, certaines octroient des budgets, à la suite d'un concours, aux chercheurs qui présentent les projets innovateurs les plus prometteurs. D'autres laissent simplement la liberté à leurs chercheurs de travailler à des projets personnels durant une proportion de leur temps. D'autres enfin décentralisent la fonction recherche et développement dans les unités de production.

Une entreprise qui veut modifier son système d'organisation du travail pour appuyer des changements stratégiques peut même avoir à intervenir au préalable sur d'autres systèmes de gestion. À titre d'exemple, la compagnie d'autobus Prévost a commencé par agir sur les relations du travail (en établissant un climat de confiance plus grand) et sur le nombre de classes d'emploi (en réduisant leur nombre), avant de modifier l'organisation du travail dans le sens, entre autres, d'une polyvalence accrue.

Le maintien et le changement du système d'organisation du travail ne sauraient se faire sans considérer la culture dominante et les sous-cultures de l'organisation[15]. Par culture, nous entendons un ensemble de postulats, de valeurs, de croyances et de significations partagés qui contribuent à caractériser un système social et à en assurer la cohésion.

Un changement profond de l'organisation du travail est difficile si le nouvel aménagement ne s'harmonise pas aux postulats, aux valeurs et aux croyances dominants. Par exemple, comment peut-on implanter un système dans lequel les employés jouissent d'autonomie si les cadres pensent que ces derniers sont paresseux et improductifs sans une étroite surveillance (postulat), s'ils valorisent l'autorité et le pouvoir (valeur) et s'ils pensent qu'une organisation idéale doit adopter une structure pyramidale (croyance)?

Conscients de l'indispensable complémentarité entre le système d'organisation du travail et les composantes culturelles de l'organisation, certains conseillers qui implantent des cercles de qualité et une approche de qualité totale interviennent en premier lieu sur la culture.

---

15. Au cours de la décennie 80, la culture organisationnelle a suscité de nombreux écrits, qui portent notamment sur les thèmes suivants: définition et mesure de la culture organisationnelle, approches méthodologiques à l'étude de la culture organisationnelle, gestion de la culture organisationnelle, effets de cette dernière et limites du concept de culture organisationnelle. À titre d'exemples, les volumes des auteurs suivants traitent d'un ou de plusieurs de ces thèmes: Deal et Kennedy (1982), Frost *et al.* (1985), Schein (1985) et Symons (1988). Certains auteurs, tel Aktouf (1990), critiquent cependant le concept de culture organisationnelle (en tant que système de valeurs et de significations partagées dans l'ensemble de l'organisation) et la perspective behavioriste adoptée implicitement par ceux qui proposent de gérer la culture de l'organisation.

Les dirigeants qui réussissent à changer radicalement leur organisation savent soutenir la nouvelle orientation qu'ils donnent par des actions sur la culture. Dans son ouvrage intitulé *Renversons la pyramide*, dans lequel il décrit comment il a redressé trois entreprises en leur donnant une stratégie de gestion et en décentralisant certains pouvoirs, Carlzon (1986) insiste sur les postulats et les valeurs qui ont guidé son action. Lorsqu'il a assumé la direction de Dana Corporation, René McPherson ne se contenta pas de modifier la structure; il s'efforça aussi d'agir sur la culture. C'est ce que montrent les changements suivants, mentionnés par Peters et Waterman (1982).

–   McPherson remplace l'épais cahier de règlements par une courte déclaration de principes. Il réduit l'état-major (de 400 à 150 personnes) et le nombre de niveaux hiérarchiques (de 11 à 5). Il accorde aux directeurs d'usine l'autonomie nécessaire à la réalisation des missions de leur unité administrative et les encourage à expérimenter des techniques de gestion. Il ouvre les communications; à titre d'exemple, la direction transmet de nombreux renseignements sur le fonctionnement et la situation financière de la compagnie. Il encourage la participation des employés de la base.

–   Il valorise les communications et la formation. Il reconnaît que l'expert est, la plupart du temps, celui qui effectue le travail. Il pense que les personnes les plus importantes sont celles qui fournissent un service ou fabriquent un produit (en d'autres termes, celles qui ajoutent de la valeur), et non celles qui administrent.

La poursuite d'objectifs d'innovation est davantage compatible avec des valeurs telles que le risque, l'ouverture aux idées nouvelles et la tolérance de l'erreur. Le contrôle des coûts s'harmonise bien avec le respect des règles, la conformité et le souci pour les résultats immédiats. Quant aux objectifs de qualité, ils sont compatibles avec des valeurs telles que le travail bien fait et le respect de l'employé et du client.

Enfin, le système d'organisation du travail doit être harmonisé aux individus. Par exemple, la décentralisation administrative et l'enrichissement des postes à la base de l'organisation modifient les exigences auxquelles doivent satisfaire les personnes qui les occupent. Ce type de changement a aussi pour conséquences la réduction du nombre de postes de cadres et la modification de leurs rôles. Pour prévenir les jeux de pouvoir visant à faire échouer le projet et pour faciliter l'exercice des nouveaux rôles, il importe de traiter équitablement les personnes concernées, d'expliquer clairement les raisons d'être et les modes d'implantation du changement, et d'assurer la formation nécessaire à l'exercice des nouveaux rôles.

DES EXEMPLES DE LA DOUBLE HARMONISATION

En résumé, il est essentiel que les dirigeants d'une organisation effectuent certaines tâches s'ils veulent que les composantes internes de cette dernière soient harmonisées et qu'il y ait une congruence avec l'environnement. Ces tâches sont les suivantes : avant d'aménager les composantes internes, les dirigeants ont intérêt à comprendre les contraintes et les possibilités que présente l'environnement, puis à définir, à la lumière de cette information, ce que l'organisation doit faire et les objectifs qu'elle doit viser, tout en veillant à ce que l'aménagement qui en résulte ait le niveau de flexibilité requis. En matière d'organisation du travail, il importe d'assurer une congruence entre les intrants, le processus de transformation et les extrants, en veillant à obtenir une rétro-information qui permet les réajustements. Les deux exemples suivants peuvent aider à mieux comprendre l'ensemble de ces principes.

L'hôpital Shouldice[16] est un centre hospitalier privé (situé à Toronto) qui se spécialise dans l'opération d'hernies. Il se caractérise par le moins grand nombre d'erreurs opératoires et par le temps beaucoup plus court que prennent les patients pour récupérer. Ces caractéristiques permettent d'attirer des personnes qui recherchent ce type d'avantage (professionnels et cadres devant reprendre le travail très vite, opérés ayant eu des complications dans d'autres hôpitaux, etc.); une proportion des patients vient de très loin, même si la publicité ne se fait que par le bouche à oreille. Les résultats mentionnés sont obtenus en raison de la spécialisation dans un type d'opérations et de l'application d'une méthode éprouvée qui consiste en l'anesthésie locale, l'utilisation de techniques particulières d'opération et la reprise rapide d'activités physiques après l'opération. Cette méthode permet d'avoir un faible degré d'incertitude. L'incertitude est aussi contrôlée par la gestion des entrées. L'inscription se fait à l'avance et les personnes obèses ne sont opérées que si elles ont atteint le poids qui leur a été prescrit; une personne inscrite qui vient se faire opérer avec un excédent de poids est refusée et doit payer une partie des honoraires. Cette inscription, qui est garantie par un dépôt, permet de planifier les entrées et les sorties qui sont à jour fixe deux fois la semaine. On peut ainsi avoir un nombre régulier de patients et planifier le travail. La polyvalence dans certaines catégories d'emploi permet de faire face à des aléas

---

16. Cette description s'inspire des sources suivantes : une conférence prononcée à l'UQAM par le professeur Farmer de l'Université Western, un cas élaboré à l'Université Harvard par le professeur Heskett (1983) et un patient de l'hôpital Shouldice.

tels que les absences, et contribue elle aussi à réduire l'incertitude. Enfin, le nombre infime de complications et la réadaptation rapide permettent de conserver un faible ratio d'infirmières auprès des patients. Pour assurer la loyauté du personnel et compenser le degré réduit de stimulation que présentent les tâches, l'hôpital Shouldice se sert de divers moyens. Par exemple, la rémunération y est plus élevée et il y a possibilité de participer aux bénéfices.

Le second exemple diffère beaucoup du premier, en ce sens que l'organisation doit s'adapter à l'incertitude en mettant sur pied des mécanismes appropriés. Il s'agit d'un centre de transition pour personnes en état de crise psychologique. Dans le but de désengorger les urgences des centres hospitaliers, le gouvernement du Québec a créé, il y a quelques années, des centres de transition pour personnes qui sont, en raison de problèmes psychologiques, dans un état les empêchant de retourner immédiatement dans leur milieu, tout en ne nécessitant pas (ou plus) une hospitalisation. La mission de ces centres consiste donc à aider ces personnes à reprendre le plus tôt possible leurs activités habituelles, et non pas à entreprendre une thérapie de durée indéterminée. Pour réaliser cette mission, le centre dont il est question ici (Tremblay, 1988) a choisi de créer un milieu ressemblant le plus possible à un environnement naturel et de faciliter l'accès à des personnes-ressources à n'importe quelle heure du jour ou de la nuit. Ainsi, il favorise la participation des clients (selon leurs possibilités) dans les tâches de la vie quotidienne, tels les repas, et opte pour un modèle transdisciplinaire d'organisation du travail (inspiré de la psycho-éducation) basé sur la polyvalence du personnel, et non sur un mode de distribution spécialisée de soins professionnels. Le modèle choisi permet aux clients de toujours avoir accès à un intervenant (y compris lors de l'entrée et durant la nuit) et facilite l'établissement de liens avec plus d'une personne. Chaque membre du personnel a d'ailleurs une responsabilité d'intervention vis-à-vis de chaque client. Basé sur un contrôle par ajustement mutuel et uniformisation des compétences, ce modèle exige des réunions d'équipe pour effectuer la coordination des interventions et la gestion du centre, et des activités de formation pour assurer un niveau approprié de compétence chez tout le personnel. Malgré la somme considérable d'énergies que ce centre a consacrées à ces activités et certains problèmes d'adaptation qu'il a fallu résoudre, des évaluations indépendantes (effectuant une comparaison avec des centres ayant opté pour un mode spécialisé d'organisation du travail) révèlent des résultats très intéressants quant au nombre de personnes admises, à la durée des séjours et aux récidives.

5.4.2 Un changement stratégique : la gestion par la qualité totale

Pour accroître leur compétitivité, réduire leurs coûts de fonctionnement, satisfaire à des normes de qualité ou simplement mieux faire ce qu'elles font, de nombreuses entreprises ont modifié leur système d'organisation du travail au cours des dernières années. Un des changements importants s'inspire de la gestion par la qualité totale. Après avoir fourni des précisions sur cette approche, nous traiterons d'une technique particulière, soit celle des cercles de qualité.

La gestion par la qualité totale

Inspirée des écrits sur le management japonais (Ouchi, 1982) et des entreprises qui réussissent (Peters et Waterman, 1982), la gestion par la qualité totale regroupe des travaux de nature variée. Certains ont trait à la distribution du pouvoir et, en conséquence, aux rôles exercés par les différents acteurs de l'organisation. Des titres aussi évocateurs que *Renversons la pyramide* (Carlzon, 1986) et *L'entreprise polycellulaire* (Landier, 1987) se classent dans ce type d'apport. D'autres travaux, notamment ceux d'Archier et Sérieyx (1984, 1986), proposent une vision globale de l'entreprise et des mécanismes pour améliorer la qualité, à la fois sur les plans stratégique, structurel et opérationnel. D'autres portent précisément sur la gestion par la qualité totale (Perigord, 1982 ; Stora et Montaigne, 1986) ; selon leur formation et leurs intérêts, les auteurs insistent cependant sur des points différents. Enfin, certains travaux ont pour objet des aspects précis de la gestion de la qualité (par exemple, techniques de la gestion des opérations pour accroître la qualité) ou des mécanismes particuliers (par exemple, les cercles de qualité).

Malgré la diversité des apports sur lesquels elle s'appuie, cette approche comporte des caractéristiques communes, que le tableau 5.13 aide à comprendre. Le texte qui suit apporte des précisions sur ces caractéristiques, en montrant comment elles sont interreliées.

L'approche par la qualité totale se base sur la poursuite d'objectifs stratégiques ayant trait à la qualité des produits et des services, et à la satisfaction des clients. En conséquence, elle exige la contribution et la collaboration des différents niveaux hiérarchiques de l'organisation, et leur mobilisation en regard d'objectifs communs. Ces objectifs peuvent être du type zéro panne, zéro délai, zéro défaut, zéro stock et zéro papier. À la compagnie Motorola, les objectifs de qualité ont pris la forme de sigmas définissant la marge d'erreur tolérée. Certains auteurs insistent sur l'importance d'inclure les objectifs ayant trait à la qualité du système social de l'organisation.

La mobilisation prend racine dans un projet d'entreprise qui s'articule autour de valeurs partagées, dont l'élaboration requiert la participation des différents acteurs de l'organisation. La forme et l'étendue de la participation varient cependant selon les organisations.

En ce qui concerne les gestionnaires, diverses techniques peuvent être utilisées pour assurer leur adhésion constante aux objectifs de qualité. Les principales sont les visites d'entreprises, le maillage et les cercles de pilotage, qui servent à élargir le cadre de référence, à alimenter la réflexion et à trouver de nouvelles solutions.

En raison de leurs tâches et de l'information qu'elles possèdent, les personnes de la base (celles qui sont en contact avec les clients et les fournisseurs, et celles qui fabriquent les produits ou rendent les services) sont des acteurs très importants. L'entreprise qui gère par la qualité totale se doit de leur accorder l'autorité et les modes d'expression qui permettent de stimuler et de concrétiser leur engagement constant à l'égard des objectifs poursuivis.

Ainsi, les employés de la base ont des responsabilités en matière d'analyse, d'amélioration et de gestion des processus de production. Une formation leur est accordée pour qu'ils puissent mieux assumer ces responsabilités. Par exemple, on enseigne l'utilisation de techniques telles que le diagramme de causes–effet, les diagrammes de déroulement, le diagramme de Pareto et les cartes de contrôle.

Un des moyens utilisés pour favoriser cet engagement est l'implantation de cercles de qualité. Dans certaines entreprises, le changement peut être plus radical ; on en arrive alors plus vite à une décentralisation qui accorde des pouvoirs de décision à la base, et à la réduction du nombre de niveaux hiérarchiques.

LES CERCLES DE QUALITÉ

L'implantation de cercles de qualité[17] peut donc constituer une composante importante d'une gestion par la qualité totale. Un cercle de qualité

---

17. Les auteurs suivants, entre autres, fournissent des précisions sur les cercles de qualité : Ingle (1982), Raveleau (1983), Robson (1982) et Turcotte et Bergeron (1984).

est une équipe de tâche constituée d'employés volontaires et de leur supérieur hiérarchique immédiat (en règle générale, de 6 à 12 personnes), normalement formés à l'analyse et à la résolution de problèmes de leur unité de travail. Cette équipe a un rôle consultatif et se réunit régulièrement durant les heures de travail.

Implantés au Japon vers 1960 pour améliorer la qualité des produits, les cercles de qualité ont connu un essor considérable dans le monde occidental au cours des années 80. Lawler rapporte les résultats d'un sondage de la Bourse de New York, selon lequel 44 % des compagnies ayant plus de 500 employés avaient recours aux cercles de qualité en 1982 (75 % d'entre eux ayant été implantés après 1980). Les cercles de qualité se sont d'ailleurs répandus dans des secteurs autres que la production de biens et ont vu leurs mandats s'élargir; la réduction des coûts de production et l'amélioration de la qualité de vie au travail sont certains des autres aspects considérés. Les nouveaux noms pour désigner ce type de structure, tels les cercles de progrès, témoignent d'ailleurs de cette évolution.

En raison de leur rôle consultatif, les cercles de qualité constituent une structure parallèle et relèvent d'une conception dualiste de l'organisation, en vertu de laquelle il y a une division entre la pensée et l'action (Goldstein, 1985). Plus sécurisants pour la hiérarchie que les groupes semi-autonomes qui changent la distribution du pouvoir de façon plus radicale, ils n'en exigent pas moins une ouverture à l'égard des suggestions émises par les employés (capacité d'écouter, de stimuler et d'examiner honnêtement ces dernières). Cette ouverture constitue souvent un changement dans le style de gestion qu'il est difficile de réaliser sans l'appui de la direction. Comme le relève Fabi (1991) à la suite de sa recension des écrits sur les cercles de qualité, cet appui est essentiel au succès de cette technique.

La phase de préparation

L'engagement de la direction se manifeste, premièrement, par la façon dont la mise sur pied des cercles de qualité est préparée. Cette préparation comprend une planification de l'implantation et une sensibilisation des acteurs.

Une fois réalisée l'étude de faisabilité, il est utile de planifier l'implantation en effectuant, entre autres, les tâches suivantes: prévoir les budgets, définir une stratégie de dissémination (ce qui requiert de définir le nombre de cercles que l'on est prêt à soutenir au départ) et préciser les mécanismes à mettre sur pied pour préparer le terrain, coordonner les cercles de qualité et assurer la formation de leurs membres.

En raison des nouveaux droits conférés aux employés de la base, il est nécessaire de sensibiliser les cadres aux raisons d'être et aux bénéfices possibles de ce changement. Des groupes de réflexion et des rencontres avec d'autres organisations peuvent aider à agir sur les croyances et les valeurs des cadres. La phase de sensibilisation exige aussi une action auprès des employés pour susciter leur participation aux cercles de qualité. Les objectifs et les techniques utilisées peuvent être les mêmes que pour les cadres. S'il y a des syndicats, il importe d'obtenir leur collaboration.

La phase de lancement

La technique des cercles de qualité exige la mise en place de mécanismes visant à assurer leur coordination et leur fonctionnement. Le texte qui suit fournit des précisions sur ces mécanismes.

La technique des cercles de qualité prévoit le recours à un coordonnateur (*facilitator*) dont les rôles sont de faire démarrer les équipes, de former et de conseiller les animateurs, d'aider au bon fonctionnement des cercles en assistant à leurs réunions, de coordonner les ressources spécialisées qu'exigent certains projets, d'évaluer le rendement des cercles et de participer au comité directeur. La sélection de cette personne (ou de ces personnes, si le nombre de cercles le justifie) s'avère donc une tâche importante.

Le comité directeur a pour rôles d'établir la stratégie de développement des cercles, les politiques de fonctionnement, les éléments de formation à offrir et la structure d'approbation des projets. Le nombre de ses membres varie selon la taille de l'organisation; si les employés sont syndiqués, il faut prévoir la présence d'un représentant syndical. Mohrman et Ledford (1985) rapportent des expériences qui permettent de conclure que les modes d'intégration horizontale et verticale des cercles de qualité sont un facteur très important.

Le travail du cercle de qualité est coordonné par un animateur dont les rôles sont de contribuer à la formation des membres, de faire le lien entre le cercle et la hiérarchie, d'animer les réunions et de voir au suivi des projets. C'est très souvent le supérieur hiérarchique immédiat des membres du cercle qui assume ces rôles, ce qui représente à la fois un atout et un problème. Ainsi, le fait d'être immédiatement concerné par les discussions du cercle peut inciter à l'engagement, et le fait d'avoir un rôle officiel dans l'organisation peut aider à assurer les relations extérieures. Par contre, l'exercice du rôle d'animateur risque de causer des problèmes. C'est d'ailleurs ce qu'ont constaté certains chercheurs en mentionnant le temps de discussion retenu par le supérieur hiérarchique et son désir d'imposer plus ou moins subtilement ses idées. Il importe donc de veiller à ce que le supérieur hiérarchique qui anime les cercles de qualité soit apte et motivé à assumer cette responsabilité.

Le démarrage des cercles de qualité ne saurait se faire sans accorder une formation appropriée qui couvre surtout les aspects suivants : techniques d'animation de réunions, de prise de décision en groupe, de résolution de conflits et d'analyse des problèmes de production. Une partie de la formation vise donc à faciliter le fonctionnement du groupe. Wayne *et al.* (1986), entre autres, ont d'ailleurs constaté que la cohésion des membres du groupe et leurs normes de qualité influent sur les résultats du cercle. Le cercle risque cependant d'échouer si ses membres n'ont pas les instruments nécessaires pour effectuer leur tâche qui consiste à analyser les problèmes de production. Une partie de la formation vise donc à développer des habiletés en cette matière.

Enfin, il faut s'assurer que les horaires du personnel permettent les rencontres, que le travail ne soit pas perturbé et qu'il y ait des locaux disponibles. Meyer et Scott (1985), entre autres, rapportent des problèmes relevant de ces facteurs.

L'évolution des cercles de qualité

Il importe aussi d'apporter des solutions adéquates aux problèmes qui risquent de se présenter au cours de l'évolution des cercles de qualité. Ces problèmes ont principalement trait aux aspects suivants.

Le premier est le dépassement du mandat. Celui qui est confié aux membres d'un cercle de qualité est de résoudre les problèmes ayant trait à leur unité de travail. Il n'est cependant pas assuré que les problèmes à traiter se délimitent aussi clairement. Il est alors possible qu'une mauvaise réaction des cadres hiérarchiques à un dépassement légitime de mandat engendre à son tour des problèmes, telle la baisse de motivation. Divers chercheurs, dont Goldstein (1985), traitent de cet aspect.

Le deuxième problème a trait au déclin possible des cercles. Dans le but d'assurer que les employés se montrent motivés et aptes à la créativité, les cercles de qualité se basent sur leur participation volontaire. Cette façon d'agir pose le problème de la représentativité des personnes qui se portent volontaires, et de leur capacité d'effectuer le travail demandé. Goldstein (1985) mentionne aussi que les groupes à participation libre et à objectif d'innovation ont un cycle de vie limité et qu'ils risquent de s'enfermer dans le *groupthink* (Janis et Mann, 1977). Ces facteurs contribuent à expliquer que le nombre de réunions et la qualité des apports de certains cercles baissent après une ou deux années. La direction a le choix d'accepter le déclin comme un phénomène normal (le cercle ayant accompli ce qu'il devait faire), d'essayer d'éviter ce problème (par exemple, en suscitant la participation de nouveaux membres) ou d'apporter des transformations plus profondes et permanentes, soit la mise sur pied de groupes semi-autonomes.

Troisièmement, l'évolution des cercles de qualité pose le problème des relations entre les cercles de qualité et leur environnement. Après avoir consolidé leur fonctionnement, les cercles de qualité doivent se tourner vers l'extérieur et s'intégrer à l'ensemble de l'organisation. Brossard (1987, 1990) s'est intéressé à cet aspect, en analysant les moyens utilisés par les membres pour gérer leurs relations avec les non-membres. Sa recherche permet de mettre en lumière les aspects suivants :

– les membres ont intérêt à éviter que ne se développe de la méfiance à leur égard; inviter des non-membres à leurs réunions, dès la fin de la première année, constitue un moyen pour arriver à cette fin;

– l'efficacité du cercle peut dépendre de sa capacité à aller chercher la collaboration des non-membres, entre autres en leur donnant une formation au processus de résolution de problèmes et en les associant à des démarches de changement.

Enfin, l'évolution des cercles de qualité pose le problème des actions à entreprendre pour permettre aux cadres de cheminer, et ainsi éviter que ne se creuse un fossé avec le personnel de la base. Certains auteurs suggèrent de mettre en place des groupes de réflexion, ou cercles de pilotage (Archier et Sérieyx, 1984), destinés aux cadres.

Les cercles de qualité et les récompenses

Un autre aspect à considérer est celui des récompenses à accorder aux idées retenues. Deux raisons incitent à porter attention à cet aspect: la stimulation des idées et l'équité.

Certains auteurs soutiennent que le simple fait de participer et de faire adopter des idées constitue une récompense, et permet notamment d'accroître la satisfaction au travail et la perception de son influence. D'autres estiment que les félicitations et la reconnaissance officielle suffisent; c'est d'ailleurs une pratique répandue. D'autres enfin croient que les récompenses financières sont un stimulant indispensable.

Une seconde raison de considérer les récompenses est l'équité. Le problème posé est celui du partage des économies, substantielles dans certains cas, que peuvent procurer les cercles de qualité. Bocker et Overgaard (1982) mentionnent les exemples d'un cercle qui a permis à une entreprise de réaliser des économies de 636 000 $ par année, et un autre des économies de 150 000 $. Est-ce que les actionnaires doivent être les seuls à en profiter? S'il y a une remise aux employés, sous quelle forme se fait-elle? En argent ou par une garantie d'emploi, comme c'est le cas dans les grandes entreprises japonaises? Si c'est en argent, quel est le pourcentage que l'on remet et à qui? La solution financière la plus conforme aux valeurs de partenariat qui sous-tend l'approche par la qualité totale est certes le partage des profits et le réinvestissement dans les conditions de travail du personnel, tel l'aménagement des lieux. Nous émettons aussi l'hypothèse suivante: dans les organisations où il n'existe pas d'engagement réciproque entre la direction et les employés et où le climat de travail est teinté d'une certaine méfiance, il vaut mieux envisager une formule de partage des économies ou des profits.

5.4.3 *LE CHANGEMENT DE L'ORGANISATION DU TRAVAIL*

La mondialisation de l'économie et le rythme rapide des changements technologiques ont provoqué un double phénomène au cours des années 80. Premièrement, plusieurs entreprises, qui ont vu leur harmonisation avec l'environnement se rompre, ont dû se réajuster en mettant mieux à profit leur potentiel, ou en se réorientant. Deuxièmement, le rythme d'évolution de l'environnement et son instabilité (qui rend les prédictions plus difficiles) ont créé des pressions sur les organisations pour qu'elles deviennent plus flexibles. Ce n'est donc pas par hasard que plusieurs entreprises ont apporté des changements profonds à leur organisation du travail (Macy *et al.*, 1989), entre autres en optant pour une gestion par la qualité totale.

Les organisations qui veulent apporter des modifications viables et pertinentes ont intérêt à adopter une démarche de changement qui permet de mobiliser les personnes, de bien identifier les problèmes et les solutions à apporter et d'adopter les actions visant à appuyer le changement. Le texte qui suit donne des précisions sur ces deux composantes de la démarche, qui ont pour but d'agir sur la motivation et la capacité des acteurs.

Si le changement apporté vise un plus grand engagement des individus au travail et une participation accrue, il est probable que l'on se heurte alors à une philosophie de gestion qu'il faudra modifier. Nightingale et Toulouse (1977) ont d'ailleurs remarqué que, dans les organisations dont les dirigeants privilégient la théorie X, la hiérarchie insiste sur le respect des règles, privilégie le contrôle par supervision, et laisse aux travailleurs peu de possibilités de participer aux décisions. Quelques auteurs suggèrent des moyens pour changer cette philosophie, qui peuvent s'avérer complémentaires :

– Archier et Sérieyx (1984) suggèrent la visite d'autres entreprises pour élargir le cadre de référence et la création de liens prenant la forme d'un maillage ;

– Emery (1976) suggère la méthode des comités composés de représentants de plusieurs niveaux hiérarchiques, travaillant à penser l'organisation. La compagnie General Motors, par exemple, s'est servi de ce mécanisme au cours des années 80 dans le cadre du projet Saturne (Messine, 1987) ; Soldberg (1985) résume l'approche alors utilisée.

Pour mobiliser les ressources humaines face au changement, il importe à notre avis d'accorder une grande attention aux communications. En plus d'aider à orienter le changement en fournissant de l'information sur les positions et les aspirations des parties, les communications contribuent à établir le climat de confiance nécessaire à l'acceptation du changement. Des communications inadéquates peuvent d'ailleurs faire échouer les négociations avec les syndicats. Enfin, les ajustements à apporter au changement envisagé sont impossibles sans une rétro-information appropriée.

Sur le plan de l'analyse du travail, il importe de considérer l'ensemble du système d'organisation du travail et ses liens avec les autres composantes de l'organisation : individus, stratégie et mission (ou tâche première). La démarche d'analyse sociotechnique, décrite par Boisvert (1980), Emery (1976) et Paquin (1986), va dans ce sens. Les grandes étapes de cette démarche et de celle proposée par Griffin (1982) sont mentionnées au tableau 5.14.

L'implantation d'un changement profond peut causer des départs de personnel : mise à la retraite ou congédiement de personnes dont les

TABLEAU 5.14 LES DÉMARCHES D'ANALYSE DE L'ORGANISATION DU TRAVAIL

Démarche de Griffin	Démarche sociotechnique
– Reconnaissance du besoin de changement – Examen de la pertinence du changement – Examen général du système en place – Analyse des emplois actuels – Analyse de la main-d'œuvre en place – Analyse du système technique – Analyse de la supervision – Analyse des groupes de travail – Analyse de la structure de l'organisation – Identification et évaluation des possibilités de réaménager le travail	– Acquisition d'une vue d'ensemble de l'organisation – Identification de la tâche première et des étapes de transformation – Élaboration d'une matrice des variances (une variance étant définie comme un écart par rapport à un état jugé souhaitable), plus particulièrement des variances clés provenant des processus de transformation et de leurs interrelations – Analyse du système social – Évaluation des relations avec d'autres systèmes (à l'exclusion des activités en amont ou en aval qui sont traitées ailleurs) – Analyse des fournisseurs (en amont) et des clients (en aval) – Analyse de l'environnement du système à l'étude – Proposition d'un nouvel aménagement et d'un plan de changement

connaissances ou les valeurs sont devenues désuètes ou inappropriées, départ volontaire de personnes qui ne veulent pas œuvrer dans le nouveau contexte et licenciement de personnes en raison d'une baisse de la demande de travail (par exemple, une décentralisation crée un surplus de cadres intermédiaires). La façon dont la direction se comporte alors peut avoir des effets sur le changement; ainsi, elle a intérêt à se montrer équitable à l'égard du personnel dont la carrière est menacée.

L'implantation de changements exige aussi des actions appropriées en matière de formation. Des carences à ce chapitre peuvent causer un manque de motivation et de capacité à assumer les modifications souhaitées.

Enfin, le changement peut susciter des jeux politiques en raison de ses effets sur les rapports entre les acteurs de l'organisation. Ainsi, des coalitions peuvent faire échouer le changement souhaité. Il importe donc de considérer ces aspects, au moment du diagnostic et lors de l'implantation du changement. Tichy (1982), par exemple, traite des liens entre les aspects politiques et le changement.

5.5 LE PROCESSUS D'ANALYSE DE POSTES

Le système d'organisation du travail se concrétise dans des descriptions de postes, qui précisent à la fois ce que font les individus et les exigences auxquelles ils doivent satisfaire. Selon la nature du poste et le degré de formalisation des pratiques de gestion, ces descriptions sont plus ou moins développées. D'après une enquête rapportée par Thériault (1991), la plupart des organisations œuvrant au Canada ont à leur disposition ce type d'instrument de gestion.

En plus de faciliter la discussion des attentes et d'aider à clarifier les rôles, les descriptions de postes faites de façon appropriée peuvent soutenir diverses activités de gestion des ressources humaines. C'est ce que montre le tableau 5.15.

Le texte qui suit se divise en trois parties : la première a pour objet le contenu des descriptions de postes ; la deuxième porte sur la façon de les effectuer ; la troisième traite de la mise sur pied et de la gestion d'un système en cette matière.

5.5.1 LE CONTENU DES DESCRIPTIONS DE POSTES

Avant de traiter du contenu des descriptions de postes, quelques précisions terminologiques s'imposent. Ces précisions se rapportent aux composantes d'un poste de travail et à son insertion dans l'organisation.

DES PRÉCISIONS TERMINOLOGIQUES

Comme l'indique le tableau 5.16, chaque poste comporte des éléments qui s'emboîtent les uns les autres : d'une part, des activités, des tâches et des attributions ; d'autre part, des devoirs et des responsabilités. Le type d'éléments inclus dans la description du poste varie cependant selon la complexité du travail et le degré d'autonomie dont dispose la personne qui l'effectue. Ainsi, les postes de production sur une chaîne de montage appellent une description des activités, alors que des postes plus complexes, aux cycles de travail plus longs, appellent une description des tâches et des attributions. Pour les postes de professionnels, certaines organisations se limitent à mentionner les devoirs et les responsabilités, des précisions sur les tâches étant peu pertinentes en raison de la latitude dont disposent les individus.

Ces distinctions ont une double utilité sur le plan de la pratique professionnelle. Comme nous l'avons mentionné, il est possible que

TABLEAU 5.15 *L'UTILISATION DES DESCRIPTIONS DE POSTES EN GESTION DES RESSOURCES HUMAINES*

Activités	Utilisation
Planification	– Effectuer des prévisions de la demande de travail
	– Établir des cheminements de carrière
	– Élaborer des programmes d'accès à l'égalité en éliminant les barrières artificielles
Recrutement, sélection, accueil et gestion des mouvements de personnel	– Faciliter la publication d'annonces
	– Aider au choix des instruments de sélection
	– Faciliter l'élaboration d'un plan d'entrevue
	– Aider à clarifier les attentes
	– Aider à la gestion des carrières et des mouvements de personnel en facilitant des décisions relatives aux mutations, aux promotions, etc.
Formation	– Permettre d'identifier les besoins de formation
	– Faciliter l'élaboration des activités de formation
Évaluation du rendement	– Faciliter l'élaboration de normes de rendement
	– Aider à diagnostiquer les problèmes de rendement
	– Faciliter l'implantation et la révision d'un système d'évaluation des emplois
Rémunération	– Aider à déterminer la rémunération individuelle

l'organisation retienne des renseignements d'un niveau de précision différent selon la nature du travail effectué. Il importe alors que les descriptions de postes d'un même type d'emploi comportent des renseignements de niveau semblable; sinon, les incohérences rendent les comparaisons impossibles. Deuxièmement, il est possible que l'organisation souhaite obtenir des renseignements d'un niveau de précision différent selon l'utilisation qu'elle fait de la description du poste. Il est alors utile qu'elle dispose de plus d'une description pour un même poste. Par exemple, les descriptions de postes servant à la formation des caissières dans le système bancaire comptent plusieurs pages; l'infor-

TABLEAU 5.16 DES PRÉCISIONS TERMINOLOGIQUES

Les composantes du poste	Le poste dans l'organisation
Activité : – Plus petite parcelle en laquelle il est possible de diviser une tâche sans analyser les gestes et les déplacements – Se composent de gestes et de déplacements directement observables **Tâche :** – Regroupement d'activités exigeant un effort mental, physique ou psychomoteur, qui visent l'atteinte de buts précis – Il existe des tâches simples (immédiatement décomposables en activités) et des tâches mixtes (pouvant être divisées en tâches simples), de nature plus générale **Fonction ou attribution :** – Regroupement plus ou moins homogène de tâches **Devoir :** – Finalités, raisons d'être de l'emploi **Responsabilité :** – Regroupement plus ou moins homogène de devoirs	**Poste :** – Groupe plus ou moins homogène d'attributions et de responsabilités assumées par une personne – Il y a autant de postes que d'individus dans une organisation (à l'exception des postes à temps partagé) **Emploi :** – Groupe de postes comprenant l'exercice de tâches semblables et ayant des exigences similaires **Métier, profession :** – Groupe d'emplois similaires **Carrière :** – Séquence de postes (dont le niveau de complexité peut s'accroître) dans lesquels un individu s'engage au cours de sa vie active – Étapes que franchit un individu au cours de sa vie active

mation qu'elles contiennent permet d'identifier les besoins de formation reliés à chaque tâche. Les descriptions aux fins de sélection sont cependant beaucoup plus courtes.

Le tableau 5.16 indique aussi que le poste s'insère dans un ensemble plus vaste : l'emploi, le métier ou la profession, et la carrière. Les descriptions de postes peuvent être conçues pour aider à établir des cheminements de carrière. Elles contribuent ainsi à la gestion des carrières.

LA DESCRIPTION DE POSTES

Comme nous l'avons mentionné, la description d'un poste précise ce que fait son titulaire (ou ce qu'il doit faire), en fournissant de l'information sur les aspects suivants : les activités, les tâches, les fonctions, les devoirs et les responsabilités. Certaines descriptions, plus rares,

rapportent aussi les comportements que l'on attend de la part du titulaire.

La description de postes devrait comporter trois parties complémentaires. La première regroupe l'information permettant l'**identification du poste**: titre du poste et de la catégorie d'emploi dont il fait
partie, classification (code du poste, fourchette salariale, etc.), secteur
de l'organisation auquel il appartient et lieu de travail. La deuxième
partie consiste en un **sommaire du poste** qui fournit de l'information
sur le degré de supervision reçue et à exercer, et qui énumère les attributions ou les responsabilités. Ce sommaire permet d'avoir une vue
d'ensemble du poste et est utile lors du recrutement et de la sélection.
La troisième partie rapporte la **liste des tâches** (regroupées en attributions) ou des devoirs (regroupés en responsabilités).

Cette partie de la description de postes doit être rédigée dans un
langage neutre, concis et précis. Par exemple, il est recommandé de
commencer les phrases par des verbes d'action, à la forme active et au
temps présent. Selon la nature du travail, le regroupement des tâches
en attributions peut se baser sur des critères différents: la séquence des
opérations, le type d'appareil utilisé, les groupes ou les personnes avec
lesquels l'employé est en relation, ou les caractéristiques communes à
diverses tâches (par exemple, tâches de supervision et tâches de représentation).

LES SPÉCIFICATIONS DU POSTE

À la fois la description et les spécifications du poste sont le résultat
d'un processus d'analyse. Fondées sur des jugements, les spécifications
sont cependant plus subjectives. Elles comportent une information
basée sur des jugements. Certaines ont trait aux **caractéristiques du
poste** qui ont des effets sur la rémunération et les critères de sélection.
Mentionnons, par exemple, la complexité des instruments à utiliser et
la durée de la période de formation. D'autres ont trait aux **exigences
du poste** en matière de connaissances, d'aptitudes et d'autres caractéristiques professionnelles. D'autres enfin ont trait aux **conditions d'admissibilité**, tels le niveau de scolarité et l'étendue de l'expérience qui
sont requis pour que la candidature soit retenue lors d'un concours de
recrutement.

Les **caractéristiques du poste** qui méritent d'être relevées sont de
divers types. Certaines ont une incidence sur la formation (par exemple,
le type d'appareil utilisé). D'autres ont trait aux risques que la personne
encourt (par exemple, les dangers provenant des appareils ou de l'amé-

nagement des lieux). D'autres concernent la charge physique ou mentale que les individus doivent supporter (par exemple, l'attention sensorielle). D'autres enfin ont trait au caractère désagréable de l'environnement (par exemple, la température ou le degré d'humidité élevés).

Les **exigences du poste** se divisent en différentes catégories. Il n'y a cependant pas de système unique de classification. Aux fins de sélection, il est possible d'utiliser les catégories suivantes, qui s'inspirent de travaux en psychologie industrielle :

- les exigences intellectuelles (intelligence générale et aptitudes particulières : mémoire, analyse logique, perception des formes, etc.), dont l'importance varie selon la complexité et la nature particulière des tâches ;
- les exigences psychomotrices (coordination visuo-motrice, dextérité manuelle, temps de réaction, etc.), qui sont importantes dans les postes de manutention et dans ceux qui exigent la conduite d'un véhicule ;
- les exigences sensorielles (acuité visuelle, auditive, etc.), dont l'importance varie selon la sollicitation de certains sens (dégustateur, contrôleur de tableaux numériques, etc.) ;
- les exigences physiques (force statique et force dynamique, équilibre, etc.), qui ont de l'importance, par exemple, dans les postes exigeant le transport d'objets ;
- les exigences sur le plan de la personnalité (initiative, sociabilité, résistance au stress, etc.) ;
- les exigences sur le plan des intérêts (travail avec les individus ou avec les objets, travail à l'extérieur ou à l'intérieur, etc.) ;
- les connaissances et les habiletés particulières (par exemple, la connaissance d'un logiciel, la vitesse de frappe au clavier ou la connaissance d'une langue).

Comme nous l'avons mentionné, les spécifications du poste comportent un troisième type d'information, soit les **conditions d'admissibilité**. Il importe de formuler ces dernières avec prudence afin qu'aucune n'ait pour effet d'exclure des personnes par une caractéristique qui constitue un motif interdit de discrimination. Par exemple, il n'est pas permis d'exclure les femmes ou les hommes d'un emploi, ou de fixer une limite d'âge, sauf pour certains cas prévus par la loi. Il faut aussi éviter de formuler des critères d'admissibilité qui ont pour effet indirect d'exclure des groupes qui font l'objet de motifs interdits de discrimination, sans égard à la compétence des personnes. Cette

pratique peut elle aussi être jugée discriminatoire (discrimination systémique). Un exemple de pratique de cette nature serait d'exiger arbi-
trairement un nombre d'années d'expérience de travail qui aurait pour
effet d'exclure systématiquement certains groupes de personnes, telles
les femmes.

En raison du caractère subjectif et des aspects variables, selon les
finalités visées, des spécifications de postes, certaines organisations ne
fournissent pas d'informations sur les exigences du poste dans la description officielle de ce dernier. D'autres organisations ont cependant
une pratique différente à ce chapitre. La description et les spécifications
du poste devraient donc comporter les six parties qui ont été mentionnées, auxquelles peut s'en ajouter une autre, qui comprend de **l'information d'ordre administratif**: date à laquelle la description a été
effectuée (et, le cas échéant, révisée) et signature des personnes concernées (titulaire du poste, supérieur hiérarchique immédiat et analyste).
Enfin, il ne faut pas oublier que les spécifications des postes de travail
ont des liens avec d'autres décisions en matière de gestion des ressources
humaines. Par exemple, il s'avère utile qu'il y ait une compatibilité entre
les critères utilisés pour évaluer les emplois et ceux qui servent à sélectionner les individus.

5.5.2 LES MÉTHODES D'ANALYSE DE POSTES

Diverses techniques peuvent servir à l'analyse des postes, ce processus
qui sert à les décrire et à déterminer leurs spécifications. Selon la technique utilisée, les analyses peuvent être faites par des personnes différentes. Ainsi, certaines techniques exigent la participation d'un
analyste. D'autres font appel à la participation de l'employé. D'autres
enfin exigent le recours au supérieur hiérarchique immédiat ou à des
experts. À cette première distinction entre les techniques, il s'en ajoute
une autre. En raison de leurs caractéristiques particulières, chaque technique ne s'applique pas à toutes les catégories d'emplois ni dans toutes
les circonstances.

Les techniques qui exigent habituellement la contribution d'un analyste sont l'observation directe, le visionnement d'enregistrements
filmés et la participation au travail. Les deux premières techniques
s'appliquent essentiellement dans les emplois répétitifs à cycles de travail
courts.

Les techniques qui font appel à la contribution des titulaires de
l'emploi sont l'entrevue de groupe (qui est utile pour faire une première

ébauche et vérifier s'il y a des différences entre les postes de travail),
l'entrevue individuelle et l'entrevue pendant que la personne effectue
son travail. Cette dernière s'applique à des postes peu complexes et
comportant des tâches assez répétitives. En plus de l'entrevue, il est
possible d'utiliser des questionnaires de différents types. Dans un premier temps, il est préférable de se servir d'un questionnaire ouvert,
demandant aux personnes de décrire elles-mêmes ce qu'elles font. Cette
pratique s'applique bien auprès de personnes qui peuvent facilement
verbaliser ce qu'elles font. Elle risque cependant de fournir des renseignements vagues qui nécessitent un éclaircissement (par exemple, lors
d'une entrevue). Il est possible aussi d'utiliser des questionnaires fermés
ou comportant des réponses à cocher. Cette forme de questionnaire
exige une bonne connaissance préalable des postes de travail, et elle sert
souvent à vérifier le temps consacré aux diverses tâches (ou leur importance relative) et les variations à l'intérieur d'une même catégorie d'emplois. Enfin, le recours au titulaire du poste peut se faire en lui
demandant de remplir un agenda. Cette technique s'avère utile pour les
postes dont le contenu est varié, notamment les postes de cadres et de
certains professionnels.

Il se peut aussi que l'on ait recours au supérieur hiérarchique immédiat ou à des experts, par une entrevue, un questionnaire ou la technique des incidents critiques, laquelle consiste à identifier les
comportements qu'il faut adopter pour réussir et ceux qu'il faut éviter,
sous peine d'échec. La contribution de ces personnes, à l'aide des techniques mentionnées, a pour objectif d'obtenir une information complémentaire, de mieux structurer celle que les employés fournissent ou de
réaliser la description d'un nouveau poste.

Pour faciliter l'analyse du poste, il peut être utile d'identifier au
préalable, avec le supérieur hiérarchique par exemple, les attributions
du poste. On peut aussi procéder en identifiant les interfaces du poste
(clients, fournisseurs, etc.) dans un premier temps, et en précisant
ensuite les tâches effectuées en relation avec chaque interface. Ces deux
façons de faire visent à obtenir une vue d'ensemble de ce que l'individu
a à faire, et à éviter ainsi d'oublier certains aspects du poste.

Les techniques précédentes sont souvent appliquées sans cadre de
référence précis. Il existe cependant des méthodes basées sur une
démarche et un rationnel précis. Bemis *et al.* (1983) en font la recension. Certaines de ces méthodes, telle l'analyse fonctionnelle des
emplois, servent à décrire le poste et à préciser ses exigences. D'autres,
qui consistent à appliquer des questionnaires structurés préétablis, tel

le Position Analysis Questionnaire, servent principalement à définir les exigences de l'emploi. Les autres techniques décrites par Bemis et ses collaborateurs sont le Job Element Method, le Task Inventory / Comprehensive Occupational Data Analysis Program (TI / CODAP), le Health Services Mobility Study Method, le Guideline Oriented Job Analysis et le Versatile Job Analysis System (VERJAS).

L'analyse fonctionnelle des emplois a servi à élaborer le *Dictionary of Occupational Titles* aux États-Unis, dont s'est inspiré le gouvernement canadien pour constituer la *Classification canadienne descriptive des professions* (*CCDP*). Cette classification se fonde, entre autres, sur les postulats suivants : chaque emploi comporte des transactions avec des données, des personnes et des choses ; la relation avec ces trois aspects varie selon les emplois (une cote de 1 à 8 est attribuée selon la nature de la relation) ; enfin, chaque type de transaction appelle une contribution correspondante de l'individu en matière de ressources mentales (données), interpersonnelles (personnes) et physiques (choses). Le tome I du *CCDP* comporte, pour plus de 6 000 emplois répertoriés, un code composé de trois chiffres qui indique le niveau de complexité de l'emploi en rapport avec les données, les personnes et les choses. Le tome II du *CCDP* expose les exigences de chacun de ces emplois. Celles-ci ont trait à diverses aptitudes intellectuelles (aptitudes verbales et numériques, perception des formes, etc.) et se basent sur une cote à la Batterie générale de tests d'aptitudes (BGTA).

5.5.3 *LA MISE SUR PIED D'UN SYSTÈME D'ANALYSE DE POSTES*

La mise sur pied d'un système d'analyse de postes comporte diverses tâches. Il faut notamment décider de la nature de l'information recherchée, des personnes qui la recueilleront et des techniques qui seront utilisées. Il faut aussi s'assurer que l'information soit tenue à jour. Thériault (1991) suggère une base annuelle.

Certaines modifications à l'organisation du travail, tels les groupes semi-autonomes qui se basent sur la polyvalence, et la rapidité des changements font en sorte que les descriptions classiques de postes constituent un instrument plus ou moins approprié. Ces raisons ont incité des chercheurs à concevoir un système basé sur les compétences maîtrisées (Walton, 1977). Le choix d'un système et de techniques pour analyser et décrire les postes de travail requiert donc un diagnostic permettant d'identifier les besoins de l'organisation en cette matière.

5.6 CONCLUSION

Ce chapitre visait à fournir quatre types complémentaires de renseignements. Après avoir précisé la nature et les objectifs de l'organisation du travail, nous avons montré que divers choix peuvent être effectués en cette matière, en traitant de leurs effets et des facteurs qui les conditionnent. Nous avons ensuite proposé que ces choix soient faits selon une perspective de double harmonisation : congruence avec l'environnement et harmonisation avec les autres composantes de l'organisation. Enfin, nous avons traité du processus d'analyse des postes et des descriptions qui en résultent, lesquelles constituent un instrument de gestion pour concrétiser l'organisation du travail.

Comme le montre l'information rapportée dans ce chapitre, l'organisation du travail est au cœur de la gestion des ressources humaines en raison de son influence sur les individus et sur les diverses activités de gestion des ressources humaines. L'organisation du travail est aussi déterminée par divers facteurs, dont il importe de bien comprendre les effets. Le texte qui suit traite brièvement de ces deux thèmes.

L'organisation du travail influe sur le sens accordé au travail (par exemple, il constitue un simple instrument pour gagner sa vie ou a une valeur en soi), sur la vie personnelle des individus, sur leur santé physique et mentale, et sur leur bien-être psychologique. Selon la relation que l'organisation du travail établit entre les individus et le travail qu'ils effectuent (par exemple, prolongation des instruments de production ou ressource qui s'investit), il est plus ou moins possible de susciter leur motivation et leur mobilisation à l'atteinte d'objectifs organisationnels, et de mettre à profit leurs ressources. Les choix de l'entreprise en matière d'organisation du travail ont donc un double type d'effets sur les individus.

Ces choix ont aussi une influence sur diverses activités de gestion des ressources humaines. Par exemple, ils déterminent les critères de sélection, la mobilité du personnel et la nature des activités de formation. Il peut aussi s'avérer essentiel de compenser les carences du système d'organisation du travail sur le plan de la motivation par des incitations provenant d'autres sources, telle la rémunération.

L'ensemble de ces choix a des effets sur le rendement des individus et sur la performance de l'organisation. Rappelons notamment que les objectifs stratégiques peuvent être compromis par un aménagement inapproprié du travail.

À son tour, l'organisation du travail est conditionnée par divers facteurs, notamment par l'environnement dans lequel l'entreprise évolue, la nature des tâches qu'elle effectue et la philosophie de gestion de ses dirigeants. Ainsi, elle s'insère dans un système dont elle constitue une des composantes. Modifier l'une de ces composantes exige d'ajuster les autres en raison de l'harmonisation qui est rompue. Dans un contexte de compétition accrue qui force l'adoption de changements, il importe de bien comprendre la notion d'harmonisation si l'on veut que ces derniers soient appropriés et apportent les résultats escomptés.

QUESTIONS

1. *a*) En quoi consiste l'organisation du travail et quels sont ses objectifs?

   b) Une entreprise a-t-elle intérêt à aménager le travail pour qu'il permette d'atteindre des objectifs d'ordre social? Si oui, expliquez pourquoi.

2. En quoi le travail est-il susceptible d'influer sur les personnes qui l'effectuent? Après avoir mentionné ces effets, montrez comment ceux-ci peuvent varier selon les caractéristiques du poste de travail.

3. En donnant des exemples, montrez comment l'organisation du travail influe sur diverses activités de gestion des ressources humaines et comment ces dernières devraient, à leur tour, appuyer l'organisation du travail.

4. En donnant des exemples, montrez comment l'interdépendance et l'incertitude influent directement sur l'aménagement des structures et de la technologie, et indirectement sur les postes de travail.

5. En quoi les approches technique, humaniste (satisfaction des besoins) et sociotechnique à l'organisation du travail diffèrent-elles (postulats ayant trait à la nature humaine, façon de contrôler le travail, objet d'attention, caractéristiques des postes de travail, etc.)?

6. Comparez l'aménagement du travail dans les exemples A et B ci-dessous, en précisant les principes sur lesquels il se base.

Exemple A. Dans le bureau A, les secrétaires sont spécialisées dans certains types de travaux. Les personnes doivent soumettre leurs textes en respectant certains délais, et les manuscrits remis doivent satisfaire à certains critères de présentation, au risque d'être refusés. Ces manuscrits sont sélectionnés par le chef de secrétariat qui s'occupe aussi de surveiller les secrétaires, de redistribuer la charge lorsque certaines d'entre elles ont un surcroît de travail et de vérifier les produits finis. C'est donc lui qui assure les relations avec les personnes qui soumettent des textes. Enfin, le chef de secrétariat vérifie régulièrement la productivité des secrétaires en analysant l'information fournie par les ordinateurs sur les extrants de chaque personne.

Exemple B. Dans le bureau B, les secrétaires collaborent avec des personnes précises. Elles ont un travail polyvalent, et certaines ont à assumer des tâches, telles la rédaction de lettres, l'analyse de certains rapports et la recherche documentaire. Elles planifient leur travail conjointement avec les personnes auxquelles elles fournissent des services et elles sont responsables des extrants; elles participent aux analyses de productivité, et elles ont la responsabilité de fournir elles-mêmes des données facilitant ces dernières. Enfin, les secrétaires les plus expérimentées contribuent à la sélection et à la formation des recrues.

Remarque : Dans les bureaux A et B, il y a un nombre égal de secrétaires et les tâches à effectuer sont de même nature.

7. *a*) Sur les plans de la production et des effets exercés sur les individus, quels sont les critères à considérer lorsqu'on aménage des horaires de travail?

   b) Quels sont les effets et les principales caractéristiques des différentes formes d'horaires de travail (horaire variable, horaire décalé, horaire comprimé, travail posté, travail à temps partiel et travail partagé)?

8. En quoi l'ergonomie peut-elle contribuer à l'aménagement des conditions de travail? Justifiez votre réponse par des exemples.

9. L'aménagement du travail doit être fait selon un double critère d'harmonisation: congruence avec l'environnement et congruence avec les autres composantes de l'organisation (mis-

sion, stratégie, aspects culturels, autres systèmes de gestion et individus). Fournissez des précisions sur cette proposition en vous basant sur un ou plusieurs exemples.

10. Montrez comment la gestion par la qualité totale doit s'appuyer sur une gestion appropriée des ressources humaines.

11. Quels sont les aspects à considérer lorsqu'une organisation décide de changer l'aménagement du travail?

12. Que comportent les descriptions de postes? À quoi servent-elles?

13. Quels conseils donneriez-vous à une organisation qui veut analyser ses postes de travail?

BIBLIOGRAPHIE

ACOCA, V., BOULARD, R. et TESSIER, B.-M., «La semaine comprimée au Québec», *Travail Québec*, 11, 1975, p. 15-21.

AKTOUF, O., «Le symbolisme et la "culture d'entreprise" – Des abus conceptuels aux leçons du terrain», dans CHANLAT, J.F. (dir.), *L'individu dans l'organisation, les dimensions oubliées*, Québec, Presses de l'Université Laval, 1990, p. 553-558.

ALCIDE, E., «L'horaire de nuit et la santé des travailleurs», *Le Médecin du Québec*, 17, 1982, p. 127-133.

ALEXANDER, J.W. et RANDOLPH, W.A., «The fit between technology and structure as a predictor of performance in nursing subunits», *Academy of Management Journal*, 26, 1985, p. 844-859.

ALLAIRE, Y. et FIRSIROTU, M.E., «Comment créer des organisations performantes: l'art subtil des stratégies radicales», *Gestion, revue internationale de gestion*, 14, 1989, p. 47-60.

ALLAIRE, Y. et FIRSIROTU, M.E., «La dimension culturelle des organisations: conséquences pour la gestion et le changement des organisations complexes», dans TARRAB, G. (dir.), *La psychologie organisationnelle au Québec*, Montréal, Presses de l'Université de Montréal, 1983, p. 481-495.

ARCHIER, G. et SÉRIEYX, H., *Pilotes du 3ᵉ type*, Paris, Seuil, 1986.

ARCHIER, G. et SÉRIEYX, H., *L'entreprise du 3ᵉ type*, Paris, Seuil, 1984.

BARLEY, S.R., «Technology as an occasion for structuring: evidence from observations of the scanners and the social order of radiology departments», *Administrative Science Quarterly*, 31, 1986, p. 78-108.

BATEMAN, T.S. et STRASSER, S., «A longitudinal analysis of the antecedents of organizational commitment», *Academy of Management Journal*, 27, 1984, p. 95-112.

BECKER, H.S., «Notes on the concept of commitment», *Journal of Sociology*, 66, 1960, p. 32-42.

BEMIS, S.E., BELENKY, A.H. et SODER, D.A., *Job Analysis. An Effective Management Tool*, Washington (D.C.), Bureau of National Affairs, 1983.

BENABOU, C., « L'identification de l'individu à l'organisation », dans TARRAB, G. (dir.), *La psychologie organisationnelle au Québec*, Montréal, Presses de l'Université de Montréal, 1983, p. 285-302.

BERNIER, C., HOULE, B., LE BORGNE, D. et RÉMY, L., *Nouvelles technologies et caractéristiques du travail : bilan synthèse des connaissances*, recherche effectuée par l'IRAT, Montréal, Institut national de productivité, technologie et travail, 6, 1983.

BLAUNER, R., *Alienation and Freedom*, Chicago (Ill.), University of Chicago Press, 1961.

BOCKER, H.J. et OVERGAARD, H.O., « Japanese quality circles : a management response to the productivity problem », *Management International Review*, 22, 1982, p. 13-19.

BOISVERT, M., *L'approche socio-technique*, Montréal, Agence d'Arc, 1980.

BOISVERT, M. et al., *La qualité de vie au travail*, Montréal, Agence d'Arc, 1980.

BRASS, D.J., « Technology and the structuring of jobs : employee satisfaction, performance and influence », *Organizational Behavior and Human Decision Processes*, 35, 1985, p. 216-240.

BREAUGH, J.A., « The measurement of work autonomy », *Human Relations*, 38, 1985, p. 551-570.

BROSSARD, M., « La gestion des cercles de qualité », dans BLOUIN, R. (dir.), *Vingt-cinq ans de pratique en relations industrielles au Québec*, Cowansville (Québec), Éditions Yvon Blais, 1990, p. 763-774.

BROSSARD, M., « Pour un renouvellement de la problématique des cercles de qualité », dans LAROCQUE, A. et al. (dir.), *Technologies nouvelles et aspects psychologiques*, Québec, Presses de l'Université du Québec, 1987, p. 54-67.

BROSSARD, M. et SIMARD, M., *Groupes semi-autonomes de travail et dynamique du pouvoir ouvrier : l'évolution du cas Steinberg*, Québec, Presses de l'Université du Québec, 1990.

BUCHANAN, D.A., *The Development of Job Design Theories and Techniques*, New York, Praeger, 1979.

BURKE, R.J., « Occupational stress and job satisfaction », *The Journal of Social Psychology*, 100, 1976, p. 235-244.

BURKE, R.J., « Are Herzberg's motivators and hygienes unidimensional ? », *Journal of Applied Psychology*, 50, 1966, p. 317-321.

CARD, S.K., MORAN, T.P. et NEWELL, A.P., *The Psychology of Human Computer Interaction*, Hillsdale (N.J.), Erlbaum Ass., 1983.

CARLZON, J., *Renversons la pyramide. Pour une nouvelle répartition des rôles dans l'entreprise*, Paris, Inter-Éditions, 1986.

CHRISTOL, J., *Cadre général d'analyse d'une situation de travail*, document de travail, Toulouse, 1981.

COBB, S. et ROSE, R., « Hypertension, peptic ulcer and diabets in air traffic controllers », *Journal of American Medical Association*, 224, 1973, p. 489-492.

COMMISSION WALLACE, *Le travail à temps partiel au Canada. Rapport de la Commission d'enquête sur le travail à temps partiel*, Ottawa, Travail Canada, ministère des Approvisionnements et Services Canada, cat. n° L31-45/1983F, 1983.

COMSTOCK, D.E. et SCOTT, W.R., « Technology and the structure of sub-units : distinguishing industrial and workgroup effects », *Administrative Science Quarterly*, 22, 1977, p. 177-202.

COOPER, C.L. et MARSHALL, J., « Occupational sources of stress : a review of the litterature relating to coronary heart disease and mental healths », *Journal of Occupational Psychology*, 49, 1976, p. 11-28.

CÔTÉ, L.-H. et LEWIS, W., *L'horaire variable au Québec : rapport d'enquête*, Direction générale de la recherche, ministère du Travail et de la Main-d'œuvre, Québec, L'Éditeur officiel du Québec, 1976.

COTÉ-DESBIOLLES, L. et TURGEON, B., *Les attitudes des travailleurs québécois à l'égard de leur emploi*, Gouvernement du Québec, Centre de recherche et de statistiques sur le marché du travail, document n° 5, 1979.

CROZIER, M., *Le phénomène bureaucratique*, Paris, Seuil, 1963.

CUMMINGS, T.G., «Designing effective work groups», dans NYSTROM, P.C. et STARBUCK, W.H. (dir.), *Handbook of Organizational Design*, vol. 2, 2ᵉ éd., Londres, Oxford University Press, 1984, p. 60-84.

CUMMINGS, T.G. et GRIGGS, W.H., «Worker reactions to autonomous work groups: conditions for functioning, differential effects, and individual differences», *Organizational and Administrative Sciences*, 7, 1977, p. 87-100.

CUMMINGS, T.G. et MALLOY, E.S., *Improving Productivity and the Quality of Work Life*, New York, Praeger, 1977.

DALTON, R., TODOR, W.D., PEWDOLIWI, J.S., FIELDING, G.J. et PORTER, L.W., «Organizational structure and performance: a critical review», *Academy of Management Review*, 15, 1980, p. 49-64.

DAVIS, L.E. et CHERNS, A.B.(dir.), *The Quality of Working Life*, New York, Free Press, 1975.

DEAL, T.E. et KENNEDY, A.A., *Corporate Cultures: The Rites and Rituals of Corporate Life*, Reading (Mass.), Addison-Wesley, 1982.

DE MONTMOLLIN, M., *L'ergonomie*, Paris, La Découverte, 1986.

DION, G., *Dictionnaire canadien des relations du travail*, Québec, Presses de l'Université Laval, 1986.

DUNHAM, R.B. et PIERCE, J.J., «Attitudes toward work schedules: construct definition, instrument development, and variation», *Academy of Management Journal*, 29, 1986, p. 170-182.

DYER, L. et HOLDER, G.W., «A strategic perspective of human resource management», dans DYER, L. (dir.), *Human Resource Management Evolving Roles and Responsibilities*, ASPA-BNA Series, Washington (D.C.), Bureau of National Affairs, 1988, p. 1.1-1.46.

EARLY, P.C. et KANFER, R., «The influence of component participation and role models on goal acceptance, goal satisfaction and performance», *Organizational Behavior and Human Decision Processes*, 36, 1985, p. 378-390.

EHRENBERG, R.G., *Fringe Benefits and Overtime Behaviour Theoretical and Econometric Analysis*, Londres, Lexington Books, 1971.

EMERY, F.E., *Futures We Are In*, London, Martinus Nyhoff, 1976.

ENGELSTAD, P.H., «Sociotechnical approach to problems of process control», dans DAVIS, L.E. et TAYLOR, J. (dir.), *Design of Jobs*, Baltimore, Penguin Books, 1972, p. 184-205.

EREZ, J., EARLY, P.C. et HULIN, C.L., «The impact of participation on goal acceptance and performance: a two-step model», *Academy of Management Journal*, 28, 1985, p. 50-66.

EVAN, M., «Relationship between self-perceived personality traits and job attitudes in middle-management», *Journal of Applied Psychology*, 49, 1966, p. 424-430.

EXIGA, A., PIOTET, F. et SAINSAULIEU, R., *Fiches pratiques sur les conditions de travail, Fiche numéro 5: Travail posté, travail de nuit et sommeil*, Paris, documents de l'ANACT (Agence nationale pour l'amélioration des conditions de travail), coll. «Outils et méthodes», 1984.

FABI, B., «Les facteurs de contingence des cercles de qualité: leçons de l'expérience internationale», *Gestion, revue internationale de gestion*, 16, 1991, p. 50-58.

FAYOL, H., *Administration industrielle et générale*, Paris, Dunod, 1916.

FRANKENHAEUSER, M. et GARDELL, P., «Underload and overload in working life: outline of a multidisciplinary approach», *Journal of Human Stress*, 2, 1976, p. 35-45.

FRENCH, J.R.P. et CAPLAN, R.D., « Organizational stress and individual strain », dans MARRON, A.J. (dir.), *The Failure of Success*, New York, Amacom, 1973.

FREUDENBERGER, H.J., *L'épuisement professionnel: « la brûlure interne »*, traduit de l'anglais par M. Pelletier, Montréal, Gaëtan Morin Éditeur, 1987.

FROST, P.J., MOORE, L.F., REIS, M.R., LUNDBERG, C.C. ET MARTIN, J., *Organizational Culture*, Beverly Hills (Cal.), Sage Publications, 1985.

GALBRAITH, J., *Organization Design*, Reading (Mass.), Addison-Wesley, 1977.

GILLET, B., *La psychologie et l'ergonomie*, Paris, EAP, coll. « Psychologie et pédagogie du travail », 1987, p. 65-72.

GLADSTEIN, D., « Groups in context: a model of task group effectiveness », *Administrative Science Quarterly*, 29, 1984, p. 499-517.

GOLDSTEIN, S.G., « Organizational dualism and quality circles », *Academy of Management Review*, 10, 1985, p. 504-517.

GOODMAN, P.S., *Assessing Organizational Change: The Rushton Quality of Work Experiment*, New York, Wiley-Interscience, 1979.

GOODMAN, P.S., ATKIN, R.S. et al., *Absenteeism*, San Francisco (Cal.), Jossey-Bass, 1984.

GOODMAN, P.S., RAVLIN, E.C. et ARGOTE, L., « Current thinking about groups: setting the state for new ideas », dans GOODMAN, P.S. (dir.), *Designing Effective Work Groups*, San Francisco (Cal.), Jossey-Bass, 1986, p. 1-33.

GRANDJEAN, E., *Précis d'ergonomie*, Paris, Dunod, 1967.

GRIFFIN, R.W., *Task Design: An Integrative Approach*, Glenview (Ill.), Scott, Foresman, 1982.

GUÉLAUD, F., BEAUCHESNE, M.-N., GAUTRAT, J. et ROUSTANG, G., *Pour une analyse des conditions du travail ouvrier dans l'entreprise*, Paris, Armand Colin, 1975.

GUILLOTEAU, J.-F., « La situation des heures supplémentaires au Québec », *Le marché du travail*, 6, 1985, p. 70-80.

GULLICK, L. et URWICK, L. (dir.), *Paper on the Science of Administration*, New York, Columbia University, Institute of Public Administration, 1937.

HACKMAN, J.R., « Toward understanding the role of tasks in behavioral research », *Acta Psychologica*, 31, 1969, p. 97-128.

HACKMAN, J.R. et LAWLER, E.E. III, « Employee relations of job characteristics », *Journal of Applied Psychology Monograph*, 55, 1971, p. 259-286.

HACKMAN, J.R. et OLDHAM, G.R., *Work Redesign*, Reading (Mass.), Addison-Wesley, 1980.

HAGE, J. et AIKEN, M.A., « Routine technology, social structure and organization goals », *Administrative Science Quarterly*, 14, 1969, p. 366-376.

HALPERN, G., « Relative contributions of motivator and hygiene factors to overall job satisfaction », *Journal of Applied Psychology*, 50, 1966, p. 198-200.

HERZBERG, F., *Le travail et la nature de l'homme*, Paris, Entreprise moderne d'édition, 1971.

HERZBERG, F., « One more time: how do you motivate your employees? », *Harvard Business Review*, 46, 1968, p. 53-62.

HERZBERG, F., MAUSNER, B. et SNYDERMAN, B., *The Motivation to Work*, New York, Wiley, 1959.

HESKETT, J.L., *Shouldice Hospital Limited*, Boston, Harvard Business School, 9-683-068, revised 9-86, 1983.

INGLE, S., *Quality Circles Master Guide*, Englewood Cliffs (N.J.), Prentice-Hall, 1982.

IVANCEVICH, J.M. et MATTESON, M.T., *Stress and Work: A Managerial Perspective*, Glenview (Ill.), Scott, Foresman, 1980.

JACKSON, S.E., SCHAWB, R.L. et SCHULER, R.S., « Toward an understanding of the burnout phenomenon », *Journal of Applied Psychology*, 71, 1986, p. 630-640.

JANIS, I.L. et MANN, L., *Decision Making: A Psychological Analysis of Conflict, Choice and Commitment*, New York, Free Press, 1977.

JANS, N.A., «Organizational factors and work involvement», *Organizational Behavior and Human Decision Processes*, 35, 1985, p. 382-396.

JARDILLIER, P., *Les conditions de travail*, Paris, PUF, coll. «Que sais-je», 1979.

KAHN, R.L., WOLFE, D.M., QUINN, R.P., SNOECK, J.E. et ROSENTHAL, R.A., *Organizational Stress: Studies in Role Conflict and Ambiguity*, New York, Wiley, 1964.

KAMEL, N., MOHNEN, P. et ROY, P.-M., *Demande de travail et d'heures supplémentaires: étude empirique pour le Canada et le Québec*, document de travail, cahier 8726L, LABREV, Université du Québec à Montréal, 1987.

KAMEL, N. et ROY, P.-M., *Le phénomène du temps supplémentaire au Canada, au Québec et en Ontario: 1975-1985*, document de travail, cahier 8733L, LABREV, Université du Québec à Montréal, 1987.

KANUNGO, R.N., «Measurement of job and work involvement», *Journal of Applied Psychology*, 67, 1982, p. 341-349.

KASL, S.V., «Mental health and the work environment: an examination of the evidence», *Journal of Occupational Medicine*, 15, 1973, p. 509-578.

KELLY, J.E., *Scientific Management, Job Redesign and Work Performance*, New York, Academic Press, 1982.

KIEV, A. et KOHN, V., *Executive Stress*, New York, Amacom, 1979.

KOONTZ, H. et O'DONNELL, C., *Management: principes et méthodes*, Montréal, McGraw-Hill, 1980.

KOPELMAN, R.E., «Job redesign and productivity: a review of the evidence», *National Productivity Review*, 4, 1985, p. 237-255.

LANDIER, H., *L'entreprise polycellulaire*, Paris, Entreprise moderne d'édition, 1987.

LAWLER, E.E. III, «Job design and employee motivation», *Personnel Psychology*, 22, 1969, p. 426-435.

LAWLER, E.E. III et HALL, D.T., «Relationship of job characteristics to job involvement satisfaction and intrinsic motivation», *Journal of Applied Psychology*, 54, 1970, p. 305-312.

LEMAÎTRE, P. et BEGOUËN DEMEAUX, *Pratique d'organisation des services administratifs*, Paris, Les Éditions d'Organisation, 1982.

LIKERT, R., *New Patterns of Management*, New York, McGraw-Hill, 1961.

LOCKE, E.A., LATHAM, G.P. et EREZ, M., «The determinants of goal commitment», *Academy of Management Review*, 13, 1968, p. 23-39.

LORSCH, J.W. et MORSE, J.J., *Organizations and their members*, New York, Harper & Row, 1974.

MACY, B.A., PETERSON, M.F. et NORTON, L.W., «A test of participation theory in a work redesign field setting: degree of participation and comparison site contrasts», *Human Relations*, 42, 1989, p. 1095-1163.

MARGOLIS, B.K., KROES, W.H. et QUINN, R.P., «Job stress: an unlisted occupational hazard», *Journal of Occupational Medicine*, 16, 1974, p. 659-661.

MASLACH, C., *Burnout: The Cost of Caring*, Englewood Cliffs (N.J.), Prentice-Hall, 1982.

McGREGOR, D., *The Human Side of Enterprise*, New York, McGraw-Hill, 1960.

MERTON, R., *Social Theory and Social Structure*, Glencoe (Ill.), Free Press, 1949.

MESSINE, P., *Les saturniens. Quand les patrons réinventent la société*, Paris, La Découverte, 1987.

MEYER, G.W. et SCOTT, R.G., «Quality circles: panacea or Pandora's box», *Organizational Dynamics*, 14, 1985, p. 34-50.

MEYER, J.P., PAUNONEN, S.U., GELLATLY, I.A., GOFFIN, R.D. et JACKSON, D.N., «Organizational commitment and job performance: it's the nature of commitment that counts», *Journal of Applied Psychology*, 74, 1989, p. 152-156.

MILES, R.E. et SNOW, C.C., «Designing strategic human resources systems», *Organizational Dynamics*, 13, 1984, p. 36-52.

MILES, R.E. et SNOW, C.C., *Organizational Strategy, Structure and Process*, New York, McGraw-Hill, 1978.

MILLER, K.I. et MONGE, P.R., «Participation, satisfaction and productivity: a meta-analytic review», *Academy of Management Journal*, 29, 1988, p. 727-753.

MINTZBERG, H., *The Structuring of Organizations*, Englewood Cliffs (N.J.), Prentice-Hall, 1979.

MISRA, S., KANUNGO, R.N., VON ROSENSTIEL, L. et STUHLER, E.H., «The motivational formulation of job and work involvement: a cross-national study», *Human Relations*, 38, 1985, p. 501-518.

MOHRMAN, S.A. et LEDFORD, G.E. Jr., «The design and use of effective employee participation groups: implications for human resource management», *Human Resource Management*, 24, 1985, p. 413-428.

MORROW, P.C. et McELROY, J.C., «An assessing measures of work commitment», *Journal of Occupational Behavior*, 17, 1986, p. 139-145.

MOWDAY, R.T., PORTER, L.W. et STEERS, R.M., *Employee-Organization Linkages. The Psychology of Commitment, Absenteeism and Turnover*, New York, Academic Press, 1982.

NIGHTINGALE, D.V. et TOULOUSE, J.-M., «Toward a multilevel congruence theory of organization», *Administrative Science Quarterly*, 22, 1977, p. 264-280.

NYSTROM, P.C. et STARBUCK, N.H. (dir.), *Handbook of Organizational Design*, Oxford, Oxford University Press, 1984.

OUCHI, W.G., *Theory Z. How American Business Can Meet the Japanese Challenge*, New York, Avon Books, 1982.

PAQUIN, M., *L'organisation du travail*, Montréal, Agence d'Arc, 1986.

PAYNE, R. et PUGH, D.S., «Organizational structures and climate», dans DUNNETTE, M.D. (dir.), *Handbook of Industrial and Organizational Psychology*, Chicago (Ill.), Rand McNally, 1976, p. 1125-1174.

PÉRIGORD, M., *Réussir la qualité totale*, Paris, Les Éditions d'Organisation, 1982.

PERLMAN, B. et HARTMAN, E.A., «Burnout: summary and future research», *Human Relations*, 35, 1982, p. 263-305.

PERROW, C., «A framework for comparative analysis of organizations», *American Sociological Review*, 32, 1967, p. 194-208.

PETERS, T.J. et NATERMAN, R.H. Jr., *In Search of Excellence*, New York, Harper & Row, 1982.

PIERCE, J.L. et DUNHAM, R.B., «Task design: a litterature review», *Academy of Management Review*, 1, 1976, p. 83-97.

PIGANIOL, C., *Techniques et politiques d'amélioration des conditions de travail*, Paris, Entreprise moderne d'édition, 1980.

PORTER, L.W. et STEERS, R.M., «Organizational, work and personnal factors in employee performance, turnover and absenteeism», *Psychological Bulletin*, 80, 1973, p. 151-176.

PORTER, M., *Competitive Strategy*, New York, Free Press, 1980.

PURCELL, J., «The impact of corporate strategy on human resource management», dans STORY, G. (dir.), *New Perspectives on Human Resource Management*, Londres, Routhledge, 1989, p. 67-91.

RABINOWITZ, S. et HALL, D.T., «Changing correlates of job involvement in three career stages», *Journal of Vocational Behavior*, 18, 1981, p. 138-141.

RANDALL, D., «Commitment and the organization man: the organization man revisited», *Academy of Management Review*, 12, 1987, p. 460-471.

RANDOLPH, W.A., «Matching technology and the design of organizational sub-mits», *California Management Review*, 23, 1981, p. 39-48.

RAVELEAU, R., *Les cercles de qualité français*, Paris, Entreprise moderne d'édition, 1983.

RÉGNIER, J., *L'amélioration des conditions de travail dans l'industrie*, Paris, Masson, 1980.

ROBSON, M., *Quality Circles: A Practical Guide*, Aldershot (Engl.), Gower, 1982.

ROSE, R.M., JENKINS, C.D. et HURST, M.W., «Health change in air traffic controllers: a prospective study, 1. Background and description», *Psychosomatic Medicine*, 40, 1979, p. 142-165.

ROTHWELL, S., «Company employment policies and new technology», *Industrial Relations Journal*, 16, 1985, p. 43-51.

SALEMI, D., «Le pouvoir hiérarchique de la technologie», *Sociologie du travail*, 1979, p. 1-79.

SCHEIN, E., *Organizational Culture and Leadership*, San Francisco (Cal.), Jossey-Bass, 1985.

SCHULER, R.S., «Personnel and human resource management choices and organizational strategy», *Human Resource Planning*, 10, 1987, p. 1-16.

SCHULER, R.S., GALANTE, S.P. et JACKSON, S.E., «Matching effective HR practices with competitive strategy», *Personnel*, 64, 1987, p. 18-27.

SCHULER, R.S. et JACKSON, S.E., «Linking competitive strategies with human resource management practice», *The Academy of Management Executive*, 1987, p. 207-219.

SIMARD, M., *Conditions de travail et santé des travailleurs, le cas du régime rotatif de travail*, Montréal, École des relations industrielles de l'Université de Montréal, tiré à part n° 30, 1979.

SOLDBERG, S., «Changing culture through ceremony: an example from GM», *Human Resource Management*, 24, 1985, p. 329-340.

SORGE, A., HARTMANN, G., WARNER, M. et NICHOLAS, I., *Microelectronics and Manpower*, Aldershot (Engl.), Gower, 1983.

STORA, G. et MONTAIGNE, J., *La qualité totale dans l'entreprise*, Paris, Les Éditions d'Organisation, 1986.

SUSMAN, G.I., *Autonomy at Work*, New York, Praeger, 1976.

SUSMAN, G.I., «Technological prerequisites for delegation of decision making to work groups», dans DAVIS, L.E. et CHERNS, A.B. (dir.), *The Quality of Working Life, Vol. 1: Problems, Prospects and the State of the Art*, New York, Free Press, 1975, p. 242-255.

SYMONS, G.L., «La culture des organisations», *Questions de culture*, 14, Québec, Institut québécois de recherche sur la culture, 1988.

TAYLOR, W.F., *La direction scientifique des entreprises*, Belgique, Marabout, 1967.

THÉRIAULT, R., *Guide Mercer sur la gestion de la rémunération*, Montréal, Gaëtan Morin Éditeur, 1991.

THOMPSON, J.D., *Organizations in Action*, New York, McGraw-Hill, 1967.

TICHY, N., «Managing change strategically: the technical, political, and cultural keys», *Organizational Dynamics*, 11, 1982, p. 59-80.

TREMBLAY, L., *Une approche transdisciplinaire dans un centre de crise: analyse et propositions*, projet inédit d'intervention présenté à l'ENAP en vue de l'obtention de la maîtrise en administration publique, Montréal, ENAP, 1988.

TRIST, E.L., «The sociotechnical perspective», in VAN DE VEN, A.H. et JOYCE, W.F. (dir.), *Perspective on Organization Design and Behaviour*, New York, Wiley, 1981, p. 19-75.

TRIST, E.L. et BAMFORTH, K.W., «Some social and psychological consequences of the longwall method of coal-getting», *Human Relations*, 4, 1951, p. 3-38.

TRIST, E.L., HIGGIN, G.W., MURRAY, H. et POLLACK, P.B., *Organizational Choice: Capabilities of Groups at the Coal Face under Changing Technologies*, Londres, Tavistock, 1963.

TURCOTTE, P.-R. et BERGERON, J.-L., *Les cercles de qualité*, Montréal, Agence d'Arc, 1984.

TURGEON, B., *Les horaires variables: examen de la littérature*, Direction générale de la recherche, ministère du Travail et de la Main-d'œuvre, Québec, L'Éditeur officiel du Québec, 1976.

VAN DE VEN, A.H., «The organization assessment research program», dans VAN DE VEN, A.H. et JOYCE, W.F. (dir.), *Perspectives in Organization Design and Behavior*, New York, Wiley, 1981, p. 249-298.

VAN DE VEN, A.H. et DELBECQ, A.I., «A task contingent model of work-unit structure», *Administrative Science Quarterly*, 19, 1974, p. 183-197.

VAN DE VEN, A.H., DELBECQ, A.I. et KOENIG, R. Jr., «Determinants of coordination modes within organizations», *American Sociological Review*, 41, 1976, p. 322-338.

VAN SELL, M., BRIEF, J.P. et SCHULER, R.S., «Role conflict and role ambiguity: integration of the litterature and directions for future research», *Human Relations*, 34, 1981, p. 43-71.

WALKER, C.A. et GUEST, R.H., *The Man on the Assembly Line*, Cambridge, Harvard University Press, 1952.

WALTON, R.E., «Work innovations at Topeka: after six years», *Journal of Applied Behavioral Science*, 13, 1977, p. 422-433.

WAYNE, S.J., GRIFFIN, R.W. et BATEMAN, T.S., «Improving the effectiveness of quality circles», *Personnel Administrator*, 31, 1986, p. 79-86.

WELSCH, H.P. et LA VAN, H., «Inter relationship between organizational commitment and job characteristics, job satisfaction, professional behavior and organizational climate», *Human Relations*, 34, 1981, p. 1079-1089.

WESTLEY, W.A., *La qualité de vie au travail. Le rôle du surveillant*, Ottawa, Travail Canada, 1981.

WILS, T., LE LOUARN, J.-Y. et GUÉRIN, G., *Planification stratégique des ressources humaines*, Montréal, Presses de l'Université de Montréal, 1991.

WISNER, A., *Le travail posté: Rapport Wisner 1976*, Paris, documents de l'ANACT (Agence nationale pour l'amélioration des conditions de travail), coll. «Point d'une question», 1976.

WOOD, R.E., «Task complexity: definition of the construct», *Organizational Behaviour and Human Decision Processes*, 37, 1986, p. 60-82.

WOODWARD, J., *Industrial Organizations*, Londres, Oxford University Press, 1965.

WOODWARD, J., *Management and Technology*, Londres, HM Stationnary Office, 1958.

CHAPITRE 6

L'ACQUISITION STRATÉGIQUE DES RESSOURCES HUMAINES

par Charles Benabou

OBJECTIFS

Après l'étude de ce chapitre, vous devriez être en mesure:

- de décrire les liens qui unissent les activités d'acquisition de main-d'œuvre à la stratégie d'entreprise et aux autres fonctions de la gestion des ressources humaines;

- de décrire le rôle du spécialiste en gestion des ressources humaines confronté à la lutte contre la discrimination en embauche et aux dispositions légales en la matière;

- d'identifier les nouvelles caractéristiques des activités d'embauche et d'accueil sur le marché de l'emploi des années 90;

- de décrire la démarche de recrutement et de comparer les méthodes de recrutement en fonction des facteurs qui les suscitent;

- d'identifier les étapes d'élaboration d'un système de sélection et de montrer l'importance du critère;

- de savoir valider des prédicteurs de succès au travail;

- de comparer les fonctions et les caractéristiques des différents prédicteurs;

- de décrire le rôle du processus d'accueil et d'affectation.

Mise en situation

Quelles méthodes d'embauche pour 102 000 candidats qui tenteront de devenir éboueurs à New York ?

Quelque 102 000 New-Yorkais se sont inscrits auprès de la municipalité pour passer aujourd'hui les tests d'embauche dans l'espoir de décrocher l'un des 2 000 postes d'éboueur de la ville.

Alors qu'il ne requiert pas de qualification particulière – un permis de conduire et de solides reins suffisent – ce métier est bien payé : 23 000 $ annuellement pour commencer et 35 000 $ au bout de cinq ans, le tout pour 35 heures hebdomadaires.

Les chances des candidats sont plus minces que celles des étudiants qui cherchent à entrer à Princeton ou à Harvard : la cote est de un contre cinquante.

La ville n'avait pas tenu ce concours depuis sept ans, ce qui explique aussi l'affluence. Sans compter, assure Vito Turso, porte-parole du secteur nettoyage de la ville, que «pour ceux qui aiment la vie au grand air, c'est un bon mode de vie. On peut s'y faire des muscles et même bronzer».

Samedi, les candidats – des hommes et des femmes de tous âges, «même des grands-pères» – passeront les tests écrits.

Lors du dernier concours, 95 % des candidats avaient réussi l'écrit.

New York pourra embaucher dans les quatre ans à venir quelque 2 000 éboueurs en tout, juste de quoi assurer le renouvellement des effectifs, économies budgétaires obligent.

La ville est d'ailleurs tellement pauvre qu'elle demande 15 $ à tous ceux qui passeront l'écrit, un moyen de ramasser 1 500 000 $.

Cela ne couvre même pas tous les frais, assurent les responsables de la municipalité. Rien que pour faire passer l'écrit, il faut en effet louer 26 collèges, engager des surveillants, faire imprimer les tests, puis les faire corriger, programmer un ordinateur.

Bref, dans une ville où le seul secteur privé a perdu quelque 15 000 travailleurs au premier semestre, les ordures ont au moins l'avantage d'être créatrices d'emplois.

Source: *La Presse*, 22 septembre 1990.

QUESTIONS

1. Quels sont les avantages et les inconvénients, pour la ville de New York, d'avoir reçu 102 000 candidatures?
2. Quel a pu être le contenu des tests écrits choisis par la ville?
3. Organiseriez-vous différemment ce concours? Dans l'affirmative, pourquoi?
4. Dans l'affirmative également:
   a) Quelles méthodes de recrutement choisiriez-vous? Comment concevriez-vous l'annonce de presse?
   b) Élaborez un processus de sélection qui vous paraît approprié: quels seraient les prédicteurs et l'agencement de ces prédicteurs? Justifiez vos choix.

N.B.: Vous devez tenir compte des dispositions légales.

6.1 INTRODUCTION

Acquérir une main-d'œuvre compétente et affecter les employés à des postes où ils seront efficaces et satisfaits constitue une activité cruciale en gestion des ressources humaines. De cette activité dépend le succès économique et social d'une entreprise.

Bien que la décision finale d'embauche[1] appartienne généralement aux différents cadres hiérarchiques, la planification et la mise en œuvre des processus d'acquisition de main-d'œuvre relèvent du service des ressources humaines. En effet, celui-ci met largement à contribution les domaines reliés à la psychologie du travail (psychométrie, analyse des postes, méthodes d'embauche, etc.).

Le professionnel en embauche a souvent une tâche de nature très technique (notamment en sélection), ce qui n'exclut pas, loin s'en faut,

---

1. Nous utiliserons souvent le terme «embauche» pour décrire les activités de recrutement et de sélection.

une profonde connaissance de la stratégie d'entreprise et des liens de son rôle avec les autres fonctions des ressources humaines.

Le processus d'acquisition d'une main-d'œuvre compétente comporte trois fonctions principales : la planification des ressources humaines, le recrutement et la sélection. Ces fonctions seraient incomplètes sans l'analyse des postes, l'accueil et l'affectation du personnel engagé. Ces activités sont menées conjointement et en fonction de la stratégie et des buts de l'entreprise ; lorsqu'elles sont bien intégrées, elles forment un système stratégique d'acquisition des ressources humaines, illustré à la figure 6.1.

LA STRATÉGIE D'ENTREPRISE ET LA PLANIFICATION DES RESSOURCES HUMAINES

Cette relation est très étroite. Comme nous l'avons exposé dans les précédents chapitres, notamment au chapitre 4, la planification des ressources humaines, quant à la main-d'œuvre, traduit les buts et la planification d'entreprise. Cette gestion prévisionnelle à long terme nécessite une analyse de l'environnement externe et interne de l'entreprise en regard de l'emploi, notamment la composition de la main-d'œuvre, les changements démographiques, etc., dont nous reparlerons. D'un point de vue opérationnel, il s'agit de prévoir quelles sont la quantité et la qualité de main-d'œuvre qui permettront de réaliser les stratégies de l'entreprise. Il faut également déterminer pour quelles catégories d'emplois ce personnel est nécessaire et à quel moment.

Quand les besoins en main-d'œuvre ont été déterminés, on peut acquérir le personnel à l'extérieur ou à l'intérieur de l'entreprise. Dans ce dernier cas, les activités de promotion, de mutation, de formation et de plans de carrière permettent éventuellement à l'entreprise de se doter du personnel nécessaire. Toutefois, nous ne traiterons pas ici de ces activités internes, qui ont fait l'objet des chapitres 7 et 9. Nous décrirons plutôt la sélection du personnel recruté à l'extérieur de l'entreprise.

L'ANALYSE DES POSTES, LE RECRUTEMENT, LA SÉLECTION, L'AFFECTATION ET L'ACCUEIL

L'analyse des postes, nous l'avons vu au chapitre 5, est une démarche indispensable pour mener à bien plusieurs activités en ressources humaines. Sur un plan très fonctionnel, elle permet aux planificateurs et aux professionnels de l'embauche de déterminer quelles sont les compétences, l'expérience et les caractéristiques physiques des candi-

FIGURE 6.1 **LE PROCESSUS D'ACQUISITION STRATÉGIQUE DES RESSOURCES HUMAINES**

```
┌─────────────────────────────────────────────────────────────┐
│          ┌──────────────────────────────────┐               │
│          │   Buts et stratégie de l'entreprise │             │
│          └──────────────────────────────────┘               │
│                          │                                   │
│          ┌──────────────────────────────────┐               │
│          │ Planification stratégique des ressources humaines │
│          │            (chapitre 4)           │               │
│          └──────────────────────────────────┘               │
│                          │                                   │
│          ┌──────────────────────────────────┐               │
│          │       Analyse des postes          │               │
│          │           (chapitre 5)            │               │
│          └──────────────────────────────────┘               │
│                          │                                   │
│          ┌──────────────────────────────────┐               │
│          │ Acquisition des ressources humaines │             │
│          └──────────────────────────────────┘               │
│                                                              │
│  Processus externe                    Processus interne      │
│                                                              │
│  ┌──────────────┐              ┌──────────────────────┐     │
│  │  Recrutement │              │      Promotions      │     │
│  └──────────────┘              │      Mutations       │     │
│         │                      │ Plans de carrière (chapitre 7) │
│  ┌──────────────┐              │  Formation (chapitre 9) │   │
│  │  Sélection   │              └──────────────────────┘     │
│  └──────────────┘                       │                   │
│         │                      ┌──────────────────────┐     │
│  ┌──────────────┐              │     Affectation      │     │
│  │ Affectation  │              └──────────────────────┘     │
│  └──────────────┘                       │                   │
│         │                      ┌──────────────────────┐     │
│  ┌──────────────┐              │       Accueil        │     │
│  │   Accueil    │              └──────────────────────┘     │
│  └──────────────┘                                           │
└─────────────────────────────────────────────────────────────┘
```

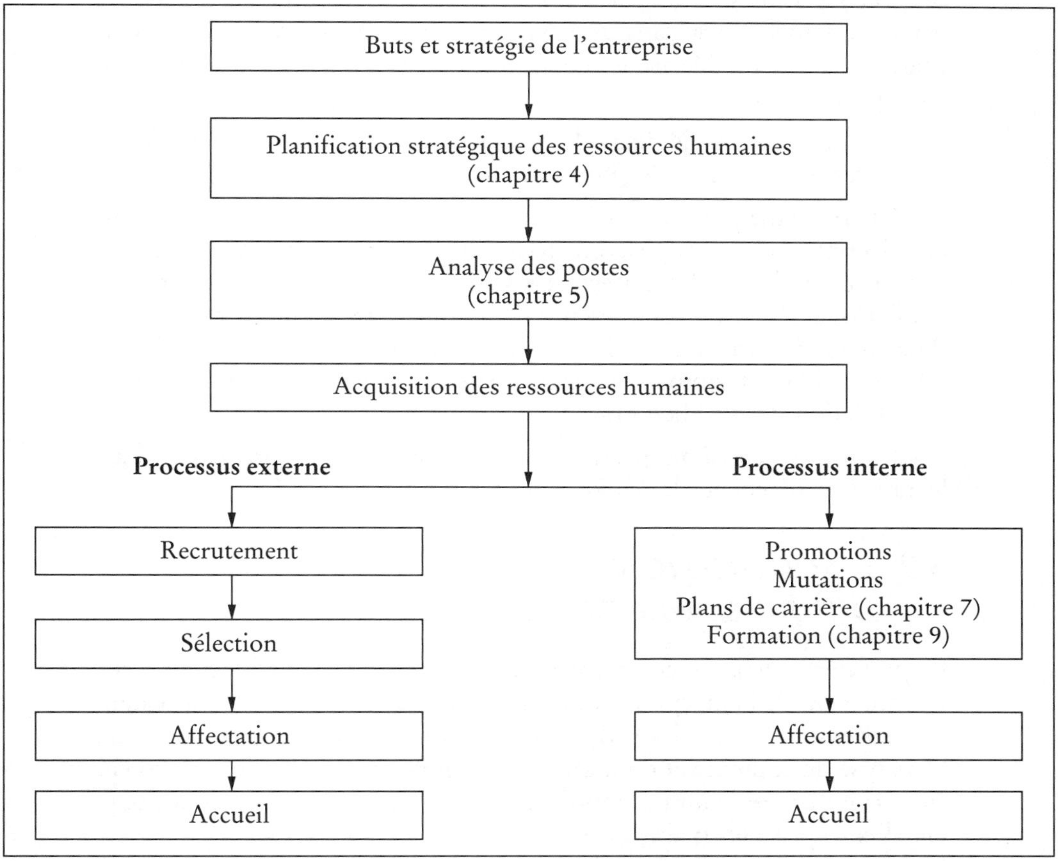

Environnement externe de l'entreprise

dats pour occuper une ou plusieurs fonctions. L'analyse des postes permet également aux recruteurs d'utiliser la description des postes pour préparer leurs stratégies, et aux professionnels de la sélection de choisir les meilleurs prédicteurs (tests, entrevues, etc.) de succès au travail des candidats.

Après avoir suscité les candidatures les plus adéquates au poste offert (recrutement), il faut choisir les individus les plus qualifiés (sélection), les affecter au poste qui leur convient le mieux (affectation, ou placement) et les accueillir de façon à faciliter leur intégration dans leur nouveau milieu de travail.

Ce chapitre est construit selon le processus décrit à la figure 6.1 (à l'exception des rubriques traitées ailleurs).

Une première partie traite de la relation entre la stratégie d'entreprise et les stratégies d'acquisition des ressources humaines. Celles-ci baignent actuellement dans un environnement très mouvant et très exigeant. Il faudra en décrire les contraintes et les possibilités, notamment les aspects juridiques.

La deuxième partie décrit le processus de recrutement ainsi que les méthodes les plus utilisées pour attirer des candidats qualifiés.

La troisième partie, plus longue que les autres, traite du processus de sélection. Nous y exposerons tout d'abord les difficultés et la nécessité de bien choisir les critères de succès au travail, qui déterminent d'ailleurs le choix des prédicteurs de ce succès (tests, entrevues, etc.). Puis, nous décrirons et évaluerons les nombreux prédicteurs utiles en sélection. Nous terminerons cette partie en insistant sur le processus de validation des prédicteurs.

Enfin, la quatrième partie, plutôt brève, décrit le processus d'affectation et d'accueil des candidats sélectionnés.

6.2 L'ACQUISITION STRATÉGIQUE DES RESSOURCES HUMAINES

La première partie de ce chapitre rapporte les caractéristiques de l'environnement de l'entreprise pour les années 90, et le rôle correspondant du processus d'acquisition des ressources humaines dans ce contexte. L'analyse du contexte et du marché de l'emploi national et international, en particulier, retiendra d'abord l'attention du stratège appelé à pourvoir l'entreprise en main-d'œuvre qualifiée.

À cette analyse seront associées des stratégies d'embauche, dont la réalisation permettra de contribuer aux stratégies mêmes de l'entreprise. Nous décrirons, à cet effet, les possibilités d'harmonisation de ces stratégies.

6.2.1 L'ACQUISITION DU PERSONNEL DANS LE CONTEXTE DES ANNÉES 90

LE CONTEXTE JURIDIQUE: LA LUTTE CONTRE LA DISCRIMINATION

Une définition de la discrimination à l'emploi

Depuis la fin des années 50, la discrimination fondée sur le salaire et les pratiques d'emploi envers certains groupes est devenue une réelle préoccupation sociale et politique au Canada et au Québec. Font partie de ces groupes : les femmes, les minorités ethniques et raciales, les autochtones et les personnes handicapées. À titre d'exemple, bien que la présence des Canadiennes sur le marché du travail ne cesse de croître (elle est actuellement d'un peu moins de 50 %) et qu'il n'y ait pratiquement plus de différence sur le plan de la scolarité entre les deux sexes, les femmes, à travail égal, continuent de recevoir un salaire nettement inférieur (près d'un tiers) à celui des hommes, en plus d'être confinées dans des catégories d'emploi qui leur sont habituellement attribuées.

En ce qui concerne les minorités ethniques et raciales, les Canadiens d'origine autochtone et les handicapés, le tableau se présente à peu près de la même façon : un taux plus élevé de chômage, un salaire moindre et une plus grande difficulté à trouver un emploi ou à obtenir des promotions que pour n'importe quel groupe de travailleurs, et ce, en contrôlant les variables de langue, d'expérience et de niveau de scolarité (enquête d'Emploi et Immigration Canada, 1981). Ces conditions empirent à chaque récession.

Aussi, au Canada et au Québec, le législateur s'est largement inspiré de la démarche américaine entreprise en 1964 pour contrer les effets de la discrimination en emploi et prévenir celle-ci.

En juin 1982, le gouvernement canadien instituait une commission d'enquête sur l'égalité en matière d'emploi, sous la présidence de la juge Abella (Rosalie). Le rapport de cette commission, déposé en 1984, concluait à la nécessité d'éliminer la discrimination directe et surtout indirecte (ou systémique) envers des groupes nommément désignés, à savoir ceux que nous avons mentionnés en tête de cette partie. Ce rapport recommandait également des mesures favorisant l'équité en emploi pour ces groupes. Une série de chartes et de lois ont vu le jour à cet effet, tant sur le plan national que provincial. Nous en reparlerons plus loin.

Notons toutefois que pour le professionnel en embauche, le défi est de taille : il doit recruter et choisir les meilleurs candidats à un emploi, ce qui, en soi, constitue une activité sélective, et en même temps, ne faire aucune discrimination fondée sur des motifs autres que professionnels, sous peine de se placer en situation illégale.

Dans le cadre des lois canadiennes et québécoises, la discrimination exercée directement et en violation des droits garantis à l'individu n'est pas difficile à prouver. Par exemple, l'article 10 de la *Charte des droits et libertés de la personne*, pierre d'assise du droit à l'égalité au Québec, stipule que :

> *Toute personne a le droit à la reconnaissance et à l'exercice, en pleine égalité, des droits et libertés de la personne, sans distinction, exclusion ou préférence fondée sur la race, la couleur, le sexe, la grossesse, l'orientation sexuelle, l'état civil, l'âge, sauf dans la mesure prévue par la loi, la religion, les convictions politiques, la langue, l'origine ethnique ou nationale, la condition sociale, le handicap ou l'utilisation d'un moyen pour pallier ce handicap. Il y a discrimination lorsqu'une telle distinction, exclusion ou préférence a pour effet de détruire ou de compromettre ce droit.*

Dans bien des cas cependant, la discrimination peut s'exercer de façon beaucoup plus subtile, intentionnellement ou non. Aussi, les différentes législations et interprétations des lois ont tenu compte, depuis le rapport Abella mentionné précédemment, de la discrimination indirecte ou « systémique ».

La Cour suprême du Canada définit ainsi la discrimination systémique :

> *La discrimination systémique en matière d'emploi, c'est la discrimination qui résulte simplement de l'application des méthodes établies de recrutement, d'embauche et de promotion, dont ni l'une ni l'autre n'a été nécessairement conçue pour promouvoir la discrimination...*

Aussi, pour conclure à l'existence de la discrimination, les tribunaux ont tendance à écarter les procès d'intention pour considérer plutôt les résultats d'ensemble, c'est-à-dire les conséquences visibles et concrètes de telle ou telle pratique. Un jugement rendu en 1978 par un tribunal ontarien marque un tournant dans l'identification et la pénalisation de la discrimination indirecte. Dans le cas *Ishar Sing c. Security and Investigation*, ledit Sing porta plainte parce qu'on lui avait refusé un emploi de gardien à cause du turban et de la barbe exigés par sa religion. Les tribunaux conclurent que dans cet acte, la compagnie en question n'avait pas l'intention d'accomplir un acte discriminatoire envers le peuple sikh. Toutefois, les politiques de l'entreprise, visant à n'engager qu'un personnel sans barbe, aux cheveux courts et devant porter un képi avaient pour effet indirect d'exclure les sikhs de cet emploi.

Les pratiques discriminatoires à l'embauche

Certaines pratiques d'acquisition de main-d'œuvre peuvent mener à une discrimination (intentionnelle ou non) envers les groupes désignés précédemment.

Par exemple, certains critères de qualification pour un poste donné, et non reliés impérativement à l'exécution du travail, peuvent s'avérer discriminatoires pour certains groupes désignés; nous l'avons vu dans le cas Sing. Il en est ainsi des critères de taille et de poids (critères qui, trop élevés, écartent parfois inutilement les femmes, en moyenne plus petites que les hommes), de l'expérience exigée (par exemple pour laver la vaisselle!), du niveau de scolarité (souvent inutilement trop élevé en raison d'une main-d'œuvre abondante, ce qui écarte, de façon disproportionnée, les Canadiens d'origine autochtone, par exemple), ou d'autres spécifications arbitraires.

Certaines pratiques de recrutement peuvent également perpétuer la discrimination envers les groupes mentionnés. Ainsi, des méthodes simples et rapides, comme le recrutement qui se fait de bouche à oreille ou par voie de recommandation personnelle, tendent à perpétuer la «culture» ambiante, dont un des aspects est de renouveler, par exemple, l'effectif masculin (amis, parents) au détriment des femmes, déjà sous-représentées.

L'usage de tests de sélection non valides, et de surcroît étalonnés sur une population masculine blanche, scolarisée et sans handicap, peut éliminer inutilement des femmes, des handicapés ou des minorités raciales du poste à pourvoir. L'entrevue, largement utilisée comme instrument de présélection, peut également «filtrer» de façon disproportionnée des membres de minorités ethniques ou raciales, le face à face pouvant facilement renforcer les stéréotypes et les préjugés de l'intervieweur.

Les préjugés et les stéréotypes peuvent s'ajouter aux pratiques d'embauche mentionnées, voire les générer. Il en est ainsi des femmes que nombre d'employeurs considèrent encore comme «trop émotives» pour gérer, trop souvent absentes, peu mobiles, moins scolarisées ou moins fortes que les hommes, etc. De nombreuses études montrent que ces croyances ne résistent pas aux faits (Srinivas, 1984).

Le coût de la discrimination en milieu de travail est très élevé, autant pour l'entreprise qui la pratique que pour la société en général. La première se prive ainsi d'une force de travail qui pourrait améliorer la productivité. De plus, la réputation issue de ces pratiques peut ôter à l'entreprise la faveur du public ou l'octroi de contrats intéressants. Enfin, les coûts de la discrimination en emploi peuvent se traduire par un sentiment d'aliénation et de frustration qui peut pousser les individus ainsi marginalisés à la violence active ou passive, sous forme de sabotage, de grèves ou d'absences répétées. Quand cette discrimination conduit les individus au chômage, les coûts sociaux s'élèvent, alimentés par les drames engendrés par le crime et la délinquance des exclus du marché de l'emploi.

Aussi, un changement d'attitudes ainsi que des législations et des pratiques plus justes et équitables s'imposent. La partie suivante traite du cadre juridique visant à neutraliser les effets de la discrimination et à prévenir celle-ci.

Le cadre juridique en matière de discrimination au travail

Plutôt que de décrire toute la législation concernant les ressources humaines, il nous semble plus approprié de rapporter et de commenter les lois relatives à ce que l'on nomme les droits de la personne en matière de recrutement et de sélection du personnel. Le lecteur pourra trouver ailleurs dans cet ouvrage les lois portant spécifiquement sur les mouvements de personnel (chapitre 7), la formation (chapitre 9), la rémunération (chapitre 11) et les relations du travail (chapitres 12 et 13).

À la Constitution canadienne de 1867, qui octroyait aux provinces une large autonomie juridique en matière d'adoption de lois sur le travail, s'ajoute, en 1982, une *Charte canadienne des droits et libertés*. La section de la Charte qui porte sur l'égalité des droits est conçue pour protéger l'individu contre toute forme de discrimination, y compris en matière d'emploi. Les clauses s'y rapportant n'entrèrent en vigueur que le 17 avril 1985, pour donner le temps aux gouvernements fédéral et provinciaux de modifier leurs propres lois afin qu'elles deviennent conformes à la Charte. Ces lois devront évidemment subir l'épreuve des tribunaux.

De nombreuses lois et réglementations au Canada conditionnent les pratiques de gestion des ressources humaines. Au Québec seulement, quatre lois imposent des obligations aux employeurs: la *Charte des droits et libertés de la personne*, la *Loi sur les normes du travail*, la *Loi sur la santé et la sécurité du travail* et la *Charte de la langue française*. L'ensemble des lois canadiennes sur le travail pose un défi énorme aux professionnels en ressources humaines. En effet, ces lois relèvent de 13 juridictions, soit celles des dix provinces canadiennes, des deux territoires du Nord-Ouest et du gouvernement fédéral. De plus, chaque province et le gouvernement fédéral disposent d'une commission pour veiller au respect de ces lois.

Au Québec, la Commission des droits de la personne, dont les membres sont nommés par l'Assemblée nationale, veille à la promotion, à l'application et à l'interprétation de la *Charte québécoise des droits et libertés de la personne* en matière de discrimination sur les lieux de travail.

La Commission agit à partir des plaintes d'individus ou de groupes d'individus. Elle peut également procéder par enquête, de sa propre initiative. Selon l'article 78:

> *La Commission recherche, pour toutes situations dénoncées dans la plainte ou dévoilées en cours d'enquête, tout élément de preuve qui lui permettra de déterminer s'il y a lieu de favoriser la négociation d'un règlement entre les parties, de proposer l'arbitrage du différend ou de soumettre à un tribunal le litige qui subsiste.*

Selon Déom (1990):

> *Le rôle de la Commission est ainsi limité à celui de médiateur et elle n'a qu'un pouvoir de recommandation: elle ne peut aucunement forcer le respect de ses recommandations. Son seul recours est de se présenter devant les tribunaux où elle ne possède aucun statut particulier: le tribunal n'est en aucune façon lié par les résultats de l'enquête de la Commission ni par ses recommandations. La Commission doit ainsi, à cette étape, changer son rôle de médiateur en celui de partie prenante. Le fardeau de la preuve lui incombe alors à moins que la discrimination soit admise, ce qui est plutôt rare.*

Par cette rapide description de la législation sur les droits des individus au Canada, on peut imaginer la complexité de la gestion des ressources humaines, sur le plan juridique, pour une firme qui exerce ses activités à l'échelle nationale ou dans des provinces différentes (l'Alberta et le Québec par exemple). De plus, ces lois imposent à l'entreprise une gestion administrative qui peut s'avérer extrêmement lourde, sans compter le temps et l'argent qu'il faudra investir pour répondre à d'éventuelles accusations de discrimination dans les pratiques relatives à l'acquisition ou aux mouvements de personnel.

Voyons maintenant les mesures qui protègent l'individu de la discrimination à l'embauche.

Les mesures antidiscriminatoires à l'embauche

Généralement, deux séries de mesures, distinctes mais complémentaires, sont retenues par les différentes chartes pour atteindre l'objectif de neutralisation de la discrimination en milieu de travail: les dispositions qui interdisent la discrimination (articles 3 et 7 à 10 dans la charte fédérale, et articles 10 à 13 et 16 à 20 dans la charte québécoise), et les dispositions qui visent la promotion des groupes discriminés (partie III de la charte québécoise et article 16 de la charte fédérale) (Déom, 1990).

La neutralisation de la discrimination

La partie I de la *Loi canadienne sur les droits de la personne* énumère les motifs de discrimination illicite. Ces motifs sont fondés sur la race, l'origine nationale ou ethnique, la couleur, la religion, l'âge, le sexe, l'état matrimonial, la situation de famille, l'état de personne graciée et la déficience. Une distinction relative à la grossesse ou à l'accouchement est fondée sur le sexe (article 3).

La quasi-similitude des législations fédérale et québécoise quant à la discrimination en milieu de travail permet de rapporter les articles de la charte québécoise qui traitent précisément de la discrimination en embauche (encadré 6.1). Ces articles de loi encadrent aussi bien les activités de recrutement (articles 11, 18 et 18.1) que la sélection externe ou interne proprement dite (articles 16, 17, 18.2 et 19)[2]. D'où l'importance, pour le professionnel en embauche, de mettre au point des procédures de recrutement et de sélection valides pour être acceptables. C'est la raison pour laquelle nous développerons de façon détaillée la question de la validité des prédicteurs (tests, par exemple) dans la troisième partie de ce chapitre.

ENCADRÉ *6.1* LA CHARTE QUÉBÉCOISE DES DROITS ET LIBERTÉS
        DE LA PERSONNE

Articles de la Charte prohibant certaines pratiques à l'embauche et après l'embauche

Partie I. Les droits et libertés de la personne
Chapitre I.1 – Droit à l'égalité dans la reconnaissance et l'exercice des droits et libertés

10. Toute personne a droit à la reconnaissance et à l'exercice, en pleine égalité, des droits et libertés de la personne, sans distinction, exclusion ou préférence fondée sur la race, la couleur, le sexe, la grossesse, l'orientation sexuelle, l'état civil, l'âge sauf dans la mesure prévue par la loi, la religion,

---

2. L'encadré 6.6 fournit des exemples de questions à éviter dans les formulaires de demande d'emploi et lors des entrevues de sélection.

ENCADRÉ *6.1* LA CHARTE QUÉBÉCOISE DES DROITS ET LIBERTÉS DE LA PERSONNE (*suite*)

les convictions politiques, la langue, l'origine ethnique ou nationale, la condition sociale, le handicap ou l'utilisation d'un moyen pour pallier ce handicap.

Il y a discrimination lorsqu'une telle distinction, exclusion ou préférence a pour effet de détruire ou de compromettre ce droit.

10.1 *Nul ne doit harceler une personne en raison de l'un des motifs visés dans l'article 10.*

11. *Nul ne peut diffuser, publier ou exposer en public un avis, un symbole ou un signe comportant discrimination ni donner une autorisation à cet effet.*

12. *Nul ne peut, par discrimination, refuser de conclure un acte juridique ayant pour objet des biens ou des services ordinairement offerts au public.*

13. *Nul ne peut, dans un acte juridique, stipuler une clause comportant discrimination. Une telle clause est réputée sans effet.*

16. *Nul ne peut exercer de discrimination dans l'embauche, l'apprentissage, la durée de la période de probation, la formation professionnelle, la promotion, la mutation, le déplacement, la mise à pied, la suspension, le renvoi ou les conditions de travail d'une personne ainsi que dans l'établissement de catégories ou de classifications d'emploi.*

17. *Nul ne peut exercer de discrimination dans l'admission, la jouissance d'avantages, la suspension ou l'expulsion d'une personne d'une association d'employeurs ou de salariés ou de toute corporation professionnelle ou association de personnes exerçant une même occupation.*

18. *Un bureau de placement ne peut exercer de discrimination dans la réception, la classification ou le traitement d'une demande d'emploi ou dans un acte visant à soumettre une demande à un employeur éventuel.*

18.1 *Nul ne peut, dans un formulaire de demande d'emploi ou lors d'une entrevue relative à un emploi, requérir d'une personne des renseignements sur les motifs visés dans l'article 10 sauf si ces renseignements sont utiles à l'application de l'article 20 ou à l'application d'un programme d'accès à l'égalité existant au moment de la demande.*

18.2 *Nul ne peut congédier, refuser d'embaucher ou autrement pénaliser dans le cadre de son emploi une personne du seul*

ENCADRÉ 6.1 *LA CHARTE QUÉBÉCOISE DES DROITS ET LIBERTÉS DE LA PERSONNE (suite)*

> *fait qu'elle a été déclarée coupable d'une infraction pénale ou criminelle, si cette infraction n'a aucun lien avec l'emploi ou si cette personne en a obtenu le pardon.*
>
> 19. *Tout employeur doit, sans discrimination, accorder un traitement ou un salaire égal aux membres de son personnel qui accomplissent un travail équivalent au même endroit.*
>
> *Il n'y a pas de discrimination si une différence de traitement ou de salaire est fondée sur l'expérience, l'ancienneté, la durée du service, l'évaluation au mérite, la quantité de production ou le temps supplémentaire, si ces critères sont communs à tous les membres du personnel.*

Source : Commission des droits de la personne du Québec (reproduction partielle).

Les exceptions à la discrimination

L'interdiction de discriminer en gestion des ressources humaines est cependant limitée par certaines exceptions. Les articles 15 et 16 de la charte canadienne et les articles 20 et 86 de la charte québécoise spécifient en effet que ne sont pas discriminatoires des actes fondés sur des exigences professionnelles justifiées et des programmes d'accès à l'égalité.

Ainsi, l'article 20 de la charte québécoise stipule que :

Une distinction, exclusion ou préférence fondée sur les aptitudes ou qualités requises pour un emploi, ou justifiée par le caractère charitable, philanthropique, religieux, politique ou éducatif d'une institution sans but lucratif ou qui est vouée exclusivement au bien-être d'un groupe ethnique est réputée non discriminatoire.

De même, l'article 86 de la charte québécoise spécifie :

Un programme d'accès à l'égalité a pour objet de corriger la situation de personnes faisant partie de groupes victimes de discrimination dans l'emploi, ainsi que dans les secteurs de l'éducation ou de la santé et dans tout autre service ordinairement offert au public. Un tel programme est réputé non discriminatoire s'il est établi conformément à la Charte.

L'interprétation de toutes ces clauses n'est pas toujours facile. Deux exemples de jugements rendus par les tribunaux, figuraît dans l'encadré 6.2, montrent cette complexité.

ENCADRÉ 6.2 DEUX EXEMPLES DE JUGEMENTS

LA BANQUE NATIONALE DISCRIMINATOIRE À L'ÉGARD D'UN HANDICAPÉ*

Le Tribunal canadien des droits de la personne a conclu hier que la Banque Nationale du Canada avait fait preuve de discrimination à l'endroit d'un avocat paraplégique de Montréal, Me Marcel Gauvreau, qui s'est vu refuser un poste de direction en raison de son handicap.

Selon le président du Tribunal, William I. Miller, « les motifs et les explications fournis par la Banque Nationale étaient peu vraisemblables et constituaient simplement un prétexte pour la discrimination illicite exercée contre le plaignant. À son avis, il était injustifié de prétendre que le candidat manquait de potentiel, de dynamisme, d'esprit d'entreprise et d'ambition pour remplir le poste qu'il postulait. Le seul véritable obstacle était son handicap.

Il s'agit d'une décision importante qui soulève des espoirs dans le milieu des handicapés. Il semble que ce soit l'une des premières fois au Canada que le Tribunal des droits se prononce sur un cas de discrimination touchant un poste de cadre. En 1986, Me Gauvreau, qui se déplace en fauteuil roulant, sollicitait le poste de directeur des services juridiques à la Banque Nationale du Canada, qui refusait sa candidature sous prétexte qu'il ne possédait pas « le profil de l'entreprise ».

La Banque Nationale se défend d'avoir une attitude discriminatoire à l'égard des personnes handicapées. Elle précise que 284 (2,6 p. cent) de ses quelque 1 100 employés au Canada sont identifiés comme ayant un handicap permanent. Sa politique d'équité d'emploi vise à accroître cette proportion à 3,7 p. cent en 1993.

Dans sa décision, le président du Tribunal reconnaît qu'il est difficile de démontrer que l'on a été victime de discrimination. Il y a rarement des preuves concrètes. « Les personnes qui commettent des actes discriminatoires, intentionnellement ou non, ne laissent généralement pas leur carte de visite. Il n'est pas de bon ton, ni légal, de commettre un acte discriminatoire et, en conséquence, personne n'admet volontiers avoir agi ainsi. »

ENCADRÉ 6.2 DEUX EXEMPLES DE JUGEMENTS *(suite)*

RÈGLEMENT JUGÉ SATISFAISANT**

La Commission canadienne des droits de la personne a approuvé, hier, un règlement de 3 000 $ conclu entre les Forces armées et un Québécois, qui se disait victime de discrimination.

M. Dany Saint-Laurent, de Gatineau, reprochait aux autorités militaires de ne pas lui avoir permis de travailler à la base Alert, dans le Grand Nord, en même temps que sa femme.

Après que M. Saint-Laurent eut déposé une plainte, en 1988, les Forces armées abandonnèrent leur politique d'interdire aux couples formés de deux militaires de se trouver à la même base.

Dans une autre affaire mettant en cause les Forces armées, la Commission a approuvé un règlement de 14 263 $ en faveur de Mme Diane McGregor, de Winnipeg.

Pleinement qualifiée, Mme McGregor avait demandé de servir comme employée de bureau et membre de la fanfare des Queen's Own Cameron Highlanders. Sa requête a été rejetée une première fois en 1984 et une deuxième fois en 1985.

Ancienne joueuse de cornemuse dans la milice, Mme McGregor a accusé les Forces armées de discrimination. Elle a accepté le règlement, mais elle n'est jamais devenue militaire.

---

*Source: *La Presse*, 5 février 1992.
**Source: *La Presse*, 27 octobre 1991.

Les programmes d'accès à l'égalité

Les programmes d'accès à l'égalité (PAE), tant à l'échelle nationale que québécoise, sont un ensemble de mesures destinées à déterminer et à supprimer la discrimination en emploi, et à assurer la juste représentation des groupes victimes de discrimination dans tous les secteurs de l'entreprise.

Ces mesures sont sanctionnées dans la charte fédérale et les différentes chartes provinciales. De plus, la *Loi sur l'équité en emploi*, adoptée par le gouvernement fédéral en juin 1986, oblige les employeurs régis par ce même gouvernement et assujettis au *Code canadien du travail* à prendre les mesures nécessaires en ce sens. Les entreprises qui comptent au moins 100 employés et qui désirent soumissionner sur les marchés fédéraux de biens ou de services pour une valeur de 200 000 $ ou plus doivent s'engager également à appliquer l'équité en matière d'emploi. De façon générale, cinq étapes sont prescrites aux employeurs qui veulent établir un PAE :

1. préparer le terrain du programme ;

2. analyser les pratiques qui font obstacle à l'équité en matière d'emploi ;

3. élaborer le plan d'équité ;

4. mettre en œuvre le plan d'équité ;

5. assurer le suivi du programme et l'évaluer.

Les détails de ces activités figurent dans l'encadré 6.3, et un extrait d'analyse est donné en exemple dans l'encadré 6.4.

ENCADRÉ 6.3 LA PLANIFICATION ET LA RÉALISATION D'UN PAE

Étape 1 La préparation
- Obtenir l'engagement de la direction (soutien moral, financier et affectation des ressources pour le projet).
- Élaborer un plan de communication adressé aux acteurs concernés (employés en place, syndicats, gouvernements, etc.).
- Consulter les acteurs concernés.

Étape 2 L'analyse
- Déterminer la composition de l'effectif des groupes désignés et sa mobilité.
- Déterminer les employés faisant partie des groupes désignés (auto-identification à l'embauche et après l'embauche).
- Dresser un tableau de la situation des salariés des groupes désignés : identifier les secteurs où ils sont sous-représentés.
- Évaluer les pratiques d'emploi (la classification et la description des postes, le processus de recrutement, de sélection et d'affectation) ; en relever les obstacles à l'égalité.

Étape 3 L'élaboration
- Déterminer les mesures numériques (représentativité des groupes visés), les mesures qualitatives (élimination des pratiques d'embauche fautives) et l'échéancier.

Étape 4 La mise en œuvre
- Affecter les ressources et établir des activités de communication et de formation.

Étape 5 L'évaluation et la correction des écarts par rapport aux objectifs

---

ENCADRÉ 6.4 UN EXEMPLE D'ANALYSE DE LA REPRÉSENTATION
            DES FEMMES À L'UNIVERSITÉ DU QUÉBEC À MONTRÉAL
            (UQAM) DANS UN PROJET DE PAE

> *Les femmes employées à l'UQAM représentent moins du quart de l'effectif du personnel des métiers et services, et seulement un peu plus de 5 % d'entre elles (6,2 %) y œuvrent. Même dans le personnel de bureau où elles sont largement majoritaires (87,0 %), elles sont absentes de certaines fonctions; en effet, un petit groupe d'hommes (constituant 6,6 % de l'effectif du groupe) se réservent de façon exclusive ou prédominante un peu plus de 16 % des fonctions. Malgré le fait que le travail professionnel et technique à l'UQAM ait un caractère de mixité (plus de 40 % de femmes), hommes et femmes se partagent différemment les fonctions. Autour de 40 % chez les professionnels-les et plus de la moitié des techniciens-nes occupent des fonctions où des employés-es du même sexe prédominent ou occupent exclusivement certains groupes de fonctions. De façon générale, chez le personnel non enseignant, les femmes sont présentes, toutes proportions gardées, dans un nombre plus restreint de fonctions, alors que les hommes sont représentés dans un éventail plus large de fonctions. Moins de 10 % des personnes en emploi à l'UQAM travaillent dans des fonctions où ils, elles sont une minorité sexuelle, et à peine plus de 10 % de l'effectif occupent des fonctions mixtes. Encore une fois, les femmes ont trois fois moins de possibilités que leurs collègues masculins de se retrouver dans un poste non traditionnel à l'UQAM (4,8 % des femmes et 14,2 % des hommes dans un emploi non traditionnel à l'UQAM).*

Source: *Programme d'accès à l'égalité* (extrait), Université du Québec à Montréal, Cabinet du recteur, 1987, p. 9 et 10. Reproduit avec permission.

En conclusion

À long terme, les pratiques discriminatoires des entreprises sont coûteuses pour celles-ci et la société en général. Il est vrai qu'un programme d'accès à l'égalité demande une approche systématique et un travail assez long. Mais il est également vrai que les organisations qui en ont adoptés n'ont pas vu leur efficacité en souffrir. Non seulement ont-elles pu utiliser un personnel précieux en ces temps de raréfaction d'une main-d'œuvre jeune aux compétences particulières, mais elles ont également accru la motivation de ces employés et amélioré l'image de l'entreprise au sein de la communauté. Le spécialiste en acquisition des ressources humaines est un acteur clé en matière d'équité en emploi; l'encadré 6.5 décrit quelques-unes des qualités qu'il doit posséder.

LE MARCHÉ DE L'EMPLOI ET LES ACTIVITÉS D'ACQUISITION DE MAIN-D'ŒUVRE

Les caractéristiques et les fluctuations de l'économie mondiale et nationale influent évidemment sur le marché de l'emploi au Canada et au Québec. Le marché de l'emploi, à son tour, couplé aux politiques propres à chaque entreprise, détermine l'ampleur et la nature du processus d'acquisition de main-d'œuvre (recrutement, sélection, accueil, affectation).

Trois constats s'imposent:

1. les activités de recrutement externe (et, partant, de sélection et d'accueil) baissent d'intensité;

2. les activités de recrutement s'intensifient auprès de certains groupes d'employés et selon des modalités nouvelles;

3. une concertation des acteurs socio-économiques du pays s'avère nécessaire pour améliorer le processus de recrutement d'une main-d'œuvre qualifiée.

Examinons chacun de ces constats.

Une baisse générale des activités de recrutement

Depuis 1980, plusieurs facteurs nouveaux ont entraîné cette baisse. Le taux de chômage élevé et persistant au Canada et au Québec, la faiblesse des investissements technologiques et des investissements en capitaux, et la productivité vacillante s'associent à une faible création d'emplois, donc à des activités de recrutement correspondantes.

Le manque de dynamisme de certains secteurs de l'économie conduit à des licenciements massifs; on l'a vu dernièrement au Québec, avec l'écroulement de l'industrie papetière en Mauricie, le recul des industries du vêtement, du textile et du cuir. Ailleurs, l'entreprise IBM elle-même met à pied des milliers d'employés, contrevenant ainsi à son sacro-saint credo de l'intégration durable de son effectif.

Par ailleurs, il est nécessaire, pour les entreprises, de devenir souples et flexibles, de réagir rapidement entre le temps de la conception et celui de la fabrication d'un produit (pour une automobile, ce temps de réaction est de trois ans chez les Japonais et de cinq ans en Amérique du Nord), de devenir compétitives par l'abaissement des coûts de production, d'acquérir d'autres entreprises pour former des blocs industriels capables de se mesurer aux grandes entreprises internationales ou pour concentrer les productions nationales, et de liquider des secteurs d'activité non rentables; ces nécessités ont pour effet de réduire les activités de recrutement, auxquelles se substituent des restructurations et un «dégraissage» de l'effectif.

Les interventions étatiques ont également pour effet de réduire les activités de recrutement. Ce sont, par exemple, des programmes de formation subventionnés par l'État et les entreprises, des programmes de soutien au revenu, et des interventions (encore timides comparées à certains pays européens comme la Suède) pour inciter les entreprises à conserver leur main-d'œuvre.

Cependant, si globalement les activités de recrutement ont baissé pour les emplois à moyenne ou à faible qualification, elles ont par contre augmenté dans certains secteurs, là où les pénuries de main-d'œuvre se font sentir.

Le recrutement et les pénuries de main-d'œuvre

Le sombre tableau que nous venons de brosser ne s'éclairera pas davantage en constatant que les recruteurs professionnels auront fort à faire pour combler les 600 000 postes vacants au Canada, malgré le taux élevé de chômage (Emploi et Immigration Canada, 1989). Il s'agit là de postes requérant des qualifications spécialisées difficilement disponibles au pays. Ces difficultés sont dues en partie à l'accélération extrême des innovations technologiques, sur lesquelles les systèmes de formation scolaire ont un énorme retard. Par ailleurs, le taux élevé d'analphabètes fonctionnels et le nombre inquiétant de jeunes qui quittent l'école avant de terminer leurs études secondaires, au Canada et au Québec, privent les entreprises de cette main-d'œuvre jeune dont elles ont besoin. Les recruteurs professionnels auront donc fort à faire pour attirer cette main-d'œuvre et la former adéquatement.

Les impératifs de productivité et de flexibilité que nous évoquions précédemment, ainsi que l'offre de main-d'œuvre excédentaire dans certains secteurs de l'économie, incitent les entreprises à engager du personnel à temps partiel ou sur une base temporaire, gonflant ainsi le niveau de précarité de l'emploi. Cette précarité se caractérise par la courte durée de l'emploi, l'absence ou la faiblesse des avantages sociaux et la presque impossibilité de faire carrière (Langlois, 1990).

Ces nouvelles pratiques de recrutement, dommageables aux jeunes, aux femmes, aux Canadiens d'origine autochtone et aux handicapés, ne sont pas nécessairement préjudiciables à ceux qui, qualifiés et expérimentés, choisissent de travailler à leur propre compte. On observe ainsi une nouvelle forme de recrutement : la « location » d'anciens cadres de haut niveau, prêts à offrir leurs services de façon ponctuelle et à prix fort. Selon Elkas (1991), les récentes statistiques américaines indiquent que plus de 200 000 personnes utilisent cette formule sur le marché de l'emploi.

Pour un recrutement de qualité

De nombreuses politiques et actions planifiées, tant de la part des institutions que des entreprises, peuvent améliorer le processus de recrutement. Ici, la concertation s'impose également.

Tout d'abord, les entreprises pourraient améliorer la qualité de leurs activités de recrutement en établissant une solide planification de la main-d'œuvre (*voir à ce sujet le chapitre 4*). Une étude d'Emploi et Immigration Canada (1981) montrait que seulement 50 % des entreprises interrogées lors d'une enquête sur le sujet rassemblaient des données sur la main-d'œuvre suffisamment détaillées et complètes pour être utiles.

L'efficacité de l'acquisition d'une main-d'œuvre qualifiée est également liée à une gestion adéquate de l'information. Cette gestion concerne la collecte et la diffusion de renseignements sur le marché du travail, et sur les prévisions globales de la demande de main-d'œuvre par catégories de compétences sur une base nationale, régionale et locale. Le gouvernement canadien a fait des progrès dans l'informatisation de ces données, et peu d'entreprises connaissent le système de traitement des offres d'emploi (STOE). Des associations (par exemple celles de l'aérospatiale, des manufacturiers de machines et d'équipements, etc.), encore peu nombreuses, se sont organisées pour produire des scénarios sectoriels de main-d'œuvre.

Par ailleurs, confrontées aux pénuries de main-d'œuvre spécialisée au pays, les entreprises devront se tourner vers des politiques de recrutement d'étrangers, et les gouvernements devront encourager l'immigration de travailleurs qualifiés. Selon Emploi et Immigration Canada (1981), entre 20 000 et 250 000 travailleurs sélectionnés dans le cadre du mouvement d'immigration annuel sont nécessaires pour répondre aux besoins urgents du marché du travail, auxquels ne saurait satisfaire la main-d'œuvre d'autres sources. La mondialisation des échanges amène également à considérer l'embauche croissante sur le plan international.

L'EMBAUCHE ET L'INTERNATIONALISATION DES RESSOURCES HUMAINES[3]

La mondialisation de l'économie (dont la libéralisation des échanges entre les États-Unis et le Canada, et bientôt avec le Mexique, est une des manifestations récentes en Amérique du Nord) entraîne également une gestion de l'emploi internationale pour la plupart des grandes entreprises nationales et, a fortiori, pour les multinationales. Au Québec, la croissance des exportations internationales de produits bruts depuis 1988 (électricité, aluminium) rend cette gestion encore plus actuelle.

Il existe un vaste marché du travail pour la main-d'œuvre possédant des qualifications supérieures (*voir le deuxième exemple d'annonce dans l'encadré 6.5*). Les impératifs économiques font que, de plus en plus, il existe un marché international des cadres et des professionnels de haut niveau possédant des expertises très «pointues». En Europe, par exemple, les cadres techniques et de production sont très demandés par les entreprises, ainsi que les cadres en recherche et développement et les spécialistes de la vente. Au Canada, la «fuite de cerveaux» vers les États-Unis s'intensifie. Les métiers de la finance s'internationalisent également très rapidement.

Bien que le nombre de travailleurs immigrants soit encore très modeste, il ne fait pas de doute qu'il s'accroîtra. C'est du moins ce qu'affirment Peretti *et al.* (1991), qui distinguent plusieurs catégories de candidats à l'expatriation : les «internationaux» (cadres de haut niveau dont la carrière se réalise à l'étranger), les cadres dirigeants de filiales, les travailleurs qualifiés (ingénieurs, cadres, techniciens) envoyés en mission à l'étranger pour une durée déterminée, et les saisonniers. Un professeur américain de Harvard souligne non seulement cette réalité de l'internationalisation des ressources humaines, mais aussi, de façon générale, les compétences qui sont et seront privilégiées par les recruteurs : «Il y a 35 000 Américains bien payés qui conçoivent et fabriquent des téléviseurs, y compris dans le secteur de pointe de la haute définition, pour la japonaise Sony, la française Thompson et la hollandaise Phillips»[4]. Reich ajoute : «Les gens qui ont des habiletés

---

3. Cette section s'inspire de l'ouvrage de PERETTI, J.M. *et al.*, *Vers le management international des ressources humaines*, Paris, Les Éditions Liaisons, 1991.
4. REICH, R., *La Presse*, 22 décembre 1991, p. D1 et D2.

intellectuelles pour identifier des problèmes et les résoudre profitent d'une demande croissante pour leurs qualifications. Pour en bénéficier, les entreprises accourent de partout dans le monde».

La recherche des qualifications supérieures exige donc, pour le recruteur international, un travail de taille. Il lui faut connaître toutes les filières de formation, autant chez lui qu'à l'étranger, connaître l'évolution des compétences recherchées, piloter les carrières internationales et l'accroissement de la mobilité. Il n'est d'ailleurs pas le seul acteur à relever ce défi. Les institutions nationales et les gouvernements devront également créer des échanges avec les organismes étrangers, veiller à uniformiser les diplômes et les qualifications, connaître la structure quantitative et qualitative des emplois, se doter de grilles d'analyse communes, notamment dans les emplois de l'informatique où la mobilité est particulièrement susceptible de se développer.

L'entreprise elle-même devra ajuster ses politiques au marché de l'emploi international: réviser les politiques salariales et les avantages non financiers pour attirer la main-d'œuvre qualifiée, revoir les analyses de postes afin d'éviter les trop grandes disparités internationales. Les entreprises devront également favoriser le recrutement de candidats ayant une ouverture et une expérience internationales, réserver une place aux compétences étrangères et permettre d'attirer les meilleurs potentiels d'autres pays.

Enfin, les méthodes de sélection devront également être revues pour être acceptables aux yeux des candidats (par exemple, l'exigence de photographies et les tests graphologiques ne sont pas nécessairement des méthodes d'embauche familières aux cadres nord-américains) et pour uniformiser les diverses pratiques (par exemple, certains tests américains, tels le Bennet et le GATB, ont une diffusion internationale) (*voir la section 6.4.4*).

Dans ce contexte, le parrainage des recrues étrangères deviendra une activité indispensable à toute action de recrutement et de sélection. Il facilitera l'intégration des ressources tant recherchées et visera à transmettre aux étrangers un sentiment d'appartenance à l'entreprise.

Cette analyse de l'environnement externe de l'entreprise sur le plan de l'emploi constitue la première démarche stratégique d'acquisition de main-d'œuvre. La seconde démarche consistera à formuler et à réaliser des stratégies d'acquisition de main-d'œuvre reliées aux stratégies d'entreprise. Ce type d'harmonisation est abordé dans la section suivante.

6.2.2 LES STRATÉGIES D'ENTREPRISE ET LES STRATÉGIES D'ACQUISITION DES RESSOURCES HUMAINES

Pour illustrer l'harmonisation évoquée précédemment, nous avons choisi de décrire les stratégies d'acquisition de main-d'œuvre ou de personnel qui semblent appropriées à deux grandes catégories de stratégies d'entreprise. Il s'agit, d'une part, de la stratégie concurrentielle par la réduction des coûts, la recherche de la qualité et l'innovation, et, d'autre part, des stratégies adaptées au cycle de vie du produit.

Au cours des deux dernières décennies, de multiples définitions de la stratégie d'entreprise ont été proposées (Thietart, 1990). Les deux catégories de stratégies retenues ont l'avantage de recouper d'autres typologies et de présenter les stratégies dans un langage accessible.

LES STRATÉGIES CONCURRENTIELLES ET LES STRATÉGIES D'ACQUISITION DES RESSOURCES HUMAINES

Une entreprise peut acquérir un avantage concurrentiel en réduisant ses coûts, en améliorant la qualité de ses biens et de ses services ou en se distinguant par un savoir-faire innovateur, original.

Dans le premier cas, il lui faudra améliorer sa productivité, par exemple en diminuant ses coûts de main-d'œuvre, en faisant des économies d'échelle, en généralisant ses politiques de contrôle, etc. L'industrie du textile et de l'automobile, qui ont connu de grandes difficultés ces dernières années, ont recouru à ces mesures draconiennes (IBM récemment, Chrysler, Ford, GM au Québec).

La stratégie d'amélioration de la qualité, comme son nom l'indique, vise avant tout à satisfaire le client et à l'attacher à l'entreprise ou à un produit en lui procurant un bien ou un service de qualité. Cette recherche de la qualité peut s'étendre à tous les processus de travail de l'entreprise (concept de qualité totale). Honda, Toyota ou Fisher Price sont connues pour leurs produits de qualité.

La stratégie d'innovation consiste moins à produire davantage ou mieux qu'à livrer un bien ou un service différent, qui se démarque de la concurrence. Des compagnies comme GM, Hewlett-Packard ou Johnson & Johnson sont connues pour leurs produits innovateurs.

Les recherches tendent à montrer que le succès de ces stratégies d'entreprise est lié à des stratégies particulières d'acquisition de ressources humaines. Le tableau 6.1 montre le type de personnel requis

TABLEAU 6.1 LES STRATÉGIES D'ENTREPRISE ET LES ACTIVITÉS D'ACQUISITION DE RESSOURCES HUMAINES CORRESPONDANTES

Stratégies d'entreprise		
Réduction des coûts	**Recherche de la qualité**	**Innovation**
Caractéristiques du personnel		
– Stable – Autonome – Moyennement enclin à prendre des risques – Centré d'abord sur la quantité et un horizon temporel à court terme	– Coopératif, apte au travail d'équipe – Orienté vers la qualité et la quantité – Mobilisable	– Créatif, flexible – Mobilisable – Coopératif – Esprit «convivial»
Activités d'acquisition		
– Emplois précisément définis – Possibilités de carrière restreintes à un nombre très limité de postes – Recrutement centré sur un poste particulier – Recours au personnel à temps partiel, à la sous-traitance	– Classification plus souple des emplois – Recrutement centré sur plusieurs postes à la fois	– Affectations multiples – Recrutement centré sur plusieurs postes – Méthodes de sélection qualitatives (entrevues par exemple)

pour chaque stratégie d'entreprise et les activités de recrutement, d'accueil et d'affectation correspondantes (Schuler, 1987).

LE CYCLE DE VIE DU PRODUIT ET LES STRATÉGIES D'ACQUISITION DES RESSOURCES HUMAINES

Bien que les options stratégiques fondées sur le cycle de vie du produit puissent recouper les stratégies précédentes, nous les décrivons ici, d'une part pour valider certaines des précédentes prescriptions par voie de comparaison, d'autre part pour y ajouter une perspective évolutive.

Ces différentes stratégies sont classées selon cinq types:

1. la stratégie entrepreneuriale;
2. la stratégie de croissance;
3. la stratégie de profit et de rationalisation;

4. la stratégie de liquidation;
5. la stratégie de revirement radical.

La stratégie entrepreneuriale

Cette stratégie caractérise les entreprises débutantes. L'important est de démarrer l'entreprise; les procédures formelles, les règles et les règlements sont peu nombreux. Les projets comportent des risques financiers élevés et, parfois, les ressources sont insuffisantes pour faire face à la demande.

Ce type de stratégie requiert un personnel innovateur, capable de prendre des risques et des responsabilités. Les postes sont conçus de manière à retenir les meilleurs employés et à assurer leur contribution à la réalisation des buts de l'organisation. Les procédures de recrutement sont peu formalisées, mais l'intégration rapide de l'employé à l'entreprise reçoit une attention particulière.

La stratégie de croissance

L'expansion de l'entreprise est rapide, mais les projets et les programmes à risques sont peu nombreux. Le besoin de contrôle et de procédures formelles est plus grand. Le choix entre diverses orientations de l'entreprise est difficile à faire.

Sur le plan des ressources humaines, ce type de stratégie nécessite des employés qui s'identifient fortement aux buts de l'organisation et à leur travail, qui s'adaptent rapidement au changement et qui travaillent en étroite collaboration avec les autres.

Les procédures de recrutement sont peu formalisées (par exemple, les postes sont définis de façon plutôt souple), mais conçues de manière à attirer les compétences dont l'entreprise a besoin. Ces pratiques sont censées stimuler l'innovation et la flexibilité au sein du personnel.

La stratégie de profit et de rationalisation

L'entreprise a trouvé sa « vitesse de croisière ». Il s'agit de maintenir le niveau actuel de profit, de rentabilité. Les processus de planification et de contrôle sont bien établis; on procède à une réduction des coûts.

L'entreprise a besoin d'un personnel efficace, peu coûteux, et elle n'exige de lui qu'un engagement minimal.

Dans cette stratégie caractéristique des entreprises parvenues à maturité, les pratiques en gestion des ressources humaines «se bureaucratisent», l'accent étant mis sur l'uniformisation des procédures, des opérations, et sur le contrôle. Les procédures de recrutement et de sélection sont formelles et explicites. Les descriptions de postes sont très claires et laissent peu de place à l'initiative personnelle. Il est important que le personnel recruté soit rapidement efficace, le processus de socialisation étant réduit au minimum.

La stratégie de liquidation

C'est la stratégie adoptée par l'entreprise en déclin. Celle-ci cherche à se débarrasser des activités non rentables et à réduire son effectif autant qu'elle le peut. Elle fait peu d'efforts pour redresser la situation.

Cette stratégie touche évidemment le personnel, et ses effets sont probablement moins désastreux pour les employés peu attachés à l'entreprise.

L'entreprise en déclin se retrouve avec une abondance de compétences humaines. Le défi pour les gestionnaires en ressources humaines est de réduire le plus possible les effets sociaux d'une stratégie de liquidation (notamment sur l'emploi). Le recrutement est évidemment inexistant, ou presque. Paradoxalement, dans certaines entreprises, le processus de planification des ressources humaines reste actif, dans la mesure où il s'agit de répartir le personnel différemment, au fur et à mesure que les besoins de l'entreprise changent (on exclut évidemment le cas où l'entreprise cesse toute activité).

La stratégie de revirement

Les dirigeants de l'entreprise décident de réagir aux menaces de déclin ou de perte d'un monopole. Malgré la réduction de l'effectif (notamment dans l'industrie privée) et des coûts, on mise sur de grands programmes et des produits nouveaux. Dans l'industrie automobile, Chrysler et GM sont des exemples de ce type de retournement.

Pour ce genre de stratégie, l'entreprise a besoin d'un personnel fortement motivé, flexible, prêt à investir beaucoup d'efforts et de temps pour obtenir des résultats et des gains à long terme et capable de travailler en équipe. Les activités de recrutement sont importantes, car il s'agit d'acquérir ou de récupérer les individus qui possèdent les compétences clés pour lancer un nouveau produit ou pour s'attaquer à un nouveau marché.

Le processus de socialisation est intense, et les caractéristiques culturelles de l'organisation peuvent changer avec la stratégie (par exemple, le service à la clientèle et la fidélité de l'employé à l'organisation pourraient être les nouvelles valeurs de l'entreprise en mutation). C'est le cas d'Hydro-Québec et de GM à Boisbriand (Québec), où l'on mise beaucoup sur les nouvelles technologies et le lancement d'un produit nouveau (le modèle F chez GM), ou sur un service accru à la clientèle. Pour réaliser son projet, GM a rappelé, en 1992, des centaines d'employés qui avaient été mis à pied après les menaces de fermeture d'usine en 1985.

Il faut aborder toutes ces prescriptions conceptuelles avec une certaine souplesse, c'est-à-dire en tenant compte de l'environnement de la firme, de la disponibilité des ressources, de l'analyse du rapport coûts–avantages, des valeurs des dirigeants et d'une éventuelle alternative aux activités d'acquisition des ressources humaines. Ainsi, il n'est pas rare de voir l'entreprise changer de stratégie à la lumière des données humaines mentionnées[5].

6.3 LE RECRUTEMENT

Le recrutement est le processus par lequel l'entreprise tente d'attirer à elle un réservoir de main-d'œuvre où elle pourra puiser pour combler ses postes de travail. Il est souhaitable que cette main-d'œuvre soit le plus qualifiée possible pour un poste donné. Les messages véhiculés par les politiques et les méthodes de recrutement doivent donc être conçus pour susciter des candidatures appropriées à l'offre d'emploi.

Le plan de recrutement d'une entreprise commence avec une détermination précise des besoins en ressources humaines à un moment particulier, et en une analyse préalable des postes. La nécessité de planifier le processus de recrutement est encore plus impérative pour les organisations voulant se doter de programmes d'accès à l'égalité. En effet, il faut veiller à ce que, pour une catégorie d'employés donnée, les femmes et les minorités soient représentées dans le personnel de l'entreprise, proportionnellement à leur présence sur le marché du travail.

---

5. Le lecteur peut consulter avec profit certains auteurs qui ont inspiré cette partie : Beyssere des Horts (1988), Baird et Meshoulam (1988), Dyer et Holder (1988), Wils *et al.* (1991), Meals et Rogers (1986), Ferris *et al.* (1984), Gerstein et Reisman (1983), Lengnick-Hall et Lengnick-Hall (1988), Schuler (1987).

6.3.1 LA DÉMARCHE GLOBALE DE RECRUTEMENT

La démarche de recrutement s'effectue en trois phases interdépendantes :

1. l'élaboration du plan de recrutement ;
2. la mise en œuvre de ce plan ;
3. l'évaluation de cette démarche.

L'ÉLABORATION DU PLAN DE RECRUTEMENT

L'élaboration du plan de recrutement consiste principalement à choisir une méthode de recrutement appropriée (affichage, visites dans les universités, etc.) et à établir les modalités de sa mise en œuvre.

Plusieurs facteurs, dont nous reparlerons, influencent le plan de recrutement, à savoir :

– la politique de recrutement de l'entreprise (prospection interne ou externe) ;
– les conditions du marché du travail ;
– les contraintes de temps et d'argent.

La projection des coûts de recrutement est également un élément du plan de recrutement, bien que cet exercice soit difficile étant donné les fluctuations du marché du travail. Cependant, les estimations budgétaires peuvent être fondées sur les activités de recrutement antérieures de l'entreprise.

LA MISE EN ŒUVRE DU PLAN DE RECRUTEMENT

La méthode de recrutement choisie détermine les activités à entreprendre, à savoir : 1. préparer le matériel de prospection, comme l'annonce de presse ou l'affichage interne ; 2. chercher activement des candidats en déléguant des recruteurs professionnels dans les universités, par exemple ; 3. passer par des intermédiaires, telles les agences privées ou publiques de recrutement ou de placement.

L'ÉVALUATION DE LA DÉMARCHE DE RECRUTEMENT

Cette étape consiste en un ensemble d'activités qui permettent d'évaluer l'efficience et l'efficacité de la démarche complète. L'information recueillie devra rester disponible pour permettre d'élaborer éventuellement d'autres plans de recrutement. Voyons maintenant en détail la démarche générale de recrutement.

6.3.2 LES FACTEURS INFLUANT SUR LE PLAN DE RECRUTEMENT

Parmi ces facteurs, mentionnons les politiques internes de l'entreprise, le type de main-d'œuvre recherché, les conditions du marché du travail et les contraintes de temps et d'argent.

LES POLITIQUES DE RECRUTEMENT DE L'ENTREPRISE

La plupart des entreprises ont une politique qui spécifie le type de prospection privilégié (interne ou externe). Généralement, la préférence est donnée au recrutement interne, surtout dans les grandes entreprises où le bassin de main-d'œuvre est assez vaste pour y puiser le personnel nécessaire (chez IBM, par exemple). Cette politique vise également à développer un sentiment de fidélité envers l'organisation.

Le recrutement externe est toutefois nécessaire dans le cas d'une croissance rapide de l'entreprise ou d'une demande inattendue pour un bien ou un service requérant une main-d'œuvre déjà formée. Une politique d'accès à l'égalité détermine également le nombre et le type de candidats recherchés.

LES CONDITIONS DU MARCHÉ DU TRAVAIL

Le jeu de l'offre et de la demande de main-d'œuvre détermine l'ampleur du processus de recrutement. Il détermine en particulier l'aire géographique de prospection, la méthode de recrutement et les coûts correspondants.

Ainsi, le recrutement de candidats potentiels pour un emploi donné peut se faire à l'échelle locale, régionale, nationale ou internationale. Plus la demande de main-d'œuvre est excédentaire (ingénieurs ou professionnels du secteur pétrolier par exemple), plus la zone de recherche sera vaste (nationale ou internationale) (*voir le deuxième exemple d'annonce dans l'encadré 6.5*). La méthode de recrutement, dans ce cas, exigera plus de temps et de recherche; elle entraînera donc des coûts plus élevés. De plus, un marché du travail serré oblige les entreprises à offrir, outre le salaire, de nombreux avantages monétaires pour attirer la main-d'œuvre recherchée: primes de relocalisation, aide substantielle pour l'achat d'une maison, etc.

ENCADRÉ 6.5 DEUX EXEMPLES D'ANNONCES DE PRESSE

COORDONNATEUR DE L'ÉQUITÉ EN MATIÈRE D'EMPLOI ET D'ÉDUCATION*

Le collège Cambrian, situé à Sudbury, en Ontario, est le plus important établissement post-secondaire bilingue du nord de l'Ontario. Il emploie plus de 1 000 personnes, à temps plein et à temps partiel, et dispense ses programmes post-secondaires, d'apprentissage et de formation professionnelle à quelque 7 000 étudiants et à plus de 15 000 autres dans les cours du soir offerts à temps partiel.

Le collège Cambrian est à la recherche d'une personne très motivée pour occuper le poste de coordonnateur de l'équité en matière d'emploi et d'éducation.

Relevant du Président du Collège, la personne choisie aura à jouer un rôle de leader dans la planification, la mise au point et la surveillance des initiatives que le Cambrian veut mettre en vigueur pour appliquer l'équité dans l'emploi et l'éducation. Elle fera, en outre, l'investigation et la médiation nécessaires dans les questions concernant l'équité, établira et maintiendra des liens efficaces avec divers organes, au Collège, les groupes communautaires et les organismes gouvernementaux et organisera ou offrira des forums éducatifs ou de formation pour le compte du Collège ou de la collectivité. Elle préparera aussi des demandes de subvention et des rapports généraux pour le Collège ou des organismes gouvernementaux.

La personne choisie fera preuve des qualités suivantes:

• *Connaissance solide des droits de la personne et des questions concernant l'équité en matière d'emploi;*

• *Sensibilité manifeste aux difficultés auxquelles doivent faire face les femmes, les minorités raciales, les autochtones, les francophones et les personnes handicapées pour avoir un accès égal à l'emploi et à l'éducation;*

• *Beaucoup d'énergie et de volonté de collaborer aux changements sociaux;*

• *Tact, discrétion et diplomatie avec un pouvoir solide de jugement et une capacité bien développée de résoudre des problèmes;*

ENCADRÉ 6.5 DEUX EXEMPLES D'ANNONCES DE PRESSE (suite)

• *Une excellente capacité de communication, de l'entregent et des compétences prouvées pour parler en public et rédiger des rapports ;*

• *Très bonnes compétences pour l'organisation et l'administration ;*

• *Se sentir à l'aise dans les rôles de leader ou de membre d'un groupe ;*

• *Être bilingue (français et anglais).*

Les personnes intéressées sont priées de faire parvenir leur curriculum vitæ, avec une lettre de demande indiquant le numéro de concours 91-A-21 au Bureau des ressources humaines.

Pour l'équité en matière d'éducation et d'emploi

Nous incitons les membres des groupes minoritaires dûment habilités pour l'exercice de ces fonctions à poser leur candidature.

RELANCEZ VOTRE CARRIÈRE EN ACQUÉRANT UNE EXPÉRIENCE INTERNATIONALE AU MOYEN-ORIENT**

Notre client représente le plus important regroupement d'entreprises privées au Koweït. Il possède un impressionnant chiffre d'affaires de plusieurs millions de dollars provenant d'une gamme variée de produits et services. Cette compagnie apprécie le savoir-faire, privilégie le rendement de qualité et sait reconnaître le talent.

Directeur général, ingénierie

Vous serez chargé de la gestion quotidienne des activités d'ingénierie, à savoir la fabrication de même que les ventes et l'entretien liés aux produits et services dans l'industrie de la construction civile.

Vous assumerez la responsabilité de la gestion des ressources humaines et des activités commerciales. Vous devrez donc faire preuve d'aptitudes exceptionnelles en direction de personnel car la main-d'œuvre sera imposante, complexe et diversifiée sur le plan culturel et vous aurez à la motiver pour qu'elle optimise sa productivité et qu'elle atteigne les objectifs. Votre sens des affaires sera également nécessaire afin d'assurer la vigueur commerciale et financière de ces activités.

*Source : La Presse, 8 janvier 1992.
**Source : La Presse, 7 décembre 1991.

On peut obtenir des informations sur les conditions du marché du travail (offre et demande de main-d'œuvre) dans les centres d'emploi du Canada ou du Québec, par le biais des associations professionnelles ou syndicales, dans les publications d'Emploi et Immigration Canada, de Statistique Canada ou du Bureau de la statistique du Québec, etc.

L'ALTERNATIVE AU RECRUTEMENT

Quand la main-d'œuvre est difficile à recruter, pour une raison ou pour une autre, les entreprises recourent aux heures supplémentaires, au travail à temps partiel et à la sous-traitance.

Les heures supplémentaires effectuées par les employés permettent de faire l'économie d'un long processus de recrutement et de sélection. Toutefois, certaines études montrent qu'après un certain nombre de semaines, le gain de productivité s'amenuise et le rendement finit par être le même qu'en temps normal (Cherrington, 1983).

Depuis les dernières récessions mondiales, les entreprises recourent beaucoup à l'engagement d'employés à temps partiel, moins «coûteux» que les employés à temps plein. Malheureusement, ces employés sont souvent des femmes et des jeunes peu qualifiés. Les emplois saisonniers ou occasionnels se substituent de plus en plus aux emplois réguliers.

Les entreprises, notamment les grandes, pratiquent la sous-traitance, c'est-à-dire qu'elles font appel à d'autres entreprises spécialisées pour obtenir le produit ou le service dont elles ont besoin. Par exemple, les hôpitaux confient aux sous-traitants le travail d'entretien ménager. Ces pratiques entraînent parfois des conflits avec les syndicats de l'entreprise. Une analyse conjointe (idéalement) des coûts et des bénéfices découlant de cette alternative au recrutement pourrait minimiser les frictions. En période de récession, l'employeur a les coudées plus franches.

LES CONTRAINTES DE TEMPS ET D'ARGENT

Le temps et l'argent posent d'évidentes limites à l'effort de recrutement. Une entreprise aux moyens financiers modestes choisira probablement de recruter davantage par recommandations des employés en place que par l'intermédiaire d'une agence de placement. Le tableau 6.2 indique l'ampleur des coûts relatifs des méthodes de recrutement.

De façon générale, le coût approximatif de recrutement pour un candidat s'obtient en divisant le coût total de recrutement (CTR) par le nombre d'individus engagés (NR):

TABLEAU 6.2 LES CARACTÉRISTIQUES DES MÉTHODES DE RECRUTEMENT

Méthode	Marché du travail	Avantages	Désavantages
Affichage (notes de service, journaux d'entreprise)	Interne	Rapide, peu coûteuse, conforme aux contraintes syndicales s'il y a lieu; favorise l'avancement de l'employé	Pas de « sang neuf »
Inventaire de main-d'œuvre	Interne	Peu coûteuse; favorise le développement de l'employé	Prend du temps
Recommandations	Externe; plutôt local	Peu coûteuse, accès facile à toutes sortes d'employés	Perpétue les caractéristiques actuelles de la main-d'œuvre
Candidatures spontanées	Local	Peu coûteuse, rapide	Trop de candidatures quand l'offre de main-d'œuvre est grande
Centres d'information des centrales syndicales	Local	Conforme aux conventions collectives, peu coûteuse	Choix limité de l'employeur
Annonces (journaux, radio, télévision)	Tous	Rapide, cible la clientèle, vaste bassin de candidats	Peut s'avérer coûteuse
Écoles et universités	Local, régional, national et international	Vaste bassin de candidats	Coûteuse et longue
Associations professionnelles	Local, régional, national et international	Candidats présélectionnés	Peut être coûteuse
Bureaux de placement publics : centres d'emploi du Canada ou du Québec	Local, régional ou national	Gratuit, réseau informatisé	Peu accessible aux candidatures de professionnels
Agences de placement privées, « chasseurs de têtes »	Local ou régional; national si le bureau est important	L'employeur délègue la responsabilité de recruter	Coûteuse (jusqu'à 35 % du salaire annuel pour un cadre supérieur engagé) et longue

$$\text{Coût du recrutement par candidat} = \frac{\text{CTR}}{\text{NR}}$$

Sont inclus dans les coûts de recrutement les coûts de main-d'œuvre (salaires et avantages sociaux) et les coûts d'exploitation (téléphone, frais de voyage et d'hébergement, frais de consultation, frais de publication des annonces, visites sur les campus, brochures, etc.).

Le manque de temps peut également déterminer le choix de la méthode de recrutement. Un contremaître contraint de recruter 50 nouveaux employés en l'espace de deux jours sélectionnera d'anciennes candidatures à sa disposition plutôt que de recruter dans les collèges ou les universités.

Un plan de recrutement efficace doit également permettre d'estimer le temps qui sépare la sollicitation de candidatures et l'entrée du candidat dans l'entreprise (par exemple, dans le cas d'ingénieurs, cette période est d'une quarantaine de jours). Ce plan doit aussi permettre d'estimer le temps que requiert une méthode de recrutement pour se procurer des candidats valables. Le tableau 6.2 donne quelques indications à ce sujet.

6.3.3 LES MÉTHODES DE RECRUTEMENT

Il existe de nombreuses méthodes et sources de recrutement, dont le choix dépend des conditions décrites précédemment. Il est toujours préférable que les recruteurs professionnels d'une organisation aient leur propre évaluation des différentes sources de recrutement. Il faut en effet connaître celles qui sont le plus susceptibles d'attirer les candidats appropriés au plus bas coût et le plus rapidement possible. Nous avons résumé les caractéristiques des diverses méthodes dans le tableau 6.2.

Commentons quelques-unes de ces méthodes, notamment l'annonce de presse qui est la plus utilisée.

L'ANNONCE DE PRESSE

Dans l'annonce de presse, on distingue généralement le support (journal qui la publie) et le libellé (contenu et présentation). Deux exemples d'annonces sont illustrés dans l'encadré 6.5.

Le support changera évidemment selon le public que l'on veut atteindre. Au Québec, *Le Devoir* et *Le Journal de Montréal* ont des clientèles assez bien identifiées. Le journal *La Presse* tente de rallier toutes sortes de lecteurs.

Dans le libellé, on distinguera : l'accrochage, les exigences du poste, les offres et les conditions de travail, les informations et les documents désirés, de même que le demandeur (Muller et Silberer, 1968).

L'accrochage (originalité de la présentation physique, graphique et du texte) devient important quand une pénurie de personnel se fait sentir.

Quant à la formulation des exigences du poste, elle est trop souvent négligée. C'est pourtant d'elle que dépend largement la qualité des réponses. « Une bonne annonce n'est pas celle qui amène de nombreuses candidatures inutilisables, mais celle qui sélectionne d'avance les candidats et n'attire réellement que ceux qui entrent en ligne de compte pour le poste envisagé » (Muller et Silberer, 1968, p. 219).

Les offres et les conditions spéciales peuvent être clairement spécifiées ou non. Dans le cas d'emplois techniques ou de postes syndiqués, les offres salariales sont presque toujours indiquées. Dans le cas de professionnels ou de cadres supérieurs, ces offres et conditions seront plutôt discutées en entrevue avec les candidats retenus.

Les informations que l'employeur demande aux candidats sont assujetties, nous l'avons vu, aux dispositions des chartes canadienne et québécoise. À moins de cas très particuliers, l'annonce ne peut indiquer la préférence de l'employeur pour le sexe, la religion, l'état civil ou le groupe ethnique des candidats.

Le demandeur (l'employeur) peut ou non indiquer son identité dans l'annonce. S'il vise à créer ou à maintenir une certaine image, ou « visibilité », auprès des différentes catégories de lecteurs (les gens en emploi, ses propres employés, les investisseurs, les clients potentiels, les gouvernements, etc.), il aura intérêt à s'identifier. Certaines raisons peuvent cependant l'amener à ne pas le faire, entre autres de récents conflits, le désir de déléguer à une agence de placement la responsabilité du recrutement.

Étant donné l'importance et la fréquence d'usage d'une annonce, la conception et la rédaction de celle-ci doivent faire l'objet d'un soin particulier.

LES CANDIDATURES SPONTANÉES

Comme le montre le tableau 6.3, le recrutement par candidatures spontanées est peu fréquent pour les emplois reliés à la vente, les professionnels ou les cadres, ce qui limite par ailleurs le nombre de candidats nécessaires pour réaliser des programmes d'accès à l'égalité. Cependant, cette méthode est peu coûteuse.

LES MÉTHODES DE RECRUTEMENT INTERNE

Il existe plusieurs façons de recruter du personnel dans l'entreprise même. On peut identifier les candidats intéressants à partir des évaluations de la performance et des inventaires de main-d'œuvre, mais l'affichage interne reste la méthode la plus utilisée, quelle que soit la catégorie d'emploi (figure 6.2).

En guise de conclusion, voyons, au tableau 6.3, les principales méthodes de recrutement utilisées par les entreprises, selon le genre de main-d'œuvre désirée. Bien que ce tableau comporte des données américaines, des enquêtes canadiennes plus anciennes présentent les mêmes configurations. Selon l'étude américaine, les méthodes considérées comme les plus efficaces par les entreprises sont les annonces de presse

FIGURE 6.2 LES MÉTHODES DE RECRUTEMENT INTERNE

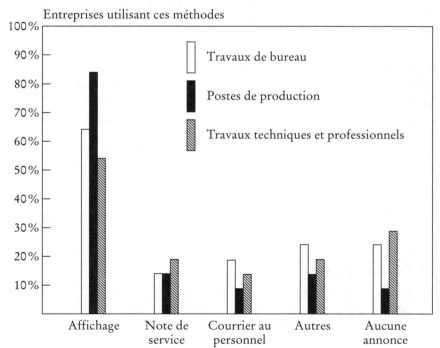

Source : Adaptée de «Employee promotion and transfer policies», dans SCHULER, R., 1984, p. 138.

TABLEAU 6.3 *LES MÉTHODES DE RECRUTEMENT PAR TYPES D'EMPLOI UTILISÉES PAR LES ENTREPRISES (EN POURCENTAGES)*

Méthodes de recrutement	Emplois de bureau	Postes de production	Vente	Techniciens et professionnels	Cadres
Recommandations	92	94	74	68	65
Candidatures spontanées	87	92	46	46	40
Annonces de presse	68	88	75	89	82
Écoles	66	61	6	27	7
Agences fédérales	63	72	34	41	27
Agences privées de placement	44	11	63	71	75
Expositions, salons de l'emploi	19	16	19	37	17
Collèges et universités	17	9	48	74	50
Publications spécialisées	12	6	43	75	57
Associations professionnelles	5	19	17	52	36
Annonces audio-visuelles	5	8	2	7	4
« Chasseurs de têtes »	1	2	2	31	54
Syndicats	1	12	0	3	0

Source: MINER, G.B., *Recruiting Policies and Practice*, Personnel Policies Forum, Bureau of National Affairs, Washington (D.C.), 1979, p. 4-5.

et les recommandations pour toutes les catégories d'emploi, les candidatures spontanées pour les emplois de bureau et de production, et les firmes privées de placement pour les postes de professionnels et de cadres (Bureau of National Affairs, 1979). Pour l'individu en quête d'un emploi, les méthodes privilégiées de recherche sont la démarche personnelle (se rendre chez l'employeur ou parler aux proches) ou le recours aux organismes gouvernementaux (tableau 6.4).

6.3.4 L'ÉVALUATION DU PROCESSUS DE RECRUTEMENT

Si les opérations de recrutement ont été bien planifiées, l'évaluation des activités entreprises en sera facilitée.

Il existe de nombreuses façons d'évaluer l'efficacité d'un programme de recrutement. Le tableau 6.5 énumère quelques méthodes d'évaluation fondées sur les coûts, le temps et la qualité des recrues.

En fait, la façon la plus adéquate d'évaluer une méthode de recrutement consiste à analyser la compétence du personnel et sa fidélité

TABLEAU 6.4 **LES MÉTHODES DE RECHERCHE D'EMPLOI**

Méthodes de recherche d'emploi	Pourcentage d'utilisation
Se rendre chez l'employeur pour offrir ses services	72
Se rendre à un Centre d'emploi du Canada ou à un Centre de main-d'œuvre du Québec	63
Demander à des parents ou à des connaissances	60
Répondre à des offres d'emploi publiées	49
Écrire à l'employeur pour offrir ses services	26
Vérifier avec le syndicat ou son bureau de placement	10
Vérifier avec les bureaux de placement	10
Faire appel à une agence privée de placement	10

Note: Une personne peut utiliser plusieurs méthodes.
Source: STATISTIQUE CANADA, *Job Search Patterns in Canada*, Ottawa, ministère de l'Industrie et du Commerce, novembre 1975, p. 46, dans WERTHER *et al.*, 1990, p. 209.

TABLEAU 6.5 **QUELQUES MÉTHODES D'ÉVALUATION DU PROCESSUS DE RECRUTEMENT**

1. Coût des opérations
2. Coût par recrue
3. Coût par méthode de recrutement
4. Nombre de candidats recrutés par méthode
5. Proportion de candidats qualifiés et non qualifiés parmi les personnes recrutées
6. Temps requis pour engager un candidat
7. Performance et fidélité des employés recrutés par une méthode particulière
8. Nombre de candidats interviewés
9. Proportion de candidats engagés par rapport aux candidats interviewés

à l'entreprise (Cascio, 1987). Des études assurant le suivi des engagements effectués quant aux critères mentionnés s'avèrent donc nécessaires. Les résultats de ces études ne permettent pas de conclure de façon nette à l'efficacité de telle ou telle méthode de recrutement; il en ressort surtout qu'il est plus important d'identifier précisément les aptitudes du candidat potentiel à occuper un poste, que de compter d'abord sur une méthode particulière de recrutement, laquelle doit être sélectionnée en fonction des candidatures désirées.

Quand l'entreprise a réussi à susciter un grand nombre de candidatures «valables», elle peut passer à l'étape suivante, qui consiste à sélectionner les meilleurs postulants. La partie suivante décrit cette activité.

6.4 LA SÉLECTION

6.4.1 L'IMPORTANCE D'UNE SÉLECTION ADÉQUATE

L'EFFICACITÉ DE LA SÉLECTION

Établir un processus approprié de sélection de candidats à un poste donné est une façon non négligeable de contribuer à la stratégie concurrentielle de l'entreprise.

En effet, une sélection bien faite contribue à procurer à l'entreprise une main-d'œuvre de qualité, en différenciant les candidats aptes à occuper des fonctions ou des tâches complexes de ceux qui ne le sont pas. L'absence de politiques et de méthodes de sélection ou une sélection mal faite augmentent les coûts qui leur sont associés et finissent par abaisser le niveau général de compétence de l'entreprise.

Des employés bien choisis contribuent à la productivité de l'entreprise par l'usage de leur talent dans un ou plusieurs postes identifiés à l'avance. Par contre, une sélection imprécise augmente les coûts de formation et de mutation, et peut conduire au licenciement de l'employé par son inadéquation au poste de travail où on l'a placé. Il faut ajouter à cela les coûts occasionnés par le manque de compétence de l'employé mal sélectionné: gaspillage, temps perdu, absence de qualité, matériel mal utilisé, etc. Il faut aussi considérer le manque de motivation issu du sentiment d'incompétence de l'employé, les blessures infligées à son amour-propre et les poursuites judiciaires que peut entreprendre un employé qui se sent lésé (par exemple, dans le cas d'un licenciement). À l'inverse, un candidat trop qualifié pour le poste où il a été affecté peut rapidement se démotiver par manque de défi, et finalement partir. Là encore, ce type d'erreur en sélection peut être coûteux.

On voit donc l'importance d'un recrutement et d'une sélection adéquats. Cela est encore plus vrai lorsque les tâches ou les fonctions à exécuter sont vitales pour le succès de l'entreprise. Par exemple, la sélection inadéquate d'un employé de bureau affecté à des tâches de classement de dossiers coûtera à l'entreprise bien moins cher qu'un vendeur incompétent de produits nouveaux pour une entreprise qui démarre. Le calcul de la variation de la performance de titulaires d'un poste donné est parfois transformé en valeur monétaire. Le rôle de la sélection est de réduire cette variance en choisissant des candidats compétents et qualifiés, notamment ceux dont l'expertise est rare, donc plus recherchée.

Il est donc impérieux de réduire les coûts humains et monétaires découlant des erreurs de sélection.

LES DÉCISIONS ET LES ERREURS EN SÉLECTION

L'objectif de la sélection est de prédire avec justesse la capacité d'un candidat à réussir dans un poste donné. La décision d'embaucher ou non induit quatre cas de figure: deux types de décisions sont corrects, les deux autres sont incorrects. On peut accepter un candidat parce qu'il est vraiment compétent (décision dite réellement positive) ou le refuser parce qu'il se serait avéré vraiment incompétent (décision dite vraiment négative). Par contre, on peut faire deux types d'erreurs. On retient un candidat qui s'avérera incompétent (décision positive erronée) ou on rejette un candidat qui se serait avéré compétent (décision négative erronée). Ces quatre cas sont illustrés à la figure 6.3.

L'erreur la plus grave consiste en une décision positive erronée. Nous avons mentionné précédemment les dommages qu'il en coûte à l'organisation et à l'employé de retenir un candidat non qualifié pour un poste. Généralement, une décision négative erronée passe inaperçue, à moins que le candidat entame des poursuites à la suite de son rejet, ou qu'il se révèle être une «star» dans une entreprise concurrente. Bien que la situation soit un peu différente, on peut penser au cas de Iaccoca licencié par Ford, puis engagé chez Chrysler où il a connu une grande

FIGURE 6.3 QUATRE TYPES DE DÉCISIONS EN MATIÈRE DE SÉLECTION

		Prédiction d'échec	Prédiction de succès
Mesure de la performance	Succès	Décision négative erronée	Décision positive correcte
	Échec	Décision négative correcte	Décision positive erronée

notoriété pour ses qualités de gestionnaire. Dans les ligues de hockey, on peut également penser au « repêchage », où un club cède un joueur qui se révélera excellent dans une autre équipe.

6.4.2 L'ÉLABORATION D'UN SYSTÈME DE SÉLECTION

Généralement, on demande au candidat de nombreux renseignements ou informations sous différentes formes : entrevues, tests, etc. Ces diverses épreuves sont nommées « prédicteurs », car elles permettent de prédire jusqu'à quel point le candidat sera performant au travail.

Le choix de ces prédicteurs est le fruit d'un travail préalable, dont les étapes contribuent à élaborer un système de sélection valide propre à l'entreprise. Ces étapes sont illustrées à la figure 6.4.

Étape 1 : L'analyse du poste

Le poste offert doit au préalable faire l'objet d'une analyse qui dégagera les activités qui y sont reliées, de même que les compétences et l'expérience nécessaires pour occuper ce poste.

FIGURE 6.4 L'ÉLABORATION D'UN SYSTÈME DE SÉLECTION

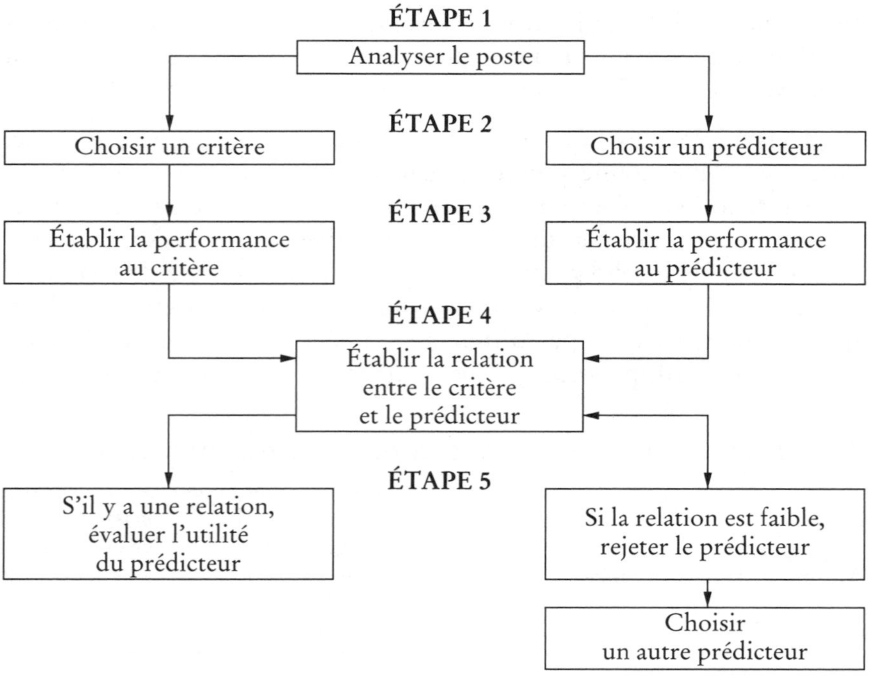

Étape 2 : La sélection du critère et du prédicteur

On détermine un ou plusieurs critères de succès au travail (ventes, erreurs, etc.). Cette opération est cruciale dans le système de sélection à élaborer. De même, on choisit un prédicteur qui mesurera les activités ou les compétences qu'exige le poste offert.

Étape 3 : La mesure de la performance

Après avoir choisi les prédicteurs et les critères, on mesure la performance de l'employé aux uns et aux autres.

Étape 4 : L'évaluation de la validité du prédicteur

Il faut vérifier que les différences de scores obtenues au prédicteur correspondent à celles obtenues au critère, afin de s'assurer que le prédicteur est valide. Nous reviendrons en détail sur ce point.

Étape 5 : L'utilité du prédicteur

Si le prédicteur est valide, il faut déterminer jusqu'à quel point il contribuera à améliorer la performance du personnel en place. Il faut évidemment réévaluer périodiquement l'utilité et la validité du prédicteur, les emplois et les individus étant relativement fluctuants.

La figure 6.5 donne un exemple de la relation entre l'analyse du poste, les prédicteurs et le critère de succès au travail pour un employé de bureau. Si cette relation est élevée, elle représente alors simplement le processus de validation des prédicteurs.

FIGURE 6.5 *LE PROCESSUS DE VALIDATION DES PRÉDICTEURS DE SUCCÈS AU TRAVAIL D'UN EMPLOYÉ DE BUREAU*

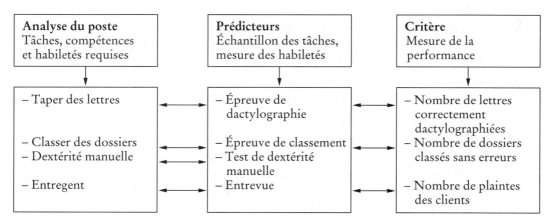

Le reste du chapitre traite principalement de ces étapes, excepté la première qui a été vue au chapitre 5. Une première section traitera du choix du critère de succès au travail, puisque ce choix détermine l'efficacité du processus de sélection. La deuxième section décrira les différents prédicteurs que l'on rencontre dans un processus d'embauche, et la troisième exposera la façon d'obtenir des prédicteurs valides. Enfin, une dernière section déterminera l'utilité pratique des prédicteurs.

6.4.3 LE CHOIX DU CRITÈRE

Pour être valides, les prédicteurs (tests, entrevues, etc.) doivent permettre de distinguer un candidat performant de celui qui ne l'est pas. Mais ce jugement ne se fait qu'à la lumière de critères bien définis et choisis à l'avance.

LES TYPES DE CRITÈRES

À titre indicatif, mentionnons quelques critères couramment utilisés dans l'industrie. Bien qu'en réalité ils soient difficilement séparables, on peut distinguer les critères «durs» (*hard*) des critères «mous» (*soft*). Les critères durs sont généralement objectifs, quantitatifs, tandis que les critères mous impliquent un jugement subjectif.

Les critères durs comprennent les indices de production en quantité et en qualité (dans l'industrie manufacturière surtout), le salaire (comme valeur de l'employé), le nombre de promotions, le niveau hiérarchique, le volume des ventes, le roulement de personnel et l'absentéisme, le nombre d'accidents, les vols, le temps perdu, le nombre de plaintes, etc.

Les critères mous incluent l'évaluation des employés par leur chef, leurs pairs, voire leurs subordonnés. L'utilisation de ces types de jugement (nécessairement subjectifs) est largement répandue en entreprise.

LA COMBINAISON DE CRITÈRES

Il est possible que plusieurs critères se rapportent à un même emploi: qualité, quantité, absentéisme, etc. Chaque critère évalue un aspect différent de la performance, et ils ne devraient pas être interreliés (sinon à quoi bon les mesurer tous). Il est donc utile de procéder à une analyse de corrélation pour les critères considérés. En général, plus la fonction est complexe, plus il faut établir de critères pour la circonscrire, et plus nombreuses seront les compétences individuelles nécessaires pour y réussir.

Lorsque nous sommes en présence de plusieurs critères, faut-il les combiner pour en faire un seul indicateur de performance ou faut-il les considérer séparément? Par exemple, un employé qui entretient d'excellentes relations avec son entourage mais qui fait beaucoup d'erreurs dans les dossiers qu'il traite ne peut certainement pas être considéré comme un employé «moyen».

Le choix d'un critère global ou de critères multiples dépend de l'objet d'étude. Le premier choix s'applique mieux dans les cas où il faut prendre une décision pratique, et le deuxième dans les cas où l'on veut comprendre les dimensions du travail qui contribuent au succès de celui-ci (par exemple pour identifier des besoins de formation). Nous reparlerons de cet aspect qui s'applique aux prédicteurs.

LA SÉLECTION DU CRITÈRE

Un critère bien choisi sera pertinent, sensible (discriminant), pratique, fidèle, et son évaluation sera exempte d'erreurs de mesure (le critère ne sera pas contaminé).

La pertinence du critère

Un critère ultime ou une norme idéale est toujours difficile à mesurer, car, dans bien des cas, il s'agit d'un concept abstrait (être loyal envers l'entreprise, viser l'excellence, bien s'entendre avec ses collègues, etc.). Aussi rechercherons-nous une norme intermédiaire, concrète, plus disponible. Par exemple, la production d'un vendeur (norme idéale) pourrait se mesurer par le nombre de ventes effectivement réalisées (critère intermédiaire ou concret). Le nombre de ventes est logiquement relié à la norme idéale de production; ce critère intermédiaire est alors pertinent.

Il faut donc veiller à ce que le critère choisi soit le plus complet possible pour qu'il se rapproche du critère ultime. Malheureusement, cet exercice est parfois difficile. Ainsi, on retient souvent le chiffre de production comme critère immédiat ou intermédiaire, mais il se peut qu'un des éléments essentiels de cette production soit le non-gaspillage, l'absence d'accidents, l'aptitude du travailleur à s'entendre avec ses collègues, etc. Un critère est multidimensionnel. Les critères immédiats ou intermédiaires doivent donc être établis dans une perspective à long terme. Il faut démontrer dans quelle mesure ces critères permettent de prévoir efficacement le critère final ou ultime, le seul réellement valide.

La sensibilité du critère

De même qu'une balance sensible enregistre toute variation de poids, un critère doit permettre de discriminer les différents degrés de performance d'un employé. Des critères très larges (comme le nombre de ventes d'un produit) peuvent ne pas rendre compte de l'efficience et de l'efficacité d'un employé. Les critères supplémentaires mentionnés dans l'exemple précédent permettent déjà une discrimination plus fine que le seul critère du nombre de ventes.

Le critère pratique

Le développement de critères valides est certainement utile pour les gestionnaires, mais il faut que la compréhension et l'administration de ces critères soient accessibles aux utilisateurs et qu'elles ne constituent pas un obstacle à la bonne marche des opérations. Le spécialiste en ressources humaines doit donc être pratique.

La fidélité du critère

Le critère doit être un indice stable de la performance. En d'autres termes, deux mesures de la performance des employés, d'une fois à l'autre, devraient donner des résultats analogues et aboutir à un classement relativement semblable des individus les uns par rapport aux autres. On peut accroître la fidélité du critère en augmentant le nombre d'évaluateurs ou de «juges» de la performance des employés, et en prolongeant la période d'observation.

La non-contamination du critère

Un critère immédiat ou intermédiaire est contaminé lorsque, avant ou pendant son utilisation, il est source d'erreurs. Ces erreurs sont des fautes de jugement (effet de halo, par exemple) ou de méthodologie. Supposons qu'un supérieur hiérarchique soit appelé à donner son évaluation d'un subordonné; supposons également qu'en entrevue de sélection, quelque temps auparavant, il l'ait choisi parmi d'autres candidats. Il est possible que sa participation à l'entrevue (prédicteur) influe sur son jugement qui sert de critère pour valider le prédicteur, ce qui fausse le processus. L'étude du critère de succès au travail que nous venons de voir va logiquement servir à choisir les prédicteurs de ce succès.

6.4.4 LES PRÉDICTEURS

L'agencement des prédicteurs constitue un processus d'embauche relativement familier à tous les postulants à un emploi. Exposons brièvement ce processus.

Les méthodes utilisées varient d'une entreprise à l'autre. Cependant, la démarche illustrée à la figure 6.6 est assez classique. L'ordre n'est pas nécessairement le même; toutefois, l'ensemble donne une idée des différents stades que les candidats doivent franchir. Les formulaires de renseignements individuels, les entrevues, les tests, les références et les examens physiques constituent les principaux prédicteurs du processus de sélection proprement dit.

Il se peut qu'à chacune des étapes illustrées à la figure 6.6, un candidat soit éliminé, ou que l'on se forme une impression, favorable ou défavorable, tout au long du processus. Généralement, plus les candidatures sont nombreuses, plus il est facile de les écarter d'emblée à l'une ou l'autre de ces étapes, en cas d'impression défavorable. Quand

FIGURE 6.6 *UNE DÉMARCHE CLASSIQUE DE SÉLECTION DE CANDIDATS*

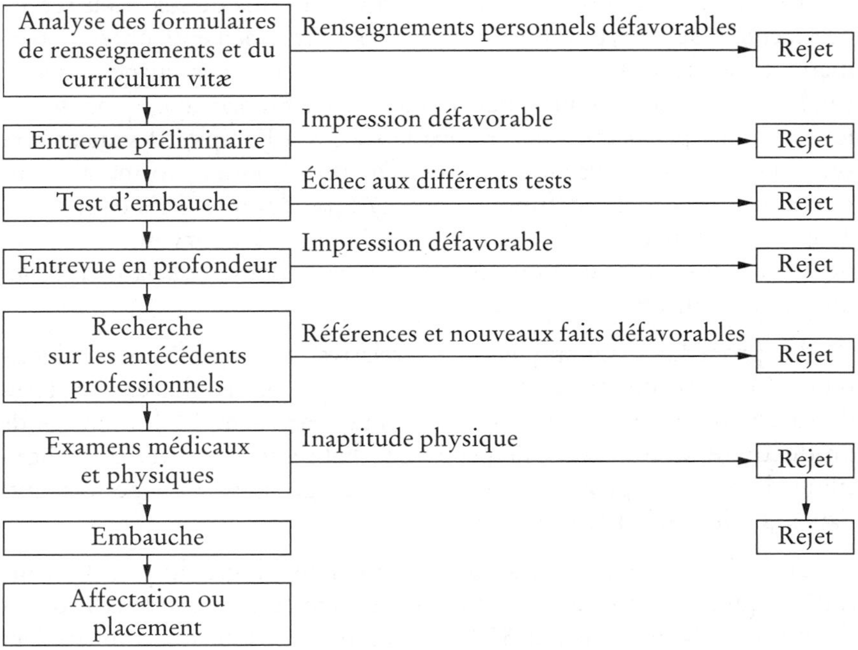

les candidatures sont peu nombreuses, on «donne la chance au coureur» et on passe outre aux premières impressions défavorables.

LES FORMULAIRES DE RENSEIGNEMENTS INDIVIDUELS

Ces formulaires, dont la forme la plus courante est le formulaire de demande d'emploi, visent à recueillir des données biographiques sur le candidat. Ces données renseignent l'employeur sur la scolarité du candidat, ses antécédents professionnels, sa formation, ses activités paraprofessionnelles. La figure 6.7 illustre ce type de formulaire, familier à ceux ou celles qui ont déjà sollicité un emploi. Cet exemple de formulaire est fourni par la Commission des droits de la personne du Québec.

Les formulaires de demande d'emploi ont une longueur très variable. Toutefois, au Canada, le nombre de questions contenues dans ces formulaires est considérablement plus restreint qu'autrefois, car les questions qui contreviennent aux lois protégeant les droits et les libertés de la personne ne peuvent être posées. On constatera d'ailleurs que le formulaire présenté à la figure 6.7 exclut les questions relatives à l'état civil, à la situation familiale, au casier judiciaire, à l'âge, à la couleur, au sexe, à la religion, à l'origine nationale ou ethnique, à la langue, etc.

Le choix des informations à recueillir à des fins de sélection repose précisément sur l'hypothèse suivante: les renseignements obtenus permettent de juger de la valeur d'une candidature, des chances que le candidat a de satisfaire aux exigences du poste. En principe, donc, seules les questions permettant de prédire le succès à l'emploi devraient être retenues comme outils de décision. Or, de nombreux formulaires de renseignements sont indéfiniment allongés par des questions dont beaucoup sont étrangères à la réussite dans le poste à pourvoir. Comment peut-on choisir les questions pertinentes et valides, c'est-à-dire celles qui permettent un choix réel?

La procédure statistique en est relativement simple, mais rigoureuse. On procède tout d'abord au choix d'un ou de plusieurs critères de succès professionnel. Ces critères sont, par exemple, les indices de productivité, le roulement de personnel, l'absentéisme, etc. Un échantillon d'employés peut être divisé en deux groupes, l'un performant, l'autre moins, selon le critère choisi.

Il s'agit ensuite de vérifier les informations biographiques des candidats, qui discriminent de façon nette et significative les deux groupes d'employés. Supposons que 80 % des employés performants possèdent

FIGURE 6.7 UN EXEMPLE DE FORMULAIRE DE DEMANDE D'EMPLOI SUGGÉRÉ PAR LA COMMISSION DES DROITS DE LA PERSONNE DU QUÉBEC*

Les renseignements demandés sont nécessaires à l'évaluation de votre candidature. Veuillez répondre lisiblement à toutes les questions, de façon précise et complète.

Emploi postulé	Date approximative de disponibilité

Renseignements personnels

Nom Prénom	Numéro d'assurance sociale
Adresse: nº rue	Numéros de téléphones Résidence:
Municipalité	Province	Code postal	Travail:

Avez-vous le droit de travailler au Canada?
(Ce droit est reconnu aux citoyens canadiens, aux immigrants reçus et aux détenteurs d'un permis de travail.)   ☐ oui ☐ non

Formation

Niveau	Nom et lieu de l'établissement	Durée de	à	Dernière année complétée	Option ou spécialité	Certificat ou diplôme obtenu
SECONDAIRE						
COLLÉGIAL						
UNIVERSITAIRE						
AUTRES						

(Dans le cas où les renseignements ci-dessous sont nécessaires pour l'emploi)

Détenez-vous un certificat de qualification? ☐ oui ☐ non	Êtes-vous titulaire d'un permis de conduire?
Si oui, précisez: _____	
Êtes-vous membre d'une corporation ou d'une association professionnelle? ☐ oui ☐ non	
Si oui, précisez: _____	☐ oui ☐ non

FIGURE 6.7 UN EXEMPLE DE FORMULAIRE DE DEMANDE D'EMPLOI SUGGÉRÉ PAR LA COMMISSION DES DROITS DE LA PERSONNE DU QUÉBEC* (suite)

Expérience

Nom et adresse de votre employeur actuel ou le plus récent		Votre titre d'emploi	
Genre d'entreprise ou d'organisme	Durée de votre emploi de à	Salaire actuel ou le plus récent	
Nom et titre de votre supérieur immédiat	Téléphone	Raison du départ	
Sommaire de vos attributions et responsabilités		Pouvons-nous communiquer avec votre employeur actuel?	☐ oui ☐ non
Nom et adresse de l'employeur précédent		Votre titre d'emploi	
Genre d'entreprise ou d'organisme	Durée de votre emploi de à	Salaire au départ	
Nom et titre de votre supérieur immédiat	Téléphone	Raison du départ	
Sommaire de vos attributions et responsabilités			
Nom et adresse de l'employeur précédent		Votre titre d'emploi	
Genre d'entreprise ou d'organisme	Durée de votre emploi de à	Salaire au départ	
Nom et titre de votre supérieur immédiat	Téléphone	Raison du départ	
Sommaire de vos attributions et responsabilités			

Si nécessaire, annexez une feuille supplémentaire

Activités paraprofessionnelles où vous avez acquis une expérience reliée à vos qualifications pour l'emploi

Je déclare que les renseignements fournis dans ce formulaire sont, à ma connaissance, véridiques et complets. Je comprends qu'une fausse déclaration peut entraîner le rejet de ma candidature ou mon renvoi.

Date _____   Signature _____

* Il ne s'agit pas du seul formulaire possible, mais bien d'un exemple pouvant être adapté aux besoins particuliers d'un employeur, dans la mesure où les dispositions de la Charte sont respectées.

un diplôme universitaire de premier cycle et que 30 % seulement des employés non performants en détiennent également un. Il serait alors justifié d'inclure dans le formulaire de renseignements une question relative au niveau de scolarité atteint par le candidat.

Par la même méthode, il est finalement possible de pondérer chacune des questions sur sa valeur discriminante.

De nombreuses études montrent que les informations biographiques constituent un prédicteur très valide du succès au travail, et que leur utilisation appropriée réduirait considérablement les coûts de sélection (jusqu'à 250 000 $ sur une période de 25 mois, selon Lee et Both (1974, dans Muchinsky, 1990). Le lecteur intéressé à ces questions peut avantageusement consulter les travaux de Owens et Schoenfeldt (1980, dans Cascio, 1987), qui font une recension intéressante des études de validité de nombreuses informations biographiques.

Cependant, l'utilisation de ces formulaires soulève trois types de difficultés.

1. On ne peut savoir si le candidat est sincère lorsqu'il répond aux questions posées. Selon Cascio (1987), il semblerait qu'il le soit, surtout lorsque les informations sont suceptibles d'être vérifiées par l'employeur.

2. Ces formulaires sont instables, c'est-à-dire que leur validité se dégrade rapidement avec le temps. Ceci est dû à l'effet des conditions économiques, des variations du marché du travail, de la nature des postes. Ces formulaires doivent donc être revalidés tous les 3 à 5 ans.

3. La validité des questions n'est pas généralisable à tous les emplois ou à tous les types de candidats. Autrement dit, la validation n'est propre qu'à un emploi au sein d'une entreprise bien déterminée ou à une région, ou même à des aspects différents d'un même emploi. De plus, la relation entre le prédicteur et le critère n'est pas toujours linéaire, c'est-à-dire que pour certains emplois, trop ou trop peu d'une caractéristique est également défavorable (l'âge par exemple). Il faut donc se montrer vigilant quant à l'interprétation des données recueillies.

Malgré ces difficultés, la validité (même temporaire et spécifique) d'un formulaire de demande d'emploi vaut l'énergie déployée à l'établir.

L'ENTREVUE DE SÉLECTION

L'entrevue est certainement la méthode de sélection le plus fréquemment utilisée, voire, dans plusieurs cas, le centre même de la procédure d'embauche. Selon une enquête sur les procédures d'embauche aux États-Unis, près de 90 % des entreprises interrogées procèdent à une entrevue. De plus, pour 56 % des entreprises ayant participé à cette enquête, l'entrevue est considérée comme le plus important instrument de sélection (Bureau of National Affairs, 1976). Pourtant, contrairement aux tests, l'entrevue est une méthode très subjective d'évaluation d'un candidat. Aussi, il est important de discuter ici de la valeur de ce prédicteur, et de suggérer des mesures propres à améliorer la méthode d'entretien. Auparavant, nous en présenterons quelques caractéristiques importantes.

Les buts et la place de l'entrevue de sélection

L'entrevue de sélection vise trois objectifs :

- réunir des données pertinentes sur l'expérience et les qualifications du candidat, de façon à juger s'il pourra occuper un poste déterminé ;
- communiquer au candidat des informations sur le poste à pourvoir, sur le type d'organisation et les attentes des dirigeants ;
- dans bien des cas, communiquer au public une image positive de l'entreprise.

Comme on peut le voir, l'entrevue est loin d'être une conversation à bâtons rompus ; elle est plutôt un processus de collecte et de communication de données, aux objectifs bien définis.

L'entrevue peut se tenir à plusieurs reprises tout au long du processus de sélection, comme en témoigne la figure 6.6. Généralement, au moins une entrevue en profondeur, souvent décisive, est accordée au candidat qui a franchi avec succès une ou plusieurs des étapes du processus de sélection. Elle se produit vers la fin de ce processus. Une entrevue préliminaire peut aussi être accordée au début du processus de sélection, soit après l'envoi du curriculum vitæ (pour les postes de cadres surtout), soit après que le candidat aura rempli sa formule de demande d'emploi.

Dans le cas des candidatures pour des postes de haut niveau, il n'est pas rare de voir le candidat interviewé par plusieurs personnes de l'entreprise, soit par un seul individu à la fois, soit par un groupe d'évaluateurs, ou encore selon ces deux modalités.

La méthode de l'entrevue

Il existe plusieurs types d'entrevues, allant de l'entretien non structuré ou non directif à l'entretien très structuré, systématique. Dans le premier cas, l'entretien comporte peu de thèmes de discussion prévus à l'avance. Dans le second, l'entretien est constitué de questions prédéterminées, posées et interprétées de la même façon pour tous les candidats.

Ces deux types d'entretiens posent ce que nous appelons le «paradoxe de la valeur» (de l'entretien). En effet, l'exploration des données recueillies est plus facile, plus naturelle et plus riche en interprétation dans l'entrevue non dirigée. Cependant, les renseignements recueillis sur un candidat ne correspondent pas forcément à ceux recueillis sur un autre sujet, empêchant ainsi des comparaisons fiables. Autrement dit, l'entrevue très structurée augmente la fidélité et, par conséquent, la validité du processus, mais elle s'avère du même coup moins riche en accumulation et en interprétation des données.

En fait, la plupart des entrevues se présentent sous une forme semistructurée où, à travers un ensemble de thèmes qui se sont révélés déterminants dans la réussite professionnelle, il y a place pour l'exploration systématique de ce qu'a fait le candidat dans le passé.

L'entrevue de sélection exige une préparation qui consiste :
- à réunir des informations précises sur les exigences du poste ;
- à disposer d'un plan et à connaître les questions à poser ;
- à compulser les autres sources de renseignements disponibles sur le candidat (formule de demande d'emploi, curriculum vitæ, etc.).

Il y aurait, bien sûr, beaucoup à dire sur la façon de mener une entrevue semi-structurée. Cependant, tenons-nous en à l'essentiel, c'est-à-dire aux domaines à explorer du passé du candidat et à quelques règles générales du déroulement de l'entretien.

Le contenu de l'entrevue et l'ordre de présentation des questions varient quelque peu d'un entretien à l'autre, mais l'exploration des domaines suivants s'est avérée utile : la formation scolaire et postscolaire, les antécédents professionnels et sociaux ainsi que les projets personnels. Le tableau 6.6 présente un plan d'entrevue ; les questions à éviter sont les mêmes que celles qui sont interdites dans la formule de demande d'emploi (encadré 6.6) en vertu des lois relatives aux droits et libertés de la personne.

Quant au déroulement de l'entrevue, les règles suivantes (non exhaustives) s'avèrent utiles (Barnabé, 1982) :
- savoir écouter (précepte roi) ;
- mettre l'interlocuteur à l'aise ;

Tableau 6.6 Un plan d'entrevue

Introduction

– Présentation des personnes et des objectifs de la rencontre.

Formation scolaire et postscolaire

– Écoles fréquentées, succès, échecs, diplômes, raisons des divers choix.

– Matières préférées et désagréables.

– Intérêts, objectifs poursuivis.

– Formation postscolaire (perfectionnement, par exemple).

– Activités parascolaires.

Antécédents professionnels

– Postes occupés (description, responsabilités, raisons du changement, etc.).

– Choix de la profession, déceptions, situations appréciées ou désagréables.

– Carrière ascendante ou descendante.

– Relations avec les collègues, la hiérarchie.

– Vie professionnelle et vie sociale (complémentaire ou compensation ?).

Antécédents sociaux

– Intérêts et types de loisirs.

– Participation à la vie communautaire et fonctions.

Projets

– Plans personnels, projets à court et à long termes.

Conclusion

– Forme et date du prochain contact avec le candidat.

– poser des questions «ouvertes» plutôt que «fermées» (non exclues en temps opportun, évidemment);

– éviter de transmettre au candidat des jugements de valeur quant à ses réponses;

– faire en sorte que le candidat, en sortant de l'entretien, ait l'impression d'avoir appris quelque chose de plus sur lui-même et sur le poste visé.

La valeur de l'entrevue comme méthode de sélection

La valeur de l'entretien comme prédicteur du succès professionnel est jugée selon les critères qui s'appliquent à n'importe quel prédicteur : la fidélité et la validité.

ENCADRÉ 6.6 UN GUIDE DES FORMULAIRES DE DEMANDE D'EMPLOI ET DES ENTREVUES

Sujet	Questions conformes à la Charte*	Questions à éviter*	Commentaires
Race et couleur	Aucune	Joindre une photographie à la demande d'emploi	Une photographie peut être demandée après l'embauche à des fins d'identification.
Sexe	Aucune		Le prénom d'une personne indique la plupart du temps son sexe, mais l'article 18.1 n'a pas pour effet de rendre une telle question illégale.
Grossesse	Dans le cas d'un contrat à durée limitée, on peut demander à une candidate si elle sera disponible pour une période déterminée.	– Êtes-vous présentement enceinte ? – Avez-vous l'intention d'avoir des enfants ?	
Orientation sexuelle	Aucune		
État civil	– Accepteriez-vous un déplacement dans une autre localité (ou province ?) – Seriez-vous disposé-e à voyager dans le cadre de vos fonctions ?	– Nom de jeune fille – Marié-e, séparé-e, divorcé-e, etc. – Nom et occupation du conjoint – Nombre de personnes à charge – Lien de parenté avec une personne déjà à l'emploi de l'entreprise ou de l'organisme – Personne à prévenir en cas d'urgence et lien de parenté avec elle	Certaines questions à éviter dans un formulaire ou une entrevue peuvent être posées après l'embauche pour, par exemple, l'imposition ou les avantages sociaux.
Âge	Aucune	– Date de naissance – Joindre un certificat de naissance ou de baptême à la demande d'emploi	– Une preuve d'âge peut être exigée après l'embauche, notamment pour l'assurance.

ENCADRÉ 6.6 UN GUIDE DES FORMULAIRES DE DEMANDE D'EMPLOI
ET DES ENTREVUES (suite)

Sujet	Questions conformes à la Charte*	Questions à éviter*	Commentaires
Âge (suite)		– Numéro d'assurance-maladie du Québec – Numéro de permis de conduire	– Une question sur l'âge peut être licite si le formulaire ne vise que des emplois pour lesquels une loi impose une limite d'âge.
Religion	Aucune		L'employeur doit respecter les pratiques religieuses de ses employé-e-s dans la mesure du possible.
Convictions politiques	Aucune		
Langue	Connaissance de la langue (ou des langues) requise(s) par l'emploi	Langue maternelle	L'employeur ne doit pas exiger la connaissance d'une autre langue que celle(s) requise(s) par l'emploi.
Origine ethnique ou nationale	Avez-vous le droit de travailler au Canada ? (Ce droit est reconnu aux citoyens canadiens, aux immigrants reçus et aux détenteurs d'un permis de travail.)	– Lieu de naissance – Adresses antérieures – Expérience canadienne ou québécoise (à moins qu'un type d'expérience déterminé soit objectivement requis par l'emploi, auquel cas la nature de l'expérience doit être précisée)	Le permis de travail ou une preuve de citoyenneté ou de statut d'immigrant peuvent être exigés.
Condition sociale	– Si nécessaire pour l'emploi, pourriez-vous disposer d'une automobile ?	– Les questions sur la situation financière susceptibles d'indiquer la	

ENCADRÉ 6.6 UN GUIDE DES FORMULAIRES DE DEMANDE D'EMPLOI
ET DES ENTREVUES (suite)

Sujet	Questions conformes à la Charte*	Questions à éviter*	Commentaires
Condition sociale (suite)	– Pour certains emplois, les candidat-e-s peuvent être requis de présenter une demande de cautionnement.	condition sociale des candidat-e-s et qui n'ont pas de rapport direct avec l'emploi concerné. Exemples : – Possédez-vous une automobile ? – Êtes-vous locataire ou propriétaire ? – Avez-vous déjà subi une faillite ?	
Handicap	L'employeur peut requérir le consentement des candidat-e-s à subir un examen médical préalable à l'embauche. L'employeur qui met en œuvre un plan d'embauche de personnes handicapées en vertu de la *Loi assurant l'exercice des droits des personnes handicapées* (L.R.Q. chap. E-20.1) peut inclure dans son formulaire la note suivante : « Pour bien faire valoir votre candidature, vous pouvez nous faire part de tout handicap qui nécessiterait l'adaptation de nos méthodes de sélection (entrevues, tests...) à votre situation. »	– Handicap ou état de santé – Hospitalisations ou traitements médicaux antérieurs – Prestations d'accidents du travail	L'examen médical doit se limiter à établir si la personne est apte ou non à accomplir les fonctions d'un emploi déterminé avec ou sans restriction. L'employeur n'est pas justifié d'exclure une personne apte au travail pour la seule raison qu'elle ne peut être éligible au plan d'assurance collective en vigueur dans l'organisation.

* Ces lignes directrices peuvent comporter des exceptions lorsque l'article 20 de la Charte s'applique. Dans un tel cas, le fardeau de la preuve incombe à l'employeur.

Source : Commission des droits de la personne du Québec, 1985.

La fidélité se mesure à la stabilité des jugements portés par un même intervieweur (fidélité dite intra-intervieweur) et au degré de similitude ou d'accord entre deux ou plusieurs juges (fidélité dite inter-intervieweurs). Les études montrent que la fidélité intra-intervieweur est assez élevée (Muchinsky, 1990), les évaluateurs étant constants dans leurs jugements, d'une fois à l'autre. Par contre, les recherches montrent que la fidélité inter-intervieweurs est très variable; elle peut être très basse ou très élevée. En fait, il semble que les jugements varient en précision selon l'aptitude à évaluer. Les jugements sont plus faciles à porter sur certains aspects (correction de la langue, par exemple) que sur d'autres (motivation).

Quant à la validité des intervieweurs et de leurs informations (c'est-à-dire leur capacité à prédire le succès professionnel), elle n'est pas concluante (voir à ce sujet les travaux de Zecleck, Tziner et Middlestaclt, ceux de Carlson, et ceux de Reilly et Chao, dans Muchinsky, 1990).

Les facteurs d'invalidité de l'entrevue

Divers travaux portant sur l'entrevue mettent en relief les facteurs qui influent sur les décisions des intervieweurs. Il est important de décrire les plus importants pour éviter leurs effets.

- **L'orientation de l'information**: les intervieweurs ont tendance à accorder trop d'importance aux informations qu'ils perçoivent négativement, même si elles sont largement compensées par des informations qu'ils jugent positivement.

- **La place séquentielle de l'information**: les intervieweurs seraient influencés par le moment où le candidat donne une information. Il semble que les informations données au début (effet initial) ou à la fin de l'entrevue (effet de récence) influencent l'intervieweur, et davantage encore si l'information est perçue négativement. L'ordre des candidats peut également influencer l'intervieweur. Après une journée chargée, celui-ci se souviendrait mieux du premier et du dernier candidat que des autres.

- **L'effet des attitudes**: la perception de l'intervieweur s'organise en «halo» autour d'un trait déterminé, de telle sorte qu'il se trompe fréquemment en croyant juger de façon indépendante les divers traits distingués. Ainsi, l'intelligence d'un candidat peut être surestimée si ce dernier s'exprime bien. L'organisation de la perception sociale d'autrui produit des stéréotypes, c'est-à-dire une image du candidat idéal. Ces stéréotypes peuvent être partagés par plusieurs intervieweurs. Cependant, il n'est pas prouvé que cette conception du candidat idéal soit valide.

– **L'effet de contraste**: un candidat de valeur moyenne peut être surestimé s'il est interviewé après des candidats plutôt faibles, alors qu'il peut être nettement sous-estimé s'il est interviewé après un candidat supérieur. L'expérience des intervieweurs permet de minimiser cet effet de contraste.

– **Les jugements rapides**: les intervieweurs peuvent se faire une opinion au début de l'entrevue (parfois au cours des quatre ou cinq premières minutes) et, le reste du temps, chercher des indices ou des faits qui confirmeront leur impression initiale (Mayfield, Brown et Hamstra, 1980).

En conclusion

Nous avons déjà mentionné quelques mesures susceptibles d'améliorer la fidélité et la validité de l'entrevue, notamment lors de sa préparation (analyse du poste, structure de l'entrevue), et nous avons attiré l'attention sur les facteurs qui influent sur le jugement de l'intervieweur lors de l'entretien même.

Il faut également insister sur les points suivants:

– interpréter l'entrevue conjointement avec les résultats obtenus par les autres outils de sélection (formules de demande d'emploi, tests, etc.);

– former un comité de sélection constitué des personnes les plus concernées par la candidature (gestionnaires, représentants du service des ressources humaines, etc.);

– si possible, fonder l'entrevue sur des incidents critiques, c'est-à-dire sur des événements révélant les comportements efficaces ou inefficaces au travail (par exemple, «Parlez-moi de ce que vous avez fait dans cette situation de crise?»); ces entrevues dites situationnelles semblent plus prometteuses (fidélité et validité élevées) que l'entrevue traditionnelle fondée sur les opinions du candidat (Janz, Hellervik et Gilmore, 1986).

Finalement, qu'est-ce qui motive et justifie l'utilisation des entrevues si elles sont si peu valides? Comme le mentionnent Latham *et al.* (1980), il est possible que les intervieweurs surestiment leurs capacités.

Ne faudrait-il pas plutôt aller chercher une autre explication dans le fait que l'entrevue de sélection bien menée, ou tout simplement que l'entrevue par le face-à-face et la primauté donnée à la parole, est la méthode d'embauche la plus naturelle?

LES TESTS DE SÉLECTION

Les tests donnent rapidement, et avec précision, des renseignements sur les qualités, les aptitudes et les intérêts des candidats, autant de caractéristiques qui sont censées révéler la capacité d'exercer avec succès tel emploi particulier.

Il existe plusieurs types de tests. Nous distinguerons les tests d'aptitudes intellectuelles et d'aptitudes psychomotrices et mécaniques, les tests de personnalité et d'intérêts, les tests d'habiletés et de connaissances acquises. Précisons les termes. Les tests d'aptitudes mesurent la capacité d'un individu à apprendre un travail s'il reçoit la formation correspondante, et ils mesurent également ses qualités latentes. Les tests d'habiletés (ou de performance) et de connaissances acquises mesurent le niveau de compétence de l'individu dans l'emploi pour lequel il est testé, ainsi que ses connaissances sur ce travail. Le terme «habileté» représente une capacité qui a pu être développée, une compétence déjà acquise (Tiffin et McCormick, 1958).

Les tests d'aptitudes intellectuelles

L'expression «aptitudes intellectuelles» est synonyme d'intelligence. Ce domaine a fait l'objet d'études très poussées, car il est relié au succès scolaire. Une définition de l'intelligence est ardue et problématique; toutefois, on s'entend pour dire que l'intelligence est la capacité de l'individu de résoudre des problèmes que la société considère comme importants.

La question de savoir si l'intelligence est une caractéristique globale ou une organisation de différentes aptitudes est aujourd'hui dépassée; on admet maintenant les deux conceptions. De nombreux tests prétendent mesurer les aptitudes intellectuelles: Le *General Aptitude Test Battery*, ou *GATB*, conçu par les services fédéraux de la main-d'œuvre américaine; le *Stanford-Binet*; le *Test d'intelligence de Cattel*, échelles 2 et 3; le *Test d'aptitudes mentales primaires* de Thurstone; le test non verbal *PM38* de Raven; la série des tests 500 de l'Office des ressources humaines du Québec, dont un exemple d'items est présenté à la figure 6.8).

FIGURE 6.8 *DES EXEMPLES D'ITEMS DE TESTS*

A. Tests d'aptitudes intellectuelles

Test d'aptitudes spatiales

Dans la série de figures illustrées ci-dessous, identifier la figure correspondant à :

a) un renversement gauche-droite de la figure de départ ;

b) un renversement haut-bas de la figure de départ ;

c) un déplacement semi-circulaire de la figure de départ.

 ~

A   B   C   D   E

Relations simples

Quelle lettre suit la séquence suivante : N T J P F L

a) B

b) C

c) D

d) E

Source : *Tests 300* de l'Office des ressources humaines du Québec.

B. Test de compréhension mécanique (*Test de compréhension mécanique de Bennet*)

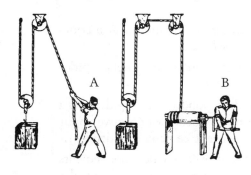

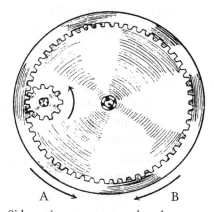

Lequel de ces deux hommes peut soulever le poids le plus lourd ?

Si la petite roue tourne dans le sens indiqué par la flèche, dans quel sens tournera la grande roue ?

Source : TIFFIN, J. et McCORMICK, E.J., *Psychologie industrielle* (1958), PUF, 1967. Adaptation française de R. SAINSAULIEU.

Les aptitudes intellectuelles comprennent les catégories suivantes :

- la compétence verbale, ou la capacité de connaître le sens des mots et de manier le vocabulaire ;
- la fluidité verbale, ou la capacité de générer des mots ou des phrases, comme dans le jeu des anagrammes, par exemple ;
- l'aisance numérique, ou la capacité de calculer rapidement et sans erreur ;
- le raisonnement par induction, ou la capacité de découvrir un principe ou une règle et de l'appliquer pour résoudre un problème ;
- la mémoire, ou la capacité de se rappeler des mots, une liste de chiffres, etc. ;
- la rapidité de perception, ou la capacité de distinguer rapidement et avec précision certains détails (dans une figure, par exemple) ;
- la visualisation spatiale, ou la capacité de percevoir les relations qui existent entre deux ou plusieurs figures géométriques et de concevoir leur mouvement dans l'espace.

Les tests d'aptitudes psychomotrices et mécaniques

Les capacités physiques (aptitudes sensorielles ou musculaires) sont une seconde catégorie d'aptitudes qui déterminent l'efficacité au travail ; on les nomme souvent aptitudes psychomotrices ou sensorimotrices. Les différentes aptitudes psychomotrices relativement indépendantes peuvent se résumer ainsi :

- la coordination psychomotrice, ou l'aptitude à maîtriser et à coordonner les mouvements des grands muscles du corps ;
- la dextérité manuelle, ou l'aptitude à manipuler des objets rapidement avec les bras, les mains ou les doigts ;
- le temps de réaction, ou la capacité de répondre très rapidement à l'apparition d'un stimulus ou à son mouvement (les épreuves pour l'obtention du permis de conduire mesurent ce type d'aptitudes) ;
- l'adresse et la précision, ou la capacité d'exécuter des mouvements qui exigent une adaptation musculaire très fine (par exemple, enfiler une aiguille).

En marge des aptitudes psychomotrices, on peut aussi considérer les aptitudes mécaniques pour un travail sur une machine ou avec du matériel mécanique. Ce type de travail peut exiger, d'une part, une adresse physique ou motrice (donc des aptitudes psychomotrices comme celles énoncées précédemment) et, d'autre part, une certaine intelligence mécanique, qui est un aspect purement cognitif. Il est probable que cette intelligence mécanique inclut plusieurs des compétences intellectuelles nommées précédemment.

Mentionnons quelques tests d'aptitudes mécaniques souvent utilisés : *The Mechanical Comprehension Test* de F.K. Bennet (figure 6.8), le *Test d'aptitude mécanique* de McQuarie, le *Paper Form Board* de l'Université du Minnesota, etc.

Parmi les tests psychomoteurs les plus utilisés, on retrouve, entre autres, le *Test de dextérité manuelle* de O'Connor, et le *Purdue-Pegboard*.

D'autres tests, comme les tests de vision (acuité visuelle, discrimination des distances, perception de la profondeur ou stéréopie, discrimination des couleurs), peuvent être administrés lorsqu'un emploi industriel exige une certaine sensibilité visuelle, voire une excellente vision (par exemple, les contrôleurs de pièces miniatures doivent avoir une bonne vision rapprochée).

Les tests de personnalité et d'intérêts

Les administrateurs en gestion des ressources humaines reconnaissent unanimement l'importance des traits de personnalité des employés. Ainsi, un cadre peut posséder de très bonnes aptitudes intellectuelles, mais avoir un caractère qui le rend incapable de prendre des décisions. Les facteurs de personnalité, plus que l'insuffisance d'aptitudes intellectuelles, sont responsables, dans une large proportion, des renvois ou des mutations.

Les administrateurs admettent également l'importance, pour le travail, des intérêts des employés. On peut répartir les intérêts en sept grands domaines : les gens, les choses, les affaires, les sciences, les arts, la parole et les activités de plein air. Il n'est pas prouvé qu'une relation existe entre les intérêts des individus et un rendement élevé. Toutefois, les intérêts et l'expérience se mêlent étroitement à la personnalité des individus, et ils sont des facteurs non négligeables de la motivation au travail et des choix de carrière des employés.

Les recherches sur la personnalité ont montré que les administrateurs doivent attacher plus d'importance à certains traits qu'à d'autres en raison de leur incidence sur la gestion des ressources humaines. Ainsi, comment réagiront des individus peu sociables à la création de groupes semi-autonomes ? Comment réagira un individu introverti s'il ne reçoit que des récompenses matérielles? Les traits de la personnalité à considérer sont les suivants.

- **Introversion–extraversion**: les individus introvertis sont imaginatifs et tendent à vivre à l'intérieur d'eux-mêmes; les extravertis sont ouverts au monde extérieur, sont d'humeur constante et ne se laissent pas dominer par des rêveries.

- **Contrôle interne–externe**: les individus qui pensent que leurs propres actions déterminent leurs succès ou leurs échecs représentent ce que Rotter appelle les individus à contrôle interne. À l'inverse, les individus qui pensent que leurs actions sont déterminées par des causes extérieures à eux (chance, fatalité, etc.) sont des individus à contrôle externe. Certaines recherches suggèrent que les individus à contrôle interne sont plus motivés et plus satisfaits au travail que les individus à contrôle externe. Mais les conclusions sont loin d'être définitives sur ce point.

- **Dominance–soumission**: les individus qui cherchent activement à établir des rapports de force en leur faveur sont dits dominants. Par contre, les individus soumis ont tendance à se laisser diriger facilement par autrui.

- **Confiance en soi**: la confiance en soi caractérise les individus qui sont bien adaptés à leur milieu de travail et qui ont une haute opinion d'eux-mêmes.

- **Sociabilité**: les individus sociables ont l'esprit grégaire et ont un fort sentiment d'appartenance à leurs groupes de référence.

La grande majorité des tests de personnalité pour les employés d'une industrie est de type «papier–crayon» et comporte des questions à choix multiples. Voici quelques-uns de ces tests: l'*Inventaire de tempérament* de Guilford Zimmerman, *The California Personality Inventory*, l'*Inventaire de personnalité de Bernreuter*, l'*Inventaire de personnalité multiphasée de Minnesota*, le *16 PF* de Cattel, etc.

Il existe également des tests projectifs où le sujet doit dire ce qu'il voit dans un stimulus qui lui est présenté (images, photos, taches d'encre). Parmi les tests les plus connus, citons le *Thematic Aperception Test*, ou *TAT*, le *Rorschach*, le *Test de frustration de Rozenweig*, etc.

Dans les tests d'intérêts, on utilise beaucoup l'*Indice de préférence de Kuder* ou le *Questionnaire d'intérêts vocationnels de Strong*.

Le problème que posent les tests de personnalité et d'intérêts est la possibilité, pour le candidat, de fausser ses réponses, bien que des techniques (comme le choix forcé de réponses) permettent d'éliminer cette éventualité. Cependant, ces tests sont très utiles dans une perspective de développement de l'employé ou d'une orientation professionnelle. En situation d'embauche, ces tests doivent faire l'objet d'une validation rigoureuse.

Les tests de connaissances et d'habiletés

Il existe des tests servant à mesurer le niveau d'efficience des individus dans certaines activités professionnelles ou certains domaines de connaissance. Ces tests sont utiles à l'industrie dans les cas où il faut embaucher des employés déjà expérimentés ou détecter les points susceptibles d'être améliorés par la formation.

Ces tests peuvent prendre plusieurs formes.

– Les tests d'échantillon de travail où le candidat doit démontrer sa capacité à effectuer quelques tâches représentatives de l'ensemble de l'emploi. Ces tests se sont avérés relativement valides.

– Les épreuves orales de connaissances professionnelles, faciles à administrer et à interpréter; il faut toutefois s'assurer que ces tests sont très valides et que les questions discriminent bien les travailleurs efficaces et non efficaces.

– Les simulations de situations de travail, dont l'exercice de la corbeille de courrier (*in basket*), les groupes de discussion sur un sujet fictif mais réaliste, une réunion de travail, etc.

– Les centres d'évaluation (*assessment centers*) qui sont un ensemble de simulations réalistes de situations de travail (comme celles décrites précédemment), d'entrevues et de tests d'habiletés, d'attitudes ou de connaissances (accessoirement). Les candidats, au cours de leurs interactions, sont observés par des évaluateurs chevronnés. Par les comportements des participants, les évaluateurs peuvent conclure à la présence ou non des habiletés liées au succès dans un poste donné (leadership, délégation, etc.). Les centres d'évaluation se sont avérés des instruments de sélection très valides et mieux acceptés par les candidats que les tests papier–crayon. Ils sont cependant très onéreux à construire et à administrer (Tapernoux, 1984).

Le choix et l'utilisation des tests de sélection

Il existe littéralement des milliers de tests sur le marché. Le professionnel de l'embauche peut utilement recourir à une sorte de guide qui fait autorité en la matière: le *Mental Measurements Yearbook* de

Buros, réédité régulièrement et disponible en bibliothèque. Il faut constater que la plupart des tests utilisés sont américains, et même si les plus classiques ont fait l'objet d'une traduction française, peu d'entre eux ont été validés pour les besoins précis d'une entreprise, voire pour des francophones tout court! Il semblerait que 3 % seulement des firmes canadiennes utilisent des tests proprement validés (Stone et Meltz, 1983). L'utilisateur doit donc veiller à choisir des tests relativement libres d'une forte composante culturelle[6].

Les principaux renseignements utiles au professionnel en embauche se trouvent dans le manuel d'accompagnement du test. Un manuel bien documenté doit contenir les éléments suivants: 1. le ou les objectifs du test; 2. la démarche de construction de l'instrument; 3. les renseignements relatifs à la fidélité et à la validité du test (indices statistiques notamment); 4. les normes sur les échantillons de population testés; 5. les procédures de correction; 6. le cadre d'interprétation des scores obtenus. Il faut éviter d'utiliser les tests dont le manuel ne contient pas ces renseignements. Cela n'empêche cependant pas d'expérimenter le test selon les besoins de l'entreprise.

LES AUTRES PROCÉDURES DE SÉLECTION

Les références et les recommandations

Généralement, la vérification des références données par le candidat ne se fait que lorsque celui-ci a passé avec succès les trois ou quatre premières étapes du processus de sélection. Parfois, quand le marché du travail est serré, l'employeur ne vérifie même pas ces références, surtout lorsqu'il s'agit d'emplois de niveau peu élevé.

Les références peuvent prendre la forme d'une lettre ou d'une communication téléphonique entre l'éventuel et le précédent employeur, mais prennent rarement la forme d'un questionnaire. La conclusion générale à tirer des recherches sur ce genre de prédicteurs est que les références écrites ne fournissent pas forcément des renseignements utiles à une bonne prédiction de la réussite future. Par contre, les renseignements obtenus par téléphone semblent être plus précis, car, en général, les anciens employeurs sont réticents à donner des opinions par écrit

---

6. On peut obtenir des tests en français et en anglais à Montréal, à l'Institut de recherches psychologiques, et à Paris, au Centre de psychologie appliquée. En principe, seuls y ont accès les professionnels autorisés (psychologues principalement).

qui figureront dans le dossier du candidat. Le téléphone (sans enregistrement du message!) est moins engageant.

Demander des références ou obtenir des recommandations n'est pas défendu par la loi; il faut toutefois veiller à ce que les renseignements obtenus ne tombent pas sous le coup des lois réglementant l'accès à l'information sur la vie privée des individus, et qu'ils aient un lien évident avec l'emploi.

Les examens médicaux

Les examens médicaux sont requis par la loi pour certains emplois. Étant donné leur coût élevé, ils sont généralement exigés à la fin du processus de sélection. L'objet de ces examens est de s'assurer que le candidat est physiquement apte à remplir ses fonctions. Les recherches n'ont pu prouver avec certitude que les examens médicaux sont des prédicteurs valides de succès au travail (McFarland, 1953).

Toutefois, des examens médicaux et des programmes d'activité physique sont utiles pour des employés qui travaillent depuis un certain temps dans l'entreprise. De grandes firmes japonaises et, à un moindre degré, des entreprises canadiennes, telle Sun Life, offrent ce type de service.

Les détecteurs de mensonges et la graphologie

D'abord utilisé dans les enquêtes policières, le test du polygraphe fait maintenant partie de l'arsenal de sélection de nombreuses entreprises nord-américaines, notamment pour réduire la fréquence des vols et des crimes.

La faiblesse des travaux de validité du polygraphe (U.S. Congress Office of Technology Assessment, 1983) a amené plusieurs États américains à bannir l'usage de cet outil à des fins d'embauche. De plus, l'utilisation de ce type de prédicteurs pose des problèmes d'éthique, du moins en Amérique du Nord.

La graphologie vise à découvrir la personnalité par l'étude de l'écriture. Ce moyen est très utilisé en Europe, notamment en France. Bien que les chercheurs constatent une certaine fidélité des notations entre les graphologues, ils ne rapportent pas de preuves du pouvoir prédictif de l'écriture (Muchinsky, 1990, p. 132).

Le dépistage de l'usage de drogues

L'ampleur de l'usage de drogues en milieu de travail, notamment aux États-Unis, incite les employeurs à inclure dans leurs tests de sélection des analyses révélant la présence de drogues. Bien que l'on pense, avec raison, s'opposer à l'usage de tels examens en invoquant qu'ils violent le droit à la vie privée des gens, il n'en reste pas moins que, pour certaines fonctions (par exemple celles qui sont reliées aux opérations des centrales nucléaires ou à la conduite des véhicules de transport public), ces examens sont nécessaires et admis à l'embauche pour assurer la sécurité des travailleurs et des populations.

Au Canada, on a songé, à l'instar des États-Unis, à rendre obligatoires les tests de dépistage de drogues pour le personnel qui occupe des emplois mettant en jeu la sécurité du public dans l'industrie du transport, d'autant plus qu'une loi américaine exige que soit soumis à des tests le personnel des entreprises de transport qui exerce ses activités aux États-Unis[7]. Le dépistage obligatoire et aléatoire a été rejeté par la Chambre des communes pour toutes sortes de motifs, dont l'atteinte aux droits de la personne et le manque d'efficacité. Par exemple, dans le contexte actuel, jusqu'à la moitié des tests de dépistage de drogues produirait de faux résultats (un résultat faussement positif est très dommageable pour la personne, évidemment). De plus, il est difficile de déterminer le moment exact où il y a eu ingestion de drogue, lequel moment pourrait tomber sous le coup de la loi, le cas échéant (*voir l'encadré 6.7*). Pour ces raisons, on a préféré ne pas imiter les États-Unis, et au lieu de faire subir des tests aléatoires, on préfère administrer des tests périodiques dans le cadre des examens médicaux et offrir des programmes d'aide. Une alternative astucieuse aux tests est d'opter pour des tests de coordination reliés à l'emploi!

Les tests mêmes de dépistage des utilisateurs de drogues relèvent des laboratoires; cependant, l'analyse de la validité de ces tests comme prédicteurs, la détermination de la quantité de drogue nuisant à la performance au travail, les conséquences juridiques de ces tests et leur coût reviennent au professionnel de l'embauche. C'est une question complexe et délicate.

---

7. En octobre 1990, la Banque Toronto-Dominion a également annoncé son intention de soumettre ses nouveaux employés à des tests de dépistage.

ENCADRÉ 6.7 LE DÉPISTAGE DES DROGUES

DROGUES: UN ASPIRANT PILOTE RENVOYÉ

La Cour supérieure vient de donner raison au Cégep de Chicoutimi qui avait chassé de son école de pilotage un étudiant qui avait consommé de la drogue.

Les faits reprochés au cégépien remontent au 5 août 1991, alors que le Centre québécois de formation aéronautique (CQFA) avait pigé au hasard les noms de 15 étudiants qui avaient dû se soumettre à un test de dépistage de drogue. Le plaignant avait été le seul à obtenir un résultat positif.

Dans sa requête pour faire casser la décision du collège, l'étudiant a affirmé qu'il n'avait pas fait usage de drogue depuis 1988. Son argumentation reposait sur la thèse de l'inhalation passive ainsi que sur la non-fiabilité du test.

Il a raconté que le 31 juillet, il avait assisté à un party au cours duquel certaines personnes avaient pris du cannabis, et que cette soirée avait eu lieu hors des limites sujettes à la juridiction du cégep.

Le juge Yvan Gagnon a rejeté toutes les allégations de l'étudiant en soulignant qu'il serait illogique de permettre à un étudiant de se présenter pour voler avec des facultés réduites par usage de drogue, même si cette consommation a eu lieu à l'extérieur du cégep et deux jours avant.

En ce qui concerne la fiabilité du test, le juge a souligné que le tout avait été fait avec une grande prudence et beaucoup de professionnalisme à toutes les étapes.

Un expert dont les services avaient été retenus par l'étudiant a soutenu devant le tribunal qu'un test de dépistage positif non confirmé par un autre test ne pouvait faire conclure de façon certaine à un usage de drogue. L'expert du cégep, le docteur Weber, du Centre de toxicologie du Québec, a toutefois soutenu le contraire.

Source: *La Presse*, 1ᵉʳ février 1991.

LA CONSTITUTION D'UNE BATTERIE DE PRÉDICTEURS

Nous verrons, à la section suivante, les facteurs qui déterminent l'utilité réelle d'un processus de sélection. La question qui se pose ici est de savoir quel prédicteur choisir parmi ceux que nous avons présentés ? Un seul prédicteur suffit-il ?

Les recherches montrent qu'aucun prédicteur ne remplit toutes les conditions idéales d'utilisation (validité, équité, application à toutes sortes d'emplois et d'employés, coûts peu élevés). En fait, selon Muchinsky (1990), les formulaires de renseignements individuels seraient le prédicteur répondant au minimum à toutes ces conditions. Peut-on donc l'employer seul? En fait, l'utilisation de plusieurs prédicteurs pondérés permet de donner à la batterie ainsi constituée un coefficient de validité supérieur à chacun des éléments qui la composent. De plus, cette batterie permet de tracer un portrait beaucoup plus complet des nombreuses qualifications requises par l'emploi.

LA DÉTERMINATION DU CHOIX FINAL DES CANDIDATS

Le professionnel en embauche dispose de plusieurs techniques pour l'aider à décider d'engager un candidat plutôt qu'un autre. Ces techniques sont parfois complexes et font appel à de bonnes connaissances des statistiques prédictives, dont le rappel est hors de notre propos[8].

L'outil statistique privilégié par le professionnel en embauche est l'analyse de régression multiple où, à partir des scores obtenus à plusieurs prédicteurs, il est possible de prédire le score qu'obtiendra un candidat au critère de succès au travail. Ces scores des prédicteurs peuvent être pondérés et combinés pour produire un score global au critère. Ils se compensent alors l'un l'autre, ce qui n'est pas toujours souhaitable (par exemple, pour un chirurgien, un score élevé en acuité visuelle ne compense pas un faible score en dextérité manuelle). On peut aussi établir une note «de passage» minimale pour chaque prédicteur.

Une autre méthode consiste à sélectionner des candidats à partir d'épreuves distribuées dans le temps, un peu comme lors d'une course à obstacles (*multiple hurdle*). C'est le cas avec la sélection des astronautes, par exemple. Enfin, on peut comparer le profil des scores obtenus par un candidat dans plusieurs prédicteurs à celui obtenu par des employés satisfaisants en place à ces mêmes épreuves (profil idéal) et retenir les profils les plus proches du profil idéal (technique du *profile matching*).

Maintenant que nous avons décrit les prédicteurs, il reste à montrer comment on peut s'assurer qu'ils prédisent vraiment le succès au travail, ou comment on valide des prédicteurs.

---

8. Le lecteur intéressé à en savoir plus long sur ce sujet peut se référer à Cascio (1987).

6.4.5 LA VALIDATION DES PRÉDICTEURS

Valider un prédicteur est une activité fondamentale pour toutes les entreprises qui utilisent ou veulent utiliser des méthodes de sélection fondées sur autre chose que le hasard. D'une part, on réduit ainsi les erreurs de sélection, lesquelles s'avèrent très coûteuses (nous en avons déjà parlé); d'autre part, on s'assure que les décisions et les procédés en matière de recrutement et de sélection sont conformes aux lois sur les droits de la personne.

Cette section présente les caractères d'un bon prédicteur, à savoir sa validité et sa fidélité, ainsi que la façon d'assurer ces dernières. Bien que cette section paraisse plutôt technique aux non-spécialistes en psychométrie, il est important de l'inclure pour souligner la complexité du maniement des prédicteurs (notamment des tests) et en dresser les balises d'utilisation.

LE PROCESSUS DE VALIDATION

Pour comprendre le processus de validation, il faut brièvement exposer deux notions : le coefficient de corrélation et le coefficient de validité.

Le coefficient de corrélation

L'indice le plus commun pour exprimer le degré de relation entre deux variables (prédicteur et critère) est le coefficient de corrélation, symbolisé par la lettre r, qui varie de -1 à $+1$ (en pratique, on néglige le signe plus). Un r négatif indique que deux variables varient de façon inverse; par exemple, dans les pays industrialisés, plus le niveau socio-économique est élevé, moins on y trouve d'enfants par famille. Un r positif indique que deux facteurs varient ensemble; il en est ainsi de la taille et du poids des individus. Un r égal à 0 indique qu'il n'existe aucune relation entre deux variables. La valeur absolue du r indique la force de la relation entre deux variables.

La figure 6.9 illustre une corrélation positive ($r = 0,48$) entre ces deux variables que sont la vitesse de frappe de dactylos, mesurée par une épreuve correspondante, et l'évaluation par leur supérieur. Dans ce cas, le r indique que les individus notés semblablement sur une variable tendent, dans une certaine mesure, à l'être également sur l'autre variable. La figure 6.10 illustre une corrélation négative; celle-ci existe entre le nombre de défauts de fabrication d'un produit relevé lors d'un test approprié et la performance ultérieure des contrôleurs de produc-

FIGURE 6.9 *UNE CORRÉLATION POSITIVE ENTRE LA VITESSE DE FRAPPE DE DACTYLOS ET L'ÉVALUATION DU RENDEMENT PAR LEURS SUPÉRIEURS*

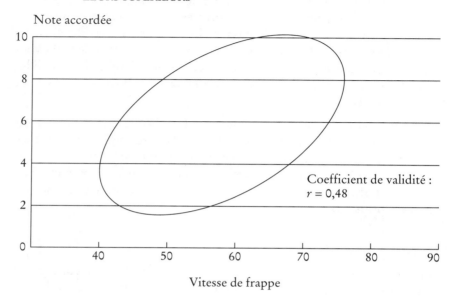

Vitesse de frappe

FIGURE 6.10 *UNE CORRÉLATION NÉGATIVE ENTRE LE NOMBRE DE DÉFAUTS DE FABRICATION NON RELEVÉS ET LA PERFORMANCE ULTÉRIEURE AU TRAVAIL*

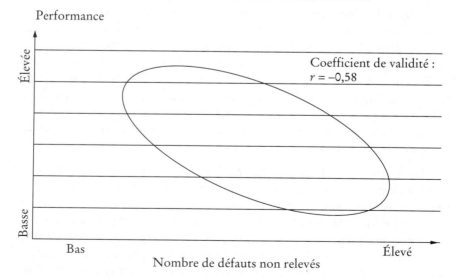

Source: CHERRINGTON, D.J., *Personnel Management*, 1983, p. 211.

tion. Les contrôleurs qui font le plus d'erreurs ont tendance à avoir les moins bonnes performances ultérieures ($r = -0,58$).

Le coefficient de validité

Ce coefficient exprime la relation entre le prédicteur et le critère de réussite. Une fois le coefficient de corrélation calculé, il reste à déterminer jusqu'à quel point on peut lui faire confiance, c'est-à-dire les probabilités que ce r soit obtenu par hasard. La signification statistique d'une corrélation doit tenir compte de la grandeur (absolue) du coefficient et de la taille de l'échantillon d'où il est tiré. Ainsi, un faible coefficient (0,17 par exemple) peut être significatif (statistiquement) s'il a été calculé à partir d'un très grand échantillon. À l'inverse, une corrélation de 0,40 peut ne pas être significative si elle provient d'un très petit échantillon d'individus. On considère généralement qu'un coefficient de validité est acceptable s'il y a seulement 5 chances sur 100 (ou moins) que la relation statistique relève du hasard. Ce « degré de confiance » dans le coefficient est généralement symbolisé par la lettre p (on écrit alors $p \leqslant 0,05$).

Les recherches montrent que, généralement, les coefficients de validité varient de 0,30 à 0,60. Ces coefficients sont très utiles au professionnel en sélection, car ils sont une indication précise de la relation existante entre le prédicteur et l'efficacité au travail. Il peut en tirer plus de profit quand il se sert des taux de sélection (il en sera question plus loin). Le coefficient permet aussi de calculer l'importance relative de différents prédicteurs dans une batterie d'embauche, en pondérant chaque test selon sa contribution. Ces coefficients permettent de corriger statistiquement l'influence que plusieurs facteurs, comme l'âge ou l'expérience, peuvent exercer sur les résultats du test.

Maintenant, comment peut-on valider correctement un prédicteur? La section suivante tente de répondre à cette question.

LES MÉTHODES DE VALIDATION DES PRÉDICTEURS

En Amérique du Nord, les organismes chargés de veiller aux droits des personnes en matière d'équité en emploi acceptent officiellement quatre méthodes de validation des prédicteurs[9]: 1. la validité prédictive;

---

9. Il existe d'autres méthodes de validation des prédicteurs; elles sont cependant plus complexes et elles recoupent les méthodes décrites dans cet ouvrage.

2. la validité concurrente; 3. la validité de contenu; 4. la validité de construit.

La validité prédictive

La validité prédictive se calcule en reliant les résultats au prédicteur (test par exemple) à un critère quelconque de réussite professionnelle. Supposons que l'on veuille valider un test de sélection. La procédure sera la suivante. On fait passer le test aux candidats à un poste donné (on engage alors les candidats autrement que par ce test). Les résultats du test sont alors classés et rangés jusqu'à une date ultérieure. On laisse à ces employés le temps de faire leurs preuves au travail et on choisit un critère juste de leur performance. On calcule enfin le coefficient de corrélation entre les notes au test et les notes au critère. Cette méthode de validation est la meilleure, mais elle est longue à effectuer.

Si l'employeur a besoin de résultats plus rapides ou s'il n'a pas à embaucher beaucoup de candidats, il peut utiliser la méthode de la validité concurrente.

La validité concurrente

La procédure est la même que pour la validité prédictive, excepté que le coefficient de validité est calculé en administrant le test aux employés déjà à l'emploi (dont on aura jugé la performance selon un ou plusieurs critères). Cette procédure rapide est également très acceptable, mais le facteur d'expérience ou d'âge des employés en place peut poser des problèmes de généralisation des résultats à l'égard des recrues ultérieurement engagées par le test ainsi validé.

De récentes recherches montrent que la validation par les critères de réussite au travail (validités prédictive et concurrente) nécessite un plus grand échantillon d'individus que prévu, soit 200 à 300 (Schmidt et Hunter, 1980). Aussi, les employeurs se tournent maintenant davantage vers la validité de contenu.

La validité de contenu

Un prédicteur a une validité de contenu si les situations insérées dans l'épreuve sont un échantillon représentatif du travail à effectuer. Par exemple, l'épreuve de dactylographie d'une lettre en un temps donné est une épreuve typique d'un employé de bureau. La construction de ces prédicteurs est une affaire d'experts, qui la fondent à partir des analyses de postes. Toutefois, la validité de contenu est surtout utile pour des postes relativement simples.

La validité de construit

Dans les autres types de validation, les prédicteurs peuvent être des données biographiques (âge ou expérience, par exemple) ou des échantillons d'activités de travail; dans la validité de construit, on recherche surtout les traits psychologiques (construits) qui sous-tendent le succès au travail. Parmi ces traits, on retrouve souvent l'intelligence, le leadership, l'habileté verbale, la dextérité manuelle, etc.

Un prédicteur ne doit pas seulement être valide: il doit également être stable, constant, c'est-à-dire fidèle.

LA FIDÉLITÉ D'UN PRÉDICTEUR

Comme pour le critère, la fidélité d'un prédicteur exprime le degré de constance ou de stabilité. Un prédicteur fidèle donne la même mesure du concept ou du comportement dans le temps (toutes choses étant égales par ailleurs). Il est également fidèle s'il donne la même mesure qu'un autre prédicteur semblable (par exemple, deux tests mesurant le leadership). La fidélité est exprimée par le calcul du coefficient de fidélité (un coefficient de corrélation habituellement). Un prédicteur fidèle a généralement un coefficient de 0,80 ou plus. Il existe plusieurs façons de déterminer la fidélité du prédicteur.

L'une est la méthode du «test–retest» par laquelle le même groupe de sujets est soumis au prédicteur (test, par exemple) deux fois ou plus, avec un certain intervalle de temps entre les passations. Les résultats obtenus à chaque passation sont ensuite corrélés. L'autre méthode, dite des «formes parallèles», consiste à faire passer à un même groupe de sujets deux formes différentes de prédicteurs, mais équivalentes. Une troisième méthode, appelée «méthode des deux moitiés», consiste en une comparaison interne des contenus d'un prédicteur. Par exemple, les résultats d'un test sont analysés en deux parties distinctes, chacune correspondant à la moitié des items du test. Ces deux groupes de résultats sont ensuite corrélés. Un prédicteur a d'autant plus de chances d'être valide qu'il est fidèle. Cependant, il peut être fidèle sans être valide (c'est-à-dire stable, mais ne présentant aucune capacité de prédire le succès au travail).

Les prédicteurs peuvent être fidèles et valides, et ne contribuer que modestement à l'amélioration de la performance du groupe d'employés en place. L'étude de cette contribution ou de l'utilité des prédicteurs est traitée ci-dessous.

LA VALEUR OU L'UTILITÉ DES PRÉDICTEURS

Plusieurs facteurs déterminent l'utilité réelle de la mise en place d'une procédure de sélection. Ce sont : 1. le nombre de candidats à un poste donné ; 2. la validité et la fidélité du prédicteur ; 3. le taux de sélection ; 4. le pourcentage d'employés en place considérés comme satisfaisants.

Le nombre de candidats

Il est évident que si, pour une raison ou pour une autre (mauvais recrutement, compétences rares difficiles à trouver, etc.), peu de candidats se présentent pour occuper un poste, la procédure de sélection s'avérera inutile. En effet, supposons qu'un employeur ait vraiment besoin de cinq personnes et qu'il s'en présente seulement cinq, plus ou moins qualifiées ; l'employeur n'aura pas d'autre choix que de les engager toutes, avec la possibilité de former certaines d'entre elles ultérieurement et de «vivre» avec un certain degré de performance qui ne sera pas idéal.

La validité et la fidélité du prédicteur

Supposons que le prédicteur choisi soit un test. Une question fréquente qui se pose est la suivante : quelles sont la fidélité et la validité nécessaires pour qu'un test soit valable et utile ? Il est vrai, comme nous l'avons proposé précédemment, qu'il n'y a pas de substitut à la validité, notamment pour la prédiction individuelle où on s'intéresse à l'analyse détaillée de chaque personnalité, en particulier dans un contexte d'orientation ou d'analyse des besoins de formation.

D'un autre côté, en sélection, l'employeur est surtout intéressé à retenir un groupe restreint d'employés qui, en moyenne, surpasseront le groupe de candidats qui se présentent à l'embauche. On admet donc une certaine marge d'erreur inévitable dans tout processus de sélection, à condition que, dans l'ensemble, le pourcentage d'employés retenus soit plus performant au travail avec les tests que sans les tests (ou tout autre prédicteur). Cette marge d'erreur inévitable peut être réduite en faisant varier le taux de sélection.

Le taux de sélection

Le taux de sélection est le rapport entre le nombre de candidats retenus et placés et le nombre total de candidats.

$$\text{Taux de sélection} = \frac{\text{Nombre de candidats retenus et placés}}{\text{Nombre total de candidats}}$$

Si un employeur retient 5 candidats sur 25, le taux de sélection sera de 0,20 (20 %). Quand le taux de sélection est élevé (par exemple au-dessus de 50 %), l'usage des méthodes de sélection est limité, car les candidats devront être engagés et formés. Un taux de sélection en deçà de 0,50 est généralement avantageux en contexte de sélection.

Revenons à l'utilité d'un prédicteur. Un programme de tests sera d'autant plus utile (pour ce qui est des résultats moyens) que le taux de sélection sera petit. On comprendra mieux le raisonnement en consultant la figure 6.11. Si on établit le diagramme de dispersion des

FIGURE 6.11 L'EFFET DE LA VARIATION DU TAUX DE SÉLECTION SUR UN PRÉDICTEUR D'UNE CERTAINE VALIDITÉ

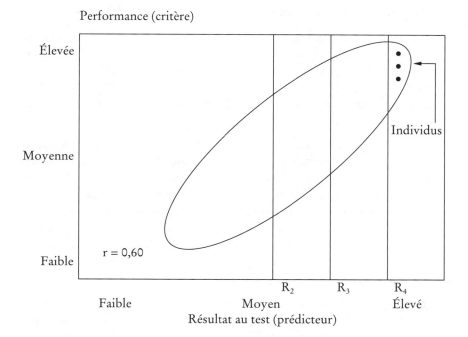

Source : TIFFIN, J. et McCORMICK, E.J., *Psychologie industrielle*, 1958, p. 105.

résultats au test en fonction du critère, les points (représentant les individus) se répartiront, en principe, dans l'espace de forme ovale. Ne retenons parmi les candidats que ceux dont les résultats sont au moins égaux à R_2. Une sélection encore plus sûre peut être obtenue en ne retenant que les individus placés à droite de R_2, soit ceux qui sont en R_3 et, à plus forte raison, en R_4. En moyenne, les individus (I) ont une note au critère nettement supérieure à la moyenne des individus du groupe total ou de ceux qui seront retenus sur la base de R_2 ou de R_3.

Autrement dit, plus le taux de sélection est petit, plus il y a de chances de retenir des candidats qui ont une note élevée au critère de réussite professionnelle. Si nous testions 100 personnes et ne placions que 50 d'entre elles, le taux de sélection serait de 0,50. Si nous ne placions que les 25 meilleures personnes au test de sélection, ce taux descendrait à 0,25.

On voit donc que même avec un coefficient de validité relativement faible, un prédicteur peut être utile si on fait descendre le taux de sélection (en fait, on ne commet pas une grave erreur de placement en retenant « la crème » des candidats).

Le pourcentage d'employés en place jugés satisfaisants

Un autre facteur qui agit sur l'efficacité d'un test est le pourcentage d'employés en place considérés comme satisfaisants. Il est évident que si la plupart des employés sont déjà performants, un système de sélection s'avérera inutile. Celui-ci ne se justifie que si l'usage des tests, par exemple, améliore le pourcentage d'employés engagés sans tests et actuellement satisfaisants.

Comment peut-on savoir cela ? Il faut que le service de l'embauche soit au courant de ces facteurs interdépendants que sont la validité des tests (ou des prédicteurs), le taux de sélection avec lequel on travaille et le pourcentage d'employés en place considérés comme satisfaisants. Le professionnel en embauche pourra alors prédire avec exactitude dans quel pourcentage il améliorera son système de sélection avec l'usage des tests. Pour ce faire, il peut consulter des tables (qui figurent dans de nombreux manuels de psychologie industrielle), dont un exemple est illustré à la figure 6.12.

La figure 6.12 permet de prévoir le pourcentage d'employés satisfaisants à partir de la validité du test et du taux de sélection. Il s'agit d'une situation d'embauche où 50 % des employés en place sont considérés comme satisfaisants. L'abscisse représente le taux de sélection, et

FIGURE 6.12 *L'EFFET DE LA VALIDITÉ DU TEST ET DU TAUX DE SÉLECTION SUR LA VALEUR PRÉDICTIVE D'UN TEST DE SÉLECTION*

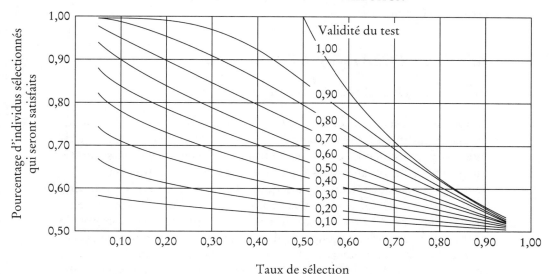

Source: TIFFIN, J. et McCORMICK, E.J., *Psychologie industrielle*, 1958, p. 105.

les courbes correspondent à différentes valeurs de validité des tests. On peut voir que si un test a une validité de 0,90 et que le taux de sélection est réduit à 0,60, le pourcentage d'employés satisfaisants passera de 50 % à 77 %. Cette élévation peut d'ailleurs être obtenue avec un test de validité de 0,50 et un taux de sélection ramené à 0,20. On voit donc que l'employeur peut améliorer son système de placement en faisant décroître son taux de sélection, ce qui n'est pas toujours possible, bien sûr.

En conclusion

Une procédure de sélection aussi longue, aussi complexe et aussi coûteuse vaut-elle la peine d'être élaborée?

Nous avons mentionné, au début de cette section, les coûts humains et sociaux qui pouvaient découler des erreurs de sélection. De nombreuses recherches démontrent également l'avantage économique que représentent un recrutement et une sélection bien faits. En effet, la plupart des travaux portant sur la comparaison des procédures de sélection valides et moins valides soulignent que les gains réalisés grâce aux procédures valides peuvent atteindre des millions de dollars, voire des sommes supérieures, lorsque les effets d'une mauvaise procédure se font sentir durant des années et que le nombre de personnes embauchées est élevé (Cascio, 1987, p. 296).

6.5 L'AFFECTATION ET L'ACCUEIL

6.5.1 L'AFFECTATION, OU LE PLACEMENT

L'affectation est le processus par lequel un poste est attribué à un employé, au mieux de ses compétences. Malheureusement, cette activité est parfois négligée par les entreprises, bien qu'elle fasse partie intégrante de l'acquisition des ressources humaines. On lui préfère souvent le processus de sélection par lequel un emploi très précis est destiné à un candidat. En fait, il est plus profitable, pour l'employeur et l'employé, de considérer une candidature pour un certain nombre de postes; si le candidat est engagé, il sera affecté à celui qui correspond le mieux à ses compétences. Il est vrai que la séparation de ces deux activités que sont la sélection et l'affectation est plus facilement réalisable dans les grandes organisations (par exemple, les forces armées), qui offrent plusieurs postes.

6.5.2 LE PROCESSUS D'ACCUEIL

L'accueil d'une recrue dans son nouveau contexte de travail vise à faciliter son adaptation à l'organisation le plus rapidement possible.

La façon dont se passent les premiers jours à l'emploi est très importante, car elle laisse une impression durable chez l'employé, et peut déterminer ses attitudes et sa performance ultérieures.

Un bon programme d'accueil permet:
- de réduire le roulement de personnel;
- de réduire l'anxiété et l'improvisation chez l'employé;
- de créer des attitudes de travail plutôt positives;
- de réduire les coûts de démarrage ou d'apprentissage;
- de transmettre rapidement la culture de l'entreprise.

Il faut savoir doser la quantité d'informations que recevra la recrue. Celle-ci ne doit pas être inondée de renseignements et de consignes peu utilisables à court terme, lesquels seront vite oubliés. Le responsable du programme d'accueil doit fournir rapidement au nouvel employé l'information utile et «sécurisante», lui transmettre les politiques et les procédures qui permettront d'éviter de graves erreurs au début de sa carrière (par exemple les consignes de sécurité, le code d'éthique, etc.), lui présenter les nouveaux collègues aptes à faciliter son intégration et lui donner l'occasion de faire un travail qui procurera un sentiment d'accomplissement.

Une période de probation (variant de 3 à 12 mois) permet généralement aux entreprises de former l'employé, de l'observer et de lui transmettre des commentaires sur sa performance et son comportement. Durant cette période, l'employé n'est généralement pas couvert par la convention collective en vigueur, qui assure la sécurité d'emploi.

Le processus d'accueil est extrêmement important pour un nouvel employé, et de nombreuses ruptures de contrats sont dues à son inexistence ou à un mauvais contenu. On peut citer, par exemple, le cas des étudiants fraîchement diplômés qui entrent dans une organisation pour la première fois. Plusieurs employés pensent à tort qu'un diplômé ayant été engagé pour son «expertise» n'a besoin ni d'orientation ni de formation supplémentaires et particulières, alors que, précisément, ces activités d'accueil pourraient réduire l'anxiété engendrée par les inconnues et les défis qui attendent la recrue. De grandes désillusions s'ensuivent alors pour l'employeur et l'employé.

6.6 CONCLUSION

Dans ce long chapitre, nous avons vu que le processus d'acquisition des ressources humaines est complexe, long et coûteux. Les raisons tiennent au fait que ce processus ne peut se faire sans considérer l'environnement interne et externe de la firme, l'environnement juridique, eu égard à la discrimination à l'embauche, et le marché de l'emploi. De plus, ce processus est étroitement relié aux stratégies de l'entreprise et contribue à la réalisation de celles-ci sur le plan des ressources humaines.

On ne saura jamais trop insister sur la nécessité d'utiliser des procédures de sélection scientifiques. Elles seules peuvent assurer de justes pratiques en embauche envers toutes les catégories d'employés, permettre d'utiliser pleinement les ressources humaines du pays et, de plus, s'avérer rentables. Sur ce dernier point, Janz (1987) rapporte qu'en utilisant des méthodes scientifiques de sélection plutôt que les pratiques actuelles, l'économie canadienne enregistrerait un bénéfice net de 9,3 milliards de dollars pour un investissement de 653 millions!

QUESTIONS

1. Quels liens unissent le processus de recrutement et de sélection aux autres fonctions ou activités des ressources humaines ?

2. Décrivez les conséquences des pratiques discriminatoires dans le processus d'acquisition des ressources humaines.

3. N'embaucher que des femmes pendant une période déterminée, dans le cadre d'un programme d'équité en emploi, est-il un acte discriminatoire de la part d'une entreprise ? Justifiez votre réponse.

4. Le management international des ressources humaines nécessite une révision des pratiques pour la plupart de ses fonctions ou de ses activités. Décrivez ces nouvelles pratiques, y compris pour la fonction d'acquisition du personnel.

5. Dégagez les ressemblances qui existent entre les stratégies concurrentielles et le cycle de vie de l'entreprise en considération des pratiques d'acquisition des ressources humaines.

6. Quelles raisons peuvent inciter un employeur à ne pas s'identifier dans une annonce de presse ?

7. Pourquoi les entrevues de sélection sont-elles si peu fidèles ? Comment peut-on accroître la fidélité et la validité de ce prédicteur ?

8. Vous voulez recruter un cadre de haut niveau en ressources humaines dans une région très éloignée de Montréal (au nord du Québec), pour une grande entreprise de l'industrie minière. Quelles seront les sources de recrutement externe les plus pertinentes pour attirer ce candidat ? Que pouvez-vous faire pour rendre cette offre attirante ?

9. Expliquez la notion de critère multidimensionnel.

10. Décrivez le processus de validation d'un formulaire de renseignements individuels d'un conducteur d'autobus de Montréal (homme ou femme).

11. Un prédicteur (un test, par exemple) qui offre un coefficient de validité relativement bas doit-il être écarté d'emblée dans le processus de sélection d'une entreprise qui recrute activement et régulièrement ? Sinon, comment ce prédicteur pourrait-il s'avérer utile ?

12. Si le processus de recrutement et de sélection a été bien fait, les employés nouvellement engagés n'ont pas besoin d'une formation supplémentaire. Êtes-vous d'accord avec cet énoncé? Justifiez votre réponse.

13. Identifiez les prédicteurs possibles de succès au travail d'un vendeur de chaussures. Décrivez-en le processus de validation.

14. L'an dernier, un de mes amis a fait ce qu'on appelle une «réaction psychotique passagère». Il a été hospitalisé durant trois mois. Au moment de lui donner son congé, les médecins l'ont déclaré complètement guéri. Reçu en entrevue pour un emploi, il n'a pas soufflé mot de son hospitalisation. L'employeur en a eu vent et l'a alors congédié.

   La Commission des droits de la personne est-elle en mesure d'aider cet ami? Sur quoi fondez-vous votre opinion?

15. L'entreprise pour laquelle je travaillais depuis 25 ans a fait faillite. Partout où je vais, on refuse de m'embaucher, prétextant que je suis trop vieux. Je n'ai que 53 ans et je pense qu'il me reste quelques bonnes années, sans compter la précieuse expérience que j'ai à mon crédit; mais personne ne semble disposé à me donner la chance de le prouver. Suis-je victime de discrimination?

16. Un membre de la World Wide Church of God demande à son employeur de le libérer de ses fonctions le lundi de Pâques, décrété jour de congé dans sa religion. L'employeur refuse ce congé, étant donné la forte activité de production les lundis. En temps normal, l'entreprise ne tolère d'ailleurs aucune absence cette journée, sauf en cas de maladie ou d'urgence. Le travailleur s'absenta et fut congédié. Pensez-vous qu'il y a eu discrimination?

N.B.: Les exercices 14 et 15 sont des adaptations de cas fournis par la Commission canadienne des droits de la personne. L'exercice 16 est une adaptation d'un article de Monique D'Amours, paru dans *La Presse* du 27 décembre 1990, page D3.

BIBLIOGRAPHIE

ASHER, J.J. et SCIARRINO, J.A., «Realistic work sample tests: A review», *Personnel Psychology*, 1974, 27, p. 519-534.

BAIRD, L. et MESHOULAM, I., «Managing two fits of strategic human resource management», *Academy of Management Review*, 1988, 13, 1, p. 116-128.

BARNABÉ, C., *L'entrevue de sélection*, Montréal, Agence d'Arc, 1982.

BÉLANGER, L., BENABOU, C., BERGERON, J.-L., FOUCHER, R. et PETIT, A., *Gestion stratégique des ressources humaines*, Boucherville (Québec), Gaëtan Morin Éditeur, 1988.

BEYSSERE des HORTS, C.H., *Vers une gestion stratégique des ressources humaines*, Paris, Les Éditions d'Organisation, 1988.

BUREAU OF NATIONAL AFFAIRS, *Personnel Policies Forum*, Survey No. 126, Recruiting policies and practice, Washington (D.C.), 1979.

BUREAU OF NATIONAL AFFAIRS, *Selection Procedures and Personnel Records*, Washington (D.C.), 1976.

CASCIO, W.F., *Applied Psychology in Personnel Management*, 3ᵉ éd., Toronto, Prentice-Hall, 1987.

CHERRINGTON, D.J., *Personnel Management*, Dubuque (Iowa), W.M.C. Brown Company, 1983.

DÉOM, E., «La lutte à la discrimination dans le cadre de la Charte des droits et libertés de la personne du Québec», dans BLOUIN, R., *Vingt-cinq ans de pratique en relations industrielles au Québec*, Cowansville, Éditions Yvon Blais, 1990.

DYER, L. et HOLDER, G.A., «A strategic perspective of human resource management», dans DYER, L. (dir.), *Human Resource Management: Evolving Roles and Responsibilities*, Washington, Bureau of National Affairs, 1988.

ELKAS, Y., «Cadres supérieurs à louer: mythe ou réalité?», *La Presse*, 14 juin 1991.

EMPLOI ET IMMIGRATION CANADA, *Le nouveau mode d'emploi: profil de la croissance du marché du travail*, Ottawa, 1989.

EMPLOI ET IMMIGRATION CANADA, *L'évolution du marché du travail dans les années 1980*, Ottawa, 1981.

FERRIS, G.R., SCHELLENBERG, D.A. et ZAMUTO, R.E., «Human resource management. Strategies in declining industries», *Human Resource Management*, 1984, 23, p. 381-394.

FORTIN, J., *Québec, le défi économique*, Presses de l'Université du Québec, 1991.

GERSTEIN, M. et REISMAN, H., «Strategic selection: matching executives to business conditions», *Sloan Management Review*, hiver 1983, p. 33-49.

JANZ, T., «Forecasting the costs and benefits of traditional vs scientific employment selection methods in Canada to the year 1990», dans DOLAN, S. et SCHULER, R. (dir.), *Canadian Readings in Personnel and Human Resources Management*, St. Paul, West Publishing, 1987.

JANZ, T., HELLERVIK, L. et GILMORE, D.C., *Behavior Description Interviewing: New, Accurate, Cost Effective*, Newton (Mass.), Allyn and Bacon, 1986.

LANGLOIS, S., *La société québécoise en tendances: 1960-1990*, Institut québécois de la recherche sur la culture, 1990.

LATHAM, G.P., SAARI, L.M., PURCELL, E.D. et CAMPION, J.E., «The situational interview», *Journal of Applied Psychology*, 1980, 65, p. 422-427.

LENGNICK-HALL, C.A. et LENGNICK-HALL, M., «Strategic human resources management: a review of the litterature and a proposed typology», *Academy of Management Review*, 1988, 13, 3, p. 454-470.

MAYFIELD, E.C., BROWN, S.H. et HAMSTRA, B.W., «Selection interview in the life insurance industry: an update of research and practice», *Personnel Psychology*, 1980, 33, p. 725-740.

McFARLAND, R.A., *Human Factors in Air Transportation*, New York, McGraw-Hill, 1953.

MEALS, D.W. et ROGERS, J.W. Jr., «Matching human resources to strategies», dans FOULKES, F.K. (dir.), *Strategic Human Resources Management*, Englewood Cliffs (N.J.), Prentice-Hall, 1986, p. 88-99.

MUCHINSKY, P.M., *Psychology Applied to Work*, Pacific Grove (Cal.), Brooks-Cole, 1990.

MULLER, P. et SILBERER, P., *L'homme en situation industrielle*, Paris, Payot, 1968.

O'BOYLE, T.F., « More firms require employee drug tests », *Wall Street Journal*, 8 août 1985, p. 6.

PERETTI, J.M., CAZAL, D. et QUIQUANDON, F., *Vers le management international des ressources humaines*, Paris, Les Éditions Liaisons, 1991.

REID, J.E. et INBAU, F.E., *Truth and Deception : the Polygraph Technique*, Baltimore, Williams and Wilkins, 1966.

SCHMIDT, F.L. et HUNTER, J.E., « The future of criterion related validity », *Personnel Psychology*, 1980, 33, 1, p. 41-60.

SCHULER, R., « Linking competitive strategies with human resource management practices », *Academy of Management Review*, 1987, 1, 3, p. 207-219.

SCHULER, R., *Personnel and Human Resource Management*, St. Paul (Minn.), West Publishing, 1984.

SRINIVAS, K.M., *Human Resource Management. Contemporary Perspectives in Canada*, Toronto, McGraw-Hill, 1984.

STONE, T.H. et MELTZ, N., *Personnel Management in Canada*, Toronto, Holt, Rinehart & Winston, 1983.

TAPERNOUX, F., *Les centres d'évaluation*, Lausanne, Payot, 1984.

THIETART, R.A., *La stratégie d'entreprise*, Paris, McGraw-Hill, 1990.

TIFFIN, J. et McCORMICK, E.J., *Psychologie industrielle*, Paris, Presses universitaires de France, 1967.

U.S. CONGRESS OFFICE OF TECHNOLOGY ASSESSMENT, *Scientific Validity of Polygraph Testing : A Research Review and Evaluation*, OTA-TM-H-15, Washington (D.C.), Office of Technology Assessment, 1983.

WERTHER, W.B., DAVIS, K. et LEE GOSSELIN, H., *La gestion des ressources humaines*, Montréal, McGraw-Hill, 1990.

WILS, T., LE LOUARN, J.Y. et GUÉRIN, G., *La planification stratégique des ressources humaines*, Les Presses de l'Université de Montréal, 1991.

CHAPITRE 7

LA GESTION DES MOUVEMENTS DE PERSONNEL

par Roland Foucher

OBJECTIFS

Après l'étude de ce chapitre, vous devriez être en mesure :

- d'énumérer et de définir les différents mouvements de personnel qui peuvent se produire dans une organisation ;

- de déterminer les principaux facteurs qui influent sur les mouvements de personnel dans les organisations ;

- de préciser les composantes stratégiques de la gestion des mouvements de personnel ;

- de préciser les principales catégories d'interdictions et d'obligations en matière de mouvements de personnel, et d'en fournir des exemples ;

- de préciser les différents types de mutations et les tâches à effectuer pour les gérer adéquatement ;

- d'identifier et de préciser les différents rôles des rétrogradations ;

- de préciser les aspects à considérer pour mettre sur pied et gérer adéquatement un système de promotions ;

- de préciser en quoi consiste la progression dans les carrières bureaucratiques, professionnelles et de marché ;

- d'identifier et de préciser les principales tâches de gestion des départs volontaires ;

- d'identifier et de préciser les principaux mécanismes de gestion des retraites;
- de suggérer des mécanismes de prévention et de gestion des licenciements;
- de suggérer des mécanismes de prévention et de gestion des congédiements.

MISE EN SITUATION

UN EXEMPLE DE GESTION INTÉGRÉE DES MOUVEMENTS DE PERSONNEL

La Banque d'Intérêt Public, un des chefs de file dans le secteur économique où elle œuvre, essaie, depuis quelques années, de se démarquer de ses compétiteurs par la qualité de ses services. Le client est au centre de ses préoccupations. Par ses structures et sa culture, la Banque s'efforce de réaliser ses objectifs stratégiques en matière de services à la clientèle.

La Banque d'Intérêt Public offre à ses employés la possibilité de faire carrière à long terme. La plupart d'entre eux commencent leur carrière à des postes de niveau hiérarchique inférieur, directement reliés aux opérations bancaires. Des postes précis, à des niveaux hiérarchiques plus élevés, sont cependant prévus pour les personnes ayant une formation scolaire plus poussée. Ces personnes reçoivent une formation structurée s'étendant sur plusieurs mois, avec une alternance entre le travail et la pratique, et sont suivies par un tuteur. De plus, dans certains services spécialisés, la Banque recrute son personnel à l'intérieur de l'organisation. Elle offre, à ses employés prometteurs, des plans de carrière qui peuvent comporter le passage dans des services spécialisés. Elle favorise donc la mobilité horizontale, en plus de la mobilité verticale, afin de former des gestionnaires qui auront une vue d'ensemble de l'organisation.

Il y a dix ans, les cheminements de carrière étaient peu variés et rigides, et les affectations étaient, à toutes fins utiles, décidées seulement par la direction. La Banque d'Intérêt Public offre aujourd'hui des cheminements plus nombreux et plus souples. Des rencontres annuelles, associées à l'évaluation du rendement, permettent de discuter du plan de carrière. Le formulaire d'évaluation du rendement comprend d'ailleurs une annexe sur les aspirations de l'employé et sur ses plans pour y parvenir. Le jugement que pose le supérieur hiérarchique s'avère important dans les décisions qui sont prises au sujet de la carrière de l'employé. Enfin, la Banque fournit à ses employés de l'information sur les carrières qui s'offrent à eux et elle investit beaucoup dans la formation.

La Banque a aussi mis sur pied un système de planification de la relève aux postes de cadres supérieurs. De plus, elle s'efforce de prévoir ses besoins de main-d'œuvre et de développer une culture organisationnelle forte, facilitant l'identification à l'organisation. En raison, entre autres, de ces pratiques de gestion, elle réussit à développer la loyauté de ses employés et à limiter les licenciements lorsque la conjoncture économique est mauvaise.

QUESTIONS

1. Comment classez-vous les pratiques de la Banque d'Intérêt Public en matière de marché du travail et de gestion des carrières ?

2. À quel type de stratégie de gestion associez-vous les pratiques de gestion des carrières et des mouvements de personnel de la Banque d'Intérêt Public ?

3. Démontrez que la gestion des mouvements de personnel de la Banque d'Intérêt Public est intégrée.

4. Y a-t-il d'autres pratiques de gestion des carrières que la Banque aurait intérêt à utiliser ?

5. Comment les professionnels voulant faire une carrière dans leur champ de spécialisation peuvent-ils s'intégrer à la Banque ? Avez-vous des suggestions à formuler à ce chapitre ?

7.1 INTRODUCTION[1]

Les personnes engagées par une organisation peuvent avoir une carrière plus ou moins longue au sein de cette dernière et occuper successivement des postes de nature et de niveau hiérarchique différents. Ces mouvements de personnel, qu'ils se fassent **à l'intérieur** (promotions, mutations, rétrogradations, etc.) ou **vers l'extérieur** (congédiements, mises à pied, départs volontaires ou involontaires, etc.) de l'organisation, influent sur l'équilibre du marché du travail.

Celui-ci se rompt lorsque l'organisation ne peut plus disposer d'une main-d'œuvre en qualité et en quantité adéquates pour combler les différents postes de travail qu'elle offre. En d'autres termes, l'organisation doit alors faire face à l'une ou l'autre de ces situations : carence de personnel, surplus de personnel ou affectations inadéquates. Les exemples suivants montrent comment ces états de déséquilibre peuvent découler d'une mauvaise gestion des mouvements de personnel : ne pas pouvoir compter sur une relève adéquate aux postes de direction et de cadres supérieurs en raison d'une identification ou d'une préparation inappropriées de la main-d'œuvre ; devoir mettre à pied des surplus de main-d'œuvre spécialisée, faute de pratiques de gestion ayant aidé ces personnes à acquérir la polyvalence nécessaire pour rester dans l'organisation ; perdre des personnes valables à la suite d'affectations précipitées qui leur ont fait vivre des échecs.

En donnant suite aux efforts de recrutement et de sélection en matière d'équilibrage du marché interne du travail et d'harmonisation des relations entre les individus et le travail, la gestion des mouvements de personnel agit sur les aptitudes des employés à exercer leurs fonctions et sur leur engagement vis-à-vis de ces dernières. Elle peut aussi influer sur l'identification des individus à l'égard de l'organisation et sur la capacité de cette dernière de retenir les personnes qu'elle désire garder à son service. Mentionnons, par exemple, que la possibilité d'obtenir des promotions, d'être traité de façon juste et équitable en matière d'affectations et de bénéficier d'une sécurité d'emploi peut avoir des effets sur la décision des individus de demeurer au service de leur employeur.

---

1. Nous tenons à remercier monsieur Noël Mallette, professeur au Département des sciences administratives de l'Université du Québec à Montréal, pour ses avis sur le cadre législatif de la gestion des mouvements de personnel, lors de la première édition de ce chapitre.

La gestion des mouvements de personnel dépend de la planification stratégique de l'organisation et influe sur cette dernière.

– Elle dépend fortement de la capacité de prévision que possède la direction, notamment en matière d'analyse de l'environnement et de prévision de main-d'œuvre, qui constituent deux des dimensions de la planification stratégique des ressources humaines. L'exemple suivant montre comment la gestion prévisionnelle des mouvements de personnel peut influer sur le fonctionnement de l'entreprise. À la suite de problèmes survenus au début des années 70, la compagnie Motorola a décidé des actions à entreprendre en cas de nouvelle récession. Ainsi, elle a traversé la crise du début des années 80 par un programme de partage de l'emploi, lequel lui a permis de conserver la majeure partie de son personnel et d'éviter, lors de la reprise économique, des coûts élevés de recrutement et de formation (O'Toole, 1985).

– Par certaines activités telles que la préparation de la relève à des postes de direction et la mise sur pied de trames d'affectations qui permettent au personnel stratégique de se développer, la gestion des mouvements de personnel contribue à doter l'entreprise d'un personnel capable d'établir la stratégie de gestion (Hayes, 1985). Friedman (1986) a d'ailleurs trouvé des relations entre diverses caractéristiques du système de planification de la relève et la performance de plus de 200 entreprises.

– La gestion des mouvements de personnel se fonde sur une vision intégrée et à long terme de la gestion des ressources humaines, laquelle constitue une stratégie implicite. Ainsi, les entreprises, telles IBM et Hewlett-Packard, qui ont besoin d'une main-d'œuvre spécialisée (qui est longue à former) ayant un engagement à l'égard de l'entreprise adhèrent depuis leur origine à une politique favorisant la sécurité d'emploi, et mettent en place divers moyens pour assurer un rendement adéquat (mécanismes de socialisation visant à faire assimiler des valeurs, système de récompenses et de punitions administré en fonction de la performance, et application sévère des normes et des règlements concernant le rendement).

– La gestion des mouvements de personnel peut appuyer une stratégie de gestion. Selon Schuler et Jackson (1987), les cheminements de carrière qui renforcent l'utilisation d'une large gamme d'habiletés facilitent la réalisation d'une stratégie d'innovation; certaines garanties de sécurité d'emploi sont requises par une stratégie d'amélioration de la qualité, alors que la conception de cheminements de carrière étroits (encourageant la spécialisation et l'efficience) peut contribuer à une stratégie de réduction des coûts.

– La gestion des mouvements de personnel dépend de la stratégie de gestion choisie. Comme le montrent Kochan *et al.* (1984), la stratégie de réduction des coûts a amené des entreprises américaines de fabrication de pneus à fermer de vieilles usines, et à en ouvrir de plus modernes dans des régions à faible taux de syndicalisation où les coûts de main-d'œuvre étaient moins élevés, provoquant ainsi de nombreux licenciements.

Après avoir fourni des précisions sur certains facteurs qui influent sur la gestion de l'ensemble des mouvements de personnel, nous traiterons des mouvements internes de personnel, lesquels sont de trois types : les mutations, les promotions et les rétrogradations. La dernière partie portera sur les départs décidés par les individus eux-mêmes, sur ceux qui relèvent de décisions de la direction (congédiements et licenciements) et sur les retraites, qui peuvent avoir une origine mixte.

7.2 LES FACTEURS INFLUANT SUR LA GESTION DES MOUVEMENTS DE PERSONNEL

Les facteurs qui influent sur la gestion des mouvements de personnel sont de trois types. Certains ont trait à l'environnement de l'organisation, d'autres à l'organisation elle-même, d'autres enfin aux personnes qui la composent.

7.2.1 L'ENVIRONNEMENT

Les facteurs de l'environnement sont principalement d'ordre économique, juridique et démographique. Comme le montre le texte suivant, ces facteurs peuvent influer sur le type et la quantité de mouvements de personnel, et sur la façon dont ils sont gérés.

L'influence d'ordre économique provient de trois facteurs. Le premier a trait aux cycles économiques. En créant une rareté d'emplois, les périodes de récession et de crise économique réduisent la quantité de départs volontaires, limitent les possibilités de promotion et créent un terrain propice aux licenciements collectifs. Au contraire, les périodes d'expansion accroissent la quantité de mutations et de promotions, mais risquent de précipiter les décisions en ces matières. Le deuxième facteur a trait à l'intensité de la compétition. Par exemple, celle-ci peut produire des effets semblables à ceux des périodes de récession, dans des secteurs industriels où les possibilités d'expansion sont faibles. En raison de ce facteur, même la compagnie IBM a dû procéder à des licenciements collectifs en 1990 et en 1991, malgré sa politique de sécurité d'emploi. Le troisième type de facteur a trait aux coûts de la main-d'œuvre. Des coûts trop élevés peuvent inciter les entreprises à déménager dans d'autres régions ou pays pour devenir plus compétitives, causant ainsi des licenciements collectifs. Au Canada, certains secteurs industriels, notamment ceux du textile et de la chaussure, ont été particulièrement frappés par ce phénomène.

Comme nous le verrons plus loin dans ce chapitre, diverses lois imposent des interdits et des obligations qui déterminent les actions des organisations en matière de mouvements de personnel, et les incitent à adopter certaines pratiques de gestion des ressources humaines. C'est ce que montrent les deux exemples suivants.

– Les législations et la jurisprudence incitent les organisations nord-américaines à adopter des mesures progressives en matière de discipline, au lieu de procéder directement à une rétrogradation ou à un congédiement en cas d'infraction.

– Selon Besseyre des Horts (1989), les entreprises œuvrant en Suède, où les lois en matière de licenciement sont sévères, s'efforcent de prévoir leurs besoins en main-d'œuvre et de mettre sur pied des mécanismes pour éviter de se départir de leurs employés, telle la polyvalence du personnel. Cette tendance est moins forte aux États-Unis, où le licenciement collectif est soumis à moins d'obstacles juridiques.

Divers facteurs d'ordre démographique exercent aussi une influence. Ainsi, l'accroissement du nombre de couples dont les deux membres font carrière a compliqué les mutations géographiques et a incité les organisations à adopter certaines pratiques, telle l'aide au conjoint pour qu'il poursuive sa carrière. Un autre facteur est celui du vieillissement de la population, dont les effets se feront sentir au Québec d'ici une dizaine d'années. Faute de relève, certaines organisations devront probablement repousser l'âge de la retraite de leurs employés compétents.

7.2.2 *L'ORGANISATION*

La façon dont les organisations structurent le système d'emplois et gèrent les carrières sont deux facteurs qui influent sur les mouvements de personnel. Les pratiques des organisations en ces matières sont cependant influencées par certaines de leurs caractéristiques, notamment par leur taille, la nature de leurs activités et le degré de syndicalisation de leur personnel.

LA STRUCTURATION DES EMPLOIS

La gestion des mouvements de personnel dépend de la forme de marché du travail dont se dote une organisation. En analysant les sources de main-d'œuvre qui servent à constituer le personnel des organisations, certains chercheurs ont classé ces dernières en deux catégories : les organisations qui dépendent du marché externe, et celles qui ont un marché interne du travail (Doeringer et Piore, 1971).

Kalleberg et Sorensen (1979) attribuent notamment les propriétés suivantes à un marché interne du travail : un nombre restreint de ports d'entrée qui se situent essentiellement au bas de la hiérarchie, des promotions accordées aux membres de l'organisation, des emplois exigeant l'acquisition d'habiletés propres à l'organisation et qui, pour cette raison, se démarquent des autres par les plans de carrière qu'ils offrent, et une longue relation d'emploi entre les individus et l'organisation. Les entreprises qui ont intérêt à développer un marché interne du travail sont principalement celles qui satisfont aux critères suivants : l'exercice de tâches exigeant une expertise particulière qui se développe à long terme à l'intérieur de l'organisation, et la nécessité d'avoir une continuité, ou tradition. Les banques et les restaurants de fine cuisine sont des exemples d'organisations de ce type.

En plus de décider comment elles structurent le marché du travail de leur centre « opérationnel » (les opérations bancaires, dans le cas d'une banque), les organisations doivent aussi préciser comment elles aménagent le marché du travail dans leurs services spécialisés : direction des ressources humaines, direction de l'informatique, etc. Selon les aménagements choisis, la mobilité entre le centre « opérationnel » et les services spécialisés sera plus ou moins grande. Les décisions en cette matière doivent se baser, notamment, sur les facteurs suivants :

- le degré d'intégration du service spécialisé par rapport au reste de l'organisation, ce qui peut amener, par exemple, à attribuer des postes de gestion dans le service spécialisé à des personnes qui ont acquis une expérience dans le centre opérationnel ;
- les exigences propres du service spécialisé sur le plan stratégique, ce qui peut amener, par exemple, à une plus grande ouverture au marché externe du travail si l'objectif est de favoriser l'innovation ;

– le degré de connaissances particulières requises par les tâches qui sont effectuées dans les services spécialisés, ce qui conditionne le type de personnel à recruter.

Un système d'emplois se caractérise aussi par la façon dont se fait la progression hiérarchique à l'intérieur de l'organisation. Comme l'ont observé divers auteurs, tel Rosenbaum (1979), le rythme de progression de la carrière diffère selon les organisations. Dans certaines entreprises, ce rythme est fortement relié à la cohorte d'entrée ou, en d'autres termes, à l'ancienneté. Dans les grandes entreprises japonaises, par exemple, les membres d'une même cohorte ne peuvent aspirer à une promotion qu'après un certain nombre d'années; leur progression hiérarchique ultérieure est aussi conditionnée par leur ancienneté (Ishida, 1986). Au contraire, d'autres organisations accordent des postes de direction en fonction du strict mérite personnel, sans considérer l'ancienneté. Il importe toutefois de mentionner que d'autres facteurs que les politiques organisationnelles, notamment l'âge moyen du personnel et le taux de croissance de l'organisation, influent sur le rythme des promotions.

En se basant sur les notions de marché du travail et de progression à l'intérieur de l'organisation, qu'il place sur deux axes, Sonnenfeld (1989) distingue quatre types d'organisations, qui diffèrent à la fois par leur degré d'ouverture au marché externe du travail et par leurs pratiques en matière de promotions. Il relie ensuite ces types d'organisations à des stratégies de gestion déterminées, en s'inspirant des catégories proposées par Miles et Snow (1978, 1984). Le tableau 7.1 fournit des exemples de liens entre trois des stratégies décrites par ces auteurs et certaines politiques de gestion des mouvements de personnel.

LE SYSTÈME DE GESTION DES CARRIÈRES

Les pratiques de gestion des carrières influent elles aussi sur les mouvements de personnel. Selon Wils et Guérin (1990), deux critères permettent de distinguer ces pratiques: la finalité et l'attitude de l'employeur en matière de carrière. Ainsi, la finalité peut être d'ordre opérationnel ou prévisionnel. L'employeur peut adopter une attitude d'autorité, de réconciliation ou d'aide. C'est ce que montrent les exemples suivants:

– la conception de cheminements de carrière (ou filières d'emploi) se classe dans les activités d'ordre opérationnel, conçues pour les besoins de l'organisation;

TABLEAU 7.1 *LES LIENS ENTRE CERTAINES STRATÉGIES D'ENTREPRISE ET POLITIQUES DE GESTION DES MOUVEMENTS DE PERSONNEL, SELON SONNENFELD*

Stratégies	Politiques
Entreprises de type prospecteur : misent sur l'innovation des produits et la création de nouveaux marchés. Exemples : firmes de conseillers et entreprises de semi-conducteurs.	– Ces entreprises recherchent du sang neuf capable d'apporter des idées nouvelles ; elles sont donc ouvertes au marché externe du travail.
	– Elles attribuent les promotions par le biais de concours et la relation d'emploi se termine par la démission.
Entreprises de type défenseur : misent sur la continuité et la fiabilité. Exemples : banques et compagnies de télécommunications.	– Ces entreprises recherchent des ressources fidèles, engagées à long terme envers l'organisation ; elles favorisent donc le développement d'un marché interne du travail.
	– Elles attribuent les promotions en considérant l'ancienneté ; la relation d'emploi cesse à la retraite.
Entreprises de type analyste : misent à la fois sur l'innovation et la continuité. Exemples : IBM et Polaroïd.	– Ces entreprises recherchent un personnel capable de prendre des risques calculés et fidèle à l'organisation ; elles développent donc un marché interne du travail.
	– Elles attribuent les promotions par le biais de concours commandités ; la relation d'emploi cesse à la retraite.

- la préparation de la relève à des postes clés est une activité d'ordre opérationnel, conçue pour les besoins de l'organisation ;
- le conseil sur les problèmes de carrière fait partie des activités d'ordre opérationnel, visant à aider les individus ;
- l'information recueillie dans des centres d'appréciation par simulation se classe dans les activités d'ordre prévisionnel, visant à aider les individus.

Cette énumération des pratiques de gestion des carrières (*voir au tableau 7.2 pour la définition de certaines d'entre elles*) indique que diverses options s'offrent aux organisations. Les choix de ces dernières en cette matière peuvent viser l'harmonisation à une stratégie d'entreprise[2].

---

2. À notre connaissance, Stumpf et Hanrahan (1984) sont les premiers à avoir traité de ce thème en faisant des propositions concrètes. En se basant sur les idées proposées dans ce premier article, Stumpf (1989) fournit des exemples d'entreprises qui ont des pratiques harmonisées aux stratégies dont il traite.

TABLEAU 7.2 LA DÉFINITION DE CERTAINES PRATIQUES DE GESTION
DES CARRIÈRES

Pratiques	Définitions
Cheminements de carrière ou filières d'emploi	Aménagement des séquences de postes de façon à permettre de nouveaux apprentissages, et ainsi faciliter la progression de la carrière et la satisfaction de besoins organisationnels. Morrison et Hock (1986) fournissent des exemples de cheminements de carrière élaborés à ces fins.
Mentor	Jumelage, plus ou moins planifié et officiel, entre des débutants et des personnes expérimentées pour des raisons d'ordre psychologique (imitation de comportements, counseling, etc.) et d'aide à la carrière (protection, enseignement, etc.). Cette définition s'inspire de Kram (1985).
Atelier sur la planification individuelle de la carrière	Sessions de formation au cours desquelles les individus sont appelés à faire le point sur un ou plusieurs des aspects suivants : ce qu'ils veulent faire (aspirations, intérêts, valeurs, etc.), ce qu'ils peuvent faire (forces et faiblesses personnelles), ce qui s'offre à eux et ce qu'ils feront pour atteindre leurs objectifs.

C'est ce que montrent les exemples suivants, qui utilisent la classification des stratégies de gestion proposée par Miles et Snow (1978, 1984).

– Pour favoriser l'innovation et la conquête de nouveaux marchés, les entreprises de type prospecteur doivent compter sur des personnes mobiles, capables de gérer leur carrière. Il peut donc être utile qu'elles aident les individus à gérer leur propre carrière et qu'elles jumellent les débutants à des personnes expérimentées.

– Pour avoir des ressources qui leur permettent d'assurer la fiabilité et la continuité qu'elles recherchent, les entreprises de type défenseur ont intérêt à structurer les cheminements de carrière (ou filières d'emploi) qu'elles proposent, à en informer les employés et à connaître les ressources que ces derniers ont à offrir, entre autres en évaluant bien leur rendement.

– Pour assurer la continuité et l'innovation qu'elles recherchent, les entreprises de type analyste ont intérêt à développer des pratiques de gestion des carrières qui ont des finalités d'ordre organisationnel et individuel, de façon à pouvoir mettre le plus possible à contribution les ressources des individus.

En plus de se composer de diverses pratiques, le système de gestion des carrières peut prendre des formes qui déterminent la liberté de choix des individus et la nature des postes auxquels ils ont accès. Traitant plus particulièrement de la planification organisationnelle des carrières, Guérin et Charette (1983) mentionnent trois façons d'effectuer cette dernière : le mode autoritaire, en vertu duquel les plans de carrière sont dressés unilatéralement par l'organisation ; le mode mécanique, qui s'appuie sur l'inventaire des talents pour assurer à chaque employé la possibilité de se faire connaître lorsque s'offrent de nouvelles affectations ; le mode conjoint, qui a pour but de concilier les besoins de la direction avec ceux des personnes concernées. Cette dernière façon de faire demande d'effectuer les quatre catégories de tâches suivantes : fournir de l'information sur les carrières offertes par l'organisation, recueillir de l'information sur les employés, effectuer des actions de réconciliation entre les besoins des parties et apporter de l'aide aux individus.

LES CARACTÉRISTIQUES DE L'ORGANISATION

Enfin, divers facteurs influent sur le type de marché du travail qu'offre une organisation et sur ses pratiques de gestion des carrières. La taille de l'organisation, la nature de ses activités et la syndicalisation du personnel sont trois de ces facteurs. C'est ce que révèlent les exemples suivants.

– Baron et Bielby (1986) ont constaté que le degré de fragmentation des emplois est plus élevé dans les grandes entreprises (surtout celles du secteur manufacturier) et dans celles qui comptent de nombreux professionnels et techniciens (tels les centres hospitaliers). Une fragmentation poussée des emplois est de nature à créer des cloisonnements entre les postes et les secteurs d'activité de l'organisation, réduisant ainsi la mobilité latérale et verticale.

– Pfeffer et Cohen (1984) ont trouvé une relation négative entre les aménagements d'emplois sous la forme d'un marché interne du travail et le pourcentage de main-d'œuvre syndiquée.

– Baron et al. (1986) ont constaté que la plupart des organisations de leur échantillon où la progression de carrière n'est pas structurée sont petites.

7.2.3 LES INDIVIDUS

Les personnes qui composent l'organisation sont, elles aussi, susceptibles d'influer sur la gestion des mouvements de personnel. Les principales influences proviennent de la pyramide d'âge de l'organisation,
des besoins reliés aux différentes étapes de la carrière des individus et
des aspirations professionnelles de ces derniers.

Comme l'ont observé divers chercheurs (McCain et al., 1983;
Wagner et al., 1984), la discontinuité entre les cohortes limite les possibilités de promotion et isole les individus, causant ainsi des départs
volontaires. Le trop grand nombre de personnes âgées a des effets semblables: il limite les possibilités de promotion et cause ainsi le plafonnement des carrières. Les retraites anticipées et la révision des
cheminements de carrière qui mènent à des culs-de-sac (Mild, 1982)
sont des moyens pour résoudre ce problème. À l'opposé, l'absence de
relève peut inciter à prolonger la relation d'emploi avec les personnes
plus âgées. Enfin, en raison de la diminution des possibilités de promotion avec l'âge (Rosenbaum, 1979; Tolbert, 1982), les organisations
ont à trouver d'autres moyens que les promotions pour susciter la motivation.

Au cours de leur vie et de leur carrière[3], les personnes passent par
des étapes qui suscitent des besoins particuliers et demandent de
résoudre des problèmes qui risquent de bloquer la croissance ultérieure
s'ils restent sans solution adéquate. Les nombreux écrits traitant du
mitan de la vie et de la mi-carrière font ressortir les problèmes qui se
posent à ces étapes déterminées. La direction peut faciliter les passages
d'une phase à une autre en offrant des services d'aide et en réaména-
geant les rôles exercés par les individus (par exemple, en attribuant le
rôle de mentor à certaines personnes plus âgées).

Les aspirations professionnelles des individus exercent, elles aussi,
des pressions sur les pratiques de gestion des carrières mises sur pied
par la direction. Ces aspirations ne vont pas nécessairement dans le sens
de la stabilité d'emploi ou de la progression hiérarchique (Driver,
1982). Selon Watts et al. (1981), la carrière peut d'ailleurs comprendre
diverses formes de mobilité (latérale, ascendante et descendante) qui
sont en continuité plus ou moins grande avec la formation et l'expé-

---

3. Wortley et Amatea (1982) résument les travaux sur les étapes que les individus
   traversent au cours de leur vie. Schein (1978), par exemple, traite de celles qui ont
   trait à la carrière.

rience antérieures. Concevoir le développement de la carrière de cette façon a deux conséquences fondamentales. La première est la valorisation des mouvements de personnel autres que les promotions, et l'élaboration de filières d'emploi permettant d'atteindre cette fin. La seconde a trait à l'application de moyens autres que la mobilité pour aider à la progression de la carrière, notamment l'enrichissement des tâches qui permet un accroissement des responsabilités, de l'autonomie et de la complexité des tâches.

7.3 LA GESTION DES MOUVEMENTS INTERNES DE PERSONNEL

Différentes lois dictent les pratiques interdites et obligatoires aux employeurs en matière de gestion des mouvements internes de personnel. Étant donné que les dispositions s'appliquent souvent à plusieurs types d'affectations à la fois, nous fournirons des précisions sur l'ensemble de cet encadrement, sans référence particulière aux mutations, aux promotions ou aux rétrogradations. Nous traiterons ensuite de la gestion de chacun de ces mouvements de personnel.

7.3.1 LE CADRE JURIDIQUE

Comme le montre le tableau 7.3, quatre lois québécoises (la *Charte des droits et libertés de la personne*, la *Charte de la langue française*, la *Loi sur les normes du travail* et la *Loi sur la santé et la sécurité du travail*) interdisent certaines pratiques aux employeurs. Ces interdictions peuvent se regrouper en deux catégories: l'utilisation de critères limitant de façon discriminatoire l'accès à des postes, et l'application de sanctions contre des travailleurs qui se prévalent de certains droits. Pour les personnes couvertes par la législation fédérale, la *Loi canadienne sur les droits de la personne* interdit de défavoriser un employé dans le cadre de son emploi, directement ou indirectement, pour un des dix motifs de discrimination illicite inscrits à l'article 7 de cette loi. De plus, l'article 10 de cette même loi stipule que:

> *Constitue un acte discriminatoire, le fait pour l'employeur de fixer ou d'appliquer des lignes de conduite ou de conclure des ententes touchant les promotions, les mutations ou tout autre aspect d'un emploi présent ou éventuel pour un motif de distinction illicite, d'une manière susceptible d'annihiler les chances*

TABLEAU 7.3 *LA LÉGISLATION QUÉBÉCOISE : LISTE DES INTERDICTIONS EN MATIÈRE DE MOUVEMENTS INTERNES DE PERSONNEL*

Lois	Interdictions
Charte des droits et libertés de la personne	Exercer de la discrimination en fonction de l'un des motifs de discrimination illicite, sauf les exceptions couvertes par un programme d'égalité ou d'équité en emploi (article 10).
	Pénaliser, dans le cadre de son emploi, une personne du seul fait qu'elle a été reconnue coupable ou s'est avouée coupable d'une infraction pénale ou criminelle, si cette infraction n'a aucun lien avec l'emploi ou si cette personne en a obtenu le pardon (article 18.2).
Charte de la langue française	Rétrograder ou déplacer un membre de son personnel pour la seule raison que ce dernier ne parle que le français ou qu'il ne connaît pas suffisamment une langue donnée autre que la langue officielle (article 45).
	Exiger pour l'accès à un poste la connaissance d'une langue autre que la langue officielle, à moins que l'accroissement de la tâche ne nécessite la connaissance de cette autre langue ; l'employeur a le fardeau de faire cette preuve (article 46).
Loi sur la santé et la sécurité du travail	(À l'exception des cas où il y a un exercice abusif du droit qui est reconnu) Imposer un déplacement ou une mesure discriminatoire ou disciplinaire 1. à un travailleur pour le motif que ce dernier a exercé un droit de refus parce que l'exécution de son travail l'expose à un danger (articles 30 et 12), 2. au représentant de la prévention pour le motif que ce dernier a exercé une fonction qui lui est dévolue par les articles 16, 18, 21 et 23 (article 31) ou 3. à un travailleur en raison de l'exercice par ce dernier de ses fonctions au sein d'un comité de santé et de sécurité (article 81).
Loi sur les normes du travail	Déplacer un salarié pour une des cinq causes suivantes : 1. à cause de l'exercice par ce salarié d'un droit, autre que celui visé à l'article 84.1, qui lui résulte de la présente loi ou d'un règlement ; 2. pour le motif que ce salarié a fourni des renseignements à la

TABLEAU 7.3 *LA LÉGISLATION QUÉBÉCOISE: LISTE DES INTERDICTIONS EN MATIÈRE DE MOUVEMENTS INTERNES DE PERSONNEL* **(suite)**

Lois	Interdictions
Loi sur les normes du travail *(suite)*	Commission ou à l'un de ses représentants sur l'application des normes du travail ou qu'il a témoigné dans une poursuite s'y rapportant; 3. pour la raison qu'une saisie-arrêt a été pratiquée à l'égard du salarié ou peut l'être; 4. dans le but d'éluder l'application de la présente loi ou d'un règlement; 5. pour le motif que le salarié a refusé de travailler au-delà de ses heures habituelles de travail parce que sa présence était nécessaire pour remplir des obligations reliées à la garde, à la santé ou à l'éducation de son enfant mineur, bien qu'il ait pris tous les moyens raisonnables à sa disposition pour assumer autrement ses obligations (article 122).
	Congédier, suspendre ou déplacer un salarié qui justifie de trois mois de service continu, pour le motif qu'il s'est absenté pour cause de maladie ou d'accident durant une période d'au plus 17 semaines au cours des douze (12) derniers mois (article 122.2).
	Le premier alinéa n'a pas pour effet d'empêcher un employeur ou son agent de congédier, de suspendre ou de déplacer un salarié si les conséquences de la maladie ou de l'accident ou le caractère répétitif des absences constituent une cause juste et suffisante, selon les circonstances. De plus, à la fin d'une absence pour cause de maladie ou d'accident excédant quatre (4) semaines consécutives, l'employeur peut, au lieu de réintégrer le salarié dans son poste habituel, l'affecter à un emploi comparable dans le même établissement avec au moins le salaire auquel il aurait droit s'il était resté au travail et avec un régime de retraite et d'assurance équivalent, le cas échéant.
	Cet article ne s'applique pas dans le cas d'un accident du travail ou d'une maladie professionnelle au sens de la *Loi sur les accidents du travail et les maladies professionnelles* (chapitre A-3.001).

d'emploi ou d'avancement d'un individu ou d'une catégorie d'individus.

En plus d'interdictions, les dispositions législatives québécoises portant sur les mutations, les rétrogradations et les promotions stipulent des obligations. Celles-ci concernent essentiellement les domaines suivants : les mutations pour des raisons de santé et de grossesse, et les mutations ou promotions préférentielles qui pourraient être incluses dans les programmes d'égalité ou d'équité en emploi.

La *Loi sur la santé et la sécurité du travail* comporte un droit de retrait préventif. En vertu de l'article 32 de cette loi :

> *Tout travailleur qui fournit à l'employeur un certificat attestant que son exposition à un contaminant comporte pour lui des dangers, eu égard au fait que sa santé présente des signes d'altération, peut demander d'être affecté à des tâches qui ne comportent pas cette exposition et qu'il est raisonnablement en mesure d'accomplir, jusqu'à ce que son état de santé lui permette de réintégrer ses fonctions et que les conditions de son travail soient conformes aux normes établies par règlement pour ce contaminant.*

Deux lois québécoises reconnaissent à la travailleuse enceinte des droits ayant trait à son affectation : la *Loi sur les normes du travail* et la *Loi sur la santé et la sécurité du travail*. Selon l'article 122 de la *Loi sur les normes du travail*, l'employeur est tenu à l'obligation suivante :

> *[Il] doit, de son propre chef, déplacer une salariée enceinte si les conditions de travail de cette dernière comportent des dangers physiques pour elle ou pour l'enfant à naître. La salariée peut refuser ce déplacement sur présentation d'un certificat médical attestant que ces conditions de travail ne présentent pas les dangers allégués.*

L'employeur qui ne remplit pas cette obligation commet une infraction et est passible, selon l'article 140, d'une amende variant de 250 $ à 575 $ pour une première offense, et de 575 $ à 3 500 $ pour toute récidive. De plus, l'article 40 de la *Loi sur la santé et la sécurité du travail* prévoit que l'employée enceinte peut exiger d'être affectée à des tâches qui ne sont pas dangereuses et qu'elle peut accomplir, pourvu qu'elle présente un certificat attestant du fait que les conditions de travail comportent des dangers pour elle ou pour l'enfant à naître. Si l'employeur ne la transfère pas de poste, la travailleuse peut cesser de travailler jusqu'à ce que l'affectation soit faite ou jusqu'à la date de son accouchement.

En plus des articles de loi encadrant les affectations en raison de la santé et de la sécurité du travail, il existe des dispositions juridiques ayant pour objet les mutations ou les promotions qui pourraient être incluses dans des programmes d'accès à l'égalité dans l'emploi. Celles-ci proviennent de la *Charte des droits et libertés de la personne* du Québec et de la *Loi canadienne sur les droits de la personne*.

7.3.2 *LES MUTATIONS*

Le terme «mutation» peut signifier une affectation de durée fixe ou indéterminée à un poste identique ou à un poste comportant des droits et des obligations semblables. Il est alors synonyme de déplacements horizontaux impliquant un changement de tâches, d'horaire de travail ou d'unité administrative. Il peut aussi désigner un changement de lieu de travail n'exigeant pas de déménagement (si le nouvel établissement est situé à proximité du précédent) ou en nécessitant un dans le même pays ou à l'étranger. Ces trois types de déplacements géographiques ont des effets et des exigences propres, et peuvent accompagner d'autres mouvements de personnel, tels les changements horizontaux et les promotions.

Quel que soit le changement en cause, la demande de mutation peut provenir de la direction ou du personnel. En plus de la synchronisation des objectifs poursuivis par chacune des parties, de la liberté dont jouit le personnel pour accepter une mutation et de l'utilité de cette dernière dans le plan de carrière projeté, d'autres facteurs peuvent influer sur l'efficacité de cette forme de mouvement de personnel. C'est ce dont nous traiterons après avoir précisé les objectifs de la mutation :

- contribuer à la formation et au développement du personnel, notamment des personnes qui font partie de programmes de formation à la gestion et de celles qui sont identifiées dans des plans de succession à la direction ;

- combler des besoins de main-d'œuvre et, par extension, constituer un substitut aux mises à pied, si l'entreprise dispose de postes vacants dans d'autres unités administratives ou succursales ;

- réaliser des affectations plus adéquates, en évitant autant que possible d'en faire un palliatif au congédiement si les problèmes de rendement ou de discipline sont structuraux et non pas circonstanciels.

La gestion des mutations comporte des particularités, selon qu'il s'agit d'employés syndiqués ou non syndiqués. Nous ne ferons que des allusions occasionnelles à ce facteur; nous fournirons cependant des précisions plus systématiques dans la section 7.3.4, qui porte sur les promotions, puisque les dispositions des conventions collectives à propos de ces deux types de mouvements de personnel sont souvent les mêmes.

LES DÉPLACEMENTS HORIZONTAUX

En augmentant la variété des activités dans le travail et les possibilités d'apprentissage, les changements de tâches peuvent accroître la satisfaction des personnes concernées et la flexibilité de la main-d'œuvre, à condition que les personnes mutées soient aptes à effectuer leurs nouvelles tâches et motivées à le faire. Diverses actions peuvent faciliter ces changements, notamment:

– sélectionner des personnes capables d'exécuter divers types de tâches et éprouvant un certain besoin de variété;

– attendre que les employés à muter aient maîtrisé les tâches de leur poste actuel;

– assurer la formation requise par les nouvelles tâches;

– effectuer la mutation à un poste ayant un nombre restreint de tâches qui comportent des risques de transferts négatifs d'apprentissage;

– fournir de la rétro-information et du soutien au début de la nouvelle affectation;

– offrir des compensations pour les efforts que requiert la nouvelle affectation.

Enfin, pour que ces changements latéraux de tâches s'avèrent possibles, il faut qu'il existe des postes de type semblable et que les dispositions du contrat collectif de travail, le cas échéant, ne créent pas d'obstacles. Ceux-ci peuvent provenir, notamment, des clauses faisant de la durée de service un critère prépondérant lors de nouvelles affectations, limitant ainsi la marge de manœuvre de la direction.

Les changements de poste de travail et d'unité administrative ont des objectifs semblables. En plus des actions que nous avons suggérées à propos des changements de tâches, la gestion de ce type de mutation demande d'assurer l'accueil et l'intégration de la personne mutée. Pour susciter la motivation à accepter ces changements, il convient de les inclure dans des cheminements de carrière.

La gestion des mutations à un poste dont l'horaire de travail diffère demande de fournir une compensation adéquate pour le temps passé à des horaires moins intéressants (par exemple, sous la forme de primes pour le travail de nuit) et d'effectuer les affectations en respectant certains principes d'équité. Plusieurs contrats collectifs de travail comportent d'ailleurs des dispositions en rapport avec ces deux aspects.

LES DÉPLACEMENTS GÉOGRAPHIQUES

Même si les mutations géographiques visent des objectifs de développement, elles peuvent susciter des réactions négatives chez les personnes qui en sont l'objet, en raison des inconvénients qu'elles causent. Les pratiques suivantes, qui s'inspirent en partie de celles que Feldman et Brett (1985) ont suggérées, peuvent contribuer à créer un attrait plus grand à l'égard des mutations géographiques, notamment celles qui impliquent un déménagement, et à les rendre plus efficaces. Ces pratiques consistent :

– à effectuer des prévisions de façon à préparer adéquatement les personnes concernées par de nouvelles affectations ;

– à offrir de réelles possibilités d'apprentissage et de développement ;

– à inclure les déplacements géographiques dans des plans de carrière qui permettent aux individus de connaître à l'avance les cheminements qu'ils pourront suivre, et les aider à s'y préparer ;

– à synchroniser les changements de façon à laisser aux personnes le temps de maîtriser leur ancien emploi ;

– à discuter ouvertement avec les personnes concernées pour déterminer comment la mutation s'inscrit dans leur plan de carrière à long terme ;

– à clarifier les politiques à propos du plafonnement des individus qui refusent des mutations géographiques et à éviter, autant que possible, de pénaliser ces derniers (surtout lors d'un premier refus, car il n'est pas assuré qu'ils diraient non en d'autres circonstances) ;

– à fournir de la rétro-information et du soutien durant la période d'apprentissage du nouvel emploi ;

– à offrir des compensations adéquates (sous forme de prime d'éloignement, par exemple) pour les inconvénients encourus ;

– à offrir de l'assistance au conjoint des personnes relocalisées ;

– à couvrir les frais de déplacement de façon adéquate.

Les trois derniers facteurs sont particulièrement importants s'il s'agit de déplacements géographiques nécessitant un déménagement dans le même pays ou à l'étranger, en raison de l'adaptation que ces relocalisations exigent (Feldman et Brett, 1985). Celles-ci sont plus compliquées s'il y a présence d'adolescents et d'un conjoint qui a sa propre carrière (Trippel, 1985). Enfin, il importe de considérer les fluctuations du coût de la vie, et notamment du prix des maisons, selon les régions. Les frais que les organisations assument habituellement sont ceux du déménagement, des déplacements requis pour trouver un nouveau domicile et inscrire les enfants dans un établissement scolaire, et les frais de courtage immobilier. Certaines entreprises acceptent aussi de couvrir les dépenses occasionnées par le placement du conjoint et les écarts de taux hypothécaires, et vont jusqu'à acheter la propriété après en avoir estimé le coût.

Pour les personnes mutées à l'étranger, il faut aussi considérer le couple, et non seulement la personne qui est relocalisée. En raison cependant de l'adaptation qui risque d'être plus difficile dans ce cas, la gestion du personnel expatrié exige des tâches particulières, comme le montrent les exemples suivants :

– mesurer, lors de la sélection, la capacité d'adaptation de l'individu concerné et de son conjoint au nouveau contexte culturel ;

– rédiger un contrat d'emploi comprenant des précisions sur les services à offrir à la personne mutée, les séjours dans le pays d'origine qui sont défrayés, les conséquences d'un bris de contrat et les conditions de retour ;

– établir la rémunération en se basant à la fois sur les données du pays d'origine et sur celles du pays d'accueil, et prendre en considération la législation fiscale des deux pays ;

– effectuer un examen médical avant le départ et au retour, pour assurer le maintien en bonne santé de la famille ;

– obtenir, s'il y a lieu, les autorisations d'emploi ;

– aider à l'entreposage du mobilier et assurer l'expédition des effets personnels ;

– aider à la planification financière de la rémunération reçue durant le séjour à l'étranger, et faciliter la gestion des fonds actuels ;

– offrir, avant le départ, des activités visant à faire connaître le pays hôte et à faciliter l'intégration à ce dernier ; inclure, dans l'accueil, des activités sur le nouveau milieu de vie ;

- prévoir des moyens pour assurer l'évacuation d'urgence en cas de problèmes de santé (lorsque les services médicaux locaux sont insuffisants), de décès d'un membre de la famille, de cataclysme ou d'agitation politique (la firme International SOS Assistance peut se charger de ces évacuations);
- aider la personne mutée à trouver des établissements d'enseignement pour ses enfants ou son conjoint;
- faciliter la réinsertion de l'expatrié lors de son retour, en l'aidant, par exemple, à réorienter sa carrière.

7.3.3 LES RÉTROGRADATIONS

La rétrogradation désigne la perte, réelle ou non, de responsabilités, d'autorité ou de prestige. Ainsi, l'obtention d'un poste peut être perçue comme une promotion par certains, mais peu appréciée par la personne concernée (par exemple, l'octroi de certains postes administratifs dans les milieux professionnels). Ajoutons les deux formes suivantes d'affectations qui peuvent elles aussi être perçues comme des rétrogradations : l'attribution d'un poste identique ou de niveau supérieur, mais dans une unité administrative ayant moins d'influence ou de prestige (par exemple, le passage de la ligne hiérarchique à une fonction conseil); l'accès à un poste honorifique octroyant du prestige, mais peu d'autorité. Les rétrogradations peuvent aussi désigner des pertes réelles qui se manifestent dans les tâches effectuées par les personnes concernées. C'est ce qui se produit dans les trois cas suivants:

- la modification d'un poste qui le vide de ses aspects les plus significatifs, même si le titre et le salaire sont conservés;
- le déplacement latéral qui permet d'exercer les mêmes fonctions, mais dans un emploi de moindre importance et avec un salaire réduit (par exemple, la direction d'un plus petit magasin ou d'un plus petit territoire de ventes);
- l'affectation à un poste de niveau hiérarchique inférieur (par exemple, le passage d'un poste de directeur des ventes à celui de vendeur) ou comportant des responsabilités moindres.

LES RÉTROGRADATIONS INTÉGRÉES AUX CARRIÈRES

Il existe peu de données scientifiques sur les objectifs et les effets des rétrogradations. Quoique ce type de mouvement de personnel ait une connotation négative, quelques auteurs traitent de leurs effets positifs.

Par exemple, Hall (1984), Hall et Isabella (1985) et Kaye (1982) considèrent que les rétrogradations peuvent faire partie d'un plan de carrière et servir, entre autres, au développement des individus. Cette suggestion va dans le sens des observations de Watts *et al.* (1981) sur les divers types de cheminements de carrière que les individus sont susceptibles d'emprunter. Dans cette perspective, les rétrogradations peuvent exercer les effets suivants :

– permettre aux cadres de niveaux intermédiaire et supérieur d'appliquer leurs connaissances et leurs habiletés dans de nouveaux domaines d'activité, en les affectant à un poste équivalent ou plus élevé, dans une unité administrative de moindre importance ;

– aider les professionnels et les cadres de premier niveau hiérarchique à acquérir une plus grande polyvalence (par l'apprentissage de nouvelles tâches ou la connaissance d'un nouveau champ d'activité), en les affectant à des postes comportant moins de responsabilités ou d'autorité, dans une autre unité administrative ;

– aider les personnes qui ont acquis une récente formation professionnelle à obtenir de l'expérience dans leur nouveau domaine d'activité en leur confiant un poste qui leur permettra de relancer leur carrière ;

– contribuer à la prolongation de la vie active des individus et ainsi permettre à l'organisation de continuer de profiter de leur apport, en diminuant, s'il y a lieu, leurs responsabilités ou leur autorité pour les aider à se préparer à la retraite, à reporter la date de cette dernière ou à continuer de collaborer avec l'organisation une fois à la retraite ;

– favoriser l'affectation plus adéquate du personnel en permettant à une personne (professionnel, vendeur, etc.) qui a assumé des responsabilités de gestion de reprendre l'exercice de ses anciennes fonctions, si son rendement y est meilleur ou si elle y effectue des tâches plus conformes à ses intérêts et à sa formation.

Si la direction d'une organisation désire que les rétrogradations s'inscrivent dans la gestion des carrières et servent à la fois aux individus concernés et à l'organisation, elle doit reconnaître leur effet positif possible et orienter les politiques et les pratiques de l'organisation de la façon suivante :

– inscrire des rétrogradations dans les cheminements de postes suggérés par la planification organisationnelle des carrières ;

– exercer une influence sur les croyances du milieu pour que les personnes rétrogradées ne soient pas perçues comme incompétentes ;

- montrer une ouverture face à l'embauche de personnes qui réorientent leur carrière ;

- vérifier auprès des personnes concernées comment une rétrogradation peut s'inscrire dans leur plan de carrière et prendre en considération leurs réactions, afin de limiter les perceptions négatives qui pourraient annuler les effets positifs de ce type d'affectation ;

- prévoir des mécanismes d'ajustement des salaires ne décourageant pas l'acceptation de ce type d'affectation.

LES RÉTROGRADATIONS COMME SUBSTITUTS AUX LICENCIEMENTS

Dans le but d'éviter des mises à pied à la suite d'une restructuration administrative ou d'une baisse du niveau d'emploi, la direction peut offrir aux employés dont le poste est aboli (de façon permanente ou temporaire) de subir une rétrogradation si aucun autre poste de niveau équivalent ne peut leur être attribué. Divers facteurs doivent alors être pris en considération, que ce soit pour favoriser l'efficacité de ces affectations ou pour éviter des poursuites judiciaires.

Avant de recourir à ce type de mouvement de personnel, il est opportun de vérifier s'il y a lieu de réduire les horaires de travail et d'offrir des programmes de mise à la retraite anticipée. Le caractère plus ou moins permanent de la réduction de l'emploi et la démographie de l'organisation sont deux des facteurs qui déterminent la possibilité d'utiliser ces autres mesures.

Lorsqu'une direction décide d'appliquer des rétrogradations pour limiter les mises à pied, elle doit considérer les éléments suivants :

- l'ordre des rétrogradations et l'effet en chaîne qu'elles produisent : la plupart des conventions collectives prévoient que les mises à pied doivent s'effectuer selon l'ancienneté des individus ;

- la capacité des personnes concernées à exercer leurs nouvelles fonctions : celles-ci peuvent nécessiter des activités de formation ;

- la motivation à occuper un poste ayant un niveau moindre de responsabilités, d'autorité ou de rémunération : des actions de soutien (information, counseling, etc.) peuvent être requises pour faciliter l'adaptation des personnes concernées ;

- la rémunération à offrir : les personnes affectées par les rétrogradations peuvent conserver leur salaire antérieur durant une période déterminée, voir celui-ci gelé jusqu'à ce qu'elles aient rattrapé les échelons de leur nouveau poste ou subir un reclassement immédiat en fonction de leur nouvelle affectation.

LES RÉTROGRADATIONS COMME MESURES PUNITIVES

Les rétrogradations peuvent également être appliquées à la suite d'un rendement inadéquat ou de manquements à la discipline. L'affectation à un poste de niveau inférieur s'inscrit alors dans des mesures administratives ou disciplinaires progressives, en évitant à la personne concernée d'être congédiée.

Les conflits de pouvoir peuvent aussi amener des rétrogradations qui visent à neutraliser l'influence de personnes qu'il est plus rentable de garder à son service que de congédier. Il est malheureusement possible que l'on ait recours à des mesures de cette nature sans que le rendement de la personne concernée soit en cause.

LES RÉTROGRADATIONS COMME MESURES DE DÉCLASSIFICATION

Des modifications à la stratégie de gestion, des changements technologiques ou une restructuration administrative peuvent inciter la direction d'une organisation à reclasser un groupe d'employés. Ces opérations sont susceptibles d'engendrer des coûts élevés. Le cas probablement le plus célèbre à ce chapitre est celui des typographes dans l'industrie de la presse.

En plus des conflits syndicaux, plus ou moins coûteux selon les moyens d'action et la force des parties en présence, il convient de mentionner les effets sur le personnel en cause. En comparant les réactions de travailleurs sociaux qui ont été reclassés comme techniciens à celles de leurs collègues qui n'ont pas eu à subir ce changement, Schlenker et Gutek (1987) ont constaté que la perte de statut et de rôle a résulté en une moins grande satisfaction au travail, en une plus faible estime de soi en rapport avec le travail et en une plus forte intention de quitter son emploi, sans amoindrir l'identification à la profession ni l'engagement à son égard.

7.3.4 LES PROMOTIONS

Le terme « promotion » peut être utilisé pour désigner une progression de carrière qui comporte ou non une affectation à un nouveau poste. Les changements qui marquent cette progression peuvent consister en un accroissement d'autorité, de responsabilités, de rémunération ou de prestige. La nature de ces modifications varie selon les cas suivants : l'attribution de postes comportant des responsabilités de gestion (notamment les postes de cadres) ou, au contraire, n'en comportant pas (tels les emplois de bureau ou de production), la progression de carrière chez les professionnels et les techniciens, et la progression de carrière dans des emplois de marché. Nous traiterons des politiques de promotion, des critères de choix des individus promus et des mécanismes d'attribution des promotions en rapport avec les deux premiers types de cas que nous avons mentionnés.

LES AFFECTATIONS À DES POSTES DE GESTION

Dans les emplois de gestion, les promotions désignent l'obtention de postes qui comportent, en règle générale, une autorité accrue, des tâches plus complexes et une rémunération plus élevée. En raison de ces caractéristiques, ces nouvelles affectations s'accompagnent souvent d'un plus grand prestige.

Les politiques destinées à guider les affectations à des postes de gestion devraient avoir pour principaux objets les aspects suivants :

- le degré de priorité accordé aux ressources internes dans l'attribution des promotions et, par extension, l'importance de l'ancienneté ;

- les écarts de rémunération, directe et indirecte, entre les postes de cadres et les autres types de postes ;

- l'importance à accorder à divers critères de promotion ;

- les mécanismes à mettre sur pied pour attribuer les promotions ;

- les moyens à privilégier pour assurer la préparation à des postes de gestion et constituer une relève aux postes de direction ;

- l'identification des valeurs à respecter dans la conception des cheminements de carrière et l'attribution des promotions ;

- les programmes à mettre de l'avant pour les femmes et les minorités ;

- le degré de liberté accordé dans le choix des affectations et, par extension, les attitudes à adopter en cas de refus d'une promotion ou d'une mutation géographique ;

- la réaffectation à réaliser dans les cas de mauvais fonctionnement ou d'inadaptation dans le nouveau poste.

Nous fournirons des précisions sur ces différents aspects, en regroupant certains d'entre eux.

Les promotions internes ou externes

Dès le début du xxe siècle, l'économiste Schiller suggérait aux organisations d'accorder des promotions en priorité à leurs membres. Cette pratique, qui est répandue dans les grandes entreprises nord-américaines (Campbell *et al.*, 1970), comporte différents avantages : choix facilité par une meilleure connaissance du candidat et intégration plus facile de ce dernier, cohésion organisationnelle accrue, frais de recrutement moins élevés et motivation plus grande du personnel (en raison des possibilités accrues de promotion et de la reconnaissance des contributions antérieures).

Par contre, elle a l'inconvénient de ne pas apporter de sang neuf, ce qui risque de perpétuer des habitudes dysfonctionnelles. Une politique de promotion interne efficace comporte une bonne sélection à l'entrée dans l'organisation et des mécanismes adéquats d'intégration et de développement des individus. S'il est nécessaire d'effectuer des changements majeurs, l'organisation ne doit cependant pas négliger de recourir à des ressources externes.

Les écarts de rémunération

La direction doit aussi décider des écarts de rémunération (salaire, avantages sociaux et autres bénéfices) entre les postes de cadres et les autres types de postes, de façon à disposer du personnel de gestion dont elle a besoin tout en n'attirant pas indûment des personnes qu'il serait préférable de conserver dans d'autres emplois. Déterminer ces écarts répond à des impératifs d'efficacité et d'équité, et demande de préciser l'importance accordée à la mobilité verticale par rapport à d'autres types de progression de carrière et de réalisations à valoriser. Les facteurs suivants doivent être pris en considération pour établir ces écarts :

— les valeurs et les critères de différenciation que l'on privilégie ;

— l'information provenant de l'évaluation des emplois, laquelle permet d'établir une hiérarchie selon la charge de chacun ;

— la contribution des différents groupes d'emplois aux missions de l'organisation, celles-ci pouvant varier selon qu'il s'agit d'une bureaucratie professionnelle dont le centre organique est constitué de professionnels, ou d'une bureaucratie mécaniste dans laquelle les cadres exercent des rôles plus centraux ;

— la capacité qu'a l'organisation de combler adéquatement ses postes de cadres et ses autres emplois clés.

Les critères de promotion

Le choix des critères pour déterminer l'attribution des promotions constitue une dimension fondamentale. Quoique leur importance varie selon les postes et les organisations, les six critères suivants peuvent guider l'attribution de promotions à des postes de cadre :

- **les exigences du poste** (maîtrise de connaissances, d'habiletés techniques, d'habiletés de gestion, d'habiletés conceptuelles, etc.), qui permettent de savoir si l'individu est apte à s'acquitter des responsabilités qui lui seront dévolues ;

- **les ressources de l'individu** (maîtrise de connaissances, d'habiletés de gestion, d'habiletés conceptuelles, etc.), qui permettent de déterminer si le candidat a la capacité de progresser dans la structure hiérarchique au-delà du poste convoité ;

- **les intérêts et les aspirations personnelles**, qui permettent de vérifier si l'individu se sentira à l'aise dans le poste convoité et les possibilités de carrière qu'il offre ;

- **les valeurs et les croyances de l'individu, sa connaissance de l'organisation et, s'il y a lieu, sa fidélité à l'égard de cette dernière**, qui permettent de déterminer la compatibilité avec le contexte organisationnel ;

- **les alliances de l'individu et ses contacts à l'extérieur de l'organisation** qui, tout en ayant normalement moins d'importance que les critères précédents, peuvent être considérés en raison de leur influence sur l'équilibre politique de l'organisation ;

- **les années de service dans l'organisation** (qui sont considérées par certains types d'organisations, dont les grandes entreprises japonaises), qui témoignent de la fidélité réciproque des parties.

Les mécanismes de promotion

Les mécanismes de promotion se divisent en trois catégories. Il y a les nominations directes, en vertu desquelles le choix des individus résulte de la décision de la direction, sans que les personnes intéressées par le poste vacant ne soient invitées à poser leur candidature. Il y a les nominations qui se font à la suite d'un concours réalisé par affichage ou par une invitation lancée aux personnes susceptibles de poser leur candidature. Le troisième mécanisme est celui des élections.

On distingue deux types de nominations directes.

1. Certaines nominations se font à la pièce, au fur et à mesure que les besoins se présentent et sans vue d'ensemble véritablement intégrée. Cette démarche ne permet pas aux élus de se préparer à l'avance et est plus répandue dans les organisations dont le marché du travail n'est pas structuré.

2. D'autres nominations se font à partir d'un bassin de candidats pour lesquels on a examiné à l'avance divers types d'affectations et que l'on a aidés à se former. Dans les postes de niveau hiérarchique inférieur, ces candidats peuvent provenir d'un programme de développement de futurs gestionnaires. Dans ceux qui se situent à un niveau plus élevé de la hiérarchie, les candidats font partie de programmes de relève à la direction. Cette approche procède d'une vision à long terme et comporte une certaine centralisation, afin de pouvoir suivre l'évolution de ces personnes. Elle est plus répandue dans les entreprises qui exercent d'autres activités de planification (Quinn-Mills et Balbaky, 1985).

Dans les organismes publics et parapublics et dans certaines entreprises ayant des valeurs démocratiques, les nominations, plutôt que de se faire directement, s'effectuent à la suite d'un concours par affichage ou par une demande directement adressée à un bassin de candidats possibles, lesquels, par exemple, ont été choisis en recourant au système d'information de l'organisation. Cette façon de procéder a l'avantage d'ouvrir le système de promotions à plus de candidats et facilite la gestion conjointe des affectations. Par contre, elle ne permet pas de préparer une relève, du moins formellement.

Les bureaucraties professionnelles, notamment les établissements d'enseignement collégial et universitaire, sont le principal type d'organisation où les nominations à certains postes de direction se font à la suite d'un processus électoral consultatif. Cette façon de procéder a l'avantage de laisser aux personnes concernées le choix de leurs dirigeants et de leur programme d'action. Par contre, elle est de nature à soulever des jeux politiques qui risquent de laisser des séquelles.

Les programmes de développement de gestionnaires et de préparation de la relève

Les programmes de développement à la gestion consistent, par exemple, à embaucher des diplômés de niveau collégial ou universitaire et à les préparer, par des activités de formation et une trame d'affectations, à assumer des postes de gestion de niveau inférieur. Les banques et les grands magasins, par exemple, ont recours à cette pratique. Les facteurs suivants peuvent influer sur l'efficacité de ces programmes:

— l'intérêt que présentent les premiers emplois;

— la durée des affectations menant aux premiers postes que les personnes concernées perçoivent être à leur mesure;

— la part de choix laissée aux individus par rapport à leurs affectations, surtout si elles nécessitent des déplacements géographiques;

— la qualité de la formation, sous forme d'enseignement et en cours d'emploi;

— les mécanismes mis sur pied pour suivre la progression des personnes visées;

— la concordance entre les plans de carrière proposés par l'organisation et les aspirations des individus.

Comme le fait remarquer Hayes (1985), la préparation des futurs cadres supérieurs et dirigeants est fondamentale, car elle influe sur la capacité de l'entreprise de développer et de modifier des stratégies de gestion. Les programmes de relève à des postes de cadres supérieurs et de direction peuvent cependant prendre diverses formes. Certains ne consistent qu'en des organigrammes de remplacement et risquent, en conséquence, de ne pas mettre suffisamment l'accent sur le développement des individus. D'autres, que certains auteurs nomment «programmes de préparation à la succession», ont cette préoccupation.

À la suite d'une recherche sur les programmes de préparation de la relève de plus de 200 entreprises, Friedman (1986) constate que la performance de ces dernières est reliée aux cinq premières caractéristiques qui suivent; Hall (1986) ajoute les quatre autres:

— associer une partie de l'évaluation et de la rémunération des cadres supérieurs à leur réussite en matière de développement des employés;

— avoir un président qui accorde du temps aux problèmes de relève;

— échanger régulièrement de l'information entre les membres de la direction sur la progression des candidats à la succession;

— prévoir le type de cadres supérieurs et de direction à privilégier;

— avoir des cadres hiérarchiques qui se sentent responsables des problèmes de succession;

— faire du développement des cadres une dimension stratégique;

— encourager l'apprentissage actif à travers les diverses affectations;

– intégrer les programmes de préparation de la relève et de planification des carrières ;

– créer des environnements qui facilitent l'apprentissage et le développement de plusieurs personnes, au lieu de n'encourager que la progression accélérée d'un nombre restreint de personnes identifiées comme ayant de grandes ressources (*fast-track programs*).

Une des variantes des programmes de développement de la relève consiste donc à identifier des candidats dans les premières phases de leur carrière et à les suivre à travers une trame d'affectations accélérées. Cette façon de procéder suscite des critiques en raison, notamment, des facteurs suivants : le peu de temps pour s'adapter à un nouveau poste, le risque de mettre l'accent sur l'atteinte d'objectifs à court terme au détriment du développement, et l'isolement par rapport à des sous-groupes d'appartenance.

Les autres aspects

La mise sur pied d'un système de promotion demande enfin de statuer sur les deux aspects suivants. Le premier est celui du degré de liberté à accorder dans le choix des affectations et, par extension, les attitudes à adopter en cas de refus d'une promotion ou d'une mutation géographique. Le second est la réaffectation à réaliser s'il y a mauvais fonctionnement ou inadaptation dans le nouveau poste.

LES AFFECTATIONS À D'AUTRES TYPES DE POSTES

Pour les promotions à des postes non administratifs, la syndicalisation des employés entre en jeu. Si la main-d'œuvre n'est pas syndiquée, les contraintes à respecter sont moindres, que ce soit en matière de critères ou de mécanismes de décision. Les critères de décision peuvent être les exigences du nouveau poste de travail, les ressources de l'individu mesurées par son rendement et ses comportements antérieurs, les intérêts et les aspirations, et la durée de service. Les mécanismes de décision sont susceptibles de varier selon les organisations. Lorsqu'il existe des conventions collectives de travail, la gestion des promotions doit prendre en considération les clauses relatives aux aspects suivants : les critères de promotion (et de mutation) et l'aire d'application, les mécanismes d'attribution des promotions, les conditions de retour dans l'ancien poste de travail ou dans l'unité d'accréditation, et l'exercice du droit de supplantation (*bumping*). Ces critères peuvent être les suivants : l'ancienneté seulement, la primauté de l'ancienneté si les qualifications sont équivalentes, et l'ancienneté qui n'est qu'un critère parmi d'autres.

L'aire d'application de ce facteur peut être l'employeur, la région, l'établissement, le département, la profession ou le poste; dans certaines conventions collectives, l'aire de calcul de l'ancienneté diffère de l'aire d'application. Les mécanismes le plus souvent utilisés pour attribuer les promotions sont l'affichage et la nomination directe en vertu de l'ancienneté. Plusieurs conventions collectives comportent aussi des dispositions sur la conservation et l'accumulation de l'ancienneté lors d'une promotion ou d'une mutation hors de l'unité de négociation. Celles-ci vont du cumul entier sans limite de temps, jusqu'à la perte de l'ancienneté dès le début d'une période déterminée.

Certaines de ces clauses spécifient d'ailleurs le droit de la personne mutée ou promue de réintégrer son ancien poste dans un délai précis. Enfin, plusieurs contrats collectifs de travail contiennent des dispositions sur le droit de supplantation en vertu de l'ancienneté. Celles-ci permettent à un travailleur, s'il satisfait aux conditions stipulées, d'en supplanter un autre qui possède moins d'ancienneté que lui à un poste auquel l'employeur lui reconnaît la compétence. Ce droit peut se limiter à un établissement, à un département ou à un type d'emploi.

LA PROGRESSION DE CARRIÈRE CHEZ LES PROFESSIONNELS ET LES TECHNICIENS

En raison du temps qu'ils ont investi dans leurs études, de la désuétude dans laquelle leurs connaissances sont susceptibles de tomber et du rôle stratégique qu'ils exercent dans certains types d'organisations (adhocraties et bureaucraties professionnelles notamment), les professionnels et les techniciens ont une carrière dont la gestion comporte des caractéristiques particulières. Un des défis consiste à leur offrir des incitations qui leur permettent de progresser à l'intérieur de leur propre profession au lieu de n'être récompensés que par le passage à des postes de cadres. À cette fin, divers auteurs proposent deux types de progression de carrière (*dual ladders*): celle qui permet de progresser à l'intérieur de la profession (y compris dans les postes de gestion de professionnels) et celle qui amène à assumer un poste de cadre à l'extérieur du champ de spécialisation professionnelle. Il est possible également d'imaginer un système à triple échelle de progression pour les personnes qui excellent comme professionnels, mais qui ne veulent pas assumer de responsabilités de gestion. Schriesheim *et al.* (1977) proposent trois voies: les postes de cadres, les postes de cadres professionnels et la progression de carrière dans les postes de professionnels.

Certains auteurs s'intéressent à la progression de carrière comme professionnel. Dalton et Thompson (1986), par exemple, estiment que cette progression devrait s'effectuer en quatre étapes, comportant chacune un degré d'autonomie et de responsabilité accru (les dernières étant reliées à une progression hiérarchique). D'autres auteurs s'intéressent aux mécanismes pour rendre attrayante et faciliter la progression de carrière comme professionnel. La liste suivante en propose certains:

— au chapitre de la rémunération, Thompson *et al.* (1986) rapportent l'exemple d'une entreprise qui offre à ses professionnels expérimentés des avantages sociaux (participation aux bénéfices, achat d'actions, etc.) rattachés à leur rendement et un degré d'autonomie semblable à celui de ses cadres supérieurs;

— un programme de subventions aux projets novateurs (accordées selon le mérite des projets présentés) contribue à stimuler la créativité et l'initiative;

— des possibilités de formation et de développement, dont des séjours dans d'autres organisations, peuvent favoriser la croissance professionnelle et le maintien de l'intérêt pour ce type de carrière.

L'accroissement du nombre de professionnels dans les organisations rend plus urgent l'examen de solutions appropriées à la meilleure affectation de ce type de ressources.

LA PROGRESSION DANS LES CARRIÈRES DE MARCHÉ

En plus des carrières bureaucratiques (progression hiérarchique) et professionnelles, Perry (1984) distingue la carrière de marché. Le critère de réussite dans ce cas est le niveau de rémunération atteint. Les tâches exercées relèvent souvent du domaine des ventes, mais les postes de cadres, dont un fort pourcentage de la rémunération est accordé sous forme de primes, font aussi partie de cette catégorie. Nous ne traiterons ici que de la progression dans les postes de vente. La somme des commissions reçues selon le rendement constitue dans ce cas un indice de progression. Le type de produit vendu, la nature des clientèles auxquelles s'adressent les individus et leur territoire peuvent aussi servir à établir des critères de progression. En cas de crise dans l'organisation, Perry (1984) mentionne qu'une stratégie particulière doit être adoptée pour chacune des catégories de carrière si l'on veut éviter de perdre les meilleures ressources.

7.4 LA GESTION DES DÉPARTS

En plus des mouvements internes, il existe divers types de mouvements de personnel vers l'extérieur de l'organisation ou, en d'autres termes, de départs. Nous distinguons les quatre types suivants: les départs volontaires, les retraites, les mises à pied ou licenciements, et les congédiements. Chacun a des caractéristiques particulières, engendre des effets positifs et des effets négatifs sur les parties concernées, et comporte des exigences de gestion précises.

7.4.1 LES DÉPARTS VOLONTAIRES

La gestion des départs volontaires demande de définir un niveau acceptable de départs, de comprendre leurs causes et d'adopter des actions appropriées, notamment de type préventif.

LE NIVEAU ACCEPTABLE DE DÉPARTS

Gérer les démissions résultant de décisions prises par les individus concernés demande, premièrement, de déterminer le niveau acceptable de cette forme de départs, lequel est fonction des facteurs suivants: les coûts et les possibilités de remplacement des personnes qui quittent, la volonté de la direction de conserver son personnel (aux fins de cohésion culturelle, par exemple) et la nécessité d'équilibrer la pyramide d'âge de la main-d'œuvre selon les catégories d'emploi. Ce seuil doit être établi à la lumière des effets que cette forme de départs est susceptible d'exercer sur l'organisation.

Les effets positifs sont la réduction des coûts des salaires et des avantages sociaux, l'amélioration du rendement, les réactions positives chez ceux qui restent (par réduction de dissonance), les possibilités accrues de promotion et la plus grande flexibilité des affectations. Les effets négatifs sont les coûts directs et indirects de remplacement de la main-d'œuvre et de fermeture de dossiers, le rendement diminué et les pertes financières si un bon employé s'en va chez un compétiteur, l'accroissement de la charge de travail de ceux qui restent, le formalisme plus grand et le plus faible degré d'intégration si les départs sont nombreux.

Comme le suggère le modèle de Martin et Barthol (1985), ces effets peuvent varier selon le rendement des individus et la disponibilité d'une main-d'œuvre de remplacement; ces auteurs proposent donc des actions visant à retenir les seules personnes qui méritent de l'être. Les éléments de politique suivants, qui s'inspirent d'un cadre d'analyse semblable, peuvent contribuer à l'obtention d'un bilan positif des effets exercés par les départs volontaires :

- prendre les moyens requis pour conserver les employés qui ont un très bon rendement et dont la disponibilité sur le marché du travail est faible ;

- préparer une relève adéquate pour ce type de postes afin de réduire les répercussions des départs ;

- inciter les personnes dont le rendement est faible, la disponibilité élevée et les coûts de remplacement faibles à quitter l'organisation ;

- si la pyramide d'âge montre des signes de vieillissement de la main-d'œuvre, encourager le départ de personnes plus âgées dont le rendement est inadéquat, les coûts de remplacement faibles et la disponibilité sur le marché du travail élevée ;

- préparer une relève pour les postes de personnes qui seraient plus difficiles à remplacer ;

- trouver des moyens pour résoudre les problèmes de rendement des personnes dont l'efficacité est insuffisante, les coûts de remplacement élevés et la disponibilité faible.

LES CAUSES POSSIBLES DE DÉPART

En deuxième lieu, gérer les départs volontaires demande d'identifier les causes possibles afin de faciliter le choix des moyens d'action. Ces causes étant susceptibles de varier selon les individus et les organisations, il importe de poser un diagnostic avant d'intervenir. Voici quelques actions en ce sens :

- effectuer une entrevue de départ ou un sondage quelques mois après le départ, afin d'en déterminer les causes[4] ;

- conserver des statistiques qui permettent d'analyser les causes de départ, entre autres selon la nature des emplois, l'unité administrative d'appartenance, le rendement des individus, leur âge et leur expérience ;

---

4. Pour des conseils sur la réalisation des entrevues de départ, voir Garretson et Teel (1982), Laniff (1976), Lefkowitz et Katz (1969), Lopez (1965) et Schoefield (1957). Dans les ouvrages suivants, les auteurs comparent les résultats obtenus par entrevue et par questionnaire : Hinrichs (1975), Yourman (1965) et Zarandona et Camuso (1985).

– réaliser des sondages permettant de déterminer les intentions de quitter afin d'aider à planifier l'offre interne de travail et d'adopter, s'il y a lieu, des actions préventives (plusieurs recherches ont révélé que l'intention de quitter est le meilleur prédicteur des départs volontaires) ;

– distinguer les causes selon qu'elles échappent au contexte de l'organisation (départ involontaire attribuable au déménagement du conjoint, par exemple), qu'elles indiquent des aspects à améliorer, ou qu'elles constituent des dimensions par rapport auxquelles l'organisation est impuissante (meilleures offres faites ailleurs sans que l'organisation puisse modifier ses pratiques ou n'ait à le faire) ;

– vérifier s'il y a lieu d'entreprendre des actions particulières pour encourager les départs volontaires lors de recessions, ceux-ci pouvant alors s'avérer moins nombreux, comme l'indiquent les résultats de diverses recherches.

Les travaux portant sur les causes des départs volontaires indiquent aussi qu'elles varient selon les étapes de la carrière. Les problèmes d'ajustement, par exemple, contribuent à expliquer les départs plus nombreux durant les premières années de travail. Il importe donc de considérer ce facteur particulièrement important lors du diagnostic.

LES ACTIONS PRÉVENTIVES

Le troisième aspect de la gestion des départs volontaires est l'adoption d'actions préventives. Le tableau 7.4 fournit une liste de ces actions en relation avec les programmes de gestion des ressources humaines. Plusieurs des moyens retenus ont fait l'objet de recherches. La plupart visent à accroître la loyauté et la résolution de problèmes (ces facteurs ayant des effets sur la satisfaction et l'engagement au travail) et à réduire la probabilité d'apparition de comportements dysfonctionnels, tels la négligence et le désinvestissement (Farrell et Rusbult, 1985 ; Hirschman, 1970).

7.4.2 LA RETRAITE

La retraite marque la fin de la relation régulière d'emploi entre un individu et une organisation, en raison de l'âge ou du nombre d'années de service. Cette transformation comporte des aspects positifs et négatifs pour les deux parties. En effet, l'individu entrevoit la possibilité d'amorcer un autre genre de vie, d'entreprendre une autre carrière et

TABLEAU 7.4 LES MESURES DE PRÉVENTION DES DÉPARTS VOLONTAIRES

Programmes	Moyens d'action
Dotation et développement	– Procéder à une sélection adéquate : l'effet des formulaires de demande d'emploi pondérés et validés, sur le roulement de personnel, a été démontré
	– Diminuer les attentes par une description réaliste d'emploi avant l'embauchage
	– Lors de l'embauchage, ajuster les attentes réciproques par un contrat psychologique
	– Faciliter l'adaptation de la personne à son nouvel environnement par des mécanismes adéquats d'accueil et d'intégration
	– Favoriser l'harmonisation des individus et du travail par des affectations appropriées aux aptitudes et aux intérêts des personnes concernées
	– Effectuer des mutations géographiques en prenant en considération la famille de l'employé
	– Aider les individus à se sentir compétents dans leur travail en leur offrant la possibilité d'acquérir les connaissances et les habiletés requises par l'exercice de leurs tâches
	– Offrir à l'individu des moyens de satisfaire ses aspirations de carrière en lui offrant des possibilités adéquates de promotion ou d'enrichissement des tâches
	– Éviter le mécontentement résultant de promotions attribuées de façon inéquitable
Appui	– Éviter les comparaisons défavorables en offrant une rémunération équitable
	– Montrer à l'individu qu'il est apprécié en lui offrant des signes de reconnaissance
	– Faire des évaluations équitables
	– Faire sentir à l'individu qu'il est membre de l'organisation, par des mécanismes adéquats de communication organisationnelle
Organisation du travail	– Répartir équitablement le travail de façon à éviter une surcharge qui occasionne la fatigue, l'insatisfaction et le goût de quitter
	– Clarifier les rôles et éviter les empiètements qui amènent les surcharges et le mécontentement

TABLEAU 7.4 LES MESURES DE PRÉVENTION DES DÉPARTS VOLONTAIRES (suite)

Programmes	Moyens d'action
Organisation du travail (suite)	– Diminuer la monotonie et le sentiment d'irresponsabilité en enrichissant, si possible, les tâches
	– Favoriser un style de gestion qui encourage la communication et la résolution de problèmes
	– Réduire les risques d'accidents et de maladies du travail
Relations du travail	– Assurer une sécurité conditionnelle au rendement (de sorte que les employés aient le goût d'investir dans leur travail)
	– Se doter de mécanismes de gestion des conflits de travail qui permettent de résoudre adéquatement les problèmes, de façon à éviter les départs causés par des conflits ou des litiges

de goûter un repos mérité; il risque cependant de subir une perte d'identité en raison de la cessation d'emploi et d'éprouver des ennuis financiers consécutifs à la baisse de revenus. De son côté, l'organisation peut remplacer la personne retraitée par du sang neuf, plus jeune, moins dispendieux et plus dynamique, ou encore réduire son effectif; toutefois, elle perd la contribution d'une personne expérimentée, et peut éprouver de la difficulté à la remplacer si la relève est inadéquate.

Les organisations peuvent cependant mettre sur pied divers mécanismes destinés à atténuer les effets négatifs de la retraite et à accroître ses effets positifs pour les deux parties en cause. Les principaux mécanismes sont les cours de préparation à la retraite, le counseling de carrière, la diminution progressive des horaires de travail ou la modification du poste, l'emploi à temps partiel de l'individu après la retraite, les services aux retraités et la préparation adéquate de la relève.

Avant de fournir des précisions sur ces moyens d'action, il convient de mentionner que l'adoption de ces mécanismes peut répondre à une volonté de la direction d'assumer une responsabilité sociale vis-à-vis de ses employés. Le traitement réservé aux retraités peut aussi accroître la cohésion de la culture et l'engagement à l'égard de l'organisation. Enfin, le fait de faciliter la retraite peut contribuer à encourager cette dernière, aider indirectement à rajeunir la main-d'œuvre et équilibrer le marché du travail de l'organisation. Ce dernier objectif peut aussi être atteint par la mise sur pied d'une politique qui favorise la retraite anticipée, en proposant des compensations financières à ceux qui s'en prévalent.

LES COURS DE PRÉPARATION À LA RETRAITE

Les cours de préparation à la retraite constituent un moyen pour faciliter le passage des individus à cette nouvelle étape de leur vie et de leur carrière. Selon divers auteurs (Comrie, 1985; Levine, 1985; Randall et Scott, 1985), ces cours portent en règle générale sur les aspects suivants, qui constituent des domaines nécessitant une adaptation : prévention en matière de santé, finances personnelles, régimes de retraite et d'assurance, aspects juridiques, choix d'une habitation, changement de rôles, utilisation du temps et emplois disponibles. Ces sessions durent généralement deux à trois jours. Randall et Scott (1985) mentionnent qu'elles s'étalent fréquemment sur plusieurs semaines à raison de deux heures par sujet traité. Selon Levine (1985), certaines organisations ont tendance à offrir ces sessions environ six mois avant la date prévue de retraite, alors que d'autres le font plusieurs années à l'avance (de 5 à 10 ans). Nous suggérons cette seconde option, jointe à un «suivi», afin de permettre l'acquisition de certaines habitudes de vie et de faciliter la planification financière, qui constitue souvent un problème majeur lors de la retraite.

LE COUNSELING DE CARRIÈRE

Étant donné que la retraite constitue une étape de la carrière et que la préparation de cette transition fait partie d'un processus global de planification, les organisations peuvent offrir des services de counseling de carrière dans le but d'aider les personnes concernées à évaluer leurs objectifs de carrière, à clarifier leur perception de la retraite et à se doter de moyens pour faciliter l'adoption d'un nouveau mode de vie.

Le counseling de carrière, jumelé à des programmes de désengagement progressif du travail, peut aider les organisations à mieux gérer les mouvements de personnel des travailleurs plus âgés. L'arbre de décision proposé par Ford et Fotler (1985) a pour but d'orienter l'application de ces deux mécanismes. Cet arbre permet à l'organisation de décider si elle peut maintenir l'emploi de chacune des personnes dont l'âge permet d'envisager la retraite, et si elle peut leur offrir de nouvelles possibilités de travail menant à un désengagement progressif.

La modification des horaires ou des postes de travail

L'arbre de décision proposé par Ford et Fotler (1985) permet d'envisager, entre autres possibilités, des modifications aux horaires de travail ou à la nature des tâches accomplies par l'individu, à la fois comme moyens de préparer la retraite, de la retarder ou de récupérer la contribution des travailleurs une fois qu'ils ont quitté leur emploi régulier. D'autres chercheurs, tels Coberly (1985), Kahn (1984) et Sarason (1977), mettent de l'avant des solutions de même nature.

Un sondage effectué auprès des lecteurs d'une grande revue d'administration (Rosen et Jerdee, 1986) révèle un écart entre ce que les entreprises sont prêtes à faire pour modifier les postes ou les horaires de travail et ce que souhaitent les individus. L'option à laquelle les entreprises adhèrent le plus est la réinsertion des retraités dans des emplois à temps partiel. Celle-ci peut permettre à l'organisation de profiter des contributions de ces personnes et de les aider sur les plans humain et financier.

Les services aux retraités

En plus d'aider à préparer la retraite, les organisations peuvent aussi offrir différents services à leurs anciens employés dans le but de les aider à s'adapter à leur nouveau style de vie et de leur témoigner une forme de reconnaissance. Au nombre de ces services, mentionnons les conseils financiers, l'information sur les régimes de retraite et autres avantages sociaux, le counseling professionnel et l'adhésion à certaines associations. Les organisations peuvent aussi continuer d'entretenir des communications officielles avec leurs anciens employés et encourager la tenue de cérémonies qui leur sont destinées.

La préparation de la relève

Si les organisations veulent s'adapter à la retraite de leurs employés, il est essentiel qu'elles préparent une relève, notamment à des postes clés. Les personnes qui envisagent leur retraite peuvent contribuer à cette tâche en exerçant un rôle de mentor. Comme le suggèrent Ford et Fotler (1985), le fait d'assumer cette responsabilité peut contribuer à préparer la main-d'œuvre à la retraite et à concilier les objectifs individuels et organisationnels. D'ailleurs, selon divers chercheurs, tel Schein (1978), le rôle de mentor représente une étape de la carrière.

L'ÂGE DE LA RETRAITE ET LA RETRAITE ANTICIPÉE

Les individus peuvent se retirer au moment où ils bénéficient de la totalité des prestations prévues par leur régime de retraite; ils peuvent également opter pour la retraite anticipée ou prolonger leur carrière; la législation québécoise leur accorde cette dernière possibilité. En conséquence, les organisations qui désirent favoriser la retraite anticipée ou encourager les personnes à l'âge de la retraite à quitter doivent utiliser des mesures incitatives telles que:

— disposer d'un régime qui permet de prendre sa retraite avant l'âge prévu, sans pénalités;

— favoriser le rachat d'années de service après la cessation d'emploi;

— favoriser des contributions additionnelles aux régimes de retraite jusqu'à concurrence du montant autorisé par les lois de l'impôt;

— fournir des prestations de départ sous forme de rente ou de versement d'un montant forfaitaire;

— permettre la retraite graduelle;

— permettre l'embauchage à temps partiel ou sous forme contractuelle, une fois la retraite prise.

Les facteurs suivants peuvent inciter une organisation à favoriser la retraite anticipée:

— le besoin de réduire la main-d'œuvre en raison de changements technologiques, de compressions budgétaires ou de restructurations amenant la disparition de certains postes;

— le besoin de renouveler la main-d'œuvre pour faciliter l'implantation de changements;

— le besoin d'accroître les possibilités de promotion en désengorgeant certains niveaux hiérarchiques.

Sonnenfeld (1986) rapporte que plusieurs grandes entreprises américaines ont mis sur pied des programmes de retraite anticipée comportant des compensations financières avantageuses (celui de Polaroïd offrit jusqu'à deux ans et demi de salaire, selon le nombre d'années de service) et traitant les personnes de façon équitable. Le programme de DuPont a même incité 12 000 personnes à prendre leur retraite, alors que la compagnie prévoyait en perdre 6 000 (ou 4 % de sa main-d'œuvre). Quoiqu'elle ait perdu des personnes qu'elle aurait aimé garder à son service, DuPont estime avoir épargné 230 millions de dollars après impôt, durant l'année qui suivit.

Ces programmes comportent toutefois des limites. Les dysfonctions qu'ils risquent de créer méritent d'être considérées. D'abord, comme ce fut le cas chez DuPont, les mises à la retraite anticipée généralisées risquent de faire partir des personnes que l'on aurait aimé garder à son service. Pour pallier cet inconvénient, on peut identifier les personnes visées et offrir, le cas échéant, des avantages à ceux que l'on désire garder. Ensuite, bien que les personnes plus jeunes coûtent moins cher, il ne faut pas oublier le rendement et l'adaptation des personnes âgées.

7.4.3 LES MISES À PIED ET LES LICENCIEMENTS

Contrairement aux deux formes précédentes de départs, les mises à pied, les licenciements et les congédiements sont décidés par la direction, et non par les personnes concernées. Dans son *Dictionnaire canadien des relations industrielles*, Dion (1986) définit la mise à pied comme la perte temporaire d'emploi due à des motifs d'organisation interne ou à la vie économique. Le travailleur mis à pied peut conserver certains droits dans l'entreprise, comme celui d'être rappelé au travail si la convention collective le prévoit expressément et, s'il réintègre l'entreprise, son ancienneté, son adhésion au régime de retraite, etc. La mise à pied se transforme en licenciement s'il n'y a pas de rappel avant l'expiration d'une période déterminée. Dion (1986) définit d'ailleurs le licenciement comme «l'acte par lequel un employeur met fin de façon permanente au contrat individuel de travail avec l'un ou l'ensemble des membres de son personnel pour des motifs d'ordre interne ou liés à la vie économique». Dans la pratique, il arrive cependant que les termes «mise à pied» et «licenciement» soient utilisés indifféremment.

Cette forme de mouvement de personnel constitue un phénomène complexe dont plusieurs aspects méritent l'attention, principalement les effets, l'encadrement juridique, les causes et les tâches à effectuer.

LES EFFETS DES LICENCIEMENTS

La perte d'emploi à la suite d'un congédiement ou d'un licenciement constitue une rupture plus ou moins prévue, susceptible de provoquer divers effets chez les personnes concernées. En plus de causer la diminution des revenus et un chômage d'une durée plus ou moins longue, cette perte risque d'altérer, comme l'ont démontré de nombreuses recherches, le bien-être psychologique (satisfaction à l'égard de la vie, par exemple), la santé mentale (problèmes psychiatriques, tel le suicide), la santé physique (problèmes psychosomatiques, dont les maladies cardiovasculaires) et les relations familiales (enfants battus, par exemple) des personnes touchées. Au nombre des facteurs susceptibles d'atténuer l'intensité de ces réactions, il convient de mentionner le laps de temps s'écoulant entre l'annonce de la perte d'emploi et la perte effective, l'aide reçue par les individus concernés, et la valeur des stratégies qu'ils utilisent pour chercher un nouvel emploi. Ce sont là trois aspects sur lesquels peut agir l'organisation qui effectue le congédiement ou le licenciement.

Pour déterminer l'aide à apporter, voyons les étapes que traversent les personnes à la suite d'une perte d'emploi. Le premier aspect à considérer est l'évolution affective : divers auteurs pensent que l'individu vit alors des phases semblables à celles qui sont observées au cours des changements survenant lors des grandes étapes de la vie (Schlossberg, 1981) ou lors du décès d'un être cher (Admundson et Borgen, 1982). Le second aspect a trait aux réactions à l'égard de la recherche d'emploi, lorsque la période de chômage se prolonge. Kaufman (1982) a distingué quatre étapes après le choc initial : ce sont le repos pour diminuer la tension (un mois), l'effort concerté et optimiste de recherche d'emploi (trois mois), la remise en cause de la capacité de trouver un nouvel emploi, et la colère (six semaines), la résignation et le cynisme qui s'expriment par le retrait et la recherche moins poussée d'un nouvel emploi (stade final). Pour éviter que la personne sans travail sombre dans cette phase finale et pour qu'elle puisse tirer profit de ces événements, il peut être utile, notamment, de l'aider à avoir confiance en ses stratégies de recherche d'emploi.

L'organisation doit aussi considérer les effets sur sa performance ultérieure et sa réputation, notamment à la suite de licenciements collectifs. Même si ces derniers peuvent parfois s'avérer essentiels à la survie de l'entreprise, la façon de les effectuer peut créer des préjudices à la réputation, qui nuisent aux ventes et détériorent le climat de travail, faisant en sorte que les bénéfices escomptés au chapitre de la performance ne se produisent pas.

LE CADRE JURIDIQUE

Les obligations

La principale obligation légale de l'employeur à l'égard des travailleurs mis à pied ou licenciés est de fournir un préavis. L'article 82 de la *Loi sur les normes du travail* stipule qu'« un employeur doit donner un avis écrit à un salarié avant de mettre fin à son contrat de travail ou de le mettre à pied pour six mois ou plus». Le délai de cet avis varie selon la durée du service continu[5]: il est d'une semaine si le salarié justifie de moins d'un an de service continu, de deux semaines s'il justifie d'un à cinq ans de service continu, de quatre semaines s'il justifie de cinq à dix ans de service continu, et de huit semaines s'il justifie de dix ans ou plus de service continu. L'article 82 de la *Loi sur les normes du travail* ne s'applique cependant pas aux catégories de personnes suivantes: celles qui ne justifient pas de trois mois de service continu, celles dont le contrat d'une durée déterminée ou pour une entreprise déterminée expire, celles qui ont commis une faute grave, celles dont la fin du contrat de travail ou la mise à pied résulte d'un cas fortuit, et les cadres supérieurs.

Comme le prévoit l'article 83 de la *Loi sur les normes du travail*:

L'employeur qui ne donne pas l'avis prévu à l'article 82 ou qui donne un avis d'une durée insuffisante doit verser au salarié une indemnité compensatrice équivalente à son salaire habituel, sans tenir compte des heures supplémentaires, pour une période égale à celle de la durée résiduaire de l'avis auquel il avait droit.

Ce même article précise le moment où cette somme doit être versée et le mode de calcul de l'indemnité versée au salarié à commission.

Dans les cas de licenciements collectifs, l'article 45 de la *Loi sur la formation et la qualification professionnelle de la main-d'œuvre* comporte des dispositions relatives au préavis de licenciement, à la constitution du comité de reclassement et à la mise sur pied d'un fonds collectif aux fins de reclassement et d'indemnisation des salariés. Nous fournirons des précisions sur chacun de ces aspects.

Cette loi oblige tout employeur qui prévoit effectuer un licenciement collectif (un licenciement, y compris les mises à pied pour au moins 6 mois, qui touche au moins 10 salariés au cours d'une période de 2 mois consécutifs) pour des raisons d'ordre technologique ou économique, à l'exception des entreprises à caractère saisonnier ou intermittent, de donner un préavis minimal au ministre. Cet avis doit être

---

5. L'article 1.12 de la *Loi sur les normes du travail* définit le service continu comme étant «la durée ininterrompue pendant laquelle le salarié est lié à l'employeur par un contrat de travail, même si l'exécution du travail a été interrompue sans qu'il y ait résiliation du travail, et la période pendant laquelle se succèdent des contrats à durée déterminée sans une interruption qui, dans les circonstances, permette de conclure à un non-renouvellement de contrat». Dubé et Di Iorio (1987) traitent de la durée du service continu, entre autres dans les cas d'aliénation d'entreprise et de préavis de licenciement.

de deux mois si 10 à 100 personnes sont licenciées, de trois mois si le licenciement touche de 100 à 300 personnes, et de quatre mois si plus de 300 personnes sont touchées par cette mesure. Dans un cas de force majeure ou d'événement imprévu empêchant de respecter ces délais, l'employeur doit en aviser le ministre.

Sur réception de l'avis, le ministre délègue un responsable du ministère de la Main-d'œuvre et de la Sécurité du revenu qui a pour tâche de déterminer s'il y a lieu de former un comité de reclassement. Celui-ci est automatiquement créé si le syndicat ou les employés le demandent. En pratique, ce comité compte un nombre égal de représentants patronaux et syndicaux (ou de salariés concernés s'il n'y a pas de syndicat), sous la présidence d'un membre impartial. S'ajoutent au comité, à titre de conseillers, des représentants du ministère de la Main-d'œuvre et de la Sécurité du revenu du Québec et du ministère de l'Emploi et de l'Immigration du Canada, et souvent une autre partie susceptible d'aider les travailleurs. L'employeur contribue financièrement au fonctionnement de ce comité dans la mesure convenue par les parties; les deux paliers de gouvernement et le syndicat, ou les salariés, assument eux aussi une part du financement.

Enfin, l'article 45 (paragraphe C) de la *Loi sur la formation et la qualification professionnelle de la main-d'œuvre* prévoit la formation possible et volontaire d'un fonds paritaire et collectif de reclassement et d'indemnisation des salariés. Celui-ci peut être constitué par les parties avec l'assentiment du ministre, et aux conditions qu'il détermine. Le cas échéant, plusieurs employeurs et plusieurs associations accréditées peuvent constituer en commun un tel fonds.

Enfin, les employeurs de compétence fédérale sont soumis aux dispositions du *Code canadien du travail*, en vertu desquelles ils doivent fournir un préavis de licenciement de 2 semaines aux employés qui ont 3 mois de service. Dans le cas des licenciements collectifs touchant 50 employés ou plus, ces mêmes employeurs doivent fournir un préavis de 16 semaines. De plus, une modification apportée au *Code canadien du travail*, en 1982, oblige les organisations qui prévoient effectuer un licenciement collectif à constituer un comité conjoint employeur–employés, dont le mandat est de formuler un programme d'ajustement mutuel pouvant inclure d'autres choix que le licenciement et l'aide à apporter aux travailleurs dans la recherche d'emploi.

Les interdictions

Les pratiques interdites provenant de la législation québécoise en matière de mises à pied ou de licenciements ont toutes trait à l'utilisation de motifs déguisés de congédiement. Ces pratiques sont contenues dans différentes lois, dont le texte est rapporté au tableau 7.6 (partie sur le congédiement). En vertu de ces lois, l'employeur n'a pas le droit de déguiser en mises à pied ou en licenciements des congédiements pour un motif interdit de renvoi, dont la grossesse, ou sans cause juste et suffisante. Advenant une plainte du salarié, l'employeur doit faire la preuve que la mise à pied ou le licenciement résulte de raisons économiques ou technologiques, et que le choix de la personne affectée par cette mesure se justifie par des critères qui ne constituent pas des motifs interdits ou une cause injuste et insuffisante (Dubé et Di Iorio, 1987; Laporte, 1985, 1992).

LES CAUSES DES MISES À PIED ET DES LICENCIEMENTS

Les mises à pied et les licenciements sont, entre autres, une manifestation de la baisse de la demande de travail. Celle-ci peut entraîner une ou plusieurs des décisions suivantes, dont certaines ont pour objectif de réduire les dépenses ou d'accroître la productivité :

- diminuer le nombre de postes requis en réponse à la baisse du niveau d'activité;

- abolir les postes dont les tâches sont confiées à des sous-traitants ou à des conseillers externes;

- éliminer les postes rendus inutiles en raison de l'abandon de certains services ou produits, ou de compressions budgétaires;

- remplacer les personnes dont les compétences sont devenues désuètes à la suite de transformations technologiques ou d'une réorientation des activités;

- abolir les postes devenus redondants ou inutiles en raison de changements structuraux ou technologiques;

- fermer l'entreprise à la suite du transfert total des activités, de l'abandon des activités ou d'une faillite.

Plusieurs de ces décisions, notamment celles qui mènent à des transformations majeures et à la fermeture de l'entreprise, sont à l'origine de licenciements collectifs. Au Québec, près de 2 000 cas de licenciements collectifs, touchant plus de 120 000 travailleurs, ont été recensés au début des années 80 (Delorme et Parent, 1982). Les licenciements collectifs ont toutefois touché moins de 10 % des personnes ayant subi ce type de mouvement de personnel à la fin des années 70 (Jean, 1979).

Certains licenciements seraient évités si les organisations effectuaient une gestion préventive et adoptaient des mesures appropriées. C'est ce qu'ont observé Cook et Ferris (1986), au cours d'une recherche exploratoire portant sur les pratiques de gestion des ressources humaines d'entreprises œuvrant dans trois secteurs d'activité économique qui ont connu un déclin (aviation civile, compagnies pétrolières et grands magasins). Ils constatent que les firmes performantes appliquent une gestion stratégique des ressources humaines qui comporte les caractéristiques mentionnées au tableau 7.5. À cette liste, nous avons ajouté les pratiques rapportées par O'Toole (1985) et par Rosow et Zager (1984), qui assurent un certain degré de sécurité d'emploi au personnel.

LES MOYENS D'ACTION

Si les mises à pied et les licenciements ne peuvent être évités, diverses tâches sont requises pour qu'ils soient gérés adéquatement, c'est-à-dire de façon à produire le moins d'effets négatifs possible sur l'organisation, les individus concernés et la communauté environnante. Nous ne traiterons ici que des licenciements collectifs, mais plusieurs des moyens d'action mentionnés s'appliquent également dans les cas de licenciements individuels.

Une partie de ces mécanismes s'inspire des suggestions émises par l'Organisation internationale du travail (OIT), en 1963, dans sa recommandation n° 119; mentionnons notamment: un préavis raisonnable ou une compensation équivalente, un congé avec salaire pour chercher un emploi, une forme quelconque de protection du revenu, la priorité de réemploi et la consultation entre l'employeur et les représentants des employés. Les principales tâches à assumer (Bullock, 1983; Eves, 1985; Price et D'Aunno, 1983; Sutton, 1983) sont les suivantes.

- Préciser l'information à livrer aux employés et aux autres publics. La cohérence du message est fondamentale. Il faut aussi déterminer le moment où l'information sera transmise et la nature de cette dernière.

- Déterminer les personnes qui sont touchées par le licenciement. Cette tâche demande d'identifier les postes redondants ou devenus inutiles et de prendre en considération les dispositions de la convention collective, le cas échéant.

- Déterminer l'indemnité de départ à verser aux employés qui quittent. Bullock (1983) propose une grille qui prend en considération

TABLEAU 7.5 LES MESURES POUR PRÉVENIR LES LICENCIEMENTS COLLECTIFS

Observations de Cook et Ferris	Suggestions de O'Toole et Rosow et Zager
1. Considérer le personnel en tant que ressource	1. Assurer la croissance de l'entreprise par la mise en marché de nouveaux produits issus de la recherche et du développement
2. Intégrer les ressources humaines à la stratégie d'entreprise	
3. Adopter une stratégie cohérente	2. Accroître la productivité et la capacité de compétition
4. Adapter les pratiques de formation et de développement aux besoins de la stratégie, et accroître ces dernières	3. Favoriser la polyvalence de la main-d'œuvre
5. Procéder au gel sélectif de l'embauchage (sauf pour les postes stratégiques)	4. Embaucher judicieusement des employés à temps partiel afin d'accroître la flexibilité et l'adaptabilité
6. Réaménager les postes de travail pour augmenter les responsabilités	5. Dans le même but, recourir à des sous-traitants, quitte à rapatrier l'exécution de certaines tâches lors d'une baisse d'activité
7. Instaurer un système d'évaluation et de récompense adapté aux besoins	6. Encourager les départs volontaires là où ils sont requis, même dans les périodes de croissance (par exemple, en utilisant des programmes de retraite progressive ou anticipée), afin d'éviter le surplus de personnel et de créer une mobilité interne
8. Modifier la rémunération pour attirer et conserver les meilleures ressources	
9. Offrir des compensations généreuses pour le déménagement	
10. Recourir aux services externes de placement	7. Offrir des vacances prolongées sans traitement
11. Mettre sur pied des programmes de recyclage	8. Offrir des horaires abrégés (par exemple, quatre jours par semaine) et le partage du travail, selon lesquels les heures non travaillées ne sont pas rémunérées

l'âge, le salaire, la durée de service, le niveau de responsabilité, la formation, la nature de l'emploi, la contribution passée, etc.

– Décider si l'employeur continuera de fournir une contribution aux avantages sociaux durant la période de versement de l'indemnité de départ.

– Préciser les services de placement et d'orientation à offrir aux employés touchés par le licenciement.

– Transmettre le message; celui-ci peut être annoncé en groupe et être suivi de rencontres individuelles.

– Transmettre l'avis au ministre.

– S'il y a lieu, négocier une entente avec les représentants des employés.

- Former un comité de reclassement.
- Offrir un soutien aux personnes qui subissent le licenciement et les aider à trouver un emploi.

7.4.4 LES CONGÉDIEMENTS

Il est souvent difficile de se résoudre au congédiement, même s'il est justifié, en raison par exemple des sentiments de culpabilité qu'il peut engendrer chez la personne qui le décrète. Mais le congédiement occasionne des effets encore plus graves chez ceux qui le subissent. Comme l'illustre l'analogie utilisée en jurisprudence, il est l'équivalent, en droit du travail, de la peine capitale. En plus de la perte d'emploi, il peut avoir des conséquences néfastes sur le bien-être psychologique des individus touchés (baisse de confiance et d'estime de soi), leur santé mentale et physique et leurs relations familiales. Après avoir fourni des précisions sur le cadre juridique régissant les congédiements, nous traiterons de la gestion de ce type de mouvement de personnel.

LE CADRE JURIDIQUE

Congédier un employé consiste à le renvoyer pour des motifs administratifs (incompétence ou incapacité physique ou mentale d'accomplir la tâche pour laquelle il a été embauché) ou pour des motifs disciplinaires (ceux-ci remettent en cause l'attitude ou l'intention du salarié et peuvent avoir trait, notamment, à sa mauvaise conduite, à son insubordination, à des conflits d'intérêts ou à des fautes dans l'exécution de son travail). Cette distinction est importante en raison de la latitude différente dont dispose l'arbitre qui est appelé à statuer sur les deux types de cas. Comme le mentionnent D'Aoust *et al.* (1982), l'arbitre ne peut pas substituer son jugement à celui de l'employeur en matière non disciplinaire; il ne peut que casser la mesure qui découle de l'évaluation faite par l'employeur si on lui démontre que celle-ci est abusive, déraisonnable ou discriminatoire. En conséquence, il ne peut que maintenir ou annuler cette mesure.

Il importe de distinguer le congédiement de la démission, en raison des facteurs suivants: le salarié qui démissionne n'a pas le droit de recourir à l'article 124 de la *Loi sur les normes du travail*; l'employeur peut donc être tenté de faire passer un congédiement pour une démission. Dubé et Di Iorio (1987) rapportent des critères pour guider l'arbitre dans sa décision de trancher s'il s'agit d'un congédiement ou d'une démission.

Il importe aussi de distinguer le non-renouvellement de contrat à durée déterminée du congédiement. Avant que ne soit mis en vigueur le nouvel article 1.12 de la *Loi sur les normes du travail*, un courant jurisprudentiel faisait valoir que le non-renouvellement d'un contrat à durée déterminée ne pouvait constituer un congédiement; l'arbitre devait alors rejeter la plainte portée en vertu du droit de recours prévu à l'article 124 de la *Loi sur les normes du travail*. Par contre, certains arbitres considéraient que le non-renouvellement du contrat à durée déterminée pouvait, selon les circonstances, constituer un congédiement. La preuve incombait alors au plaignant, qui pouvait faire valoir l'existence d'une clause de renouvellement automatique (appelée «tacite reconduction») ou démontrer qu'un contrat à durée indéterminée s'était formé à la suite du renouvellement successif de plusieurs contrats à durée déterminée (Dubé et Di Iorio, 1987; Laporte, 1985). Le nouvel article 1.12 permet d'apporter des précisions en la matière.

Comme le rapporte le tableau 7.6, les employeurs sous juridiction québécoise sont soumis à différentes lois comportant des dispositions sur des motifs interdits de congédiement. Celles-ci ont pour but de protéger les catégories suivantes de personnes: celles qui ont certaines caractéristiques particulières, celles qui ont recours à des droits prévus par différentes dispositions législatives et celles qui portent plainte en vertu de certaines lois.

La législation québécoise prévoit aussi des droits de recours aux salariés victimes de congédiement sans «cause valable». Ces droits peuvent être exercés, selon le cas, en vertu de l'article 1668 du *Code civil*, ou des articles 123 ou 124 de la *Loi sur les normes du travail*.

Le *Code civil* prévoit que l'employé non syndiqué, congédié sans motif, peut réclamer des dommages contractuels en raison de la rupture unilatérale de son contrat de travail. Comme le mentionnent Audet et Bonhomme (1988), ce recours prend sa source primaire à l'article 1065 du *Code civil*, adapté au régime du contrat individuel de travail. L'employé peut aussi, comme le veut un courant jurisprudentiel récent, réclamer des dommages délictuels qui, à la suite de son renvoi, prennent la forme de «dommages moraux» (Audet et Bonhomme, 1988).

Dans le cas où un employé cadre ou non syndiqué a été congédié sans «cause valable», le calcul des dommages contractuels peut être évalué selon les principes énoncés aux articles 1070 à 1078 du *Code civil*, notamment l'article 1073. Ne peuvent être réclamés que les dommages qui découlent directement de la faute invoquée et prouvée (article 1075 du *Code civil*) et les dommages prévisibles au moment où l'obli-

TABLEAU 7.6 LES MOTIFS INTERDITS DE CONGÉDIEMENT

Lois	Dispositions
Loi sur les normes du travail	En plus des dispositions mentionnées au tableau 7.3 :
	L'article 122.1 interdit de licencier ou de congédier un salarié pour le motif qu'il a atteint ou dépassé l'âge de la retraite ou le nombre d'années de service à compter duquel il serait mis à la retraite suivant une disposition législative générale ou spéciale, qui lui est applicable, suivant le régime de retraite auquel il participe, suivant la convention, la sentence arbitrale qui en tient lieu ou le décret qui le régit, ou suivant la pratique en usage chez son employeur.
Charte des droits et libertés de la personne	L'article 16 stipule que nul ne peut exercer de discrimination dans la mise à pied ou le renvoi d'une personne.
	L'article 18.2 prévoit que nul ne peut congédier une personne du seul fait qu'elle a été reconnue coupable ou s'est avouée coupable d'une infraction pénale ou criminelle, si cette infraction n'a aucun lien avec l'emploi ou si cette personne en a obtenu le pardon.
Charte de la langue française	L'article 45 interdit à l'employeur de congédier ou de mettre à pied un membre de son personnel pour la seule raison que ce dernier ne parle que le français ou ne connaît pas suffisamment une langue autre que la langue officielle.
Loi sur les accidents du travail et les maladies professionnelles	L'article 32 interdit de congédier un travailleur parce qu'il a été victime d'une lésion professionnelle ou à cause de l'exercice d'un droit que lui confère la présente loi.
Loi électorale	L'article 182 interdit de congédier ou de mettre à pied un employé qui a demandé un congé sans rémunération pour se porter candidat aux élections.
Loi sur les jurés	L'article 417 interdit de congédier ou de mettre à pied un salarié pour le motif que ce dernier est assigné ou a agi comme juré.
Loi sur la fête nationale	L'article 17.1 interdit de congédier ou de mettre à pied un salarié pour le motif qu'il a exercé un droit lui résultant de cette loi, soit avoir pris congé le 24 juin ou s'être donné une indemnité ou un congé compensatoire.
Code du travail	Les articles 15 et suivants interdisent le congédiement, la suspension ou le déplacement pour activités syndicales.

gation a été contractée (article 1074 du *Code civil*); de plus, comme l'a établi un principe énoncé en jurisprudence, l'employé congédié sans cause valable doit prouver qu'il a subi un dommage pour avoir droit à une indemnisation.

En pratique, l'employé cadre ou non syndiqué qui a été victime d'un congédiement sans cause valable peut réclamer une somme compensatoire équivalant au salaire qu'il aurait gagné, selon son contrat, durant la période de délai-congé (ou préavis) fixée par le tribunal (ou pour le reste de la durée du contrat, s'il s'agit d'un contrat à durée déterminée). La durée du préavis varie selon la nature des tâches effectuées, l'âge et le nombre d'années de service.

De plus, l'employé congédié sans cause valable peut réclamer des dommages extra-contractuels ou « moraux » (en vertu de l'article 1053 du *Code civil*). Les motifs invoqués peuvent être la perte de réputation, l'humiliation, l'anxiété, les traumatismes et autres troubles mentaux. Audet et Bonhomme (1988) résument la jurisprudence en ces matières.

Les sommes versées sont toutefois assujetties à certaines déductions, selon les principes de mitigation des dommages. Ainsi, le tribunal déduira les gains réalisés durant la période de délai-congé et, le cas échéant, les prestations d'assurance-chômage qui ont été reçues. De plus, l'indemnité de départ pourra être réduite dans les cas suivants : l'absence de recherche d'emploi, le refus d'un autre poste offert par l'employeur ou le refus d'un emploi correspondant à la sphère de spécialisation et offrant des avantages semblables à ceux que comportait le dernier poste (Audet et Bonhomme, 1988).

La législation québécoise prévoit aussi des recours inscrits aux articles suivants de la *Loi sur les normes du travail*[6].

– En vertu de l'article 123, un salarié qui croit avoir été congédié, suspendu ou déplacé pour un des motifs de l'article 122 ou 122.2 et qui désire faire valoir ses droits « doit le faire auprès d'un commissaire du travail nommé en vertu du *Code du travail*, au même titre que s'il s'agissait d'un congédiement, de la suspension ou d'un déplacement d'un salarié, de l'exercice à son endroit de mesures discriminatoires ou de représailles ou de l'imposition de

---

6. Laporte (1992) effectue une analyse approfondie de la jurisprudence ayant trait aux articles 124 et suivants de la *Loi sur les normes du travail* jusqu'en 1991, et il traite des nouvelles dispositions.

toute autre sanction à cause de l'exercice par ce salarié d'un droit résultant de ce Code». Le commissaire peut, dans une instance relative à la présente section, représenter un salarié qui ne fait pas partie d'un groupe de salariés visé par une accréditation accordée en vertu du *Code du travail*. L'article 123 s'applique aussi à un salarié qui croit avoir été congédié, suspendu ou mis à la retraite pour le motif énoncé à l'article 122.1. Cependant, le délai pour soumettre une plainte au commissaire général du travail est alors porté à 90 jours (au lieu de 45). Enfin, la Commission peut, avec l'accord des parties, nommer une personne qui tente de régler la plainte à la satisfaction des parties (article 123.3).

— En vertu de l'article 124, «le salarié qui justifie de trois ans de service continu dans une même entreprise et qui croit avoir été congédié sans cause juste et suffisante peut soumettre sa plainte par écrit à la Commission ou la mettre à la poste à l'adresse de la Commission dans les 45 jours de son congédiement, sauf si une procédure de réparation autre que le recours en dommages-intérêts est prévue ailleurs dans la présente loi, dans une autre loi ou dans une convention».

— Les articles 125, 126, 127, 129, 130 et 131 précisent les mécanismes mis en place. La Commission peut, avec l'accord des parties, nommer une personne qui tente de régler la plainte à la satisfaction des intéressés. Si aucun règlement n'intervient dans les 30 jours de la réception de la plainte par la Commission, le salarié peut, dans les 30 jours qui suivent, demander par écrit à la Commission de déférer sa plainte au commissaire général du travail. Ce dernier désigne un commissaire du travail pour faire enquête et disposer de la plainte. En vertu de ces dispositions, il n'y a pas de frais d'arbitrage assumés par les parties, contrairement à ce qui se passait avant 1991.

— L'article 128 précise que le commissaire du travail peut, s'il juge que le salarié a été congédié sans cause juste et suffisante, ordonner à l'employeur de réintégrer le salarié, ordonner à l'employeur de payer au salarié une indemnité jusqu'à un maximum équivalent au salaire qu'il aurait normalement gagné s'il n'avait pas été congédié et rendre toute autre décision qui lui paraît juste et raisonnable, compte tenu des circonstances de l'affaire.

La principale innovation apportée par la *Loi sur les normes du travail* en matière de congédiement est la création d'un recours permettant la réintégration d'un salarié injustement congédié après avoir accumulé trois ans de service continu dans la même entreprise. Les dispositions qui sont entrées en vigueur depuis 1991 facilitent l'accès à ce recours.

Les employés qui relèvent de la juridiction fédérale sont protégés par les articles 240 et suivants du *Code canadien du travail*. Ces articles s'appliquent aussi aux employés non syndiqués, ne constituent que des normes minimales à respecter, et précisent les droits de recours de l'employé congédié, les compensations auxquelles il a droit et les conditions d'application de ces dispositions.

LA GESTION DES CONGÉDIEMENTS

Gérer adéquatement les congédiements exige l'adoption de mesures préventives destinées à en limiter le nombre et à pouvoir faire la démonstration d'une cause juste, le cas échéant. Ces mesures sont:

- la sélection, la formation et l'affectation adéquates du personnel;
- des mécanismes de socialisation et de rétro-information permettant aux individus d'avoir une vision claire de ce que l'on attend d'eux;
- une politique de discipline progressive permettant de graduer les sanctions;
- l'aide offerte aux employés pour corriger certains comportements[7] (toxicomanie, alcoolisme, etc.);
- le recours à un système adéquat d'évaluation du rendement (de façon à pouvoir faire la preuve d'incompétence lorsque cette dernière s'impose).

Si le congédiement doit se produire, il importe d'effectuer les tâches suivantes:

- s'assurer d'avoir épuisé les autres mécanismes d'action, notamment les mesures disciplinaires et l'aide apportée aux employés;
- vérifier les dispositions de la convention collective de travail pour déterminer les étapes à suivre (tel le recours à un comité de relations de travail);

---

7. La tradition jurisprudentielle veut que les employeurs, avant de congédier un employé pour toxicomanie, lui offrent aide et soutien pour qu'il subisse une cure de désintoxication. De plus, les employeurs de compétence fédérale sont soumis à la *Loi canadienne sur les droits de la personne*, qui stipule que la dépendance à l'alcool ou à la drogue constitue un motif interdit de discrimination et, en conséquence, de congédiement.

- constituer un dossier qui permet de justifier le motif du congédiement, lequel devra se baser sur des faits;

- s'informer de la jurisprudence concernant le motif de congédiement invoqué, ce qui peut avoir des conséquences sur le dossier à monter et la négociation de départ;

- s'assurer d'obtenir les appuis requis de la part des supérieurs hiérarchiques et de la direction des ressources humaines;

- déterminer le préavis à fournir;

- déterminer si l'employé gardera son poste durant la période de préavis ou s'il est préférable qu'il quitte immédiatement;

- préciser s'il y a lieu d'offrir une indemnité de départ et, le cas échéant, décider de cette dernière;

- examiner la possibilité de recourir à un service de placement, et statuer sur cette dernière;

- transmettre à l'employé visé l'information concernant le congédiement, les raisons qui le motivent, la date de départ et les autres aspects pertinents (indemnité de départ, par exemple) et, s'il y a lieu, ouvrir une porte à la négociation de ces modalités;

- si l'employé est syndiqué, rencontrer la partie syndicale pour faire part de la décision et, s'il y a lieu, négocier les conditions de départ ou d'autres arrangements;

- si possible, aider l'employé à obtenir le soutien dont il aura besoin pour assumer cette décision et se trouver un nouvel emploi;

- se préparer, le cas échéant, à se défendre contre un grief ou une plainte soumise à un tribunal (civil ou du travail).

L'ensemble de cette démarche postule que des efforts ont été faits dans le passé pour résoudre le problème. Enfin, il convient de mentionner que la personne effectuant le congédiement peut être tentée de revenir sur sa décision, par culpabilité ou par manque de soutien, même si la décision est justifiée. Il importe donc de lui offrir l'appui requis si l'on veut mener la décision à terme.

7.5 CONCLUSION

Gérer les mouvements de personnel consiste à essayer de placer chaque personne au bon poste, au bon moment et dans un lieu approprié, de façon à équilibrer le marché du travail de l'organisation. Cette composante de la dotation est reliée aux autres activités de gestion des ressources humaines, dont la planification de l'effectif, la sélection et la formation. La transmission de ce message constituait le premier objectif de ce chapitre.

Celui-ci avait aussi pour but de présenter la gestion des mouvements de personnel selon une perspective de gestion stratégique des ressources humaines et de gestion des carrières. Les deux premières parties de ce texte traitaient d'ailleurs directement de ces aspects.

Le troisième objectif consistait à préciser la nature des tâches à effectuer en relation avec différentes formes de mouvements internes de personnel et de départs. Nous avons aussi fourni de l'information sur le cadre juridique qui régit chacun de ces mouvements.

Enfin, nous avons traité de la perspective selon laquelle les mouvements de personnel devraient être gérés. Dans le cas des affectations internes, nous avons suggéré de maximiser les bénéfices des parties en présence ; par contre, nous avons proposé de réduire au minimum les effets négatifs des départs sur les individus concernés et l'organisation.

QUESTIONS

1. Quels sont les différents mouvements internes de personnel et de départs qui peuvent se produire dans une organisation ?

2. Montrez comment certains facteurs de l'environnement et certaines pratiques de l'organisation (structuration des emplois et système de gestion des carrières) influent sur la gestion des mouvements de personnel.

3. Montrez comment la gestion des mouvements de personnel peut influer sur la stratégie de gestion de l'organisation et, à l'inverse, comment la stratégie de gestion peut influer sur la gestion des mouvements de personnel.

4. Quelles sont les principales interdictions et obligations en matière de mouvements de personnel auxquelles sont soumises les organisations ? Appuyez votre réponse par des exemples.

5. Quelles sont les principales mutations qu'une organisation est susceptible d'effectuer ? Quelles sont les principales tâches à effectuer pour gérer ces mutations de façon appropriée ?

6. À quoi servent les rétrogradations? Quels conseils donneriez-vous à une organisation pour qu'elle gère ces dernières de façon adéquate?

7. Quels sont les aspects à considérer pour mettre sur pied un système adéquat de promotions?

8. Quelles sont les principales différences entre les carrières bureaucratiques, professionnelles et de marché?

9. Qu'est-ce qu'une organisation devrait faire pour gérer adéquatement les départs volontaires?

10. Quels sont les principaux mécanismes dont une organisation devrait se servir pour gérer les retraites?

11. Comment une organisation peut-elle prévenir les licenciements? Si elle doit procéder à des licenciements, que devrait-elle faire pour les gérer adéquatement?

12. Comment une organisation peut-elle prévenir les congédiements? Si elle doit procéder à des congédiements, que doit-elle faire pour effectuer ces derniers de façon adéquate?

BIBLIOGRAPHIE

ADMUNDSON, N.E. et BORGEN, W.A., «The dynamics of unemployment: job loss and job search», *Personnel and Guidance Journal*, 60, 1982, p. 562-564.

AUDET, G. et BONHOMME, R., *Le congédiement en droit québécois*, 2e éd., Cowansville (Québec), Éditions Yvon Blais, 1988.

BARON, J.N. et BIELBY, W.T., «The proliferation of job titles in organizations», *Administrative Science Quarterly*, 31, 1986, p. 561-586.

BARON, J.N., DAVIS-BLAKE, A. et BIELBY, W.T., «The structure of opportunity: how promotion ladders vary within and among organizations», *Administrative Science Quarterly*, 31, 1986, p. 248-273.

BESSEYRE des HORTS, C.-H., «U.S.A., Suède, Italie: une tentative de comparaison des pratiques de gestion prévisionnelle des ressources humaines», *Personnel*, 306, juillet 1989, p. 10-15.

BULLOCK, K., «Termination of employment», dans AGARWAL, N.C. *et al.* (dir.), *Human Resources Management in Canada*, Scarborough (Ontario), Prentice-Hall, 1983, 75,011 à 75,051.

CAMPBELL, J.P., DUNNETTE, M.D., LAWLER, E.E. et WEICK, K.E., *Managerial Behavior, Performance, and Effectiveness*, New York, McGraw-Hill, 1970.

COBERLY, S., «Keeping older workers on the job», *Aging*, 349, 1985, p. 23-36.

COMRIE, S., «Teach employees to approach retirement as a new career», *Personnel Journal*, 62, 1985, p. 106-108.

COOK, D.S. et FERRIS, G.R., « Strategic human resource management and firm effectiveness in industries experiencing decline », *Human Resource Management*, 25, 1986, p. 441-458.

CÔTÉ, M., « La gestion des personnes vieillissantes », dans BLOUIN, R. (dir.), *Vingt-cinq ans de pratique en relations industrielles au Québec*, Cowansville (Québec), Éditions Yvon Blais, 1990.

DALTON, G.N. et THOMPSON, P.H., *Novation : Strategies for Career Management*, Glenview (Ill.), Scott, Foresman, 1986.

D'AOUST, C., LECLERC, L. et TRUDEAU, G., *Les mesures disciplinaires : étude jurisprudentielle et doctrinale*, Montréal, École des relations industrielles, Université de Montréal, 1982.

DELORME, F. et PARENT, R., *Les licenciements collectifs au Québec : un bilan partiel du dispositif public en vigueur*, Montréal, École des relations industrielles, Université de Montréal, 1982.

DION, G., *Dictionnaire canadien des relations industrielles*, Québec, Presses de l'Université Laval, 1986.

DOERINGER, P.B. et PIORE, M., *Internal Labor Markets and Manpower Analysis*, Lexington (Mass.), Heath, 1971.

DRIVER, M.J., « Career concepts : a new approach to career research », dans KATZ, R. (dir.), *Career Issues in Human Resource Management*, Englewood Cliffs (N.J.), Prentice-Hall, 1982.

DUBÉ, J.L. et DI IORIO, N., *Le congédiement en droit québécois*, Sherbrooke, Les Éditions Revue de droit, Université de Sherbrooke, 1987.

EVES, J.H. Jr., « When a plan shuts down : easing the pain », *Personnel*, 62, 1985, p. 16-23.

FARRELL, D. et RUSBULT, C., « Understanding the retention function : a model of the causes of exit, voice, loyalty and neglect behaviors », *Personnel Administrator*, 30, 1985, p. 129-138.

FELDMAN, D.C. et BRETT, J.M., « Trading places : the management of employee job changes », *Personnel*, 62, 1985, p. 61-65.

FORD, R.C. et FOTLER, M.D., « Flexible retirement : slowing early retirement of productive older employees », *Human Resource Planning*, 8, 1985, p. 147-156.

FRIEDMAN, S.D., « Succession systems in large corporations : characteristics and correlates of performance », *Human Resource Management*, 25, 1986, p. 191-213.

GARRETSON, P. et TEEL, K.S., « The exit interview : effective tool or meaningless gesture », *Personnel*, 59, 1982, p. 70-77.

GUÉRIN, G., *Les pratiques de gestion en matière de vieillissement*, Montréal, École des relations industrielles, Université de Montréal, 1991.

GUÉRIN, G. et CHARETTE, A.F., « La planification des carrières, un modèle organisationnel », dans TARRAB, G. (dir.), *La psychologie organisationnelle au Québec*, Montréal, Presses de l'Université de Montréal, 1983, p. 311-343.

HALL, D.T., « Dilemnas in linking succession planning to individual executive learning », *Human Resource Management*, 25, 1986, p. 235-265.

HALL, D.T., « Human resource development and organizational effectiveness », dans FOMBRUN, C., TICHY, N. et DEVANNA, M.A. (dir.), *Strategic Human Resource Management*, New York, John Wiley, 1984, p. 159-181.

HALL, D.T. et ISABELLA, L.A., « Downward movement and career development », *Organizational Dynamics*, 14, 1985, p. 5-23.

HAYES, R.H., « Strategic planning – Forward or reverse ? », *Harvard Business Review*, 63, 1985, p. 111-119.

HINRICHS, J., « Measurement of reasons for resignation of professionals : questionnaires versus company and consultants exit interviews », *Journal of Applied Psychology*, 60, 1975, p. 530-532.

HIRSCHMAN, A.O., *Exit, Voice, and Loyalty: Responses to Decline in Firms, Organizations, and States*, Cambridge (Mass.), Harvard University Press, 1970.

ISHIDA, H., « Transferability of Japanese human resource management abroad », *Human Resource Management*, 25, 1986, p. 103-120.

JEAN, D., *La protection du revenu ou le phénomène du licenciement*, Montréal, Centre de recherche et de statistiques sur le marché du travail, gouvernement du Québec, ministère du Travail, 1979.

KAHN, R.L., « Productive behaviors through the life course: an essay on the quality of life », *Human Resource Management*, 23, 1984, p. 5-22.

KALLEBERG, A.L. et SORENSEN, A.B., « The sociology of labor markets », *American Sociological Review*, 44, 1979, p. 351-379.

KAUFMAN, H.G., *Professionals in Search of Work*, New York, Wiley, 1982.

KAYE, B., *Up Is Not the Only Way*, Englewood Cliffs (N.J.), Prentice-Hall, 1982.

KOCHAN, T.A., McKERSIE, R.B. et CAPPELLI, P., « Strategic choice and industrial relations theory », *Industrial Relations*, 23, 1984, p. 16-39.

KRAM, K.E., *Mentoring at Work: Developmental Relationships in Organizational Life*, Glenview (Ill.), Scott, Foresman, 1985.

LANIFF, J., « The exit interview: antiquated or underrated? », *Personnel Administrator*, 21, 1976, p. 55-60.

LAPORTE, P., *Le traité du recours à l'encontre d'un congédiement sans cause juste et suffisante. En vertu de la Loi sur les normes du travail*, Montréal, Wilson et Lafleur, 1992.

LAPORTE, P., *Les recours à l'encontre des congédiements sans cause juste et suffisante. En vertu de la Loi sur les normes du travail, article 124*, Montréal, Wilson et Lafleur, 1985.

LEFKOWITZ, J. et KATZ, M., « Validity of exit interviews », *Personnel Psychology*, 22, 1969, p. 445-455.

LEVINE, H.Z., « Retirement planning », *Personnel*, 62, 1985, p. 20-25.

LOPEZ, F., *Personnel Interviewing*, New York, McGraw-Hill, 1965.

McCAIN, B., O'REILLY, C.A. et PFEFFER, J., « The effects of departmental demography on turnover. The case of a university », *Academy of Management Journal*, 26, 1983, p. 626-641.

MILD, G.L., *The Squat Pear Principle: Why Managers Rise and Fall*, Chicago, Contemporary Book Inc., 1982.

MILES, R. et SNOW, C., « Designing strategic human resources systems », *Organizational Dynamics*, 13, 1984, p. 36-52.

MILES, R. et SNOW, C., *Organizational Strategy, Structure and Process*, New York, McGraw-Hill, 1978.

MORRISON, R.F. et HOCK, R.R., « Career building: learning from cumulative work experience », dans HALL, D.T. *et al.*, *Career Development in Organizations*, San Francisco (Cal.), Jossey-Bass, 1986, p. 236-273.

O'TOOLE, J., « Employee practices at the best managed companies », *California Management Review*, 28, 1985, p. 35-66.

PFEFFER, J. et COHEN, Y., « Determinants of internal labor markets in organizations », *Administrative Science Quarterly*, 29, 1984, p. 550-572.

PRICE, R.H. et D'AUNNO, T., « Managing work force reduction », *Human Resource Management*, 22, 1983, p. 413-430.

QUINN-MILLS, D. et BALBAKY, M.L., « Planning for morale and culture », dans WALTON, R.E. et LAWRENCE, P.R. (dir.), *HRM Trends and Challenges*, Boston (Mass.), Harvard Business School Press, 1985, p. 255-285.

RANDALL, P.M. et SCOTT, A., « Retirement planning », dans TRACEY, W.R. (dir.), *Human Resources Management and Training Handbook*, New York, Amacom, 1985, p. 902-915.

ROSEN, B. et JERDEE, T.H., «Retirement policies for the 21st century», *Human Resource Management*, 25, 1986, p. 405-420.

ROSENBAUM, J.E., «Tournament mobility: career patterns in a corporation», *Administrative Science Quarterly*, 24, 1979, p. 220-241.

ROSOW, J.M. et ZAGER, R., *Employment Security in a Free Economy: A Work in America Institute Policy Study*, New York, Pergamon Press, 1984.

SARASON, S.B., *Work, Aging and Social Change*, New York, Free Press, 1977.

SCHEIN, E.H., *Career Dynamics: Matching Individual and Organizational Needs*, Reading (Mass.), Addison Wesley, 1978.

SCHLENKER, J.A. et GUTEK, B.A., «Effects of role loss on work-related attitudes», *Journal of Applied Psychology*, 72, 1987, p. 287-293.

SCHLOSSBERG, N.K., «A model for analysing human adaptation to transition», *The Counseling Psychologist*, 9, 1981, p. 2-18.

SCHOEFIELD, E., «The non directive exit interview», *Personnel*, 34, 1957, p. 46-50.

SCHRIESHEIM, J., VON GLIMOW, M.A. et KERR, S., «Professionals in bureaucraties: a structural alternative», *Studies in the Management Sciences*, 5, 1977, p. 55-69.

SCHULER, R.S. et JACKSON, S.E., «Linking competitive strategies with human resource management practices», *The Academy of Management Executive*, 1, 1987, p. 207-219.

SONNENFELD, J., «A career system profiles and strategic staffing», dans ARTHUR, M.B., HALL, D.T. et LAWRENCE, B.S. (dir.), *Handbook of Career Theory*, New York, Cambridge University Press, 1989, p. 202-223.

SONNENFELD, J., «Heroes in collision: chief executive retirement and the parade of future leaders», *Human Resource Management*, 25, 1986, p. 305-333.

STUMPF, S.A., «Choosing career management practices to support your business strategy», *Human Resource Planning*, 11, 1989, p. 33-47.

STUMPF, S.A. et HANRAHAN, N.M., «Designing organizational career management practices to fit strategic management objectives», dans SCHULER, R.S. et YOUNGBLOOD, S.A. (dir.), *Readings in Personnel and Human Resources Management*, 2ᵉ éd., St. Paul (Minn.), West Publishing, 1984, p. 326-348.

SUTTON, R., «Managing organizational death», *Human Resource Management*, 22, 1983, p. 391-412.

THOMPSON, P.M., BAKER, R.Z. et SMALLWOOD, N., «Improving professional development by applying the four-stage career model», *Organizational Dynamics*, 15, 1986, p. 49-62.

TOLBERT, C.M., «Industrial segmentation and men's career mobility», *American Sociological Review*, 47, 1982, p. 457-477.

TRIPPEL, A., «Spouse assistance programs: relocating dual-career families», *Personnel Journal*, 64, 1985, p. 76-77.

WAGNER, W.G., PFEFFER, J. et O'REILLY, C.A., «Organizational demography and turnover in top-management groups», *Administrative Science Quarterly*, 29, 1984, p. 74-92.

WATTS, A.G., SUPER, D.E. et KIDD, J.M., «Career patterns», dans WATTS, A.G., SUPER, D.E. et KIDD, J.M. (dir.), *Career Development in Britain*, London, Hobson Press, 1981.

WILS, T. et GUÉRIN, G., «La gestion du système des carrières», dans BLOUIN, R. (dir.), *Vingt-cinq ans de pratique en relations industrielles au Québec*, Cowansville (Québec), Éditions Yvon Blais, 1990, p. 821-851.

WORTLEY, D.B. et AMATEA, E.S., «Mapping adult life changes: a conceptual framework for organizing adult development theory», *Personnel and Guidance Journal*, 60, 1982, p. 476-482.

YOURMAN, J., «Follow up on terminations: an alternative to the exit interviews», *Personnel*, 42, 1965, p. 51-55.

ZARANDONA, J.L. et CAMUSO, M.A., «A study of exit interviews: does the last word count?», *Personnel*, 62, 1985, p. 47-48.

CHAPITRE 8

L'ÉVALUATION DU RENDEMENT

par Jean-Louis Bergeron

OBJECTIFS

Après l'étude de ce chapitre, vous devriez être en mesure:

- d'expliquer ce qu'est l'évaluation du rendement;
- d'indiquer la place de l'évaluation du rendement dans la planification stratégique de l'entreprise et la gestion globale de la performance;
- de démontrer qu'une évaluation efficace du rendement doit répondre à des exigences qui vont bien au-delà d'un «bon» formulaire;
- d'expliquer les différentes méthodes d'évaluation du rendement des employés ainsi que les erreurs d'évaluation dont il faut se méfier;
- de décrire d'autres types d'évaluation que l'évaluation traditionnelle par le supérieur immédiat;
- d'expliquer les caractéristiques d'une bonne entrevue d'évaluation.

MISE EN SITUATION

UNIVERSITÉ DE MONTRÉAL: LE SALAIRE AU MÉRITE POUR LES PROFS

Un comité de l'Université de Montréal recommande d'instaurer dès l'an prochain une formule de rémunération au mérite pour les professeurs titulaires. [...]

Cette mesure toucherait 50 % des professeurs de l'Université. La plupart d'entre eux sont aujourd'hui âgés de plus de 50 ans et plafonnent actuellement au salaire de 79 980 $. Selon la formule proposée, un professeur bien « coté » gagnerait un revenu annuel de 96 660 $ au sommet de l'échelle s'il franchit avec succès les étapes d'évaluation. Les professeurs « recalés » pendant 15 ans perdraient donc 15 000 $ par année. [...]

Actuellement, la reconnaissance de la qualité du rendement passe par l'octroi d'une promotion pour les professeurs adjoints et les professeurs agrégés. Par contre, arrivés au stade de la titularisation, les professeurs ne bénéficient plus d'aucun incitatif.

Le comité propose donc d'évaluer le rendement des titulaires tous les cinq ans et ajoute 12 échelons salariaux supplémentaires. Une évaluation positive mène à une progression de cinq échelons jusqu'à la prochaine évaluation. En cas d'échec, le professeur n'obtient pas l'augmentation de salaire, mais il peut demander une révision de son dossier dès l'année suivante. [...]

De plus, l'évaluation prévue passe par les mêmes critères que pour l'octroi des promotions: la qualité de l'enseignement, la qualité de la recherche, le rayonnement interne et externe et le service à la communauté. Avec ce nouveau système, le comité souhaite attirer des professeurs de plus en plus compétents. [...]

Source: LÉGER, M.-F., *La Presse*, avril 1991.

QUESTION

Comment construiriez-vous un système d'évaluation du rendement pour les professeurs, particulièrement en ce qui concerne la qualité de l'enseignement?

8.1 LA NATURE DE L'ÉVALUATION

D'une façon générale, toute évaluation comprend essentiellement deux étapes:
1. l'observation de la situation existante;
2. la comparaison de la situation réelle avec la situation souhaitée.

Cette définition amène immédiatement une importante remarque : en ne tenant compte que des deux éléments susmentionnés, l'évaluation du rendement des employés se fait continuellement, et ce, dans toutes les entreprises. Les employés s'évaluent entre eux et ils évaluent leurs supérieurs, même s'ils n'y sont aucunement obligés. Quant aux patrons, ils doivent régulièrement évaluer leurs subalternes pour prendre certaines décisions à leur sujet (augmentation de salaire, promotion, déplacement, rétrogradation, congédiement).

La question que se pose une organisation n'est donc pas «Doit-on ou non évaluer les employés ?», mais bien «Doit-on évaluer les employés à l'aide d'une procédure formelle, systématique et uniforme ?». Il est certain que l'évaluation informelle décrite ci-dessus présente quelques avantages : elle s'effectue au jour le jour, elle ne requiert aucune structure compliquée et ne nécessite aucune paperasse encombrante. Par contre, elle présente des inconvénients majeurs et nombreux : chaque patron évalue comme il le veut, quand il le veut et selon des critères souvent connus de lui seul ; les objectifs et les méthodes d'évaluation sont ambigus et peuvent varier d'un service à l'autre ; les employés ne savent pas trop sur quoi on les évalue et ne sont pas toujours informés de ce qu'on attend d'eux ni de ce qu'on pense de leur rendement.

Pour remédier à ce type de problèmes, on a créé des systèmes formels d'évaluation du rendement. Il s'agit d'une série d'activités planifiées, organisées et contrôlées, faites en vue d'observer, de mesurer, de juger et d'améliorer la contribution de l'employé aux objectifs de l'organisation. Idéalement, un tel système devrait répondre aux questions suivantes :

– Qui évalue ?

– Selon quels critères ?

– Quelles normes doit-on utiliser ?

– Quel est le rôle de l'employé dans le processus d'évaluation ?

– Les résultats doivent-ils être communiqués à l'employé ? Si oui, comment ?

– Qui doit ordonner et gérer ce système dans l'ensemble de l'organisation ?

– Quels sont les objectifs précis de l'évaluation ?

– Quelle méthode et quel formulaire d'évaluation doit-on utiliser ?

– Quelle formation doit-on donner aux évaluateurs ?

Les systèmes informels d'évaluation sont inadéquats, parce qu'ils ne répondent pas précisément et uniformément à ces questions.

8.2 LES LIENS AVEC LA PLANIFICATION STRATÉGIQUE

Pour bien comprendre la place de l'évaluation du rendement dans l'entreprise, il faut situer le processus d'évaluation par rapport à la stratégie organisationnelle et à la gestion de la performance, c'est-à-dire l'ensemble des moyens utilisés pour planifier, évaluer et améliorer le rendement des individus. La figure 8.1 illustre les concepts et les étapes qui permettent de bien saisir les relations entre ces trois éléments de la gestion. Nous détaillerons chacune de ces étapes, dont les numéros correspondent à ceux qui apparaissent dans la figure.

1. L'ENVIRONNEMENT INTERNE

Comme nous l'avons vu antérieurement, l'environnement interne comprend un grand nombre de facteurs, dont l'état des ressources humaines qui inclut des aspects démographiques (âge, scolarité, sexe), mais aussi des aspects de performance (compétence, motivation, productivité). Comme la stratégie organisationnelle ne sera adéquate que si elle repose sur une appréciation correcte des forces et des faiblesses du personnel, il faut en conclure que l'évaluation du rendement doit précéder l'élaboration de la stratégie organisationnelle, avant d'être à son tour affectée par celle-ci.

Des recherches ont démontré que plusieurs autres facteurs de l'environnement interne devront être considérés au moment de la création et de la mise en place du système d'évaluation du rendement; c'est le cas, par exemple, de la philosophie de gestion des cadres supérieurs, du style de leadership des cadres intermédiaires, de la culture organisationnelle, des besoins et des attentes des employés, de la nature des tâches, des autres systèmes de gestion des ressources humaines, de la structure organisationnelle.

Pour être efficace, le système d'évaluation devra être en concordance avec tous ces éléments, ce qui représente un défi considérable.

2. L'ENVIRONNEMENT EXTERNE

Parmi les facteurs de l'environnement externe, le contexte juridique (et plus particulièrement la *Charte des droits et libertés de la personne*) est

FIGURE 8.1   **LA STRATÉGIE ORGANISATIONNELLE, LA GESTION DE LA PERFORMANCE ET L'ÉVALUATION DU RENDEMENT**

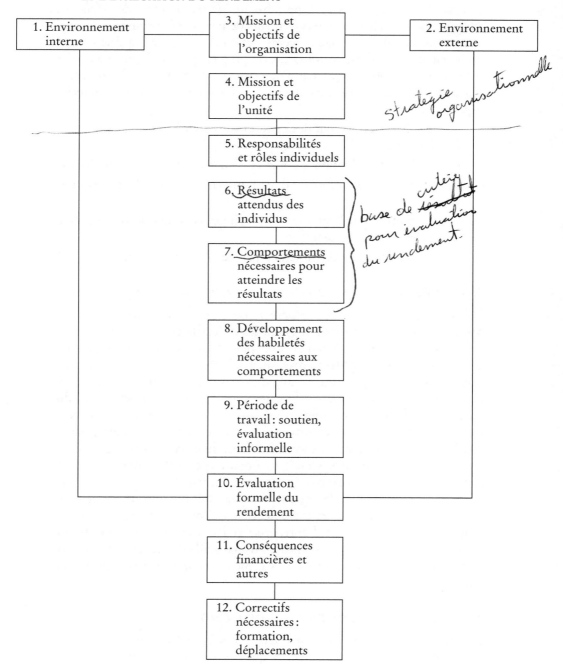

probablement celui qui influera le plus sur les systèmes et les processus d'évaluation du rendement dans l'avenir. Cela tient au fait que l'évaluation du rendement sert à prendre un grand nombre de décisions administratives reliées aux mouvements de personnel (promotions, augmentations de salaire, congédiements), et que les employés qui se sentent lésés par ces décisions se tournent de plus en plus facilement vers les tribunaux pour obtenir justice. Pour trouver grâce auprès des juges, le système d'évaluation du rendement doit posséder plusieurs caractéristiques, tels:

– un lien direct et évident des critères d'évaluation avec les exigences de l'emploi;

– des critères d'évaluation connus et bien compris par les employés;

– des évaluateurs bien formés dans l'utilisation du système d'évaluation;

– la possibilité, pour l'employé, d'exprimer son point de vue et même d'appeler d'un jugement;

– une évaluation bien documentée par des faits observables.

3. LA MISSION ET LES OBJECTIFS DE L'ORGANISATION

Le système d'évaluation du rendement devra soutenir la stratégie organisationnelle, c'est-à-dire la mission, les objectifs et les moyens choisis par l'entreprise pour se tailler une place dans le monde. Plusieurs auteurs ont cherché à démontrer qu'à tel type de stratégie organisationnelle (par exemple, une stratégie axée sur la création de nouveaux produits) doit correspondre tel système ou tel critère d'évaluation du rendement (dans le cas ci-dessus, il faudrait évaluer les employés sur leur créativité). Nous ne les suivrons pas sur ce terrain, en partie parce que les déductions quant aux systèmes d'évaluation qui «doivent» correspondre à chacune des stratégies organisationnelles sont largement spéculatives et n'ont donc pas été démontrées par des recherches. Nous endossons pleinement l'idée que le système d'évaluation du rendement doit soutenir la mission et les objectifs de l'organisation, mais nous croyons que les dirigeants d'entreprise et leurs experts en gestion des ressources humaines n'ont pas besoin d'une grille d'analyse pour établir ou vérifier cette cohérence: c'est largement une question de «gros bon sens».

4. LA MISSION ET LES OBJECTIFS DE L'UNITÉ

L'unité (division, section, service) dans laquelle travaille chaque employé doit se fixer des objectifs qui préciseront et appuieront ceux de l'organisation. Pour éviter une trop grande dispersion des efforts, les membres d'une unité devront être évalués non seulement sur leur contribution au succès de celle-ci, mais également sur les conséquences de leurs comportements et de leurs résultats pour l'ensemble de l'organisation.

5. *LES RESPONSABILITÉS ET LES RÔLES INDIVIDUELS*

Les objectifs collectifs se transforment éventuellement en responsabilités individuelles, par la division du travail et par la description des tâches. L'employé dont le rendement sera évalué doit connaître non seulement ses responsabilités, mais également l'ordre de priorité dans lequel il doit les classer. Tous les «bons» systèmes d'évaluation du rendement prévoient maintenant une rencontre au cours de laquelle l'employé et son supérieur immédiat établissent un consensus clair sur les responsabilités du subalterne. Dans une perspective stratégique, il est essentiel que les responsabilités attribuées aux individus contribuent de façon évidente à l'atteinte des objectifs de l'unité et de l'organisation.

6. *LES RÉSULTATS ATTENDUS DES INDIVIDUS*

Pour chaque domaine de responsabilités, on devrait idéalement pouvoir décrire les résultats escomptés en termes clairs et précis. Pour une meilleure performance, cet objectif devrait également être modérément élevé et difficile à atteindre, tout en étant réaliste et acceptable pour l'employé. Il devrait aussi être quantifiable et comprendre un échéancier serré, mais raisonnable. Encore ici, il devrait y avoir un lien très net entre l'atteinte de ces résultats et le succès de l'organisation. Un objectif comme «augmenter de 3 %, d'ici 12 mois, les ventes du produit X dans la région Y» correspondrait aux exigences mentionnées ci-dessus, pourvu que cet objectif soit difficile, mais réaliste. Puisque la stratégie organisationnelle implique nécessairement une vision à long terme, il faut cependant que les cadres supérieurs et intermédiaires travaillent en fonction de certains objectifs assez éloignés dans le temps.

7. *LES COMPORTEMENTS NÉCESSAIRES POUR ATTEINDRE LES RÉSULTATS*

Certains comportements sont plus appropriés que d'autres pour atteindre les résultats espérés; c'est ici qu'interviennent la formation, l'expérience et la sagesse des «anciens» et des supérieurs. Dans plusieurs cas, la supériorité de certains comportements est reliée non seulement à l'atteinte des résultats (ventes, productivité, satisfaction des clients), mais également au maintien d'une culture organisationnelle désirée («ici, on ne perd pas son temps»). Puisque l'amélioration éventuelle du rendement d'un individu passera probablement par une modification de ses comportements, il est normal que ces derniers soient l'objet d'une grande préoccupation dans tout système de gestion de la performance; nous y reviendrons. Notons enfin que les cases 6 (résultats) et 7 (comportements) de la figure 8.1 constituent la base des critères et des normes qui serviront à évaluer le rendement des employés.

8. LE DÉVELOPPEMENT DES HABILETÉS NÉCESSAIRES AUX COMPORTEMENTS

Même si l'employé sait quoi faire, quels résultats atteindre et comment y arriver, il ne possède pas nécessairement les habiletés requises. La formation est donc une partie essentielle de la gestion de la performance. Notons en passant que plusieurs employés à qui on reproche un rendement inadéquat attribuent celui-ci à une carence dans la formation qui leur a été donnée par l'entreprise.

9. LA PÉRIODE DE TRAVAIL: SOUTIEN ET ÉVALUATION INFORMELLE

L'employé peut maintenant accomplir son travail pendant une période de 6 ou 12 mois. Il doit recevoir toute l'information, les équipements, le soutien, les conseils, les directives qui peuvent l'aider dans ses tâches. Son supérieur devrait évaluer son rendement et lui communiquer ses commentaires de façon informelle et très fréquemment, surtout si l'employé a peu d'expérience pour le poste qu'il occupe.

10. L'ÉVALUATION FORMELLE DU RENDEMENT

Cette évaluation, dont il sera question tout au long du chapitre, comprend plusieurs étapes: 1. l'observation régulière des comportements et des résultats de l'employé; 2. la mémorisation des performances par un système quelconque; 3. le rappel de cette information au moment opportun; 4. l'intégration de toutes les données dans un jugement du rendement; 5. la notation de ce jugement sur un formulaire d'évaluation; 6. la communication de l'évaluation à l'employé et aux autres personnes concernées (Gosselin, 1986).

11. LES CONSÉQUENCES FINANCIÈRES ET AUTRES

L'évaluation du rendement n'apportera sa pleine contribution à l'atteinte des objectifs de l'entreprise que si elle est suivie de conséquences positives ou négatives pour l'individu concerné. Ces conséquences sont traditionnellement classées en deux catégories, selon qu'elles sont financières ou non. Il ne faut pas négliger les conséquences non financières, car elles sont nombreuses et souvent fort appréciées. Certaines entreprises identifient entre 20 ou 30 récompenses de ce type, allant de la simple «tape dans le dos» à l'attribution d'un rang prestigieux ou de pouvoirs considérables dans l'organisation.

12. LES CORRECTIFS NÉCESSAIRES: FORMATION, DÉPLACEMENTS

Vraisemblablement, l'évaluation du rendement aura permis au supérieur immédiat et à l'organisation d'identifier les forces et les faiblesses des individus et des groupes. Les forces pourront être développées davantage et serviront aussi à motiver certaines décisions administratives, comme les promotions. En ce qui concerne les faiblesses, les correctifs se borneront souvent à des conseils, à un soutien accru, à une collaboration plus étroite entre patron et employé ou entre collègues. Dans d'autres cas, le remède approprié sera un effort de formation, structuré ou non, interne ou externe à l'entreprise; l'évaluation du rendement aura alors été une des données permettant de déceler les besoins en formation du personnel. Finalement, la mesure corrective peut être un transfert latéral, une rétrogradation, un congédiement, une préretraite.

EN CONCLUSION

Comme on peut le constater, l'évaluation du rendement (case 10 de la figure 8.1) s'insère dans un contexte beaucoup plus vaste, qui comprend l'élaboration de la stratégie organisationnelle (cases 1 à 4) et la gestion globale de la performance (cases 5 à 12), laquelle inclut, comme nous l'avons noté au départ, la planification, l'évaluation et l'amélioration du rendement. Des liens étroits ont été établis entre l'évaluation du rendement et plusieurs autres programmes de gestion des ressources humaines: 1. l'analyse et la description des tâches; 2. la formation et le développement; 3. la supervision régulière des employés; 4. la rémunération et la gestion des récompenses; 5. la gestion des mouvements de personnel. Ajoutons que l'évaluation du rendement sert également à la planification des ressources humaines (description des ressources actuelles et évaluation du potentiel), et à tous les projets de recherche qui exigent une bonne mesure de la performance individuelle (validation d'un test de sélection ou mesure des effets d'un programme de formation, par exemple).

Finalement, notons que l'évaluation du rendement sert non seulement à satisfaire les objectifs et les besoins de l'organisation, mais également ceux des individus. Plusieurs recherches ont démontré que la plupart des employés désirent connaître: 1. leurs responsabilités et ce qu'on attend d'eux; 2. les critères et les normes d'après lesquels ils seront évalués; 3. ce que leurs supérieurs pensent de leur rendement; 4. leurs chances d'avancement et de progression dans l'entreprise; 5. les moyens qu'ils devront prendre pour s'améliorer; 6. le soutien qui leur sera fourni par l'entreprise. Ils veulent également s'exprimer sur leur situation de travail et dénoncer les facteurs qui les empêchent d'obtenir de meilleurs résultats. L'évaluation du rendement peut répondre à l'ensemble de ces besoins, ce qui en fait un instrument de gestion très précieux.

8.3 LES AUTRES CONDITIONS D'UNE BONNE ÉVALUATION

Il est maintenant évident que, contrairement à une opinion fort répandue, il faut bien plus qu'un bon formulaire d'évaluation pour obtenir une bonne évaluation du rendement. En plus des conditions qui assurent la cohérence du système d'évaluation avec l'environnement interne et externe et avec la stratégie organisationnelle (mentionnées dans la section 8.2), il faut certaines conditions qui relèvent plus particulièrement des évaluateurs, des critères et des normes utilisés et, finalement, de l'instrument de mesure lui-même. Nous traiterons maintenant de ces autres conditions d'une bonne évaluation, résumées dans la figure 8.2.

8.3.1 LA VOLONTÉ D'ÉVALUER CORRECTEMENT

Comme le mentionne Marcel Côté (1978), le manque de motivation à évaluer correctement est très répandu chez les cadres et il est dû à une multitude de raisons: la méconnaissance des objectifs réels du système d'évaluation, l'incapacité de récompenser les meilleurs employés, le soutien insuffisant de la haute direction, le temps et les efforts requis, la réticence à jouer un rôle de juge ou de policier, la crainte de se faire des ennemis parmi les employés, la crainte de pénaliser un employé par un dossier négatif permanent, la crainte de perdre les employés qu'on identifierait comme les meilleurs, l'impression que les gens sont

 *FIGURE 8.2 LES FACTEURS DÉTERMINANTS D'UNE BONNE ÉVALUATION*

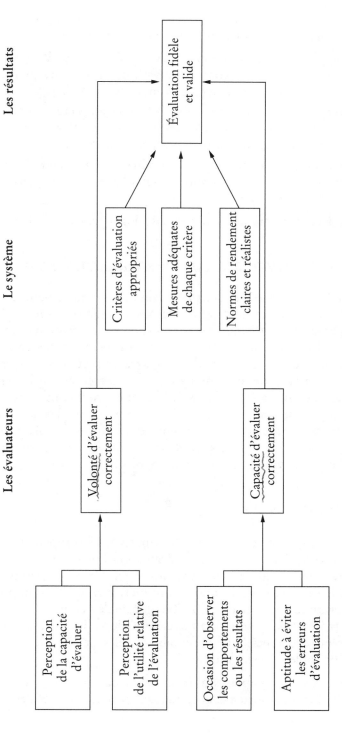

Source: BERGERON, J.-L., *Conditions requises pour une bonne évaluation du rendement*, document de travail non publié, Sherbrooke, Université de Sherbrooke, 1980.

ce qu'ils sont et qu'il n'y a rien à faire pour les changer, la conviction que les résultats de l'évaluation ne seront jamais utilisés.

Si on applique à la motivation à évaluer la théorie que Vroom (1964) a développée pour la motivation au travail, on en conclut qu'il faut au moins deux conditions pour que cette motivation existe :

1. la perception que l'on est capable d'évaluer correctement (l'instrument d'évaluation est simple, les possibilités d'observation sont nombreuses et une formation appropriée est donnée);

2. la perception que les avantages de l'évaluation (pour l'employé, pour le patron et pour l'organisation) sont valables et compensent largement les inconvénients prévus.

Si ces deux perceptions n'existent pas, il faut veiller à les développer.

8.3.2 LA CAPACITÉ D'ÉVALUER CORRECTEMENT

La capacité d'évaluer est la deuxième condition requise pour arriver à une bonne évaluation et, tout comme la volonté, elle est moins répandue qu'on le pense. Il faut d'abord que l'évaluateur ait l'occasion d'observer un échantillon suffisamment vaste et vraiment représentatif des comportements ou des résultats de l'employé. Il doit aussi être capable de faire abstraction de ses préjugés personnels et éviter les erreurs d'évaluation décrites à la section 8.5. Plusieurs études ont porté sur les caractéristiques personnelles (tels l'âge, le sexe, l'intelligence, l'expérience, la personnalité, l'éducation, etc.) des bons et des mauvais évaluateurs, mais les résultats sont fort minces et ne se prêtent pratiquement à aucune généralisation intéressante.

8.3.3 DES CRITÈRES ADÉQUATS

En supposant que les évaluateurs sont motivés et compétents, il faut maintenant considérer le système d'évaluation lui-même, et plus particulièrement les «critères d'évaluation», c'est-à-dire les points précis sur lesquels l'évaluation doit porter. En effet, comme il est impossible de mesurer directement la contribution globale de l'employé aux objectifs de l'organisation, ce qui serait le critère ultime idéal, il faut évaluer les points plus concrets, plus observables, qui sont les indices les plus adéquats possible du critère ultime.

Nous pouvons compter sur trois types de critères : les traits de personnalité, les comportements et les résultats. La majorité des auteurs serait probablement d'accord pour dire que ces critères sont classés selon un ordre qualitatif croissant, mais il s'agit d'une controverse qui fait rage depuis des années et qui risque de se poursuivre encore longtemps.

Évaluer des traits de personnalité, cela veut dire évaluer des critères comme le dynamisme, le jugement, l'intelligence, la confiance en soi, la créativité, l'enthousiasme, le sens des responsabilités, la sociabilité, la loyauté, etc. Le problème est que ces critères sont difficiles à définir, difficiles à mesurer et, surtout, difficiles à communiquer. Il est relativement facile de dire à un employé qu'il a été en retard dix fois le mois dernier, car c'est un fait observable et indéniable qui peut servir de base à une discussion franche sur les causes et les remèdes du problème; par contre, si l'évaluateur considère que l'employé est paresseux et lui communique cette conclusion, la réaction de l'employé sera très négative, car il rejettera cette affirmation. La règle d'or dans la communication d'une évaluation négative est de ne jamais dire à un employé: «Tu es ceci ou cela», mais plutôt: «Tu fais ceci ou cela, et voici les problèmes que cela pose pour le bon fonctionnement de l'organisation». Nous sommes donc d'avis que l'utilisation de traits de personnalité comme critères d'évaluation devrait être réduite au minimum ou éliminée complètement.

Quant aux comportements et aux résultats, certains affirment qu'on peut évaluer les résultats (productivité, ventes, profits, erreurs, coûts, rejets, satisfaction des clients) sans se préoccuper de la façon dont l'employé s'y prend pour les atteindre, c'est-à-dire de ses comportements. D'autres, par contre, soulignent que les résultats dépendent rarement d'un seul individu, et que d'excellents résultats à court terme peuvent être atteints par des comportements qui, à long terme, nuiront à l'organisation. C'est le cas, par exemple, d'un contremaître qui augmente la productivité de son service en appliquant des méthodes dictatoriales qui, éventuellement, amèneront de l'insatisfaction, de l'hostilité, des griefs et du sabotage.

Une autre raison d'évaluer les comportements, et pas seulement les résultats, réside dans l'effort fourni par l'employé. Ainsi, un individu peu doué ou malchanceux peut travailler extrêmement fort et ne produire que des résultats moyens, alors que son voisin plus favorisé arrive aux mêmes résultats sans effort; il semblerait alors normal que le système d'évaluation ne classe pas ces deux individus comme tout à fait égaux, du moins selon certains critères. Il apparaît possible, et souhaitable, de concilier ces deux approches et de mesurer aussi bien les résultats (par exemple, le total des ventes réalisées pendant six mois) que les comportements (par exemple, le nombre de clients visités pendant la même période, qui est un indice d'effort, ou la façon de se comporter face à un client).

Mentionnons finalement qu'à notre avis, l'établissement des critères d'évaluation devrait toujours se faire à l'aide de l'analyse des postes, dont il fut question dans un chapitre précédent. Si des changements dans le comportement des employés sont souhaités, il est primordial que la rétro-information et la formation soient précises, c'est-à-dire qu'elles soient reliées aux aspects importants de l'emploi. Ce qui est pertinent pour un poste peut fort bien ne pas l'être pour un autre. Les instruments d'évaluation devraient donc idéalement être développés pour un emploi ou une famille d'emplois déterminée, mais cela n'est pas toujours possible.

8.3.4 DES MESURES APPROPRIÉES À CHAQUE CRITÈRE D'ÉVALUATION

Lorsqu'un système d'évaluation propose des critères généraux, comme la productivité et la qualité du travail (critères reliés aux résultats), ou encore l'effort et les relations avec autrui (critères reliés aux comportements), il faut chercher la meilleure mesure possible pour chacun de ces critères. Dans certains cas, cette mesure est relativement facile à trouver (par exemple, le nombre de chaises produites par semaine, le nombre de plaintes reçues de clients, etc.), alors que dans d'autres, elle l'est beaucoup moins. C'est dans ces autres cas, difficilement mesurables, que tout le système d'évaluation repose sur le jugement, l'opinion et l'impression de l'évaluateur. Il faut alors être prêt à faire confiance aux évaluateurs en reconnaissant cependant que leurs jugements ne seront pas toujours parfaits.

8.3.5 LA PRÉCISION ET LE RÉALISME DES NORMES

Maintenant que l'on a des évaluateurs motivés et capables d'évaluer, des critères reliés aux résultats et aux comportements et des façons de mesurer chacun des critères, que manque-t-il pour assurer une bonne évaluation ? Il faut encore des normes avec lesquelles le rendement de l'employé sera comparé, normes permettant de déterminer que le rendement est excellent ou médiocre, ou encore meilleur ou pire que celui des autres employés.

Cette dernière phrase laisse entendre qu'il y a deux types de normes : des normes absolues et des normes relatives (ou comparatives).

Lorsqu'on utilise des **normes absolues**, la performance de l'employé est comparée à l'idée que se fait l'évaluateur du niveau de rendement représenté par des termes comme excellent, passable, médiocre. Pour le critère « ponctualité » par exemple, l'évaluateur pourrait utiliser le barème suivant : moins de 3 retards par mois = excellent, 3 à 6 retards par mois = passable, 7 retards ou plus par mois = médiocre. On peut imaginer des barèmes semblables pour le nombre d'erreurs par lettre, le nombre de nouveaux clients par année, les coûts de production par semaine, etc.

Dans le cas des **normes relatives**, le rendement de l'employé est comparé à celui des autres personnes qui occupent un poste semblable ; on parvient ainsi à déterminer si l'employé est le meilleur, s'il compte parmi les 20 % meilleurs, ou parmi les 10 % pires. Ce type d'évaluation ne renseigne pas vraiment sur la valeur absolue de l'employé : un individu peut être le plus ponctuel d'un groupe dans lequel tout le monde a plus de sept retards par mois ! Cela nous amène à croire que les normes absolues sont préférables aux normes relatives, et ce pour la plupart des objectifs poursuivis par l'évaluation du rendement. Ainsi, les employés promus devraient être ceux qui sont « excellents » et non ceux qui sont simplement « les meilleurs ». La nuance peut être importante.

Les critères et les normes sont la source de presque toutes les disputes ou mésententes qui se produisent entre évaluateurs et évalués. Tel employé ne croit pas qu'il devrait être évalué sur sa ponctualité ou sur la propreté de son bureau, ou sur la longueur de ses cheveux ou de sa barbe ! Tel autre admet qu'il devrait être évalué sur le nombre de chaises produites par mois, mais il considère qu'une production de 300 unités est excellente, alors que son patron réserve le qualificatif « excellent » à 500 unités ou plus et attribue le qualificatif « médiocre » à une production de 300 unités. Il est donc important que les critères et les normes d'évaluation soient discutés et clarifiés à fond entre les deux parties dès le début de la période qui fera l'objet d'une évaluation. C'est un des avantages de la direction par objectifs, comme nous le verrons plus loin.

8.3.6 LES QUALITÉS DE L'INSTRUMENT DE MESURE

Comme tout autre instrument de mesure, un bon système d'évaluation devrait posséder plusieurs caractéristiques bien connues, comme la validité, la fidélité, la sensibilité (c'est-à-dire la capacité de différencier plusieurs degrés de rendement), la suffisance (soit la capacité de mesurer tous les aspects importants du rendement) et la non-contamination (c'est-à-dire ne pas être influencé par des éléments ou des facteurs qui n'ont rien à voir avec le rendement). Nous limiterons nos remarques à la validité, qui est la caractéristique essentielle, et à la fidélité, qui est un indice (mais non une preuve) de validité.

LA VALIDITÉ

De façon générale, un instrument de mesure est valide lorsqu'il «dit la vérité», c'est-à-dire lorsqu'il mesure exactement ce qu'il prétend mesurer et qu'il le fait bien. Pour déterminer la validité d'un système d'évaluation du rendement, il faudrait donc comparer les résultats obtenus (l'évaluation de chaque individu) avec la réalité objective, c'est-à-dire le rendement réel de l'individu. Cela est rarement possible, pour la simple raison que si on disposait d'une mesure parfaitement objective et exacte du rendement réel, on n'aurait pas besoin du système d'évaluation dont il faut déterminer la validité!

D'autres façons, moins exactes, de mesurer la validité ont donc été utilisées. La **validité de contenu**, par exemple, consiste à faire examiner l'instrument (le formulaire d'évaluation) par un groupe d'experts qui verront s'il recouvre tous les aspects essentiels du rendement et rien d'autre. Une autre méthode, la **validité concurrente**, consiste à comparer les résultats de l'évaluation du rendement à d'autres mesures qui, elles aussi, prétendent refléter le rendement ou certains aspects du rendement, ou encore certains facteurs logiquement associés au rendement. Ces autres mesures peuvent être un test d'aptitude ou de performance, une mesure objective de productivité ou de qualité, un échantillon de travail pris au hasard, un questionnaire sur les connaissances ou sur la motivation au travail, une évaluation indépendante effectuée par d'autres supérieurs ou par les collègues de l'employé. Une troisième méthode, la **validité prédictive**, consiste à vérifier s'il existe une relation entre les résultats de l'évaluation d'un employé à un moment donné et le déroulement de sa carrière par la suite (par exemple le nombre de promotions ou d'augmentations de salaire); il faudrait cependant s'assurer que ces événements ne sont pas influencés par l'évaluation antérieure et que le succès futur dépend du rendement actuel, et non seulement du potentiel.

LA FIDÉLITÉ

La fidélité d'un instrument de mesure signifie généralement qu'il donne toujours les mêmes résultats lorsqu'on s'en sert à plusieurs reprises pour mesurer un même objet qui n'a pas changé. Il existe aussi plusieurs types de fidélité d'un instrument de mesure. La **fidélité de stabilité** est démontrée si deux évaluations du rendement effectuées à deux ou trois semaines d'intervalle classent les employés de la même façon. La **fidélité d'équivalence** est présente lorsque deux évaluateurs, utilisant le même formulaire pour mesurer le rendement d'un même groupe d'employés à un moment donné, arrivent aux mêmes résultats. La **fidélité d'homogénéité** exige que plusieurs questions de l'instrument d'évaluation, prétendant mesurer le même point (par exemple, trois questions sur la qualité du travail), donnent effectivement les mêmes résultats.

Répétons ici que la fidélité n'est pas une preuve de validité, car un instrument de mesure pourrait donner toujours les mêmes résultats sans que ces résultats soient pour autant conformes à la réalité (comme le ferait un thermomètre mal calibré, par exemple). Par contre, nous pouvons affirmer qu'un instrument valide est nécessairement fidèle et qu'un instrument qui n'est pas fidèle ne peut être valide.

8.4 LES MÉTHODES D'ÉVALUATION

Les méthodes d'évaluation désignent ordinairement les différents types de formulaires d'évaluation que l'on remet aux supérieurs, ainsi que les manuels de procédure qui les accompagnent. Certaines de ces méthodes existent depuis 75 ans, d'autres sont récentes. Parmi toutes celles présentées ci-dessous, les plus courantes dans l'entreprise sont **les échelles de notation** (pour l'évaluation des employés) et **la direction par objectifs** (pour l'évaluation des cadres). Par contre, ce sont probablement **les échelles basées sur les comportements** qui rassemblent le plus d'adeptes parmi les auteurs et les chercheurs.

8.4.1 LES ÉCHELLES DE NOTATION

La méthode des échelles de notation est beaucoup plus répandue que les autres, et c'est aussi celle qui vient naturellement à l'esprit lorsqu'on pense à évaluer une personne ou un objet en fonction de plusieurs critères. Il s'agit simplement de placer à gauche du formulaire une série de critères, et à droite une échelle quelconque permettant d'indiquer jusqu'à quel point l'individu possède ou répond à chacun des critères. Voici un exemple très simple :

	Médiocre	Passable	Bon	Très bon	Excellent
Quantité de travail	☐	☐	☐	☐	☐
Qualité du travail	☐	☐	☐	☐	☐
Ponctualité	☐	☐	☐	☐	☐

La méthode des échelles de notation permet aussi plusieurs variations. On peut, par exemple, placer une courte explication sous chaque critère afin d'en préciser le sens; on peut aussi, pour chaque critère, expliquer brièvement ce que l'on entend par «médiocre», «passable», etc. On peut enfin attribuer des points aux différentes valeurs du continuum (médiocre = 1, excellent = 5) et arriver ainsi à un score total pour chaque employé; dans ce dernier cas, il serait préférable d'accorder une pondération différente pour certains critères (par exemple, plus de points devraient être alloués à la quantité de travail qu'à la ponctualité). Notons finalement que cette méthode amène habituellement une évaluation de type absolu, c'est-à-dire que l'évaluateur ne compare pas ses employés entre eux; il pourrait en fait utiliser cette méthode même s'il n'avait qu'un seul employé.

Les échelles de notation constituent la plus ancienne des méthodes d'évaluation (les premières apparurent au début du siècle). Elles ont fait l'objet d'innombrables recherches et de nombreuses critiques, surtout parce qu'elles prêtent le flanc à plusieurs erreurs d'évaluation que nous verrons plus loin (erreur centrale, effet de halo, etc.). Cependant, on peut améliorer considérablement les échelles de notation en évitant qu'elles portent sur des traits de personnalité et en définissant, selon les comportements, chacune des catégories de l'échelle d'évaluation, comme nous le verrons plus loin.

8.4.2 LE CLASSEMENT PAR RANG

Le classement par rang consiste tout simplement à dresser une liste allant du meilleur employé au pire, en fonction d'un critère donné (ordinairement le rendement global). Cette méthode est évidemment très simple, très rapide et peu coûteuse; elle permet aussi d'éviter des erreurs d'évaluation que nous verrons plus loin, à savoir l'erreur centrale et l'erreur des extrêmes. Pour faciliter le processus, on recommande à l'évaluateur, qui aurait plusieurs employés à évaluer, de choisir d'abord le meilleur et le pire des employés, ensuite le deuxième meilleur et le deuxième pire, etc.

Comme toutes les méthodes comparatives, la méthode du classement par rang ne renseigne pas sur la valeur absolue de chaque employé. De plus, les raisons qui font qu'un individu est classé avant un autre sont loin d'être toujours claires et acceptables par tous. Finalement, ce type d'évaluation se prête très mal à une entrevue subséquente avec l'employé, car dire à un employé qu'il n'est pas aussi bon qu'un autre, c'est un peu comme dire à un enfant qu'il n'est pas aussi gentil (ou aussi travaillant ou aussi propre) que sa sœur. Il n'y a rien de tel pour provoquer une réaction négative et pour envenimer le climat entre les personnes ainsi comparées.

8.4.3 *LA COMPARAISON PAR PAIRES*

La comparaison par paires est une autre façon de classer tous les employés du meilleur au pire. Chaque individu est comparé à tour de rôle avec chacun des autres membres du groupe, et chaque fois qu'il sort «victorieux» de cette comparaison, l'évaluateur lui alloue un signe +. Le rang de chaque employé est déterminé par le nombre de signes + qu'il aura accumulé pendant ce processus. La comparaison étant toujours faite entre un individu et un autre (et non entre un individu et tous les autres, comme c'est le cas dans le classement par rang), la méthode est plus facile et probablement plus valide, surtout si le groupe comprend un grand nombre d'individus. Paradoxalement, c'est justement lorsque le groupe est considérable que cette méthode est peu pratique, le nombre de comparaisons $[n(n-1)/2]$ atteignant vite des proportions gigantesques.

8.4.4 *LA DISTRIBUTION IMPOSÉE*

La distribution imposée est une autre variante de la méthode du classement par rang, mais plutôt que d'être classés individuellement, les employés le sont par classe ou par groupe; par exemple: les 10 % meilleurs, les 20 % qui suivent, les 40 % du milieu, les 20 % qui suivent, les 10 % pires. On tente ainsi d'imposer une sorte de «courbe normale» à l'évaluateur. Cette méthode est moins onéreuse que les deux précédentes, car la plupart des patrons éprouvent peu de difficulté à classer tous leurs employés en cinq catégories. Il ne faut cependant pas oublier que cette évaluation doit rester comparative et ne pas se transformer en évaluation absolue. Concrètement, cela veut dire qu'il est permis d'attribuer aux catégories extrêmes les qualificatifs «meilleurs» et «pires», mais il n'est pas permis de leur attribuer les qualificatifs «excellents» et «médiocres». Dans tout groupe, il y a nécessairement 10 % des employés qui peuvent être catalogués comme étant les pires, mais il n'y en a pas nécessairement 10 % qui sont médiocres!

8.4.5 L'ÉVALUATION OUVERTE

Selon l'approche de l'évaluation ouverte, l'évaluateur doit remplir un formulaire presque vierge, en décrivant dans ses propres termes le rendement de l'employé sous un certain nombre de rubriques: connaissances, attitude envers les supérieurs, qualité du travail, etc. Le formulaire peut aussi comporter quelques questions plus précises, par exemple: «Est-ce que l'employé s'entend bien avec ses collègues?». Avec ce type d'évaluation, on espère que l'intervieweur sera forcé de porter une plus grande attention à son appréciation que s'il avait simplement à cocher des cases l'une après l'autre. Toutefois, les évaluateurs n'ont pas tous la même capacité de rédiger, ou ils se lassent d'écrire les mêmes petits «romans» d'une évaluation à l'autre. De plus, la méthode donne des résultats qui sont presque impossibles à compiler et à comparer.

8.4.6 LES INCIDENTS CRITIQUES

Dans sa forme la plus simple, la méthode d'évaluation selon les incidents critiques consiste, pour l'évaluateur, à tenir une sorte de journal dans lequel il note régulièrement les comportements bons ou mauvais qu'il observe chez ses employés. Pour éviter des entrées trop nombreuses ou inutiles, il s'en tient aux comportements ou aux incidents qui ont une influence majeure sur l'efficacité ou le rendement de l'employé, ceux qui distinguent vraiment un travail bien fait d'un travail mal fait. Les avantages de cette méthode sont que, d'une part, l'évaluateur est obligé de porter son attention sur les comportements plutôt que sur la personnalité et que, d'autre part, ces renseignements constituent une banque considérable d'exemples concrets qu'il pourra utiliser lors de l'entrevue d'évaluation. Parallèlement, cette méthode comporte aussi des inconvénients: elle nécessite beaucoup de temps et produit des résultats difficilement quantifiables ou comparables; de plus, les employés détestent être surveillés d'aussi près par un supérieur qui inscrit tout quotidiennement dans son petit «livre noir».

8.4.7 LES LISTES DE COMPORTEMENTS

La méthode des listes de comportements pourrait être perçue comme la suite logique de la méthode précédente. Ayant recensé et analysé un grand nombre de comportements positifs ou négatifs, on peut établir une liste des plus importants comportements (30 ou 50) et leur attribuer une pondération indiquant jusqu'à quel point ils sont bons ou mauvais (il existe plusieurs méthodes pour cela). Par la suite, cette liste est inscrite sur un formulaire, et l'évaluateur n'a plus qu'à cocher les comportements qui reflètent bien ce qu'il a observé chez le subalterne; par exemple: «Se tient informé de tous les aspects de son travail», «Ne gaspille pas de temps», «Se plaint chaque fois qu'on veut introduire un changement». La pondération (ordinairement inconnue de l'évaluateur) permet d'obtenir un score pour chaque employé.

Une variante, la méthode des choix forcés, présente à l'évaluateur un grand nombre de paires de comportements et l'oblige à indiquer lequel des deux décrit le mieux l'employé. Cette variante a été inventée pour empêcher les évaluateurs de «tricher», c'est-à-dire de favoriser certains employés; elle est complexe et peu utilisée.

8.4.8 *Les échelles basées sur les comportements*

La méthode d'évaluation par échelles basées sur les comportements est une autre façon plus raffinée d'utiliser les incidents critiques.

1. Les incidents ou exemples concrets de bons ou de mauvais comportements sont soumis par les employés eux-mêmes lors d'entrevues menées par un analyste interne ou externe. On peut ainsi en obtenir plusieurs centaines.

2. Un groupe de personnes (quatre ou cinq employés ou analystes) classe tous ces comportements en un certain nombre de catégories; par exemple: compétences techniques, contacts avec les clients, relations avec les collègues.

3. Pour s'assurer que les catégories sont bien définies, on demande à un autre groupe d'individus de faire le chemin inverse, c'est-à-dire de prendre les catégories que l'on a créées (les titres seulement) et essayer d'attribuer tous les comportements à la catégorie qui convient le mieux. Ces deux étapes (2 et 3) donnent éventuellement 5, 10 ou 15 catégories distinctes (qui deviendront les «critères» d'évaluation), comprenant chacune plusieurs comportements plus ou moins bons ou mauvais.

4. L'étape suivante consiste à réunir un autre groupe qui sera chargé de classer tous les comportements de chaque catégorie en 7 ou 9 blocs, allant de «mauvais» à «excellent».

5. En ne gardant ensuite qu'un seul comportement typique par bloc, on obtient une échelle graduée non pas avec des termes vagues comme médiocre, passable, bon, etc., mais avec des exemples concrets de ce qu'on entend par un comportement médiocre, passable, etc., et ce, pour chaque catégorie ou critère.

6. Ces échelles sont ensuite présentées à l'évaluateur qui n'a plus qu'à cocher au bon endroit, c'est-à-dire à indiquer quel comportement reflète le mieux ce qu'il a observé (ou ce qu'il croit que l'employé ferait en pareilles circonstances).

La figure 8.3 donne un exemple d'échelle basée sur les comportements pour ce qui concerne la motivation au travail. Cette méthode est fort compliquée et comporte plusieurs désavantages. Mentionnons en particulier que plusieurs des comportements déduits de l'analyse des postes y sont éliminés. De plus, il peut être très difficile pour un évaluateur de trouver une similarité entre la performance de l'employé et les exemples très précis de comportements utilisés pour subdiviser les échelles.

FIGURE 8.3 *UN EXEMPLE D'ÉCHELLE BASÉE SUR LES COMPORTEMENTS*

Catégorie motivation : le désir et la volonté de travailler fort

7	On peut s'attendre que cet employé aide ses collègues dans l'accomplissement de leur travail lorsqu'il a terminé ses propres tâches
6	
5	On peut s'attendre que cet employé effectue son travail même en l'absence du superviseur
4	
3	On peut s'attendre que cet employé refuse de travailler des heures supplémentaires
2	
1	On peut s'attendre que cet employé critique ses collègues qui travaillent plus rapidement que les autres

Une méthode plus simple et meilleure, à notre avis, consiste à collectionner les incidents et à les classer par catégories (comme ci-dessus, étapes 1, 2 et 3). On présente ensuite à l'évaluateur cinq ou six de ces comportements pour chaque catégorie, et on lui demande d'indiquer, sur une échelle allant de 1 à 5, jusqu'à quel point l'employé manifeste ou non chaque comportement.

Pour chacune des personnes évaluées, on additionne les cotes obtenues dans chaque catégorie et on obtient un résultat global. Par exemple, dans le cas où l'instrument comporterait 36 items (c'est-à-dire 36 comportements observables), le résultat global pourrait être de 36 au minimum (36 $\times$ 1) et de 180 au maximum (36 $\times$ 5).

Cette méthode ressemble à celle des «listes de comportements» décrites plus haut; elle en diffère cependant par la participation des employés dans le choix des exemples de comportements bons ou mauvais, lesquels sont regroupés par catégories ou critères; aussi, l'évaluateur peut fournir une réponse plus nuancée que simplement «oui» ou «non» (l'employé agit ainsi ou non). Notons qu'avec ces deux méthodes, il faut autant de formulaires d'évaluation qu'il y a de groupes de tâches, car les incidents ou les comportements critiques ne sont pas les mêmes pour les infirmières que pour les plombiers (du moins nous l'espérons!).

8.4.9 LA DIRECTION PAR OBJECTIFS

La direction par objectifs est beaucoup plus qu'une simple méthode d'évaluation; c'est un processus continu, une façon de gérer, un mode de communication entre le supérieur et le subalterne. Les étapes essentielles de ce processus sont les suivantes.

1. Le patron et l'employé se rencontrent pour préciser le contenu de la tâche de l'employé et ses responsabilités.

2. Les deux parties s'entendent sur les objectifs précis et mesurables que l'employé doit atteindre dans les mois qui viennent et sur l'aide dont il a besoin pour y arriver.

3. Après une certaine période de temps, les deux parties se rencontrent de nouveau et parviennent à une entente sur le rendement de l'employé par rapport à ses objectifs et sur les causes d'échec, s'il y a lieu.

4. Le processus recommence pour une autre période.

Les avantages théoriques de cette procédure (qui n'est simple qu'en apparence) sont considérables : les critères, c'est-à-dire les objectifs à atteindre, et les normes d'évaluation sont clairs, l'employé participe à sa propre évaluation, l'évaluation porte sur les résultats obtenus et non sur la personnalité, le patron est beaucoup plus un conseiller qu'un juge et les deux parties travaillent autant à bâtir l'avenir qu'à analyser le passé.

La direction par objectifs ne compte pas que des avantages théoriques : elle comporte aussi certains problèmes pratiques. Premièrement, l'évaluateur et l'évalué attachent beaucoup d'importance aux résultats quantifiables et ils ont tendance à négliger ceux qui ne le sont pas. Deuxièmement, l'évaluation porte surtout sur les résultats et très peu sur les comportements, ce qui peut créer d'autres problèmes, comme nous l'avons vu. Troisièmement, l'employé, prévoyant qu'il sera évalué sur l'atteinte de ses objectifs, a tendance à fixer ceux-ci à un niveau relativement facile. Quatrièmement, le patron essaie, lors des rencontres, de concilier deux rôles qui sont difficilement compatibles : celui de conseiller et celui de juge, car il faut bien qu'une évaluation quelconque résulte de ce processus. Pour éviter ce dernier problème, on recommande que le patron joue pleinement (et uniquement) son rôle de conseiller lors de plusieurs rencontres pendant l'année (4, 6 ou même 12), et qu'à la fin de l'année, il agisse en juge lors d'une rencontre consacrée entièrement à l'évaluation.

8.5 LES ERREURS D'ÉVALUATION

Les erreurs d'évaluation pourraient être définies comme des erreurs de jugement qui se produisent d'une façon systématique lorsqu'un individu en évalue un autre. Elles faussent l'évaluation, qui n'est alors plus conforme à la réalité. Certains évaluateurs commettent plus d'erreurs d'évaluation que d'autres, mais aucun n'est tout à fait immunisé contre ce genre de fautes. Les erreurs sont d'autant plus difficiles à corriger que l'évaluateur n'en est habituellement pas conscient. Parmi les principales erreurs d'évaluation identifiées par les chercheurs, mentionnons les suivantes.

8.5.1 L'EFFET DE CONTRASTE

L'effet de contraste est la tendance à évaluer un individu en comparaison de ceux qui l'entourent, plutôt que par rapport aux exigences de sa tâche et à son rendement absolu. Supposons deux employés ayant un rendement identique très moyen: le premier est entouré de collègues exceptionnels, tandis que les collègues du second sont médiocres. Il y a fort à parier que le premier sera évalué beaucoup moins favorablement que le deuxième, alors que la valeur absolue du rendement de ces deux employés est pourtant la même.

8.5.2 LA PREMIÈRE IMPRESSION

La première impression est un phénomène bien connu dans le domaine de la perception; cette erreur est commise surtout envers les nouveaux employés ou envers ceux qui arrivent dans un nouveau service. Ayant été favorablement ou défavorablement impressionné par le rendement initial du nouvel employé (pendant un mois ou deux), le patron fixe son jugement et néglige ou refuse de le modifier par la suite, même si le rendement de l'employé change considérablement. Cela tient au fait que la perception est sélective et continue: le patron, ayant déterminé selon sa première impression que l'employé est bon (ou mauvais), ne verra par la suite que les actions qui confirment son jugement initial.

8.5.3 L'EFFET DE HALO

L'effet de halo est la tendance à étendre à tous les aspects du rendement une impression favorable ou défavorable née de l'observation d'un seul aspect du rendement (ou de seulement quelques aspects). Ainsi, parce qu'une secrétaire est ponctuelle et rapide au traitement de texte, on sera porté à l'évaluer favorablement sur les autres aspects de son travail, comme la réception des visiteurs, le classement des dossiers, l'initiative, la coopération, etc.

8.5.4 L'ERREUR CENTRALE

L'erreur centrale consiste à évaluer d'une façon neutre, c'est-à-dire à classer comme «bons» ou «moyens», des employés qui devraient être évalués à l'un ou l'autre extrême de l'échelle, à savoir «médiocres» ou «excellents». C'est une façon pour l'évaluateur, soit parce qu'il connaît mal l'employé, soit parce qu'il manque de courage, de ne pas prendre le risque d'adopter une position claire qu'il serait peut-être obligé de défendre par la suite.

8.5.5 L'ERREUR DES EXTRÊMES

L'erreur des extrêmes est un peu le contraire de l'erreur centrale. Certains évaluateurs sont trop exigeants et considèrent que presque tous les employés sont médiocres ou à peine passables; d'autres ont une tendance contraire: ils voient la vie en rose et décrivent tous leurs employés comme étant formidables et fantastiques.

8.5.6 LA RESSEMBLANCE AVEC L'ÉVALUATEUR

Plusieurs recherches ont démontré que l'on juge plus favorablement les gens qui nous ressemblent, parce qu'ils proviennent du même milieu social, qu'ils ont étudié à la même université, qu'ils pratiquent les mêmes sports ou qu'ils ont les mêmes opinions, les mêmes intérêts, etc. Cette tendance peut évidemment fausser un jugement au moment de l'évaluation du rendement.

8.5.7 LES REMÈDES

Tous ces types d'erreurs ont fait l'objet de recherches approfondies. Quant aux remèdes proposés, nous pouvons les classer en trois catégories:

1. ceux qui concernent le formulaire et la procédure d'évaluation (par exemple, l'effet de halo peut être diminué en demandant aux patrons d'évaluer tous leurs employés selon un seul et même critère avant de passer à un deuxième);

2. les corrections statistiques après coup (l'erreur centrale et l'erreur des extrêmes peuvent être corrigées ainsi);

3. la formation des évaluateurs, qui est encore la meilleure solution; plusieurs programmes de formation ont d'ailleurs été élaborés dans ce but.

8.6 L'ÉVALUATION PAR D'AUTRES PERSONNES QUE LE SUPÉRIEUR IMMÉDIAT

Jusqu'ici, nous avons toujours supposé que l'évaluateur était le supérieur immédiat, ce qui est vrai dans la majorité des cas. Plusieurs expériences ont cependant été faites en utilisant d'autres évaluateurs, comme un supérieur de second palier, un comité de plusieurs personnes, les collègues de l'évalué, l'employé lui-même, des subalternes (dans le cas de l'évaluation d'un patron). Nous aborderons deux de ces types d'évaluation.

8.6.1 *L'ÉVALUATION PAR LES COLLÈGUES*

Il est certain que les personnes de même niveau hiérarchique qui travaillent ensemble s'évaluent mutuellement d'une façon informelle. A priori, on pourrait même supposer que ces évaluations sont plus valides que celles qui proviennent des patrons, et ce pour trois raisons :

1. les occasions d'observer les comportements sont plus nombreuses ;
2. les comportements manifestés devant les collègues sont plus naturels et plus représentatifs de la réalité que ceux adoptés lorsqu'on se sent observé par un supérieur ;
3. l'évaluation faite par plusieurs collègues est plus nuancée qu'une évaluation faite par un seul individu, soit le patron.

Plusieurs dizaines d'études ont porté sur la valeur des évaluations par les collègues ; de façon générale, elles confirment l'hypothèse énoncée plus haut. Nous savons, par exemple, que la fidélité d'équivalence et de stabilité de ces évaluations est relativement élevée ; concrètement, cela veut dire que les collègues évaluateurs ont tendance à s'entendre entre eux sur les mérites d'un individu, et que deux évaluations successives (dans un laps de temps assez court) donnent sensiblement les mêmes résultats. D'autres études ont montré que la validité prédictive des évaluations par les collègues est souvent supérieure à celle des évaluations effectuées par les patrons ; le succès ou l'échec éventuel de plusieurs individus dans des carrières telles que l'armée, la direction d'entreprise, la vente, la médecine, la police, a été « prédit » avec beaucoup d'exactitude par les collègues de ces individus, parfois plusieurs années à l'avance.

En dépit de ces résultats positifs, il faut bien reconnaître que les systèmes d'évaluation par les collègues sont très rares dans nos organisations. Cela tient à plusieurs raisons, dont voici les principales.

LA RÉTICENCE À ÉVALUER SES COLLÈGUES

Il n'est pas du tout certain que les collègues aient envie de s'évaluer mutuellement. Une évaluation négative risque de créer des tensions avec lesquelles il faudra ensuite vivre pendant des mois ou des années, surtout si l'évalué finit par connaître le nom du ou des collègues à qui il doit un mauvais dossier. Dans le même ordre d'idées, il faudrait aussi mentionner la réticence à être évalué par ses collègues. Une étude réalisée auprès de 174 professeurs d'université a démontré que 90 % d'entre eux voulaient abolir ou modifier le système actuel d'évaluation par les collègues. La principale raison invoquée est que les collègues n'évaluent pas sérieusement, qu'ils se laissent influencer par les conflits de personnalité.

LA CONCURRENCE ENTRE COLLÈGUES

Il faut reconnaître que les collègues sont ordinairement en compétition entre eux pour obtenir des ressources rares comme des augmentations de salaire, des promotions, des budgets, du personnel, etc. La tentation pourrait être forte (si l'anonymat est assuré) de décrire le voisin en des termes peu flatteurs.

LA DIVERGENCE DES CRITÈRES ET DES NORMES

Il peut très bien arriver (et c'est la crainte des patrons) que les collègues n'utilisent pas, au moment de l'évaluation, les critères que le supérieur voudrait voir utiliser; il est également possible que les normes ou les standards des collègues soient moins élevés que ceux du supérieur, et que les collègues ne connaissent pas exactement ce que le patron attend d'un employé ou les objectifs que cet employé s'est engagé à atteindre.

8.6.2 L'AUTO-ÉVALUATION DE L'EMPLOYÉ

Il n'existe probablement aucune organisation où l'évaluation complète et finale d'un employé est faite par lui seul. Par contre, plusieurs entreprises utilisent un système dans lequel l'auto-évaluation de l'employé est discutée avec le supérieur immédiat, ou encore confrontée avec une évaluation préparée d'avance par celui-ci. Les deux modalités semblent apporter d'excellents résultats (non pas en matière de validité, mais par rapport aux attitudes et au rendement subséquents de l'employé).

Une expérience réalisée à la Générale Électrique a porté sur la première modalité: l'employé s'évaluait lui-même grâce à un formulaire préparé par la compagnie; il apportait celui-ci lors d'une entrevue d'évaluation avec son patron, lequel n'avait rien préparé d'avance. La discussion portait entièrement sur le document de l'employé, mais le patron n'était pas obligé de l'accepter tel quel; il pouvait émettre des réserves et exiger que le document soit modifié en conséquence. Par rapport à la méthode traditionnelle d'évaluation, cette nouvelle approche a donné les résultats suivants:

– des entretiens plus satisfaisants et plus constructifs pour les deux parties;

– une diminution des réactions défensives de la part des subalternes (ils acceptaient mieux les remarques négatives du patron);

– une amélioration du rendement à la suite de l'entrevue.

Quant à la deuxième modalité, à savoir que le patron évalue l'employé sur un formulaire avant la rencontre et que l'employé fait de même, elle est beaucoup plus répandue. En fait, on la trouve dans toutes les organisations qui ont instauré un système de direction par objectifs. L'immense documentation qui existe sur ce sujet fait état de résultats généralement très positifs.

Les avantages des systèmes qui encouragent une certaine forme d'auto-évaluation suivie d'un entretien avec le supérieur tiennent aux facteurs suivants:

– l'employé est amené à réfléchir sérieusement et par lui-même sur le contenu de sa tâche, sur ses responsabilités, sur les hauts et les bas de son rendement et sur les causes de cette situation. Il pense non seulement à ses faiblesses et à ses problèmes, mais aussi aux solutions qu'il pourrait suggérer à son patron lors de l'entretien;

– le patron apprend à voir la situation du point de vue de l'employé et il découvre comment celui-ci perçoit son travail, son rendement, ses difficultés. Il devient beaucoup plus facile par la suite d'arriver à une entente sur les responsabilités précises de l'employé et sur les objectifs qu'il doit atteindre.

8.6.3 *LA CONCORDANCE DES TROIS TYPES D'ÉVALUATION*

Plusieurs auteurs ont cherché à savoir si les évaluations effectuées par le patron, par les collègues et par l'individu lui-même concordaient, c'est-à-dire si elles produisaient les mêmes résultats. La question a une certaine importance, surtout en ce qui concerne les évaluations par le patron et par l'employé lui-même. Il est évident que l'employé s'auto-évalue, même si cela ne fait pas partie du système formel d'évaluation. Il est également évident que s'il se voit blanc alors que son supérieur le voit noir, l'entrevue d'évaluation (dont nous parlerons plus loin) risque d'être difficile, et peut-être même pénible pour les deux parties, tout en devenant d'autant plus nécessaire: ces différences de perception devront être discutées ouvertement jusqu'à ce qu'un certain consensus soit atteint.

Une recherche menée au Québec a porté précisément sur la concordance des types d'évaluation. L'échantillon comprenait 200 cadres d'une grande entreprise manufacturière. On demanda d'abord à chacun des cadres de s'auto-évaluer en fonction des critères suivants: effort, motivation, compétence, quantité de travail, qualité du travail, rendement global. Par la suite, chaque cadre fut évalué par plusieurs de ses collègues (plus exactement par 3,2 collègues, en moyenne). Finalement, les supérieurs immédiats de ces 200 cadres les évaluèrent, toujours selon les mêmes critères. Les principaux résultats de cette recherche, présentés dans le tableau 8.1, indiquent clairement que par rapport à tous les critères, les subalternes s'évaluent plus favorablement que ne le font leurs supérieurs. Les résultats démontrent également que les évaluations des collègues se situent à mi-chemin entre celles des supérieurs et celles des subalternes.

Plusieurs théories peuvent être avancées pour expliquer ces résultats. Par exemple, il est fort probable que les normes des trois groupes ne sont pas les mêmes. Les normes du patron sont établies en fonction de l'une ou l'autre source suivante:

TABLEAU 8.1 *LA COMPARAISON ENTRE LES ÉVALUATIONS PAR LES SUPÉRIEURS, PAR LES COLLÈGUES ET PAR LES EMPLOYÉS EUX-MÊMES*

	Supérieurs	Collègues	Employés
Effort	3,80	3,93	4,04
Motivation	3,73	3,77	3,92
Compétence	3,77	3,91	3,92
Quantité de travail	3,69	3,86	3,92
Qualité du travail	3,81	3,89	4,00
Rendement global	3,73	3,85	3,95
Moyenne	3,75	3,86	3,95

Notes: 1. Les évaluations ont été faites sur une échelle allant de 1 (nettement au-dessous de la moyenne) à 5 (nettement au-dessus de la moyenne).
2. Toutes les différences entre la première et la troisième colonne sont significatives à 0,05 ou mieux.

Source: BERGERON, J.-L., «L'évaluation du rendement: perceptions de l'employé, de son employeur et de ses collègues», *Relations industrielles*, Québec, 32, 4, p. 613.

- la comparaison avec les meilleurs employés de son service;
- l'image de l'employé idéal qu'il s'est construite au cours des années;
- la façon dont il accomplirait le travail s'il était à la place du subalterne.

Dans tous les cas, les normes ainsi développées risquent d'être relativement élevées. L'employé, quant à lui, établit sans doute ses normes en fonction de deux critères:

- le rendement dont il a fait preuve dans le passé: selon la **théorie du niveau d'aspiration**, l'employé sera satisfait de lui-même si son rendement actuel égale ou dépasse légèrement son rendement antérieur;
- le rendement qu'il observe chez ses collègues, c'est-à-dire la comparaison avec ceux qui l'entourent: selon la **théorie de la comparaison sociale,** pour préserver l'estime de soi, l'employé sélectionnera soigneusement ceux avec qui il se compare et rejettera toute comparaison qui le mettrait en opposition avec les supervedettes de son service.

Il est évident que ces derniers critères risquent de produire des normes inférieures à celles du patron et, par conséquent, une évaluation plus élevée. Quant aux collègues, il est permis de croire qu'ils comparent le rendement de l'employé avec la façon dont eux-mêmes accompliraient le travail, et non avec le rendement du meilleur employé ou d'un employé «idéal».

8.7 L'ENTREVUE D'ÉVALUATION

Tous les auteurs s'entendent pour dire que le supérieur doit rencontrer régulièrement chacun de ses subalternes pour discuter de leur travail, de leur rendement, de leurs objectifs et de leurs problèmes. Cette conviction semble être partagée par un grand nombre d'administrateurs. Selon une enquête effectuée par le Conference Board auprès de 200 entreprises américaines et canadiennes, environ 80 % des entreprises qui avaient un système d'évaluation tenaient à ce qu'une telle entrevue ait lieu.

8.7.1 LES OBJECTIFS ET LES MÉTHODES DE L'ENTREVUE

Pendant de nombreuses années, on a considéré que le seul but de l'entrevue d'évaluation consistait à communiquer à l'employé l'opinion de son supérieur et à lui parler de ses forces et de ses faiblesses. On croyait alors que l'employé, instruit de ses fautes et manquements, s'empresserait par la suite de les corriger pour ainsi produire mieux et davantage. Au cours des années 60, une recherche effectuée à la compagnie Générale Électrique devait cependant démontrer que les choses ne sont pas aussi simples. À l'aide d'une série de mesures prises avant, pendant et après les entrevues d'évaluation traditionnelles réalisées auprès de 92 employés, les chercheurs en arrivèrent aux conclusions suivantes.

- Les employés considèrent qu'environ la moitié des critiques qui leur sont adressées ne sont pas fondées; ils deviennent alors très défensifs, blâmant l'équipement, les autres employés, les politiques de la compagnie, etc.

- Les réactions vraiment constructives comme: «Je suis d'accord et je vais m'améliorer sur ce point» sont très rares. En fait, l'employé moyen est critiqué sur 13 points précis lors de l'entrevue, mais il n'indique son intention de s'améliorer que sur un seul de ces points.

- Les employés qui reçoivent un grand nombre de critiques s'améliorent moins par la suite que ceux qui en reçoivent très peu.

- Les félicitations aux employés pendant l'entrevue ont très peu d'influence sur leur rendement futur.

L'énorme publicité (un peu exagérée, compte tenu de certaines faiblesses méthodologiques) accordée à cette recherche devait amener un grand nombre de personnes à s'interroger sur les objectifs, les méthodes et les conditions de succès de l'entrevue d'évaluation. On attacha alors beaucoup d'importance à une publication antérieure dans laquelle Maier avait distingué trois approches pour l'entrevue d'évaluation:

1. la méthode «Juge et vends», selon laquelle le patron évalue l'employé et essaie de le convaincre de l'exactitude de son évaluation;

2. la méthode «Juge et fais parler», selon laquelle le patron communique son évaluation à l'employé et l'invite ensuite à exprimer ses réactions et ses sentiments;

3. la méthode de «résolution de problèmes», selon laquelle le supérieur oriente la discussion vers les problèmes de travail vécus par l'employé et les solutions qui pourraient être apportées par les deux parties.

Aujourd'hui, après 25 ans et quelques milliers de publications, la méthode de résolution de problèmes a conquis la faveur des théoriciens et de plusieurs administrateurs. Une liste des objectifs de l'entrevue d'évaluation, dressée à l'heure actuelle, comprendrait probablement les éléments suivants :

— une meilleure appréciation par le patron des attitudes, des sentiments et des problèmes de l'employé ;

— une clarification de la tâche et des responsabilités de l'employé ;

— un examen approfondi des causes organisationnelles et individuelles de certains problèmes de rendement ou d'efficacité ;

— l'établissement conjoint d'objectifs précis pour les mois à venir ;

— l'élaboration d'une liste d'actions ou d'attitudes que le supérieur devrait adopter pour aider le subalterne dans l'accomplissement de sa tâche.

L'entrevue d'évaluation est donc perçue, dans les années 90, comme une rencontre au cours de laquelle les deux parties étudient ensemble la solution des problèmes qui empêchent le subalterne de donner son plein rendement.

8.7.2 *LES CARACTÉRISTIQUES D'UNE BONNE ENTREVUE D'ÉVALUATION*

Cette nouvelle conception de l'entrevue d'évaluation provient en partie d'un grand nombre de recherches au cours desquelles on a tenté de découvrir les caractéristiques des entrevues d'évaluation fructueuses en matière de satisfaction et de rendement. Une liste de ces caractéristiques comprendrait les points suivants :

— la participation accrue du subalterne dans le processus d'évaluation ; cela sous-tend que le subalterne doit s'engager davantage dans sa propre évaluation et apporter au moins autant d'éléments que son supérieur lors de l'entretien ;

— une attitude sympathique de la part du supérieur au moment de l'entrevue ;

— l'établissement conjoint d'objectifs précis et élevés mais réalistes, que le subalterne s'engage à atteindre dans les mois qui suivent l'évaluation ;

— une discussion approfondie sur les obstacles et les problèmes que le subalterne rencontre dans son milieu de travail ;

— un nombre très restreint de critiques de la part du patron (deux ou trois), qui doivent porter sur la description objective de comportements ou de résultats inadéquats (« Tu es arrivé en retard 12 fois le mois dernier »), plutôt que sur des traits de personnalité (« Tu es paresseux ») ;

– la possibilité, pour le subalterne, d'exprimer ouvertement ses craintes, ses réactions, ses sentiments, ses objections et ses perceptions de l'organisation et du milieu de travail.

La capacité de diriger une entrevue d'évaluation incluant tous ces éléments n'est pas donnée automatiquement à ceux qui accèdent à un poste de gestion : elle nécessite une formation centrée sur des exercices pratiques. Par exemple, le programme d'entraînement mis au point par Goldstein et Sorcher (1974), auteurs reconnus dans le domaine, comprend les éléments suivants :

– la présentation d'un film sur la bonne façon de réaliser une entrevue d'évaluation ;

– des jeux de rôles permettant à chaque participant de mettre en pratique les techniques et les principes enseignés ;

– une appréciation adressée à chaque participant par l'animateur et les autres membres du groupe concernant leurs attitudes au cours des jeux de rôles ;

– de nouveaux jeux de rôles basés sur des situations de plus en plus semblables à celles que le participant rencontrera à l'usine ou au bureau.

8.8 CONCLUSION

Plusieurs points importants n'ont pas été traités dans ce chapitre, faute d'espace, telles les étapes d'implantation d'un système d'évaluation du rendement, les procédures administratives et de contrôle du système, l'évaluation du potentiel et la relation entre les programmes d'évaluation du rendement et les programmes de rémunération.

Parmi les points couverts, en voici quelques-uns qui nous semblent particulièrement importants.

– Toutes les entreprises effectuent une évaluation informelle du rendement ; l'évaluation formelle et systématique est moins répandue, mais elle comporte des avantages très marqués, à condition d'être bien faite.

– L'évaluation du rendement peut et doit contribuer à l'atteinte des objectifs de l'organisation ; pour cela, elle doit se situer dans un contexte de gestion de la performance et être cohérente avec l'environnement et la stratégie organisationnelle.

– La volonté d'évaluer, la capacité d'évaluer, des critères appropriés, des mesures adéquates à chaque critère et des normes claires et réalistes sont les conditions essentielles à une bonne évaluation.

– Un bon système d'évaluation doit être valide et fidèle; il existe plusieurs façons de définir et de mesurer ces caractéristiques, et c'est habituellement le service des ressources humaines qui verra à ce que les instruments d'évaluation soient conformes.

– Parmi la dizaine de méthodes existantes d'évaluation du rendement, les meilleures sont basées sur une analyse du poste et permettent d'identifier les comportements et les résultats attendus et de comparer ces attentes avec la réalité.

– Plusieurs types d'erreurs d'évaluation ont été décelés et étudiés par des chercheurs; on a ainsi découvert que certaines erreurs étaient reliées à des méthodes d'évaluation particulières. La formation pratique des évaluateurs permet de réduire la présence ou l'effet de ces erreurs.

– L'évaluation peut être effectuée par les collègues de l'employé ou par l'employé lui-même. L'évaluation par les collègues donne de très bons résultats sur le plan de la validité prédictive, mais, pour toutes sortes de raisons, elle est rarement utilisée. L'auto-évaluation apporte aussi de bons résultats lorsqu'elle est employée conjointement avec une évaluation par le supérieur. Il faut cependant être conscient que les employés ont tendance à s'évaluer plus favorablement que ne le font leurs collègues ou leur supérieur.

– L'entrevue d'évaluation est importante, mais difficile. Elle doit permettre à l'employeur de communiquer son évaluation, et à l'employé de pouvoir s'exprimer librement, de savoir qu'il peut compter sur l'aide de son supérieur, de discuter des obstacles et des problèmes qu'il rencontre, de participer à sa propre évaluation; elle doit également permettre aux deux parties de déterminer les responsabilités de l'employé et les objectifs qu'il devrait atteindre. L'entrevue d'évaluation doit comporter peu de critiques et être orientée vers les comportements plutôt que vers les traits de personnalité. Rares sont les patrons qui peuvent diriger une bonne entrevue de ce genre sans une formation préalable adéquate.

QUESTIONS

1. Choisissez trois éléments de l'environnement interne de l'entreprise et démontrez en quoi ils peuvent influer sur la nature du système d'évaluation du rendement que l'on devrait mettre en place.

2. Expliquez pourquoi l'évaluation du rendement est un outil essentiel à la mise en place et à la réussite de la stratégie organisationnelle.

3. Expliquez la différence entre l'évaluation du rendement et la gestion de la performance.

4. Démontrez que l'évaluateur est aussi important que le «système» pour la réussite de l'évaluation du rendement.

5. Expliquez les avantages et les inconvénients des trois types de critères qui sont utilisés en évaluation du rendement (résultats, comportements, traits de personnalité).

6. Expliquez la différence entre des normes de rendement absolues et des normes comparatives.

7. Expliquez les étapes de mise en place d'un système d'évaluation qui serait basé sur des comportements observables.

8. Dites ce qu'est la «direction par objectifs» et résumez les avantages de cette approche.

9. Expliquez chacune des erreurs suivantes:

   a) l'effet de contraste;

   b) l'effet de halo;

   c) l'erreur des extrêmes.

10. Résumez les conseils que vous donneriez à un contremaître qui se prépare à faire sa première entrevue d'évaluation avec un de ses subalternes.

11. On vous demande de construire un système d'évaluation qui permettrait aux étudiants de niveau collégial ou universitaire d'évaluer le rendement de leurs professeurs. La méthode d'évaluation sera une adaptation simplifiée de ce que nous avons appelé «les échelles basées sur les comportements». Il s'agit d'un travail d'équipe dont voici les principales étapes:

- L'équipe doit d'abord dresser une liste aussi complète que possible des comportements plus ou moins bons ou mauvais observés chez les professeurs. Par exemple : « Il fournit un plan de cours détaillé », « Il parle assez fort pour se faire entendre de tous », « Il est rarement à son bureau », « Il est incapable de répondre aux questions des étudiants ». Plusieurs dizaines de comportements peuvent ainsi être accumulés.

- L'équipe tente ensuite de regrouper tous ces comportements sous un certain nombre de dimensions distinctes qui deviendront les critères d'évaluation. Par exemple : connaissance de la matière, capacité de communiquer, disponibilité, relations avec les étudiants, etc. Il faut s'assurer que toutes les dimensions importantes sont couvertes et que chaque dimension comporte plusieurs exemples de comportements bons ou mauvais, tout en éliminant les répétitions inutiles et les descriptions ambiguës.

- L'échelle prévue pour évaluer le professeur sur chacun des comportements sera la suivante : 1 = Très vrai; 2 = Plutôt vrai; 3 = Mi-vrai / mi-faux; 4 = Plutôt faux; 5 = Très faux.

- Si le temps (et le professeur...) le permet, l'équipe peut maintenant évaluer le professeur selon ce formulaire et le lui remettre (on suggère aux évaluateurs de garder l'anonymat... aussi longtemps que les notes finales du semestre ne sont pas remises!).

BIBLIOGRAPHIE

BAIRD, L.S., BEATTY, R.W. et SCHNEIER, C.E., *The Performance Appraisal Source Book*, Amherst (Mass.), Human Resource Development Press, 1982.

BARNABÉ, C., *La gestion des ressources humaines en éducation*, Montréal, Agence d'Arc, 1981, p. 171-209.

BAZINET, A., *L'évaluation du rendement*, Québec, Éditeur officiel du Québec, 1980, p. 16-17.

BEATTY, R.W., « Competitive human resource advantage through the strategic management of performance », *Human Resource Planning*, 1989, 12, 3, p. 179-194.

BERNARDIN, H.J., « Increasing the accuracy of performance measurement: a proposed solution to erroneous attributions », *Human Resource Planning*, 1989, 12, 3, p. 239-250.

BERNARDIN, H.J. et KANE, J.S., « A second look at behavioral observation scales », *Personnel Psychology*, hiver 1980, p. 810 et suivantes.

BURKE, R.J., WEITZEL, W. et WEIR, T., « Characteristics of effective employee performance review and development interviews : replication and extension », *Personnel Psychology*, 1978, 31, p. 903-919.

CAMPBELL, D.J. et LEE, C., « Self-appraisal in performance evaluation : development versus evaluation », *Academy of Management Review*, 1988, 13, 2, p. 302-314.

CASCIO, W.F. et BERNARDIN, H.J., « Implications of performance appraisal litigation for personnel decisions », *Personnel Psychology*, 1981, 34, p. 211-225.

CEDERBLOM, D. et LOUNSBURY, J.W., « An investigation of user acceptance of peer evaluations », *Personnel Psychology*, 1980, 33, p. 567-579.

CÔTÉ, M., « L'évaluation du rendement des cadres : une approche globale », *Gestion*, 1978, p. 80-90.

GILES, W.F. et MOSSHOLDER, K.W., « Employee reactions to contextual and session components of performance appraisal », *Journal of Applied Psychology*, 1990, 75, 4, p. 371-377.

GOLDSTEIN, A.P. et SORCHER, M., *Changing Supervisory Behavior*, New York, Pergamon Press, 1974.

GOSSELIN, A., *La dynamique de l'évaluation du rendement : contrainte ou opportunité ?*, communication présentée devant l'Association des gestionnaires en ressources humaines de l'Estrie (AGRHE), 16 mai 1986.

KLEIMAN, L.S. et DURHAM, R.L., « Performance appraisal, promotion and the courts : a critical review », *Personnel Psychology*, 1981, 34, p. 103-121.

LATHAM, G.P., FAY, C.H. et SAARI, L.M., « The development of behavioral observation scales for appraising the performance of foremen », *Personnel Psychology*, 1979, 32, p. 299-311.

LATHAM, G.P. et WEXLEY, K.N., *Increasing Productivity Through Performance Appraisal*, Reading (Mass.), Addison-Wesley, 1982.

LAWRIE, J., « Prepare for a performance appraisal », *Personnel Journal*, 1990, p. 132-136.

LEVINSON, H., « Appraisal of what performance », *Harvard Business Review*, Boston, 1976, 54, 4, p. 30-49.

LONDON, M. et WOHLERS, A.J., « Agreement between subordinate and self-ratings in upward feedback », *Personnel Psychology*, 1991, 44, 2, p. 375-390.

MAIER, N.R.F., *L'entretien d'appréciation*, Paris, Entreprise moderne d'édition, 1968.

MEYER, H.H., « Self-appraisal of job performance », *Personnel Psychology*, 1980, 33, p. 291-295.

MOHRMAN, A.M., RESNICK-WEST, S. et LAWLER, E.E., *Designing Performance Appraisal Systems*, San Francisco, Jossey-Bass, 1989.

NAPIER, N.K. et LATHAM, G.P., « Outcome expectancies of people who conduct performance appraisals », *Personnel Psychology*, 1986, 39, p. 827-837.

PETIT, A. et DE COTIS, T.A., « La validité des résultats en évaluation du rendement », *Relations industrielles*, Québec, 1978, 33, 1, p. 58-79.

REINHARDT, C., « The state of performance appraisal : a literature review », *Human Resource Planning*, 1985, p. 105-110.

VROOM, V.H., *Work and Motivation*, New York, John Wiley, 1964.

ZALESNY, M.D., « Rater confidence and social influence in performance appraisals », *Journal of Applied Psychology*, 1990, 75, 3, p. 274-289.

CHAPITRE 9

LA FORMATION ET LE PERFECTIONNEMENT DES RESSOURCES HUMAINES

par Charles Benabou

OBJECTIFS

Après l'étude de ce chapitre, vous devriez être en mesure:

- de décrire la formation comme une fonction stratégique de l'organisation;
- de faire une analyse critique des pratiques de la formation au Canada et au Québec;
- d'agencer les diverses activités de gestion d'un programme de formation;
- d'associer les grands principes de l'apprentissage à la gestion des activités de formation.

MISE EN SITUATION

LES STRATÉGIES ET LA FORMATION: LE CAS D'HYDRO-QUÉBEC

Le président et chef de la direction d'Hydro-Québec, M. Drouin, estime que cette grande société doit demeurer un puissant moteur du développement économique du Québec.

Pour remettre Hydro à l'heure du Québec d'aujourd'hui, le président Drouin a décidé d'accorder la priorité à la qualité du service à la clientèle par l'amélioration de la qualité de son réseau, de redevenir une entreprise à l'écoute du peuple québécois afin de mieux en saisir les besoins, et ce, par un service de communications internes et externes, digne d'une grande entreprise moderne.

Avec un leadership éclairé, un discours cohérent et clair, une gestion des ressources humaines et financières transparente, le président Drouin prétend qu'Hydro peut réaliser ses grands projets de développement, tout en demeurant respectueuse de l'environnement.

D'entrée de jeu, le président d'Hydro reconnaît que son entreprise a connu et connaît encore une période de démobilisation. Il parle avec une certaine tristesse de la période difficile de 82 à 86 où on a dû «couper» dans le personnel, affectant ainsi l'entretien du réseau. Le fait d'avoir favorisé le départ d'employés de 55 ans et plus a privé l'entreprise d'une expérience riche et inestimable, sans compter que cette expertise n'a pu être transmise aux employés.

Toutes ces coupures et départs au chapitre des ressources humaines ont eu certes des effets démobilisateurs, et M. Drouin est d'avis qu'il faut revoir le modèle de gestion et le style de communication. «Il est impérieux de retourner à la base, dit-il, afin de connaître les besoins des Québécois et, ce faisant, les besoins de nos employés.» Il mise énormément sur le programme «Action-cadres» mis en place en 1988. Ce programme a pour but de responsabiliser les cadres afin qu'ils reprennent leur place dans la ligne hiérarchique de l'entreprise. En somme, leur redonner le pouvoir de gérer.

Le président d'Hydro ne conçoit plus la promotion d'employés à des fonctions d'encadrement sans qu'au préalable ceux-ci aient suivi des séances de formation et d'information les préparant à gérer et à faire face à de nouvelles responsabilités. Selon lui, il aurait été difficile, voire impossible, de passer à travers le dernier conflit de travail si les cadres n'avaient pas été soutenus dans la gestion de cette crise. C'est la première fois, selon lui, que les cadres de l'entreprise ne se faisaient pas rentrer, par la force, «dans la gorge», un règlement parachuté par la direction ou l'État. Richard Drouin est fier d'affirmer que les cadres hiérarchiques, les chefs de section et les contremaîtres se sont sentis partie prenante (dans le conflit), même en période de très grande tension.

Même s'il reconnaît qu'à ce jour le programme «Action-cadres» a donné de bons résultats, il est conscient que la mobilisation ne sera pas facile et que les plaies laissées par le dernier conflit ne sont pas prêtes à se cicatriser.

« Même si je criais remobilisez-vous, dit-il, ça ne marchera pas. Si les gens ne savent pas communiquer ou ne savent pas parler au monde, s'ils ne comprennent pas la raison d'être de l'entreprise, sa mission sociale et économique, et ce pourquoi eux-mêmes sont là, il sera difficile, voire impossible, d'aller chercher et de mobiliser nos travailleurs, notre personnel technique, de métier et de bureau. C'est par la conscientisation et la mobilisation de tous nos cadres supérieurs, intermédiaires et de premier niveau que l'on va finir par rattraper nos employés de la base. Car eux aussi doivent comprendre leur raison d'être dans l'entre-prise et se sentir utiles et être fiers d'appartenir à cette grande société qu'est Hydro-Québec.»

Spécialiste des relations de travail, Richard Drouin a tou-jours prêché les règlements négociés de conventions collec-tives; les lois spéciales le répugnent. Il sait pertinemment qu'elles sont difficiles à vivre dans le quotidien. L'exem-plarité de la dernière loi imposant un règlement à Hydro a été acceptée par la direction. Cependant, il souhaite que cette loi soit la dernière. Il y voit là surtout l'occasion d'amorcer une réflexion à tous les niveaux, pour qu'une nouvelle dynamique des relations de travail prenne place dans la société d'État. Pour ce dernier, ce ne sont certai-nement pas les conditions de travail actuelles, la paie, le fonds de pension ou la retraite qui font problèmes dans l'entreprise. Il prétend au contraire que les employés ont des conditions de travail avantageuses et même supérieures à celles d'autres entreprises comparables. Selon lui, le malaise est ailleurs.

Lorsqu'on lui pose la question de savoir si Hydro-Québec n'a pas été par le passé déficiente dans ses communications avec les employés de la base, il répond sans hésiter que oui. Il prétend même que les employés ont souvent été mal ou peu informés des grands objectifs de l'entreprise. Il main-

tient qu'il y a une thrombose dans les communications internes à Hydro et qu'il va falloir la régler.

Il affirme que des gestionnaires sont parfois plus préoccupés à gérer leur carrière qu'à gérer l'entreprise. Le nombrilisme est le lot de plusieurs, et ils oublient que cette grande société en est une de service électrique et de service à la clientèle.

Pour sortir de la morosité actuelle et remobiliser tout le personnel, il faut qu'Hydro-Québec se donne comme objectif la qualité du service à la clientèle. « Il faut avoir des objectifs corporatifs et individuels qui visent à satisfaire le client. Certains d'entre eux ont été atteints. Le nombre d'heures de coupures de courant est passé de 9 heures en 1988 à 6,3 heures en 1989. Il en va de la même amélioration pour le taux de réponses à la clientèle, et les prévisions de coupures de courant sont annoncées 24 heures à l'avance. À Hydro, quand on parle de qualité, de qualité totale, ou de contrôle de la qualité, c'est toujours en référence à la qualité du service électrique et du service à la clientèle. Tous les paliers de la hiérarchie, tous les gestionnaires, tous les employés doivent être maintenant conscients et imbus de cet objectif central de l'entreprise qu'est la qualité du service à offrir aux clients, c'est-à-dire à tous les Québécois », précise M. Drouin.

Dans son examen de la situation qui prévaut à Hydro-Québec, le président a reconnu que la communication interne dans l'entreprise a fait souvent défaut et que les employés n'ont pas toujours compris les motifs qui amenaient la direction à prendre telle ou telle décision. Il reconnaît également qu'au cours des derniers mois, Hydro a été durement mise à l'épreuve et prise à partie par la presse et qu'en retour, l'entreprise réagissait peu ou réagissait mal aux accusations de toutes sortes. Tout en soulignant que par le passé Hydro a toujours eu un bon service de communications et d'affaires publiques, il est d'avis qu'il y a lieu de faire le point dans le dossier « communications ».

« Depuis quelque temps, une analyse de gestion de la communication est en cours afin de vérifier si cette fonction répond aux attentes des clientèles, c'est-à-dire les régions, les clients externes, les clients internes, etc. De sérieux efforts seront investis pour moderniser et adapter le service des communications internes et externes de l'entreprise afin que les ressources humaines et financières soient mises à la

bonne place.» M. Drouin perçoit la communication comme l'oxygène de l'entreprise et rien ne sera négligé pour qu'elle reprenne sa place au cœur de la hiérarchie, et qu'elle se fasse de haut en bas et de bas en haut.

Longtemps considérée comme une des entreprises d'avant-garde dans le domaine de la formation professionnelle de sa main-d'œuvre, Hydro-Québec connaît aujourd'hui de sérieux problèmes. Au tournant des années 70, l'entreprise possédait une école de formation, consacrant des budgets considérables à cette activité. Aujourd'hui, tout est à refaire. C'est pour cette raison que 45 millions de dollars seront investis au cours des deux prochaines années pour former la main-d'œuvre permanente et temporaire. L'embauche d'employés temporaires constitue la voie privilégiée pour que ceux-ci deviennent permanents.

L'entreprise a la ferme intention de rattraper les années perdues au chapitre de la formation professionnelle, années qui ont porté un dur coup à la qualité du produit et du service qu'offre Hydro-Québec à ses clients. «Il ne peut y avoir de service de qualité si Hydro n'a pas le souci d'avoir à son emploi des travailleurs de qualité, c'est-à-dire des employés, des cadres et des ingénieurs bien formés sur le plan technique et scientifique, de même que dans l'important domaine de la gestion», soutient M. Drouin. Celui-ci est conscient que si Hydro-Québec veut rejoindre le peloton de tête des grandes entreprises performantes, c'est par une main-d'œuvre qualifiée et des employés motivés qu'elle peut espérer y parvenir.

Source: RIOUX, M., *Avenir*, juillet 1990 (extrait).

QUESTIONS

1. Quel type de stratégie d'entreprise monsieur Drouin a-t-il esquissé dans ce texte?

2. Quels facteurs de l'environnement externe et interne ont incité Hydro-Québec à envisager cette stratégie?

3. Quelles caractéristiques de la formation serviraient le mieux cette stratégie?

4. Considérez notamment les points suivants:

   a) À qui devrait être destinée cette formation?

b) Quel contenu auraient les diverses formations ?

c) Quelles méthodes d'apprentissage et quel contexte seraient les plus propices à ces formations ?

9.1 INTRODUCTION

Comme nous l'avons déjà mentionné dans les chapitres précédents, un fort courant d'études, de recherches et de pratiques, issu du formidable défi économique que doivent relever les entreprises de l'an 2000, incite les gestionnaires modernes à considérer de plus en plus la gestion des ressources humaines dans une perspective stratégique.

La formation[1] et le perfectionnement du personnel en particulier constituent un atout stratégique pour les organisations. Celles-ci, soumises aux conditions de plus en plus exigeantes de leur environnement externe et de leur dynamique interne, doivent être capables d'articuler l'acquisition et le développement des compétences humaines dans le cadre de la formulation et de la réalisation de leurs buts et de leurs stratégies.

La formation stratégique des ressources humaines est un ensemble planifié d'activités d'apprentissage variées, dont le but explicite est de pourvoir les organisations et les individus en compétences propres à faciliter la réalisation des buts économiques et sociaux de l'entreprise.

Cette définition de la formation stratégique des ressources humaines met l'accent sur un processus intégré (donc planifié) aux stratégies et aux buts de l'entreprise (donc un processus orienté surtout vers la prévision des besoins en compétences). Les buts sociaux évoqués dans cette définition rappellent la responsabilité sociale actuelle des organisations, qui vaut autant pour le personnel de celles-ci que pour les acteurs externes avec qui elles transigent directement ou indirectement (information ou formation du public, protection de l'environnement, etc.).

Une démarche stratégique suppose 1. que les buts et les stratégies de l'organisation soient formulés et réalisés parallèlement à une analyse attentive de l'environnement externe (environnement économique, tech-

---

1. Dans ce chapitre, le terme « formation » est utilisé dans un sens générique ; il inclut toutes les formes d'activités d'apprentissage (perfectionnement, recyclage, etc.).

nologique et sociopolitique) et interne de la firme (notamment les compétences humaines disponibles), 2. que la formation soit associée à cette analyse et 3. qu'il en découle des stratégies et des activités de formation précises.

La première partie de ce chapitre rapporte les caractéristiques de l'environnement de l'entreprise pour les années 90 et le rôle correspondant de la formation dans le contexte ainsi décrit. On y traite ensuite des stratégies et des activités de formation possibles qui découlent des stratégies de l'entreprise, puis on résume les caractéristiques de la formation stratégique. Dans la deuxième partie, nous traiterons des pratiques actuelles de formation au Canada et au Québec. Une troisième et dernière partie traitera de la gestion des programmes de formation, de l'analyse des besoins à l'évaluation des activités de cette fonction.

9.2 *LA FORMATION ET LES STRATÉGIES D'ENTREPRISE*

9.2.1 *LA FORMATION DANS LE CONTEXTE DES ANNÉES 90*

L'ÉVOLUTION TECHNOLOGIQUE

Les progrès technologiques croissent à une allure exponentielle, notamment dans le secteur du traitement de l'information, de l'électronique et des télécommunications. L'introduction de nouvelles technologies modifie la structure de l'emploi (beaucoup d'emplois disparaissent, d'autres naissent et d'autres changent de nature), les qualifications professionnelles et l'organisation du travail. Certes, l'accélération des innovations technologiques contribue à la croissance économique et aux avantages qui en résultent, mais elle engendre aussi la désuétude de certains biens et services et des qualifications traditionnelles. Cette situation entraîne, dans certains cas, la perte d'emplois et le chômage, ainsi qu'une pénurie de main-d'œuvre qualifiée.

La direction des organisations dynamiques doit établir des stratégies adaptées à ces nouvelles données. Sur le plan des ressources humaines, la formation devient un élément important de ces stratégies : elle contribue en fait à gérer les compétences. En effet, l'organisation planifiée d'activités d'apprentissage vise à fournir au personnel les connaissances, le savoir-faire et les attitudes propres à satisfaire les besoins des individus et de l'entreprise face au défi technologique, qui requiert des qualifications de plus en plus poussées.

La formation joue un rôle particulièrement important dans les modifications qu'apporte l'informatisation du travail dans le contexte de la tertiarisation de l'économie. Ces modifications influent autant sur les compétences des individus que sur la division du travail (Bertrand et Noyelle, 1988). En effet, l'informatisation permet une plus grande déconcentration géographique et une décentralisation des responsabilités, qui dépendent des qualifications des ressources humaines, donc de leur formation. S'il est vrai que l'informatisation du travail «déqualifie» certains emplois (par exemple par la parcellisation des tâches), il est aussi vrai qu'on assiste parallèlement à une certaine recomposition ou globalisation des tâches. Ainsi, dans le secteur bancaire, le guichetier devient de plus en plus un conseiller, un vendeur; l'opérateur d'une machinerie de haute technologie voit ses fonctions évoluer vers le contrôle et la surveillance.

Dans ce contexte, la formation a donc un nouveau rôle à jouer. Elle contribue à modifier les fonctions, les compétences et les comportements suscités par l'informatisation du travail. Il s'agit maintenant de conseiller le client, de vendre de nouveaux produits, d'être capable de communiquer avec différents acteurs, de partager l'information, de résoudre rapidement des problèmes et de prendre des décisions et des responsabilités.

Enfin, la formation est également un agent de changement, en ce sens qu'elle facilite les nouveaux rapports de l'individu avec son travail lors de bouleversements technologiques, et, souvent, elle atténue la résistance au changement, le stress et les conflits inhérents à l'incertitude qui accompagne une nouvelle organisation du travail.

L'ÉVOLUTION ÉCONOMIQUE ET SOCIALE

Les économistes s'entendent pour dire que les entreprises occidentales traversent une période de croissance très lente, caractérisée par la persistance du taux de chômage et des restrictions substantielles dans les dépenses publiques, la déréglementation de plusieurs secteurs de l'industrie, les pressions politiques et sociales accrues sur le monde des affaires, l'internationalisation des marchés et de l'information. Au Canada, l'entente de libre-échange conclue avec les États-Unis et le Mexique à l'automne 1992 devrait stimuler davantage la concurrence et avoir un effet sur la structure de l'emploi.

Un tel contexte a évidemment des répercussions sur les besoins des entreprises en matière de compétences humaines. Une efficacité accrue des organisations signifie des coûts compétitifs, une excellente qualité des produits et des services, une souplesse des institutions et de leurs cadres, une recherche systématique de moyens de motiver les employés. En somme, il s'agit d'apprendre à produire, bien sûr, mais aussi à gérer les ressources existantes. Il faut faire mieux avec moins.

La formation est une des stratégies majeures du développement des ressources humaines. Elle contribue à assurer à l'organisation une main-d'œuvre qualifiée, motivée et mobilisée. En effet, la mobilisation des ressources humaines passe par un nouvel apprentissage que doivent faire les dirigeants, les cadres et les employés de l'entreprise. Cet apprentissage porte sur une gestion autonome, l'adhésion à un projet collectif, le travail d'équipe (comme dans la constitution de cercles de qualité), la mise en application de plans stratégiques, notamment ceux qui sont axés vers l'innovation et le changement.

Les changements démographiques et la composition de la main-d'œuvre au Canada et au Québec représentent également de grands défis pour le gouvernement, les institutions et les entreprises. La population active québécoise et canadienne vieillit à un rythme accéléré, et les jeunes travailleurs âgés de 20 à 24 ans seront moins nombreux en l'an 2000. Par ailleurs, le taux d'activité des femmes québécoises augmente régulièrement: entre 1975 et 1989, il est passé de 40 % à 53,4 % (Langlois et al., 1990). Les entreprises devront donc faire preuve d'ingéniosité pour attirer cette main-d'œuvre dont elles ont besoin. Des politiques de formation qualifiantes, combinées à des politiques de recrutement inventives et à des pratiques de rémunération équitables sont des moyens puissants à la disposition des entreprises qui veulent atteindre cet objectif.

Bien que, depuis 25 ans, le niveau de scolarité se soit élevé dans la population québécoise en général, il n'en reste pas moins que certaines données sont alarmantes. Au Québec, un tiers des garçons et un cinquième des filles abandonnent définitivement l'école sans avoir obtenu leur diplôme d'études secondaires (Langlois et al., 1990); selon des études récentes, environ 7 % de la population active canadienne et québécoise seraient classés parmi les analphabètes fonctionnels (RTMTP, 1989). Or, en l'an 2000, 64 % de tous les nouveaux emplois exigeront plus de 12 années d'études et de formation, et près de la moitié en requerront 17 (Emploi et Immigration Canada, 1989). Les entreprises auront alors fort à faire pour qualifier cette main-d'œuvre indispensable. Elles y parviendront en harmonisant leurs politiques et leurs activités de formation à celles qu'élabore, dans ce sens, le système éducatif et politique du pays (il faudra, par exemple, trouver des formules de formation en alternance[2], faciliter la transition des jeunes entre le monde scolaire ou familial et le monde du travail, etc.).

Enfin, les valeurs de la société québécoise d'aujourd'hui (affirmation de soi, autonomie, recherche d'une meilleure qualité de vie, jouissance de biens matériels, droit à l'éducation) (Langlois *et al.*, 1990) posent certainement de nouveaux défis pour les entreprises. La formation peut contribuer à répondre à certaines de ces attentes. En effet, en formant l'individu dans son milieu de travail, en lui permettant d'apprendre de façon continue et d'actualiser ses talents, en le récompensant adéquatement pour l'application de cet apprentissage au travail, la formation participe, en quelque sorte, à la promotion sociale et à un changement volontaire des personnes.

L'ENVIRONNEMENT POLITICO-JURIDIQUE

De nos jours, les gouvernements interviennent pratiquement dans toutes les activités des organisations. Ils réglementent les produits (publicité, distribution, etc.), les finances (imposition, taux d'intérêt, etc.), l'emploi (salaires, avantages sociaux, etc.).

L'entreprise ne fait pas seulement face à un pouvoir politique; elle doit également tenir compte du pouvoir social, qui est celui des groupes de pression, aujourd'hui puissamment organisés (Pasquero, 1989). Les stratèges de l'entreprise doivent donc composer avec l'environnement socio-politique, intimement relié d'ailleurs à l'environnement économique. La formation est, à cet égard, un instrument de choix pour relever ce défi. Les chartes des droits individuels, la prévention des accidents, la langue, le contrôle de la qualité des produits, le service à la clientèle sont autant d'objets de formation en réponse aux lois et aux pressions sociales qui, souvent, les ont suscités.

La formation a enfin un rôle à jouer dans le perfectionnement des gestionnaires modernes qui sont appelés à informer, à former ou à convaincre les clients internes et externes de l'entreprise, les médias, les

---

2. La formation en alternance consiste en un programme d'études organisé de telle façon que des périodes d'enseignement à plein temps alternent avec des périodes de travail professionnel continu.

groupes de pression, les gouvernements, les entrepreneurs étrangers, etc.

LA DYNAMIQUE DES ORGANISATIONS

Nous venons de décrire les variables de l'environnement externe de l'organisation et nous avons vu comment elles influent sur les activités d'une formation stratégique. Celles-ci peuvent aussi être dépendantes de la dynamique interne de l'organisation. Ainsi, la formation est mise à contribution lorsque le personnel est concerné par le changement de la stratégie ou des buts de l'entreprise ou d'un produit, ou encore par une nouvelle répartition des postes et des individus. Elle est également mise à contribution lors de fusions d'entreprises, de décentralisation, de changement de direction (notamment par la formation des cadres et la diffusion d'une culture organisationnelle), de syndicalisation, ou lors de mouvements de main-d'œuvre (recrutement, promotions, mutations, rétrogradations, etc.) ou de changements dans les méthodes de travail.

Dans l'optique d'une gestion stratégique, le succès de la formation se mesure, entre autres choses, à la façon dont les stratèges planifient et agencent cette fonction en rapport avec les autres fonctions et activités de la gestion des ressources humaines: analyse des postes, accueil et sélection, évaluation de la performance, planification des ressources humaines, rémunération et relations de travail.

L'analyse des postes décrit les activités, les comportements et les qualifications nécessaires pour accomplir une tâche ou un ensemble de tâches. Elle est donc un outil essentiel qui permet de comparer les compétences d'un individu pour un poste donné à celles qui sont exigées, et de prescrire et d'évaluer un programme de formation.

À l'accueil, la formation permet à l'individu de se familiariser avec son nouveau contexte de travail, notamment avec les attitudes à adopter, et d'affecter un individu au poste pour lequel il est le plus qualifié, complétant ainsi le processus de sélection, qui ne permet pas toujours de pourvoir un poste avec succès. La formation permet également de dégager des critères d'exigences pour un poste donné, qui peuvent ensuite servir à raffiner le processus de sélection.

La planification des ressources humaines consiste à prévoir les besoins de main-d'œuvre au bon moment, au bon endroit, en quantité et en qualité suffisantes. La formation peut répondre à ces besoins lorsqu'elle est intégrée aux stratégies de l'organisation. Elle aide alors à fournir à temps les compétences nécessaires. L'évaluation du rendement sert d'outil de diagnostic des besoins de formation ou d'outil d'évaluation de cette même formation. Enfin, les politiques de rémunération d'une organisation peuvent être liées aux nouvelles qualifications ou promotions acquises par la formation. Celle-ci peut aussi devenir l'enjeu de négociations entre partenaires sociaux pour l'inclusion de clauses relatives à la formation dans les conventions collectives, tel le congé de formation qui permet aux salariés de suivre des cours de formation professionnelle ou d'enseignement général durant les heures de travail et payés par l'employeur.

D'autres facteurs propres à l'organisation interne de l'entreprise peuvent influer sur les stratégies et les activités de formation, et vice versa: la culture et la structure (le type de hiérarchie permet-il une expression libre et rapide des besoins de formation?), le système sociotechnique (l'organisation du travail actuelle pourrait-elle être modifiée à la suite d'une distribution de nouvelles compétences?), le système de rémunération et de «récompense» (l'apprentissage est-il sanctionné par une forme quelconque de rétribution?), le système de contrôle (existe-t-il des politiques claires de formation? l'évaluation du rendement individuel ou de groupe est-elle une des formes d'analyse des besoins de formation?), les ressources financières et la performance de l'entreprise (a-t-on le budget nécessaire pour offrir des activités de formation?), la présence ou non d'un syndicat (quelles clauses contractuelles déterminent l'accès du personnel à la formation?).

Ces facteurs ainsi que les activités habituelles de formation, qui vont généralement de l'analyse des besoins à l'évaluation de ces activités, sont illustrés à la figure 9.1.

Le système représenté à la figure 9.1 met en évidence les points et les associations sur lesquels un gestionnaire peut intervenir. Par exemple, il sera difficile pour des stagiaires de maintenir les acquis résultant d'un programme de formation à la gestion participative si les valeurs et les attitudes des dirigeants sont de nature plutôt autocratique et si la structure de l'entreprise est très centralisée; le contenu des cases correspondantes serait donc à modifier avant d'entreprendre toute action de formation.

9.2.2 LES STRATÉGIES D'ENTREPRISE ET LES STRATÉGIES ET ACTIVITÉS DE FORMATION

La démarche stratégique commande une analyse de l'environnement externe et interne, et l'harmonisation des stratégies et des activités de formation à la stratégie d'entreprise.

Figure 9.1 La dynamique interne de l'organisation et les activités de formation

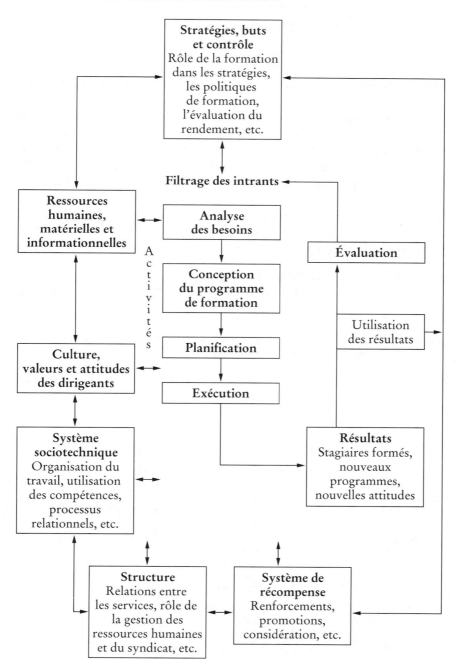

Pour illustrer cette harmonisation, nous choisirons d'abord les stratégies d'entreprise décrites au chapitre 6, à savoir la stratégie concurrentielle par la réduction des coûts, par la recherche de la qualité, par l'innovation et par l'adaptation au cycle de vie du produit. Nous en décrirons brièvement les caractéristiques.

Quant aux stratégies de formation mentionnées à la figure 9.2, elles sont exprimées en termes généraux et présentent un certain parallélisme avec les stratégies d'entreprise. Il s'agit d'abord des **stratégies de croissance**, où la formation donnée aux individus ou aux groupes prépare l'entreprise au développement, à l'expansion. Par la **stratégie de rationalisation**, la formation procure aux individus ou aux groupes les apprentissages nécessaires au maintien de l'avantage concurrentiel déjà acquis (c'est, par exemple, la stratégie de Mercedes-Benz). Les **stratégies défensives** fournissent aux employés les compétences qui leur permettent de se qualifier ou de se recycler lorsque l'entreprise n'est plus concurrentielle (notamment lorsque celle-ci est en phase de déclin et qu'elle doit effectuer un revirement radical si elle ne veut pas périr).

Enfin, les activités de formation (figure 9.2) qui correspondent aux stratégies évoquées sont caractérisées par le **type de formation** (for-

FIGURE 9.2 *LES FACTEURS DÉTERMINANTS DE LA FORMATION STRATÉGIQUE DES RESSOURCES HUMAINES*

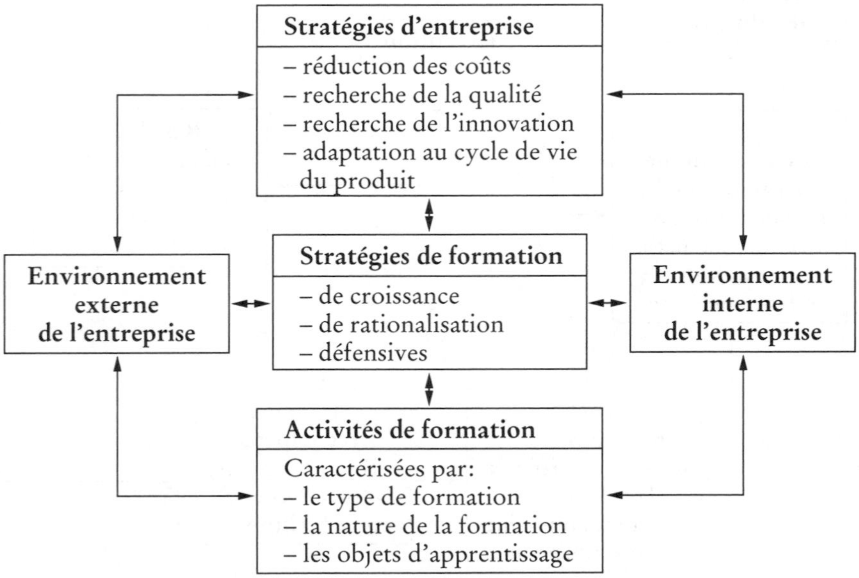

melle, informelle), sa **nature** (formation à long ou à court terme, formation polyvalente, etc.) et par l'**objet d'apprentissage** (formation aux attitudes, apprentissage technique, formation au travail de groupe, etc.).

LES STRATÉGIES DE L'AVANTAGE CONCURRENTIEL ET LES STRATÉGIES DE FORMATION

Rappelons que l'entreprise peut rester concurrentielle en réduisant ses coûts d'exploitation et de production, ou en se démarquant par la qualité ou l'originalité de son produit (innovation). Le tableau 9.1 résume les stratégies et les activités de formation correspondant à ces stratégies (Schuler *et al.*, 1987 ; Rothwell et Kazanas, 1989).

TABLEAU 9.1 *Les stratégies et les activités de formation correspondant aux stratégies d'entreprise*

		Stratégies d'entreprise	
	Réduction des coûts	**Amélioration de la qualité**	**Innovation**
Stratégies de formation	Rationalisation	Croissance	Croissance
Activités de formation	Minimales ; étroitement reliées à l'emploi	Axées sur la sensibilisation aux besoins du client	Formation polyvalente et intense, vu les nonbreuses compétences requises
	Formation technique surtout	Formations multiples adaptées aux changements technologiques ou à de nouvelles affectations du personnel	Formation variée : apprentissage dans l'entreprise et à l'extérieur
	Peu de mesures encourageant l'identification de l'employé à son travail ou à son organisation	Centrées sur le travail d'équipe et les processus de groupe (cercles de qualité)	Formation aux attitudes : coopération, responsabilisation, prise de risques
		Formation aux attitudes : sensibilisation à la qualité, à l'adhésion aux objectifs de l'entreprise, à la responsabilisation	Formation axée sur les résultats à atteindre

Le cycle de vie du produit et les stratégies de formation

Le cycle de vie d'un produit ou d'une entreprise offre cinq options stratégiques, soit les stratégies entrepreneuriales, de croissance, de profit (ou de productivité), de liquidation et de revirement[3].

Dans l'optique d'une stratégie entrepreneuriale, les possibilités de développement sont multiples (affectations, promotions, cercles de qualité, etc.), et l'employé ou le groupe de travail participe à l'identification de ses besoins en ce domaine. Ces pratiques sont censées favoriser l'esprit de collaboration et la fidélité des employés à l'entreprise.

Avec la stratégie de croissance, le développement des compétences prend de multiples formes (formation, promotion, rotation de postes, cercles de qualité), tout en demeurant associé au processus général de planification des ressources humaines et axé sur la productivité du personnel. L'employé participe à l'élaboration de ses besoins de formation ou de perfectionnement. Ces pratiques favorisent la planification à long terme et l'adaptation du personnel au changement. Le cas de l'entreprise Cascades, au Québec, illustre le rôle de la gestion des ressources humaines dans une stratégie de croissance: motivation des salariés par le développement personnel et des lignes générales de conduite plutôt que par des procédures et des règlements formels, et par un système de participation des salariés aux bénéfices de l'entreprise.

Avec la stratégie de profit, les activités de formation sont spécifiquement reliées aux tâches à accomplir et visent l'augmentation de la productivité. L'employé participe peu à l'élaboration du plan de formation. Ces pratiques peuvent stimuler une performance à court terme axée sur la quantité.

Dans la stratégie de liquidation, la formation du personnel joue un rôle important dans la mesure où elle offre des activités de recyclage, soit pour l'affectation du personnel dans les branches de l'entreprise encore rentables, ou encore lorsque les dirigeants décident de lancer un nouveau produit ou d'accaparer un nouveau marché. Ce qui importe dans une stratégie de liquidation, c'est de fournir aux employés les moyens de développer de nouvelles compétences.

---

3. Les pratiques de formation dérivées de ces stratégies d'entreprise sont issues des travaux de Benabou (1988), Besseyre des Horts (1988), Guérin et Wils (1989), Rothwell et Kazanas (1989), Schuler *et al.* (1987).

Enfin, dans une stratégie de revirement, la formation est au service de la productivité. Elle assure cependant une certaine polyvalence aux employés, les dotant ainsi d'une capacité d'adaptation rapide aux circonstances très mouvantes qui accompagnent une stratégie de revirement radical.

Il faut aborder toutes ces prescriptions conceptuelles avec une certaine souplesse, c'est-à-dire en tenant compte des environnements déjà mentionnés, de la disponibilité des ressources, des qualifications actuelles du personnel et du rapport coût–avantages qu'entraînerait la formation. Certains modèles proposent, de façon très théorique, cette approche contingente des ressources humaines (Dyer et Holder, 1988; Lengnick-Hall et Lengnick-Hall, 1988). Cependant, la description de ces modèles est ici hors de notre propos.

Un résumé des caractéristiques de la formation comme élément stratégique

Le rôle stratégique de la formation n'est pas nouveau; il est déjà reconnu dans les entreprises dynamiques. Cependant, il reste encore beaucoup à faire pour dégager la formation de ses fonctions traditionnelles. Évidemment, ces changements ne pourront survenir que si la direction des organisations les considère comme une nécessité stratégique et gère la formation comme elle gère le marketing ou les finances de l'entreprise, et si les responsables de la formation repensent la philosophie, les objectifs, les priorités, les clientèles, les moyens, les méthodes et les structures reliés à cette fonction.

Le tableau 9.2 établit une comparaison entre les caractéristiques de la formation traditionnelle et celles de la formation stratégique. Dans l'optique d'une fonction stratégique, la formation est la responsabilité première des cadres de l'entreprise, de la direction générale (qui veille à la cohérence des plans de formation avec les axes stratégiques qu'elle devra faire connaître au personnel) et du responsable de la formation. L'engagement des gestionnaires dans les activités de formation peut prendre plusieurs formes: allouer les fonds nécessaires, exiger des résultats mesurables, consentir à agir comme personnes-ressources, identifier les besoins de formation du personnel et voir à ce que les compétences nouvellement acquises soient appliquées et évaluées dans le milieu de travail. Le rôle positif des gestionnaires dans ces activités se transmet d'un palier hiérarchique à un autre, jusqu'au simple employé dont la motivation est nécessaire pour réaliser avec succès un programme de formation.

TABLEAU 9.2 LES CARACTÉRISTIQUES DE LA FORMATION TRADITIONNELLE
ET DE LA FORMATION STRATÉGIQUE

	Formation traditionnelle	Formation stratégique
Objectifs	Axés sur les besoins à court terme	Axés sur les besoins à moyen et à long termes, sur les buts et la stratégie de l'entreprise
Philosophie	La formation représente un coût	La formation représente un investissement
Personnes visées	Les formés et les formateurs	1. Tous les acteurs de l'organisation concernés (direction générale, gestionnaires, gestion des ressources humaines, supérieurs hiérarchiques, stagiaires et syndicats) 2. Tous les acteurs n'appartenant pas à l'organisation mais concernés par la formation (le public, le client, les groupes de pression, les gouvernements, les établissements d'enseignement, etc.)
Fonctions	De conseil (*staff*)	De conseil et opérationnelles (*line*): pouvoir décisionnel, pouvoir de dépenser, attribution de personnel
Cibles	Tâche précise	Changements plus globaux; intégration aux plans de carrière, au développement des individus et des organisations, à la planification stratégique
Techniques et moyens	Formation sur le tas, principalement	Formation formelle, stages, formation d'équipes, auto-apprentissage, formation assistée par ordinateur, mobilité, compagnonnage, etc.
Contenu	Axé sur les connaissances générales, sur des programmes déjà existants et sur le modèle scolaire	Axé sur l'acquisition de compétences particulières et transférables, la psychologie de l'adulte, et sur les méthodes, les pratiques et la culture de l'entreprise
Évaluation	Axée sur le contenu pédagogique et assurée par le formateur ou le formé; axée sur des indices de satisfaction générale	Axée sur le rendement en milieu de travail et assurée par les gestionnaires concernés; axée sur les résultats

Après la description de ce cadre conceptuel, voyons quelles formes prennent les pratiques de la formation au Canada et au Québec.

9.3 LES PRATIQUES DE FORMATION

9.3.1 L'ACTION DES GOUVERNEMENTS

Sans entrer dans les méandres du cadre législatif, il convient de tracer un bref historique de la politique fédérale en matière de formation de la main-d'œuvre. Celle-ci a vraiment pris forme dans les années 60 et surtout à partir de 1967, date à laquelle la *Loi sur la formation professionnelle des adultes* a été adoptée. Ottawa, en créant le ministère de la Main-d'œuvre et de l'Immigration et en constituant un réseau national de centres de main-d'œuvre, ou Centres d'emploi du Canada (CEC), se dotait des instruments essentiels à l'élaboration et à la mise en application d'une politique de main-d'œuvre. En août 1982, le Parlement canadien adoptait la *Loi nationale sur la formation* qui créait le Programme national de formation (PNF) et prévoyait des ententes avec les provinces. Cette loi avait pour objectifs de réduire le chômage et de fournir à l'industrie et au monde des affaires la main-d'œuvre qualifiée nécessaire.

Deux ententes fédérales–provinciales ainsi qu'une loi québécoise encadrent l'ensemble des activités relatives à la formation professionnelle de la main-d'œuvre. Il s'agit de l'Accord Canada–Québec sur la formation en établissement (1986-1989) et de l'Entente Canada–Québec sur la planification de l'emploi (1985-1987). En 1969, le gouvernement du Québec adopte la *Loi sur la formation et la qualification professionnelles de la main-d'œuvre*, dont le principal objectif est de promouvoir une formation axée sur les besoins des travailleurs et des entreprises. Le gouvernement du Québec crée plusieurs structures administratives, dont 11 Commissions de formation professionnelle (CFP). En principe, ces commissions participent à l'élaboration des besoins en formation professionnelle des régions du Québec, subventionnent les cours de formation et les évaluent.

Les sommes investies dans la formation professionnelle par les gouvernements sont considérables. Depuis 1982, le Programme national de formation s'applique à près de 300 000 personnes chaque année, et son coût a atteint le milliard de dollars entre 1982 et 1988.

Dans leurs juridictions respectives, les gouvernements ont donc tenté, surtout au cours des dix dernières années, d'orienter leurs efforts de formation dans le sens des stratégies nationales (combattre le chômage, procurer une main-d'œuvre qualifiée à l'industrie, relever le défi technologique). Les sommes dévolues à la formation, depuis 1960, sont plus considérables que celles qui furent investies durant les 40 années précédentes, et les gouvernements ne les ont jamais remises en question, notamment depuis qu'il est question de virage technologique. Toutefois, certains sont d'avis que la formation devrait être un droit acquis et que les gouvernements devraient légiférer sur cette question (Commission Adams, 1979; Commission Jean, 1982). Ils proposent le congé de formation (période d'études, avec ou sans solde, accordée pendant les heures de travail), comme cela se fait déjà dans plusieurs pays européens. Le financement serait garanti par une loi selon laquelle, dans une entreprise de plus de 20 employés par exemple, la participation de l'employeur serait fixée à un certain pourcentage (de 0,5 % à 2 %) de la masse salariale versée. Le débat, toujours actuel, est donc ouvert sur le congé de formation.

Par ailleurs, en 1990, le gouvernement du Québec a instauré une mesure fiscale intéressante : le crédit d'impôt remboursable aux entreprises qui investissent dans un plan de développement de leurs ressources humaines (PDRH).

9.3.2 LES PRATIQUES DE FORMATION DANS LES ORGANISATIONS PRIVÉES ET PUBLIQUES

LA GESTION DES ACTIVITÉS DE FORMATION

Les activités de formation et de perfectionnement dans les organismes publics et l'entreprise privée ont connu une indéniable croissance depuis les 20 dernières années. Une enquête de Statistique Canada (1975) estime qu'en 1973, 7,9 % de la main-d'œuvre canadienne a eu accès à des activités de formation organisée, et en 1978, la Commission Adams évaluait cette proportion à 15,1 %. Une autre enquête de Statistique Canada, effectuée en 1987, confirme ce dernier pourcentage et rapporte que seulement 25 % des entreprises affectaient un budget (de 1,4 milliard de dollars) à la formation. Cette somme soutient mal la comparaison avec les autres pays industrialisés (RTMTP, 1989). Au Québec, la proportion des individus qui ont eu accès à des activités de formation semble avoir sextuplé entre 1973 et 1980 : Paquet *et al.* (1982) constatent que depuis l'enquête de Statistique Canada de 1973 et l'année où ils menèrent la leur, la proportion d'individus ayant réellement bénéficié d'activités de formation est passée de 6,3 % à 36,2 %. Les moyennes et grandes entreprises québécoises ont investi en moyenne 355 dollars par employé en 1990, la moyenne se situant à 450 dollars.

Les grandes entreprises privées investissent des sommes considérables dans la formation. IBM Canada dépense plus de 40 millions de dollars annuellement pour former son personnel, et Bell Canada s'appuie sur une banque de 750 cours disponibles pour former ses employés. Selon une enquête de Filion et Bernier (1989), la formation en entreprise dans le secteur des services est généralement de courte durée, ponctuelle et très fonctionnelle.

Quant à la gestion proprement dite des activités de formation, au Canada, le nombre de politiques formelles de formation est proportionnel à la taille des entreprises. Au Québec, seulement 44,6 % des entreprises interrogées déclarent offrir des activités de formation sur une base régulière ou organisée, selon des politiques bien établies (Paquet *et al.*, 1982).

La mise sur pied des activités de formation est la seule initiative des employeurs pour 75 % des entreprises interrogées dans l'enquête de Paquet (1982). La présence d'un syndicat ne semble pas déterminante dans la quantité d'activités de formation, ni comme partenaire privilégié pour la conception et la réalisation de ces activités : il y a autant d'entreprises avec syndicats qui déclarent des activités de formation organisée que d'entreprises sans syndicat.

Dans une perspective stratégique, la formation comme élément mobilisateur des ressources humaines exigerait une sensibilisation accrue des acteurs concernés par cette fonction, au Québec et au Canada, étant donné l'écart toujours croissant entre la demande et l'offre de travailleurs spécialisés. La coopération entre le monde de l'éducation et celui de l'entreprise ainsi que l'harmonisation de leurs besoins réciproques en qualification de la main-d'œuvre restent à établir.

LA FONCTION FORMATION DANS L'ENTREPRISE

À l'intérieur de l'organisation, la fonction formation fait partie de la division des ressources humaines. Quand cette division est valorisée et qu'elle est intégrée à la planification stratégique de l'entreprise, la fonction formation bénéficie alors du budget, de l'autorité et des ressources nécessaires pour intervenir à tous les niveaux de l'organisation, là où le besoin existe. Il est également possible que les activités de formation soient rattachées à un service déterminé (marketing, ventes, etc.). Cette association permet au formateur d'être très près des opérations du service concerné, d'en connaître le langage et la culture véhiculés, mais aussi, parfois, de dépendre d'un cadre opérationnel préoccupé essentiellement par la courbe des ventes !

Enfin, notons qu'un service de formation structuré a la charge des activités suivantes : établir des politiques de formation et le diagnostic des besoins en formation, concevoir les programmes établis et le plan de formation (nombre de stagiaires, lieux de formation, etc.), offrir les activités de formation et les évaluer. Un vaste service de formation rattaché aux ressources humaines peut généralement créer deux sections : une section de conception et d'évaluation des programmes et une section d'exécution de ces programmes. Les habiletés exigées pour ces différentes activités sont de nature distincte.

Dans le cas de l'exécution, le formateur est d'abord un animateur capable de créer un environnement propice à l'apprentissage des stagiaires et de transmettre un contenu qui aura été préparé par les concepteurs d'un programme issu de l'analyse préalable des besoins. La conception et l'évaluation des programmes exigent certainement des compétences précises en psychologie de l'apprentissage, en psychométrie, en statistiques appliquées aux sciences humaines et en gestion. Évidemment, les concepteurs et les évaluateurs ne sont pas nécessairement des spécialistes dans les matières pour lesquelles il existe un besoin. Dans ce cas, ils mettront leurs compétences au service des experts et, ensemble, ils élaboreront un programme de formation. Le formateur doit donc, quelle que soit sa responsabilité, déployer d'énormes talents de communicateur.

Le reste du chapitre décrit les étapes et les activités qui mènent précisément à la réalisation et à l'évaluation du programme de formation pour un groupe donné dans l'organisation.

9.4 *LA GESTION DES PROGRAMMES DE FORMATION*

La gestion d'un programme de formation comporte cinq étapes distinctes :

1. l'analyse des besoins en formation ;
2. la conception ;
3. la planification ;
4. l'exécution ;
5. l'évaluation.

Ces étapes sont présentées comme des entités indépendantes et linéaires. Il n'en est ainsi que pour des raisons didactiques. En réalité, le spécialiste de la formation peut mener plusieurs activités dans un ordre qui peut être légèrement différent selon les circonstances. Néanmoins, quand on planifie de construire un programme de formation, le respect de ces étapes permet non seulement de procéder avec méthode, mais aussi de déterminer les responsabilités qui incombent aux décideurs.

9.4.1 L'ANALYSE DES BESOINS EN FORMATION

L'analyse des besoins en formation est le processus de collecte et d'organisation des données permettant de décider de la nécessité ou non d'élaborer un programme de formation.

Généralement, le formateur entreprend une analyse des besoins lorsque la demande provient d'un cadre ou d'un gestionnaire de l'organisation. La demande peut également émaner des employés ou de leurs représentants (syndicat, par exemple). Il se peut aussi que le formateur procède lui-même à cette demande à la suite de son propre diagnostic, plutôt intuitif à ce stade. La demande peut alors être vague, et le formateur sera appelé à établir un diagnostic général dépassant celui des besoins en formation, par lequel il isolera les besoins de formation causant entièrement ou partiellement un problème de performance à l'organisation, à un service ou à un groupe d'employés particulier.

L'analyse complète des besoins de formation comporte donc trois étapes :

1. l'analyse de la demande ;
2. l'identification du problème de performance ;
3. l'identification des besoins de formation par la recherche des causes du problème de performance.

Ces étapes sont illustrées à la figure 9.3, sous forme d'un petit arbre de décision. De façon concrète, un problème, quelle que soit sa nature, est une déviation, un écart par rapport à une norme attendue, un référentiel. C'est ce qu'illustrent les losanges de la figure.

L'ANALYSE DE LA DEMANDE

Lorsque la demande de formation parvient au formateur, celui-ci doit l'évaluer avant d'entreprendre l'analyse des besoins proprement dite. Cette évaluation doit tenir compte d'au moins trois critères : la pertinence, la cohérence et la faisabilité de l'analyse des besoins en formation. Voici, pour chaque critère, les questions que le formateur peut légitimement se poser.

La pertinence

– Quelles raisons motivent la demande ? S'agit-il de problèmes importants de formation ou de raisons « politiques » ?

FIGURE 9.3 *LE PROCESSUS D'ANALYSE DES BESOINS EN FORMATION*

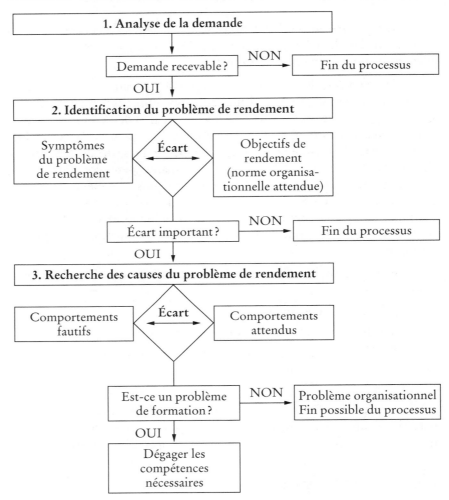

- Les activités de formation ne surviendront-elles pas à contretemps ?
- A-t-on évalué les coûts possibles du diagnostic et des mesures sub-séquentes ?
- Y a-t-il une alternative valable à la formation ?

La cohérence

- La demande de formation est-elle en accord avec les stratégies, les objectifs et les politiques de l'organisation ou du service ?
- Veut-on analyser des besoins de formation immédiats ou futurs ?

– Le demandeur est-il prêt à agir en fonction de ses engagements si un programme de formation s'avérait nécessaire ?
– La culture et le climat de l'organisation sont-ils propices à n'importe quel programme de formation ?

La faisabilité

– Quelles sont les ressources humaines et matérielles disponibles ?
– Quelles seront les méthodes d'analyse des besoins les plus appropriées ? Par exemple, les discussions de groupe sont-elles bien acceptées dans le milieu ?
– Quelle aide peut-on attendre des responsables de la formation ?

Bien sûr, la liste des questions n'est pas exhaustive, mais, en pratique, le formateur doit composer avec un degré acceptable d'incertitude et être vigilant sur les aspects évoqués par les questions précédentes.

L'IDENTIFICATION DU PROBLÈME DE PERFORMANCE

Cette étape du diagnostic permet de localiser le problème de performance dans l'organisation et d'évaluer son ampleur. Elle vise également et surtout à dégager la performance attendue par l'organisation, un service ou un groupe de travail et à constater la performance actuelle.

La localisation du problème

Avec l'aide du demandeur (du moins au début du processus), le formateur pourra localiser où sont les problèmes de performance dans l'organisation. Ainsi, un ou plusieurs services, divisions ou unités pourront être repérés. Le formateur pourra également identifier les fonctions, les postes de travail ou les groupes d'employés les plus touchés par une performance inadéquate.

La détermination de l'échantillon

À ce stade, le formateur peut envisager la composition de l'échantillon des personnes qui lui permettra d'identifier les problèmes de performance ou d'en analyser les causes. La composition de cet échantillon est un processus complexe qu'on ne peut développer ici. Toutefois, en ce qui concerne la technique d'échantillonnage en général, il faut savoir que les gestionnaires et les employés (futurs stagiaires ou non) peuvent être appelés à participer à la collecte des données. Quant à la taille de l'échantillon, elle dépend de la méthode d'échantillonnage et des instruments de mesure utilisés, des exigences des opérations statistiques employées, des degrés de confiance et de précision désirés et des contraintes propres à l'organisation (par exemple, le caractère confidentiel des données). L'aide d'un statisticien peut s'avérer utile pour la détermination d'un échantillon d'individus fiable.

L'analyse de l'écart de performance

Il s'agit d'analyser en profondeur l'écart qui a fait l'objet de la demande de formation, d'une part en déterminant la performance requise, la norme attendue par l'organisation, un service ou un groupe d'individus, d'autre part en dégageant les symptômes révélateurs d'un éventuel besoin de formation (ces symptômes peuvent être aussi la manifestation de problèmes étrangers à la formation). Par exemple, si le taux d'absentéisme toléré par l'organisation est de 2 % alors que celui du service de production atteint 5 %, l'objectif organisationnel sera de réduire le taux d'absentéisme de 3 %. Cet objectif sera le critère ultime par lequel l'efficacité d'un programme de formation sera jugée. Cette démarche est importante, car elle justifie en fait la mise sur pied d'un programme de formation si les causes relèvent d'un problème d'apprentissage.

L'identification et, surtout, la mesure des écarts de performance ne sont pas toujours chose aisée pour le formateur non familier avec toutes les opérations d'un service particulier. Toutefois, il peut obtenir l'aide du demandeur en formation et consulter les informations disponibles dans l'organisation. Il pourra utilement recourir aux objectifs à court et à long termes de l'organisation, aux plans d'action établis, aux standards de performance, aux manuels de production, aux politiques et aux procédures, aux dossiers et aux statistiques disponibles, aux analyses de tâches, aux prévisions en main-d'œuvre, etc. En l'absence d'indices probants, le formateur pourra également recourir aux données disponibles dans d'autres organisations semblables à la sienne, aux journaux d'associations professionnelles, etc. Le tableau 9.3 donne quelques indicateurs d'éventuels besoins en formation, indicateurs qui constituent en fait les symptômes observables du problème.

Finalement, en principe, le gestionnaire lui-même constitue la meilleure source d'informations en ce qui concerne l'ampleur des écarts de performance, les objectifs que son équipe ou son service doit atteindre et l'identification des besoins en formation de son personnel.

TABLEAU 9.3   QUELQUES INDICATEURS DE BESOINS EN FORMATION

- Expression directe de la direction sur les besoins actuels et prévus
- Expression directe des employés sur les besoins actuels et prévus
- Nombre de plaintes provenant des clients et du personnel
- Taux d'absentéisme
- Taux de roulement du personnel
- Nombre d'accidents du travail
- Nombre de griefs déposés
- Climat organisationnel insatisfaisant
- Nombre de postes à pourvoir
- Indices de productivité à la baisse :
  - coûts de main-d'œuvre plus élevés
  - gaspillage
  - déchets, dégâts
  - utilisation insuffisante ou inadéquate de l'équipement
  - réparations fréquentes
  - standards de performance non atteints (qualité, quantité, temps, coûts)

L'évaluation de l'ampleur du problème

Avant d'aller plus loin, il faut déterminer si le problème de performance nécessite une intervention rapide ou si, au contraire, il faut le laisser dans l'état actuel, la prescription pouvant s'avérer plus désavantageuse que le problème lui-même. À cet effet, quelques critères méritent une attention particulière : les coûts reliés au problème, le nombre d'unités affectées, le nombre d'employés ou de clients touchés, la fréquence du problème, l'obligation ou l'urgence de recourir à la formation (par exemple, dans le cas d'une législation incontournable). Si, selon ces critères, le problème est important, il faut alors en chercher les causes.

LA RECHERCHE DES CAUSES

Nous sommes ici au cœur de l'analyse des besoins en formation. Après avoir analysé la demande de formation, localisé le problème et déterminé son ampleur, il faut vérifier l'hypothèse selon laquelle le besoin en formation est à la source du problème de performance constaté.

Le besoin en formation suppose la recherche des compétences nécessaires chez l'individu pour accomplir son travail. Il est donc essentiel de connaître les exigences de son poste et, surtout, les comportements observables attendus de lui sur le plan des connaissances, des habiletés et des attitudes. Le besoin en formation peut être décrit comme l'écart entre les comportements attendus pour réaliser efficacement une tâche donnée et les comportements fautifs constatés.

Cette étape permet non seulement de déterminer les besoins en formation, mais elle fournit aussi les informations et les données qui serviront à bâtir ultérieurement le contenu du programme de formation et à rédiger les objectifs d'apprentissage.

L'identification des comportements attendus

Quelle que soit la technique utilisée, l'objectif de cette démarche consiste à décrire les caractéristiques de l'emploi d'un individu ou d'un groupe d'individus au moyen des tâches à accomplir. Toutefois, à des fins de formation, il est préférable que les caractéristiques d'un poste soient définies selon les comportements attendus d'un individu dans l'accomplissement de son travail. Nous ne nous étendrons pas sur la technique de l'analyse de tâches qui a été décrite ailleurs dans ce manuel. Toutefois, dans l'optique mentionnée ci-dessus, voyons la démarche générale de façon simplifiée.

Un poste peut être décomposé en ses dimensions principales. Ces dimensions regroupent des tâches principales, qui elles-mêmes peuvent être décomposées en sous-tâches respectives, de préférence exprimées en comportements observables.

Par exemple, l'emploi de commis-vendeur dans un magasin de chaussures comprend les dimensions (D) principales suivantes:
D.1 = Servir la clientèle
D.2 = Manipuler la marchandise
D.3 = Entretenir le magasin
Etc.
D.1 inclut les tâches principales suivantes:
D.1.1 = Renseigner le client sur les différents modèles de chaussures, etc.
D.1.2 = Conclure la vente
Etc.
D.1.2 inclut les sous-tâches suivantes:
D.1.2.1 = Établir la facture
D.1.2.2 = Emballer la marchandise
Etc.

Ainsi décrites, les sous-tâches (appelées aussi compétences clés) permettront aux concepteurs du programme de formation d'en rédiger le contenu et les objectifs d'apprentissage. Parfois, les tâches sont déjà décrites, mais ce n'est pas toujours le cas. Parfois même, l'analyse de tâches est inexistante et le formateur doit alors recourir à d'autres techniques pour établir la performance attendue.

Les méthodes et les techniques généralement utilisées pour dégager la performance attendue sont la recherche de la description des emplois dans la documentation spécialisée, telle la *Classification canadienne descriptive des professions (CCDP)*, la constitution d'équipes d'experts dans un domaine particulier, comme dans la technique DACUM (Adams, 1975) centrée exclusivement sur des comportements observables agencés selon des séquences d'apprentissage issues du milieu effectif de travail, les questionnaires, les entrevues, l'observation des employés au travail ou l'incident critique. Comme la plupart de ces techniques servent également à mesurer les besoins en formation (comportements constatés), nous en reparlerons plus loin.

Pour terminer, ajoutons que la performance attendue doit être validée, c'est-à-dire qu'il faut la soumettre à tous les employés et à tous les cadres concernés pour identifier les tâches les plus fréquentes et les plus importantes qui permettent au titulaire du poste de s'acquitter efficacement de son travail et de son rôle dans l'organisation.

Les comportements constatés ou l'évaluation des besoins en formation

Après avoir défini les comportements attendus, le formateur peut établir les activités qui permettront d'identifier les individus ayant besoin de formation et le type de formation nécessaire. Pour ce faire, il faut comparer les comportements attendus aux comportements des individus ou d'un groupe d'employés au travail.

Généralement, les cadres sont les mieux placés pour évaluer le rendement de leurs subordonnés, mais les futurs stagiaires (ou leurs collègues) contribuent également à fournir des informations valides sur leurs besoins en formation. Il faut cependant donner à ces différents acteurs les instruments leur permettant d'évaluer la performance actuelle.

Les techniques d'analyse des besoins

Il existe plusieurs techniques d'analyse des besoins. Nous décrirons les diverses techniques selon qu'elles utilisent plus ou moins:

1. l'analyse de tâches;

2. l'évaluation qualitative;

3. la consultation de dossiers et de rapports.

Les techniques basées sur l'analyse de tâches: Le principe est de fournir une liste prédéterminée de tâches (validées à l'étape précédente) et de demander aux gestionnaires ou aux employés concernés d'indiquer pour chacune d'elles, sur une échelle graduée, l'ampleur du besoin en formation.

Différents questionnaires et échelles d'observation du comportement sont construits selon ce principe. Les tests sont également confectionnés à partir des tâches principales et la notation est fonction des comportements attendus. L'avantage principal de ces techniques (précision, rapidité et quantification) comporte ses propres limites: le peu de liberté d'expression laissé aux destinataires de ces instruments.

Les techniques basées sur des données qualitatives: L'incident critique, les entrevues et le recours aux groupes sont des techniques qui exigent une analyse de contenu plus ou moins complexe.

La technique de l'incident critique (Flanagan, 1954) est une technique d'observation sélective. On demande aux gestionnaires, aux subordonnés, voire aux clients, de décrire des événements, des incidents où les employés se sont distingués par un comportement particulièrement efficace (ou non efficace). Après le regroupement de ces incidents, on détermine non seulement les comportements attendus, mais aussi les catégories d'éventuels besoins en formation d'un groupe d'employés pour un poste donné.

L'observation peut aller d'une simple marche dans l'atelier à l'enregistrement systématique des comportements fautifs des employés (par exemple, par la tenue d'un « journal de bord »).

L'entrevue est une technique bien connue, dont nous avons traité dans ce manuel. L'entrevue classique permet de détecter les causes d'un problème, les obstacles à l'accomplissement des tâches, et elle a l'avantage de susciter des opinions spontanées.

Les discussions de groupe permettent des approches créatrices dans la résolution des problèmes de formation (remue-méninges, groupe nominal, analyse des champs de force, etc.).

Le principal désavantage de ces techniques est que leur application et l'analyse des données recueillies demandent beaucoup de temps.

Les techniques basées sur la consultation de dossiers et de rapports : Le formateur peut déterminer les besoins en formation des individus en consultant l'évaluation de leur rendement, les plaintes qui leur ont été adressées, etc. Le désavantage principal de cette technique est qu'elle reflète surtout les performances passées, et non les changements actuels.

Enfin, mentionnons une technique alliant les trois précédentes : **les centres d'évaluation du potentiel**. Au cours de ce processus, les individus participent à une série de situations simulant leur emploi réel. Les comportements suscités par les exercices sont relevés systématiquement par des observateurs formés à cette fin. Un ensemble de comportements peut révéler une habileté non maîtrisée (planifier et coordonner, par exemple), indiquant ainsi un besoin de formation. Cette technique s'est avérée très efficace, mais très coûteuse.

Pour conclure, mentionnons que le choix d'une technique d'analyse des besoins s'évalue en fonction de sa rapidité, de son coût, de sa fiabilité, du type d'employés et des contraintes de l'organisation.

Les problèmes de performance non reliés à la formation

L'utilisation des techniques précédentes peut révéler des problèmes de performance dont la cause est étrangère à la formation. Ces causes relèvent plutôt de facteurs organisationnels, individuels ou personnels, et des processus de groupe. Nous les nommerons problèmes organisationnels (PO) pour les distinguer des problèmes de formation (PF). Bien que la résolution des PO ne relève pas de la formation, nous décrirons brièvement ces problèmes.

Nous avons vu, dans la figure 9.1, les facteurs organisationnels qui déterminent le système de formation : les stratégies et les politiques, les ressources humaines et matérielles, le système de récompense, la structure et l'organisation du travail, la culture et les valeurs. Tout dysfonctionnement d'un de ces éléments peut nuire à la performance des individus, même s'ils possèdent les compétences nécessaires pour accomplir leurs tâches.

Des facteurs propres aux individus et étrangers à l'apprentissage peuvent également influer sur la performance : les valeurs profondes peuvent être incompatibles avec celles de l'organisation, ou les tâches peuvent être au-dessus des capacités physiques ou mentales.

Enfin, le groupe de travail peut exercer des pressions sur l'individu pour qu'il se conforme à ses normes. Si celles-ci sont contraires ou opposées à celles de l'organisation, elles créent des problèmes de performance.

Plusieurs auteurs (Rummler, 1987; Harless, 1970) ont développé des modèles de résolution de problèmes de performance, mais leur description va au-delà des limites de ce chapitre.

EN CONCLUSION

Nous avons longuement insisté sur cette étape de l'analyse des besoins, étape longue et complexe s'il en est. Mais cette insistance est proportionnelle à son importance. En effet, sans une analyse adéquate des besoins en formation, il est difficile de mener à bien les autres phases du programme, soit concevoir et planifier les activités de formation et en évaluer les résultats. De plus, cette première étape permet de dégager les objectifs organisationnels visés par le programme, d'identifier les employés ou les groupes d'employés qui ont besoin de formation et de distinguer les problèmes de formation de ceux qui relèvent d'autres facteurs. Résumons les étapes de l'analyse des besoins.

1. Analyse et clarification de la demande de diagnostic.
2. Identification du problème de performance :
   - constitution d'un ou de plusieurs échantillons d'employés ;
   - localisation du problème de performance (où ? qui ? quand ?) ;
   - analyse de l'écart de performance (comparaison entre la performance attendue et la performance constatée) ;
   - évaluation de l'importance de l'écart de performance.
3. Analyse des causes de l'écart de performance :
   - identification des comportements attendus pour accomplir une tâche donnée ;
   - établissement des comportements et des tâches prioritaires ;
   - identification des problèmes de formation (PF) ;
   - identification des problèmes organisationnels (PO).

Ayant constaté l'absence de comportements conformes aux exigences ou ayant dégagé un certain nombre de comportements fautifs, le formateur est prêt à passer à la seconde étape : la rédaction des objectifs d'apprentissage et du contenu du programme de formation.

9.4.2 LA CONCEPTION DU PROGRAMME DE FORMATION : OBJECTIFS ET CONTENU

Le formateur doit organiser les données issues de l'analyse des besoins. Même si les comportements dégagés sont précis, il reste à les regrouper et à les approfondir de telle manière qu'ils soient signifiants du point de vue de l'apprentissage. Les objectifs du programme serviront alors à transformer ces comportements en compétences distinctes (connaissances, habiletés, attitudes), à les hiérarchiser en séquences d'apprentissage. Ils faciliteront le choix de la matière à incorporer au programme.

LES OBJECTIFS D'APPRENTISSAGE

Un objectif est un énoncé qui décrit ce que les stagiaires devront être capables de faire à la fin d'un ou de plusieurs segments du programme de formation. Voici un exemple d'objectif: «À la fin du programme, le stagiaire devra être capable de rédiger des politiques de formation comprenant les quatre caractéristiques vues en classe».

Outre les fonctions mentionnées précédemment, la formulation d'objectifs d'apprentissage permet:

- de réduire les ambiguïtés ou les interprétations quant aux activités à accomplir, permettant ainsi une meilleure communication entre le formateur et les stagiaires;
- de découper la matière en unités significatives et par ordre croissant ou logique de difficulté;
- de choisir des méthodes et des techniques de formation adéquates (par exemple, les jeux de rôle seront probablement plus appropriés que le cours magistral pour changer les attitudes);
- de planifier les méthodes et les techniques d'évaluation du programme et de l'apprentissage des stagiaires;
- de fournir aux animateurs un plan de cours uniforme;
- de planifier les coûts du programme de formation;
- de présenter aux gestionnaires un plan d'action clair qui facilitera la prise de décision.

Quelques auteurs, dont le plus connu est certainement Mager (1971), ont établi les caractéristiques importantes d'un objectif précis. Un objectif bien formulé devrait au moins:

- décrire le comportement attendu chez le stagiaire en termes précis et concis, en privilégiant des verbes d'action qui décrivent une conduite observable, concrète (comme compter, réciter, réparer) plutôt qu'un processus mental (comme comprendre, savoir, découvrir);
- décrire dans quel contexte le comportement devra se manifester (où, quand, comment, avec quoi);

— annoncer le niveau de performance considéré comme acceptable et selon lequel les nouvelles compétences seront jugées; le critère de performance peut s'exprimer de différentes façons: en unités de temps, en pourcentage, en quantité, par des adverbes (par exemple, correctement).

Voici un exemple d'objectif réunissant les critères précédents: «De *mémoire* (condition de réalisation), le stagiaire-vendeur devra être capable d'*énumérer* (comportement attendu, verbe d'action) *toutes* (critère de performance) les catégories d'articles en vente dans un des magasins types».

Les types d'objectifs

En ce domaine, la terminologie foisonne: il existe des objectifs terminaux, spécifiques, intermédiaires, d'apprentissage, etc. Par souci de simplicité, nous distinguerons deux grandes catégories d'objectifs: les objectifs organisationnels et les objectifs d'apprentissage.

Les objectifs organisationnels, nous en avons parlé précédemment, sont les résultats ultimes visés par le programme de formation. Par exemple, lors d'une analyse de besoins exprimés par les gestionnaires, on déterminera l'objectif organisationnel (norme attendue) suivant: «Un an après la formation, réduire de 30 % le nombre de griefs et de 30 % le taux d'absentéisme dans l'ensemble des services». Une fois formulés et adoptés par les acteurs concernés, ces objectifs organisationnels seront examinés à nouveau lors de l'évaluation des résultats du programme de formation.

Les objectifs d'apprentissage concernent directement le formateur, car ils sont soumis aux règles énoncées précédemment et ils déterminent l'élaboration de la matière à enseigner. Les objectifs d'apprentissage se composent d'objectifs généraux et d'objectifs spécifiques.

Les objectifs généraux indiquent la direction générale du programme de formation ou d'une de ses séquences. Les objectifs spécifiques précisent les activités d'apprentissage dont l'ensemble permettra d'atteindre l'objectif général.

Le tableau 9.4 illustre un plan de cours (partiel) où figurent les différents objectifs évoqués, un aperçu de la matière à traiter (correspondant à un objectif spécifique), la durée de chaque activité et les méthodes et les techniques pédagogiques utilisées. Le type d'évaluation de quelques activités d'apprentissage y est également mentionné.

TABLEAU 9.4 UN EXEMPLE DE PLAN DE COURS (PARTIEL)

Objectif organisationnel : Réduire le nombre de griefs et le taux d'absentéisme de 30 %.
Objectif général : Résoudre les conflits entre les services ou les groupes.
Objectif préalable : Résumer un conflit vécu dans une division au cours des six derniers mois.

Objectifs spécifiques	Contenu	Durée	Méthodes, techniques et activités	Évaluation
1. Au terme de cette session, le gestionnaire-stagiaire devra être capable d'identifier les symptômes et l'intensité des conflits	– Manifestation des conflits destructeurs – Conflits et performance – Types de conflits	30 minutes 90 minutes	1. Exposé sur feuilles mobiles ; les stagiaires écoutent 2. À l'aide d'un film, les stagiaires s'exercent à reconnaître les types de conflits exposés précédemment	Test sur la reconnaissance des conflits. Note de passage : 80 %
2. Au terme de cette session, le gestionnaire-stagiaire devra être capable d'identifier les causes des conflits	– Conflits structurels : différences de buts, rareté des ressources, interdépendance des tâches et des groupes, niveaux de pouvoir, variations dans les critères de récompense, différences de perception – Conflits d'ordre individuel : style de résolution des conflits, valeurs, perceptions, estime de soi	30 minutes 45 minutes 30 minutes	3. Exposé avec transparents et feuilles mobiles 4. Lors de l'exercice de la corbeille (*in-basket*), les stagiaires devront identifier les sources de conflits structurels et individuels 5. Les participants comparent leurs réponses à l'exercice de la corbeille	Questionnaire où 80 % des causes de conflits ont été identifiées correctement

Personnel et matériel nécessaires : 1 instructeur, 12 participants.
In-basket (IB.1) ; film *La gestion des conflits* ; projecteur 16mm et écran ; feuilles mobiles et transparents 1 à 20.

LA STRUCTURATION DU CONTENU

Le formateur dispose maintenant d'un certain nombre d'objectifs. Il lui reste à ordonner ces objectifs et à agencer un contenu qui soit significatif pour les stagiaires. Les experts dans un domaine particulier sont, bien sûr, des sources d'information importantes. Toutefois, les experts puisés à même l'organisation (ce qui peut être nécessaire et souhaitable) ne sont pas nécessairement des pédagogues-nés. Les conseils du formateur deviendront indispensables dans le cas de l'élaboration commune d'un plan de cours.

La psychologie et l'éducation offrent, de ce point de vue, de nombreuses théories et méthodes dont nous parlerons plus loin. Il n'existe cependant pas de «meilleure manière de faire». Contentons-nous de suggérer quelques points de repère en matière d'objectifs et de contenu.

1. Aller du simple au complexe:

    Par exemple, la conduite d'une automobile peut donner lieu à l'apprentissage gradué suivant:
    –   mettre le moteur en marche;
    –   conduire la voiture (avancer, reculer);
    –   stationner entre deux véhicules, etc.

2. Reproduire les séquences réelles de travail:

    Voici un exemple de tâches d'un commis-vendeur de chaussures:

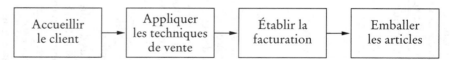

3. Aller des tâches les plus fréquentes aux moins fréquentes:

    La matière peut être décomposée de manière à respecter la réalité du travail de l'employé. Celui-ci pourrait se perfectionner d'abord dans les tâches les plus fréquentes, puis dans celles qu'il accomplira moins souvent. Ainsi, un mécanicien type pourra d'abord apprendre à réparer les freins et la suspension avant de se perfectionner dans le système de climatisation.

4. Séparer les objectifs étroitement liés des objectifs indépendants:

    Par exemple, les objectifs et le contenu relatifs à la conduite automobile doivent être traités ensemble, alors que la signalisation routière est une matière indépendante de la conduite même d'un véhicule.

5. Respecter les prescriptions théoriques pour la résolution de problèmes complexes :

Confronté à un problème complexe, le formateur peut utilement consulter les ouvrages traitant des étapes propres à le résoudre. Ainsi, un programme de formation portant sur la façon de motiver le personnel pourrait s'appuyer sur les actions connues suivantes : établir des objectifs de performance clairs et acceptables, donner la rétroaction précise en temps et lieu, enrichir ou élargir une tâche donnée, etc.

6. S'inspirer de principes d'apprentissage reconnus :

Par exemple, dans le domaine des objectifs, le formateur pourra s'inspirer des taxinomies d'objectifs existantes, notamment celle de Bloom et de ses collègues (1956 et 1964). Dans le domaine cognitif, ces auteurs ramènent les différents types d'objectifs à cinq catégories, allant du simple au complexe : savoir (faits, principes, etc.), comprendre, appliquer, analyser et synthétiser, évaluer (savoir juger). Ces auteurs ont également élaboré une taxinomie d'objectifs dans le domaine affectif. Quant aux objectifs du domaine psychomoteur, la taxinomie de Harrow (1972) peut s'avérer utile. Le formateur agencera les activités de formation selon les objectifs qu'il vise pour les stagiaires (*voir également le tableau 9.5*).

En somme, ces points de repère respectent les grands principes de l'apprentissage chez l'adulte : apprendre en agissant, en connaissant le résultat de nos actions, apprendre par renforcements positifs, par association, etc.

En pratique, la formulation d'objectifs n'est pas suivie aussi scrupuleusement dans le monde de la formation en entreprise que dans celui de l'éducation, mais l'expérience et le contexte de travail compensent quelques omissions. Toutefois, l'exercice est indispensable pour la planification adéquate des activités de formation. Dans tous les cas, les objectifs doivent être atteignables, adaptés au niveau moyen des stagiaires, et ils ne doivent pas être trop nombreux.

Enfin, la formulation d'objectifs, rationnelle et structurée, comporte des limites dans la mesure où elle peut inhiber la créativité, la spontanéité ainsi que la dynamique interne propres au groupe en formation.

9.4.3 LA PLANIFICATION DU PROGRAMME DE FORMATION

Cette phase consiste à prévoir les ressources humaines et matérielles nécessaires à la réalisation d'un cours ou d'activités correspondant aux objectifs de formation préalablement approuvés. Il s'agit donc de prévoir, mais aussi d'engager ou de mobiliser le personnel et de produire l'ensemble du matériel indispensable. La figure 9.4 illustre les activités à entreprendre. En pratique cependant, ces activités ne se présentent pas nécessairement dans l'ordre indiqué.

LA SÉLECTION DES STAGIAIRES

Dans tous les cas, il est important de préciser quelles sont les conditions d'accès à la formation. Les critères suivants peuvent influencer le processus de sélection des stagiaires :

- les chartes des droits individuels et les programmes d'équité en emploi (chapitre 6);
- les coûts de la formation, le budget disponible;

FIGURE 9.4 LA PLANIFICATION ET L'ÉLABORATION DU PROGRAMME DE FORMATION

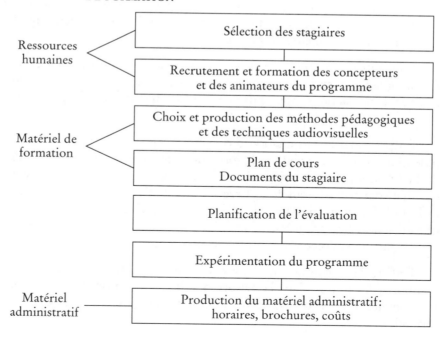

- la priorité accordée à un groupe d'employés selon l'urgence du problème (par exemple, législation impérative ou problèmes de performance graves);
- les recommandations des supérieurs hiérarchiques concernant certains employés;
- les clauses syndicales (par exemple, l'ancienneté);
- le caractère obligatoire de la formation, dans le cas où elle serait une condition préalable à l'obtention confirmée d'un emploi (par exemple, les candidats au poste d'agent de bord chez Air Canada doivent, entre autres conditions, réussir une formation donnée pour être embauchés);
- l'âge, l'expérience, la scolarité, le niveau hiérarchique pour un groupe d'employés (par exemple, l'âge pour les employés prêts à suivre un cours de préparation à la retraite).

Beaucoup de désagréments peuvent résulter d'une mauvaise sélection de candidats aux cours de formation. On doit s'efforcer d'être le plus juste possible à l'égard des employés en clarifiant, en diffusant et en respectant les critères d'accès à la formation.

LE RECRUTEMENT DES CONCEPTEURS ET DES ANIMATEURS

Plusieurs établissements ou organismes fournissent des experts dans une matière ainsi que de nombreuses sources d'information pour établir le contenu du programme.

Lorsqu'on a le choix, la préférence doit toujours aller aux ressources de l'organisation même. Un formateur crédible dans l'organisation a l'avantage de connaître celle-ci, donc d'utiliser des termes et des exemples appropriés et familiers pour les stagiaires. Si ce formateur est un cadre, il peut de plus servir de modèle et contribuer à concrétiser le principe selon lequel la formation est d'abord la responsabilité des gestionnaires.

On peut recourir à d'autres organismes lorsqu'il est difficile de trouver un formateur interne pour des raisons de compétence ou pour des raisons «politiques» (dans le cas, par exemple, d'un climat tendu dans l'organisation). Les gouvernements, nous l'avons vu au début de ce chapitre, offrent de nombreux programmes de base. Les associations professionnelles et les syndicats offrent également des cours spécialisés intéressants. Les firmes de consultants foisonnent; le recours à cette catégorie de conseillers peut s'avérer coûteux, mais néanmoins utile lorsque les sessions sont adaptées aux besoins réels des organisations.

Enfin, les universités, les bibliothèques et divers ministères sont également une source d'informations à ne pas négliger quand il s'agit d'élaborer le contenu d'un programme. Aujourd'hui, les établissements d'enseignement travaillent de concert avec le monde du travail pour établir des programmes d'études.

LES MÉTHODES ET LES STRATÉGIES DE FORMATION ET LES TECHNIQUES AUDIOVISUELLES

Il existe une documentation abondante sur les méthodes de formation et les techniques audiovisuelles (Craig, 1976; Larouche, 1984). Nous ne nous y attarderons donc pas outre mesure. À ce stade, le formateur se demande quelle est la meilleure méthode à utiliser dans son enseignement. Malgré le nombre élevé de recherches comparatives, il existe peu d'arguments irréfutables pour choisir une méthode pédagogique plutôt qu'une autre. Chaque méthode peut contribuer grandement à l'apprentissage quand elle est appropriée aux objectifs et au contenu du cours ainsi qu'aux capacités des stagiaires.

Il est toutefois possible, selon les caractéristiques de chacune des méthodes, de classer celles-ci selon qu'elles s'appliquent à des objectifs d'apprentissage d'ordre cognitif ou affectif, allant du simple au complexe, à la manière de Bloom et de ses collègues déjà cités. Le tableau 9.5 décrit les méthodes de formation dans cette optique et donne un bref aperçu de leurs avantages et de leurs inconvénients.

Les politiques de décentralisation des entreprises couplées à l'avènement des technologies informatiques rendent très actuelle la question de savoir comment susciter et appuyer l'autoformation[4]. Cette stratégie pédagogique passe par l'autodiagnostic des besoins en formation de l'employé et l'assurance que ses supérieurs donneront l'appui et le suivi dont ils auront mutuellement convenu. L'employé, ainsi libéré de la formation formelle donnée en entreprise, a alors le choix des ressources: suivre des cours à l'extérieur de l'organisation ou par correspondance, utiliser des vidéodisques, apprendre de ses collègues de façon informelle, etc. (voir Marsick et Watkins, 1991).

---

4. Autoformation ou apprentissage autodirigé: termes d'origine américaine qui désignent un processus par lequel une personne ou un groupe prend l'initiative de sa propre formation et assume la responsabilité de l'organiser, de l'exécuter et de l'évaluer. À la différence de l'autodidaxie, l'apprentissage autodirigé s'effectue le plus souvent avec l'aide d'autres personnes (collègues, formateurs, cadres) ou d'un établissement d'enseignement.

Quant aux techniques audiovisuelles (tableau noir, magnétoscope, etc.), voici quelques conseils:

- considérer les coûts et la facilité de transport;
- choisir ces techniques en fonction des intérêts, du niveau de compréhension et de concentration des stagiaires ainsi que de la matière traitée;
- tenir compte de la taille du groupe, du temps disponible;
- ne pas abuser des techniques audiovisuelles;
- tester l'équipement avant usage, prévoir une activité de remplacement en cas de mauvais fonctionnement des appareils.

Le matériel de formation inclut tout ce dont auront besoin les stagiaires et les formateurs, quel que soit le lieu de formation (en classe ou au travail). Le matériel comprend le plan de cours, les exercices et les documents à remettre aux participants (*voir le tableau 9.4*).

LA PLANIFICATION DE L'ÉVALUATION

Ayant pris connaissance du plan de cours, le formateur est maintenant prêt à élaborer son plan d'évaluation. Le processus d'évaluation sera décrit ultérieurement en détail.

L'EXPÉRIMENTATION DU PROGRAMME

L'expérimentation du programme est en fait le premier test qui permettra de relever les dernières modifications à apporter à la conception du programme avant sa diffusion à un grand nombre de stagiaires.

La mise à l'épreuve du nouveau programme permet de ne modifier que les résultats qui apparaissent immédiatement insatisfaisants, mais les aspects couverts sont si nombreux que le formateur ne peut faire l'économie de cette étape. Il faut alors surveiller tous les points qui sont contenus dans le plan de cours et qui portent autant sur le fond que sur la forme et les moyens. Un échantillon représentatif des futurs stagiaires peut être utile à cette expérimentation.

LE MATÉRIEL ADMINISTRATIF

Le matériel administratif varie selon les organisations et le type de planification des activités de formation. Cependant, dans tous les cas, il s'agit d'informer les éventuels stagiaires et leurs supérieurs hiérarchiques du calendrier et des horaires des sessions de formation, des

TABLEAU 9.5 LES MÉTHODES DE FORMATION SELON LES OBJECTIFS D'APPRENTISSAGE*

Objectifs d'apprentissage par ordre croissant de complexité (DC = domaine cognitif DA = domaine affectif)	Méthodes de formation	Description	Avantages	Inconvénients
DC: Acquérir des connaissances, comprendre	Cours et méthodes connexes	Enseignement de type traditionnel	Méthodes économiques	Peu d'échanges entre les personnes
DA: Recevoir, répondre volontairement	Enseignement programmé et formation assistée par ordinateur (FAO)	Découpage de la matière en séquences utiles par des moyens mécaniques et informatiques	Formation adaptée au rythme personnel du stagiaire	Absence du maître
DC: Appliquer des connaissances à des situations concrètes	Études de cas	Étude de situations écrites	Formation à la résolution de problèmes	Réalisation coûteuse, solutions hypothétiques
DA: Participer activement, échanger ou se forger des opinions, des valeurs	Discussions, séminaires	Débat d'un problème en groupe	Connaissances et émotions mises à l'épreuve	Nécessité d'un animateur efficace
	Restitution d'enquête (survey feedback)	Discussion de résultats d'enquêtes sur le fonctionnement de l'organisation	Modification des comportements et des perceptions	Longue, coûteuse, suivi difficile

	Démonstration, orientation et méthodes connexes (attribution d'un mentor, d'un moniteur)	Activités d'apprentissage planifiées où un spécialiste montre la tâche à accomplir et la fait exécuter par les stagiaires	Apprendre en agissant sous une supervision active	Difficile à appliquer à de grands groupes
	Méthodes de simulation (jeux de rôle, jeux d'entreprise, centre d'évaluation, apprentissage par comportements, modèles)	Reproduction plus ou moins réaliste de situations de travail où les stagiaires se voient attribuer un rôle à jouer	Permet d'évaluer rapidement la pertinence des décisions et de leurs effets sur les autres stagiaires ou sur le travail	Méthodes coûteuses difficiles à réaliser, tout le monde n'étant pas acteur
	T-group (*training group*)	Réunion non structurée, centrée sur la dynamique même du groupe	Permet l'étude des comportements et des émotions dans les relations interpersonnelles	Possibilité de perdre la maîtrise de la situation, résultats difficiles à cerner
DC: Analyser, synthétiser DA: Organiser les valeurs acquises	Cercles de qualité et autres types de participation de groupe de l'organisation	Types de structures indépendantes où les équipes de travail tentent de résoudre des problèmes de performance	Structure d'apprentissage de résolution de problèmes réels et de communication de groupe	Les changements non implantés peuvent démotiver rapidement les équipes qui les ont recommandés
DC: Juger, décider des changements DA: Autonomie, auto-éducation	Toutes			

* Le même exercice peut s'appliquer aux objectifs du domaine psychomoteur.

objectifs poursuivis à chacune des sessions, du coût des activités, des lieux de formation prévus, des activités préparatoires à la formation, des personnes responsables du programme et des modalités d'inscription des candidats.

Ceci clôt le survol des activités de planification du programme de formation, qu'il faut préalablement faire accepter par les gestionnaires concernés. Le formateur est maintenant prêt à passer à l'étape suivante : l'exécution du programme de formation, ou la diffusion de la matière aux groupes concernés.

9.4.4 L'EXÉCUTION DU PROGRAMME DE FORMATION

Que ce soit en classe ou sur les lieux de travail, le formateur doit maintenant déterminer les moyens pour que l'apprentissage prévu soit acquis et maintenu par les stagiaires.

Les responsables de la formation auront alors recours aux théories de l'apprentissage humain, auquel psychologues et éducateurs ont consacré une somme impressionnante de travaux. Toutefois, il reste beaucoup à faire pour vérifier la validité de ces théories dans le contexte de la formation dans les organisations. L'expérience aidant, les formateurs, plutôt que de respecter une théorie en particulier, ont adopté un certain nombre de principes empruntés à plusieurs écoles de pensée sur l'apprentissage. Aussi, dans cette partie, nous exposerons, très brièvement d'abord, la conception des trois principales écoles de pensée qui ont énoncé ces principes. Nous proposerons ensuite un certain nombre d'actions dérivées de ces principes, lesquelles témoignent d'une pratique acceptée dans le milieu.

LES THÉORIES DE L'APPRENTISSAGE

Trois écoles de pensée résument les tendances des diverses théories de l'apprentissage humain.

D'abord, les théories behavioristes considèrent l'apprentissage comme le résultat d'un conditionnement façonné par le jeu des liaisons entre un stimulus (S) et une réponse (R) disponibles, visibles dans l'environnement du sujet qui apprend. Les caractéristiques de la situation, de l'environnement, sont considérées comme les déterminants de la réponse donnée par le sujet, sans qu'il y ait intervention explicite de son activité mentale, cognitive.

La deuxième école de pensée, dite cognitive, postule que l'apprentissage n'est pas qu'une simple liaison entre un stimulus et une réponse. Les théories cognitives soutiennent au contraire que l'apprentissage est plus complexe et que l'individu joue un rôle important dans la structuration de son environnement, par la compréhension et le raisonnement.

Une troisième approche, relativement récente, développée entre autres par Bandura (1977) et connue sous le nom de «théorie de l'apprentissage social», accorde une part essentielle aux processus cognitifs, affectifs et sociaux qui permettent d'utiliser nos expériences de manière plus complète. Elle valorise l'interaction, voire l'interdépendance des facteurs propres à l'individu, à l'environnement et au comportement lui-même. Selon Bandura, apprendre comporte quatre processus élémentaires interdépendants:

1. être attentif, être sensible à certains stimuli;

2. mémoriser, enregistrer symboliquement certaines activités;

3. agir;

4. être motivé.

L'apprentissage étant un changement durable, il est donc possible, d'après ce qui précède, d'induire ce changement en agissant sur le stagiaire et sur son environnement, tout en respectant les quatre processus élémentaires décrits ci-dessus.

LES ACTIONS SUR L'ENVIRONNEMENT DU STAGIAIRE

Il s'agit d'agir sur les facteurs de l'environnement susceptibles d'intéresser les individus à apprendre, à changer. Évoquer les actions suivantes, c'est rappeler ni plus ni moins le cadre organisationnel nécessaire au succès de la formation:

– identifier les performances à changer;

– identifier les besoins de formation, les communiquer clairement;

– formuler et diffuser les objectifs de changement;

– formuler et diffuser des politiques de formation;

– concrétiser la participation des gestionnaires dans les activités de formation et la rendre «visible»;

– sensibiliser les individus à la nécessité de changer leurs comportements et d'améliorer leurs compétences (les évaluations régulières ou les résultats d'enquêtes dans l'organisation peuvent y contribuer);

– mettre en évidence les récompenses possibles de l'apprentissage (promotions, primes, nouvelles responsabilités, etc.).

LES ACTIONS SUR LA PERFORMANCE ET LA MOTIVATION DU STAGIAIRE

Le renforcement et le transfert de l'apprentissage

La notion de renforcement est un concept clé dans les théories de l'apprentissage. C'est par le renforcement des réponses qu'un comportement est maintenu ou modifié. La compréhension et l'application du renforcement sont donc essentielles pour assurer le transfert de l'apprentissage de la « classe » au milieu de travail et pour garantir le maintien de cet apprentissage. Le renforcement est tout objet, personne ou événement qui contribue à augmenter ou à entretenir la force d'une réponse.

Le renforcement positif émanant des supérieurs hiérarchiques est un processus très efficace. À cet effet, le gestionnaire peut s'engager dans les actions suivantes:

– connaître et offrir les « récompenses » auxquelles le stagiaire est sensible (possibilité d'appliquer des notions nouvellement acquises, argent, considération, etc.);

– appliquer le renforcement ou la punition immédiatement après une réponse particulière (généralement);

– connaître la fréquence optimale de l'octroi des renforcements: en général, il est conseillé de récompenser souvent au début d'un apprentissage, puis de façon intermittente;

– favoriser l'appréciation, l'approbation des membres du groupe envers le stagiaire et favoriser le travail commun où l'on discute des notions apprises;

– convenir, avec le stagiaire, d'un plan de transfert de l'apprentissage qu'il suivra de près et dont il encouragera l'application;

– fournir les ressources humaines et matérielles qui rendront possible l'application des nouvelles compétences;

– éliminer les obstacles inhibant la manifestation des nouveaux comportements (par exemple, le manque de temps);

– faire appliquer les nouvelles compétences;

– effectuer des contrôles réguliers de la performance (des contrôles sans préavis peuvent également maintenir constant le nouveau comportement).

Enfin, un autre type de renforcement joue un rôle primordial dans le transfert de l'apprentissage du stagiaire : la connaissance des résultats de sa performance (rétro-information).

La connaissance des résultats

Non seulement la connaissance des résultats sert de renforcement, mais elle permet aussi de corriger les erreurs de performance (dans la mesure où l'on précise en quoi consiste l'erreur, quelle est sa cause et comment la corriger). La rétroaction peut être de nature intrinsèque (émaner directement des erreurs de performance) ou extrinsèque (provenir d'autres personnes que le stagiaire lui-même). Pour être adéquate, une rétro-information doit toujours préciser les normes auxquelles la performance du stagiaire est comparée (une norme possible pourrait être, par exemple, la performance du groupe) et être offerte selon une fréquence pertinente. Le gestionnaire doit également choisir adéquatement les mécanismes de rétro-information (entretien, note de service, etc.) et l'émetteur (en principe, le supérieur hiérarchique est la source de choix) (Benabou et Abravanel, 1986).

En général, les recherches montrent que la performance augmente selon la présence et la qualité de la rétroaction (Ilgen *et al.*, 1979). Toutefois, celle-ci ne prend son sens que par rapport à des buts ou à des objectifs préalablement établis.

L'établissement des buts

Quand l'individu se fixe ou accepte de plein gré des buts difficiles, sa motivation et sa performance augmentent, ce qui facilite l'apprentissage et la formation (Cascio, 1987). Généralement, quand les buts sont acceptés, l'intérêt à les poursuivre est vif, tenace, facilitant ainsi la reproduction des comportements observés, appris.

Les buts ont d'autant plus de chances d'être acceptés que les individus contribuent à les fixer. D'où l'importance de consulter les individus concernés pour identifier leurs besoins en formation et établir avec eux les objectifs d'apprentissage. Pour ce faire, le gestionnaire peut aider le stagiaire à se fixer des buts réalistes en évaluant les capacités de ce dernier avant et après la formation, et en renvoyant au stagiaire une image exacte de ses capacités (image de soi).

L'organisation du contenu de la formation

Nous avons vu comment la performance était maintenue quand l'individu était de retour au travail. Le formateur, pendant la transmission de la matière, peut également favoriser ce transfert en tenant compte des points suivants (This et Lippitt, 1979):

– accentuer les similitudes entre les situations d'apprentissage et la réalité du travail (tâches, matériel, langage, contraintes);

– procurer l'occasion d'appliquer les tâches enseignées, les principes et les méthodes étudiés, et multiplier les exemples;

– s'assurer que les comportements appris seront récompensés ou renforcés quand le stagiaire sera de retour au travail.

Par ailleurs, le formateur peut favoriser le transfert et la mémorisation en respectant le rythme d'acquisition des stagiaires (la lecture des courbes d'apprentissage peut s'avérer utile) et en créant un environnement propice à l'apprentissage des adultes, selon les principes de l'andragogie (Knowles, 1970). L'andragogie désigne la science et l'art d'aider les adultes dans leur apprentissage, ainsi que l'étude de la théorie et de la pratique de l'éducation des adultes.

9.4.5 *L'ÉVALUATION DU PROGRAMME DE FORMATION*

On peut définir l'évaluation comme un ensemble d'activités permettant d'attribuer une valeur au programme de formation ou à une ou plusieurs de ses composantes. La détermination de cette valeur permet aux acteurs concernés (gestionnaires, formateurs, clients, promoteurs) de prendre une décision bien documentée à l'égard du programme de formation (le modifier, le suspendre, etc.).

On reconnaît que l'évaluation est un processus utile, mais paradoxalement, c'est une activité très peu développée par les promoteurs des programmes de formation. L'examen de la documentation (Larouche, 1984) révèle peu de cas où l'évaluation fait l'objet d'un travail rigoureux. Au Québec, une enquête menée par Bisson et Rancourt (1985) auprès de 17 entreprises révèle que l'évaluation systématique de l'apprentissage réalisé par les stagiaires n'est le fait que de 48 % des programmes de formation, tandis que l'évaluation du transfert de cet apprentissage en milieu de travail n'a été effectuée que dans 12 % de ces programmes. Enfin, l'évaluation du degré de réalisation des objectifs organisationnels est totalement absente de ces programmes. En 1990, dans les moyennes et grandes entreprises canadiennes, pour les mêmes objets d'évaluation, les pourcentages sont respectivement de 53 %, 44 % et 35 %.

Plusieurs raisons, réelles ou supposées, peuvent expliquer cette carence d'évaluation des programmes : les difficultés techniques et méthodologiques, les coûts élevés de l'évaluation, la crainte des acteurs d'être mal «jugés», le manque de temps, etc.

Pourquoi donc évaluer un programme de formation? Pour le gestionnaire soucieux du développement de son personnel, du travail bien fait et de la gestion de ses fonds, l'évaluation doit répondre aux questions suivantes :

1. Le stagiaire a-t-il appris quelque chose et en est-il satisfait?
2. Le stagiaire est-il capable d'appliquer à son travail ce qu'il a appris?
3. La performance du stagiaire lui permet-elle maintenant de contribuer à la performance de l'organisation?
4. Est-on sûr que la formation est la seule cause des changements observés chez le stagiaire et dans son travail?
5. À quel prix le programme a-t-il été réalisé?

Les réponses à ces questions constituent la suite de ce chapitre. Nous y traiterons des niveaux d'évaluation (réponses aux questions 1, 2, 3), des méthodologies d'évaluation (question 4) et de l'analyse coût–bénéfice des programmes (question 5). Voyons auparavant les étapes et les activités générales du processus d'évaluation.

LA DÉMARCHE GÉNÉRALE DU PROCESSUS D'ÉVALUATION

Les étapes décrites ici sont semblables à celles qui sont nécessaires pour mener une analyse des besoins, dans une optique différente bien entendu.

L'étude de la demande d'évaluation

L'évaluateur doit connaître les raisons qui motivent la demande d'évaluation et les fins qu'elle servira (évaluation de l'apprentissage ou raisons «politiques»?). Il doit également s'enquérir des ressources disponibles, de l'attitude des acteurs concernés à l'égard de l'évaluation, et du climat de l'organisation dans lequel s'inscrira ce processus. Il doit également négocier, avec le demandeur, le type de critères d'évaluation et le degré de rigueur scientifique à maintenir.

L'étude préliminaire du programme à évaluer

Si l'évaluateur n'a participé ni à la conception ni à la réalisation du programme de formation, il doit s'enquérir des caractéristiques de ce programme (sa raison d'être, ses objectifs, le type de participants, d'animateurs, etc.). Il s'efforcera de trouver et d'étudier les documents disponibles (rapports d'analyse des besoins, plans de cours, résultats des évaluations préliminaires, etc.).

L'élaboration du plan d'évaluation

Le formateur ou l'évaluateur sélectionne la méthodologie d'évaluation applicable à un programme de formation donné (nous décrirons les différentes méthodologies plus loin). Il choisit ou élabore les instruments d'évaluation (tests, entrevues, questionnaires, incidents critiques, échelles d'observation, etc.) et s'assure en particulier de leur validité et de leur fidélité. Il mentionne ses sources d'information (participants, gestionnaires, etc.) et constitue l'échantillon de la population visée par son analyse. À ce stade, l'évaluateur diffuse son plan d'évaluation et notifie aux personnes concernées ce qu'il attend d'elles aux dates prévues.

L'application de l'évaluation

L'évaluateur administre aux individus concernés les instruments de mesure prévus.

L'analyse et l'interprétation des données

L'évaluateur analyse les données. Celles-ci sont de nature qualitative (entrevues, observation) ou quantitative (résultats de tests, indices de productivité, coûts et avantages du programme, etc.). Les données quantitatives sont traitées au moyen de techniques statistiques parfois complexes (analyses de variance, techniques corrélationnelles, etc.). Toutefois, le formateur non rompu aux méthodes d'analyse quantitative peut faire appel à un spécialiste des statistiques appliquées aux sciences humaines. Par ailleurs, il existe de nombreux programmes statistiques informatisés très utiles pour traiter les données (SPSS, OSIRIS, BMD, SUPAC, etc.).

Le rapport et les recommandations

L'évaluateur consigne, dans un rapport clair et concis, l'essentiel de ses analyses et de ses recommandations.

LES NIVEAUX D'ÉVALUATION

Le programme de formation vise à susciter chez les stagiaires une certaine motivation pour apprendre et acquérir de nouvelles compétences (connaissances, habiletés, attitudes). Il vise surtout à améliorer leur performance au travail qui, en retour, devrait améliorer celle de l'organisation.

Ces quatre effets de la formation (satisfaction, apprentissage, transfert des compétences, réalisation des buts organisationnels) constituent les quatre catégories de critères d'évaluation que Kirkpatrick (en 1954 la première fois) a contribué à clarifier.

Les opinions et les réactions des participants

Ce premier niveau d'évaluation est simple et peu fiable quant à sa valeur scientifique. Il s'agit de recueillir, à la fin du programme de formation, les opinions des stagiaires sur divers aspects de ce programme. Généralement, les opinions sont relatives à la pertinence des objectifs du programme, au fond (matière traitée), à la forme et à l'environnement des activités (méthodes pédagogiques, animateur, équipement, répartition du temps, facilités offertes telles que le type de locaux, les moyens de transport, etc.).

L'évaluateur recueille ces opinions au moyen d'un questionnaire et il les quantifie par une échelle graduée de type Likert. Ce premier niveau d'évaluation, très subjectif, ne permet pas de conclure quant aux effets du programme de formation. Cependant, un indice de satisfaction élevé peut indiquer qu'il y a eu au moins une certaine réceptivité à l'apprentissage. Si ce premier niveau d'évaluation indique la satisfaction des stagiaires, il ne révèle cependant pas ce qu'ils ont appris.

L'évaluation de l'apprentissage à la fin du programme

Il s'agit de mesurer l'apprentissage réalisé à la fin du programme de formation. En général, on tente de noter les améliorations des connaissances, des habiletés et des attitudes. Cette évaluation est plus rigoureuse, plus objective que la première. Dans tous les cas, elle se rapporte aux objectifs d'apprentissage qui ont été formulés lors de la conception du programme de formation (*voir le tableau 9.4, par exemple*). En général, cette évaluation comporte les actions suivantes:

- choisir des instruments d'évaluation valides pour mesurer l'état des connaissances, des habiletés et des attitudes;

- choisir un plan d'évaluation: généralement, il s'agit de prévoir au moins un prétest et un post-test avec un groupe de contrôle pour mesurer les progrès réalisés par les stagiaires depuis leur adhésion au programme (nous parlerons en détail de ces plans plus loin);

– analyser et interpréter les données.

Les instruments d'évaluation généralement utilisés pour mesurer les connaissances sont de type «papier–crayon» (tests, questionnaires) ou les entrevues. Les habiletés évaluées relèvent habituellement:

– de la psychomotricité (par exemple, utiliser un chalumeau);

– du comportement (par exemple, transiger avec un client agressif);

– de la résolution de problèmes (par exemple, en fonction des lois et des règlements pertinents, évaluer l'admissibilité d'un requérant de l'aide sociale).

Les observations, les entrevues, les tests, les mesures objectives (erreurs, temps, quantité, etc.) peuvent être combinés pour produire un ou plusieurs scores d'apprentissage.

Si les connaissances et les habiletés sont relativement aisées à mesurer, il n'en va pas de même pour les attitudes, plus difficiles à modifier. L'attitude n'est pas un concept univoque. Par exemple, il y a autant de définitions et de moyens de mesurer la motivation et la satisfaction au travail que d'auteurs qui en ont traité. Toutefois, des instruments, tels de bons questionnaires, des tests, des entrevues, des échelles d'évaluation, peuvent estimer les changements d'attitudes consécutifs aux exercices conçus à cet effet: jeux de rôles, confrontations, discussions, apprentissage par imitation de modèles, etc. (*voir le tableau 9.5*). Ces exercices doivent être fondés sur les objectifs d'apprentissage de nouvelles attitudes, bien sûr, mais aussi sur des modèles opératoires cohérents (Savoie, 1987).

La mesure des connaissances et des attitudes constitue l'évaluation interne du programme, c'est-à-dire l'évaluation des objectifs et du système d'apprentissage. Cette évaluation est faite à la fin du programme de formation (évaluation dite «sommative» ou du produit final). Notons toutefois qu'elle peut être menée pendant le déroulement même du programme (évaluation dite «formative»). Cette forme d'évaluation permet de corriger le programme au fur et à mesure qu'il est développé et avant qu'il ne soit diffusé à une grande échelle (il faudra toutefois l'enrichir d'observations systématiques pendant l'exécution même du programme). Dans les deux types d'évaluation, les sources d'information proviennent des participants, des concepteurs et des animateurs du programme, des dossiers et des rapports pertinents, et des gestionnaires.

Par ailleurs, l'évaluation externe tente d'abord de déterminer les effets de l'apprentissage du stagiaire sur sa performance au travail.

L'analyse coût–bénéfice des résultats de cette performance complète l'évaluation externe.

L'évaluation de la performance au travail

En général, cette évaluation comporte les activités suivantes :

- choisir les instruments d'évaluation ;

- choisir les sources d'information (participants, collègues, gestionnaires, clients) ;

- choisir un plan d'évaluation (généralement, il consiste à établir un prétest, un ou plusieurs post-tests et un groupe de contrôle). Les dates auxquelles les post-tests seront administrés varient de trois mois à deux ans après le programme de formation. L'intervalle maximal dépasse rarement trois ans.

L'évaluation du transfert de l'apprentissage est cruciale. Les critères d'évaluation sont la qualité et la quantité des comportements adéquats pour réaliser une tâche en milieu de travail. La principale technique d'évaluation est l'observation planifiée des stagiaires en milieu de travail. Généralement, le supérieur hiérarchique est le mieux placé pour observer. Les collègues de travail peuvent également être des sources précieuses d'information.

L'évaluateur peut consigner les observations sur des échelles construites à cette fin ou dans des rapports quotidiens. Entrevues, évaluations régulières de rendement, incidents critiques sont également des sources d'information utiles. Les questionnaires permettant la quantification des réponses sont également très utilisés, quoique plus subjectifs. À ce stade, l'évaluateur peut noter les facteurs de l'environnement (PO) qui inhibent le transfert de l'apprentissage dans les conditions habituelles de travail.

L'évaluation de la performance organisationnelle

Il s'agit d'évaluer jusqu'à quel point les performances au travail des individus contribuent à résoudre les problèmes de performance de l'organisation qui ont suscité la formation. En somme, il faut évaluer le degré de réalisation des objectifs organisationnels énoncés lors de l'analyse des besoins (par exemple, réduire le taux d'absentéisme, de roulement du personnel, des griefs, des accidents, etc.). Ces critères sont décisifs pour juger de l'efficacité d'un programme de formation.

Après l'efficacité du programme de formation, il faut maintenant évaluer son efficience. Celle-ci a pour fonction d'estimer si les résultats ont été atteints au moindre coût. L'analyse coût–bénéfice est l'instrument privilégié pour cette démarche. Nous y reviendrons après avoir exposé les méthodologies d'évaluation.

LES MÉTHODOLOGIES D'ÉVALUATION

Pour le formateur et les divers décideurs concernés par les activités de perfectionnement, il est important de savoir que l'amélioration de la performance est imputable à ces activités. Hélas, il est très difficile, voire impossible, de maîtriser tous les facteurs qui influent sur la performance et, par conséquent, de conclure nettement à une relation de cause à effet entre la modification du comportement et l'apprentissage. L'évaluateur doit toutefois choisir le plan expérimental qui permettra de procéder à l'analyse causale la moins douteuse.

Un plan expérimental établit non seulement les relations entre les variables à l'étude, mais aussi la façon dont les facteurs d'une situation sont contrôlés et les données analysées. Avant de décrire ces plans d'évaluation, il faut mentionner précisément les facteurs qui peuvent invalider tout processus d'évaluation. Campbell et Stanley (1963) ont identifié un ensemble de variables dont les effets peuvent rendre l'interprétation des résultats difficile.

Les variables à contrôler

L'histoire : Tout événement non contrôlé, étranger à la formation et qui survient entre deux mesures de la performance peut contribuer à influer sur celle-ci (changement d'éclairage, nouvelles politiques du service, rémunération supplémentaire, etc.).

L'évolution : Tout processus influencé par le seul passage du temps (expérience, changements physiologiques, etc.) peut contribuer à modifier la performance.

Le «testing» : L'administration d'un prétest (toute mesure prise avant le programme de formation) peut influer sur la performance au post-test (toute mesure prise après le programme de formation). En effet, dans le cas de mesures rapprochées dans le temps, le stagiaire peut, par exemple, discuter de ses réponses au prétest avec ses collègues et tenir compte de cet échange lors du post-test.

L'instrumentation : Des erreurs d'expérimentation peuvent invalider les résultats. Il s'agit particulièrement de la conception et de l'usage d'instruments qui mesurent inopinément des attributs différents d'un même individu en deux points dans le temps. Par exemple, un instrument peut devenir hors d'usage, ou encore deux observateurs peuvent évaluer différemment le comportement avant et après la formation des stagiaires. Ces erreurs d'expérimentation peuvent produire des résultats que l'on attribuera à tort à la seule formation.

La régression statistique : L'effet de régression statistique se manifeste quand, au prétest, des groupes de stagiaires sont sélectionnés sur la base de résultats extrêmes. Leurs résultats ont alors tendance à se rapprocher de la moyenne du groupe lors du post-test, sans que l'effet de la formation y soit pour quelque chose.

La sélection des stagiaires : Le fait de répartir dans le groupe expérimental (le groupe qui suit la formation) et dans le groupe de contrôle (le groupe qui ne suit pas la formation et qui continue à travailler dans les conditions habituelles) des participants qui se distinguent inégalement par une ou plusieurs variables (motivation, expérience, etc.) peut influer sur la performance, en dehors de la formation.

La « mortalité » expérimentale : Lors d'un long processus de recherche en évaluation, il se peut que plusieurs sujets quittent les groupes à l'étude pour différentes raisons (mutations, absences, etc.). Ces défections peuvent modifier de différentes manières la performance de l'un ou l'autre groupe (par exemple, quand les employés les plus motivés du groupe expérimental sont partis).

L'interaction : Quelquefois, les résultats peuvent être modifiés par l'effet de l'interaction de deux ou plusieurs des variables mentionnées plus haut. Pour réduire l'influence de ces variables, l'évaluateur dispose d'un certain nombre de plans expérimentaux et de procédures. Parmi celles-ci, l'utilisation d'un groupe de contrôle permet de réduire l'influence des variables *histoire*, *« testing »* et *instrumentation*, puisqu'elles affectent pareillement le groupe expérimental (E) et le groupe de contrôle (C). L'assignation au hasard des sujets dans les groupes E et C est une autre procédure qui rend ces groupes comparables, réduisant ainsi l'effet du facteur *sélection des stagiaires*. Par exemple, les sujets peuvent être répartis selon des variables pertinentes telles que l'âge, l'expérience, etc.

Les plans expérimentaux

Le tableau 9.6 décrit les deux plans les plus utilisés mais, malheureusement, **les moins rigoureux**. Leur description permettra au lecteur de connaître leurs limites.

Tableau 9.6 Les plans expérimentaux les moins rigoureux (sans groupe de contrôle)

	Plan A	Plan B
	E*	E
Prétest	Non	Oui
Formation	Oui	Oui
Post-test	Oui	Oui
*E = groupe expérimental		

Les deux plans se caractérisent par l'absence d'un groupe de contrôle. De plus, le plan A se distingue par l'absence de prétest. Ces plans apportent peu d'informations sur l'effet de la formation, car aucune des variables mentionnées précédemment n'est contrôlée. Ces plans peuvent toutefois servir de mesures exploratoires. Par ailleurs, l'évaluateur peut améliorer le plan B en espaçant les mesures entre le prétest et le post-test (pour contrer l'effet du «testing») et il peut, à toutes fins utiles, comparer la performance du groupe après la formation à celle de groupes comparables dans des organisations concurrentes.

Le tableau 9.7 décrit les plans que Campbell et Stanley (1963) qualifient de **plans rigoureux**, par la présence de groupes de contrôle et par l'assignation des sujets au hasard dans les groupes.

Le plan C est très acceptable dans le contexte des organisations. Le plan D est recommandé, car il contrôle toutes les sources externes de variation.

Tableau 9.7 Les plans expérimentaux rigoureux (avec groupe de contrôle)

	Plan C — Groupe de contrôle post-test seulement		Plan D — Groupe de contrôle prétest et post-test		Plan E — Groupe de contrôle prétest et post-test (plan Solomon)			
	E*	C**	E	C	E1	C1	E2	C2
Prétest	Non	Non	Oui	Oui	Oui	Oui	Non	Non
Formation	Oui	Non	Oui	Non	Oui	Non	Oui	Non
Post-test	Oui	Oui	Oui	Oui	Oui	Oui	Oui	Oui
*E = groupe expérimental **C = groupe de contrôle								

Le plan E (plan Solomon, 1949) est le plus sophistiqué de tous et il est semblable au plan D augmenté d'un groupe E et d'un groupe C non prétestés. On peut conclure avec certitude à l'effet de la seule formation si :

- les scores du post-test E sont plus grands ($>$) que ceux du prétest E ;
- les scores du post-test E1 $>$ ceux du post-test C1 ;
- les scores du post-test E2 $>$ ceux du post-test C2 ;
- les scores du post-test E2 $>$ ceux du prétest C1 ;
- les scores du post-test E2 sont égaux à ceux du post-test E1.

Quoique le plan Solomon soit excellent, il pose de sérieux problèmes pratiques. En effet, il requiert un grand nombre de personnes (au moins 30 pour chacun des quatre groupes) et l'assignation au hasard des individus dans les groupes n'est pas toujours possible dans les organisations où les structures et les employés ne sont pas interchangeables à volonté. Ces difficultés valent aussi pour les trois plans expérimentaux rigoureux.

Quand il n'est pas possible de répartir les sujets au hasard ou quand un groupe de contrôle n'est pas disponible, trois autres plans moins rigoureux, que Campbell et Stanley (1963) qualifient de «quasi expérimentaux», peuvent tout de même s'avérer utiles.

Les plans quasi expérimentaux

Le plan des groupes non équivalents : Ce plan est semblable au plan D (groupe de contrôle, prétest et post-test), à l'exception d'une impossible équivalence des groupes. Malgré les éventuels effets de cette lacune, ce plan est préférable aux plans A et B sans groupes de contrôle.

Le plan à séries chronologiques : On prend une série de mesures de la performance d'un seul groupe (le groupe expérimental) avant et après la formation, à plusieurs intervalles de temps. La logique sous-jacente à ce plan est que si la performance est stable dans le temps avant la formation et qu'elle s'élève abruptement et reste élevée après la formation, on peut conclure que celle-ci est responsable du changement de performance observé. On peut ajouter à ce plan un groupe de contrôle qui, même non équivalent au groupe expérimental, rend ce plan plus rigoureux.

Le plan «cyclique institutionnel» (*recurrent institutional cycle design*) : Ce plan s'applique lorsque différents groupes reçoivent la formation successivement. Le groupe 1, par exemple, est prétesté au temps 1, reçoit la formation et est post-testé au temps 2, où le groupe 2 est prétesté à son tour, formé, puis post-testé au temps 3. En fait, on a ainsi créé un groupe de contrôle. Plusieurs comparaisons peuvent être combinées pour démontrer l'effet de la formation. Ce plan est suffisamment fiable pour être utilisé avec de grands groupes (Cook et Campbell, 1979).

Enfin, bien que ces plans d'évaluation soient importants, il ne faut pas perdre de vue qu'ils ne peuvent rendre compte de tous les objectifs d'un programme de formation. En pratique, un programme est jugé selon plusieurs critères, notamment des critères qualitatifs dont les plans ne peuvent pas toujours rendre compte. Par ailleurs, pour un gestionnaire, l'important est de savoir que la formation comporte certains avantages, certes, mais si les coûts sont acceptables. La partie suivante donne quelques indications sur la façon d'établir une analyse coût–bénéfice.

L'ANALYSE COÛT–BÉNÉFICE DE LA FORMATION

Chaque année, le gestionnaire responsable d'un service de formation doit en dresser le budget, lequel indique les dépenses qui ont été ou qui seront effectuées pour la formation. Non seulement la tenue du budget est importante pour toute démarche d'*audit* (vérification de la bonne marche de la fonction formation) (Candau, 1985), mais aussi pour calculer le coût des interventions en perfectionnement et estimer la valeur des résultats. Aussi, dans un premier temps, nous décrirons les divers coûts reliés à la formation. Ensuite, nous illustrerons par un exemple une démarche d'évaluation des coûts de la non-formation, et l'épargne que le perfectionnement peut permettre de réaliser.

La description des coûts de formation

Les **coûts fixes** représentent les dépenses nécessaires au fonctionnement du service de formation. Ils comprennent les salaires du personnel permanent de ce service, les coûts du matériel (bureaux, photocopieurs, etc.), des locaux et de la diffusion des programmes (brochures, catalogues, etc.).

Les **coûts directs** sont occasionnés par l'élaboration d'un nouveau programme ou d'un projet précis. Ils sont composés de coûts fixes et de coûts variables. Les coûts fixes sont ceux que nous avons énumérés précédemment, et il peut s'y ajouter les honoraires d'un consultant externe ou le salaire d'un spécialiste issu d'un autre service.

Les **coûts variables** comprennent les frais de voyage, d'héberge-ment, les coûts de location de salles à l'extérieur de l'entreprise, et même le café des participants (Spencer, 1985). Le coût d'un employé mis à contribution est généralement calculé sur une base quotidienne ou horaire. Ainsi, le salaire quotidien d'un formateur qui gagne 40 000 $ par année et qui travaille l'équivalent de 255 jours se calcule en divisant 40 000 $ par 255, soit 156,86 $.

Les **coûts indirects** sont occasionnés par une diminution de la production due à l'absence de l'employé, ou par les coûts de son rem-placement si la production reste égale. Dans le cas contraire, il faut calculer le coût des différences de production du stagiaire et de son remplaçant.

Le **coût total**, ou réel, est la somme des coûts directs, des coûts indirects et des coûts fixes. Selon Spencer, on peut estimer ce coût total, pour un individu, en multipliant par trois son salaire «direct» (le salaire sans avantages sociaux). Au besoin, le formateur aura intérêt à recourir au service de la comptabilité pour ventiler son budget.

L'analyse coût–bénéfice

Deux procédures permettent d'accroître les bénéfices d'une orga-nisation : augmenter les revenus ou réduire les dépenses. Ces deux actions conjuguées déterminent la productivité d'un système. En ce qui concerne les revenus, la formation contribue nettement à augmenter le volume des ventes d'une entreprise ou la quantité et la qualité des produits manufacturés (par cette formation implicite que sont les cercles de qualité, par exemple). La formation contribue également à réduire le temps improductif, le roulement de personnel, le gaspillage, etc.

Pour déterminer la valeur économique de la formation, il faut éva-luer auparavant les coûts de la non-formation, c'est-à-dire les coûts du problème de performance.

Pour ce faire, voici la démarche investigatrice proposée ; quelques-unes de ces activités ont déjà été abordées dans l'analyse des besoins.

1. **Définir le problème de performance et en évaluer le coût.** Le tableau 9.8 illustre une façon d'analyser le coût des griefs déposés contre une grande entreprise québécoise fabriquant des câbles, coût dont nous avions constaté l'ampleur. Chaque grief coûte 691,02 $ à l'organisation. Les 250 griefs annuels coûtent donc 172 755 $, et ce, à l'exclusion d'un certain nombre de griefs pouvant faire l'objet d'arbitrage.

TABLEAU 9.8 LE COÛT D'UN GRIEF POUR UNE ENTREPRISE QUÉBÉCOISE

(1) Catégories d'activités	(2) Personnes concernées	(3) Durée (heures)	(4) Salaire annuel (en milliers $)	(5) Coût réel à l'heure par personne ($) (4) × 3 (indice du coût réel) / 255 jours × 7,30 heures	Coût total (3) × (5) ($)
1. Le salarié adresse une plainte verbale à son surveillant	Salarié Surveillant	0,25 0,25	20 30	32,23 48,35	8,06 12,09
2. Le surveillant répond	Surveillant	0,25	30	48,35	12,09
3. Le salarié prend contact avec le délégué syndical et le service du personnel	Salarié Délégué syndical Service du personnel	0,50 0,50 0,30	20 20 25	32,23 32,23 40,29	16,12 16,12 12,09
4. Le syndicat soumet le grief par écrit au supérieur du surveillant	Représentant syndical Salarié	0,75 0,50	25 20	40,29 32,23	30,22 16,12
5. Le supérieur hiérarchique répond par écrit au syndicat	Supérieur hiérarchique	1,00	35	56,41	56,41
6. Le supérieur hiérarchique réunit le comité de griefs	Salarié Représentant syndical (2) Service du personnel Supérieur hiérarchique	0,75 1,50 0,75 0,75	20 25 25 35	32,23 40,29 40,29 56,41	24,17 60,44 30,22 42,31
7. La décision de recourir ou non à l'arbitrage est prise	Représentant patronal Représentant syndical	1,00 1,00	35 25	56,41 40,29	56,41 40,29
8. L'entente est conclue	Salarié Représentant syndical Représentant patronal	2,00 2,00 2,00	20 25 35	32,23 40,29 56,41	64,46 80,58 112,82
				Coût total sans l'arbitrage	691,02 $

Inspiré d'un tableau de SPENCER, L.M., «Calculating costs and benefits», dans TRACEY, W.R., *Human Resources Management and Development Handbook*, New York, Amacom, 1985, p. 1504.

2. **Établir les objectifs organisationnels.** Par exemple, un an après le programme de formation offert à 12 gestionnaires (*voir le tableau 9.4 pour l'illustration de ce programme*), le nombre de griefs devrait être réduit de 30 %, et d'autant la deuxième année consécutive au programme.

Il existe des formules complexes pour mesurer les résultats monétaires de la formation (Schmidt *et al.*, 1982); cependant, nous proposons une démarche simple pour évaluer les bénéfices découlant de la formation.

1. **Établir les résultats de la formation.** Supposons que le nombre de griefs ait baissé de 25 %. L'épargne brute est donc de 25 % × 172 755 $ = 43 188 $.

2. **Établir le coût de la formation donnée aux surveillants** selon la catégorie de coûts décrits précédemment. On supposera que le programme de formation et les rencontres organisées entre les surveillants et leurs équipes coûtent 20 000 $.

3. **Calculer le rapport bénéfice–coût.** Le rapport 43 188 $/20 000 $ est de 2 sur 1. Autrement dit, pour chaque dollar investi dans la formation, l'organisation enregistre un gain de productivité de 2 $. Les gains seront plus élevés la deuxième année suivant le programme, celui-ci s'avérant rentable dès la première année.

Cet exemple montre qu'il est possible de quantifier les avantages issus des programmes de développement des ressources humaines. De nombreuses études en ont fait la démonstration (Benabou, 1988; Cascio et Awad, 1981; Kearsley, 1982; Schmidt *et al.*, 1982). L'évaluation des coûts requiert une certaine comptabilisation des activités des individus et de l'imagination de la part des responsables de la formation, qui peuvent alors identifier et quantifier les coûts relatifs aux problèmes humains (conflits, temps perdu à des réunions improductives, etc.).

La formation des ressources humaines exige, sur tous les plans, l'engagement des gestionnaires à faire de l'organisation un environnement propice au développement des individus.

9.5 CONCLUSION

Quel sera l'avenir de la formation dans le contexte d'une gestion des ressources humaines en pleine évolution et en ébullition, comme le montre l'abondante documentation de ces dernières années sur l'aspect stratégique de cette fonction?

L'observation des pratiques des organisations efficaces montre que les entreprises auront tendance à devenir de plus en plus des lieux d'apprentissage et de développement. Cela exige bien sûr un changement profond des mentalités et des structures.

Les cadres seront de plus en plus appelés à jouer un rôle pédagogique auprès de leurs subordonnés et ils devront répondre des résultats de leurs actions auprès de leurs supérieurs. Ceux-ci s'approprieront de plus en plus le discours sur la formation (comme le montrent les conférences et les colloques actuels) et, par le fait même, s'engageront à l'égard des activités de formation. Le rôle de formateur sera d'ailleurs de plus en plus «éclaté», en ce sens qu'il ne sera plus confiné au service des ressources humaines, mais assuré par les différents niveaux hiérarchiques.

Nous assistons également à une responsabilisation accrue des employés vis-à-vis de leur formation. Ils sont encouragés à exprimer leurs besoins en matière de compétences professionnelles et à assurer leur propre formation par des voies formelles, mais aussi à travers des expériences vécues ou partagées avec les collègues ou les supérieurs (présence de mentors, par exemple).

La formation est de plus en plus reliée à la stratégie et aux buts de l'entreprise, mais aussi aux autres fonctions des ressources humaines (notamment la planification des ressources humaines) et aux projets de carrière des individus. Dans cette optique, la formation acquiert un caractère diagnostique, proactif, prévisionnel. On observe qu'il se crée une véritable gestion des compétences humaines, nécessaire à un environnement devenu extrêmement turbulent, mouvant.

Au cours du prochain siècle, les compétences seront axées sur la capacité des employés d'une entreprise à diagnostiquer et à résoudre des problèmes rapidement, à travailler en équipe, à satisfaire le client, à se motiver et à mobiliser les autres, à écouter, à gérer les conflits issus de la diversité des êtres et des situations, à être souple et flexible.

Les compétences à acquérir, on le voit, seront donc axées sur les changements des comportements, des attitudes et des mentalités nécessaires pour composer avec les bouleversements issus des nouvelles technologies, des restructurations, des pressions socio-politiques et des changements d'ordre social.

QUESTIONS

1. Comparez le rôle stratégique au rôle traditionnel de la formation.

2. Décrivez le rôle de la haute direction dans le succès des activités de formation.

3. Quels problèmes posera le haut niveau d'analphabétisme, au Canada et au Québec, aux entreprises de l'an 2000 ? Quel rôle peut jouer la formation à cet égard ?

4. Décrivez comment la formation est reliée à au moins quatre grandes fonctions ou activités généralement dévolues au service des ressources humaines d'une organisation.

5. Quels sont les facteurs de l'environnement externe de l'entreprise qui auront une forte influence sur les activités de formation dans les années à venir ?

6. L'informatisation des tâches, notamment dans le secteur des services, tend à déqualifier le travailleur. Êtes-vous d'accord avec cette assertion ? Décrivez le rôle de la formation dans ce contexte.

7. Comment peut-on garantir le transfert de l'apprentissage de l'employé dans sa situation de travail ?

8. Choisissez le meilleur cours que vous ayez suivi à l'université. Quels sont les facteurs qui expliquent votre choix ? Quels principes de l'apprentissage adulte pouvez-vous dégager de votre expérience comme étudiant ? Faites le même exercice avec un cours que vous considérez de mauvaise qualité (n'oubliez pas de considérer les facteurs qui vous sont propres !).

9. Vous êtes responsable de la formation dans une grande entreprise montréalaise qui fabrique de la machinerie lourde. Le directeur de l'usine vous demande de concevoir un programme de formation sur la gestion des stocks pour ses cadres, au nombre de 50. La pénurie de main-d'œuvre qualifiée pour exercer cette fonction coûte 100 000 $ annuellement à l'entreprise.

   a) Comment procéderez-vous pour effectuer l'analyse des besoins précis en formation ?

b) Soumettez un plan d'évaluation de ce futur programme d'une durée de 8 jours.

10. Quelles méthodes de formation informelles (ailleurs que dans la « salle de classe ») pouvez-vous imaginer ?

BIBLIOGRAPHIE

ADAMS, R.E., *DACUM (Developing a Curriculum). Approach to Curriculum Learning and Evaluation in Occupational Training*, Ottawa, ministère de l'Expansion économique régionale, 1975.

BAIRD, L. et MESHOULAM, I., « Managing two fits of strategic human resource management », *Academy of Management Review*, 13, 1, 1988, p. 116-128.

BANDURA, A., *Social Learning Theory*, Englewood Cliffs, Prentice-Hall, 1977.

BENABOU, C., « L'analyse des besoins de formation : une étape stratégique », *Ve Congrès de psychologie du travail de langue française*, Paris, mai-juin 1988, p. 42-49.

BENABOU, C., « L'environnement humain et la stratégie d'entreprise », dans BÉLANGER, L., BENABOU, C., BERGERON, J.-L., FOUCHER, R. et PETIT, A., *Gestion stratégique des ressources humaines*, Montréal, Gaëtan Morin Éditeur, 1988, p. 102-108.

BENABOU, C. et ABRAVANEL, H., *Le comportement des individus et des groupes dans l'organisation*, Montréal, Gaëtan Morin Éditeur, 1986, p. 173-210.

BERTRAND, O. et NOYELLE, T., *Ressources humaines et stratégies des entreprises*, Paris, OCDE, 1988.

BESSEYRE des HORTS, C.H., *Vers une gestion stratégique des ressources humaines*, Paris, Les Éditions d'Organisation, 1988.

BISSON, M.J. et RANCOURT, F.L., *Inventaire des pratiques en évaluation du perfectionnement*, document inédit de recherche, Psychologie industrielle et organisationnelle, Université de Montréal, 1985.

BLOOM, B.S. (dir.), ENGELHART, H.D., FURSTE, E.H., HILL, W.H. et KRATHWOHL, D.R., *Taxonomy of Educational Objectives, Handbook I : Cognitive Domain*, New York, David McKay, 1956.

CAMPBELL, D.R. et STANLEY, J., « Experimental and quasi-experimental designs for research and teaching », dans GAGE, N.L. (dir.), *Handbook of Research on Teaching*, Chicago, Rand McNally, 1963.

CANDAU, P., *Audit social*, Paris, Vuibert, 1985.

CASCIO, W.F., *Applied Psychology in Personnel Management*, 3e éd., Toronto, Prentice-Hall, 1987.

CASCIO, W.F. et AWAD, E.M., *Human Resources Management : An Information Systems Approach*, Reston (Va.), Reston, 1981.

COMMISSION D'ENQUÊTE SUR LE CONGÉ-ÉDUCATION ET LA PRODUCTIVITÉ (Commission Adams), Travail Canada, 1979.

COMMISSION D'ÉTUDE SUR LA FORMATION DES ADULTES (Commission Jean), gouvernement du Québec, 1982.

COOK, T.D. et CAMPBELL, D.T., *Quasi-Experimentation : Design and Analysis Issues for Field Settings*, Chicago, Rand McNally, 1979.

DORAY, P., « Les stratégies des entreprises en matière de formation », *Relations industrielles*, 46, 2, 1991, p. 329-355.

DYER, L. et HOLDER, G., « A strategic perspective of human resource management », dans DYER, L. (dir.), *Human Resource Management: Evolving Roles and Responsibilities,* Washington, Bureau of National Affairs, 1988.

EMPLOI ET IMMIGRATION CANADA, *Le nouveau mode d'emploi: Profil de croissance du marché du travail,* Ottawa, 1989.

EMPLOI ET IMMIGRATION CANADA, *Rapport annuel,* 1985-1986.

FILION, A. et BERNIER, C., *Nouvelles technologies: qualifications et formation,* IRAT, Montréal, 1989.

FLANAGAN, J.C., « The critical incident technique », *Psychological Bulletin,* 1954, p. 327-358.

FOREST, F., « Québec doit mettre l'accent sur la formation d'une main-d'œuvre qualifiée », *La Presse,* 12 juin 1991.

GUÉRIN, G. et WILS, T., « L'harmonisation des pratiques de gestion des ressources humaines au contexte stratégique: une synthèse », dans BLOUIN, R. (dir.), *Vingt-cinq ans de pratique en relations industrielles au Québec,* Éditions Yvon Blais, 1989, p. 690.

HARLESS, J.H., *An Ounce of Analysis is Worth a Pound of Objectives,* Church (Neb.), Harless Educational Technologists, 1970.

HARROW, A.J., *Taxonomy of the Psychomotor Domain: A Guide for Developing Behavioral Objectives,* New York, David McKay, 1972.

ILGEN, D.R., FISHER, C.D. et TAYLOR, M.S., « Consequences of individual feedback on behavior in organization », *Journal of Applied Psychology,* 64, 1979, p. 249-371.

KEARSLEY, G., *Costs, Benefits and Productivity in Training Systems,* Don Mills (Ont.), Addison-Wesley, 1982.

KIRKPATRICK, D.L., « Evaluation of training », dans CRAIG, R.L., *Training and Development Handbook,* 2ᵉ éd., New York, McGraw-Hill, 1976.

KNOWLES, M., *The Modern Practice of Adult Education,* New York, Associate Press, 1970.

KRATHWOHL, D.R., BLOOM, B.S. et MASIA, B.B., *Taxonomy of Educational Objectives, Handbook II: Affective Domain,* New York, David McKay, 1964.

LANGLOIS, S. et al., *La société québécoise en tendances, 1960-1990,* Institut québécois de recherche sur la culture, 1990.

LAROUCHE, V., *Formation et perfectionnement en milieu organisationnel,* Ottawa, JCL, 1984, p. 281.

LENGNICK-HALL, C.A. et LENGNICK-HALL, M., « Strategic human resources management: a review of the literature and a proposed typology », *Academy of Management Review,* 13, 3, 1988, p. 454-470.

MAGER, A., *Comment définir des objectifs pédagogiques,* Paris, Gauthier-Villars, 1971.

MARSICK, V.J. et WATKINS, K., *Informal and Incidental Learning in the Workplace,* London, Ruthledge, 1991.

PAQUET, P., DORAY, P. et BOUCHARD, P., « Sondage sur les pratiques de formation en entreprise », *Commission d'étude sur la formation des adultes,* annexe 3, gouvernement du Québec, 1982.

PASQUERO, J., « Gérer stratégiquement dans une économie politisée », *Gestion,* Montréal, 1989.

RIGG, R.P., *L'audio-visuel au service de la formation,* Paris, Entreprise moderne d'édition, 1971.

ROTHWELL, W.J. et KAZANAS, H.C., *Strategic Human Resource Development,* Prentice-Hall, 1989.

RTMTP (*Revue trimestrielle du marché du travail et de la productivité*), « Revue de l'enseignement et de la formation au Canada », Ottawa, printemps 1989.

RUMMLER, G.A., « Determining needs », dans CRAIG, R.L., *Training and Development Handbook*, New York, McGraw-Hill, 1987.

SAVOIE, A., *Le perfectionnement des ressources humaines en organisation*, Montréal, Agence d'Arc, 1987, chap. V.

SCHMIDT, F.L., HUNTER, J.E. et PEARLMAN, K., « Assessing the economic impact of personnel programs on productivity », *Personnel Psychology*, 35, 1982, p. 333-347.

SCHULER, R.S., GALANTE, S.P. et JACKSON, S.E., « Matching effective HR practices with competitive strategy », *Personnel*, septembre 1987.

SCHULER, R.S. et JACKSON, S.E., « Linking competitive strategies with human resource management practices », *The Academy of Management Executive*, 3, 1, 1987, p. 207-219.

SCHULER, R.S. et JACKSON, S.E., « Organizational strategy and organization level as determinants of human resource management practices », *Human Resource Planning*, 10, 3, 1987, p. 125-142.

SOLOMON, R.L., « An extension of a control group design », *Psychological Bulletin*, 46, 1949, p. 137-150.

SPENCER, L.M., « Calculating costs and benefits », dans TRACEY, W.R. (dir.), *Human Resources Management and Development Handbook*, New York, Amacom, 1985.

STATISTIQUE CANADA, « Programme de formation offert par l'employeur », *La population active*, Ottawa, janvier 1975.

THIS, L.E. et LIPPITT, G.L., « Learning theories and training », *Training and Development Journal*, 1979.

PARTIE III

LA GESTION STRATÉGIQUE DES ÉCHANGES ENTRE L'ORGANISATION ET LES INDIVIDUS

LA COMMUNICATION INTERNE: FONCTION STRATÉGIQUE

par Charles Benabou

OBJECTIFS

Après l'étude de ce chapitre, vous devriez être en mesure:
- de décrire l'importance et les caractéristiques de la communication comme fonction stratégique, managériale;
- de décrire deux grands modèles de communication;
- à partir des théories de l'organisation et de la communication, de déduire les applications pratiques pour le stratège en communication;
- de concevoir et d'évaluer une stratégie de communication interne.

MISE EN SITUATION

LA FUSION, UNE QUESTION DE COMMUNICATION?

Ce cas a été aimablement proposé par le groupe conseil GSG[1], conseillers en organisation et en ressources humaines.

---

1. Le cas est fictif, mais il a été conçu à partir des interventions du groupe GSG dans des situations semblables. Nous l'avons légèrement modifié pour des raisons pédagogiques.

Deux entreprises choisissent de fusionner. Le cas présente les étapes de cette fusion et les événements qui les caractérisent.

Première étape: la phase exploratoire

Les hauts dirigeants de deux entreprises discutent entre eux des possibilités de joindre leurs efforts et de parvenir à une fusion de leur organisation. Le secret doit être bien gardé pour éviter, entre autres choses, de déstabiliser les opérations internes et de susciter de l'inquiétude chez les clients.

Mais les rumeurs vont bon train déjà. Elles émanent des employés qui ont vu les deux concurrents ensemble plusieurs fois, et qui ont cru percevoir chez les directeurs un changement d'attitude à l'égard d'un produit traditionnellement fabriqué dans l'une de ces entreprises.

Deuxième étape: la phase de l'intention arrêtée

Bien que les partenaires croient percevoir un léger climat d'inquiétude chez leurs employés respectifs, ils décident de procéder aux négociations requises pour arriver à une entente sur la structure de la nouvelle organisation et la façon dont le pouvoir y sera partagé. Pour y parvenir, ils font appel à la collaboration d'un certain nombre de personnes (ils sollicitent, par exemple, les services de comptabilité).

Les partenaires décident que l'annonce de leur intention sera faite sous le sceau de la discrétion et, en premier lieu, à tous les contacts privilégiés de l'extérieur de l'entreprise (ministres concernés, clients, fournisseurs, etc.). Un petit nombre de cadres supérieurs de l'entreprise seront également informés. On annonce enfin, par plusieurs communiqués de presse, la fusion en cours. Les employés apprennent la nouvelle ainsi que les modalités de cette fusion par les journaux.

Troisième étape: la réalisation de la fusion

On charge tous les cadres de l'entreprise d'informer les employés de la raison de la fusion, de la nouvelle mission, du nouvel organigramme, etc. La transmission de cette information très chargée se fait verbalement, excepté pour l'organigramme.

Les dirigeants trouvent un personnel méfiant, très démotivé, inquiet, et les résistances commencent à apparaître, malgré les bons mots du président qui voudrait bien que les employés développent un sentiment d'appartenance. On travaille alors essentiellement avec les cadres (formation, groupes de travail) qui, espère-t-on, transmettront ce nouvel esprit. De toute façon, on ne peut arrêter la production!

QUESTIONS

1. Quelles erreurs de communication ont été commises à chacune des phases de la fusion?
2. Quelle école de la communication peut expliquer un tel événement ou un tel comportement?
3. Quels moyens ou quelles solutions auraient pu prévenir ou réparer ces erreurs de communication?

10.1 INTRODUCTION

Depuis le début de cet ouvrage, nous avons tenté de montrer l'importance de chacune des fonctions de la gestion des ressources humaines (GRH) pour réussir la stratégie d'entreprise. Mais qu'est-ce qu'une stratégie qui ne peut être diffusée, ni expliquée ni comprise par les acteurs concernés? Aussi importantes soient-elles, que valent les fonctions de la GRH si elles ne peuvent être reliées à la stratégie d'entreprise ou entre elles? Bref, une stratégie efficace ne peut être conçue que si l'organisation est perçue comme un système aux sous-systèmes interdépendants et ouverts à leur environnement. Aussi comprend-on aisément l'importance cruciale de la communication organisationnelle, véritable système nerveux de l'entreprise, qui donne un sens aux transactions intersubjectives, interpersonnelles.

La communication, analysée comme un élément majeur de la stratégie d'entreprise, a fait l'objet de peu de recherches. Jusqu'ici, elle a été analysée sous l'angle de la linguistique, de l'information, de la psychosociologie, des relations interpersonnelles et de la thérapeutique. Dans ce chapitre, nous aborderons la communication sous l'angle managérial. Nous partirons du point de vue du stratège, du gestionnaire en communication qui doit élaborer des politiques et mettre en œuvre des objectifs et un plan de communication pour contribuer au succès de la stratégie d'entreprise. Nous nous étendrons donc sur la communication dite organisationnelle, plutôt que sur les relations interpersonnelles, sans exclure cet aspect, au besoin.

Comme pour les autres fonctions de la GRH vues jusqu'ici, le stratège en communication doit analyser l'environnement externe et interne de l'organisation avant d'élaborer et de mettre en œuvre les objectifs et le plan qui concernent sa fonction, et en évaluer les résultats. C'est ce qu'illustre la figure 10.1.

La première partie de ce chapitre montrera la démarche et les caractéristiques de la communication stratégique, managériale. La deuxième partie décrira l'interdépendance de l'acte d'organiser et de communiquer, et ce, à travers les principales théories de ces deux phénomènes. La troisième partie abordera, de façon concrète, la gestion stratégique d'un plan de communication interne.

FIGURE 10.1 *LA DÉMARCHE D'ÉLABORATION ET DE MISE EN ŒUVRE D'UNE COMMUNICATION STRATÉGIQUE*

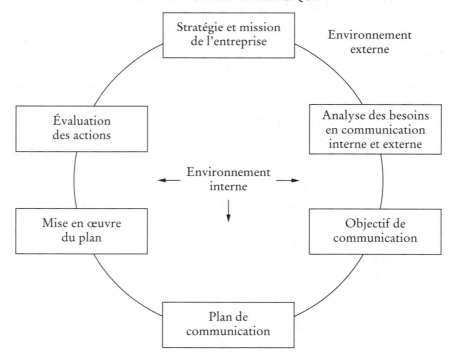

10.2 LA COMMUNICATION ET LA STRATÉGIE D'ENTREPRISE

10.2.1 LA COMMUNICATION DANS LE CONTEXTE DES ANNÉES 90

L'ÉVOLUTION TECHNOLOGIQUE

Il est difficile de parler de technologie sans mentionner les bonds prodigieux de ce secteur dans le domaine de l'information et des communications. Télématique, systèmes informatiques, télécopie, réseaux de communication internationaux, courrier électronique, médias de toutes sortes sont autant de technologies incontournables en cette fin de siècle.

Ces technologies ont accru le flot d'informations disponibles pour l'entreprise et ses possibilités de communication aussi bien externe qu'interne. Dans une optique stratégique, les planificateurs doivent « scruter » l'environnement et sélectionner l'information la plus pertinente quant aux objectifs de l'entreprise. Pour ce faire, l'organisation doit se doter d'un système d'information vigilant. Le contrôle stratégique nécessite des informations variées, rapidement fournies en divers endroits de l'organisation. Selon De Woot et Desclee de Maredsous (1984), les groupes industriels les plus performants « sont caractérisés par la qualité de leur observation du monde extérieur. Ils ont déterminé les zones clés à surveiller [...]. Cette quête de l'information pertinente apparaît comme une condition essentielle de l'aptitude à définir une stratégie adéquate ». L'information devient communication lorsqu'elle est transmise aux diverses ressources humaines dans le cadre du projet, de la mission de l'entreprise.

La communication joue également un rôle particulièrement important dans les modifications qu'apporte l'informatisation du travail, dans le contexte de la tertiarisation de l'économie. Il s'agit de plus en plus de conseiller le client, de négocier avec différents acteurs, de prendre rapidement des décisions. Ce sont là des activités de communication.

Par ailleurs, la micro-informatique a permis la décentralisation de la gestion dans plusieurs entreprises de services (institutions financières, compagnies d'assurances, etc.). Cela exige de nouvelles capacités chez les cadres: capacité de déléguer, de responsabiliser et de se responsabiliser. La communication change alors de nature: de l'information unidirectionnelle, on passe à une relation d'échange, d'écoute.

Enfin, la communication joue un rôle fondamental lorsqu'elle permet d'atténuer les inquiétudes, les résistances à l'introduction de nouvelles technologies, ou l'incertitude qui accompagne une nouvelle structure engendrée par ces technologies.

L'ÉVOLUTION ÉCONOMIQUE ET SOCIALE

Persistance du taux de chômage, restrictions substantielles des dépenses publiques, déréglementation de plusieurs secteurs industriels, pressions politiques et sociales accrues sur le monde des affaires, mondialisation des marchés et de l'information, voilà, brossées à grands traits, les caractéristiques de l'évolution économique dans les pays industriels.

Dans ce contexte, la concurrence est féroce. L'arrivée d'acteurs inattendus (pays asiatiques), la prospérité européenne font que les entreprises ne peuvent se démarquer les unes des autres que par le rapport coût–qualité–service. Cela nécessite des changements de gestion, de structures, de mentalités dans la conduite des affaires. Les gestionnaires ne gagneront pas seuls la bataille des compétences. L'entreprise « du troisième type » (Archier et Serieyx, 1984) est celle qui saura « rallier impérativement l'adhésion, les idées et le dynamisme de tous, dans un projet partagé ». Cela veut dire informer, expliquer, convaincre, mobiliser, bref communiquer en paroles, en comportements, bien sûr, mais aussi en actes (par la formation, le maillage, l'instauration de groupes de travail, etc.).

L'évolution démographique et sociale, au Québec et au Canada, se caractérise, entre autres, par une raréfaction de la main-d'œuvre âgée de 20 à 24 ans. Par ailleurs, la génération actuelle est globalement plus instruite qu'on ne l'était il y a 20 ans, et toutes les analyses sociologiques le confirment: les salariés, plus que jamais, veulent un emploi qualifiant, un travail qui leur permet d'exploiter leurs talents, leur imagination, et qui assure une qualité de vie satisfaisante.

Il faut donc attirer cette main-d'œuvre et lui fournir des structures internes évolutives, sans négliger, bien sûr, la communication externe pour rendre efficaces les politiques de recrutement dans les prochaines années (diffusion d'une image et d'une culture attirantes, par exemple). Mais cette communication externe ne doit pas être en contradiction avec la communication interne de l'entreprise qui, dans le contexte concurrentiel actuel, se veut mobilisante. D'ailleurs, de nombreuses études prouvent qu'il existe une corrélation élevée entre les activités de communication (planifiées et organisées) et les indices de productivité (Kreps, 1986).

L'ENVIRONNEMENT POLITIQUE

Aujourd'hui, les entreprises font face a un pouvoir politique (intervention des divers paliers de gouvernements dans la conduite des affaires), mais aussi au pouvoir des groupes de pression: consommateurs, écologistes, etc. Les gestionnaires modernes doivent donc apprendre à communiquer efficacement avec, entre autres, les clients, les médias, les gouvernements et les entrepreneurs étrangers. Le discours destiné aux interlocuteurs externes doit être approprié et compris de la même manière par le personnel de l'entreprise. Par exemple, les déclarations à la presse, lors de fusions et de restructurations, ne devraient pas surprendre le personnel, qui aura été préparé à ces changements.

10.2.2 LA COMMUNICATION ET LES CARACTÉRISTIQUES DE L'ENTREPRISE

L'organisation d'une communication efficace ne dépend pas seulement d'une analyse de l'environnement externe; elle dépend également de la prise en considération des facteurs propres à l'entreprise même, des facteurs structurels et des facteurs socioculturels.

LES PROBLÈMES ISSUS DE LA STRUCTURE

La division du travail et la spécialisation des tâches créent, au sein des entreprises complexes, des entités distinctes et multiples (divisions, services, groupes, etc.). Cette différenciation, nécessaire à l'adaptation de l'entreprise à son environnement, se manifeste sous de nombreux aspects: valeurs et langages différents, distance physique entre ces entités, méthodes de travail et rôles distincts, etc. Mais ces différences créent aussi, bien sûr, des problèmes de communication.

Le stratège en communication doit également tenir compte des problèmes issus de la taille et de la complexité de l'entreprise. Plus celle-ci grandit, plus elle a tendance à se bureaucratiser, dans le sens «webérien» du terme, et plus les problèmes de structure mentionnés précédemment s'accentuent: lenteur de transmission due aux multiples relais, filtrage de l'information (sous peine, d'ailleurs, de voir les plus hauts niveaux de la hiérarchie bombardés de messages!). Une recherche a montré que du contenu d'un message passant à travers cinq paliers hiérarchiques, il n'en restait que 20 % lors de sa réception par le destinataire final (tableau 10.1).

TABLEAU 10.1 L'ALTÉRATION DU CONTENU D'UN MESSAGE TRANSMIS
À TRAVERS CINQ PALIERS HIÉRARCHIQUES

Message original	Pourcentage du contenu reçu
Écrit par le conseil d'administration ↓	100 %
Reçu par le vice-président ↓	63 %
Reçu par un cadre supérieur ↓	56 %
Reçu par le chef d'usine ↓	40 %
Reçu par le contremaître ↓	30 %
Reçu par le salarié	20 %

Source : KILLIAN, dans HAMILTON, C. et PARKER, C., *Communicating for Results*, 1990.

De plus, le formalisme inhérent à la bureaucratisation favorise la communication écrite et l'information formelle, au détriment de la communication directe et du langage relationnel.

LES FACTEURS SOCIOCULTURELS

Ces facteurs renvoient aux considérations humaines de la communication. Le stratège, pour réussir son plan de communication et sa mise en œuvre, doit analyser la composition du personnel (groupes d'âge, sexe, etc.). Il doit également examiner les différentes fonctions de l'entreprise, les différents relais et modes de communication (communication formelle, informelle, écrite, verbale) et le niveau de langue acceptable.

Les relations interpersonnelles doivent également faire l'objet de l'analyse du stratège. Ainsi, les conflits de pouvoir et les stratégies des chefs pour garder leur marge de manœuvre créent des problèmes de communication, notamment par la dissimulation d'informations importantes ou par le retrait des chefs dans leur tour d'ivoire (Crozier, 1963).

En un mot, la culture de l'organisation déterminera les actions du stratège. Nous reparlerons plus loin de l'importance de la culture dans les théories de l'organisation.

La présence d'un syndicat, les relations de celui-ci avec ses membres ou l'employeur peuvent également agir sur les plans du stratège en communication. Un syndicaliste québécois[2] a écrit : «L'avenir de l'entreprise, c'est de bons canaux de communication entre la direction et les syndicats. Il faut tenter d'aller au-delà du simple constat des intérêts convergents sur la concertation et le partenariat, et bâtir des mécanismes à cet effet: comités conjoints, comité d'entreprise, formules de participation» (*Avenir*, 1988, p. 30).

10.2.3 LES STRATÉGIES D'ENTREPRISE ET LA GESTION DE LA COMMUNICATION

L'HARMONISATION DES STRATÉGIES D'ENTREPRISE ET DE COMMUNICATION

La démarche stratégique, nous l'avons vu tout au long de cet ouvrage, commande une analyse de l'environnement externe et interne de l'entreprise et l'harmonisation des stratégies d'entreprise et de communication.

Pour illustrer cette harmonisation, nous choisirons les stratégies qui ont déjà été décrites aux chapitres 6 et 9, à savoir la stratégie concurrentielle par la recherche de la qualité et de l'innovation (nous négligeons ici la stratégie de réduction des coûts, car les pratiques de communication sont alors réduites et plutôt opératoires).

Une stratégie d'innovation requiert des politiques et des interactions axées sur la coopération et l'interdépendance des individus, une grande tolérance à l'ambiguïté, un système de rétroaction permettant l'expérimentation d'idées nouvelles, la prise de risques (calculés) et le droit à l'erreur. De telles stratégies de communication exigent évidemment des modifications dans la structure de l'organisation, qui faciliteront leur mise en œuvre (flux constant et rapide d'informations, structures informelles, etc.).

Chez 3M, Hewlett-Packard, Johnson & Johnson et Pepsi aux États-Unis, ces stratégies de communication ont permis à ces entreprises d'être innovatrices (Schuler et Jackson, 1987). Par exemple, Hewlett-Packard a popularisé le MBWA (*management by wandering around*) qui vise à améliorer l'écoute au sein de l'entreprise. «Cette mesure

---

2. Louis Fournier, vice-président des communications pour le Fonds de solidarité des travailleurs du Québec (FTQ).

consiste à demander à chaque membre de l'encadrement [...] de quitter, au moins une fois par jour, sa chaise et son bureau pour aller dialoguer, échanger avec trois ou quatre adjoints directs [...]» (Archier et Serieyx, 1984).

Une stratégie concurrentielle par la qualité nécessite une stratégie de communication axée sur l'échange d'informations entre les membres des groupes constitués à cette fin (cercles de qualité, par exemple), la décentralisation des décisions (processus éminemment relationnel), l'apprentissage de nouvelles habiletés et une structure flexible. Ces stratégies de communication ont assuré, du point de vue des ressources humaines, le succès d'entreprises comme Xerox (États-Unis), Toyota, Honda et Corning Glass. Par exemple, Toyota, grâce à l'automatisation et à ses politiques de communication axées sur une main-d'œuvre coopérative, a produit près de 4 000 000 de véhicules par année avec 25 000 ouvriers affectés à la production, lesquels produisaient, en 1966, 1 000 000 de véhicules.

Il est donc clair que la communication organisationnelle est une fonction du management, de la gestion.

LA COMMUNICATION: UNE FONCTION DU MANAGEMENT

Rappelons les fonctions classiques de la gestion: planifier, organiser et coordonner, diriger et contrôler. L'acte de communiquer est fondamental dans ces fonctions:

- planifier signifie qu'il faut expliquer les objectifs, la mission, les projets et les orientations de l'entreprise;
- organiser implique la mise en place de mécanismes de coordination, de structures, donc l'instauration de procédures formelles ou informelles de communication;
- diriger veut dire motiver le personnel, le mobiliser autour du projet d'entreprise; il faut sensibiliser les individus aux buts de l'entreprise, donc les informer; il faut ensuite mettre en place des actes de communication: réunir, former, constituer des groupes et des lieux d'échange de l'information, etc.; dans tous les cas, il faudra écouter;
- contrôler signifie que l'on dispose d'un système de rétroaction, d'information rapide et de moyens d'intervention pour corriger les déviations inefficaces d'objectifs.

Par exemple, lors du lancement de la Renault 25, Renault-France a choisi une stratégie de qualité totale, c'est-à-dire «zéro stock, zéro défaut», et une approche axée sur la clientèle à tous les niveaux de l'entreprise. Pour ce faire, il a fallu changer l'organisation du travail et passer d'un système taylorien de production à une gestion participative; mais à toutes les étapes de cette stratégie et de sa réalisation, la communication a joué un rôle primordial.

Il faut expliquer le changement, induire une nouvelle culture de responsabilisation et d'autocontrôle, changer les mentalités, les attitudes. Il faut faire comprendre les décisions de la direction; il faut s'assurer ensuite de l'engagement du personnel et de ses compétences pour réaliser la stratégie, donc enquêter, écouter, connaître les perceptions et les attentes. Ce sont là des actes de communication. Les supports médiatiques ont également été d'un grand secours (lancement officiel de la voiture, vidéos, évolution de la situation dans les journaux, etc.). Cependant, les relations entre les acteurs de l'entreprise furent encore plus déterminantes: résolution des problèmes de non-qualité par la constitution de cercles de qualité, de rencontres avec les fournisseurs, etc. Comme on le voit, la communication chez Renault est «au cœur du management», comme le rapportent Auvinet et ses collègues (1990).

Par ailleurs, depuis Mintzberg (1976), on sait que le dirigeant est essentiellement un communicateur. Celui-ci, selon Mintzberg, passerait les deux tiers de son temps à communiquer verbalement, dans les rôles de contact, d'information et de décision. Dans ces trois situations, le dirigeant accomplit des actes de communication par les rôles secondaires que sont les rôles interpersonnels, de liaison (de contact), de diffuseur de l'information, de porte-parole et de négociateur.

Résumons la démonstration des caractères stratégiques de la communication organisationnelle en comparant celle-ci à la communication traditionnelle (tableau 10.2).

10.3 L'ORGANISATION ET LA COMMUNICATION

Si organiser c'est communiquer, il est donc important de rappeler les diverses théories des organisations. En effet, la volonté de structurer une entreprise d'une façon donnée en dit long sur la conception que l'on se fait des relations interpersonnelles, des échanges entre les groupes, de la nature humaine, du processus décisionnel, en un mot, de la communication.

Concurremment à ces théories, nous examinerons donc, pour chacune d'elles, l'organisation de la communication et les caractéristiques

TABLEAU 10.2 LES CARACTÉRISTIQUES DE LA COMMUNICATION TRADITIONNELLE
ET DE LA COMMUNICATION STRATÉGIQUE

Communication traditionnelle	Communication stratégique
– Spontanée; son efficacité dépend des seuls locuteurs	– Organisée et spontanée, reliée aux objectifs de l'entreprise instrumentée (choix de supports étendu); son efficacité est facilitée grâce à une culture d'entreprise homogène
– Axée sur l'information	– Axée sur l'information et la communication
– Formelle, nombreux relais	– Formelle et informelle, voire ambiguë parfois; existence de structures permettant l'informel et le retour rapide de l'information
– Communication interne	– Communication ouverte aux acteurs extérieurs (fournisseurs, clients, population, pouvoirs) et aux changements de l'environnement
– Permet d'accroître le pouvoir de quelques acteurs	– Responsabilise, décentralise le pouvoir de décision
– Unidirectionnelle (plutôt descendante)	– Multidirectionnelle: horizontale, descendante, ascendante, transversale, «maillage», etc.

de celle-ci. L'objectif est de montrer au futur stratège en communication que ses interventions ne seront pas indépendantes de la façon dont une entreprise est structurée, ce qui lui permettra de connaître, par conséquent, son champ d'action et les dispositifs de communication à sa disposition.

Par simplicité, nous distinguerons trois grandes conceptions de l'organisation: le courant «scientifique» et rationaliste, l'école behavioriste et les approches que nous appellerons contingentes et «culturelles».

10.3.1 LES THÉORIES DE L'ORGANISATION ET L'ORGANISATION DE LA COMMUNICATION

LE COURANT SCIENTIFIQUE ET RATIONALISTE

L'étudiant en management sait déjà que ces approches traditionnelles de l'organisation du travail renvoient aux travaux de Taylor, Weber et Fayol, pour ne citer que les plus importantes figures du début de ce siècle dans ce domaine.

L'école taylorienne est fondée sur une extrême division du travail et sur la spécialisation des tâches en fonction de critères d'efficacité précis et mesurables. Pour Taylor, seule la direction (voire seul le bureau des méthodes) est capable de penser correctement pour diriger et organiser le travail. Bien que Taylor croit à la coopération nécessaire entre les chefs et les salariés, il n'en préconise pas moins une ligne hiérarchique claire fondée sur des rapports de subordination, ce qui évitera « l'influence néfaste du groupe ». Toutefois, Taylor est ouvert aux suggestions des salariés pour l'amélioration du rendement et il pense que la formation est nécessaire pour un maximum d'efficacité.

Les conceptions de Weber et de Fayol vont dans le même sens que celles de Taylor. Ils insistent particulièrement sur une structure hiérarchique où « l'autorité bureaucratique » (c'est-à-dire rationnelle et légale) prédomine. Weber valorise une structure qui repose sur des rôles, des règles, des règlements et des procédures écrits. La communication latérale ne doit être qu'exceptionnelle, « dans l'intérêt général », et les relations impersonnelles sont privilégiées.

Quelles sont donc les conceptions et les caractéristiques implicites de la communication dans ce courant traditionnel?

La communication doit être formelle, descendante. Elle est essentiellement porteuse d'information (non de communication) et doit faciliter la réalisation des tâches presque exclusivement. La fonction de relation de la communication n'est pas importante, bien que les cadres doivent traiter leurs subordonnés avec équité. Le changement est le fait de la direction, non des salariés. La communication informelle est indésirable et le conflit, non moins souhaitable, est considéré comme une erreur de gestion et non comme une sorte de relation. La communication doit suivre les canaux prescrits et les réseaux mis en place par la direction.

Ces principes ont l'avantage (théorique) d'assurer une communication claire, rapide et sans déformation, et cela est vrai dans une certaine mesure. Nombre d'entreprises fonctionnent selon les principes de l'école rationaliste: descriptions de tâches, procédures, multiples paliers hiérarchiques et règlements foisonnent.

L'APPROCHE BEHAVIORISTE

L'expérience de Hawthorne

En 1924 et en 1932, dans les ateliers de Hawthorne de la Western Electric Company, les expériences de Mayo portant initialement sur la relation entre les conditions de travail et la productivité des employés permirent de dégager l'importance de dimensions nouvelles que nous résumons ainsi (Bartoli, 1990):

– la considération apportée aux ouvriers;
– la participation et son rôle dans la motivation;
– l'influence de la vie de groupe sur le travail individuel;
– l'existence de facteurs informels dans la relation entre motivation et efficacité.

Ces conclusions vont à contre-courant de celles de l'école traditionnelle.

L'approche humaniste

Nous incluons, dans cette catégorie, les théories de Maslow (1954), de McGregor (1960), de Herzberg (1971) et de Likert (1974).

Ces auteurs ont en commun une approche très humaniste du management. Leurs convictions et leurs travaux les ont amenés à conclure qu'une organisation qui mise sur le besoin de chacun de se réaliser, de s'exprimer et de se responsabiliser a trouvé là un levier puissant de motivation des employés. Il est donc clair qu'une large part est faite à la communication multidirectionnelle. C'est à Likert que revient le mérite d'avoir décrit précisément une «organisation communicante» (type IV, selon sa terminologie), c'est-à-dire dotée d'une structure favorisant la participation de tous les membres de l'organisation à la prise de décision. La communication fluide et multidirectionnelle est assurée par des points de jonction (*linking pin*) entre tous les groupes de l'entreprise.

L'approche behavioriste marque donc un point tournant dans l'organisation de la communication comme fonction responsabilisante, valorisante et performante. La communication formelle et la communication informelle y trouvent leur place et elles sont un facteur de coopération à tous les niveaux. La communication n'est plus seulement fonctionnelle: elle acquiert une fonction relationnelle.

Beaucoup d'entreprises modernes appliquent non seulement les principes de l'école traditionnelle, mais aussi ceux de l'école humaniste et behavioriste. L'enrichissement des tâches, les cercles de qualité, les groupes de concertation, la formation aux relations interpersonnelles, la participation aux bénéfices, etc. sont autant d'éléments importants découlant des principes de l'école behavioriste. Mais la critique adressée aux deux écoles de pensée précédentes est qu'elles occultent l'environnement externe de l'entreprise. Que doit faire le stratège en communication devant l'influence de la technologie ou des changements d'un environnement externe particulier? L'école suivante tente de répondre à ce type de questions.

LES THÉORIES DE LA CONTINGENCE ET LES THÉORIES «CULTURELLES»

Selon cette approche, on présume que l'efficacité de l'entreprise est liée à l'harmonisation des besoins individuels (ou de groupe), des structures de l'organisation et des caractéristiques de l'environnement externe. On conçoit l'organisation comme un système ouvert, donc dynamique, avec un flux constant d'informations et de communications. Parmi les tenants de cette approche, citons Trist et Bamforth (1951), Katz et Kahn (1966), Lawrence et Lorsch (1973), de même que Woodward (1965).

Ces théories rappellent que la communication ne peut être improvisée dans l'entreprise: pour être efficace, tout plan de communication doit tenir compte simultanément de l'environnement interne et externe, des structures, des différentes catégories d'acteurs de l'entreprise et de la culture sur laquelle nous nous attardons un peu.

L'analyse de la culture des organisations et de son influence sur l'efficacité de l'entreprise et le comportement de ses membres a connu un fort développement ces dernières années (Deal et Kennedy, 1982; Ouchi, 1981; Peters et Waterman, 1982). Cette analyse intègre de nombreux éléments des théories précédentes pour déboucher sur une approche... humaniste, où valeurs, communication, actualisation, autonomie et entrepreneuriat reviennent au premier plan.

La culture explique nombre de comportements et de structures (eux-mêmes éléments culturels) par des variables uniques à une entreprise telles que son histoire, ses valeurs, ses traditions, ses jeux de pouvoir, ses personnalités, ses rites, etc. Communication et culture sont intimement reliées, car la culture fournit une base de langage commun, de savoir-faire commun, un contexte commun, sans pour cela exclure les différences nécessaires à une adaptation rapide à l'environnement changeant. Le projet d'entreprise, si important aux organisations «du troisième type» (Archier et Serieyx, 1984), contribue à créer une culture forte fondée sur l'adhésion à ce projet partagé, sur les idées et le dynamisme de tous. Encore faut-il partager ces idées, les diffuser, les mobiliser. C'est la fonction de la communication–mobilisation.

L'évolution des théories de l'organisation va de pair avec l'évolution des théories de la communication organisationnelle. Il est important d'en décrire les principaux courants, car ceux-ci présentent des concepts clés et des méthodes d'analyse qui peuvent faciliter les interventions du stratège en communication dans l'entreprise.

10.3.2 *LES GRANDS COURANTS THÉORIQUES EN COMMUNICATION ORGANISATIONNELLE*

Laramée (1991) distingue deux grandes écoles qui couvrent le champ de la communication organisationnelle: l'école fonctionnaliste et l'école interprétative. Ces deux écoles renvoient à deux modèles issus de disciplines autres que celle de la communication organisationnelle: le modèle émetteur–message–récepteur (ÉMR) et le modèle de Palo Alto.

LE MODÈLE ÉMETTEUR–MESSAGE–RÉCEPTEUR ET LE COURANT FONCTIONNALISTE

Ce modèle est le mieux connu dans l'étude de la communication, car il apparaît comme une copie simple et fidèle du réel. Fondamentalement, il décrit la communication comme une transmission d'informations et il classifie les individus en émetteurs ou en récepteurs d'un message donné.

Shannon et Weaver (1949), dans la version définitive de la théorie de l'information de Shannon, présentent la communication comme un phénomène de transmission unilatérale entre deux pôles. Dans ce modèle, la communication est associée au transfert d'informations. De ce fait, l'attention sera portée sur la capacité du canal à transmettre l'information et sur la mesure du bruit (interférences) qui empêche cette transmission. On ne s'intéresse donc pas au sens du message, mais à la valeur quantitative de l'information (Cossette, 1985).

S'inscrivant dans le prolongement de la théorie de l'information, l'école de la cybernétique (théorie des communications et de la régulation tant dans la machine que dans l'animal), notamment avec Wiener (1948), s'en distingue cependant en introduisant le concept de rétroaction. La cybernétique met l'accent sur l'influence de la communication sur le récepteur.

C'est à cette école que l'on doit les éléments qui composent une action de communication et les nombreuses études qui ont suivi dans ce sens dans plusieurs disciplines, notamment les travaux sur la technique de l'information et sur le langage comme principal média. Le fameux système général de communication est illustré à la figure 10.2.

Ce système comprend:

– un émetteur qui transforme le message en signal au moyen d'un code nécessairement commun à l'émetteur et au récepteur pour une adaptation réciproque;

– un récepteur qui décode le signal en information utile;

– le canal (n'importe quel système physique) qui est le moyen de transmission du message;

– le bruit, qui est toutes sortes d'interférences qui peuvent altérer la transmission du message.

Les postulats sur lesquels se base ce modèle ont servi de fondements à toute une série de travaux et de recherches de l'école fonctionnaliste, que Goldhaber (1986) situe dans la période 1942-1958.

Selon Laramée (1991), un des postulats fondamentaux du fonctionnalisme est la notion de déterminisme. Selon cette perspective, les individus sont les produits de l'environnement et ils sont donc essentiellement «réactifs». Les caractéristiques sociales, psychologiques et économiques sont perçues comme des entités statiques plutôt que comme des processus sociaux. L'organisation elle-même ainsi que les messages qui y sont véhiculés sont des structures et des formes physiques concrètes, identifiables et analysables de façon spatio-temporelle.

Pour les chercheurs fonctionnalistes, l'essence de la communication réside dans la transmission et la direction des messages et dans les canaux de communication. Leurs travaux porteront sur l'efficacité des

FIGURE 10.2 LE SYSTÈME GÉNÉRAL DE COMMUNICATION

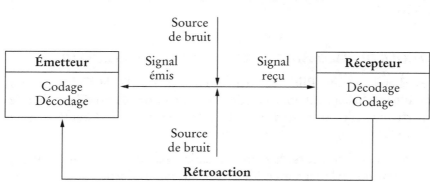

messages du locuteur, des structures capables de les véhiculer et sur les réseaux de communication.

Laramée (1991) résume bien les trois catégories établies par Redding (1985), visant à décrire les différents domaines des travaux portant sur la communication organisationnelle.

Dans le domaine de la **pragmatique de la gestion**, on trouve des recherches sur la diffusion des politiques et des règles de l'entreprise, sur la direction de la communication et sur les réseaux (Bavelas et Barrett, 1951; Jacobson et Seashore, 1951; Weiss et Jacobson, 1955, entre autres).

Le deuxième domaine explore les façons d'améliorer les **capacités de communication** des cadres, notamment le contremaître (Pigors, 1949; Redfield, 1953, 1958).

Le troisième domaine est celui des **relations humaines** (dont nous avons déjà parlé) qui compte de nombreux travaux sur les groupes informels, la participation au processus décisionnel, la dynamique de groupe, le leadership «démocratique», les travaux de l'Institute for Social Research de l'Université du Michigan et les recherches de l'Université d'Ohio.

Les méthodes d'analyse et de recherche du courant fonctionnaliste privilégient l'approche expérimentale axée sur la recherche de lois universelles servant à prédire le comportement. Les concepts sont réduits en petites unités observables pour être mieux compris. Le sens que les individus donnent à la réalité, aux messages, devient secondaire par rapport à une analyse des phénomènes auxquels ont veut donner une réalité objective, mesurable, quantifiable.

Cette approche correspond bien aux préoccupations des gestionnaires de l'école classique de management, soucieux de contrôle et de rationalité.

L'ÉCOLE DE PALO ALTO ET LE COURANT INTERPRÉTATIF

Les chercheurs de Palo Alto (du nom d'une ville de Californie où travaillent plusieurs théoriciens de cette école) ont élaboré leur théorie à partir de celle des systèmes et de la logique formelle (Watzlawick *et al.*, 1972).

Pour ces chercheurs, la communication est avant tout une relation, et ce sont nos relations avec les autres qui déterminent notre comportement. Tout comportement a la valeur d'un message et, partant, «on ne peut donc pas ne pas communiquer». Ces chercheurs réhabilitent donc les messages non intentionnels et non verbaux. D'ailleurs, la présence simultanée de ces codes que sont le contenu d'un message (l'expression d'un fait, d'une information, d'une opinion, etc.) et la relation entre les individus peut parfois être problématique, ces deux codes pouvant produire des messages paradoxaux dont, ajouterions-nous, les organisations sont loin d'être exemptes (par exemple lorsque les actes des dirigeants contredisent leurs messages verbaux).

L'intérêt de l'école de Palo Alto est qu'elle place la relation entre les individus au premier plan, et qu'elle évite le modèle linéaire des théories de l'information. Elle situe l'individu dans un contexte, une culture qui permettent d'interpréter le contenu de la communication et qui donnent une valeur de message à tout comportement. Toutefois, selon Cossette (1985), cette école, qui a parfois tendance à se confondre au behaviorisme (le comportement seul est l'unité d'analyse), occulte ce qui fait la singularité, la logique propre des individus, leur autonomie, même relative.

À la lumière des théories de l'organisation et de la communication, le schéma général de la communication organisationnelle se présenterait plutôt comme à la figure 10.3, où tout est communication : le contexte organisationnel, nous-mêmes par nos comportements verbaux, sociaux et corporels, etc. La perception et l'organisation de la communication sont fonction de notre expérience de vie, de notre personnalité. Nous sommes **simultanément** émetteurs, récepteurs et créateurs de systèmes symboliques largement connus et partagés par des communicateurs potentiels.

L'école interprétative, en s'inspirant et en allant au-delà de l'approche de Palo Alto dans le contexte des organisations, redonne une place prépondérante à l'unicité de l'individu, à ses propres objectifs et, pour reprendre la terminologie de Crozier (1963) et de Crozier et Friedberg (1977), à sa volonté de conserver sa marge d'autonomie ou de manœuvre. C'est ainsi que les individus créent leurs propres environnements plutôt que d'être déterminés par eux (comme dans l'école fonctionnaliste). L'organisation et ses structures sont alors vues comme une construction élaborée, non pas en dehors des individus, mais «par les expériences subjectives de ses membres, à travers les mots, les symboles, les comportements, les interactions et l'action sociales directement reliées aux significations que les individus construisent à propos des événements et des activités» (Laramée, 1991, p. 82).

FIGURE 10.3 UNE REPRÉSENTATION INTÉGRÉE DE LA COMMUNICATION
DANS L'ORGANISATION

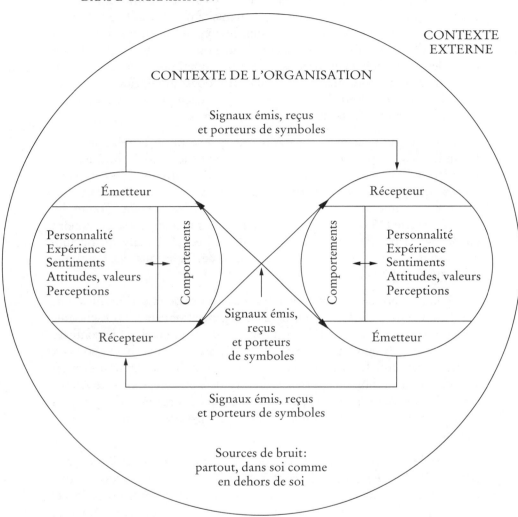

Dès lors, les méthodes d'analyse et d'intervention dans l'entreprise s'inspirent d'une approche phénoménologique. Les chercheurs tentent de comprendre les situations et les individus «de l'intérieur».

Les instruments et les outils de recherche sont de nature plutôt qualitative (entrevues, lectures de documents, description et compréhension des éléments culturels de l'entreprise, observation participante, etc.). Les chercheurs s'impliquent dans les phénomènes qu'ils étudient

(Hawes, 1974; Putnam, 1983; Pacanowsky et O'Donnel-Trujillo, 1982, entre autres).

Dans le reste du chapitre, nous verrons qu'une gestion efficace de la communication organisationnelle se fonde sur des actions, des méthodes et des moyens empruntés aux deux courants que nous venons de décrire. Il est vrai, cependant, que la mobilisation des ressources humaines, dans le contexte actuel, s'inspire plutôt de l'école interprétative, en répondant aux besoins des individus de comprendre ce qu'ils font dans l'organisation et de participer à la vie de l'entreprise par leur volonté, leur sensibilité et leur intelligence.

10.4 LES PRINCIPAUX DISPOSITIFS DE COMMUNICATION

Nous distinguerons les dispositifs d'information ou de communication, qui, bien pensés, peuvent mobiliser le personnel et créer une culture d'entreprise. Sans une volonté de «gérer» la communication, ces supports ne deviennent que des moyens techniques, conservant leurs limites intrinsèques.

10.4.1 LES MOYENS D'INFORMATION

Les moyens d'information suivants diffusent souvent une information plutôt descendante, c'est-à-dire allant du haut vers le bas de la hiérarchie. L'information descendante véhicule les règles, les règlements, les politiques et les procédures qui permettent à chaque membre du personnel de s'acquitter au mieux de son rôle dans l'entreprise. Par ailleurs, l'information descendante devient un outil stratégique, et non un moyen de contrôle systématique, lorsque son contenu est axé vers l'orientation de ces rôles autour d'un projet articulé de l'entreprise, vers sa mission.

LES PUBLICATIONS INTERNES

Le journal d'entreprise

Le journal d'entreprise diffuse une somme importante d'informations générales qui portent aussi bien sur des sujets à caractère économique que socioculturel et sportif. Il s'adresse au personnel de l'entreprise qui, parfois, peut le trouver ennuyant, au mieux distrayant lorsque son contenu n'a que peu de valeur pédagogique. Un journal d'entreprise, comme outil stratégique, se doit d'informer tout en faisant réfléchir (Peretti, 1984).

Les publications diverses

Les publications et les lettres permettent de véhiculer des renseignements d'actualité ou des informations concernant un événement spécial ou exceptionnel, ou encore des décisions importantes (lancement d'un produit, changements de politiques). Les bulletins peuvent être quotidiens, hebdomadaires ou trimestriels. Des brochures peuvent compléter cette panoplie de moyens lorsque des procédures administratives doivent être expliquées de façon claire et concise aux employés (par exemple, un nouveau système d'évaluation des postes ou un nouveau régime de retraite).

Les moyens audiovisuels

Les nouvelles technologies électroniques ont modifié le paysage de la communication dans les entreprises. Maintenant, les coûts abordables des micro-ordinateurs, le développement de la télématique et les technologies du vidéo ont permis aux entreprises modernes de se doter de moyens directs, rapides et efficaces de communication externe et interne.

L'affichage est un autre moyen couramment utilisé pour informer le personnel. L'affichage et le courrier électroniques s'imposent de plus en plus dans de nombreuses industries, ainsi que l'information diffusée par canal vidéo interne. La pratique de la vidéo est efficace pour transmettre l'information descendante, car elle s'adresse à toutes les catégories de personnel, notamment celles qui n'ont pas l'habitude de lire, et l'accès physique aux salariés est plus facile par ce média. De plus, les messages ne subissent pas les distorsions ou les filtrages d'information inhérents à la présence de différents relais dans la chaîne de communication.

Enfin, la diffusion des messages par le réseau téléphonique de l'entreprise est un autre moyen moderne d'informer rapidement le personnel (ou les clients) à toute heure du jour et de la nuit, pour qui veut se donner la peine de composer le numéro de téléphone mis à leur disposition. Mémotec et la Société des alcools du Québec possèdent de tels services de renseignements.

LE PROCESSUS ET LE LIVRET D'ACCUEIL

Le processus d'accueil des employés est un moyen important pour « socialiser » l'employé, d'autant plus que ce processus s'applique à des recrues, donc à des personnes plus ouvertes à l'information qu'on veut leur communiquer, et il peut les orienter dans leur nouveau milieu de travail.

Le processus d'accueil, tout comme le livret qui l'accompagne, fournit d'abord des renseignements sur la vie quotidienne de l'entreprise et les conditions de travail. Ces renseignements portent généralement sur les points suivants :

– l'histoire et la structure de l'entreprise ;
– la rémunération, les avantages sociaux ;
– les absences et les congés ;
– les horaires de travail, les droits de l'employé, la convention collective s'il y a lieu, les règles de sécurité, etc. ;
– les politiques de formation et d'avancement ;
– les adresses utiles.

Cependant, le processus d'accueil ne se limite pas au livret. Il peut être accompagné d'exposés d'acteurs importants dans l'entreprise, de visites des lieux, de journées « portes ouvertes ».

Le processus d'accueil joue un rôle déterminant pour développer la fidélité de l'employé, le mobiliser et le faire adhérer aux objectifs de l'entreprise. L'accueil, il est vrai, est un processus de transmission des règles et règlements de l'entreprise ; mais, lorsqu'il est efficace, il vise également à transmettre les valeurs et les éléments culturels de l'entreprise et à façonner très tôt le comportement des recrues par la formation d'attitudes favorables à l'entreprise. Il s'établit donc, à ce stade, une sorte de « contrat psychologique » (une sorte d'attentes réciproques) entre l'employé et l'organisation, contrat dont la rupture peut s'avérer coûteuse (psychologiquement et matériellement) pour les deux parties.

10.4.2 LES MOYENS DE COMMUNICATION

Les dispositifs suivants sont, à proprement parler, des moyens de communication dans la mesure où ils constituent des canaux d'échange de perceptions et d'informations indispensables à la réalisation des stratégies de l'entreprise, à la qualité des décisions, par les commentaires, les suggestions ou les retours d'information du personnel. Ces dispositifs de communication favorisent l'information ascendante qui est souvent efficace tant du point de vue économique que social. Mettre en place ces dispositifs de communication «interactive» demande un certain courage (même pas, prétendent ceux ou celles qui n'y ont vu que des avantages!) de la part des dirigeants qui ont pris le parti de laisser aux salariés le droit de «s'approprier la parole».

Les enquêtes

Comme le rappellent Bartoli (1990) de même que Bonnadieu et Rande (1988), les enquêtes d'opinion portent sur les thèmes suivants:
–   enquêtes de satisfaction sur des thèmes précis;
–   enquêtes de climat social (état des ententes ou antagonismes internes);
–   enquêtes socioculturelles (repérage de systèmes de valeurs et de connaissances de certaines notions);
–   enquêtes socio-organisationnelles (état des fonctionnements et des dysfonctionnements de l'entreprise.

Les enquêtes d'opinion s'adressent à l'ensemble du personnel ou à une partie seulement des membres de l'entreprise, et ce, selon les raisons qui ont motivé l'enquête (recueil des opinions sur une restructuration ou une fusion d'entreprises, sur le lancement d'un nouveau produit, sur l'introduction d'une nouvelle technologie, etc.).

La méthodologie de l'enquête d'opinion comporte l'utilisation de questionnaires ou d'entrevues individuelles ou de groupe. Le dépouillement des données peut se faire de façon statistique dans le cas d'un questionnaire à caractère quantitatif, ou par l'analyse de contenu dans le cas d'un instrument de nature qualitative.

Le succès d'une enquête d'opinion repose sur les principes suivants:
–   annoncer clairement les objectifs de l'enquête et l'usage qui sera fait des données recueillies;
–   préserver l'anonymat des sujets interrogés;
–   communiquer les résultats de l'enquête aux groupes de personnes concernés;
–   prendre les mesures qui s'imposent après la tenue de cette enquête, faute de quoi, à la longue, la direction risque de se discréditer aux yeux du personnel.

Les réunions

Les réunions sont des moyens de communication fréquemment utilisés. Il faut exclure ici les rencontres inutiles, la pratique de la parlotte ou de la «réunionite». La réunion devient un moyen stratégique de communication quand elle est axée sur la participation de tous pour la résolution de problèmes et la prise de décisions, sur les moyens de mettre en œuvre une stratégie, la clarification de malentendus et de rumeurs, le déblocage de l'information, la négociation. Les réunions, organisées à divers paliers hiérarchiques, ont l'avantage du «face à face» et sont des occasions de développer des relations interpersonnelles qui tissent l'identité de l'entreprise.

Chez Pitney Bowes (Starke *et al.*, 1988), par exemple, le travail d'équipe s'effectue lors de réunions mensuelles avec tous les employés dans toutes les divisions de l'entreprise. De plus, un comité de 13 employés représentant le personnel se réunit régulièrement avec la haute direction une fois par mois. Ces employés sont nommés pour deux ans et s'affairent à traiter des problèmes importants et à améliorer le processus de communication. Certaines entreprises japonaises dessinent des organigrammes où figurent les lieux de concertation.

Les entretiens

Il existe divers types d'entretiens. Les enquêtes d'opinion et le processus d'accueil peuvent donner lieu à des entretiens permettant de recueillir ou de transmettre les informations utiles déjà évoquées. D'autres entretiens, comme l'entrevue de départ, d'orientation ou d'aide à l'employé, d'identification des besoins de formation et de perfectionnement, d'appréciation, facilitent l'expression des employés et la résolution des problèmes de rendement, chacun d'eux concourant ainsi au succès de la réalisation des stratégies de l'entreprise.

Les groupes

La constitution de groupes formels d'employés au sein de l'entreprise représente, à notre avis, une «minirévolution» dans les formes d'organisation de notre système à dominance taylorienne. Ces groupes ont pris plusieurs appellations: groupes de travail, cercles de qualité, groupes ou équipes autonomes ou semi-autonomes, groupes de concertation.

Ces groupes, permanents ou formés ponctuellement, constitués d'acteurs de l'entreprise de divers niveaux hiérarchiques et de diverses compétences, ont la vocation de trouver une solution aux problèmes. Ils ont déjà fait la preuve de leur efficacité, tant sur le plan de l'amélioration de la qualité des produits et du service aux clients que de l'amélioration de la productivité en général. De plus, ces groupes peuvent contribuer, par leurs initiatives, à améliorer leurs conditions (rarement monétaires) de travail (milieu de travail plus sécuritaire, perspectives de carrière plus grandes, etc.). Ce système de «communication en action» contribue, à n'en pas douter, à la mise en œuvre efficace des stratégies de l'entreprise.

La boîte à idées

Plusieurs entreprises récompensent les salariés dont la mise en œuvre d'une idée ou d'une suggestion a contribué à l'augmentation de la productivité.

Ces programmes de suggestions n'ont pas qu'un attrait financier. Ils permettent également la promotion d'employés dont on aura reconnu les talents, et ils constituent une forme de communication ascendante permanente.

Les syndicats

Les syndicats peuvent être des relais indispensables de la communication entre la direction et les salariés qu'ils représentent. En ces temps de concurrence acharnée entre les nations industrielles, l'atmosphère est moins au conflit violent entre les partenaires sociaux qu'auparavant. Aux États-Unis, à l'automne 1991, les syndicats de l'automobile ont consenti à des baisses considérables des salaires des travailleurs pour garantir des emplois et, ce faisant, participer à la stratégie concurrentielle dans ce secteur.

Les dispositifs de médiation

Des mécanismes de conciliation ou d'arbitrage peuvent également jouer le rôle de courroie de transmission de l'information et de la communication. Par exemple, un système de recueil de plaintes peut être mis en place, aussi bien pour le personnel que pour les clients de l'entreprise, et même pour de simples citoyens. Un médiateur, un ombudsman (personne officiellement désignée pour examiner les plaintes et faire des recommandations) peuvent également jouer le rôle de relais de la communication. Ainsi, chez Xerox aux États-Unis, 40 % des décisions rendues par le médiateur ont favorisé les employés, 30 %

ont profité à l'employeur et 30 % ont abouti à un compromis quelconque entre les parties (Starke *et al.*, 1988).

Tous ces dispositifs, répétons-le, doivent être utilisés dans le contexte d'une stratégie cohérente de communication.

10.5 L'ÉLABORATION ET LA MISE EN OEUVRE DE LA STRATÉGIE DE COMMUNICATION

10.5.1 LA DÉMARCHE GÉNÉRALE

À l'instar des autres fonctions que nous avons décrites dans ce manuel, l'élaboration d'une communication stratégique exige l'examen des stratégies de l'entreprise et de sa mission, l'identification des besoins en communication interne et externe, la formulation des objectifs de communication qui en découlent et la programmation du plan d'action (*voir la figure 10.1*).

La mise en œuvre du plan de communication nécessitera la mobilisation des employés de l'entreprise, et l'évaluation des résultats des actions permettra de prendre les mesures correctives qui s'imposent.

Nous nous concentrerons sur la stratégie de communication interne, la stratégie externe ayant déjà fait l'objet de nombreux développements, en marketing principalement.

L'ÉLABORATION D'UN PLAN DE COMMUNICATION

Avant de décrire les étapes de la stratégie de communication, il faut encore insister sur le fait que les objectifs de communication doivent être reliés à la stratégie d'entreprise (comme l'illustre la figure 10.1). Derrière l'élaboration d'un plan de communication, il faut «sentir une philosophie et une stratégie managériales, une volonté de faire une organisation communicante» (Bartoli, 1990), car la communication stratégique n'est pas un plan de relations humaines, mais une gestion des ressources humaines.

L'analyse des besoins en communication

L'analyse des besoins portera sur les dimensions suivantes de l'organisation: la stratégie, la structure, la culture et les comportements. On cherche ainsi à savoir quels sont les besoins en information et en communication qui accompagnent:

- l'introduction d'une nouvelle stratégie d'entreprise (stratégie de croissance, par exemple, par fusions et acquisitions, par lancement d'un nouveau produit ou par pénétration d'un nouveau marché);
- l'introduction de changements structurels, notamment ceux qui sont issus de l'adoption de nouvelles technologies, d'une nouvelle organisation du travail, d'un nouveau système de rémunération, etc.;
- la volonté de modifier les attitudes des individus à l'égard de la stratégie d'entreprise (penser qualité, penser client, etc.) ou à l'égard de l'assainissement du climat social à l'origine d'un fort taux d'absentéisme ou de roulement de personnel;
- la nécessité d'introduire de nouvelles valeurs, de renforcer l'adhésion des individus au projet de l'entreprise, de bâtir une culture forte.

Dans tous les cas, la stratégie en communication doit permettre de diagnostiquer, donc d'écouter. Les méthodes d'investigation sont nombreuses, nous l'avons vu, et leur choix devra se faire en fonction de la culture et du climat de l'organisation (par exemple, les entrevues sont plus appropriées qu'un questionnaire dans un climat tendu, mais ce dernier outil l'est davantage quand il faut préserver l'anonymat des sujets de l'enquête).

Prenons le cas d'une entreprise A en croissance qui, pour conquérir un nouveau marché par le lancement d'un nouveau produit, vient de faire l'acquisition d'une entreprise B. Dès lors, la stratégie humaine de l'entreprise nécessite l'adhésion de tout le personnel et les compétences des cadres de l'entreprise vendeuse (B).

L'enquête peut révéler, comme dans la plupart des cas d'échec de fusions[3], que le personnel est anxieux et démotivé (vu l'incertitude quant à son avenir), que les cadres de l'entreprise B songent à travailler ailleurs, et que l'organisation du travail n'est pas responsabilisante. Les objectifs du stratège en communication sont alors tout tracés.

Les objectifs de communication

À partir des problèmes d'organisation relevés à l'étape précédente, il faudra élaborer une politique d'information et de communication qui contribuera à résoudre ces problèmes. Cette politique peut se donner pour objectifs:

---

3. Voir, à ce propos, Fulmer (1986), Sweiger et Ivancevich (1985).

- de rassurer le personnel quant à son avenir dans l'entreprise acheteuse, de créer un climat plus serein;
- d'utiliser les ressources du personnel de l'entreprise B;
- de faire adhérer tout le personnel aux objectifs de l'entreprise et de le mobiliser à cet effet;
- d'enrichir les tâches, de responsabiliser.

Il faut ensuite hiérarchiser ces objectifs et identifier les catégories de personnel (salariés, cadres, professionnels, etc.) qui sont visées.

Les interventions en communication ne peuvent évidemment pas, à elles seules, résoudre les problèmes d'organisation. D'autres mesures seront également souhaitables pour réaliser la stratégie de l'entreprise: par exemple, investir dans la nouvelle technologie, revoir le système de rémunération et de promotion, etc.

Parallèlement à la formulation des politiques de communication interne, il faudra également élaborer une politique de communication externe qui ne soit pas en contradiction avec la philosophie de l'entreprise ou qui donne de celle-ci une image opposée aux perceptions du personnel.

Le plan de communication

Le plan de communication est la programmation des moyens propres à réaliser les objectifs de cette fonction. Le plan contient les activités de communication, soit les dispositifs d'information et de communication et le calendrier. Le tableau 10.3 présente un plan de communication d'après l'exemple du cas de fusion mentionné précédemment.

LA MISE EN OEUVRE DU PLAN DE COMMUNICATION

La réussite de la mise en œuvre du plan de communication nécessite les conditions suivantes:
- la participation de tous les cadres à la stratégie de communication;
- l'intervention d'un chef de projet en communication (pas nécessairement un journaliste!);
- le respect des valeurs et de la culture de l'entreprise, et du rythme de changement propre à l'organisation;
- la participation des acteurs concernés par la stratégie de communication;

TABLEAU 10.3 UN EXEMPLE DE PLAN DE COMMUNICATION

Objectifs	Activités	Calendrier
1. Détendre le climat social	– Impression d'un nouveau journal d'entreprise au ton accueillant et rassurant ; discours d'accueil du président	– Immédiatement ; au début, parution fréquente du journal
	– Rencontres sociales avec les personnels A et B	Au tout début
	– Visite des lieux par le personnel B avec des personnalités du personnel A	Au tout début
	– Ouverture d'un bureau permanent d'information au service du personnel	Immédiatement
2. Utiliser le savoir-faire du personnel A, notamment des cadres	– Formation d'équipes mixtes	Dans les trois premiers mois
	– Rencontre des cadres de A et B en « retraite fermée »	Dans les trois premiers mois, pour une semaine
3. Mobiliser le personnel autour du nouveau produit (qualité)	– Lancement officiel du produit	Avant sa commercialisation
	– Rencontres entre les salariés, les clients et les fournisseurs	
4. Enrichir les tâches	– Création de cercles de qualité	Avant et durant la production
	– Formation	Durant les trois premiers mois, et au besoin par la suite

– des actions concrètes autres que celles qui sont reliées à la communication proprement dite : actions liées à la formation, à l'organisation du travail, à l'appréciation du personnel, etc. ; ces actions sont, dans tous les cas, reliées à la stratégie de l'entreprise.

L'ÉVALUATION DES ACTIONS DE COMMUNICATION

Le suivi des résultats du plan de communication diffère selon la nature du plan, le type d'entreprise, etc. Toutefois, nous présentons au tableau 10.4 les domaines d'analyse de l'évaluation et, pour chacun d'eux, quelques indicateurs généraux.

Toujours d'après l'exemple de la fusion d'entreprises, le tableau 10.5 présente l'évaluation des résultats du plan de communication quant à la mobilisation du personnel.

10.6 CONCLUSION

Au terme de ce chapitre, on peut conclure que la communication organisationnelle ne se réduit pas à la circulation de l'information dans des réseaux formels.

TABLEAU 10.4 L'ÉVALUATION DES ACTIVITÉS DE COMMUNICATION

Domaines d'analyse	Indicateurs généraux
1. Les objectifs de communication	– Degré de cohérence avec les choix stratégiques
	– Clarté des objectifs
	– Degré de cohérence entre la communication interne et la communication externe
2. Les circuits d'information et de communication	– Rapidité des circuits
	– Dosage adéquat des messages
	– Choix adéquat des émetteurs et des récepteurs, des relais
3. Les dispositifs de communication	– Cohérence avec les objectifs
	– Efficacité des dispositifs : réunions et groupes de travail pertinents, choix adéquats des moments et des lieux de communication, etc.
4. Les comportements des individus	– Degré d'adhésion aux objectifs de l'entreprise
	– Taux de participation aux travaux de groupe
	– Nombre de suggestions du personnel
	– Degré de satisfaction, etc.
5. La structure et la communication	– Efficacité de la communication dans les formes actuelles de l'organisation du travail

TABLEAU 10.5 L'ÉVALUATION DES RÉSULTATS DU PLAN DE COMMUNICATION (THÈME DE LA MOBILISATION)

Objectif	Moyen	Critère	Écart	Recommandations
Mobiliser le personnel autour du nouveau produit (thème de la qualité)	Établissement de cercles de qualité et d'échanges	Nombre de problèmes résolus. Performance acceptable: 70 % des problèmes résolus en trois mois par les groupes constitués	50 % des problèmes résolus	Formation de l'animateur Formation technique des salariés, etc.

La communication organisationnelle, dans le sens d'une gestion stratégique des ressources humaines, c'est-à-dire d'une revalorisation des individus, est une fonction motivante, une fonction de relation, une fonction d'expression. Ces fonctions ne sont pas contradictoires avec l'organisation de la communication qui peut créer des langages communs, une culture forte, un cadre de référence qui fait place aux différences, des lieux d'échanges et de coexistence.

La communication organisationnelle se gère comme toute autre fonction de l'entreprise, mais, comme pour toute gestion humaine, le stratège doit faire des choix personnels: il faut la volonté et le courage de donner certains objectifs à cette gestion, de ces objectifs qui laissent aux acteurs de l'entreprise une marge d'autonomie et de responsabilités, qui tolèrent l'ambivalence, l'incertitude, l'informel et le non-verbal, à côté du formel et de l'explicite.

Comme le dit Bartoli (1990), «il faut tendre vers une organisation communicante et une communication organisée».

QUESTIONS

1. Quelles sont les étapes d'un plan de communication?
2. Montrez comment l'environnement actuel de l'entreprise rend inévitable la mise sur pied de programmes d'information et de communication dans l'entreprise.

3. Quels facteurs internes de l'entreprise déterminent la création et la nature d'une politique de communication?

4. Quel type de communication organisationnelle implique une stratégie d'entreprise axée sur l'innovation et la qualité?

5. Établissez le parallèle entre les théories du management et les pratiques de communication dans les entreprises.

6. Comment expliquez-vous que les rôles du dirigeant, décrits par Mintzberg, soient des rôles de communication et qu'il existe peu de politiques formelles de communication interne dans les entreprises?

7. En quoi le modèle émetteur–message–récepteur est-il inadapté aux réalités de l'entreprise?

8. Commentez cette phrase: «La qualité de la communication interne représente la condition première de la qualité de la communication externe».

9. Identifiez deux ou trois chefs d'entreprise très médiatiques. Décrivez l'image de l'entreprise qu'ils ont laissée sur vous. Y a-t-il des thèmes courants qui reviennent dans leur message et leur discours? Déduisez-en l'importance du dirigeant comme communicateur.

10. Une entreprise décide des objectifs suivants:

   • devenir le numéro 1 de l'automobile dans son pays;

   • satisfaire rapidement les besoins des clients;

   • concourir à l'épanouissement de chaque salarié;

   • préserver l'emploi en améliorant la productivité.

   Les cadres et les salariés n'ont pas encore compris l'importance de ces changements proposés par la direction. La haute direction comprend trois personnes et les cadres sont au nombre de 40. Les 500 salariés sont en général assez fiers d'appartenir à cette entreprise, malgré une récente grève. De son côté, le syndicat est prêt à collaborer, vu les difficultés économiques mondiales. Quel plan de communication recommanderiez-vous?

BIBLIOGRAPHIE

ARCHIER, G. et SERIEYX, H., *L'entreprise du 3ᵉ type*, Paris, Seuil, 1984.

AUVINET, J.M., BOYER, L., BUREAU, R., CHAPPAZ, P. et DE VULPIAN, G., *La communication interne au cœur du management*, Paris, Les Éditions d'Organisation, 1990.

Avenir, « La communication dans l'entreprise », Montréal, 1988.

BARTOLI, A., *Communication et organisation*, Paris, Les Éditions d'Organisation, 1990.

BAVELAS, A. et BARRETT, M., « An experimental approach to organizational communication », *Personnel*, 27, 1951, p. 366-377.

BONNADIEU, G. et RANDE, J.P., « L'enquête d'opinion en entreprise : un outil de gestion des ressources humaines », *Revue Personnel*, octobre 1988.

COSSETTE, N., *Élaboration d'un modèle « dual » de la communication*, thèse de doctorat inédite, Université de Montréal, 1985.

CROZIER, M., *Le phénomène bureaucratique*, Paris, Seuil, 1963.

CROZIER, M. et FRIEDBERG, G., *L'acteur et le système*, Paris, Seuil, 1977.

DEAL, T. et KENNEDY, A., *Corporate Cultures : The Rites and Rituals of Corporate Life*, Reading, Addison-Wesley, 1982.

DE WOOT, P. et DESCLEE DE MAREDSOUS, X., *Le management stratégique des groupes industriels*, Paris, Économica, 1984.

FULMER, R.M., « Mergers and acquisitions, 2 : Role of management development », *Personnel*, 63, 9, 1986, p. 37-49.

GOLDHABER, G.M., *Organizational Communication*, 4ᵉ éd., Dubuque (Iowa), Brown Publishers, 1986.

HAMILTON, C. et PARKER, C., *Communicating for Results*, Belmont, Wadsworth, 1990.

HAWES, L.C., « Social collectivities as communication : perspectives on organizational behavior », *Quarterly Journal of Speech*, 60, 1974, p. 497-502.

HERZBERG, F., *Le travail et la nature de l'homme*, Paris, Entreprise moderne d'édition, 1971.

JACOBSON, E. et SEASHORE, S., « Communication practices in complex organizations », *Journal of Social Issues*, 7, 1951, p. 28-40.

KATZ, D. et KAHN, R., *The Social Psychology of Organizations*, New York, Wiley, 1966.

KREPS, G.L., *Organizational Communication*, New York, Longman, 1986.

LARAMÉE, A., *La communication dans les organisations*, Sillery, Québec, Presses de l'Université du Québec, 1991.

LAWRENCE, P.R. et LORSCH, J.W., *Adapter les structures de l'entreprise : intégration et différenciation*, Paris, Les Éditions d'Organisation, 1973.

LIKERT, R., *Le gouvernement participatif de l'entreprise*, Paris, Gauthier-Villars, 1974.

MASLOW, A., *Motivation and Personality*, New York, Harper & Row, 1954.

McGREGOR, D., *The Human Side of Enterprise*, New York, McGraw-Hill, 1960.

MINTZBERG, H., *Que fait un dirigeant dans sa journée ?*, Harvard-L'Expansion, été 1976, p. 10-15.

OUCHI, W., *Theory Z*, Reading, Addison-Wesley, 1981.

PACANOWSKY, M.E. et O'DONNELL-TRUJILLO, « Communication and organizational cultures », *Western Journal of Speech Communication*, 46, 1982, p. 115-130.

PERETTI, J.M., *Gestion du personnel*, Paris, Vuibert, 1984.

PETERS, T.J. et WATERMAN, R.H., *In Search of Excellence*, New York, Harper & Row, 1982.

PIGORS, P., *Effective Communication in Industry*, New York, National Association of Manufacturers, 1949.

PUTNAM, L. et PACANOWSKY, M.E. (dir.), *Communication and Organizations: An Interpretative Approach*, Sage, 1983.

REDDING, W.C., «Stumbling toward identity: the emergence of organizational communication as a field of study», dans McPHEE, R.D. et TOMPKINS, P.K. (dir.), *Organizational Communication: Traditional Themes and New Directions, Sage Annual Reviews of Communication Research*, California, Sage Publications, 1985.

REDFIELD, C., *Communication in Management*, Chicago, University of Chicago Press, 1958.

ROJOT, J. et BERGMAN, A., *Comportement et organisation*, Paris, Vuibert, 1989.

SCHULER, R.S. et JACKSON, S., «Linking competitive strategies with human resources practices», *The Academy of Management Executive*, 1, 3, p. 207-219.

SHANNON, C.L. et WEAVER, W., *La théorie mathématique des communications* (1949), Paris, Retz-CEPL, 1975.

STARKE, F.A., MONDY, R.W. et FLIPPO, E.B., *Management Concepts and Canadian Practice*, 2e éd., Toronto, Allyn and Bacon, 1988.

SWEIGER, D.M. et IVANCEVICH, J.M., «Human resources: the forgotten factors in mergers and acquisitions», *Personnel Administrator*, 30, novembre 1985, p. 47-48.

TRIST, E.L. et BAMFORTH, K.W., «Some social and psychological consequences of the longwall method of coal-getting», *Human Relations*, 4, 1951, p. 3-38.

WATZLAWICK, P., BEAVIN, H. et JACKSON, D.D., *Une logique de la communication*, Paris, Seuil, 1972.

WEISS, R.W. et JACOBSON, E.H., «Method for the analysis of the structure of complex organizations», *American Sociological Review*, 20, 1955, p. 661-668.

WIENER, N., *Cybernetics*, Paris, Hermann, 1948.

WOODWARD, J., *Industrial Organization: Theory and Practice*, London, Oxford University Press, 1965.

CHAPITRE 11

LA GESTION STRATÉGIQUE DE LA RÉMUNÉRATION

par André Petit

OBJECTIFS

Après l'étude de ce chapitre, vous devriez être en mesure :

- de définir en quoi consiste la rémunération et d'identifier ses diverses composantes ;
- d'expliquer ce qui caractérise une approche stratégique de la rémunération ;
- d'identifier un éventail de décisions relatives à la rémunération et susceptibles d'être stratégiques ;
- d'expliquer la relation d'influence (ou de cause à effet) susceptible d'exister entre diverses variables et les stratégies de rémunération (bâtir un modèle des déterminants d'une stratégie de rémunération) ;
- de décrire les objectifs d'une gestion stratégique de la rémunération ;
- d'expliquer le fonctionnement de divers mécanismes opérationnels de gestion de la rémunération.

MISE EN SITUATION

PARTAGE DES SURPLUS DE RÉGIMES DE RETRAITE : PROJET DE LOI CONTESTÉ

Un projet de loi du Québec, qui obligera les compagnies à partager tout surplus d'un régime de retraite entre les entreprises et les travailleurs, est grandement contesté par un important bureau d'actuaires.

L'actuaire Étienne Brodeur a souligné hier qu'on avait évalué le surplus actuel des 6 000 régimes de retraite privés du Québec à 283 millions $, un montant relativement peu élevé si l'on considère les 39 milliards $ que valent les régimes de retraite privés du Québec.

« Le bill (sic) déposé en décembre à la législature du Québec constitue une intrusion dans les régimes privés de retraite et aura des répercussions à long terme », a-t-il dit.

« Cette loi est "perverse", lorsqu'on songe à sa façon de traiter les employeurs », a affirmé M. Brodeur, vice-président de TPF and C, division de la compagnie internationale Towers Perrin.

Il a noté que, durant les années maigres, les compagnies avaient dû combler l'insuffisance de contributions dans les fonds de retraite et que maintenant elles pourraient être obligées de distribuer le surplus des contributions. Et il y a des régimes qui sont entièrement payés par l'employeur.

« C'est une grande préoccupation pour les employeurs », a dit M. Brodeur, dont la compagnie conseille un grand nombre d'entreprises.

Versement comptant

« La proposition du Québec fera des employeurs les propriétaires partiels de tout surplus des régimes de retraite en même temps que les propriétaires entiers des déficits », a-t-il dit au cours d'une conférence de presse.

Aucune loi n'oblige en fait une compagnie à mettre en place un programme de retraite. La loi suggérée est, selon M. Brodeur, une intervention dans un contrat privé conclu entre une compagnie et ses employés. « La propriété d'un fonds de retraite devrait aller à celui qui prend le risque », à moins que les parties négocient d'autres dispositions.

Cela, a-t-il ajouté, incitera les employeurs à investir le minimum, et aussi à gérer le fonds en ne prenant aucun risque.

Des audiences publiques sur le bill (sic) québécois auront lieu le mois prochain et on prévoit qu'il deviendra loi peu après. Les compagnies devront immédiatement distribuer

> *à leurs employés une partie du surplus en argent comptant. Pour M. Brodeur, un nombre relativement élevé des 6 000 fonds privés sera immédiatement touché.*
>
> Source: *La Tribune*, Sherbrooke, 8 février 1991, p. C6.
>
> ### QUESTIONS
>
> 1. Êtes-vous en accord ou en désaccord avec le point de vue de M. Brodeur? Expliquez.
> 2. Si vous deviez témoigner lors des audiences publiques, quelle serait votre position? Sur quels arguments cette position reposerait-elle?

11.1 INTRODUCTION

Comme le signalent à juste titre les auteurs Dyer et Holder (1988), une perspective stratégique de gestion des ressources humaines s'est imposée au cours de la décennie 1980-1990. Ce phénomène est également vrai pour la gestion de la rémunération, même si de nombreux employeurs ne font que commencer à se demander ce que signifie «être stratégique» et quels enjeux cela comporte (Milkovich, 1988, p. 271).

Le présent texte sera d'abord consacré à identifier les caractéristiques fondamentales et les composantes d'une approche «stratégique» en gestion de la rémunération. Ensuite, nous examinerons diverses facettes opérationnelles de la gestion de la rémunération, en tenant compte des effets possibles d'une approche stratégique. Auparavant, nous consacrerons quelques lignes à définir ce qu'est la rémunération.

11.2 QU'EST-CE QUE LA RÉMUNÉRATION?

La rémunération joue un rôle important dans toute relation contractuelle d'emploi. Dans chaque cas et à l'intérieur de certaines limites, un employé s'engage à déployer temps, efforts et habiletés pour un employeur, lequel, en retour, s'engage à verser à l'employé divers types de rétribution (Mahoney, 1989).

Comme l'illustre la figure 11.1, la rémunération se présente sous diverses formes et comporte plusieurs composantes. Ainsi, la rému-

FIGURE 11.1 LES COMPOSANTES DE LA RÉMUNÉRATION GLOBALE

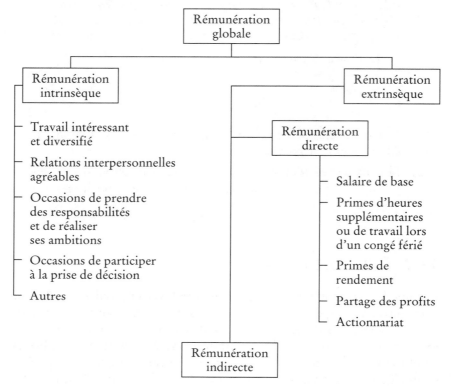

nération dite «globale» se définit comme **l'ensemble des avantages qui découlent de la relation d'emploi.** Si les avantages sont de nature psychologique, on parlera de **rémunération intrinsèque**; s'ils sont matériels et s'ils nécessitent des débours de la part de l'employeur, on parlera alors de **rémunération extrinsèque**.

Les perceptions et les attitudes des employés à l'égard de la rémunération intrinsèque aussi bien qu'extrinsèque varient considérablement. Il est cependant certain que pour plusieurs employés, le fait d'avoir un patron compréhensif, d'occuper un emploi intéressant ou de travailler dans un environnement social et physique agréable est un aspect important de la relation d'emploi. Ces personnes considèrent les avantages psychologiques comme une composante importante de la rémunération, alors que d'autres ne conçoivent la rémunération que d'une façon très étroite, en la limitant au salaire de base.

La rémunération extrinsèque est cette partie de la rémunération globale qui consiste, pour une entreprise, à verser une somme directement aux employés concernés en fonction du travail accompli (**rému-nération directe**), ou à certains employés dans certaines circonstances préalablement définies, sans lien étroit avec le travail effectué (**rému-nération indirecte**).

La **rémunération directe** comprend d'abord le **salaire de base**, c'est-à-dire un montant fixe qui est versé régulièrement aux employés, qui n'est révisé qu'occasionnellement (habituellement tous les ans) et qui correspond en quelque sorte à de l'argent «garanti»; la rémunération directe comporte aussi des éléments variables qu'on peut classifier selon trois catégories:

1. la **rémunération compensatoire**, c'est-à-dire les primes diverses reliées à l'éloignement, au travail de soir, de nuit ou de fin de semaine, aux heures supplémentaires, au travail lors d'un congé férié, etc.;

2. la **rémunération incitative**, c'est-à-dire les primes reliées au rendement individuel ou collectif;

3. la **rémunération d'intéressement** qui comprend les sommes découlant de programmes de partage des profits ou d'accès par les employés à l'actionnariat de l'entreprise.

Par ailleurs, la **rémunération indirecte** comporte elle aussi de nombreuses composantes qu'on peut classifier, comme le montre le tableau 11.1, selon trois catégories:

1. le paiement pour des heures non travaillées;

2. les programmes de sécurité du revenu;

3. les services et autres privilèges accordés aux employés.

Évidemment, ce ne sont pas toutes les entreprises qui peuvent offrir à leurs employés une gamme d'options aussi variée que ce qu'illustre le tableau 11.1; on peut présumer que les choix faits par les dirigeants sont influencés par la stratégie de rémunération, dont nous allons maintenant traiter.

11.3 QU'EST-CE QU'UNE GESTION STRATÉGIQUE DE LA RÉMUNÉRATION?

Traditionnellement, rapportent les auteurs Rothwell et Kazanas (1988, p. 378), les programmes de gestion de la rémunération étaient rarement considérés comme des outils pour aider à réaliser la stratégie d'entreprise ou la stratégie de ressources humaines. L'objectif fondamental des

✳✳ TABLEAU 11.1 LES COMPOSANTES DE LA RÉMUNÉRATION INDIRECTE

Paiement pour des heures non travaillées

– Vacances
– Congés fériés
– Absences personnelles autorisées (par exemple, lors du décès d'un membre de la famille)
– Absences autorisées pour participer à des activités syndicales (par exemple, négociations, griefs)
– Périodes de travail sur appel ou arrêts non prévus des opérations
– Périodes de repos (pauses)
– Congés sabbatiques (ou de perfectionnement)
– Autres

Programmes de sécurité du revenu

– Assurance-vie
– Assurance-salaire (en tout ou en partie) en cas de maladie (brève ou prolongée) ou d'accidents entraînant un degré variable d'incapacité ou d'invalidité
– Assurances pour couvrir les frais supplémentaires (non couverts par les régimes publics) résultant de visites médicales, d'hospitalisation, d'achat de médicaments, de prothèses, etc.)
– Régime de retraite
– Régimes publics d'assurance-maladie, d'assurance-hospitalisation, de retraite, d'assurance-chômage et d'accidents du travail
– Régimes supplémentaires de paiements en cas de chômage
– Régimes privés de revenu annuel garanti
– Prestations en cas de mise à pied ou de congédiement
– Autres

Services et privilèges

– Régimes d'épargne
– Achat d'actions
– Paiement de frais de déménagement et d'installation
– Paiement de frais occasionnés par des activités de formation
– Automobile fournie
– Assurance-automobile
– Paiement de frais de transport et de stationnement
– Paiement de repas
– Prix réduits sur les produits de l'entreprise
– Conseils juridiques ou financiers
– Loisirs ou activités sociales ou sportives
– Assurance-responsabilité
– Prêts de dépannage
– Garderie
– Préparation à la retraite
– Autres

programmes traditionnels de gestion de la rémunération était manifestement de garder les employés satisfaits ou de réduire le plus possible leur niveau d'insatisfaction à l'égard de la rémunération (Herzberg, 1966), ce qui n'est pas, en soi, considéré comme «stratégique».

Le terme «stratégique» s'applique d'abord aux situations militaires (ou de combat) et se rapporte à l'art de mener une bataille pour, évidemment, remporter la victoire. C'est aussi l'art d'organiser et de diriger un ensemble d'opérations (militaires) en tenant compte de tous les facteurs importants, alors que la «tactique» est l'art de mener tel combat particulier. En d'autres termes, la stratégie est l'ensemble des objectifs et des moyens choisis par une entreprise pour se tailler une place sur divers marchés. Mais qu'en est-il lorsque la perspective stratégique est appliquée à la gestion de la rémunération?

11.3.1 *Les caractéristiques fondamentales*

Les textes de Lawler (1984), de Gomez-Mejia et Welbourne (1988) et de Milkovich (1988) permettent d'identifier les caractéristiques d'une perspective stratégique en gestion de la rémunération. Ainsi, une telle perspective implique que:

1. les gestionnaires ont la possibilité de choisir entre diverses options;

2. les choix effectués tiennent compte des occasions favorables ou des menaces présentes dans l'environnement, ainsi que des stratégies globales de l'organisation;

3. les décisions prises influent favorablement sur les comportements des employés, ce qui facilite l'atteinte des objectifs de l'organisation.

Pour analyser davantage la perspective stratégique en gestion de la rémunération, nous reviendrons sur chacune de ces trois caractéristiques.

11.3.2 *Les décisions stratégiques*

Plusieurs auteurs ont présenté des listes de décisions dites «stratégiques». À titre d'exemple, signalons celle de Gomez-Mejia et Welbourne (1988), qui comprend 17 éléments regroupés en 3 catégories.

✳✳ Catégorie n° 1 : Décisions relatives aux critères de détermination du niveau des salaires

1. Rémunération basée sur la valeur du poste occupé ou sur les qualifications personnelles.

2. Rémunération basée sur l'ancienneté ou sur le rendement individuel.

3. Mesure du rendement individuel ou mesure du rendement collectif.

4. Importance accordée au court terme ou au long terme.

5. Accent mis sur l'évitement des risques ou sur la prise de risques.

6. Mesure générale du rendement collectif ou mesure par division.

7. Accent mis sur l'équité interne ou sur l'équité externe.

8. Accent mis sur l'approche hiérarchique ou sur l'approche égalitaire.

9. Mesure du rendement qualitative ou mesure quantitative.

Catégorie n° 2 : Décisions relatives à la conception du système de rémunération

1. Niveau des salaires versés à l'interne par rapport au marché externe (supérieur, comparable, inférieur ?).

2. Importance relative de la partie fixe (salaire de base) par rapport à la partie variable de la rémunération directe.

3. Fréquence et moment approprié pour les augmentations de salaire ou le versement de primes.

4. Importance relative accordée à la rémunération intrinsèque par rapport à la rémunération extrinsèque.

Catégorie n° 3 : Décisions relatives au cadre administratif

1. Gestion centralisée ou décentralisée de la rémunération.

2. Accent mis sur le secret des politiques administratives ou sur l'ouverture.

3. Degré de participation des employés dans la prise de décisions.

4. Degré de rigidité ou de flexibilité des politiques.

Après avoir traité de la première caractéristique d'une approche stratégique de la rémunération, abordons maintenant la deuxième caractéristique en examinant les déterminants possibles d'une stratégie de rémunération.

11.3.3 LES DÉTERMINANTS D'UNE STRATÉGIE DE RÉMUNÉRATION

L'ENVIRONNEMENT EXTERNE

À peu près tous les manuels portant sur la gestion de la rémunération, y compris celui rédigé par Milkovich et Newman (3ᵉ édition, 1990), consacrent plusieurs dizaines de pages, sinon des chapitres entiers, à analyser l'influence de diverses variables externes (en particulier les variables juridiques, syndicales et économiques) sur la gestion de la rémunération. Ces considérations n'ont sans doute pas encore été intégrées dans le discours stratégique, mais cela devrait éventuellement se faire.

L'influence du cadre juridique

Lors de l'élaboration des stratégies de rémunération, tout employeur doit tenir compte des initiatives que les instances gouvernementales sont susceptibles de prendre, sur le plan juridique, concernant l'une ou l'autre des facettes de la rémunération globale. Ainsi, il faut savoir que toutes les provinces canadiennes et le gouvernement fédéral (pour les secteurs qui relèvent de sa juridiction) imposent des **normes du travail** (salaire minimum, durée de la journée et de la semaine de travail, vacances annuelles, congés fériés, chômés et payés, etc.). Ces normes constituent des minima, et il est certain que les conventions collectives sont en grande majorité beaucoup plus généreuses. Par ailleurs, certains employeurs se situent à des seuils de rentabilité si peu élevés qu'ils arrivent à peine à satisfaire à ces normes minimales.

Au Québec, une loi sur les **décrets de convention collective** permet au ministre du Travail d'imposer aux employeurs et aux salariés non couverts par une convention collective certaines des clauses d'une convention collective négociée par d'autres.

Un troisième ensemble de lois, dont l'effet sur les systèmes de rémunération se fait de plus en plus sentir, concerne les **lois relatives à l'équité salariale**. L'objectif de ces lois est de corriger des injustices dans la rémunération versée aux femmes occupant des emplois à prédominance féminine, mais dont la valeur relative est égale à des emplois mieux payés occupés majoritairement par des hommes (Thériault et Chartrand, 1989).

Un quatrième ensemble de lois, dont l'effet sur la rémunération d'un nombre croissant d'employés est majeur, découle des initiatives gouvernementales en matière de fiscalité. Ainsi, nous sommes tous conscients du fait que les gouvernements imposent, entre autres choses, toutes sortes de retenues à la source que les employeurs doivent prélever du salaire brut des employés, comme les impôts, les contributions au régime des rentes et à l'assurance-chômage; par contre, les employeurs seuls paient des contributions au régime d'assurance-maladie et à la Commission de la santé et de la sécurité du travail (CSST). Les employeurs, et en particulier les responsables de la rémunération, doivent donc continuellement être au fait des nombreuses lois portant sur ces sujets; ils doivent s'adapter rapidement à toute modification, et ils doivent également pouvoir démontrer aux représentants des agences gouvernementales que leurs politiques et leurs pratiques de rémunération sont légales.

L'influence syndicale

Les syndicats et les diverses associations professionnelles constituent également une source importante d'influence sur la rémunération, principalement par le mécanisme des négociations collectives où plusieurs aspects de la rémunération doivent faire l'objet de compromis. Les entreprises dont les employés ne sont pas syndiqués sont aussi influencées par ces accords auxquels il leur est nécessaire de réagir; souvent, cette réaction est basée sur le désir d'éviter la syndicalisation des employés.

Les syndicats exercent, jusqu'à un certain point, une influence croissante sur l'échelle de rémunération de leurs membres. Ils forcent aussi les dirigeants d'entreprises à rendre explicites et publiques les politiques de rémunération qui s'appliquent aux employés syndiqués. Des compromis sont également nécessaires pour concilier les positions patronale et syndicale sur les principes reliés aux structures salariales (l'égalitarisme par rapport à l'équité) et sur l'importance relative à accorder aux critères d'ancienneté et de mérite. De plus, les syndicats s'opposent généralement aux systèmes de rémunération à la pièce. Ils se méfient des systèmes de rémunération où une partie de la rémunération dépend du «mérite» évalué par le supérieur immédiat. Ils réclament une participation active dans les systèmes d'évaluation des postes et réclament également des clauses d'indexation automatique des salaires selon l'évolution du coût de la vie.

L'influence des facteurs économiques

Les influences gouvernementales et syndicales sont elles-mêmes conditionnées (jusqu'à un certain point, en tout cas) par le contexte économique général, et plus particulièrement par la situation financière de l'entreprise.

En période de prospérité économique, les syndicats enregistrent généralement leurs gains les plus spectaculaires et les générosités de l'État imposées aux employeurs sont moins douloureusement ressenties. Ces événements amènent l'augmentation du prix des biens, mais les entreprises réussissent généralement à écouler leurs produits et à générer des revenus suffisants pour survivre et continuer d'être rentables. Évidemment, cela dépend beaucoup de la nature de la concurrence dans les secteurs précis où elles fonctionnent.

En effet, la capacité financière d'une entreprise et sa capacité de payer des salaires élevés à ses employés dépendent étroitement de la concurrence dans son secteur d'activité et de l'élasticité de la demande pour ses produits. Plus la concurrence est faible et plus le produit est perçu comme essentiel, plus l'entreprise est en mesure de payer des salaires élevés. Par ailleurs, plus l'élasticité de la demande pour le produit est grande, plus une hausse de prix aura des effets négatifs sur la demande du produit, entraînant l'accumulation de produits non vendus, des mises à pied, etc.

Un autre facteur qui détermine la capacité d'une entreprise d'offrir à ses employés des salaires plus élevés est la productivité. Qu'elle résulte de moyens technologiques plus sophistiqués, de meilleures méthodes de travail, d'une main-d'œuvre plus créative et laborieuse ou d'une combinaison de ces trois éléments, une productivité plus élevée est une condition fondamentale permettant à une entreprise de survivre (donc de maintenir des emplois) et d'offrir des salaires relativement élevés. Dans le secteur privé, les fruits d'une augmentation de la productivité sont généralement partagés entre les actionnaires (profits), les employés (salaires) et les consommateurs (prix moins élevé pour un produit de qualité égale ou supérieure aux produits des concurrents). Les partenaires sociaux (l'État, les employeurs et les salariés) qui oublient l'importance de la productivité sont généralement perdants à plus ou moins longue échéance.

Dans le secteur public, la capacité de l'État et de ses organismes d'offrir à leurs employés des salaires plus élevés est finalement déterminée par la capacité (ou la volonté politique) de prélever des taxes et des impôts de toutes sortes. Certains peuvent croire qu'il n'y a alors pas de limite à la capacité de payer. Il s'agit là d'une erreur, puisque au-delà de certaines limites, les prélèvements que l'État effectue entraînent des rendements décroissants, d'où la nécessité de procéder parfois, même en ce qui concerne les employés des secteurs public et parapublic, à certains réajustements difficiles et douloureux.

En résumé, le discours stratégique consiste à affirmer qu'il y a, au niveau général de l'entreprise, divers ensembles de décisions susceptibles d'être choisis par les membres de la haute direction. Il consiste aussi à soutenir que certains choix sont plus appropriés que d'autres, selon la situation dans laquelle se trouve l'entreprise. Il consiste finalement à affirmer que pour que l'organisation soit efficace, les choix effectués en matière de ressources humaines et de rémunération doivent être congruents avec les stratégies de l'entreprise.

La figure 11.2 représente schématiquement les variables qui déterminent les stratégies de rémunération. Après avoir traité des variables de l'environnement externe, abordons maintenant quelques autres déterminants des stratégies de rémunération de l'environnement interne.

Imp.
examen.

FIGURE 11.2 LES DÉTERMINANTS DES STRATÉGIES DE RÉMUNÉRATION

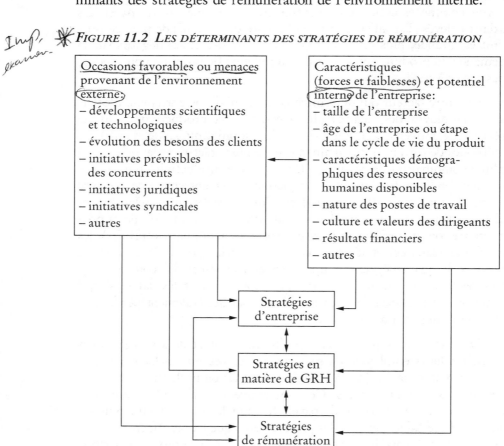

L'ENVIRONNEMENT INTERNE

Les étapes du cycle de vie de l'entreprise ou de ses produits

Le tableau 11.2 présente une synthèse de ce que plusieurs auteurs (entre autres Balkin et Gomez-Mejia, 1987) recommandent en matière de rémunération, en fonction des étapes du cycle de vie d'une entreprise. Ainsi, lors du démarrage, par exemple, la stratégie recommandée consiste généralement à mettre l'accent sur le marché externe et à prévoir un salaire de base faible combiné à une forte proportion variable de la rémunération sur la base de résultats à court terme. Les avantages sociaux peuvent être inférieurs à ceux du marché et le style administratif préconisé est la décentralisation et l'informalité.

À l'opposé, la stratégie de rémunération recommandée lorsque l'entreprise a atteint sa maturité consiste à prévoir un salaire de base comparable, sinon supérieur, à ce qui se paie ailleurs, à mettre l'accent sur l'équité interne, sur des processus administratifs centralisés et formels ainsi que sur un ensemble d'avantages sociaux intéressants.

TABLEAU 11.2 *UNE STRATÉGIE CONGRUENTE DE RÉMUNÉRATION EN FONCTION DES ÉTAPES DU CYCLE DE VIE DE L'ENTREPRISE*

Dimensions de la rémunération	Étapes du cycle de vie de l'entreprise			
	Démarrage	Croissance	Maturité	Déclin (reprise)
Salaire de base	Inférieur au marché	Comparable au marché	Comparable ou supérieur au marché	Comparable ou inférieur au marché
Partie variable	Forte	Moyenne	Faible	De moyenne à forte
Type d'équité	Externe surtout	Externe	Interne	Externe
Incitatifs à court terme	Primes de rendement	Primes de rendement	Partage des profits, primes de rendement	Primes orientées vers une relance possible
Incitatifs à long terme	Option d'achat d'actions	Option d'achat d'actions	Achat d'actions	Vente d'actions
Avantages sociaux	Inférieurs au marché	Inférieurs au marché	Comparables ou supérieurs au marché	Inférieurs au marché
Style administratif	Informel et décentralisé	Centralisation et formalisation croissantes	Formel et centralisé	Décentralisation et déformalisation

L'influence des stratégies d'entreprise

Carroll (1987), Gomez-Mejia et Welbourne (1988), de même que Schuler et Jackson (1987), entre autres, ont apporté leur point de vue sur les relations (ou liens) qui devraient exister entre la stratégie d'entreprise et la stratégie de rémunération.

Selon Carroll (1987), la typologie de stratégies d'entreprise la plus pertinente pour procéder à cette analyse est celle de Miles et Snow (1978), dans laquelle les stratégies d'entreprise sont regroupées en trois catégories et étiquetées de la façon suivante.

1. **Stratégie de défenseur** : cette stratégie convient à l'entreprise dont les produits sont dans un environnement stable et sont bien établis sur les marchés, et qui doit se prémunir des attaques des concurrents en mettant l'accent sur l'efficience.

2. **Stratégie d'analyste** : cette stratégie convient à l'entreprise qui a de multiples produits, dont certains jouissent d'un environnement stable et sont en position de force (comme ceux des «défenseurs») alors que d'autres sont dans un environnement instable, de sorte qu'il faut mettre l'accent sur l'innovation (comme c'est le cas pour les «prospecteurs»).

3. **Stratégie de prospecteur** : cette stratégie est utilisée par des firmes dynamiques qui veulent connaître une croissance rapide sur des marchés turbulents.

Les stratégies de rémunération recommandées sont respectivement les suivantes :

– pour les «défenseurs» : une stratégie de rémunération dite mécaniste ;

– pour les «prospecteurs» : une stratégie de rémunération dite organique ;

– pour les «analystes» : une stratégie de rémunération mixte, soit mécaniste pour les produits dont l'environnement est stable, et organique pour les produits dont l'environnement est instable.

Pour en savoir plus long sur les stratégies de rémunération mécanistes ou organiques, il faut surtout consulter le texte des auteurs Gomez-Mejia et Welbourne (1988, p. 182), qui caractérisent ces deux approches selon les termes utilisés dans le tableau 11.3.

Selon Schuler et Jackson (1987), la façon adéquate de catégoriser les stratégies d'entreprise ne consiste pas à recourir à la typologie de

TABLEAU 11.3 LES MODÈLES DE GESTION STRATÉGIQUE
DE LA RÉMUNÉRATION

Modèle mécaniste	Modèle organique
Critères de base	**Critères de base**
Poste occupé	Habiletés
Ancienneté	Rendement
Évaluations individuelles	Évaluations individuelles et de groupe
Orientation à court terme	Orientation à long terme
Évitement des risques	Prise de risques
Rendement général	Rendement par division
Accent sur l'équité interne	Accent sur l'équité externe
Hiérarchie	Égalitarisme
Mesures quantitatives	Mesures qualitatives
Conception du système	**Conception du système**
Salaire de base supérieur au marché	Salaire de base inférieur au marché
Partie fixe supérieure à la partie variable	Partie fixe inférieure à la partie variable
Primes fréquentes	Revenus différés
Accent sur la rémunération intrinsèque	Accent sur la rémunération extrinsèque
Cadre administratif	**Cadre administratif**
Centralisation	Décentralisation
Secret	Ouverture
Non-participation des employés à la prise de décisions	Participation des employés à la prise de décisions
Politiques rigides	Politiques flexibles

Source: GOMEZ-MEJIA, L.R. et WELBOURNE, T.M., «Compensation strategy: an overview
and future steps», *Human Resource Planning*, 11, 3, 1988, p. 182.

Miles et Snow (1978); en se basant surtout sur les travaux de Porter
(1980, 1985), ces auteurs ont identifié les trois grandes stratégies d'entreprise suivantes:

1. la stratégie de la **réduction des coûts**;

2. la stratégie de l'**amélioration de la qualité**;

3. la stratégie de l'**innovation**.

Faute d'espace et compte tenu de certains développements présentés
plus loin, ce modèle ne sera pas présenté ici.

Les stratégies de ressources humaines et les stratégies de rémunération

Selon Mahoney (1989, p. 18), les stratégies organisationnelles ont des conséquences très variées sur les différentes divisions, les différents services et les emplois, de sorte qu'il ne saurait être question d'une seule stratégie de rémunération pertinente pour toutes ces dimensions (emplois, services, divisions, entreprises). Tout en reconnaissant que des liens entre la rémunération et la stratégie d'entreprise existent sans doute pour les cadres et les dirigeants ou, d'une façon limitée, pour certains groupes d'employés, Mahoney propose de relier les stratégies de rémunération aux stratégies de ressources humaines d'une entreprise ainsi qu'à son style de gestion. En conséquence, il propose la typologie suivante:

1. la stratégie où l'accent est mis sur les métiers;
2. la stratégie où l'accent est mis sur les carrières au sein d'une organisation structurée;
3. la stratégie dite non structurée.

Dyer et Holder (1988), quant à eux, présentent une typologie de stratégies de ressources humaines qui est bien connue.

1. **La stratégie basée sur l'incitation**: cette stratégie de ressources humaines est compatible avec une stratégie d'entreprise où l'accent est mis sur les prix (efficience) et possiblement sur la qualité (efficacité), et où le style de gestion se rapproche de la théorie X.

   Malgré une préoccupation pour le contrôle des coûts, les partisans de cette stratégie offrent à leurs employés des occasions de gagner des revenus élevés, puisque ces gestionnaires sont de fervents adeptes de l'utilisation des diverses formes de rémunération incitative, tels les paiements à la pièce, les primes de rendement, les programmes de partage de gains résultant d'une productivité accrue et les programmes de partage des profits. Par contre, la partie fixe de la rémunération (salaire de base) est plutôt faible.

2. **La stratégie basée sur l'investissement dans les ressources humaines**: cette stratégie convient à une entreprise qui a décidé de baser sa stratégie sur la différenciation, par le recours à la plus haute qualité possible du produit et du service. C'est une stratégie dont les composantes se rapprochent de ce que Mahoney (1989) attribue à sa stratégie où l'accent est mis sur les carrières au sein d'une organisation structurée. Le style de gestion préconisé est axé sur des valeurs organisationnelles, comme la croissance personnelle,

le respect, l'équité, la justice et la sécurité, mais non l'autonomie et l'engagement.

Les partisans de cette stratégie de ressources humaines ont tendance à minimiser l'importance de la rémunération. Ils offrent un salaire de base comparable à celui de la concurrence et un ensemble adéquat d'avantages sociaux. Ils font un certain usage des plans de rémunération au mérite, mais les autres formes de rémunération incitative (primes) ou d'intéressement (partage des profits, actionnariat) sont plutôt rares.

3. **La stratégie basée sur la participation des ressources humaines**: cette stratégie de ressources humaines est recommandée pour une entreprise qui a décidé de baser sa stratégie sur l'innovation, la flexibilité, le recours à de petites unités décentralisées, et un style de gestion qui se rapproche de la théorie Y.

Les partisans de cette stratégie mettent l'accent sur la rémunération intrinsèque et n'accordent qu'une importance secondaire à la rémunération extrinsèque; cependant, ces gestionnaires ont innové en mettant au point l'approche cafétéria pour les avantages sociaux, et la rémunération basée sur les qualifications plutôt que sur la valeur relative du poste occupé. Les entreprises qui utilisent cette stratégie font aussi appel à des mécanismes de rémunération orientés vers l'intéressement, tels les programmes de partage des profits et les programmes d'actionnariat.

LES AUTRES DÉTERMINANTS DE LA RÉMUNÉRATION

En nous référant à la figure 11.2, nous voudrions, à la fin de cette section, rappeler l'importance de variables qui se situent peut-être à un niveau moins stratégique, mais qui exercent néanmoins une influence majeure en gestion de la rémunération. Il s'agit des variables qui portent, d'une part, sur les caractéristiques des ressources humaines prises individuellement et, d'autre part, sur les caractéristiques des postes occupés ou des fonctions exercées par ces personnes.

La recherche récemment publiée par Gerhart et Milkovich (1990) démontre que les caractéristiques des emplois (et notamment le niveau du poste) ainsi que les caractéristiques des employés (en particulier les années de scolarité et d'expérience) expliquent en grande partie la variance de la rémunération. Les niveaux de salaire ainsi que la proportion de rémunération variable sont également déterminés par des différences dans les trois variables suivantes: le secteur industriel, la taille de l'entreprise et le rendement financier. Finalement, les différences organisationnelles dans les niveaux de salaire de base, d'une part, et dans la proportion variable de la rémunération, d'autre part, sont stables dans le temps et demeurent même après que les caractéristiques des emplois et des personnes ont été considérées. Selon Gerhart et Milkovich, cette dernière constatation soutient l'existence présumée de différentes stratégies d'entreprise en matière de rémunération, du moins en ce qui concerne les deux facettes analysées: les niveaux des salaires de base et la proportion variable de la rémunération.

Pour conclure cette section portant sur les déterminants des stratégies de rémunération, retenons que les systèmes de rémunération dépendent d'un grand nombre d'influences diverses, dont certaines sont **externes** à l'organisation, alors que d'autres sont **internes** et d'autres enfin sont **individuelles**, c'est-à-dire propres à la dynamique des relations entre une personne et son emploi (ou poste).

11.3.4 LES OBJECTIFS ET LES CONSÉQUENCES D'UNE GESTION STRATÉGIQUE DE LA RÉMUNÉRATION

Les trois niveaux que nous venons d'identifier (individuel, interne et externe) serviront maintenant pour examiner les objectifs des stratégies de rémunération et vérifier ensuite jusqu'à quel point les recherches effectuées jusqu'à ce jour indiquent si les stratégies de rémunération ont atteint leurs objectifs, c'est-à-dire quelles en ont été les conséquences.

Traditionnellement, les spécialistes en rémunération avaient l'habitude de soutenir que les objectifs d'un système de rémunération étaient tout simplement d'**attirer**, de **conserver** et de **motiver** les ressources humaines requises pour que l'organisation atteigne ses objectifs. Cependant, le niveau privilégié d'analyse était celui de la relation entre des individus et des postes de travail. En ce qui concerne la motivation, par exemple, on voulait s'assurer que l'individu se sente suffisamment bien traité pour vouloir demeurer au sein de l'organisation; on voulait aussi, dans certains cas, stimuler son rendement individuel dans le cadre d'un poste donné.

Ce que la perspective stratégique a amené de nouveau dans le domaine des objectifs de la rémunération a été d'attirer l'attention des gestionnaires sur les caractéristiques des systèmes de gestion de la rémunération susceptibles d'augmenter l'efficacité organisationnelle. Ainsi, comme l'indique le tableau 11.4, aux objectifs d'équité, qui ont trait surtout à la satisfaction individuelle, et à l'objectif de contrôle des coûts (ou d'efficience), il faut ajouter ceux de la congruence avec les autres facettes de la gestion, du respect des règles obligatoires, de la flexibilité et du rendement (non plus seulement individuel, mais organisationnel).

Selon les promoteurs de l'approche stratégique, cette efficacité organisationnelle ne sera possible que dans un cadre de congruence

TABLEAU 11.4 *LES OBJECTIFS D'UNE GESTION STRATÉGIQUE DE LA RÉMUNÉRATION*

---

1. **Sur le plan individuel** : accent mis sur la satisfaction

   – Équité interne : dans une même organisation, la rémunération devrait être comparable pour tous les employés dont les contributions sont équivalentes.

   – Équité externe : le ratio rémunération/contributions des employés devrait être comparable au ratio d'autres organisations œuvrant dans le même secteur d'activité.

   – Équité de procédure : les procédures et les processus utilisés pour prendre des décisions au sujet de la rémunération devraient être perçus comme justes, pertinents et adéquats par les employés concernés.

2. **Sur le plan interne** : accent mis sur l'efficience, l'efficacité et la congruence

   – Contrôle des coûts (efficience) : s'assurer que l'ensemble des débours associés à la rémunération n'excède pas la capacité de payer de l'entreprise.

   – Stimulation du rendement (efficacité) : aménager les diverses composantes de la rémunération pour accroître le rendement des employés et l'efficacité de l'organisation à court et à long termes.

   – Congruence avec les autres facettes de la gestion : s'assurer que les composantes du système de rémunération sont compatibles tant avec la stratégie de ressources humaines qu'avec la stratégie d'entreprise et les valeurs véhiculées par la direction.

3. **Sur le plan externe** : accent mis sur le fait de se conformer et de s'ajuster

   – Respect des lois.

   – Flexibilité : conserver le plus possible la capacité de s'ajuster aux modifications de l'environnement, telles la conjoncture économique (à la hausse ou à la baisse) et les stratégies des concurrents.

entre les stratégies de rémunération et les stratégies d'entreprise, comme le montre la figure 11.3.

Certains analystes nous mettent cependant en garde contre une interprétation trop rigide du modèle de la congruence. Milkovich (1988, p. 283) affirme, par exemple, que «le degré de congruence est un concept vague qui est rarement défini d'une façon précise». Gomez-Mejia et Welbourne (1988, p. 186) ainsi que Wils, Labelle, Guérin et Le Louarn (1989) formulent, eux aussi, des commentaires qui incitent à la prudence.

De plus, même si on croit que les politiques et les pratiques de ressources humaines, et en particulier les politiques et les programmes de rémunération, ont une importante influence sur les comportements des employés et le rendement organisationnel, il n'y a encore que très peu de recherches empiriques qui ont permis de vérifier cette hypothèse. Il en est de même pour l'hypothèse des effets positifs de la congruence.

L'une des rares recherches où on a vérifié les conséquences sur la rentabilité de l'entreprise de certaines facettes de la rémunération est

FIGURE 11.3 *LE MODÈLE DE LA CONGRUENCE APPLIQUÉ AUX STRATÉGIES DE RÉMUNÉRATION*

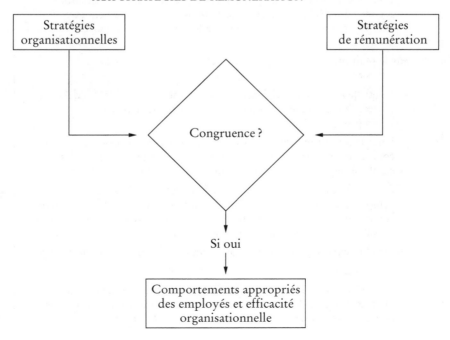

celle récemment publiée par Gerhart et Milkovich (1990). Ces chercheurs n'ont pas trouvé de relations positives entre les niveaux individuels de rémunération et le rendement organisationnel. Par contre, ils ont trouvé que «plus la paie comprend une large proportion variable, plus la rentabilité organisationnelle est élevée». Ces résultats tendent à valider une conception selon laquelle la partie variable de la rémunération est plus importante, sur le plan stratégique, que la partie fixe.

Lors d'une autre très intéressante recherche (Tosi, Gomez-Mejia et Hinkin, 1987), les auteurs ont trouvé que la rémunération des cadres supérieurs avait plus de chances d'être positivement reliée à la rentabilité de l'entreprise dans les situations où les actionnaires exercent vraiment un contrôle de la gestion. Dans les cas où aucun actionnaire n'est en mesure d'exercer un contrôle, la rémunération des cadres supérieurs a plutôt tendance à n'être déterminée que par la taille de l'entreprise. On peut donc en déduire que pour que la rémunération soit stratégique, il faut que quelqu'un, quelque part, soit en mesure d'imposer certaines règles de conduite qui fassent prévaloir les intérêts collectifs (de l'organisation) sur les intérêts individuels.

Nous conclurons donc cette section en notant que même si la perspective stratégique en rémunération a fait couler beaucoup d'encre, la plupart des écrits à ce sujet sont surtout normatifs et prescriptifs. Très peu de recherches empiriques ont permis de tester la validité de ces modèles. L'hypothèse de la congruence, entre autres, devra faire l'objet de plusieurs autres recherches empiriques avant qu'on puisse s'y fier entièrement.

En attendant, les gestionnaires de la rémunération devront continuer de gérer en se fiant à diverses pratiques établies, que nous allons maintenant présenter.

11.4 LES MÉCANISMES OPÉRATIONNELS DE GESTION DE LA RÉMUNÉRATION

Les politiques, les pratiques et les techniques de gestion de la rémunération varient selon qu'il s'agit de déterminer les salaires de base, la rémunération incitative, la rémunération d'intéressement ou la rémunération indirecte (c'est-à-dire les avantages sociaux). Cette section sera donc structurée en fonction de ces quatre composantes de la rémunération.

11.4.1 LES MÉCANISMES DE GESTION DES SALAIRES DE BASE

Aussitôt qu'une entreprise atteint une certaine taille, ou dès que plusieurs personnes ont à intervenir dans le processus de détermination des éléments de la rémunération, les pratiques informelles et le cas par cas deviennent rapidement inefficaces. Des pratiques formelles de gestion de la rémunération sont alors mises en place. Pour la détermination des salaires de base (partie relativement fixe de la rémunération), ces pratiques exigent fondamentalement les quatre éléments suivants:

1. l'évaluation des postes;

2. les enquêtes salariales;

3. la mise au point de structures salariales et la détermination des salaires de base individuels à l'aide de ces structures;

4. les mécanismes d'ajustement des structures salariales et des salaires individuels.

L'ÉVALUATION DES POSTES

D'une façon générale, l'évaluation des postes consiste à déterminer, au sein d'une entreprise ou d'une catégorie particulière d'emplois, la valeur des postes les uns par rapport aux autres. Par référence à la notion d'équité, l'évaluation des postes consiste à mesurer la contribution que chaque poste apporte à la réalisation des objectifs de l'entreprise. L'objectif final est toujours le même, à savoir fournir un rangement par ordre d'importance (ou de valeur) des postes de l'entreprise.

Il est important de noter qu'il s'agit d'évaluer des postes, et non les individus qui occupent ces postes. En effet, dans la très grande majorité des cas, les salaires de base sont attribués à des postes, indépendamment (ou presque) des individus. Une fois le salaire de base fixé (ce salaire peut être un taux fixe ou une échelle allant d'un niveau minimal à un niveau maximal), d'autres mécanismes permettent de tenir compte des différences individuelles.

Il existe de nombreuses méthodes pour procéder à l'évaluation des postes, certaines étant qualitatives, d'autres quantitatives. Toutes reposent cependant sur le jugement d'un certain nombre de personnes, et toutes supposent que les postes ont été adéquatement analysés et décrits.

Des programmes formels d'évaluation des postes existent dans la majorité des entreprises. Par exemple, un relevé effectué aux États-Unis auprès de 158 entreprises (Bureau of National Affairs, 1976) a permis de constater que de tels programmes existaient dans 75 % des cas. Ce relevé indiquait également que les quatre méthodes de base en évaluation des postes étaient utilisées dans les proportions suivantes :

- le rangement : 14 % des entreprises ;
- la classification : 24 % ;
- la comparaison par facteurs : 33 % ;
- la méthode des points : 53 %.

Remarquons que certaines entreprises ont décidé d'innover dans le domaine de la rémunération en rejetant les systèmes d'évaluation de postes et en établissant la structure des salaires de base sur l'évaluation des qualifications des employés (Ziskin, 1986 ; Tosi et Tosi, 1986). Le nombre de ces entreprises est cependant relativement faible, de sorte que la tendance dominante est de déterminer les salaires de base d'abord et avant tout sur la valeur relative des postes de travail.

Quelle que soit la méthode choisie, une condition importante pour assurer l'atteinte des objectifs visés en évaluation des postes est la participation des employés concernés. Ainsi, l'évaluation proprement dite est généralement effectuée par un ou plusieurs comités constitués d'environ cinq personnes. Idéalement, un tel comité est composé d'un spécialiste en rémunération qui agit comme conseiller (et souvent, aussi, comme président et secrétaire du comité), de quelques gestionnaires et de quelques représentants des employés concernés (ou délégués syndicaux). Tous doivent très bien connaître les postes à évaluer. Un tel comité est habituellement permanent, et il sert d'instance pour permettre aux employés d'en appeler (ou de déposer un grief) au sujet d'une décision qu'ils jugent injuste quant à l'évaluation de leur poste. Il procède également aux réévaluations requises lorsque des changements organisationnels sont effectués.

Les quatre méthodes les plus fréquemment utilisées pour évaluer les postes ont déjà été mentionnées. Nous allons maintenant les décrire et en examiner les forces et les faiblesses.

La méthode du rangement

Le rangement est la méthode la plus simple ; elle consiste, comme son nom l'indique, à ranger globalement les postes du plus important au moins important. Dans une petite entreprise ou dans un groupe d'emplois dont la gamme n'est pas très variée, la méthode du rangement peut convenir. Les membres du comité d'évaluation comparent simplement deux emplois et déterminent lequel est le plus important ; ils comparent ensuite un troisième emploi à chacun des deux premiers, et ainsi de suite, jusqu'à ce que tous les emplois (ou postes) aient été évalués et ordonnés.

La principale limite de cette méthode réside dans sa difficulté d'application à un grand nombre d'emplois. La deuxième limite concerne l'impossibilité (ou du moins la difficulté) d'expliquer pourquoi on a jugé que tel emploi était plus important que tel autre. En effet, les critères d'évaluation ne sont pas explicites et peuvent varier d'un évaluateur à l'autre. La troisième limite est que l'écart entre les emplois ne peut être évalué quantitativement. Malgré ces limites, cette méthode fournit des résultats assez semblables aux résultats obtenus à l'aide d'autres méthodes plus complexes (Robinson, Wahlstrom et Mecham, 1974).

La méthode de la classification

La méthode de la classification est surtout utilisée par les agences gouvernementales ; elle consiste à créer et à définir des classifications, c'est-à-dire des regroupements d'emplois relativement homogènes, et à créer et à définir des paliers à l'intérieur des classifications. Ces classifications et ces paliers sont établis en analysant un échantillon de postes et en utilisant certains critères, comme le degré de responsabilité, la nature des compétences requises, etc. Une fois le système bien établi, on dispose de définitions assez élaborées pour chacune des classifications et chacun des paliers. La façon de ranger les postes consiste à comparer la description du poste qui est évalué aux définitions des classes et des paliers, pour ensuite situer le poste dans la classe qui semble le mieux lui convenir.

Cette méthode comporte la plupart des limites de la méthode du rangement, en plus de la difficulté de définir des catégories exhaustives qui ne se chevauchent pas. Elle s'est quand même révélée utile pour classifier et catégoriser les milliers de postes existant dans les agences gouvernementales. Elle est aussi utilisée avec un certain succès par quelques entreprises du secteur privé.

La méthode de la comparaison par facteurs

La méthode de la comparaison par facteurs est beaucoup plus complexe ; elle vise simultanément l'objectif de ranger les postes et d'en déterminer le salaire de base. Elle comprend les étapes suivantes :

1. le choix d'un échantillon de postes clés dont le salaire actuel est adéquat;

2. le choix de facteurs d'évaluation et le rangement de chaque poste clé sous chacun des facteurs, qui comprennent habituellement les éléments suivants:
   - les exigences mentales requises pour occuper le poste,
   - les exigences physiques,
   - les exigences de formation (c'est-à-dire les connaissances et les habiletés particulières),
   - le degré et la nature des responsabilités,
   - les conditions de travail;

3. la division du salaire présentement prévu pour chacun des postes clés entre chacun des facteurs.

On obtient ainsi un tableau où chaque poste clé est rangé selon le taux de salaire obtenu en fonction de chacun des facteurs. Ce tableau devient l'instrument de base pour évaluer les autres postes qu'on comparera systématiquement aux postes clés.

Les limites de cette méthode sont d'abord sa complexité et, surtout, sa dépendance envers quelques postes clés où les taux de salaire sont déterminés par toute une série de facteurs, dont plusieurs sont incontrôlables. Par ailleurs, cette méthode permet aux évaluateurs d'expliquer pourquoi on en arrive à tel rangement; elle permet même de déterminer directement les taux de salaire des postes couverts. Certains experts considèrent cependant qu'il est préférable de ne pas confondre le rangement des postes et la détermination des salaires; à cet égard, la méthode des points est manifestement supérieure.

La méthode des points

La méthode des points est probablement la plus utilisée, «parce qu'elle combine l'apparente précision de la quantification avec un degré de simplicité qui rend les résultats relativement faciles à expliquer aux employés» (Heneman *et al.*, 1980, p. 373). Cette méthode comprend les étapes suivantes:

1. le choix et la définition des facteurs d'évaluation;

2. l'identification et la définition, pour chacun des facteurs, d'une série de degrés illustrant leur présence variable dans l'ensemble des postes couverts;

3. la pondération et l'attribution de points à chacun des degrés et des facteurs;

4. l'utilisation du « manuel d'évaluation » (résultat des étapes précédentes) pour l'évaluation proprement dite de chacun des postes couverts par le système.

Les postes recevront donc, pour chacun des facteurs, un nombre précis de points et pourront ensuite être rangés du plus important (plus grand nombre total de points) au moins important (moins grand nombre total de points).

La méthode des points peut prendre des formes très diverses, selon les facteurs retenus. Ces facteurs, habituellement au nombre de 3 à 12, varieront selon la nature des postes à évaluer. Idéalement, ils devraient:

— concerner des caractéristiques générales s'appliquant à tous les postes couverts;

— pouvoir être définis clairement;

— ne pas se chevaucher afin d'éviter les dédoublements;

— comporter de la variance.

En pratique, la plupart des systèmes d'évaluation des postes à l'aide de la méthode des points ne réussissent pas complètement à satisfaire ces critères.

Le système le plus connu fut mis au point aux États-Unis, en 1937, par la National Electrical Manufacturers Association (NEMA). Le tableau 11.5 montre les facteurs qui font partie de ce système, ainsi que

TABLEAU 11.5 LE SYSTÈME NEMA

Facteurs	Pondération	Points prévus
1. Compétences requises	50 %	250
– Instruction	14 %	
– Expérience	22 %	
– Initiative	14 %	
2. Efforts exigés	15 %	75
– Physiques	7,5 %	
– Intellectuels	7,5 %	
3. Responsabilités	20 %	100
– Équipement		
– Matériel		
– Sécurité		
– Travail des autres		
4. Conditions de travail	15 %	75
		500

la pondération assignée à chacun des degrés. Le système NEMA a été conçu pour les postes d'opérateurs ou d'ouvriers spécialisés. En ce qui concerne les postes de cadres et de gestionnaires, un exemple de système très populaire est celui mis au point et utilisé par la firme Hay. Ce système (Hay et Purves, 1954) comprend trois facteurs d'évaluation : la compétence, l'initiative créatrice et la finalité. Enfin, pour les postes d'employés de bureau, Kelly (1972) recommande l'utilisation des facteurs suivants : le niveau d'instruction (20 %), l'expérience (25 %), la complexité du travail (35 %), la responsabilité des relations avec les autres (15 %), les conditions de travail et les exigences physiques (5 %).

Les principales limites de la méthode des points concernent les coûts assez élevés qu'entraîne habituellement le développement d'un système adéquat. Il faut un certain degré de compétence pour choisir, définir et pondérer les facteurs et les degrés de façon que le tout produise des résultats satisfaisants. Deuxièmement, malgré l'apparente objectivité fournie par la quantification, il ne faut pas oublier que les choix effectués reposent sur le jugement humain. On doit donc se méfier des décisions erronées ou arbitraires susceptibles de biaiser le système.

En ce qui a trait aux avantages, cette méthode est la plus simple des méthodes quantitatives. On peut assez facilement l'expliquer aux employés concernés, et elle est généralement acceptée et considérée comme adéquate ; elle permet de faire des comparaisons entre les postes sur une base similaire, et elle présente une certaine flexibilité en ce sens qu'on peut choisir et pondérer des facteurs qui conviennent à des groupes particuliers d'emplois (Bergeron, 1979). Le système mis au point est généralement assez stable et peut être utilisé pendant une période de temps presque illimitée. De plus, le fait que l'évaluation des postes soit un processus séparé de la détermination des salaires réduit les pressions indues et favorise une plus grande objectivité ; la conversion des points en taux de salaire est facilitée, réduisant au minimum les erreurs et la confusion.

L'utilisation possible de l'ordinateur

Au cours des dernières années, quelques chercheurs (Gomez-Mejia, Page et Tornow, 1979, 1987) ont mis au point des procédures d'évaluation des postes permettant de recourir à l'ordinateur. L'exemple du système implanté dans l'entreprise Control Data Corporation est fascinant ; cette recherche ouvre d'intéressantes perspectives pour le renouvellement des pratiques administratives dans ce domaine.

Quelle que soit l'approche utilisée pour procéder à l'évaluation des postes, le résultat obtenu consiste strictement en un rangement des postes ou des emplois (regroupement de postes suffisamment semblables pour être traités sur le même pied). Pour établir une structure des salaires de base, une autre série d'informations est nécessaire. Ces informations proviennent des enquêtes salariales.

LES ENQUÊTES SALARIALES

Il est courant, même pour une organisation de taille moyenne, de participer à au moins une dizaine d'enquêtes salariales chaque année. En général, ces enquêtes sont basées sur divers échantillons d'employeurs et portent sur différentes catégories d'emplois dans l'entreprise.

Les sources de données salariales susceptibles d'être utilisées sont nombreuses, mais on les regroupe fréquemment en deux grandes catégories. La première catégorie comprend les enquêtes dites maison, qui peuvent être effectuées par des gestionnaires d'une entreprise particulière ou par des consultants spécialisés. La deuxième catégorie correspond aux enquêtes (ou relevés) qui ne sont pas du ressort d'une entreprise en particulier et qui sont destinées à fournir de l'information à un public plus large. Les enquêtes salariales de cette deuxième catégorie peuvent être réalisées et publiées soit par des organismes gouvernementaux (par exemple, la revue *Le marché du travail*, publiée par le ministère du Travail du Québec, affiche régulièrement les résultats de diverses enquêtes salariales; de même, l'Institut de recherche et d'information sur la rémunération a spécialement été créé par le gouvernement du Québec pour publier les résultats de diverses recherches sur la rémunération), soit par des associations professionnelles (par exemple, l'Ordre des ingénieurs du Québec), soit par des firmes privées de consultants spécialisés en rémunération (par exemple, la firme Mercer, le groupe SOBECO, le groupe-conseil TPF & C, la compagnie Hay et Associés, la compagnie Wyatt, etc.).

Si les enquêtes salariales de la deuxième catégorie (soit celles effectuées par des tierces parties) sont utiles pour fournir aux gestionnaires de la rémunération des guides relatifs aux niveaux de rémunération généralement prévus pour divers types d'emplois, les enquêtes salariales de la première catégorie (soit celles effectuées par les entreprises elles-mêmes ou à leur demande par des consultants spécialisés) fournissent généralement des données plus pertinentes, plus récentes et plus fiables. Dans les deux cas, les données sont recueillies par appel téléphonique (cela suppose un degré de confiance élevé entre les interlocuteurs), par entrevue directe (par exemple, dans les cas où il faut justement bâtir une relation de confiance) ou par questionnaire, cette dernière méthode étant la plus utilisée.

Plusieurs manuels portant explicitement sur la gestion de la rémunération (Henderson, 1985 ; Burgess, 1989 ; Milkovich et Newman, 1990) expliquent en détail les étapes à suivre pour mener à bien une enquête salariale. Sans entrer dans les détails techniques, disons que ces étapes comportent les éléments suivants :

1. choisir les postes ou les emplois pour lesquels l'information salariale est requise ;

2. s'assurer que les postes ou les emplois retenus pour l'enquête sont suffisamment généraux pour exister dans d'autres entreprises ;

3. bien identifier les secteurs d'activité et les entreprises où existent les postes ou les emplois visés ;

4. consulter l'une ou l'autre source publique ou privée d'informations sur les salaires et autres conditions de rémunération ;

5. mettre éventuellement au point certains instruments de cueillette de données (par exemple, des questionnaires) en vue d'un sondage plus ou moins poussé ;

6. décider des façons appropriées d'organiser, de présenter et d'interpréter les données.

Les résultats des enquêtes salariales sont généralement utilisés pour permettre à l'entreprise d'appliquer sa politique salariale, c'est-à-dire les choix stratégiques qui permettent de situer les salaires de base des employés (ou de groupes particuliers d'employés) à un niveau comparable, supérieur ou inférieur à ce qui est payé chez les concurrents. Puisqu'il n'y a pas vraiment de taux unique de marché (Rynes et Milkovich, 1986), mais plutôt une distribution de niveaux de salaires, les statistiques les plus fréquemment utilisées dans les présentations de données d'enquêtes salariales sont des statistiques de «tendance centrale», tels la moyenne, le mode et la médiane. D'autres mesures statistiques, comme les déciles ou les quartiles (par exemple, les 75e, 50e et 25e percentiles), sont aussi fréquemment utilisées.

Les structures salariales

La façon de transformer les résultats de l'évaluation en taux de salaire varie selon la méthode d'évaluation utilisée. Ainsi, avec la méthode de la comparaison par facteurs, cette transformation est déjà faite. Quant aux méthodes du rangement et de la classification, elles supposent toutes deux que pour certains postes, les dirigeants disposent de points de repère en matière de salaire, généralement obtenus par l'enquête sur la rémunération. Une fois que les dirigeants de l'entreprise ont établi la politique salariale permettant de se situer par rapport aux données de l'enquête (c'est-à-dire déterminer s'ils paient plus cher, moins cher ou autant que ce qui est versé ailleurs), il est possible de statuer sur le salaire de l'ensemble des postes par voie de comparaison avec les postes repères pour lesquels ils ont obtenu des informations.

Avec la méthode des points, le processus d'établissement des structures salariales est un peu plus complexe. Il comprend généralement les cinq étapes suivantes :

1. la détermination du nombre de structures salariales requises ;
2. la détermination d'une droite ou d'une courbe de tendance des salaires ;
3. la détermination du nombre de classes salariales requises ;
4. la décision de verser un taux fixe de salaire ou un taux variable (avec un taux minimal, un point milieu et un taux maximal) ;
5. la détermination de la différence entre les points milieux (d'une classe salariale à une autre), de l'écart entre le minimum et le maximum dans chaque classe, du nombre d'échelons et des critères de passage d'un échelon à un autre.

Ces diverses étapes seront maintenant examinées à tour de rôle.

Le nombre de structures salariales

Il est très rare qu'une entreprise utilise une seule structure salariale pour l'ensemble de ses employés. Habituellement, il y a autant de structures salariales qu'il y a de groupes distincts d'employés (par exemple, les ouvriers manuels, les employés de bureau, les techniciens, les professionnels, les cadres, etc.). Même lorsque les employés sont regroupés en un syndicat, on peut constater l'existence de plusieurs structures salariales. Par exemple, le Syndicat des employés de soutien de l'Université de Sherbrooke (SESUS) comprend trois groupes d'employés, et chaque groupe a sa propre structure salariale basée sur une méthode différente d'évaluation des postes : les ouvriers spécialisés (méthode du rangement), les techniciens (méthode de la classification) et les employés de bureau (méthode des points).

La droite et la courbe de tendance des salaires

À l'aide des données d'une enquête salariale, on dispose, pour chaque poste, d'une information concernant le taux de salaire courant sur le marché. En fait, le concept de taux de salaire courant est trompeur, car il peut laisser supposer qu'il s'agit d'un taux unique. En pratique, les données salariales d'une enquête sur la rémunération se présentent plutôt sous la forme d'une distribution (avec moyenne, médiane, écart type, etc.). Les dirigeants de l'entreprise doivent se situer par rapport à cette distribution en établissant leur politique salariale (par exemple, dans la moyenne, à la médiane, 5 % au-dessus ou au-dessous de la moyenne, etc.). Lorsque cette décision est prise, ils disposent alors, pour chaque poste, d'un point salarial précis qui servira de repère pour le tracé de la droite des salaires.

En utilisant en abscisse l'information sur les points obtenus lors de l'évaluation, et en ordonnée l'information sur le taux de salaire courant,

FIGURE 11.4 *La droite et la courbe des salaires*

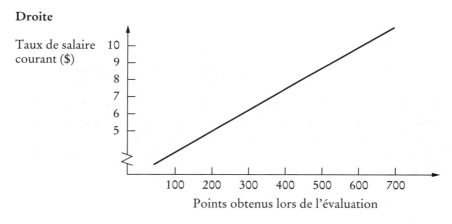

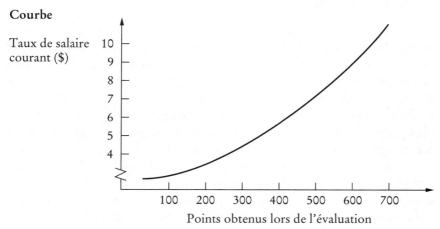

on peut facilement tracer une droite comme celle de la figure 11.4. Cette droite peut être décrite par l'équation $y = a + bx$, où b représente la pente, et a la valeur de y quand x est égal à zéro. S'il s'agit d'une courbe, l'équation appropriée sera $y = ab^x$.

Une autre façon de tracer la droite (ou courbe) des salaires consiste à utiliser en ordonnée l'information portant sur les salaires présentement versés aux titulaires des postes concernés, plutôt que l'information sur les taux de salaire courants. Cette façon de procéder ne donne cependant pas d'aussi bons résultats, parce qu'on néglige alors l'information provenant de l'enquête salariale sur laquelle la structure salariale doit être basée. Il peut quand même être utile de tracer cette deuxième droite pour visualiser les écarts entre les deux structures salariales, c'est-à-dire la structure qui existe présentement et celle qu'on est en train de développer.

Le nombre de classes salariales

Pour simplifier l'administration des salaires, on établit généralement un certain nombre de classes salariales, c'est-à-dire qu'on décide de créer des groupes de postes qui auront soit le même taux fixe de salaire, soit la même progression (d'un point minimal à un point maximal). Le nombre optimal de classes salariales varie selon la nature des postes concernés et selon leur position dans le schéma bâti à l'étape précédente.

Le taux fixe et le taux variable

Le taux de salaire prévu pour chacun des postes compris dans une même classe salariale peut être fixe ou variable. Un taux variable permet de tenir compte, par exemple, du fait qu'un employé qui débute (et à qui on versera le taux minimal) n'est habituellement pas aussi efficace qu'un employé qui possède beaucoup d'expérience. On pourra aussi vouloir verser un salaire plus élevé à un employé dont le «mérite» est plus grand, même s'il occupe le même poste ou fait à peu près le même travail qu'un autre employé. Lorsqu'un taux variable est utilisé, l'ancienneté (ou l'expérience) ainsi que le mérite sont les deux critères utilisés pour situer le niveau précis de salaire à verser à un employé donné. Les classes salariales comprendront alors un certain nombre d'échelons allant d'un point minimal à un point maximal.

Le nombre d'échelons et l'écart entre le minimum et le maximum

L'écart optimal entre le minimum et le maximum est difficile à déterminer précisément. On peut se baser sur les résultats de l'enquête salariale, mais la décision repose surtout sur les traditions. En pratique, des écarts de 10 % à 25 % de chaque côté d'un point milieu d'une classe salariale sont considérés comme satisfaisants. Quant au nombre d'échelons, la décision dépend surtout de l'écart prévu entre le minimum et le maximum ; plus cet écart est grand, plus on peut prévoir un nombre élevé d'échelons.

À titre d'exemple (Cascio et Awad, 1981, p. 341), si les limites d'une classe salariale sont 5,58 $ et 7,80 $, on peut créer sept échelons qui auront entre eux un écart de 5,75 %.

1er échelon (point minimal)	5,58 $
2e échelon	5,58 $ × 1,0575 = 5,90 $
3e échelon	5,90 $ × 1,0575 = 6,24 $
4e échelon	6,24 $ × 1,0575 = 6,60 $
5e échelon	6,60 $ × 1,0575 = 6,98 $
6e échelon	6,98 $ × 1,0575 = 7,38 $
7e échelon (point maximal)	7,38 $ × 1,0575 = 7,80 $

Quant aux critères utilisés pour décider du niveau déterminé de salaire d'un employé, la pratique courante est de considérer l'ancienneté (ou l'expérience) pour une progression de salaire du point minimal au point milieu, et ensuite le mérite pour des niveaux de salaire situés au-dessus du point milieu.

Le tableau 11.6 reprend plusieurs étapes de la mise au point d'une structure salariale ; il permet donc une synthèse de ce que nous avons vu jusqu'ici.

LES MÉCANISMES D'AJUSTEMENT

Lorsqu'une nouvelle structure salariale est établie (qu'elle soit le résultat d'une négociation collective ou d'une décision prise par la direction de l'entreprise), les salaires individuels doivent être ajustés en conséquence. Il peut alors se présenter quelques problèmes, comme le montre la figure 11.5. Cette figure représente les salaires de 21 employés occupant 10 emplois différents ; pour trois de ces personnes, le niveau de salaire se situe en dehors de la nouvelle structure.

Les salaires qui dépassent le maximum prévu sont appelés «cercles rouges». La pratique courante consiste à ne pas réduire immédiatement ces salaires, mais à en arrêter ou en ralentir la progression jusqu'à ce

TABLEAU 11.6 LES ÉTAPES DE LA CONSTRUCTION D'UNE STRUCTURE SALARIALE

Emplois repères et leur valeur en points		Création de classes salariales		Résultats de l'enquête salariale (salaires actuels)* ($)			Ajustement du point milieu des classes salariales de l'entreprise ($)	Détermination du minimum et du maximum (± 15 %)
Emplois	Points	Classes	Points	Minimum	Médiane	Maximum		
A	37							
B	45	1	35-49	16 100	17 600	19 100	15 500	13 200-17 800
C	49			(12 500)	(14 400)	(16 300)		
D	56							
E	58	2	50-64	18 000	20 100	22 200	17 400	14 800-20 000
F	59			(13 700)	(16 000)	(18 300)		
G	67	3	65-79	19 500	21 800	24 100	19 300	16 400-22 200
				(15 000)	(18 100)	(21 200)		
H	87							
I	90	4	80-94	21 000	24 200	27 400	21 200	18 000-24 400
J	91			(17 500)	(20 000)	(22 500)		

* Il s'agit d'une entreprise où les salaires sont nettement inférieurs à ce qui se paie ailleurs.

Source : PATTEN, T.H. Jr., *Pay: Employee Compensation and Incentive Plans*, New York, The Free Press, 1977, p. 276.

qu'ils soient atteints par les ajustements ultérieurs de la structure. Le salaire inférieur est habituellement ramené immédiatement au moins au niveau minimal de la classe. On peut aussi prévoir un pourcentage maximal d'augmentation de salaire; dans ce cas, certains salaires pourraient ne pas être ajustés complètement et immédiatement au niveau où ils devraient normalement se situer dans la nouvelle structure salariale.

D'autres problèmes peuvent aussi se présenter. Par exemple, Novit (1979) signale le cas où un employé assume des responsabilités plus grandes que celles prévues dans la description de poste. Pour compenser, le supérieur immédiat peut être tenté de recommander de plus fortes augmentations de salaire, risquant ainsi de dépasser le maximum de l'échelle. Les structures salariales imposent donc une certaine rigidité à des pratiques administratives qui, à première vue, paraissent adéquates.

D'autres facteurs influent également sur la stabilité plutôt fragile des structures salariales, qui doivent régulièrement être examinées pour

FIGURE 11.5 UNE STRUCTURE SALARIALE

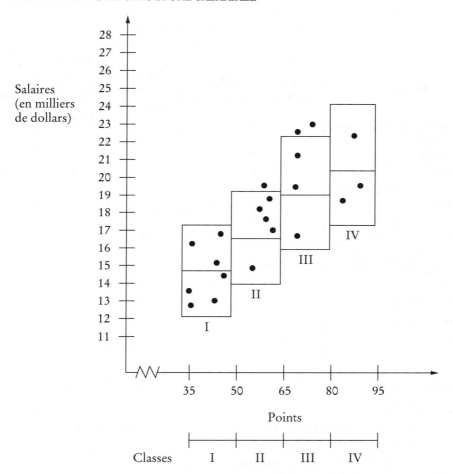

vérifier si les relations internes et externes d'équité sont maintenues. L'un de ces facteurs concerne la façon de déterminer les augmentations de salaire.

Il n'existe pas de formule mathématique précise (simple ou complexe) pour déterminer directement le montant ou le pourcentage selon lequel il conviendrait d'ajuster (généralement à la hausse) le niveau des salaires actuels. Les politiques en ce domaine varient énormément d'une entreprise à l'autre, suivant une multitude de facteurs. Le tableau 11.7 présente bon nombre de ces facteurs, ce qui ramène encore une fois à l'importance des enquêtes salariales, de la situation financière de l'entreprise (actuelle et prévue), de la productivité, de l'évolution

✦✦ TABLEAU 11.7 LES FACTEURS QUI DÉTERMINENT LES AUGMENTATIONS DE SALAIRE DANS 493 ENTREPRISES

Facteurs	Catégories d'employés				
	Cadres supérieurs	Salariés «exempts»	Salariés «non exempts»*	Salariés non syndiqués (taux horaire)	Salariés syndiqués (taux horaire)
Productivité	4	7	5	3	9
Résultats financiers de l'entreprise	1	2	3	5	7
Perspectives financières de l'entreprise	2	3	4	4	5
Équité interne dans les groupes	6	5	6	6	8
Augmentations accordées par d'autres entreprises dans l'industrie	5	6	8	7	4
Enquêtes salariales	3	1	1	1	6
Difficulté (ou facilité) de recrutement	7	8	7	10	10
Conventions collectives nationales	9	10	10	8	2
Demandes syndicales	10	9	9	9	1
Indice du coût de la vie	8	4	2	2	3

* Ces termes font référence au *Fair Labor Standards Act* qui est l'équivalent, aux États-Unis, de notre *Loi sur les normes du travail*.

Sources: WEEKS, D.A., *Compensating Employees: Lessons of the 1970's*, rapport n° 707, New York, The Conference Board, 1976, p. 12-14.
ROBBINS, S.P., *Personnel, the Management of Human Resources*, 2ᵉ éd., Englewood Cliffs (N.J.), Prentice-Hall, 1982, p. 369.

des prix (indice du coût de la vie) et des demandes syndicales. Dans un contexte syndical, l'engagement pris par une entreprise d'ajuster les salaires dans des proportions prédéterminées (pour une, deux ou trois années) représente, la plupart du temps, un pari sur l'avenir et un défi à relever, car tellement de facteurs imprévisibles peuvent agir sur l'avenir (même à court terme).

De façon typique, les entreprises ajustent les structures salariales sur une base annuelle ou semestrielle. Si les circonstances économiques sont favorables et si les résultats financiers sont satisfaisants, on consentira des augmentations qui tiennent compte de l'évolution du coût de la vie, de la productivité, de l'enrichissement collectif, etc. On peut également ajuster les structures salariales de façon à se rapprocher le plus possible de l'équité (interne et externe). Si au contraire les circonstances économiques sont mauvaises, on cherchera à réduire le plus possible les dégâts : s'il est impossible d'accorder des hausses minimales ou même de diminuer les salaires, on procédera à des licenciements plus ou moins massifs.

Les ajustements périodiques des niveaux de salaire peuvent créer des distorsions dans les structures salariales et détruire les relations traditionnelles (considérées comme équitables) entre divers groupes d'employés (par exemple, entre les employés syndiqués et les employés non syndiqués). On devra généralement attendre une période de reprise économique et de résultats financiers intéressants avant de pouvoir corriger ces distorsions.

Pour un très grand nombre de personnes, le salaire de base, établi selon les méthodes que nous venons de décrire, constitue l'unique élément de leur rémunération directe. À court terme, la seule façon pour ces personnes d'augmenter leur salaire consiste à faire des heures supplémentaires (payées selon un taux majoré de 50 %) ou à travailler avec les équipes de soir ou de nuit (pour toucher une prime). Le fait que leur rendement soit élevé ou médiocre ne détermine pas directement le montant de leur salaire. Les heures supplémentaires et le travail de soir ou de nuit constituent une rémunération compensatoire.

Pour d'autres employés, le salaire de base ne représente qu'une partie de leur rémunération directe. L'autre partie (souvent beaucoup plus importante) est reliée soit à leur rendement individuel, soit au rendement de leur équipe de travail ou aux résultats obtenus (profits) à l'échelle de l'organisation. La partie variable de la rémunération utilisée pour stimuler le rendement individuel ou collectif est appelée rémunération incitative.

Nous allons maintenant examiner les mécanismes opérationnels de gestion de ces systèmes en faisant une distinction entre ceux qui sont basés sur le «mérite» et sur les avancements d'échelons, ceux qui sont basés sur des primes (ou commissions) en fonction du rendement individuel, et ceux qui sont basés sur des primes en fonction du rendement collectif général ou par service.

11.4.2 LES MÉCANISMES DE GESTION DE LA RÉMUNÉRATION INCITATIVE

LES SYSTÈMES BASÉS SUR LE MÉRITE ET SUR LES AVANCEMENTS D'ÉCHELONS

Clarifions d'abord la situation des systèmes de rémunération « au mérite ». S'agit-il vraiment de rémunération incitative ? Pour plusieurs auteurs (par exemple, Lawler, 1971, ou, plus récemment, Balkin et Gomez-Mejia, 1987), la réponse est négative, c'est-à-dire que pour eux, les systèmes de rémunération au mérite ne sont pas à confondre avec les systèmes de rémunération incitative, principalement parce que les premiers (mérite) entretiennent une confusion avec les salaires de base, alors que les seconds s'en dissocient plus clairement. Malgré cela, nous avons quand même décidé de traiter la rémunération au mérite comme une forme de rémunération incitative, car même si les résultats obtenus sont décevants, il s'agit d'une façon répandue et traditionnelle d'utiliser la rémunération pour tenter de stimuler le rendement individuel. Les systèmes de rémunération au mérite ont été développés pour « inciter » les employés concernés à continuer de fournir les rendements élevés qui ont été pris en considération pour leur accorder, par exemple, des avancements accélérés d'échelons (on les fait monter plus vite dans les échelles salariales) ou des augmentations substantielles du salaire de base (ce qui contribue également à les faire progresser plus vite dans l'échelle de salaire pertinente).

Comme le signalent, entre autres, Pearce (1987), Heneman (1990) et St-Onge (1990), les formules de rémunération au mérite ont constitué, tout au long des années 80, la façon la plus populaire (et la plus répandue) de concevoir la rémunération pour les employés non syndiqués occupant, pour la plupart, des postes de professionnels ou de gestionnaires intermédiaires ou supérieurs.

Il existe diverses façons de faire fonctionner un système de rémunération au mérite. Certaines sont simples, d'autres plus complexes. Dans chaque cas, on suppose au moins deux opérations : une **évaluation du rendement**, c'est-à-dire un jugement sur la contribution de l'employé au bon ou au moins bon fonctionnement de l'organisation, et un **ajustement du salaire individuel de base** par l'augmentation au mérite. Dans le cas le plus simple, la relation entre l'évaluation du rendement et le pourcentage d'augmentation du salaire de base peut être établie selon la méthode montrée au tableau 11.8.

En supposant des échelles de salaire à cinq échelons, on peut, en s'inspirant du tableau 11.9, prévoir des augmentations du salaire de

Tableau 11.8 La relation entre l'évaluation du rendement et le pourcentage d'augmentation du salaire de base

Rendement	(1) Insatisfaisant	(2) Passable	(3) Satisfaisant	(4) Supérieur aux normes	(5) Exceptionnel
Augmentation au mérite	0 %	3 %	6 %	8 %	10 % à 12 %

Tableau 11.9 Les prévisions d'augmentations salariales en fonction du mérite et de l'échelon occupé

Rendement évalué / Échelon occupé	(1) Insatisfaisant	(2) Passable	(3) Satisfaisant	(4) Supérieur aux normes	(5) Exceptionnel
1 (le plus faible)	0 %	4 %	7 %	11 %	15 % +
2	0 %	3 %	6 %	10 %	15 %
3 (point milieu)	0 %	2 %	6 %	9 %	14 %
4	0 %	1 %	5 %	8 %	13 %
5*	0 %	0 %	5 %	7 %	12 %

* L'échelon 5 correspond à un niveau de salaire qui est déjà au sommet de l'échelle.

base qui soient fonction non seulement du rendement individuel, mais de la position présentement occupée dans l'échelle salariale. Pour chaque niveau de rendement évalué, on constate que plus la rémunération actuellement reçue est faible (échelons inférieurs), plus l'augmentation prévue est importante. À mesure qu'on s'approche du sommet de l'échelle salariale (appelée aussi fourchette salariale), le pourcentage d'augmentation diminue, parce que les titulaires de postes sont déjà rémunérés à un niveau supérieur au taux du marché (échelon du milieu). On tente aussi d'éviter que trop d'employés arrivent éventuellement à atteindre les niveaux de rémunération qui correspondent aux échelons les plus élevés (4 et 5), ce qui signifierait que l'organisation paie à ses employés des salaires de base qui sont supérieurs à ceux versés en moyenne par la concurrence.

Une solution possible à ce problème (accès par un trop grand nombre d'employés à des niveaux de rémunération qui ne correspondent pas au niveau de rendement) consiste, comme le signale Thériault (1983, p. 302), à tenter de faire fonctionner des «fourchettes de salaires mini-maxi sans échelon fixe» (figure 11.6). Dans ce type d'échelle, le point milieu correspond au niveau 100 %, c'est-à-dire le niveau que l'organisation a décidé de verser en fonction du taux du marché et d'un rendement considéré comme satisfaisant. Si le rendement est supérieur ou exceptionnel, le salaire de base prévu pourra s'établir à 110 % ou même à 120 % dans l'échelle salariale. Par contre, si le rendement est passable ou médiocre, le salaire de base représentera 90 % ou même 80 % du taux du marché. Cependant, si le salaire d'un employé atteint 118 % à cause de son rendement supérieur ou exceptionnel au cours des années antérieures, qu'arrive-t-il si le rendement de cet employé devient passable ou médiocre? Théoriquement, le niveau de salaire de cet employé devrait passer sous la barre du 100 % (donc être diminué ou être augmenté d'un pourcentage inférieur à l'augmentation générale de l'échelle). En pratique, comme le signale Thériault (1983, p. 305), «très peu d'individus sont capables d'appliquer et de soutenir une telle pratique, et ainsi, avec le temps, les niveaux de salaires ne correspondent pas aux niveaux de performance (*sic*) établis».

Les spécialistes en rémunération sont de plus en plus conscients des résultats désappointants obtenus par les systèmes traditionnels de

FIGURE 11.6 *UNE FOURCHETTE SALARIALE MINI-MAXI SANS ÉCHELON FIXE*

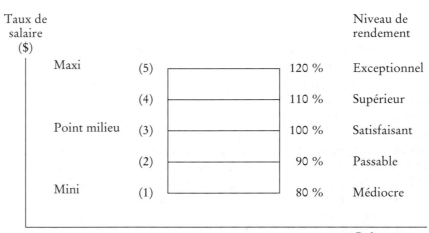

rémunération au mérite, et les raisons de cette inefficacité commencent à être assez clairement identifiées. Ainsi, pour Lawler (1989, p. 150-152), les quatre problèmes de la rémunération au mérite sont:

— des mesures inadéquates du rendement;

— de mauvaises communications;

— des politiques et des procédures trop complexes;

— les comportements inadéquats des gestionnaires.

Cette liste de problèmes a l'énorme désavantage de laisser croire que si ces quelques difficultés pouvaient être corrigées, la rémunération au mérite pourrait alors bien fonctionner. Or, il n'en est rien, car des problèmes beaucoup plus importants que ceux identifiés par Lawler affligent la rémunération au mérite. St-Onge (1990), après un examen sérieux des travaux sur ce sujet, identifie les trois grands problèmes suivants.

1. De nombreux facteurs, autres que le rendement (*voir le tableau 11.7*), déterminent le niveau des salaires de base (inflation, capacité de payer, niveau requis pour attirer les nouveaux employés, etc.), de telle sorte que la direction d'une entreprise ne peut duper les employés en leur faisant croire que les salaires ne sont basés que sur le mérite.

2. Si l'augmentation au mérite est intégrée au salaire de base, elle devient récurrente et laisse une marge de manœuvre de plus en plus étroite pour procéder à des ajustements du salaire selon le niveau de rendement de chaque employé.

3. La direction se sent obligée d'accorder à tous les employés une augmentation de salaire au moins équivalente à l'inflation, même lorsque le rendement d'un employé en particulier a dramatiquement diminué.

Finalement, il n'est pas surprenant de constater que les quelques recherches empiriques effectuées pour mesurer l'efficacité des systèmes de rémunération au mérite (Heneman, 1990) arrivent presque toutes à des résultats négatifs: les employés sont généralement insatisfaits de leur augmentation au mérite, ils ne perçoivent pas de relation entre cette augmentation et leur rendement, et ce système n'a pas les effets escomptés sur la productivité de l'entreprise (St-Onge, 1990, p. 137), d'autant plus que les écarts de rémunération entre un rendement satisfaisant et un rendement exceptionnel sont le plus souvent dérisoirement faibles.

Est-ce à dire qu'il faudrait abandonner les fourchettes mini-maxi de salaires de base pour les emplois d'une même classe salariale, comme le recommande Lawler (1989, p. 153)? Pas du tout. Une progression salariale basée sur la maîtrise graduelle des qualifications requises justifie amplement l'existence d'échelons. Ainsi, les taux de salaires de base prévus, de l'échelon le plus bas au point milieu, seraient les taux versés aux employés qui complètent progressivement leur apprentissage, et dont le salaire de base est relativement inférieur au taux du marché à cause de cette relative «incompétence». Le salaire du point milieu (échelon central) est le niveau des salaires versés à la majorité des employés qui ont acquis (grâce à leur formation et à leur expérience) la compétence considérée comme «normale» pour l'emploi occupé. Il pourrait également y avoir des échelons supérieurs, si la direction de l'entreprise juge qu'il vaut la peine de payer une prime permanente de compétence à certains individus très qualifiés que l'entreprise n'a pas les moyens de laisser aux mains de la concurrence. Mais, puisqu'il est question de prime, peut-être serait-il plus avantageux et plus efficace de recourir aux systèmes de rémunération incitative décrits dans les deux prochaines sections.

LES SYSTÈMES BASÉS SUR LES PRIMES EN FONCTION DU RENDEMENT INDIVIDUEL

Lorsque la rémunération incitative est basée sur le rendement individuel, elle prend généralement forme dans l'un ou l'autre des trois systèmes suivants:

1. la rémunération à la pièce ou en fonction du temps gagné;

2. la rémunération qui prévoit des commissions;

3. la rémunération incitative où la prime est reliée à une évaluation subjective du rendement (après que les résultats financiers de l'entreprise ont été considérés ou non).

Les systèmes de rémunération à la pièce ou en fonction du temps gagné sont surtout utilisés dans certaines entreprises manufacturières. Une étude de l'Institut de recherche appliquée sur le travail (David et Bengle, 1977) révèle qu'au Québec, selon certaines branches industrielles, les pourcentages des salariés payés au rendement étaient environ les suivants: vêtement, 91,5 %; textile, 91,3 %; matériel de transport, 68,7 %; meuble, 65,9 %; cuir, 64,3 %; bonnetterie, 60,7 %; caoutchouc, 59,4 %; bois, 18,5 %; papier, 7,2 %; chimie, 4,8 %; pétrole, 0 %. Cette même étude est très critique envers de tels systèmes, et elle propose aux centrales syndicales de s'y opposer farouchement.

Une autre étude (McKersie, Miller et Quaterman, 1964) avait déjà fait ressortir que ces systèmes étaient répandus dans les secteurs industriels marqués par les quatre caractéristiques suivantes :

1. des coûts élevés de main-d'œuvre (facteur important dans le coût du produit) ;

2. une concurrence féroce par rapport aux prix en cours sur les marchés des produits ;

3. une technologie relativement stable ;

4. un risque élevé de goulots d'étranglement dans la production (d'où la perception, à tort ou à raison, qu'il est nécessaire de stimuler continuellement le rythme de production des employés).

Les étapes de mise au point de tels systèmes (Zollitsch, 1975) sont généralement les suivantes :

1. la détermination d'un niveau (généralement assez faible) de salaire de base ;

2. la détermination des normes de rendement (pour les systèmes individuels de rémunération à la pièce, cela est généralement fait par des ingénieurs industriels ou des techniciens qui ont recours à l'étude des temps et mouvements) ;

3. le calcul de la prime, c'est-à-dire la détermination du montant qui sera versé selon le nombre de pièces produites, la quantité de temps gagné ou le volume de ventes (il est généralement prévu que les primes ne seront versées que lorsque les résultats dépasseront un certain niveau considéré comme «normal») ;

4. la mise au point d'une procédure pour changer les normes de rendement si, par exemple, une nouvelle machine est introduite ;

5. la mise au point d'un mécanisme de règlement des plaintes et des griefs ;

6. l'essai du système avant son adoption officielle ;

7. les communications aux employés, la vérification de leur degré de compréhension et d'acceptation, et l'adoption officielle du système.

À première vue, le néophyte en matière d'organisation du travail est parfois porté à considérer ces systèmes de rémunération comme une sorte d'idéal à atteindre. L'utilisation de l'étude des temps et mouvements, surtout si elle est faite par des ingénieurs industriels, leur donne une certaine allure scientifique. On peut aussi croire que chacun y trouve son compte et devrait logiquement être satisfait. La réalité est cependant beaucoup plus complexe. Les effets de tels systèmes sur la satisfaction et la productivité sont très variables d'un milieu à l'autre, et ils dépendent d'un ensemble de facteurs qu'il serait trop long d'analyser ici. Selon Megginson (1981, p. 434), ces systèmes ont des effets négatifs sur la satisfaction des employés ainsi que sur la cohésion des groupes de travail. En ce qui concerne la productivité, de tels systèmes permettraient généralement d'obtenir des degrés de rendement plus élevés que celui qu'on obtient normalement en ne payant qu'un salaire basé sur le temps écoulé. Glueck (1978, p. 446), de son côté, affirme: «Les résultats des recherches sont contradictoires; la majorité des études indiquent une augmentation de la production, mais certains s'interrogent sur ces résultats. Même si la production augmente, d'autres aspects subissent une baisse».

Pour leur part, Milkovich et Newman (1990, p. 333) signalent que du côté des avantages, ces systèmes amènent les employés à travailler d'une façon plus indépendante et plus centrée sur ce qui est mesuré. Du côté des désavantages, ils notent une détérioration possible de la qualité du produit (surtout si elle n'est pas prise en considération dans la mesure du rendement) et une grande méfiance, chez les employés, envers les gestes susceptibles d'être posés par la direction à l'égard des normes de production (rendement) ou des modes de calcul des primes.

Les systèmes qui prévoient des commissions sont surtout utilisés pour la rémunération du personnel de vente. Ainsi, Steinbrink (1978) soutient qu'aux États-Unis, environ 70 % des vendeurs travaillent à la commission; on ne connaît pas le pourcentage courant au Canada ni au Québec. Au sujet des critères qui permettent d'identifier les situations de vente où il serait plus approprié d'utiliser massivement une rémunération composée surtout de commissions, par rapport aux situations où il faudrait plutôt n'utiliser que la rémunération fixe (salaire de base), Schultz (1987) a proposé un modèle très intéressant que nous présentons au tableau 11.10. Selon cet auteur, plusieurs emplois de représentants commerciaux sont caractérisés par ce qu'il appelle des «barrières à l'entrée», c'est-à-dire des qualifications élevées, telles une compétence technique, des études universitaires spécialisées ou une expérience pertinente dans le secteur industriel. Cette variable se retrouve en ordonnée au tableau 11.10. Une autre variable, combinée à la première, vient éclairer la stratégie à adopter. Il s'agit de l'importance de l'habileté à conclure les ventes. Lorsque les barrières à l'entrée sont élevées (quadrants 2 et 3), les entreprises doivent prévoir des salaires relativement élevés pour combler les postes de représentants. Dans les cas où les barrières à l'entrée sont faibles (à peu près n'importe qui peut faire le travail), le niveau de salaire requis pour attirer la main-

✳ *TABLEAU 11.10 LES CRITÈRES DE DÉTERMINATION DE LA RÉMUNÉRATION DU PERSONNEL DE VENTE*

Barrières à l'entrée	Élevées	Salaire élevé (nécessaire pour attirer le personnel hautement qualifié), mais pas de commission 2	3 Salaire élevé et possibilité de gains substantiels basés sur des commissions
	Faibles	1 Salaire peu élevé et pas de commission	4 Salaire de base peu élevé, mais possibilité de gains substantiels basés sur des commissions
		Faible	Élevée

Importance de l'habileté à conclure les ventes

d'œuvre nécessaire est beaucoup plus faible. Quant à l'utilisation de commissions, elles ne sont recommandées que dans les cas où les vendeurs doivent vraiment déployer tous leurs talents pour conclure une vente. Si les habiletés de vente des représentants ne sont pas un facteur important, le recours à des commissions serait un gaspillage de ressources financières. Dans ces derniers cas, peut-être vaudrait-il mieux recourir au versement d'une prime non intégrée à la structure des salaires de base et reliée à une évaluation globale (et subjective!) du rendement individuel de l'employé concerné, ce qui nous amène maintenant à traiter de ce troisième type de rémunération incitative basée sur le rendement individuel, où la prime est reliée à une évaluation subjective du rendement.

Comme le rapportent Heneman (1990) et St-Onge (1990), ce troisième type de système, où on tente de stimuler financièrement le rendement individuel, tend de plus en plus à se répandre dans plusieurs entreprises tant privées que publiques. Pour illustrer de quelle façon de tels systèmes sont susceptibles de fonctionner, disons que dans la plupart des cas, il s'agit d'engagements pris par la haute direction à l'égard de groupes d'employés bien identifiés. On leur explique que si les résultats obtenus (dans l'ensemble de l'organisation, dans leur usine ou dans leur service) dépassent certaines normes clairement définies à l'avance, les fruits financiers découlant de ces résultats supérieurs aux normes seront transformés (en totalité ou en partie) en une cagnotte ou en une somme globale qui sera ensuite répartie entre les individus, mais d'une façon différenciée selon l'évaluation de leur rendement. Si, par exemple, leur rendement a été jugé insatisfaisant ou médiocre, il ne saurait être question qu'ils touchent une part de la cagnotte, contrairement aux employés dont le rendement a été satisfaisant. Finalement, chacun des employés dont le rendement individuel a été supérieur aux normes ou exceptionnel pourrait recevoir respectivement 2 ou 3, sinon 3 ou 5 parts de la cagnotte. En résumé, le système pourrait fonctionner comme l'illustre le tableau 11.11.

Cette approche est plus avantageuse que le système traditionnel de rémunération au mérite quant aux coûts et à la motivation. En ce qui concerne les coûts, on peut signaler que le système des primes non intégrées au salaire de base offre beaucoup plus de flexibilité parce que, d'une part, la somme à distribuer pour un rendement supérieur aux normes variera généralement en fonction des résultats financiers: «Lorsque les profits sont bas ou ne correspondent pas aux normes établies, il peut y avoir une diminution du budget relié aux primes, ou pas de primes du tout pour cette année-là» (St-Onge, 1990, p. 138). De plus, ces primes ne sont pas récurrentes, c'est-à-dire qu'elles ne constituent pas une base pour l'année suivante, et elles ont peu d'effets sur le calcul des avantages sociaux. Quant à l'effet sur la motivation, on pense que le recours aux primes peut permettre un lien plus évident entre la prime et le niveau de rendement. On pense aussi que les écarts entre les sommes versées aux employés selon leur rendement seront plus grands dans ce système, d'où une motivation accrue.

L'élément clé des systèmes que nous venons de décrire est la justice distributive (à chacun selon sa contribution). Cette conception de la justice implique que les employés sont rémunérés différemment, selon leur niveau de rendement (leur contribution). Or, certains prétendent

TABLEAU 11.11 LA RELATION ENTRE LE RENDEMENT INDIVIDUEL ET LE VERSEMENT DE PRIMES

Niveau de rendement	(1) Insatis-faisant	(2) Passable ou médiocre	(3) Satisfaisant	(4) Supérieur	(5) Exception-nel
Nombre d'actions versées en primes	0	0	1	2 ou 3	3 ou 5

que cette approche ouvre la porte à des excès de concurrence entre les individus. Pour promouvoir des valeurs de coopération et de partage au travail, on préconise le recours à une justice plus égalitaire (à chacun la même chose). Cette conception de la justice est présente dans les systèmes où le versement de primes est fonction d'une mesure du rendement collectif, ou du niveau des profits.

LES SYSTÈMES BASÉS SUR LES PRIMES EN FONCTION DU RENDEMENT COLLECTIF

Certains de ces systèmes, comme le système Scanlon ou le système Rucker (Geare, 1976; White, 1979; Hammer, 1988), sont basés sur un calcul de la réduction des coûts de fabrication, c'est-à-dire qu'on prévoit verser une prime aux employés si les coûts baissent en-dessous d'un seuil prédéterminé. Ces systèmes prévoient aussi toute une série de comités pour:

– produire des idées;

– évaluer des suggestions;

– promouvoir les communications et la coopération entre la direction, le syndicat et les employés.

Les quelques recherches effectuées pour mesurer l'efficacité de ces systèmes ont fourni des résultats encourageants (Bullock et Lawler, 1984).

Pourquoi ces systèmes fournissent-ils des résultats positifs même si le rendement individuel n'est pas pris en considération? L'explication la plus plausible, selon Bullock et Lawler (cités dans Milkovich et Newman, 1990, p. 351), est que ces programmes changeraient la culture de l'entreprise, de telle sorte que les employés de tous les niveaux développeraient une meilleure compréhension des objectifs de l'organisation et un plus grand engagement à les réaliser.

En ce qui concerne les résultats obtenus à l'aide des systèmes basés sur le rendement organisationnel, voici le très intéressant commentaire que formulent les auteurs Heneman, Schwab, Fossum et Dyer (1980, p. 392):

> *Les résultats obtenus à l'aide de ces plans sont parfois des réussites inespérées, parfois des échecs cinglants. Ici comme ailleurs en gestion des ressources humaines, il est évident que les conditions de succès sont d'établir un diagnostic élaboré, d'effectuer un choix approprié de moyens basés sur les objectifs et sur l'exa-*

men de la situation, et de porter une attention constante aux problèmes de réalisation et de contrôle.

11.4.3 LES MÉCANISMES DE GESTION DE LA RÉMUNÉRATION D'INTÉRESSEMENT

De la rémunération incitative, passons maintenant à la rémunération d'intéressement (Thériault, 1983, p. 369-386). Ces mécanismes regroupent les régimes de partage des profits (ou participation aux bénéfices) et les régimes d'actionnariat (ou de participation à la propriété de l'entreprise). Ils sont appelés **régimes d'intéressement**, parce que l'objectif poursuivi n'est pas tellement de stimuler le rendement, mais plutôt d'intéresser les employés à maintenir leur lien avec l'organisation.

LE PARTAGE DES PROFITS

Les régimes de partage des profits prévoient la distribution aux employés, sous la forme d'une prime (à peu près égale pour tous), d'un certain pourcentage des profits. Cette distribution peut être immédiate ou différée.

Des régimes de cette nature existent dans plusieurs milliers d'entreprises aux États-Unis et au Canada, le plus connu étant sans doute celui de la Lincoln Electric Company (Lincoln, 1950; Zager, 1978). Aux États-Unis (Hammer, 1988, p. 334), la majorité de ces régimes prévoient un versement différé des sommes gagnées, de telle sorte qu'ils servent de substituts ou de compléments à un régime de retraite.

En ce qui concerne l'influence de ces régimes sur le rendement individuel et organisationnel, certaines études de cas, rapportées entre autres par la Profit Sharing Research Foundation (Metzger, 1973), sont utilisées pour promouvoir cette approche et faire valoir sa «rentabilité» pour tous. Malheureusement, il n'y a pas (ou peu) de recherche systématique qui permettrait de vraiment statuer sur l'efficacité de ces régimes. Selon la plupart des spécialistes en rémunération (Lawler, 1986; McKersie, 1986; Hammer, 1988), le lien entre le versement d'un pourcentage des profits (surtout si ce versement est différé) et le rendement au travail est trop lointain pour qu'il ait une réelle influence sur la motivation au travail des employés.

L'ACTIONNARIAT

Une autre forme d'intéressement consiste à permettre aux employés d'accéder à la propriété de l'entreprise par l'achat d'actions. Selon Thériault (1983, p. 383), ces régimes ont plusieurs avantages:

1. ils permettent à l'employé de recevoir des dividendes;
2. ils permettent des gains en capital qui bénéficient d'un traitement fiscal avantageux;
3. ils peuvent servir à reporter l'impôt dans le temps;
4. ils permettent souvent aux employés d'obtenir des prêts à taux avantageux ou des escomptes sur le prix d'achat des actions.

Quant aux désavantages, il faut noter que ces régimes prévoient souvent un déboursement d'argent de la part des employés qui veulent investir dans l'entreprise. De plus, la valeur des actions d'une entreprise n'est pas toujours stable ou à la hausse; il y a donc un risque réel de perdre son investissement.

Théoriquement, l'employé actionnaire est supposé être plus conscient de la relation entre ses comportements (son rendement) et le sort de l'entreprise (son efficacité et sa rentabilité). En pratique, aucune recherche sérieuse n'a, à notre connaissance, réussi à démontrer l'existence d'une telle relation. L'actionnariat est sans doute une approche valable pour intéresser les employés à l'entreprise, mais ce n'est certainement pas une condition suffisante pour qu'ils soient plus motivés et plus performants.

11.4.4 LES MÉCANISMES DE GESTION DE LA RÉMUNÉRATION INDIRECTE

Un terme fréquemment utilisé pour représenter l'ensemble des composantes de la rémunération indirecte est «avantages sociaux». C'est le terme que nous allons utiliser dans la présente section.

Les avantages sociaux, qu'on appelait autrefois «bénéfices marginaux» (de l'anglais *fringe benefits*), constituent maintenant une rémunération non négligeable. Les sommes d'argent consacrées à cette forme indirecte de rémunération ne représentaient peut-être que 3 % à 5 % de la rémunération directe au cours des années 30; vingt ans plus tard, ce pourcentage se situait entre 15 % et 20 %. En 1982, le pourcentage des avantages sociaux et des divers services offerts aux employés se situait entre 10 % et 60 %, et la moyenne générale pour l'ensemble des entreprises était d'environ 35 % de la rémunération directe (c'est-à-dire du salaire brut).

Plusieurs programmes d'avantages sociaux sont obligatoires, en ce sens qu'ils sont imposés par l'État. D'autres sont privés et offerts volontairement par les entreprises, même s'ils ont fait l'objet de négociations collectives. Sans entrer dans tous les détails techniques, nous fournirons une brève description des principaux programmes existants.

LES RÉGIMES PUBLICS (OBLIGATOIRES) D'AVANTAGES SOCIAUX

La *Loi sur les normes du travail* exige des employeurs qu'ils accordent à leurs employés certains avantages sociaux, comme les vacances, les congés fériés, chômés et payés, les congés spéciaux, etc. D'autres programmes gouvernementaux offrent également des avantages sociaux, tels :

- l'assurance-chômage ;
- le régime de pension du Canada (ou le régime des rentes du Québec) ;
- le régime d'assurance en cas d'accident du travail ou de maladie professionnelle ;
- les régimes d'assurance-hospitalisation et d'assurance-maladie.

L'assurance-chômage

En 1940, le gouvernement du Canada (à l'instar du gouvernement des États-Unis) instituait un programme destiné à aider financièrement, pendant un certain temps, les employés qui perdent involontairement leur emploi. Une période de prestations peut durer jusqu'à 52 semaines. Le nombre de semaines de prestations payables est déterminé selon le nombre de semaines d'emploi assurables et selon le taux régional de chômage.

Le régime de pension du Canada (ou le régime de rentes du Québec)

Le régime de pension du Canada a été institué en 1965, et il vise à garantir un revenu minimal aux citoyens qui atteignent l'âge de la retraite. Certaines rentes sont aussi prévues en cas d'invalidité ou de décès de l'employé (ou ex-employé) couvert, et les bénéficiaires éventuels sont alors le conjoint et les enfants (sous conditions). Ce régime est obligatoire pour tous les travailleurs (salariés ou autonomes) âgés de 18 à 70 ans qui retirent des gains d'un travail et qui ne reçoivent pas déjà la rente de retraite ou la rente d'invalidité. L'admissibilité aux diverses rentes est assujettie à leurs conditions respectives et le travailleur doit avoir versé des cotisations durant une période minimale.

Le régime public d'assurance en cas d'accident du travail

Le régime public d'assurance en cas d'accident du travail fait l'objet d'un exposé plus approfondi dans le chapitre portant sur la santé et la sécurité au travail. Il s'applique à tous les travailleurs, et même aux employés à temps partiel, quel que soit leur âge, qui sont victimes d'un accident du travail ou d'une maladie professionnelle ; les athlètes professionnels sont cependant exclus. Les contributions à ce régime varient selon les secteurs d'activité de l'entreprise et selon le dossier historique de l'entreprise en matière d'accidents et de maladies professionnelles.

Les régimes québécois d'assurance-hospitalisation et d'assurance-maladie

Les employeurs doivent également verser une contribution dont le montant est déterminé par l'État et qui vise à permettre le financement des régimes publics d'assurance-hospitalisation et d'assurance-maladie ; ce montant est proportionnel à la masse salariale. Ces régimes assurent à l'employé et à sa famille le paiement des frais d'hospitalisation, des frais médicaux et de certaines dépenses connexes.

Ces divers régimes publics font régulièrement l'objet de débats. Il y a quelques années, on a procédé à une réforme du régime d'assurance-chômage qui a engendré une montée phénoménale des coûts, laquelle amènera peut-être bientôt une autre réforme. En ce qui concerne les régimes de pension, on s'inquiète régulièrement de l'utilisation des fonds ainsi accumulés par l'État. On se demande aussi si ces fonds seront suffisants pour verser à tous les futurs retraités la rente promise. Dans ce domaine, plusieurs projets de réforme ont déjà été soumis aux diverses instances gouvernementales. Les employeurs sont souvent invités à participer à ces débats ; habituellement, ils se font représenter par les dirigeants et les permanents de l'une ou l'autre association patronale.

LES RÉGIMES PRIVÉS (VOLONTAIRES) D'AVANTAGES SOCIAUX ET DE SERVICES

Les régimes privés, ou facultatifs, d'avantages sociaux s'ajoutent aux régimes publics et doivent d'ailleurs s'y ajuster de façon qu'il n'y ait pas de chevauchement, de double cotisation ou de contradiction. Ces régimes comprennent une diversité d'éléments qu'on peut répartir dans les quatre groupes suivants :

- les paiements pour des heures non travaillées;
- les assurances collectives;
- les régimes privés de retraite;
- les services divers.

Les paiements pour des heures non travaillées

Cette catégorie comprend les vacances annuelles, les congés chômés, fériés et payés, les congés spéciaux accordés, par exemple, à celui ou celle qui se marie, les congés sabbatiques, les périodes de repos au travail (pauses), les congés payés de perfectionnement ou de formation, les absences autorisées et payées pour s'occuper d'activités syndicales, le paiement pour le temps consacré à se rendre au lieu de travail, le paiement pour les périodes où l'employé travaille sur appel, etc. Au cours des dernières années, les sommes d'argent consacrées au paiement de ces périodes de temps non directement productif ont augmenté considérablement.

Les assurances collectives

Le programme le plus courant d'assurance collective offert aux employés de l'entreprise concerne l'assurance-vie. En cas de décès survenant avant l'âge de la retraite, il permet de verser aux dépendants ou aux bénéficiaires de l'employé décédé une somme équivalant généralement à environ deux fois le salaire annuel brut de l'employé. D'autres programmes d'assurance offrent le maintien du revenu (du moins en partie) en cas d'invalidité, de maladie prolongée ou de chômage. D'autres enfin couvrent (en tout ou en partie) les frais de médicaments, de visites chez le dentiste, de lunettes ou de lentilles cornéennes, de prothèses, ou de séjours à l'hôpital. Les frais remboursés sont évidemment ceux que les régimes publics ne couvrent pas déjà. Les congés de maladie de brève durée peuvent aussi être couverts par une police d'assurance. Dans la grande majorité de ces contrats d'assurance, c'est l'employeur qui paie la totalité de la prime; dans certains cas, les employés sont également appelés à contribuer financièrement.

Les régimes privés de retraite

Les régimes privés de retraite sont probablement l'élément le plus complexe de l'ensemble des avantages sociaux. L'objectif visé est de verser à l'employé qui a atteint l'âge de la retraite un revenu qui varie généralement selon le nombre d'années de service et le salaire qu'il touchait lorsqu'il travaillait. Dans la plupart des cas cependant, ce revenu de retraite est très inférieur au revenu de préretraite (Schultz, Leavitt et Kelly, 1979).

La plupart des régimes de retraite prennent la forme d'un régime collectif de retraite (le cas le plus fréquent), d'un régime de participation différée aux profits de l'entreprise (*deferred profit sharing*) ou d'un plan d'épargne-retraite; ces trois formes peuvent aussi être combinées.

Tous les régimes de retraite doivent comporter des précisions quant aux cinq points suivants:

1. l'âge normal de la retraite et son caractère facultatif ou obligatoire;

2. les possibilités de retraite anticipée;

3. le mode de calcul ainsi que le montant des prestations à verser aux bénéficiaires qui prendront effectivement leur retraite;

4. les cas d'invalidité à court terme ou à long terme et les autres problèmes reliés à la difficulté de payer les primes;

5. la transférabilité des fonds accumulés (*vesting*).

En ce qui concerne le montant des prestations de retraite, il existe deux possibilités. Dans le premier cas (dit *money purchase*), les cotisations sont fixes, mais le montant des prestations (c'est-à-dire du revenu de la retraite) est indéterminé; à la retraite, le montant accumulé dans le fonds de pension pour le bénéficiaire est utilisé pour lui acheter une rente. Ce type de régime est de moins en moins fréquent. Dans le deuxième cas, les prestations sont déterminées à l'avance, mais les cotisations doivent s'ajuster en conséquence. Par exemple, le montant de la rente pourra être basé sur un pourcentage du salaire moyen des cinq dernières ou meilleures années, multiplié par les années de service (avec un maximum de 35 années). Le pourcentage le plus souvent utilisé est 2 %; pour un bénéficiaire ayant 25 ans de service, le revenu de retraite sera donc égal à 50 % de son revenu des cinq dernières ou meilleures années.

$$2 \% \times \text{Revenu avant la retraite} \times \text{Années de service}$$

Évidemment, l'argent accumulé dans les fonds de pension est investi dans des obligations ou des actions. Les gestionnaires de ces fonds ont des comptes à rendre non seulement aux employés et aux représentants de l'employeur, mais également à l'État, représenté surtout par les fonctionnaires de la Régie des rentes du Québec et ceux des ministères du Revenu et des Finances.

Les services divers

La dernière forme de rémunération indirecte comprend l'ensemble des services dont bénéficient les employés d'une entreprise. Une liste de ces services a déjà été présentée au début de ce chapitre. Ces services sont soit gratuits, soit offerts à des prix souvent très inférieurs à ceux du marché.

Au cours des dernières années, on s'est intéressé au coût des avantages sociaux (Martel, 1981) ainsi qu'à la mesure de la rémunération globale (Delorme, 1978). La croissance phénoménale des diverses formes d'avantages sociaux et les engagements dans l'avenir face à des coûts encore plus élevés (à cause du vieillissement de la population, de la réduction des heures de travail, etc.) ont amené certaines personnes à se demander si on n'a pas atteint les limites de la capacité de payer des entreprises et de la société. La crise économique actuelle n'est pas étrangère à ces remises en question.

11.5 CONCLUSION

La rémunération est une dimension importante de la gestion des ressources humaines dans une organisation. Elle se définit comme l'ensemble des avantages qui découlent de la relation d'emploi. Ces avantages peuvent être intrinsèques (de nature psychologique) ou extrinsèques (monétaires). La rémunération extrinsèque se traduit par une rémunération directe (salaire de base, compensatoire, incitative, d'intéressement) ou indirecte (paiements pour des heures non travaillées, programmes de sécurité du revenu, services et autres privilèges aux employés).

Une gestion stratégique de la rémunération exige que les choix faits en matière de rémunération tiennent compte des possibilités et des menaces présentes dans l'environnement, des stratégies globales de l'entreprise, et que ces décisions influent positivement sur le comportement des employés pour atteindre les objectifs de l'organisation en matière d'efficacité organisationnelle.

Une organisation en expansion doit établir des pratiques formelles de gestion de la rémunération. Pour déterminer les salaires de base, l'entreprise doit procéder à l'évaluation des postes, à des enquêtes salariales, à la mise au point de structures salariales et à la détermination des salaires de base individuels à l'aide de ces structures.

Les salaires de base ne constituent pour plusieurs qu'une partie de la rémunération directe. L'autre partie est reliée au rendement individuel, au rendement d'une équipe de travail ou aux résultats obtenus par l'organisation. La rémunération incitative appelle des mécanismes de gestion différents basés, par exemple, sur les avancements d'échelon ou sur des primes ou des commissions. La rémunération d'intéressement comprend le partage des profits et les régimes d'actionnariat. Enfin, la rémunération indirecte correspond aux régimes publics d'avantages sociaux et aux régimes privés d'avantages sociaux et de services.

QUESTIONS

1. Qu'est-ce que la rémunération et quelles en sont les composantes ? Donnez des exemples.

2. Expliquez en quoi une entreprise de votre choix a développé une gestion stratégique de la rémunération. Justifiez vos propos par des exemples.

3. Expliquez comment des variables externes, telles les lois relatives à la rémunération ou la présence syndicale, influent sur les modèles de gestion stratégique de la rémunération.

4. À partir de vos connaissances personnelles, donnez deux exemples d'entreprises qui utilisent le modèle mécaniste et deux qui optent pour le modèle organique concernant leur gestion stratégique de la rémunération, selon les modèles décrits par Gomez-Mejia et Welbourne.

5. Pourquoi une organisation doit-elle développer des pratiques formelles de gestion de la rémunération ?

6. Auparavant, la rémunération était vue comme un moyen d'attirer, de conserver et de motiver les ressources humaines. En quoi la gestion stratégique des ressources humaines est-elle différente ?

7. En quoi la participation du syndicat à l'évaluation des postes peut-elle s'avérer bénéfique pour une organisation ?

8. Pourquoi les gestionnaires ont-ils avantage à participer aux enquêtes salariales ?

9. Respecte-t-on le principe d'équité lorsque les postes de différents groupes d'employés d'une même organisation sont évalués selon des méthodes différentes ? Justifiez votre réponse.

10. Quelles sont les différences entre un système de rémunération au mérite et un système basé sur les primes?

11. L'employeur a-t-il avantage à offrir des régimes privés d'avantages sociaux et de services à ses employés? A-t-il avantage à les faire connaître auprès de ses employés? Pourquoi? Comment?

BIBLIOGRAPHIE

ARVEY, R.D., «Potential problems in job evaluation methods and processes», dans BALKIN, D.B. et GOMEZ-MEJIA, L.R. (dir.), *New Perspectives on Compensation*, Prentice-Hall, 1987, p. 20-30.

BALKIN, D.B., «Compensation strategy for firms in emerging and rapidly growing industries», *Human Resource Planning*, 11, 1988, p. 207-214.

BALKIN, D.B. et GOMEZ-MEJIA, L.R., «Toward a contingency theory of compensation strategy», *Strategic Management Journal*, 8, 1987, p. 169-182.

BALKIN, D.B. et GOMEZ-MEJIA, L.R., «The strategic use of short-term and long-term pay incentives in the high-technology industry», *New Perspectives on Compensation*, Prentice-Hall, 1987, p. 237-246.

BALKIN, D.B. et GOMEZ-MEJIA, L.R., «Determinants of R & D compensation strategies in the high-tech industry», *Personal Psychology*, 37, 1984, p. 635-650.

BERGERON, J.-L., *Designing a Job Evaluation Plan for School Administrators: A Case Study*, document de travail n° 79-1, Université de Sherbrooke, Faculté d'administration, 1979.

BRINDISI, L.J., «Paying for strategic performance: a new executive compensation imperative», dans LAMB, R.B. (dir.), *Competitive Strategic Management*, Prentice-Hall, 1984, p. 333-343.

BULLOCK, R.J. et LAWLER, E.E., «Gainsharing: a few questions and fewer answers», *Human Resource Management*, 23, 1, 1984, p. 23-40.

BUREAU OF NATIONAL AFFAIRS, *Pay Equity and Comparable Worth*, Washington (D.C.), 1984.

BUREAU OF NATIONAL AFFAIRS, *Job Evaluation, Policies and Procedures*, Personnel Policies Forum Survey No. 113, Washington (D.C.), 1976.

BURGESS, L.R., *Compensation Administration*, 2ᵉ éd., Columbus, Merrill Publishing Co., 1989.

BUTLER, J.E., FERRIS, G.R. et NAPIER, N.K., «Strategic reward systems», *Strategy and Human Resources Management*, South-Western Publishing Co., Cincinnati (Ohio), 1991, p. 111-129.

CARROLL, S.J., «Handling the need for consistency and the need for contingency in the management of compensation», *Human Resource Planning*, 11, 3, 1988, p. 191-196.

CARROLL, S.J., «Business strategies and compensation systems», dans BALKIN, D.B. et GOMEZ-MEJIA, L.R. (dir.), *New Perspectives on Compensation*, Englewood Cliffs (N.J.), Prentice-Hall, 1987, p. 343-355.

CASCIO, W.F. et AWAD, E.M., *Human Resources Management: An Information Systems Approach*, Reston (Va.), Reston Publishing Co., 1981.

CONKLIN, D. et BERGMAN, P., *Pay Equity in Ontario: A Manager's Guide*, The Institute for Research on Public Policy and the National Centre for Management Research and Development, 1990.

COOKE, F., *Strategic Compensation*, F.W. Cooke & Associates, 1976.

La GESTION STRATÉGIQUE DE LA RÉMUNÉRATION   573

DAVID, H. et BENGLE, N., *Le salaire au rendement*, Montréal, Institut de recherche appliquée sur le travail, bulletin n° 8, 1977.

DELORME, F., «Est-il possible de mesurer la rémunération globale?», *Travail-Québec*, 14, 1, 1978, p. 14-18.

DYER, L.D. et HOLDER, G.W., «A strategic perspective of human resource management», dans DYER, L. (dir.), *Human Resource Management: Evolving Roles and Responsibilities*, ASPA-BNA Series No. 1, Washington (D.C.), 1988, p. 1-46.

ELLIG, B.R., «Pay policies while downsizing the organization: a systematic approach», *Personnel*, 60, 3, 1983, p. 26-35.

FAY, C.H., «External pay relationships», dans GOMEZ-MEJIA, L.R., *Compensation and Benefits*, ASPA-BNA Series No. 3, 1989, p. 70-100.

GEARE, A.J., «Productivity from Scanlon-type plans», *The Academy of Management Review*, 3, 1976, p. 99-108.

GERHART, B. et MILKOVICH, G.T., «Organizational differences in managerial compensation and financial performance», *Academy of Management Journal*, 33, 4, 1990, p. 663-691.

GLUECK, W.F., *Personnel: A Diagnostic Approach*, éd. rév., Dallas (Tex.), Business Publications Inc., 1978.

GOMEZ-MEJIA, L.R., PAGE, R.C. et TORNOW, W.W., «Development and implementation of a computerized job evaluation system», dans BALKIN, D.B. et GOMEZ-MEJIA, L.R. (dir.), *New Perspectives on Compensation*, Prentice-Hall, 1987, p. 31-42.

GOMEZ-MEJIA, L.R., TOSI, H. et HINKIN, T., «Managerial control, performance, and executive compensation», *Academy of Management Journal*, 30, 1, 1987, p. 51-70.

GOMEZ-MEJIA, L.R. et WELBOURNE, T.M., «Strategic design of executive compensation programs», dans GOMEZ-MEJIA, L.R. (dir.), *Compensation and Benefits*, ASPA-BNA Series No. 3, 1989, p. 216-269.

GOMEZ-MEJIA, L.R. et WELBOURNE, T.M., «Compensation strategy: an overview and future steps», *Human Resource Planning*, 11, 3, 1988, p. 173-189.

GREENE, R.J. et ROBERTS, R.G., «Strategic integration of compensation and benefits», *Personnel Administrator*, 28, 5, 1983.

HAIGH, T., «Aligning executive total compensation with business strategy», *Human Resource Planning*, 12, 3, 1989, p. 221-227.

HAMMER, T.H., «New developments in profit sharing, gainsharing, and employee ownership», dans CAMPBELL, J.P., CAMPBELL, R.J. *et al.* (dir.), *Productivity in Organizations*, San Francisco, Jossey-Bass, 1988, p. 328-366.

HANSON, B.B., «Incentive compensation for professionals», dans BALKIN, D.B. et GOMEZ-MEJIA, L.R. (dir.), *New Perspectives on Compensation*, Prentice-Hall, 1987, p. 230-236.

HAY, E.N. et PURVES, D., «A new method of job evaluation: the guide chart-profile method», *Personnel*, juillet 1954, p. 72-80.

HENDERSON, R., *Compensation Management: Rewarding Performance*, 4ᵉ éd., Reston (Va.), Reston Publishing Co., 1985.

HENDERSON, R. et RISHER, H.W., «Influencing organizational strategy through compensation leadership», dans BALKIN, D.B. et GOMEZ-MEJIA, L.R. (dir.), *New Perspectives on Compensation*, Prentice-Hall, 1987, p. 331-342.

HENEMAN, H.G. III, SCHWAB, D.P., FOSSUM, J.A. et DYER, L.D., *Personnel Human Resource Management*, Homewood (Ill.), Irwin, 1980, p. 373-392.

HENEMAN, R.L., «Merit pay research», *Research in Personnel and Human Resources Management*, J.A. Press Inc., vol. 8, 1990, p. 203-263.

HERZBERG, F., *Work and the Nature of Man*, A Mentor Book, New American Library, 1966.

HILL, M.A. et KILLINGSWORTH, M.R. (dir.), *Comparable Worth: Analyses and Evidence*, Ithaca (N.Y.), I.L.R. Press, 1989.

HILLS, F.S., « Internal pay relationships », dans GOMEZ-MEJIA, L.R. (dir.), *Compensation and Benefits*, ASPA-BNA Series No. 3, 1989, p. 29-69.

HUFNAGEL, E.M., « Developing strategic compensation plans », *Human Resource Management*, 26, 1, 1987, p. 93-108.

HURWICK, M.R., « Strategic compensation designs that link pay to performance », *The Journal of Business Strategy*, 7, 2, automne 1986, p. 79-83.

JUDD, K. et GOMEZ-MEJIA, L.R., « Comparable worth: a sensible way to end pay discrimination or the looniest idea since looney tunes ? », dans BALKIN, D.B. et GOMEZ-MEJIA, L.R. (dir.), *New Perspectives on Compensation*, Prentice-Hall, 1987, p. 61-79.

KELLY, R., « Job evaluation and pay plans for office personnel », dans FAMULARO, J. (dir.), *Handbook of Modern Personnel Administration*, New York, McGraw-Hill, 1972.

KERR, J.L., « Diversification strategies and managerial rewards: an empirical study », *Academy of Management Journal*, 28, 1, 1985, p. 155-179.

LAWLER, E.E. III, *Strategic Pay: Aligning Organizational Strategies and Pay Systems*, San Francisco, Jossey-Bass, 1990.

LAWLER, E.E. III, « Pay for performance: a strategic analysis », dans GOMEZ-MEJIA, L.R. (dir.), *Compensation and Benefits*, ASPA-BNA Series No. 3, 1989, p. 136-181.

LAWLER, E.E. III, « Paying for performance: future directions », dans BALKIN, D.B. et GOMEZ-MEJIA, L.R. (dir.), *New Perspectives on Compensation*, Prentice-Hall, 1987, p. 162-168.

LAWLER, E.E. III, *High-Involvement Management. Participative Strategies for Improving Organizational Performance*, San Francisco, Jossey-Bass, 1986.

LAWLER, E.E. III, « The strategic design of reward systems », dans FOMBRUN, C., TICHY, N.M. et DEVANNA, M.A. (dir.), *Strategic Human Resource Management*, John Wiley, 1984, p. 127-147.

LAWLER, E.E. III, *Pay and Organizational Development*, Reading (Mass.), Addison-Wesley, 1981.

LAWLER, E.E. III, *Pay and Organizational Effectiveness: A Psychological View*, New York, McGraw-Hill, 1971.

LAWLER, E.E. III et LEDFORD, G.E., « Skill-based pay », *Personnel*, 62, 9, 1985, p. 30-37.

LEI, D., SLOCUM, J.W. Jr. et SLATER, R.W., « Global strategy and reward systems: the key roles of management development and corporate culture », *Organizational Dynamics*, AMA, New York, 1990, p. 27-41.

LINCOLN, J.F., « Incentive compensation: the way to industrial democracy », *Advanced Management*, février 1950, p. 17-18.

MAGNAN, M.L., « L'incidence de la performance d'une entreprise sur la rémunération de ses cadres supérieurs », *Gestion*, 15, 4, 1990, p. 9-16.

MAHONEY, T.A., « Employment compensation planning and strategy », dans GOMEZ-MEJIA, L.R. (dir.), *Compensation and Benefits*, ASPA-BNA Series No. 3, 1989, p. 1-28.

MAHONEY, T.A., « Understanding comparable worth: a societal and political perspective », *Research in Organizational Behavior*, 9, 1987, p. 209-245.

MARTEL, P., *La quantification des avantages sociaux*, exposé présenté au colloque annuel de l'Association des professionnels en ressources humaines du Québec (APRHQ), Montréal, 1981.

McCAFFERY, R.M., « Employee benefits and services », dans GOMEZ-MEJIA, L.R. (dir.), *Compensation and Benefits*, ASPA-BNA Series No. 3, 1989, p. 101-135.

McCANN, J.E., « Rewarding and supporting strategic planning », dans BALKIN, D.B. et GOMEZ-MEJIA, L.R. (dir.), *New Perspectives on Compensation*, Prentice-Hall, 1987, p. 356-363.

McKERSIE, R.B., « The promise of gainsharing », *ILR Report*, Ithaca (N.Y.), 24, 1, 1986, p. 7-11.

McKERSIE, R.B., MILLER, C.F. et QUATERMAN, W.E., « Some indicators of incentive plan prevalence », *Monthly Labor Review*, mai 1964, p. 271-276.

MEGGINSON, L.C., *Personnel Management: A Human Resources Approach*, 4ᵉ éd., Homewood (Ill.), Irwin, 1981, p. 434.

METZGER, B.L., *Profit Sharing in Perspective*, Evanston (Ill.), Profit Sharing Research Foundation, 1973.

MEYER, H.H., « How can we implement a pay-for-performance policy success-fully ? », dans BALKIN, D.B. et GOMEZ-MEJIA, L.R. (dir.), *New Perspectives on Compensation*, Prentice-Hall, 1978, p. 179-186.

MILES, P.E. et SNOW, C.C., *Organizational Strategy, Structure and Process*, New York, McGraw-Hill, 1978.

MILKOVICH, G.T., « A strategic perspective on compensation management », *Research in Personnel and Human Resources Management*, 6, 1988, p. 263-288.

MILKOVICH, G.T., « Compensation systems in high-technology companies », dans BALKIN, D.B. et GOMEZ-MEJIA, L.R. (dir.), *New Perspectives on Compen-sation*, Prentice-Hall, 1987, p. 269-277.

MILKOVICH, G.T. et NEWMAN, J.,*Compensation*, 3ᵉ éd., Homewood (Ill.), R.D. Irwin Inc., 1990, p. 333-351.

MUCZYK, J.P., « The strategic role of compensation », *Human Resource Planning*, 1988, p. 197-206.

NEMEROD, D.S., « Managing the sales compensation program: integrating factors for success », dans BALKIN, D.B. et GOMEZ-MEJIA, L.R. (dir.), *New Pers-pectives on Compensation*, Prentice-Hall, 1987, p. 258-268.

NEWMAN, J.M., « Compensation programs for special employee groups », dans GOMEZ-MEJIA, L.R. (dir.), *Compensation and Benefits*, ASPA-BNA Series No. 3, 1989, p. 182-215.

NEWMAN, J.M., « Compensation strategy in declining industries », *Human Resource Planning*, 11, 3, 1988, p. 197-206.

NEWMAN, J.M., « Selecting incentive plans to complement organizational strategy », dans BALKIN, D.B. et GOMEZ-MEJIA, L.R. (dir.), *New Perspectives on Compensation*, Prentice-Hall, 1987, p. 214-224.

NOVIT, M.S., *Essentials of Personnel Management*, Englewood Cliffs (N.J.), Prentice-Hall, 1979.

PATTEN, T.H. Jr., « How do you know if your job evaluation system is working ? », dans BALKIN, D.B. et GOMEZ-MEJIA, L.R. (dir.), *New Perspectives on Compensation*, Prentice-Hall, 1987, p. 10-19.

PATTEN, T.H. Jr., *Pay: Employee Compensation and Incentive Plans*, New York, The Free Press, 1977, p. 276.

PEARCE, J.L., « Why merit pay doesn't work: implications from organization theory », dans BALKIN, D.B. et GOMEZ-MEJIA, L.R. (dir.), *New Perspectives on Compensation*, Prentice-Hall, 1987, p. 169-178.

PORTER, M.E., *Competitive Advantage*, New York, The Free Press, 1985.

PORTER, M.E., *Competitive Strategy*, New York, The Free Press, 1980.

ROBBINS, S.P., *Personnel, the Management of Human Resources*, 2ᵉ éd., Englewood Cliffs (N.J.), Prentice-Hall, 1982, p. 369.

ROBINSON, D.D., WAHLSTROM, O.W. et MECHAM, R.C., « Comparison of job evaluation methods: a policy capturing approach using the P.A.Q. », *Journal of Applied Psychology*, 56, 1974, p. 633-637.

ROTHWELL, W.J. et KAZANAS, H.C., « Compensation and benefits », *Strategic Human Resources Planning and Management*, Prentice-Hall, 1988, p. 369-388.

RYNES, S.L. et MILKOVICH, G.T., « Wage surveys: dispelling some myths about the market wage », *Personnel Psychology*, 39, 1, 1986, p. 71-89.

SCHULER, R.S. et JACKSON, S.E., «Organizational strategy and organization level as determinants of human resource management practices», *Human Resource Planning*, 10, 3, 1987, p. 125-141.

SCHULTZ, C.F., «Compensating the sales professional», dans BALKIN, D.B. et GOMEZ-MEJIA, L.R. (dir.), *New Perspectives on Compensation*, Prentice-Hall, 1987, p. 250-257.

SCHULTZ, J.H., LEAVITT, T.D. et KELLY, L., «Private pensions fall far short of preretirement income levels», *Monthly Labor Review*, 102, 2, 1979, p. 28-32.

STEERS, R.M. et UNGSON, G.R., «Strategic issues in executive compensation decisions», dans BALKIN, D.B. et GOMEZ-MEJIA, L.R. (dir.), *New Perspectives on Compensation*, Prentice-Hall, 1987, p. 294-308.

STEINBRINK, J.P., «How to pay our sales force», *Harvard Business Review*, 56, 4, 1978, p. 111-122.

ST-ONGE, S., «The impacts of the pay-for-performance formulas on supervisor's performance evaluations and allocation decisions and on subordinate's work motivation», Rapport de la section P.R.H. de l'ASAC, Whistler, 1990, p. 136-146.

STONICK, P.J., «The performance measurement and reward systems: critical to strategic management», *Organizational Dynamics*, 12, 3, 1984, p. 45-57.

STONICK, P.J., «Using rewards in implementing strategy», *Strategic Management Journal*, 2, 1981, p. 345-352.

THÉRIAULT, R., *Gestion de la rémunération: politiques et pratiques efficaces et équitables*, Chicoutimi (Québec), Gaëtan Morin Éditeur, 1983, p. 221-255, 302-386.

THÉRIAULT, R. et CHARTRAND, M., «Équité salariale au Canada et aux États-Unis», dans *Équité en matière de salaire et d'emploi*, 19ᵉ colloque de l'École de relations industrielles (1988), Université de Montréal, 1989, p. 117-133.

TOMASAKI, R.M., «Focusing company reward systems to help achieve business objectives», *Management Review*, 71, 1982, p. 62-65.

TOSI, H., GOMEZ-MEJIA, L.R. et HINKIN, T.R., «When the cat is away, the mice will play: managerial control, performance, and executive compensation», dans BALKIN, D.B. et GOMEZ-MEJIA, L.R. (dir.), *New Perspectives on Compensation*, Prentice-Hall, 1987, p. 309-315.

TOSI, H. et TOSI, I., «What managers need to know about knowledge-based pay», dans *Organizational Dynamics*, 14, hiver 1986, p. 52-65.

VON GLINOW, M.A., «Reward strategies for attracting, evaluating, and retaining professionals», *Human Resource Management*, 24, 1985, p. 191-206.

WALLACE, M.J. Jr. et FAY, C.H., *Compensation Theory and Practice*, Boston (Mass.), Kent Publishing Co., 1983.

WEEKS, D.A., *Compensating Employees: Lessons of the 1970's*, Report No. 707, New York, The Conference Board, 1976, p. 12-14.

WEINBERG, I., «Zero-based merit increases are a cost-effective way to reward achievers», *Journal of Compensation and Benefits*, mai-juin 1987, p. 346-347.

WHITE, J.K.,«The scanlon plan: causes and correlates of success», *Academy of Management Journal*, 22, 1979, p. 292-312.

WILS, T., LABELLE, C., GUÉRIN, G. et LE LOUARN, J.-Y., «La gestion stratégique des ressources humaines: un reniement du rôle social de l'entreprise?», *Relations industrielles*, 44, 2, 1989, p. 354-374.

ZAGER, R., «Managing guaranteed employment», *Harvard Business Review*, 56, 3, 1978, p. 103-115.

ZISKIN, I.V., «Knowledge-based pay: a strategic analysis», *ILR Report*, 24, 1, 1986, p. 16-22.

ZOLLITSCH, H.G.,«Productivity, time study and incentive pay plans», dans YODER, D. et HENEMAN, H.G. Jr. (dir.), *Motivation and Commitment*, Washington (D.C.), Bureau of National Affairs, 1975, p. 51-75.

CHAPITRE 12

LES RELATIONS DU TRAVAIL

par André Petit

OBJECTIFS

Après l'étude de ce chapitre, vous devriez être en mesure:
- d'identifier les facteurs (ou conditions) qui favorisent l'émergence et le développement d'une approche stratégique en relations du travail;
- d'établir une liste des principaux objectifs poursuivis en relations du travail;
- d'identifier et d'expliquer le fonctionnement des principales stratégies patronales utilisées en relations du travail;
- d'appliquer l'approche stratégique aux principaux processus de relations du travail;
- d'expliquer les principales dispositions juridiques relatives aux relations du travail;
- d'expliquer les principales caractéristiques des organisations syndicales et patronales au Québec;
- d'identifier les conséquences de la présence syndicale dans les organisations.

MISE EN SITUATION

ACIERS INOXYDABLES ATLAS: 400 MILLIONS $ EN ÉCHANGE DE QUELQUES SACRIFICES

Les 411 travailleurs manuels d'Aciers inoxydables Atlas de Tracy ont consenti à réduire leur appétit salarial et à renon-

cer au recours à la grève pour les six prochaines années, contre des investissements de quelque 400 millions $ devant servir à l'expansion et à la modernisation de cette usine d'ici 1995, investissements annoncés hier par la compagnie en conférence de presse.

En présence du Premier ministre Robert Bourassa et de quatre de ses ministres, le président de la CSN, Gérald Larose, a souligné le caractère innovateur de ce contrat global de travail, qui prévoit de la formation profession-nelle, de l'embauche régionale et des sommes consacrées à la recherche et au développement.

Le porte-parole de la Fédération de la métallurgie (CSN), Benoît Capistran, a assuré qu'au Québec « c'est la première fois que se fait un tel accord global ».

Aciers inoxydables Atlas, une division du groupe sud-coréen Sammi Atlas, pourra compter sur un prêt garanti par le gouvernement du Québec de 105 millions $, a-t-il été confirmé hier.

Négociations

Le ministre de l'Industrie, du Commerce et de la Tech-nologie, Gérard Tremblay, a lancé les discussions, en jan-vier dernier, visant à convaincre les travailleurs manuels d'abandonner tout recours à la grève et de restreindre leurs demandes salariales pour les six prochaines années.

En contrepartie, les travailleurs manuels ont principalement obtenu la sécurité d'emploi et la garantie d'une formation professionnelle sur mesure, a-t-on appris hier au cours d'une conférence de presse.

C'est avec parcimonie que le président du conseil d'admi-nistration de Sammi Atlas, H.C. Kim, a fourni des infor-mations sur les investissements à venir.

Outre le prêt garanti par le gouvernement du Québec de 105 millions $, la compagnie sud-coréenne injecte dès maintenant une somme de 100 millions $. Un autre 50 millions $ s'ajoutera en octobre prochain.

La compagnie Aciers inoxydables Atlas investira également une partie ou la totalité de ses profits d'ici 1995, jusqu'à environ 100 millions $.

« *Ne vous en faites pas, de dire M. Kim, si cela ne suffit pas, la compagnie-mère comblera le reste.* »

Chose inhabituelle, dans les communiqués remis à la presse et dans les différentes déclarations, on incluait dans le montant d'investissement le fonds de roulement de Aciers inoxydables Atlas. L'investissement réel de 350 millions $ à 400 millions $ grimpait ainsi à 500 millions $.

Contrat global

Selon le vice-président du syndicat des travailleurs manuels (CSN), Normand Paul, une augmentation salariale totalisant 6 pour cent sur trois ans a été accordée récemment. Le salaire horaire moyen actuel est d'un peu plus de 19 $.

Les syndicats ont en outre reçu l'assurance que pour les trois années subséquentes, la compagnie ne pourra présenter des propositions comportant des baisses de salaire ou d'avantages sociaux.

S'il y a blocage lors de cette négociation, patrons et syndiqués devront obligatoirement recourir à l'arbitrage, la grève et le lock-out sont exclus, a indiqué M. Paul.

Une fois les nouvelles installations en place, autour de janvier 1993, la compagnie prévoit embaucher 335 personnes. La capacité de l'usine passera alors de 80 000 tonnes annuellement à 300 000 tonnes.

La compagnie Aciers inoxydables Atlas s'est engagée à recourir principalement à des travailleurs de la région de Sorel-Tracy pour combler les nouveaux postes.

Autres ententes

Aciers inoxydables Atlas transférera au Québec son siège social nord-américain, actuellement en Ontario, où travaillent une vingtaine de personnes.

Source : *La Tribune*, Sherbrooke, 9 avril 1991, p. C1.

QUESTION

Quels facteurs externes et quelles stratégies patronales et syndicales pouvons-nous imaginer comme étant à la source des initiatives décrites dans cet article ?

12.1 INTRODUCTION

La présence syndicale (réelle ou appréhendée) dans les organisations impose aux dirigeants d'entreprise toute une série de contraintes. L'une de ces contraintes concerne l'obligation de connaître et de bien comprendre:

1. la nature du système des relations du travail;

2. le rôle, les structures et les mécanismes de fonctionnement des organisations syndicales avec lesquelles il y a un risque d'interaction;

3. le rôle de l'État et de tierces parties (autres que patronales et syndicales) en ce qui touche les relations du travail;

4. les règles juridiques pertinentes aux relations entre la direction d'une entreprise et ses employés, surtout lorsque ces derniers sont syndiqués, mais même lorsqu'ils ne le sont pas.

C'est à ce contenu qu'est consacré le présent chapitre. Dans un premier temps, nous présenterons le modèle traditionnel des relations du travail qui s'inscrit dans une perspective systémique. Ensuite, nous décrirons une perspective qui, tout au long des années 80, a pris de plus en plus de place en relations du travail: celle des choix stratégiques. Puis, le cadre juridique des relations du travail au Québec sera brièvement présenté. Enfin, nous traiterons des institutions syndicales et patronales au Québec.

12.2 LE MODÈLE TRADITIONNEL DES RELATIONS DU TRAVAIL: LA PERSPECTIVE SYSTÉMIQUE

Il y a déjà plus de 30 ans maintenant, soit en 1958, le professeur Dunlop publiait un ouvrage très important intitulé *Industrial Relations Systems*. Cette contribution fournissait au domaine émergent des relations industrielles un cadre de référence théorique emprunté à la théorie des systèmes et destiné à faciliter la représentation de l'ensemble des variables intervenant dans un système de relations du travail. Malgré certaines critiques et plusieurs adaptations (c'est-à-dire des versions modifiées et renouvelées du modèle de base), le modèle systémique proposé par Dunlop continue d'être un point de référence obligatoire pour toute personne qui s'intéresse un tant soit peu au domaine des relations industrielles.

Selon Dunlop (1958, p. 5), les relations industrielles constituent un «sous-système analytique d'une société industrielle sur le même plan logique que le sous-système économique ». Aujourd'hui, les spécialistes du domaine des relations industrielles accordent à ce concept un sens beaucoup plus large que celui accordé par Dunlop. Ainsi, Grant et Mallette (1985, p. 606) définissent les relations industrielles comme « les relations aussi bien individuelles que collectives qui se nouent à l'occasion ou à propos du travail au sein des sociétés touchées par l'industrialisation ». Boivin et Guilbault (1989, p. 23), pour leur part, définissent les relations industrielles comme « la gestion des problèmes du travail dans une société industrielle ». L'objet propre des relations industrielles, selon Boivin et Guilbault (p. 24), porte sur les conflits qui « proviennent de l'interaction permanente entre l'efficacité requise par une saine gestion, le besoin de sécurité et de protection développé par les individus auxquels cette gestion s'applique et les politiques publiques développées par l'État ».

Ce sur quoi porte le modèle de Dunlop est aujourd'hui appelé les « relations du travail ». Grant et Mallette (1985, p. 606) définissent ce concept comme « l'ensemble des rapports et des conflits survenant entre les employeurs et leurs salariés, ainsi que leurs organisations respectives s'il y a lieu, et dont l'encadrement est défini en partie par l'État ». Ces rapports et ces conflits naissent lors de la détermination des conditions de travail. Le principal mécanisme alors analysé est celui des négociations collectives, même si on admet que les conditions de travail peuvent aussi être déterminées de plusieurs autres façons, par exemple sur la base d'une négociation entre un employeur et un employé à partir d'un décret ou d'une loi émanant de l'État, par une décision unilatérale de l'employeur avec ou sans consultation préalable des employés concernés, etc.

Le modèle systémique de Dunlop comporte trois groupes d'acteurs : le gouvernement, les employés et leurs associations, et les patrons et leurs associations. Ces acteurs sont liés (et le système est maintenu) par une commune idéologie, c'est-à-dire un ensemble de valeurs acceptées et partagées par la grande majorité des intervenants de chacune des parties. En Amérique du Nord, par exemple, ce sont les valeurs propres au capitalisme et au syndicalisme d'affaires qui ont fourni la base du système de négociations collectives par lequel les conflits d'intérêts (ou différends) entre les parties ont pu se résoudre, d'une façon plutôt paisible, dans le cadre d'accords fondamentalement privés (les conventions collectives).

Deux autres composantes du modèle de Dunlop concernent d'abord l'environnement qui influe sur les résultats en délimitant le pouvoir de négociation de chacune des parties, puis les résultats eux-mêmes que Dunlop a qualifiés d'un ensemble de règles (*a web of rules*). Ainsi, tout système de relations industrielles produit, selon Dunlop, un ensemble de règles qui encadrent la relation d'emploi en définissant les droits et les responsabilités des acteurs et des parties dans le système. Ces règles sont soit de contenu (par exemple, un niveau de salaire ou un nombre de jours de vacances), soit de processus (par exemple, en matière de discipline ou en relation avec les étapes d'une négociation). Ce sont donc les contextes qui permettent de prévoir ou d'expliquer (après coup) les règles particulières à une situation déterminée.

Comme l'illustre la figure 12.1, les contextes retenus par Dunlop sont respectivement les suivants :

FIGURE 12.1 *LE MODÈLE SYSTÉMIQUE DES RELATIONS INDUSTRIELLES SELON DUNLOP*

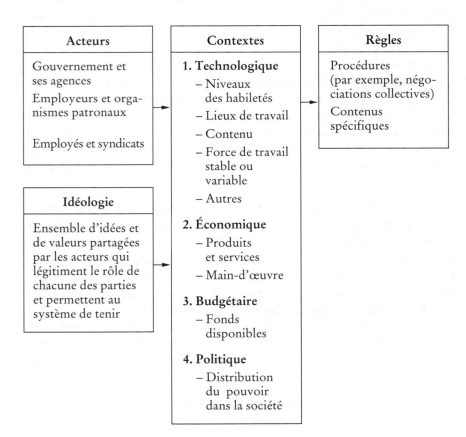

- les caractéristiques technologiques ;

- les caractéristiques économiques ou de marché ;

- les caractéristiques budgétaires ;

- la distribution du pouvoir dans la société.

Les versions modifiées du modèle de Dunlop sont extrêmement nombreuses. Presque chaque auteur en relations du travail y va de son petit modèle systémique. Nous ne ferons pas exception à cette pratique :

FIGURE 12.2 *UNE REPRÉSENTATION SYSTÉMIQUE DES RELATIONS DU TRAVAIL*

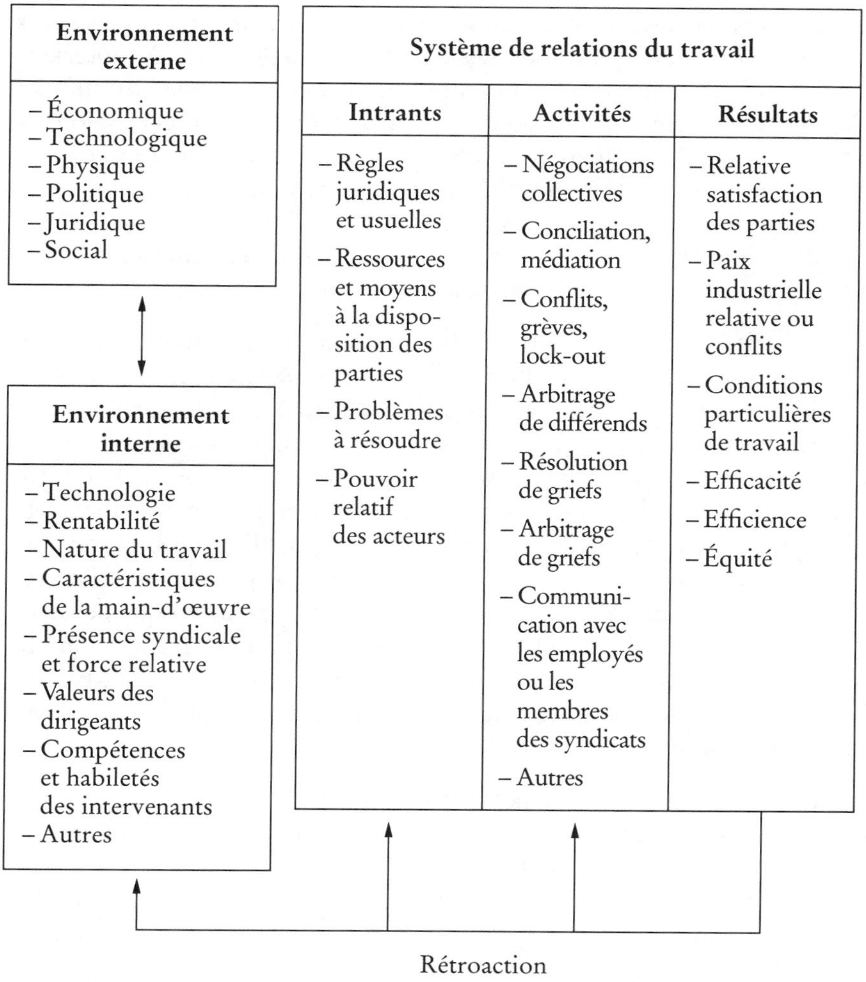

Environnement externe	Système de relations du travail		
	Intrants	Activités	Résultats
– Économique – Technologique – Physique – Politique – Juridique – Social	– Règles juridiques et usuelles – Ressources et moyens à la disposition des parties – Problèmes à résoudre – Pouvoir relatif des acteurs	– Négociations collectives – Conciliation, médiation – Conflits, grèves, lock-out – Arbitrage de différends – Résolution de griefs – Arbitrage de griefs – Communication avec les employés ou les membres des syndicats – Autres	– Relative satisfaction des parties – Paix industrielle relative ou conflits – Conditions particulières de travail – Efficacité – Efficience – Équité

Environnement interne

– Technologie
– Rentabilité
– Nature du travail
– Caractéristiques de la main-d'œuvre
– Présence syndicale et force relative
– Valeurs des dirigeants
– Compétences et habiletés des intervenants
– Autres

Rétroaction

la figure 12.2 illustre le modèle que nous proposons. Le système de relations du travail y est représenté comme étant influencé par une série de variables situées soit dans l'environnement externe (à l'extérieur de l'entreprise), soit dans l'environnement interne (dans une entreprise particulière, mais à l'extérieur du système de relations du travail). Le système lui-même comporte des **intrants**, prévoit des **activités** particulières et mène à l'obtention de **résultats**.

L'approche systémique fait clairement ressortir que les employeurs ne sont pas seuls maîtres à bord pour résoudre les problèmes associés à la recherche de l'efficacité et de l'efficience par le biais des employés. Dans leurs relations avec leur patron et la direction de l'entreprise, les employés peuvent d'abord faire appel à l'État pour fixer diverses règles du jeu, ainsi qu'à un syndicat pour recourir formellement aux processus de négociation et d'application des conventions collectives. À l'intérieur de ce système, les parties (État, employeurs et employés–syndicats) ont chacune des objectifs, des valeurs et un pouvoir qui évoluent selon les circonstances et l'influence de certains éléments de l'environnement. Ainsi, certains syndicats possèdent un énorme pouvoir de négociation qui force les employeurs concernés à faire des concessions. Dans d'autres circonstances, c'est la partie patronale qui peut amener la partie syndicale à d'importantes concessions.

En fait, les relations du travail sont souvent décrites comme un système d'adversaires (ou d'opposition). Les législateurs ont assumé que les employeurs et les salariés syndiqués sont divisés par une série d'enjeux où les intérêts et les objectifs des premiers ne concordent pas nécessairement avec les intérêts et les objectifs des seconds. Pour que des solutions satisfaisantes soient trouvées à ces problèmes d'intérêts divergents, on a posé comme prémisse (ou postulat) qu'il fallait que chacune des parties possède à peu près autant de pouvoir que l'autre. C'est de ce rapport de force en équilibre et en opposition que devaient surgir les règlements ou les accords entre les parties, puisque sur la base de leurs **intérêts communs**, il y a avantage pour les deux parties à ce qu'elles trouvent finalement des solutions à leurs **problèmes d'intérêts divergents**.

Donc, assez paradoxalement, le conflit industriel, avec son cortège de manifestations extérieures de désaccords, a été choisi par les hommes et les femmes politiques comme l'une des solutions à l'établissement d'une paix industrielle relative et respectueuse des droits et libertés des parties. En paraphrasant l'expression célèbre de Winston Churchill, on peut dire que malgré les heurts et les frictions, le système de relations du travail nord-américain est un peu comme la démocratie: ce n'est pas un très bon système, il soulève beaucoup d'insatisfactions, mais on n'a pas encore trouvé de meilleure solution. C'est en tout cas un système avec lequel de nombreux employeurs, qu'ils aiment cela ou non, doivent apprendre à vivre.

L'autre possibilité est la mise en place, par l'employeur, d'un ensemble de mécanismes et de conditions de travail qui amènent les employés salariés à conclure qu'ils n'ont pas besoin d'un syndicat pour être traités équitablement. Une gestion «proactive» et dynamique des ressources humaines peut faire ressortir plus clairement les intérêts communs des employeurs et de leurs salariés; elle peut aussi faire en sorte que des solutions satisfaisantes soient trouvées à ces problèmes d'intérêts divergents.

Les manifestations de conflits, qui sont une partie inhérente des relations du travail, doivent donc être considérées comme le prix qu'on doit collectivement payer pour notre incapacité à trouver des solutions pacifiques à ces problèmes, et aussi comme un risque qu'on prend pour continuer de vivre dans une société qui essaie, tant bien que mal, de promouvoir les valeurs occidentales de démocratie et de liberté (y compris la liberté d'association) encadrées par la notion de bien commun. À cet égard, l'évaluation qu'on peut finalement faire des résultats obtenus par le système des relations du travail en Amérique du Nord est plutôt positive, même si cela est loin de correspondre à un consensus.

Comme l'illustre la figure 12.2, les principales **activités** propres à un système de relations du travail concernent la négociation de conventions collectives, l'arbitrage de différends entre les parties, la résolution des griefs, le recours à la grève ou au lock-out, les communications avec les employés dans le cas de la partie patronale, ou avec les membres dans le cas de la partie syndicale, les rencontres entre les parties, les séances possibles de conciliation ou de médiation, les débats médiatiques, etc. Les principaux **résultats** s'expriment par la relative paix industrielle (le nombre et la durée des conflits de travail, le nombre de personnes touchées, le nombre de jours de travail perdus à cause de ces conflits, etc.), par la relative satisfaction des parties (qui peut être mesurée par un questionnaire d'attitudes ou par l'analyse des griefs) et par les conditions particulières de travail (les contenus de conventions collectives, des sentences arbitrales, des lois et règlements, des décrets ou des protocoles, etc.). Ces résultats facilitent ou inhibent l'atteinte des objectifs fondamentaux poursuivis en gestion des ressources humaines, à savoir l'efficacité, l'efficience et l'équité.

12.3 LA THÉORIE DES CHOIX STRATÉGIQUES

12.3.1 LE MODÈLE DE KOCHAN ET SES COLLÈGUES

En 1984, soit 26 ans après la publication du modèle de Dunlop, les auteurs Kochan, McKersie et Cappelli publiaient un article qui s'est avéré très important dans le domaine des relations du travail. Cet article, intitulé «Strategic choice and industrial relations theory», contient d'abord une remise en question du modèle systémique traditionnel en relations du travail. Il propose à la place un modèle ou une théorie dite des choix stratégiques.

Selon Kochan et ses collègues, le modèle traditionnel des relations du travail ne permet pas de reconnaître plusieurs changements importants qui sont survenus dans les relations du travail aux États-Unis, au cours des dernières années. Ces changements (qui ont aussi des répercussions dans d'autres sociétés) échapperaient à l'approche systémique et correspondraient plutôt à des anomalies. Parmi ces changements, signalons les plus importants.

1. **Déclin du syndicalisme**: Aux États-Unis, le taux de syndicalisation a connu une baisse tellement marquée que certains se demandent si cette institution est vraiment utile et nécessaire. Selon Kochan, le déclin du syndicalisme aux États-Unis ne peut s'expliquer uniquement par l'influence des variables de l'environnement ou des caractéristiques des parties. Des comportements nouveaux ont été adoptés et doivent être pris en considération pour expliquer la chute brutale des taux de syndicalisation.

2. **Changements des valeurs managériales**: Encore une fois, on souligne que le postulat du rôle légitime des organisations syndicales ne semble plus partagé par la majorité des employeurs américains, qui n'hésitent pas à afficher ouvertement leur opposition farouche à la présence syndicale et qui accordent une très haute priorité à des stratégies visant à se débarrasser d'un syndicat en place ou à éviter la syndicalisation. Dans ce contexte, les spécialistes des relations du travail auraient perdu du pouvoir au profit de la direction générale et des spécialistes de la gestion des ressources humaines capables de fournir aux problèmes du travail humain dans l'entreprise des solutions qui ne passent pas par l'affrontement avec le pouvoir syndical.

3. **Expériences de participation sur les lieux du travail**: Paradoxalement, le déclin du syndicalisme a été accompagné d'une montée

spectaculaire de diverses expériences de participation ou d'amélioration de la qualité de vie sur les lieux de travail. Certains observateurs ont tellement été impressionnés par ce phénomène qu'ils ont parlé de «nouvelles relations industrielles», où les relations entre adversaires sont remplacées par des efforts de collaboration entre partenaires. Selon Kochan et ses collègues, les théories disponibles ne permettent pas d'expliquer ces phénomènes.

4. **Initiatives patronales**: Traditionnellement, les changements dans les conditions de travail étaient généralement effectués à la suite de demandes syndicales auxquelles les employeurs réagissaient. De plus, les changements se faisaient pratiquement toujours dans une perspective d'amélioration et non de détérioration des conditions de travail.

Le phénomène nouveau auquel on assiste, selon Kochan et ses collègues, est que les patrons prennent de plus en plus l'initiative d'innover en matière de gestion des ressources humaines dans les milieux non syndiqués, ou de formuler des demandes de négociation qui aboutissent, bien souvent, à des concessions ou à une détérioration des conditions de travail dans les milieux syndiqués.

5. **Changements dans le rôle du gouvernement**: Finalement, on note une prolifération de nouvelles règles juridiques qui, au lieu de s'appliquer au système traditionnel des relations du travail, portent plutôt sur les droits individuels ou les normes minimales de travail (y compris les règles relatives à la santé et à la sécurité dans les milieux de travail).

Selon Kochan et ses collègues (1984, p. 20), le modèle traditionnel des relations du travail ne permet pas d'envisager que des décisions fondamentales puissent être prises par les employeurs (ou les patrons) à un niveau situé au-dessus des négociations collectives, ni que ces décisions puissent éventuellement miner la stabilité de plusieurs relations patronales–syndicales. En d'autres termes, le modèle traditionnel est trop exclusivement centré sur le processus de négociations collectives, ce qui amène les spécialistes et les observateurs à négliger l'importance des décisions prises à d'autres niveaux.

Le modèle proposé par Kochan et ses collègues comporte donc trois niveaux de décisions qui concernent les acteurs traditionnels en relations du travail, soit les employeurs, les syndicats et les gouvernements. Les trois niveaux, ou paliers, (présentés au tableau 12.1) sont les suivants:

1. le **palier supérieur**, ou sommet de l'organisation, où se prennent les décisions d'ordre stratégique dans l'entreprise;

Tableau 12.1 La matrice des stratégies en relations du travail selon Kochan, Katz et McKersie

Paliers	Employeurs	Syndicats	Gouvernement
Palier supérieur (sommet de l'organisation) Stratégies à long terme et élaboration de politiques	– Stratégies d'entreprise – Stratégies d'investissement – Stratégies de ressources humaines	– Stratégies politiques – Stratégies de représentation – Stratégies d'organisation	– Politiques macro-économiques et sociales
Palier intermédiaire Politiques de négociations collectives et relatives au personnel	– Politiques relatives au personnel – Stratégies de négociation	– Stratégies de négociations collectives	– Lois sur le travail – Administration des lois sur le travail
Palier inférieur (lieux de travail) Relations entre les individus, les groupes et l'organisation	– Style de supervision – Participation des employés à la gestion – Conception des postes de travail et organisation du travail	– Administration de la convention collective – Participation ouvrière – Conception des postes et organisation du travail	– Normes du travail – Droits individuels – Participation des employés

Source : KOCHAN, T.A., KATZ, H.C. et McKERSIE, R.B., *The Transformation of American Industrial Relations*, New York, Basic Books, 1986, p. 17.

2. le **palier intermédiaire**, où les représentants de la direction, par exemple les membres du service des relations du travail, rencontrent les représentants des salariés et négocient les règles traditionnelles contenues dans la convention collective ;

3. le **palier inférieur**, soit les lieux de travail, où s'exerce la relation entre les chefs de service et les employés.

Une deuxième partie du modèle proposé par Kochan et ses collègues consiste à présenter une séquence particulière de décisions d'entreprises dites stratégiques et influencées par des changements intervenus sur les marchés des produits (biens ou services). L'argument majeur soulevé par Kochan, McKersie et Cappelli (1984, p. 24-25) consiste à dire que vers la fin des années 70, les marchés des produits sont passés d'une situation de croissance, qui avait caractérisé les années 1945 à 1975, à une situation de maturité (production excédentaire où l'offre de produits est supérieure à la demande). Dans ce nouveau contexte, les entreprises ont dû réévaluer les avantages de demeurer dans le genre d'entreprise ou de secteur industriel où elles se trouvaient. Pour les entreprises qui ont décidé de rester, un changement fondamental des stratégies de relations du travail s'est produit. Au lieu de rechercher la paix industrielle de façon à maximiser la production, on aurait plutôt mis l'accent sur le contrôle des coûts de main-d'œuvre, la modification des règles de travail et l'augmentation de la productivité, de façon à pouvoir exercer une concurrence en matière de prix.

Parmi les nouvelles stratégies patronales destinées à relever le défi de la concurrence, mentionnons les actions suivantes :

— amener le syndicat en place à faire des concessions ;

— si possible, inciter les employés à souhaiter la disparition du syndicat ;

— à partir d'une stratégie d'innovation ou de qualité, trouver un créneau spécialisé du marché qui permet plus facilement de transférer aux consommateurs les coûts supérieurs de production ;

— procéder à de nouveaux investissements qui permettent d'accroître la productivité de l'entreprise, de changer la proportion des coûts associés au facteur main-d'œuvre, ou de partir à neuf (*greenfield site*) dans un contexte non syndiqué ;

— réévaluer le degré d'intégration verticale de la production dans l'entreprise et modifier la relation entre la production des employés de l'entreprise et celle confiée à des sous-traitants.

Selon Kochan et ses collègues (1984, p. 26-31), deux variables importantes influencent la capacité ou la latitude des employeurs dans le choix de leurs stratégies. Ces deux variables clés sont le niveau des négociations, c'est-à-dire leur degré de centralisation ou de décentralisation, et le taux de syndicalisation, c'est-à-dire la proportion d'employés qui sont membres d'un syndicat.

Kochan et ses collègues fournissent des exemples concrets de stratégies patronales utilisées récemment par des entreprises américaines dans un contexte où le taux de syndicalisation était plutôt faible, et où les négociations étaient décentralisées. Dans un tel contexte, il est difficile pour les syndicats de confronter suffisamment la partie patronale pour influer sur le processus de prise de décisions au palier supérieur de l'entreprise. La stratégie patronale privilégiée dans un tel cas consiste à réduire progressivement (ou abruptement dans certains cas) la capacité de production des unités syndiquées au profit des unités non syndiquées, et à développer, dans les secteurs non syndiqués, des approches innovatrices visant à accroître l'attachement des employés envers l'entreprise, donc à réduire la probabilité qu'ils veuillent se syndiquer.

Dans un contexte où les employés sont déjà massivement membres d'organisations syndicales et où les négociations sont centralisées, les pratiques patronales évoquées plus haut sont inefficaces. Aux États-Unis, ce fut le cas de nombreuses entreprises des secteurs de l'aviation, du camionnage et de l'automobile. Dans ce dernier secteur, les entreprises américaines, depuis le début des années 80, auraient eu recours aux pratiques suivantes :

– amener les syndicats à faire des concessions (*concession bargaining*) en échange, par exemple, d'une représentation syndicale accrue au conseil d'administration ;

– entreprendre divers efforts conjoints de stabilisation de l'emploi, par exemple en limitant la sous-traitance ;

– faire des investissements majeurs dans de nouvelles technologies ;

– appliquer des processus renouvelés et étendus de projets d'amélioration de la qualité de vie au travail (QVT) en mettant l'accent sur l'amélioration de la productivité et de la qualité, la modification de l'organisation du travail et la réduction des coûts.

La prochaine section de ce chapitre sera consacrée à la présentation d'un nouveau modèle des déterminants de stratégies en relations du travail. Ce modèle s'inspire des travaux du Massachusetts Institute of Technology (groupe MIT), tout en étant différent.

12.3.2 LE NOUVEAU MODÈLE DES DÉTERMINANTS DE STRATÉGIES EN RELATIONS DU TRAVAIL

LA DÉFINITION, LES NIVEAUX ET LES ÉLÉMENTS DE CONTENU DE STRATÉGIES EN RELATIONS DU TRAVAIL

Les stratégies en relations du travail (comme dans d'autres domaines) consistent simplement en un choix d'objectifs et de moyens qui se justifient par la contribution qu'ils apportent à la capacité de l'organisation de relever les défis de la concurrence et d'atteindre ses objectifs (Dyer et Holder, 1988, p. 4).

Le tableau 12.2 décrit quatre niveaux et leurs éléments de contenu de stratégies possibles en relations du travail, soit le niveau social et politique, le sommet de l'organisation, le niveau du service des res-

TABLEAU 12.2 LES NIVEAUX ET LES ÉLÉMENTS DE CONTENU DE STRATÉGIES POSSIBLES EN RELATIONS DU TRAVAIL

Niveaux	Éléments de contenu
Niveau social et politique (externe à l'entreprise)	Lobbying auprès des gouvernements Représentation médiatique
Sommet de l'entreprise (équipe de direction)	Choix des orientations majeures à privilégier en relations du travail Décisions d'investissement Évaluation des résultats
Service des ressources humaines (ou service du personnel ou des relations du travail)	Choix stratégiques et tactiques à effectuer quant aux processus de négociations collectives (préparation, déroulement, suites), d'application des conventions collectives ou de relations entre la direction et les employés
Relations entre chaque employé et son responsable immédiat	Façon d'organiser le travail, de rendre chaque employé responsable, d'évaluer les résultats, de créer une relation positive et de recourir, si nécessaire, aux mesures disciplinaires

sources humaines (où on retrouve les spécialistes en relations du travail) et le niveau des relations entre chaque employé et son responsable immédiat.

LES DÉTERMINANTS ET LES OPTIONS STRATÉGIQUES POSSIBLES POUR UNE ÉQUIPE DE DIRECTION

La figure 12.3 illustre les principaux déterminants de la stratégie choisie par une direction d'entreprise en matière de relations du travail. Ces déterminants sont soit des facteurs externes, soit des facteurs internes. Il s'agit des conditions politiques et juridiques, des conditions économiques et sociales, de la force relative des organisations syndicales dans la société, de la philosophie de gestion ou des valeurs des dirigeants, du taux de syndicalisation des employés de l'entreprise et du degré de centralisation des négociations collectives.

C'est en tenant compte de ces différents facteurs que les dirigeants choisissent une stratégie particulière en relations du travail. Les options disponibles sont illustrées à la figure 12.3. L'une de ces options ne peut pas être qualifiée de stratégique: il s'agit du cas hypothétique d'une direction d'entreprise qui ne se donne même pas la peine de clarifier ni

FIGURE 12.3 LES DÉTERMINANTS DU CHOIX STRATÉGIQUE EN RELATIONS DU TRAVAIL PAR UNE DIRECTION D'ENTREPRISE

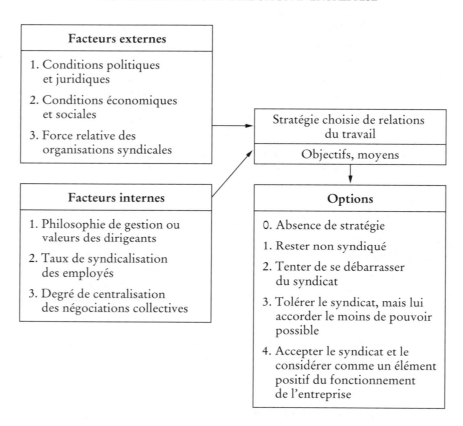

de formuler ses objectifs en relations du travail. Les autres options disponibles et qualifiées de stratégiques sont les suivantes: rester non syndiqué, tenter de se débarrasser du syndicat là où il est présent, tolérer le syndicat, mais faire en sorte qu'il ait le moins de pouvoir possible, et accepter le syndicat et le considérer comme un élément positif du fonctionnement de l'entreprise.

L'approche stratégique en relations du travail n'est pas récente. Dès 1951, les auteurs Harbison et Coleman faisaient paraître un ouvrage intitulé *Goals and Strategies in Collective Bargaining*. Dans ce document historique, ils présentaient trois modèles (ou «options stratégiques») de relations patronales–syndicales, soit la trêve armée, l'harmonie active et la collaboration étroite. Le tableau 12.3 présente quelques caractéristiques de ces modèles quant aux relations entre les parties et aux négociations collectives.

TABLEAU 12.3 LES MODÈLES DE RELATIONS PATRONALES–SYNDICALES
SELON HARBISON ET COLEMAN

Modèles de relations patronales–syndicales	Relations entre les parties	Négociations collectives
Trève armée	Relations conflictuelles Lutte permanente pour le pouvoir Oppositions inconditionnelles	Instrument de contestation Compromis sur des intérêts irréconciliables L'aboutissement dépend des rapports de force entre les parties
Harmonie active	Acceptation réciproque Attitude conciliante	Instrument de travail conjoint Moyen de réaliser les objectifs communs aux deux parties
Collaboration étroite	Le syndicat devient un outil indispensable à la gestion de l'entreprise Coopération organisée	Instrument de collaboration Processus de prise de décision conjointe

Source: HARBISON, F.H. et COLEMAN, J.R., *Goals and Strategies in Collective Bargaining*, New York, Harper & Row, 1951, p. 21-144.

L'opposition patronale au syndicalisme ne date donc pas d'hier. L'appel à des attitudes plus conciliantes et à des approches reposant plus sur la collaboration que sur l'affrontement continue de retenir l'attention (*pour une illustration relativement récente de ces exhortations, voir Lawler et Mohrman, 1987*).

Quelques autres typologies de relations patronales–syndicales ont été publiées (Selekman *et al.*, 1964; Fulmer, 1980, p. 60; Anderson, 1989). Contrairement aux anciennes, les nouvelles typologies mettent l'accent sur des objectifs et des comportements patronaux agressivement et ouvertement orientés vers des situations où les syndicats sont soit absents, soit combattus férocement. Ainsi, la typologie proposée par Anderson (1989, p. 110-118) comporte les trois options stratégiques suivantes: une stratégie d'acceptation du syndicat, une stratégie d'élimination ou de remplacement du syndicat (donc de guerre ouverte) et une stratégie visant à éviter la syndicalisation et à demeurer non syndiqué.

À chaque stratégie choisie correspond un éventail de tactiques. Dans le premier cas (acceptation du syndicat), il s'agit de tenter d'obtenir avec le syndicat le meilleur arrangement possible; ainsi, les tactiques privilégiées sont des pratiques régulières de préparation aux négociations, de négociations collectives, d'administration de la convention collective et de participation à des comités conjoints réunissant des représentants des parties patronales et syndicales, dans un climat de coopération ou de recherche conjointe de solutions à divers problèmes.

Dans le deuxième cas (se débarrasser du syndicat), les tactiques comprennent: des attaques directes contre le syndicat en place visant à le discréditer et à le faire décertifier; des changements technologiques et le recours à la sous-traitance (on procède à ces changements dans des établissements non syndiqués); la fermeture des installations où les syndicats ont réussi à s'introduire et l'ouverture de nouvelles installations (*greenfield sites*) dans des milieux où les probabilités de syndicalisation sont faibles.

Dans le troisième cas (rester non syndiqué), les tactiques comprennent: le recours à des politiques et à des procédures dites «progressistes» en gestion des ressources humaines (procédures internes de réclamation ou d'appel en cas d'injustice ressentie, service de counseling auprès des employés, mise en place d'un système efficace de communications internes, rémunération basée sur les qualifications, sondages fréquents des attitudes et opinions, etc.); le recours à divers mécanismes de gestion participative et à une plus grande participation des employés dans l'entreprise (cercles de qualité, groupes de QVT, groupes semi-autonomes de production, etc.); une opposition patronale bien préparée à faire face à toute tentative syndicale de convaincre les employés des mérites d'une syndicalisation, ce qui exige la formulation d'une politique précise d'opposition à la présence syndicale.

Paradoxalement, on peut constater que les pratiques progressistes de gestion des ressources humaines qui supposent le développement d'une relation de coopération entre les parties (patronales–syndicales ou direction–employés) se retrouvent autant lorsque la stratégie consiste à éviter la syndicalisation que lorsqu'elle consiste à accepter le syndicat et à tenter de développer avec lui une relation de confiance. Puisque, dans d'autres circonstances, les mêmes tactiques servent à combattre le syndicalisme, on peut comprendre la réticence et le scepticisme des représentants syndicaux, qui se voient parfois offrir de contribuer à la mise en place de pratiques progressistes de gestion des ressources humaines.

Selon Anderson (1989, p. 118), si les valeurs des dirigeants étaient le seul facteur dont il faut tenir compte dans le choix d'une stratégie de relations du travail, la plupart des entreprises choisiraient la stratégie visant à éviter la syndicalisation. Cependant, le choix de la stratégie optimale et des tactiques pour la réaliser ne doit ni ne peut reposer seulement sur les valeurs (souvent très conservatrices) des dirigeants. Les autres variables illustrées à la figure 12.3 (en particulier le cadre juridique) interviennent et rendent le choix stratégique plus complexe.

Concernant le choix d'une stratégie de relations du travail, on peut aussi se demander si les conséquences de la syndicalisation des employés sont aussi négatives que la plupart des employeurs semblent le croire. Les positions de divers spécialistes sur cette question sont plutôt contradictoires. Phillips (1977, p. 46-48), par exemple, identifie six raisons qui amènent les employeurs à considérer surtout les influences négatives de la syndicalisation. Ces raisons sont les suivantes:

1. **Dérangement**: La présence syndicale est perçue comme impliquant la mise en place de règles et de procédures rigides qui alourdissent les mécanismes de prise de décisions.

2. **Perte d'autorité**, sans une diminution correspondante de la responsabilité.

3. **Modification négative des attitudes des employés** envers l'employeur: Le syndicat est perçu comme stimulant l'agressivité des employés envers l'entreprise et les gestionnaires pour justifier son existence.

4. **Caractère peu représentatif des conseillers syndicaux**: Crainte patronale qu'une situation propre à l'entreprise ne soit pas considérée par les conseillers syndicaux pour des motifs politiques ou de stratégies syndicales.

5. **Influence négative sur l'efficience et l'efficacité** de l'entreprise.

6. **Mauvaise interprétation et mauvaise compréhension des attitudes et des comportements** de l'autre partie.

Selon Fossum (1984, p. 348-352), certaines des conséquences de la syndicalisation des employés seraient plutôt positives. Sur la base de recherches effectuées par Richard Freeman, Fossum soutient que les entreprises dont les employés sont syndiqués seraient de 20 % à 25 % plus productives que les entreprises comparables dont les employés ne sont pas syndiqués. Cependant, la syndicalisation entraînant des coûts salariaux de 15 % à 20 % plus élevés, la rentabilité (ou profitabilité) des firmes syndiquées serait plus faible que celle des firmes non syndiquées.

Nous ne disposons pas de données fiables permettant de pousser plus loin la réflexion sur cette question. Il n'y a pas non plus de données sur les proportions d'entreprises qui ont concrètement adopté l'une ou l'autre des stratégies évoquées plus haut. Cependant, le taux de syndicalisation au Québec étant de près de 40 %, un nombre élevé de dirigeants d'entreprise (surtout s'il s'agit de petites et de moyennes entreprises) se retrouvent devant des choix fort limités, qui se résument à ne retenir que des stratégies exigeant une coexistence plus ou moins pacifique avec un ou plusieurs syndicats. Dans un tel contexte, il est essentiel pour les gestionnaires de connaître les règles juridiques encadrant les relations du travail et les institutions que sont les instances syndicales. C'est là l'objet des deux prochaines sections de ce chapitre.

12.4 LE CONTEXTE JURIDIQUE DES RELATIONS DU TRAVAIL : UNE SYNTHÈSE PARTIELLE

Au Canada, le pouvoir de légiférer en matière de relations du travail est partagé entre le gouvernement fédéral et celui des provinces. Depuis le cas Snider, en 1925, les lois fédérales du travail ne s'appliquent qu'aux entreprises œuvrant dans les secteurs qui relèvent de la compétence fédérale en vertu de l'article 91 de l'Acte de l'Amérique du Nord britannique (AANB). Ces secteurs sont principalement : le transport par navire, les chemins de fer, la télégraphie, l'aéronautique, la radiodiffusion, les banques, toute entreprise que le Parlement du Canada déclare d'intérêt national par une loi fédérale (comme Bell Canada), et tout ouvrage, entreprise, ou affaire ne relevant pas du pouvoir législatif exclusif des provinces. Dans tous les autres secteurs, ce sont les lois provinciales qui s'appliquent aux relations du travail.

Pour le Québec, on estime généralement que la juridiction provinciale s'étend à environ 85 % des salariés, alors que la juridiction fédérale ne s'applique qu'à 15 % d'entre eux. La législation provinciale en matière de travail ne concerne pas que les rapports collectifs du travail. Elle s'étend également à ce qu'on peut qualifier de régime des conditions générales du travail, ou régime des normes du travail. Ce sont ces lois qui influent directement sur les mécanismes de détermination des conditions de travail des employés non syndiqués.

Le régime québécois des conditions générales du travail comporte un nombre assez élevé de lois, dont les principales dispositions seront présentées au tableau 12.4 (voir p. 601).

12.4.1 *LE CONTRAT INDIVIDUEL DE TRAVAIL*

La base de la relation contractuelle entre un employeur et un salarié est le contrat individuel de travail qui s'applique à tout salarié couvert ou non par une convention collective. L'encadrement juridique des contrats individuels de travail est d'ordre civil et correspond aux articles 1667 et suivants du *Code civil*, dans la section traitant du louage de services des ouvriers, domestiques et autres personnes. Lorsqu'une convention collective est signée, son contenu influe considérablement sur celui du contrat individuel de travail, mais, sauf si on le spécifie autrement d'une façon explicite, les règles générales relatives aux obligations d'un salarié et de son employeur ainsi qu'aux modes d'extinction du contrat de travail continuent de s'appliquer. Il est donc fondamental pour tout gestionnaire de prendre connaissance de ces règles.

Comme le souligne André Rousseau (1980, p. 18), «ce sont la doctrine et la jurisprudence qui ont dégagé les obligations essentielles et naturelles (*sic*) du contrat de travail». En effet, les articles pertinents du *Code civil* ne sont pas très explicites, et aucune autre loi ne porte sur cette question, même si diverses lois (dont la *Loi sur les normes du travail*) viennent encadrer et préciser la portée des obligations respectives des employeurs et des salariés.

Selon D'Aoust, Leclerc et Trudeau (1982, p. 33), ce qui distingue le contrat de travail des autres formes de contrats de louage de services est la subordination juridique du salarié à son employeur:

> *De façon générale, la subordination juridique se caractérise par le pouvoir de l'employeur de confier un travail spécifique au salarié et de lui préciser la façon de le faire. Cette clause du contrat de travail, le plus souvent implicite (art. 1024 C.C.), confère à l'employeur un pouvoir exclusif sur le contenu du travail, aussi bien que sur la méthode et le procédé. Bien entendu, ce pouvoir ne peut s'exercer à l'encontre des conditions générales fixées par la loi ou par une condition particulière prévue au contrat de travail lui-même (ou encore par la convention collective).*

Avec le temps, les tribunaux en sont venus à interpréter de façon très large la notion de subordination juridique, de sorte que, en certains cas, un simple lien administratif peut suffire à établir sa présence.

Pour le salarié, la première obligation essentielle qui découle de la relation d'emploi est d'exécuter lui-même le travail pour lequel il a été embauché, d'une manière diligente et conforme aux directives légitimes de son employeur: c'est l'obligation d'exécution. La somme de travail fournie doit respecter les normes fixées au contrat; si un horaire précis est établi, le salarié a l'obligation de le respecter et de consacrer à son travail tout le temps qu'il s'est engagé à y fournir. L'employeur est également en droit d'imposer au salarié des normes précises, mais raisonnables, de rendement à atteindre. S'il s'avère que le salarié est incapable de respecter ses obligations contractuelles, la relation d'emploi pourra être rompue (ou le contrat de travail annulé) par voie de mesure disciplinaire (si le salarié est responsable de la situation et peut y remédier) ou de mesure administrative (si le salarié n'est pas responsable de la situation et semble incapable d'y remédier).

La deuxième obligation essentielle d'un salarié est la loyauté envers son employeur. Cette obligation déborde la période des heures de travail et peut même être encore en vigueur après l'extinction du contrat liant les parties. Ainsi, le salarié doit éviter de causer du tort à son employeur; il doit même défendre ses intérêts. Le salarié est tenu de respecter les consignes relatives à la confidentialité des informations propres à l'entreprise; il n'a pas le droit de livrer des secrets de fabrication ou de fournir à une entreprise rivale la liste des clients.

Le salarié n'a pas le droit non plus d'accepter une rémunération occulte ou un pot-de-vin; les pourboires sont admis parce qu'ils sont habituellement reçus à la connaissance et avec l'autorisation de l'employeur, même si ce dernier n'en connaît pas le montant exact. Le salarié ne peut accepter un second emploi que si cela ne l'empêche pas de fournir un rendement adéquat dans son premier emploi. De plus, il ne peut solliciter ou occuper un second emploi qui le placerait en situation de concurrence avec le premier. Même s'il quitte son emploi, il devra s'abstenir de toute manœuvre déloyale envers son employeur précédent. La violation de l'obligation de loyauté peut être sanctionnée, selon le cas, par la rupture du contrat (cessation de la relation d'emploi) et par des réclamations de dommages et intérêts pour les préjudices causés à l'entreprise.

Pour les employeurs, la relation d'emploi avec un salarié comporte trois obligations essentielles. La première est de fournir au salarié le travail convenu, avec les instructions adéquates et au niveau hiérarchique convenu. La deuxième obligation de l'employeur est de payer le salaire convenu selon les modalités prévues et encadrées par la *Loi sur les normes du travail*. La troisième consiste à fournir un cadre de travail sécuritaire pour le salarié et pour ses biens. Cette troisième obligation des employeurs, même si elle trouve son fondement dans les interprétations faites par les juges des articles pertinents du *Code civil*, est aujourd'hui encadrée d'une façon très élaborée par diverses lois, dont la *Loi sur les établissements industriels et commerciaux*, la *Loi sur la santé et la sécurité du travail* ainsi que la *Loi sur les accidents du travail et les maladies professionnelles*.

Il y a diverses façons de mettre fin à un contrat individuel de travail. La première est celle qui résulte de l'**accord mutuel** des deux parties. La deuxième façon est celle de l'**arrivée du terme dans le cas précis d'un contrat à durée déterminée**. En ce cas, il faut prendre garde à la «tacite reconduction», c'est-à-dire que si le salarié demeure à son poste sans opposition de l'employeur pendant huit jours après l'échéance du contrat, on pourra considérer que les parties ont tacitement accepté de renouveler le contrat pour une durée égale à celle déjà convenue.

Le troisième mode d'extinction du contrat individuel de travail est celui de la **résiliation unilatérale volontaire**. Dans ce cas, la tradition civiliste a tenté de faire prévaloir les principes de l'égalité et de la liberté des contractants. Aujourd'hui, presque tous les juges reconnaissent que les parties à un contrat de travail ne sont pas égales dans les faits, puisque la démission d'un travailleur ne cause généralement que peu d'embarras à une entreprise, alors que le licenciement ou le congédiement du salarié place souvent ce dernier dans une situation très difficile. Les législateurs sont donc intervenus pour que les salariés conservent une relative liberté de démissionner d'un emploi et que les employeurs n'aient plus le droit de résilier unilatéralement un contrat de travail d'une façon aussi générale que dans le passé. Ainsi, dès qu'un travailleur qui n'a pas le statut de cadre a accumulé trois mois de service ininterrompu chez un même employeur, il a droit à un préavis écrit de licenciement si ce licenciement doit s'étendre sur une période d'au moins six mois. Cet avis doit précéder l'arrêt de travail d'au moins une semaine lorsque la durée de service est inférieure à un an, et de huit semaines si la durée de service de l'employé est supérieure à dix ans. L'employeur qui omet de donner le préavis doit verser au salarié, au moment de son départ, une indemnité compensatrice égale à son salaire pour une période égale à celle du préavis, sauf s'il peut démontrer que le salarié a commis une faute grave ou qu'il s'agit d'un cas fortuit (ou de force majeure).

Par ailleurs, et ce en vertu de l'article 124 de la *Loi sur les normes du travail*, un salarié qui justifie de trois ans de service continu chez un même employeur et qui croit avoir été congédié sans une cause juste et suffisante peut, même s'il occupe un poste de cadre, soumettre sa plainte par écrit à la Commission des normes du travail dans les 30 jours de son congédiement. Si, dans les 30 jours du dépôt de la plainte, aucun règlement satisfaisant les intéressés n'est intervenu et si le salarié le demande, la Commission doit nommer un arbitre qui traitera la plainte comme s'il s'agissait d'un grief au sens du *Code du travail*.

En plus des règles relatives au licenciement individuel, d'autres règles s'appliquent lorsque, sur une période de deux mois, une entreprise particulière se propose de licencier 10 salariés ou plus. C'est ce qu'on appelle un cas de «cessation collective d'emploi à l'initiative d'un employeur». C'est alors l'article 45 de la *Loi sur la formation et la qualification professionnelles de la main-d'œuvre* qui s'applique. Cet article stipule, entre autres, que l'employeur concerné doit expédier par la poste un préavis de licenciement collectif à la Direction de la main-d'œuvre. À la suite de cet avis, le ministère peut exiger que l'employeur participe immédiatement à l'organisation et au fonctionnement d'un comité de reclassement. Ces comités ont généralement pour mandat d'analyser la situation, d'inventorier et d'appliquer divers mécanismes visant à resituer, si possible, les salariés concernés dans le marché de l'emploi.

Le quatrième et dernier mode d'extinction du contrat individuel de travail est celui de la **résiliation unilatérale involontaire**. Ainsi, le décès de l'employé met évidemment fin au contrat. Il n'en est pas nécessairement de même si c'est l'employeur qui est décédé, puisque généralement, le contrat lie l'entreprise qui, elle, continue d'exister. L'article 97 de la *Loi sur les normes du travail* stipule également que «l'aliénation ou la concession totale ou partielle de l'entreprise, la modification de sa structure juridique, notamment par fusion, division ou autrement, n'affecte pas la continuité de l'application des normes du travail».

12.4.2 LES NORMES DU TRAVAIL

En 1979, la *Loi sur les normes du travail* a remplacé l'ancienne *Loi sur le salaire minimum*. En 1990, l'Assemblée nationale du Québec modifiait de façon assez substantielle cette même *Loi sur les normes du travail* (L.R.Q., c.N-1.1, modifiée par L.Q. 1990, c. 73). Sauf pour certaines exceptions, cette loi s'applique à tous les salariés du Québec qui œuvrent dans des entreprises régies par les lois provinciales. Elle stipule des règles et des conditions minimales de travail qui sont d'ordre public et qui doivent être respectées par tous les employeurs et pour tous les employés, que ces derniers soient syndiqués ou non. Un contrat individuel de travail, une convention collective ou un décret ne peuvent contrevenir à ces dispositions que si des conditions plus avantageuses sont accordées aux salariés concernés (art. 94, L.N.T.).

Les domaines touchés spécifiquement par la *Loi sur les normes du travail* sont le salaire, la durée du travail, les jours fériés, chômés et payés, les congés annuels payés (ou vacances), les repos et les congés divers, le préavis et le certificat de travail, la retraite, les uniformes de travail et les primes, indemnités et allocations diverses. Ces dispositions sont très importantes, et nous invitons le lecteur avisé à lire attentivement les articles de la *Loi sur les normes du travail* qui en traitent.

12.4.3 *LES AUTRES ÉLÉMENTS DU RÉGIME*

Comme l'indique le tableau 12.4, plusieurs autres lois font partie du régime des conditions générales du travail. Nous ne ferons qu'aborder

TABLEAU 12.4 *LA LISTE DES PRINCIPALES LOIS SUR LE TRAVAIL AU QUÉBEC*

Régime des rapports collectifs du travail

Extension à des tiers :

- *Loi sur les décrets de convention collective*

Exceptions :

- *Loi sur le régime syndical applicable à la Sûreté du Québec*
- *Loi sur les relations du travail dans l'industrie de la construction*

Régime général :

- *Code du travail du Québec*

Régime des conditions générales du travail

- *Code civil* (articles pertinents)
- *Charte des droits et libertés de la personne*
- *Loi sur les normes du travail*
- *Loi sur les accidents du travail et les maladies professionnelles*
- *Loi sur la santé et la sécurité du travail*
- *Loi sur les établissements industriels et commerciaux*
- *Loi sur la formation et la qualification professionnelles de la main-d'œuvre*
- *Charte de la langue française*
- Autres

ces lois, puisque la plupart sont présentées plus longuement dans d'autres chapitres du présent ouvrage. Ainsi, la *Charte des droits et libertés de la personne* (sanctionnée au Québec le 27 juin 1975) et son équivalent fédéral, la *Loi canadienne sur les droits de la personne* (toutes deux influencées par la *Loi constitutionnelle* de 1982), sont traités dans le chapitre 6 sur l'acquisition du personnel et dans le chapitre 7 sur les mouvements de personnel. Les lois relatives à la santé et à la sécurité du travail sont étudiées dans le chapitre 14.

En matière de relations collectives de travail, deux lois permettent à des groupes particuliers d'être traités d'une façon spéciale ; ce sont la *Loi sur le régime syndical applicable à la Sûreté du Québec* et la *Loi sur les relations du travail dans l'industrie de la construction*, qui ne seront pas étudiées ici.

La prochaine loi que nous décrirons sommairement est une exclusivité québécoise. En effet, en 1934, le Québec innovait et se distinguait de toutes les autres législations en Amérique du Nord en adoptant une loi d'inspiration européenne, la *Loi relative à l'extension des conventions collectives*. Cette loi, qui existe encore aujourd'hui sous le nom de *Loi sur les décrets de convention collective*, permet au gouvernement de rendre obligatoires, pour tous les salariés et employeurs d'un même métier ou d'un même secteur d'activité d'une région donnée, certaines des dispositions d'une convention collective particulière (par exemple les taux de salaires et les heures de travail). Ces dispositions prévalent sur tout contrat individuel moins généreux, et un comité paritaire formé par les parties à cette convention collective élargie (ou extensionnée) est chargé de prendre les initiatives requises pour les faire appliquer.

En 1964, le Québec se dote de ce qu'on continue d'appeler le *Code du travail*. Cette loi abroge la *Loi des relations ouvrières* et six autres lois antérieures. Malgré son titre, elle ne constitue pas un véritable code du travail, puisqu'elle ne traite que de relations du travail au sens strict. Le principal élément innovateur de cette loi concerne l'octroi du droit de grève aux employés du secteur public. Ce droit est réitéré en 1965, lorsque le Syndicat des fonctionnaires provinciaux du Québec est explicitement reconnu dans la *Loi sur la fonction publique*. Avec le nouveau *Code du travail* de 1964, l'arbitrage du différend est maintenant facultatif et nécessite le consentement des deux parties. Cependant, les policiers et les pompiers, parce qu'ils n'ont pas le droit de faire la grève, peuvent choisir ou se faire imposer l'arbitrage du différend en cas d'insuccès des négociations directes.

Depuis 1964, le *Code du travail du Québec* a été modifié à plusieurs reprises. En 1969, on abolit l'ancienne Commission des relations du travail pour la remplacer par une structure à trois paliers. Cette réforme est complétée en 1977, et les trois paliers en question sont composés de la façon suivante : les agents d'accréditation, les commissaires du travail et le tribunal du travail.

Cependant, la réforme de 1977 introduite par le Parti québécois comprend bien d'autres éléments : la conciliation volontaire, l'assouplissement de plusieurs des modalités de l'accréditation, le précompte obligatoire des cotisations syndicales, certaines obligations des associations accréditées, les dispositions anti-briseurs de grève, des dispositions particulières au secteur public, des modifications au cadre juridique de l'arbitrage des griefs, etc.

Le 7 mars 1984, le gouvernement décide de créer la Commission consultative sur le travail. Cette commission s'est penchée sur l'ensemble des lois du travail concernant le secteur privé pour en réviser la philosophie et proposer, s'il y a lieu, des modifications. À la fin de 1985, la Commission remet son rapport final, un travail qualifié de décevant par la plupart des observateurs. En décembre 1987, l'Assemblée nationale du Québec sanctionne en troisième lecture le projet de loi nº 30 intitulé *Loi constituant la Commission des relations du travail et modifiant diverses dispositions législatives* (chap. 85 des lois de 1987). C'est en quelque sorte un retour à la situation qui existait au Québec avant 1969.

Cette réforme (ou contre-réforme !) prévoit donc la création d'une Commission des relations du travail qui remplace à la fois le Tribunal du travail (qui est aboli) et le Bureau du commissaire général du travail (aboli également). Le lecteur avisé notera cependant que pour diverses raisons, **le ministre responsable des relations du travail au Québec n'a encore jamais procédé concrètement à cette réforme**.

Malgré cette modification de la législation, les règles relatives aux rapports collectifs du travail sont demeurées fondamentalement les mêmes. Le tableau 12.5 présente une vue d'ensemble des principales dispositions du *Code du travail du Québec*.

Comme le lecteur peut le constater, les dispositions du *Code du travail* concernent directement les relations patronales–syndicales, et en particulier les processus d'accréditation, de négociations collectives et d'application de conventions collectives. Nous traiterons de ces sujets plus en profondeur dans le prochain chapitre.

TABLEAU 12.5 LES PRINCIPALES DISPOSITIONS DU CODE DU TRAVAIL
         DU QUÉBEC

- Définitions et personnes visées (art. 1 et 2)
- Droit d'association et pratiques interdites (art. 3 à 20)
- Accréditation (art. 21 à 51)
- Avis de négociation (art. 52 et 53)
- Conciliation (art. 54 à 57)
- Droit à la grève ou au lock-out (art. 58)
- Convention collective (art. 62 à 73)
- Arbitrage possible du différend (art. 74 à 99)
- Arbitrage possible du grief (art. 100 à 104)
- Briseurs de grève (art. 109.1 à 110)
- Autres dispositions (art. 111 à 152)

12.5 LES INSTITUTIONS SYNDICALES ET PATRONALES AU QUÉBEC

En 1982, selon les statistiques publiées dans la deuxième édition du *Dictionnaire canadien des relations du travail* (Dion, 1986), plus de trois millions de travailleurs, soit environ 40 % des travailleurs non agricoles touchant un salaire, étaient représentés par des syndicats au Canada. Au Québec, pour la même année, on comptait au-delà de 800 000 travailleurs syndiqués ou représentés par un organisme syndical, ce qui correspondait également à environ 40 % des travailleurs non agricoles touchant un salaire. Le phénomène syndical au Canada et au Québec constitue donc une réalité d'autant plus importante que l'influence s'en fait sentir dans à peu près toutes les entreprises, que les employés soient syndiqués ou non.

Pour bien comprendre cette réalité, nous réviserons d'abord les principaux facteurs qui incitent les travailleurs à se joindre à des syndicats. Nous présenterons ensuite quelques-uns des jalons du développement historique du syndicalisme au Canada et au Québec. Puis, nous examinerons quelques données statistiques sur le syndicalisme, en particulier en ce qui a trait à l'affiliation syndicale. Enfin, nous tenterons de comprendre un peu mieux le fonctionnement des diverses centrales syndicales au Québec.

12.5.1 LES FACTEURS D'ADHÉSION AU SYNDICALISME

Comme l'indique la figure 12.4, l'adhésion au syndicalisme serait influencée par les trois principaux facteurs suivants:

FIGURE 12.4 LES PRINCIPAUX FACTEURS D'ADHÉSION AU SYNDICALISME

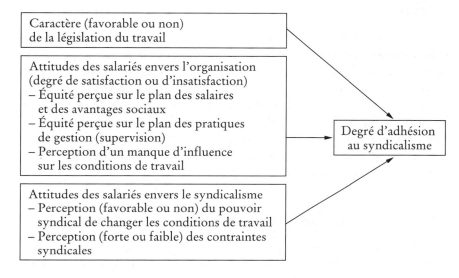

– le caractère (favorable ou non) de la législation du travail ;
– les attitudes des salariés envers l'organisation ;
– les attitudes des salariés envers les syndicats.

LA LÉGISLATION DU TRAVAIL

Alton W.J. Craig (1986, p. 57) signale avec justesse que la législation du travail peut soit favoriser, soit freiner la syndicalisation, particulièrement dans le cas des États-Unis et du Canada. Aux États-Unis, le *Wagner Act* de 1935 a eu une influence considérable sur la croissance du syndicalisme.

Cette loi américaine est, à juste titre, considérée comme la grande charte des relations du travail aux États-Unis, et comme le premier véritable code du travail en Amérique du Nord. Quelques années plus tard, le Canada et le Québec s'en inspirèrent massivement pour adopter respectivement le *Code canadien du travail* (1944 et 1948) et le *Code du travail du Québec* (1944 et 1964).

Lors de la révision du *Code du travail du Québec* en 1964, des amendements furent apportés afin de faciliter la syndicalisation et le recours à la négociation pour les nombreux employés des secteurs public et parapublic. Par ailleurs, la *Loi sur les relations du travail dans l'industrie de la construction* (d'abord adoptée en 1968) fit en sorte qu'à peu près tous les salariés de cette industrie sont maintenant syndiqués dans le cadre d'un régime que certains ont qualifié de «syndicalisme obligatoire».

Un travailleur qui, autrement, n'en aurait pas tellement le goût se voit fortement incité à joindre les rangs d'un syndicat si, en vertu de certaines dispositions légales ou conventionnelles, la cotisation syndicale est de toute façon prélevée sur son salaire ou si l'adhésion est obligatoire pour conserver son emploi. Ainsi, le *Code du travail du Québec* impose, depuis 1977, la retenue syndicale obligatoire (formule Rand). Les autres formes de «sécurité syndicale» (atelier fermé, parfait, imparfait, etc.) sont autorisées partout en Amérique du Nord, sauf dans certains États du sud des États-Unis.

LES ATTITUDES DES SALARIÉS ENVERS L'ORGANISATION

Le deuxième et peut-être le principal facteur qui permet de comprendre et de prédire l'adhésion d'un groupe d'employés au syndicalisme concerne les attitudes des salariés envers l'organisation. Le point premier est leur insatisfaction ou même leur frustration à l'égard de ce qu'ils perçoivent comme une situation injuste ou inéquitable sur le plan des conditions de travail (salaires, avantages sociaux, etc.) ou des pratiques de gestion (sécurité relative d'emploi possiblement menacée par des comportements inappropriés ou des décisions arbitraires des responsables hiérarchiques). Selon Kochan (1980, p. 144) et Brett (1985, p. 98), cette perception d'inéquité suscite un intérêt initial envers le syndicalisme; puis, cet intérêt est accru par une variable additionnelle, soit la perception d'un manque d'influence sur les conditions de travail.

LES ATTITUDES DES SALARIÉS ENVERS LE SYNDICALISME

L'adhésion au syndicalisme est également influencée par les attitudes, favorables ou non, que les salariés entretiennent à l'égard du pouvoir syndical (en particulier leur opinion sur la capacité d'un syndicat de vraiment changer ce qui les dérange) et des contraintes susceptibles d'être imposées par un syndicat (paiement de la cotisation, possibilité de grève, etc.).

En somme, la syndicalisation peut être attribuée soit aux dispositions légales, soit aux déficiences antérieures des mécanismes de gestion des ressources humaines, soit aux attitudes favorables des employés envers le syndicalisme.

12.5.2 Quelques jalons historiques

Pour interagir de façon intelligente et efficace avec un ou plusieurs syndicats, tout employeur doit posséder quelques notions de base sur les structures syndicales et leurs fondements historiques.

La structure syndicale de base

D'abord, les employés syndiqués d'une entreprise peuvent soit faire partie d'un même syndicat, soit être répartis entre plusieurs syndicats. La Presse inc. (à Montréal) est une entreprise dont les employés sont répartis entre plus de 15 syndicats locaux différents. La direction de l'Université de Sherbrooke doit transiger avec au moins cinq syndicats locaux différents et au moins deux autres organismes (des associations) qui représentent des groupes particuliers d'employés. Ces syndicats locaux peuvent être des entités juridiques distinctes (comme à la CSN) ou n'être que des sections d'un syndicat local plus large, dont la composition exacte est déterminée par les dirigeants d'une «union» (comme à la FTQ).

Les structures d'un syndicat local peuvent varier considérablement selon la taille (nombre de membres), le secteur d'activité ou les traditions syndicales. La figure 12.5 illustre le mode de fonctionnement général: les membres élisent parmi eux des personnes pour occuper les postes de président du syndicat local, de secrétaire et de trésorier, ainsi

FIGURE 12.5 La structure d'un syndicat local

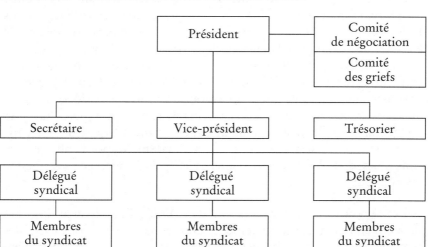

que pour les représenter en tant que **délégués** ou **membres de comités**, dont les deux plus importants sont le **comité de négociation** et le **comité des griefs**.

Certains syndicats locaux sont suffisamment riches pour se payer les services d'employés permanents à titre d'agent d'affaires, de directeur général, de secrétaire général, de conseiller syndical ou tout simplement de permanent syndical. Ces employés se retrouvent de toute façon dans les autres instances syndicales auxquelles la plupart des syndicats locaux s'affilient.

LES TYPES DE SYNDICATS

Historiquement, les syndicats locaux furent d'abord des **syndicats de métiers** (par exemple, des typographes ou des pressiers dans l'industrie de l'imprimerie, ou des charpentiers dans l'industrie de la construction), dont les ancêtres étaient les corporations de métiers (ou fraternités, ou guildes) de l'ère préindustrielle. Plusieurs des syndicats actuels portent encore des noms qui les rattachent à des groupes corporatifs organisés au cours des XVIIᵉ et XVIIIᵉ siècles. Vers la fin du XVIIIᵉ siècle, ces groupes ont été déclarés illégaux parce qu'ils nuisaient à la liberté de manœuvre des dirigeants d'entreprise. Ils étaient considérés comme des «conspirations restreignant la liberté de commerce».

Ainsi, la première révolution industrielle s'est produite dans un contexte de libéralisme à peu près total. (Le libéralisme économique est cette théorie, élaborée par Adam Smith et devenue une philosophie, en vertu de laquelle l'intervention gouvernementale dans l'économie est, en règle générale, indésirable, puisque lorsque chacun agit dans son intérêt propre, les individus finissent collectivement par réaliser le bien commun comme s'ils étaient conduits par une «main invisible».) Ce n'est qu'au cours du XIXᵉ siècle (en Angleterre et en France) et même au cours du XXᵉ siècle (aux États-Unis et au Canada) que les gouvernements ont établi des législations, d'abord pour décriminaliser le fait de s'associer pour négocier collectivement, puis pour accepter la négociation collective en tant que mécanisme adéquat de détermination des conditions de travail, et finalement pour obliger les employeurs dont les employés sont syndiqués à négocier «de bonne foi» avec eux.

Les syndicats sont donc apparus dans l'illégalité en vertu des postulats qui sous-tendent le système de libre concurrence. Pour éviter les désordres sociaux et politiques, les gouvernements ont graduellement été forcés de reconnaître ces «anomalies» que sont les syndicats. Les autres interventions de l'État ont toutes été orientées vers la prévention ou le règlement à l'amiable des conflits entre les employeurs et les syndicats. Tout en reconnaissant aux salariés (sauf quelques exceptions) le droit de faire la grève, on cherche à atténuer ou à réduire la fréquence de cette manifestation extérieure des conflits de travail. On recherche par tous les moyens possibles la paix industrielle, mais, dans cette recherche de moyens, la philosophie de base du rôle de l'État dans les relations patronales–syndicales demeure à peu près la même, soit s'en mêler le moins possible parce qu'il s'agit fondamentalement de questions privées d'ordre civil. Le libéralisme économique (ou néo-libéralisme) continue de faire sentir son influence.

L'ÉVOLUTION DES STRUCTURES

Comme le soulignent les auteurs Boivin et Guilbault (1982, p. 90-95), le développement des structures syndicales a suivi un cheminement analogue dans à peu près tous les pays capitalistes industrialisés. Ce sont d'abord des travailleurs spécialisés (de métiers) qui, en dépit de l'illégalité, ont réussi à forcer les employeurs à négocier avec eux. Mais ces organisations étaient précaires, «elles disparaissaient souvent plus rapidement qu'elles n'étaient apparues».

Pour se donner des moyens, des services et jouir un peu de la force du nombre, les syndicats locaux cherchent à se regrouper et créent d'abord des «conseils du travail», ou «conseils centraux». À l'intérieur d'un territoire déterminé (habituellement une ville), ces organismes représentent tous les syndicats affiliés à une même centrale syndicale; c'est un groupement interprofessionnel (c'est-à-dire plusieurs métiers et plusieurs secteurs industriels) de syndicats. Ces conseils ont comme mandat de «coordonner, soutenir et stimuler la vie syndicale à l'inté-rieur d'un territoire déterminé et de promouvoir les intérêts [...] des travailleurs [...] auprès des pouvoirs publics [...] ainsi que [...] des organismes collectifs» (Dion, 1986, p. 123).

Une deuxième étape d'évolution des structures syndicales consiste dans le rassemblement organique, sur une base territoriale le plus large possible (nationale ou internationale), de tous les syndicats locaux d'un même métier ou d'une même industrie. C'est ce qu'on appelle soit une «union», soit une «fédération». Ces organismes fournissent aux syn-dicats locaux les services techniques qui sont au cœur même de la vie syndicale, soit ceux qui ont trait à la négociation et à l'application des conventions collectives du secteur industriel ou du métier concerné. Au

Québec, le mot «union» est fréquemment utilisé en français par réfé-rence aux groupements syndicaux dont les noms anglais sont *interna-tional union* ou *national union*. Selon Gérard Dion (1986, p. 496):

> *[...] L'union est alors une organisation syndicale formée de sec-tions locales à qui elle a accordé une charte pour grouper les salariés dans les industries ou les métiers désignés dans ses sta-tuts. [...] Les fonds de l'union proviennent des cotisations des membres perçues par les sections locales.*

Une troisième et dernière étape d'évolution des structures syndi-cales se produit lorsque les militants des unions et des conseils du travail décident de créer un mécanisme additionnel de coordination de leurs initiatives et de représentation de leurs intérêts auprès des gouverne-ments nationaux. On parle alors de la création d'une centrale syndicale, soit un groupement d'unions (ou de fédérations), de conseils du travail (ou de conseils centraux) et d'autres instances syndicales intermédiaires à l'intérieur d'un État. Aux États-Unis, la principale centrale syndicale est la FAT–COI (Fédération américaine du travail – Congrès des orga-nisations industrielles). Au Canada, c'est le CTC (Congrès du travail du Canada). Au Québec, nous comptons la FTQ (Fédération des tra-vailleurs et travailleuses du Québec), la CSN (Confédération des syn-dicats nationaux), la CEQ (Centrale de l'enseignement du Québec) et la CSD (Centrale des syndicats démocratiques).

Boivin et Guilbault (1982, p. 45) rapportent que les premiers tra-vailleurs canadiens à se doter d'un syndicat local furent les imprimeurs de Québec en 1827. Ils signalent aussi qu'à cause des faiblesses des structures syndicales canadiennes et québécoises et pour des raisons d'efficacité dans l'action, les travailleurs canadiens et québécois se sont affiliés massivement aux unions internationales (surtout américaines, mais comprenant aussi des membres au Canada), et ce dès les années 1860.

Un autre phénomène assez particulier dans le développement des structures syndicales en Amérique du Nord est que jusqu'au milieu des années 50, le mouvement syndical a été en proie à de fortes divisions quant à la forme à donner aux syndicats locaux. Aux États-Unis, les syndicats de métiers et les unions les regroupant faisaient partie de la Fédération américaine du travail (FAT). Cette centrale était plus ancienne et beaucoup plus conservatrice que la centrale rivale, le Congrès des organisations industrielles (COI) qui, comme son nom l'indique, regroupait des unions de syndicats «industriels». Au Canada, le Congrès des métiers et du travail du Canada (CMTC) était le pendant de la FAT, alors que les unions industrielles se regroupaient depuis 1940 au sein du Congrès canadien du travail (CCT). Au Québec, la même division existait entre la Fédération provinciale du travail du Québec (FPTQ) et la Fédération des unions industrielles du Québec (FUIQ).

Au cours des années 1955, 1956 et 1957, un mouvement de fusion entre ces deux orientations se produisit. Il s'amorça d'abord aux États-Unis où, en décembre 1955, la FAT et le COI enterrèrent la hache de guerre pour créer la FAT–COI. Les organisations parentes du Canada (CMTC et CCT) ne furent pas longues à suivre l'exemple et, en avril 1956, le Congrès du travail du Canada (CTC) était créé. Au Québec, en février 1957, la fusion entre la FPTQ et la FUIQ permit la naissance de la FTQ.

La figure 12.6 illustre ce mouvement de fusion du syndicalisme nord-américain. Les figures 12.7 et 12.8 présentent un portrait plus global de l'évolution historique des organisations syndicales, tant au Canada qu'au Québec. La figure 12.8 illustre le cas particulier du Québec, où la présence d'une communauté catholique de langue française mena à la création, en 1921, de la Confédération des travailleurs catholiques du Canada (CTCC), laquelle devint, en 1960, la CSN. La Centrale des syndicats démocratiques (CSD), créée en 1972, naquit

FIGURE 12.6 *LE MOUVEMENT DE FUSION DU SYNDICALISME NORD-AMÉRICAIN*

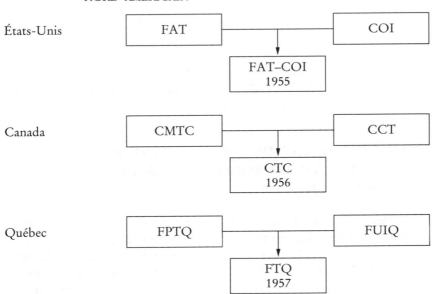

FIGURE 12.7 L'ÉVOLUTION HISTORIQUE DES ORGANISATIONS
SYNDICALES AU CANADA

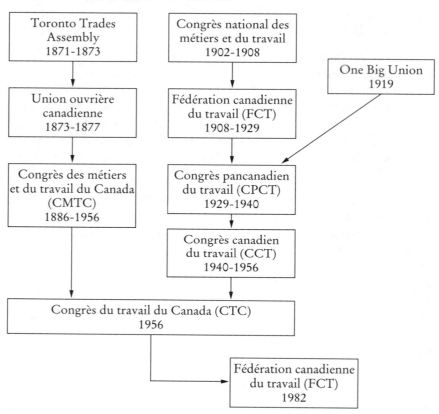

d'une scission survenue au sein de la CSN. Finalement, la Centrale de l'enseignement du Québec (CEQ) est une autre centrale syndicale autonome dont les origines sont à la fois corporatives et catholiques.

12.5.3 QUELQUES DONNÉES STATISTIQUES SUR LE SYNDICALISME AU CANADA ET AU QUÉBEC

Les tableaux 12.6 à 12.10 donnent un aperçu de la situation du syndicalisme au Canada et au Québec. En examinant le tableau 12.6, on constate qu'en 1981, la plus importante centrale syndicale au Canada était le CTC, composé à 54 % d'unions internationales et à 46 % d'unions nationales. Deux centrales dont les membres sont presque

FIGURE 12.8 L'ÉVOLUTION HISTORIQUE DES ORGANISATIONS
SYNDICALES AU QUÉBEC

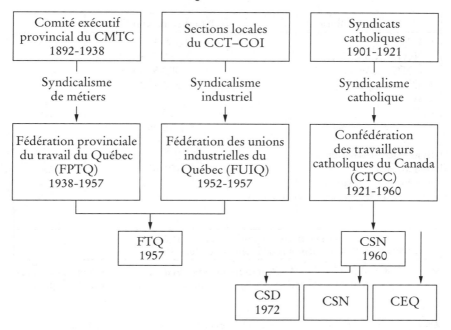

exclusivement au Québec (la CSN et la CSD) ne regroupaient que
7,2 % des effectifs. Finalement, un pourcentage assez élevé de membres
(23,8 %) se regroupaient dans des syndicats non affiliés ou des organisations locales indépendantes. De 1981 à 1990 (tableau 12.7), les
changements intervenus sont les suivants :

– scission au sein du CTC et création d'une nouvelle centrale, la
  Fédération canadienne du travail (FCT), par les dirigeants d'unions
  internationales de la construction ;

– renversement, au sein du CTC, de la proportion des unions internationales (de 54 % à 37 %) et des unions nationales (de 46 % à
  63 %).

Au cours des récentes années, le phénomène peut-être le plus mar-
quant chez nous a été la « canadianisation » des organisations syndicales,
c'est-à-dire que les liens entre les travailleurs canadiens et américains
au sein d'unions dites « internationales » ont été rompus au profit
d'unions nationales (unions ou regroupements syndicaux strictement
canadiens). Le cas le plus frappant est survenu au cours de l'année 1984
et s'est matérialisé en septembre 1985, lors d'un congrès de fondation :

TABLEAU 12.6 LA RÉPARTITION DES EFFECTIFS SYNDICAUX, CANADA, 1981

Affiliations	Nombre de syndiqués	%
CTC	2 369 351	68
FAT–COI et CTC	1 286 775 (54 %)	37
CTC seulement	1 082 576 (46 %)	31
CSN	210 430	6
CSD	44 263	1,2
CSC*	29 776	0,9
FAT–COI seulement	2 598	0,1
Syndicats internationaux non affiliés**	101 805	2,9
Syndicats nationaux non affiliés	641 430	18,4
Organisations locales indépendantes	87 018	2,5
Total	3 486 671	100

* Confédération des syndicats canadiens créée en 1972.
** Incluant les 92 000 membres de l'Union des Teamsters.

Source : TRAVAIL CANADA, *Répertoire des organisations de travailleurs au Canada 1981*, Ottawa, ministère des Approvisionnements et Services, 1981, p. 18.

TABLEAU 12.7 LA RÉPARTITION DES EFFECTIFS SYNDICAUX, CANADA, 1990

Affiliations	Nombre de syndiqués	%
CTC	2 360 656	58,6
FAT–COI et CTC	876 626 (37 %)	21,7
CTC seulement	1 484 030 (63 %)	36,8
CSN	211 810	5,3
FAT–COI et FCT*	203 304	5,0
CEQ	103 141	2,6
CSD	60 596	1,5
CSC	32 394	0,8
FAT–COI seulement	177 568	4,4
Syndicats internationaux non affiliés	15 597	0,4
Syndicats nationaux non affiliés	719 610	17,9
Organisations locales indépendantes	135 900	3,4
Total	4 020 576	100

* Fédération canadienne du travail créée le 19 mai 1981 à la suite d'une scission du CTC.

Source : TRAVAIL CANADA, *Répertoire des organisations de travailleurs et travailleuses du Canada 1990-91*, Ottawa, ministère des Approvisionnements et Services, 1990, p. 13.

les travailleurs canadiens de l'automobile ont quitté les rangs de l'union internationale pour créer le Syndicat national des travailleurs et travailleuses de l'automobile, de l'aérospatiale et de l'outillage agricole du Canada (TCA-Canada).

Les tableaux 12.8 et 12.9 font ressortir un deuxième phénomène propre au syndicalisme canadien, soit la montée et la prépondérance actuelle du syndicalisme dans les secteurs public et parapublic par rapport au secteur privé. On constate que c'est dans le secteur de l'administration publique que le taux de syndicalisation est le plus élevé (68,7 % en 1982 et 76,4 % en 1988). On constate également que les trois syndicats comptant le plus grand nombre de membres sont associés aux secteurs public et parapublic, alors que pendant de nombreuses années, c'est l'Union internationale des métallurgistes unis d'Amérique (associée au secteur privé) qui comptait le plus grand nombre de membres.

Enfin, le tableau 12.10 reflète la situation particulière de l'affiliation aux centrales syndicales pour l'année 1988 au Québec. Ce tableau révèle que l'organisme qui regroupe le plus grand nombre de membres et qu'on considère comme une centrale syndicale même s'il n'en est pas vraiment une est la FTQ (35,4 % des effectifs). La deuxième centrale

TABLEAU 12.8 LE TAUX DE SYNDICALISATION SELON LE SECTEUR D'ACTIVITÉ, CANADA, 1982 ET 1988

Secteurs	Taux de syndicalisation (%) 1982	Taux de syndicalisation (%) 1988
Administration publique	68,7	76,4
Construction	61,8	52,8
Transports et communications	54	56,6
Pêcheries et trappage	45,4	39
Manufactures	44,3	36,8
Forêts	39,3	47,3
Mines, carrières et raffinage	32,9	28,6
Services personnels	26,3	33,4
Commerce	9	10,4
Finance	3	3,4
Agriculture	0,2	1,9

Sources : STATISTIQUE CANADA, *Annual Report of the Minister of Supply and Services*, Ottawa, 1984, p. 60.
STATISTIQUE CANADA, *Rapport annuel du ministre de l'Industrie, des Sciences et de la Technologie 1988*, Ottawa, ministère des Approvisionnements et Services, cat. 71-202, 1990, p. 40.

TABLEAU 12.9 LES SYNDICATS COMPTANT LE PLUS GRAND NOMBRE
DE MEMBRES, CANADA, 1985 ET 1990

Syndicats	1985	1990
Syndicat canadien de la fonction publique (CTC)	296 000	376 900
Syndicat national des employés de gouvernements provinciaux (CTC)	245 000	301 200
Alliance de la fonction publique du Canada (CTC)	181 500	162 700
Métallurgistes unis d'Amérique (FAT–COI et CTC)	148 000	160 000
Union internationale des travailleurs de l'alimentation et du commerce (FAT–COI et CTC)	146 000	170 000
Syndicat national des travailleurs et travailleuses de l'automobile, de l'aérospatiale et de l'outillage agricole du Canada (CTC)	135 800	167 400
Fédération des affaires sociales (CSN)	93 000	94 600
Union internationale des Teamsters (Indépendant)	91 500	100 000
Centrale de l'enseignement du Québec (Indépendant)	90 000	Non disp.
Union internationale des charpentiers et menuisiers d'Amérique (FAT–COI)	73 000	Non disp.
Union internationale des employés de service (FAT–COI et CTC)	70 000	75 000

Sources : TRAVAIL CANADA, *Répertoire des organisations de travailleurs au Canada 1985*, Ottawa, ministère des Approvisionnements et Services, 1985, p. 18.
TRAVAIL CANADA, *Répertoire des organisations de travailleurs et travailleuses du Canada 1990-91*, Ottawa, ministère des Approvisionnements et Services, 1990, p. 15.

en importance est la CSN (22,4 %), suivie de loin par la CEQ (8,4 %) et la CSD (4,4 %). On peut noter également l'importance considérable des organisations syndicales indépendantes ou non affiliées (27 %).

12.5.4 LES STRUCTURES SYNDICALES AU QUÉBEC

Il convient maintenant d'examiner sommairement les structures des principales organisations syndicales du Québec, en respectant l'ordre

TABLEAU 12.10 LA RÉPARTITION DES EFFECTIFS SYNDICAUX, QUÉBEC,
1988

Affiliations	%
CEQ	8,4
CSC	0,7
CSD	4,4
CSN	22,4
FTQ*	35,4
CTC**	0,8
UPA	0,3
Indépendants***	27,0
Autres	–
Total	100

   * Il s'agit de membres de syndicats locaux également affiliés au CTC.
  ** Il s'agit de membres de syndicats locaux non affiliés à la FTQ puisque cette adhésion est facultative.
 *** Incluant le Syndicat des fonctionnaires provinciaux du Québec, l'Union des Teamsters, la Fédération des syndicats du secteur de l'aluminium, etc.

Source : FLEURY, G., « Un aperçu de l'état du syndicalisme au Québec en 1988 », *Le marché du travail*, Direction des communications, ministère du Travail, Gouvernement du Québec, 10, 1, janvier 1989, p. 16-17.

de leur importance numérique relative. Nous commencerons donc par la FTQ.

LA FÉDÉRATION DES TRAVAILLEURS ET TRAVAILLEUSES DU QUÉBEC (FTQ)

La FTQ ne constitue pas, à proprement parler, une centrale syndicale au même titre que la CSN, la CEQ ou la CSD. Elle n'est qu'une forme de regroupement volontaire (donc facultatif), sur le territoire du Québec, de sections locales d'unions internationales ou canadiennes également affiliées au CTC (figure 12.9). Formellement, la FTQ relève du CTC, puisqu'elle constitue une fédération provinciale et qu'elle possède sa charte (c'est-à-dire le document officiel qui lui a légalement donné naissance) du CTC.

Il faut bien remarquer que ce sont les unions internationales et canadiennes qui ont décidé de créer le CTC et la FTQ pour en faire des organismes de représentation et de coordination, et non des organismes de direction et de contrôle. En fait, les unions ont jalousement conservé la plupart des pouvoirs ; elles ont également conservé la gestion des services techniques fondamentaux (négociation et application de

FIGURE 12.9 Les structures de la FTQ et du CTC

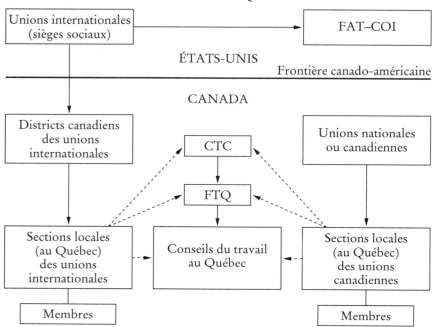

conventions collectives) et des fonds (en particulier le fonds de grève). Le rôle principal de la FTQ et du CTC est de promouvoir les intérêts des syndiqués auprès des gouvernements et des médias.

Au point de vue interne, les structures de la FTQ sont constituées d'un **congrès biennal** (qui a lieu tous les deux ans) où les délégués des sections locales et des conseils du travail élisent les membres d'un **conseil général** qui est l'instance décisionnelle entre les congrès, ainsi que les membres du **bureau de direction** qui comprend un président, un secrétaire général et neuf vice-présidents.

Formellement, la FTQ n'a que très peu de pouvoir, c'est-à-dire seulement celui que les syndicats locaux et les unions veulent bien lui reconnaître selon les circonstances. De plus, le caractère facultatif de l'adhésion à la FTQ des sections locales (qui peuvent s'en désaffilier très facilement) oblige les dirigeants de la FTQ à être très attentifs aux conséquences des politiques adoptées et des positions défendues. Finalement, le fait que la majorité des membres représentés par la FTQ se situe dans le secteur privé amène les dirigeants à défendre des positions sans doute plus réalistes (et plus proches des réalités économiques) que celles défendues par les dirigeants de la CSN ou de la CEQ, dont les membres œuvrent en majorité dans les secteurs public et parapublic.

LA CONFÉDÉRATION DES SYNDICATS NATIONAUX (CSN)

La CSN constitue formellement une véritable centrale syndicale autonome qui possède sur ses éléments constituants un pouvoir beaucoup plus grand que la FTQ. Suivant une tradition très importante au sein de la CSN et contrairement à ce qui existe pour les sections locales des unions nationales et internationales, chaque syndicat local forme une entité juridique distincte. Mais selon les statuts, toute décision des membres d'un syndicat local de s'affilier à la CSN implique une affiliation obligatoire aux trois instances suivantes : la CSN, qui est la centrale, une fédération professionnelle de la CSN et un conseil central de la CSN.

Les fédérations professionnelles de la CSN sont en quelque sorte l'équivalent des unions. Elles regroupent les syndicats locaux selon l'appartenance des membres à des secteurs d'activité (affaires sociales, construction, commerce, vêtement, etc.) et elles fournissent aux syndicats locaux des services techniques reliés à la négociation de conventions collectives et à la surveillance de leur application. Quant aux conseils centraux, ils regroupent les syndicats locaux de la CSN sur une base territoriale (habituellement une ville) et ils jouent un rôle plus politique, soit celui de représenter les syndiqués auprès des médias et des instances politiques locales.

Sur le plan interne (figure 12.10), les instances décisionnelles de la CSN sont d'abord un **congrès biennal** auquel assistent près de 1 000 délégués des syndicats locaux, des 22 conseils centraux et des 10 fédérations professionnelles. Des personnes désignées par les conseils centraux et par les fédérations siègent ensuite au **conseil confédéral** (environ 168 personnes) ainsi qu'au **bureau confédéral** (environ 50 personnes). Le tout est dirigé par le bureau de la direction composé de 6 personnes.

Au sujet de l'orientation idéologique plus radicale de la CSN, les auteurs Boivin et Guilbault (1982, p. 45) soulèvent une hypothèse intéressante selon laquelle la composition du bureau confédéral et du conseil confédéral, où les instances politiques (conseils centraux) se retrouvent en légère majorité par rapport aux instances de négociation collective (fédérations), expliquerait, du moins partiellement, cette différence de l'orientation idéologique de la CSN par rapport à la FTQ (tableau 12.11).

FIGURE 12.10 LA STRUCTURE DE LA CSN

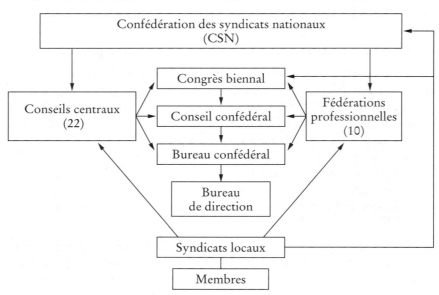

LA CENTRALE DE L'ENSEIGNEMENT DU QUÉBEC (CEQ)

Cónstituée légalement en centrale syndicale depuis 1972, mais portant son nom actuel depuis une modification de ses statuts en 1974, la CEQ compte sur un **congrès biennal** pour diriger sa destinée, et sur un **conseil général** pour être l'organe suprême de décision entre les congrès. Elle comporte également un **bureau national** composé de 11 personnes, qui agit comme un **comité de direction**. Les syndicats locaux ou provincial ainsi que les fédérations sont directement représentés au congrès et au conseil général (figure 12.11).

Sur le plan idéologique, les dirigeants de la CEQ tiennent un discours qui est très près de celui des dirigeants de la CSN; c'est peut-être parce que les membres de ces deux centrales sont majoritairement au service, directement ou indirectement, de l'État du Québec. À force de négocier avec le gouvernement, de se faire imposer des règles qui changent à presque toutes les rondes de négociations et, finalement, de devoir plier face à des lois spéciales de retour au travail et à des décrets imposant des conditions de travail, les membres ont choisi des dirigeants qui en ont long à dire sur la façon dont sont menées les destinées de la province et qui, fondamentalement, se méfient des représentants élus du pouvoir politique. D'ailleurs, seule la FTQ a manifesté un appui

Tableau 12.11 Les différences d'orientation entre la *FTQ* et la *CSN*

FTQ	CSN
1. Elle est sous la juridiction du CTC.	1. Elle est autonome et ne relève d'aucune autre instance.
2. Les unions ne relèvent pas de la FTQ.	2. Les fédérations relèvent obligatoirement de la CSN.
3. Les sections locales n'ont pas d'existence juridique propre ; elles sont assujetties aux unions.	3. Les syndicats locaux sont juridiquement autonomes ; ils ne sont pas la propriété juridique des fédérations.
4. Le fonds de grève est géré par les unions, et non par la FTQ.	4. La CSN a la haute main sur un fonds de grève commun à tous les syndicats locaux et à toutes les fédérations.
5. Elle a peu de pouvoir et peu de permanents.	5. Elle a beaucoup de permanents et de pouvoir vis-à-vis de ses organismes affiliés.
6. Ce sont surtout les unions qui fournissent les services.	6. La centrale fournit plusieurs services.
7. La présence des représentants des unions dans les structures de décision est majoritaire.	7. La présence des représentants des conseils centraux dans les structures de décision est majoritaire.

Figure 12.11 La structure de la *CEQ*

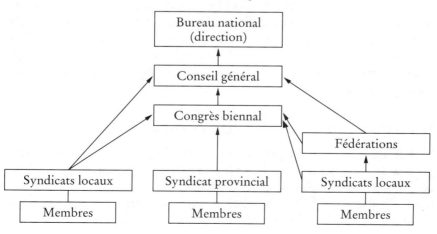

explicite au Parti québécois pendant son règne, malgré le «préjugé favorable» déclaré par ce dernier envers les centrales syndicales.

LA CENTRALE DES SYNDICATS DÉMOCRATIQUES (CSD)

Une querelle idéologique au sein même de la CSN a mené à la création, en 1972, de la CSD. Pour se démarquer de la CSN, les fondateurs de cette petite centrale ont voulu se donner des structures et des règles de fonctionnement qui favoriseraient la «démocratie directe».

Comme à la CSN et à la FTQ, l'instance suprême de la CSD est un **congrès**, mais seuls les syndicats locaux y sont représentés. Un **comité de direction,** composé de 5 membres élus par le congrès, doit, tous les mois, faire rapport à un **conseil de direction** qui compte environ 14 personnes. Il doit également, tous les trois mois, faire rapport à une **assemblée plénière** qui agit comme instance décisionnelle entre les congrès, et où les syndicats locaux sont directement représentés. Comme à la CSN, le fonds de défense professionnelle est centralisé. En fait, les fédérations n'ont à peu près pas de pouvoir, et il n'y a pas de conseils centraux à proprement parler, car si de telles formes de regroupement sont possibles (article III des règlements de la CSD), elles ne sont pas obligatoires. Ce fonctionnement est illustré à la figure 12.12.

12.5.5 LES ORGANISATIONS PATRONALES

En matière de relations du travail, comme en bien d'autres matières d'ailleurs, les employeurs ne sont pas naturellement portés à s'associer, puisque le système économique dans lequel nous vivons suppose que les entreprises sont en concurrence. D'ailleurs, la plupart des entreprises (environ 90 %) négocient individuellement leurs conventions collectives. Malgré cet état de fait, les employeurs comptent quand même sur divers organismes pour contrebalancer le pouvoir syndical et représenter le monde patronal auprès des médias et de diverses instances gouvernementales.

LES ORGANISATIONS PATRONALES VERTICALES

Une première forme d'organisations patronales, dites verticales, correspond à des regroupements d'employeurs dans des secteurs particuliers de l'activité socio-économique, par exemple l'Association des constructeurs d'habitation de Sherbrooke, ou l'Association des hôpitaux de la province de Québec (AHPQ), ou encore l'Association des fabricants

FIGURE 12.12 LA STRUCTURE DE LA CSD

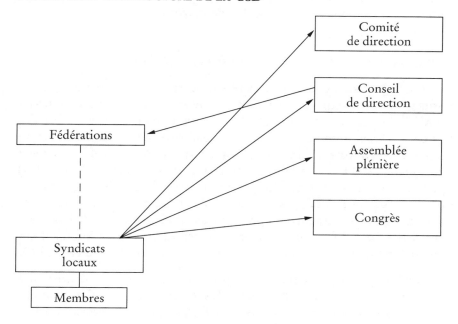

de meubles du Québec. Ces associations sont nombreuses, et une entreprise particulière peut être membre de plusieurs d'entre elles. Les services rendus aux membres varient d'une association à l'autre, mais ils comprennent généralement la tenue de colloques ou de rencontres d'échanges d'informations, la rédaction de dossiers de prise de position en diverses matières et la représentation auprès des instances gouvernementales et des médias.

LES ORGANISATIONS PATRONALES HORIZONTALES

Une deuxième forme d'organisations patronales, dites horizontales, correspond à des regroupements d'employeurs sur une base territoriale (locale, régionale, provinciale ou nationale), indépendamment du secteur d'activité. Sur le plan local, on retrouve surtout des chambres de commerce. On en compte plus de 200 au Québec, qui constituent, à l'échelle provinciale, la Chambre de commerce de la province de Québec (CCPQ). Il ne s'agit pas vraiment d'un organisme patronal, puisque toute personne intéressée peut devenir membre d'une chambre locale et, par cette voie, accéder à la CCPQ. Les préoccupations de la CCPQ sont donc larges et touchent de nombreux sujets. Très souvent cependant, ses dirigeants se prononcent sur les relations du travail en adoptant, évidemment, le point de vue patronal.

LE CONSEIL DU PATRONAT DU QUÉBEC (CPQ)

La CCPQ existe depuis 1910 et répond certes à divers besoins, dont, principalement, ceux des dirigeants de petites et moyennes entreprises (PME). Les employeurs du Québec ont cependant ressenti le besoin, au cours des années 60, de créer un organisme qui aurait un caractère essentiellement patronal. Cet organisme s'appelle le Conseil du patronat du Québec (CPQ). Il a fallu six années d'efforts (entre 1963 et 1969) pour qu'un tel organisme voie le jour, à partir d'une réunion tenue en février 1963 jusqu'à la première assemblée générale des membres le 20 janvier 1969, en passant par la première assemblée officielle de fondation en 1964 et par l'obtention des lettres patentes en mars 1966 (Dufour, 1980). La figure 12.13 illustre les structures du CPQ et de la CCPQ.

Le CPQ est une fédération d'associations patronales déjà existantes (tant horizontales que verticales). Plus d'une centaine d'associations patronales diverses sont membres du CPQ, qui fait également appel au soutien financier d'environ 300 entreprises ayant le statut de « membres corporatifs ». Parmi les associations patronales membres, trois seulement sont de type horizontal ; les autres sont de type vertical. Les trois associations de type horizontal sont le Centre des dirigeants d'entreprises, l'Association des manufacturiers canadiens (section du Québec) et la Chambre de commerce du Montréal métropolitain. On notera que, le 23 juin 1992, le Montreal Board of Trade a fusionné avec celle-ci. Aussi,

FIGURE 12.13 LES STRUCTURES DU CPQ ET DE LA CCPQ

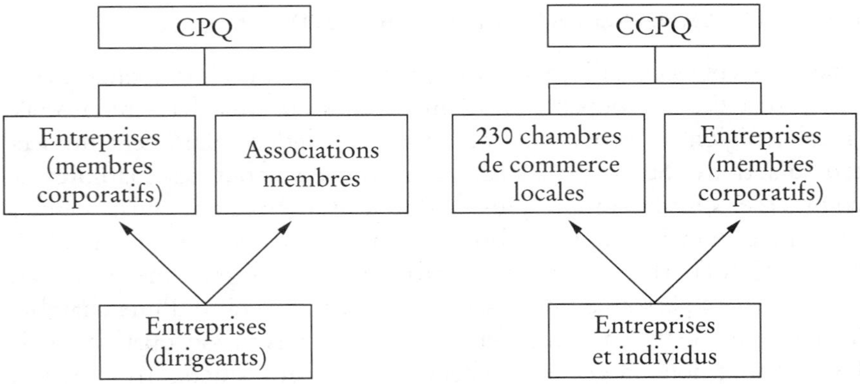

la CCPQ et les autres chambres de commerce ne font pas partie du CPQ.

Les dirigeants et les employés du CPQ rédigent des mémoires et les présentent au gouvernement, organisent des conférences de presse, participent à des colloques, à des congrès, à des émissions de radio ou de télévision, publient des bulletins d'information et des brochures et organisent diverses sessions d'étude. Le CPQ émet également des avis sur les projets de loi ou de règlement susceptibles d'avoir un effet sur la vie des entreprises ; il s'assure d'une représentation patronale adéquate dans divers organismes gouvernementaux, tels le Conseil consultatif du travail et de la main-d'œuvre, la Commission sur la santé et la sécurité du travail, la Commission des normes du travail, etc. L'ensemble des entreprises représentées par le CPQ ont à leur service environ 80 % de la main-d'œuvre du Québec.

Comme l'illustre l'organigramme interne présenté à la figure 12.14, le conseil d'administration du CPQ est composé de 28 personnes, dont 22 proviennent des associations et 4 seulement du Bureau des gouverneurs. Cette dernière instance comprend 30 personnes et représente environ 300 entreprises qui, à titre de membres, fournissent environ 80 % du budget du CPQ.

Comme le signalent Boivin et Guilbault (1982, p. 118-130) sur la base, entre autres choses, d'une recherche effectuée par Bauer (1976), même s'il subsiste encore beaucoup de méfiance dans les PME envers les associations, les cadres des grandes entreprises sont systématiquement présents dans toutes les associations susceptibles de contribuer à la défense ou à la promotion de leurs intérêts et des intérêts de leur entreprise.

FIGURE 12.14 L'ORGANIGRAMME INTERNE DU CPQ

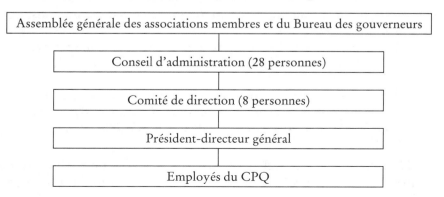

12.6 CONCLUSION

La présence des institutions syndicales dans la société et dans les organisations ainsi que les règles juridiques relatives aux relations entre les dirigeants d'entreprise et leurs employés posent des défis considérables aux gestionnaires, et en particulier aux spécialistes en gestion des ressources humaines.

Non seulement il y a une obligation de connaître et de comprendre les règles applicables à ces situations, puisque «nul n'est censé ignorer la loi», mais l'obligation principale est sans doute d'adopter envers les employés et les syndicats des attitudes d'ouverture à la recherche active de solutions aux problèmes qui préoccupent les employés. La gestion «proactive» ou préventive des ressources humaines ne constitue pas une garantie que les dirigeants d'une entreprise ne rencontreront pas divers problèmes dans leurs relations avec leurs employés et les syndicats qui les représentent; cependant, cette approche permet généralement de préserver à la fois l'efficacité, l'efficience, l'équité et la satisfaction des parties en cause.

Les auteurs Werther, Davis et Lee-Gosselin (1985, p. 571) soulignent qu'en matière de relations patronales–syndicales, les dirigeants d'entreprise ont tout intérêt à viser l'amélioration de la coopération. Parmi les moyens disponibles pour promouvoir cet objectif, ils mentionnent:

- *une consultation préalable avec les leaders syndicaux pour résoudre les problèmes avant qu'ils ne deviennent des griefs,*
- *une préoccupation sincère à l'égard des problèmes et du bien-être des employés, même lorsque la convention collective n'oblige pas la direction à le faire,*
- *des programmes de formation portant sur la convention collective, ayant pour objectif de communiquer l'intention des négociateurs patronaux et syndicaux et de réduire les biais et les malentendus,*
- *des comités d'étude conjoints permettant aux représentants syndicaux et à la direction de trouver des solutions aux problèmes communs, et*
- *une tierce partie qui peut offrir des conseils de même que des programmes destinés à rapprocher les leaders syndicaux et les gestionnaires dans la poursuite de leurs objectifs communs.*

L'établissement d'une relation basée sur la franche coopération entre la direction et les employés est une tâche qui nécessite beaucoup de temps et d'énergie. C'est un projet à long terme auquel les gestionnaires doivent continuellement travailler. De plus, les spécialistes en gestion des ressources humaines ne peuvent pas relever ce défi seuls. Ils doivent obtenir la collaboration et l'appui de l'ensemble des autres gestionnaires, en particulier des membres de la haute direction.

QUESTIONS

1. En vous inspirant des définitions énoncées par divers auteurs, formulez votre propre définition des termes «relations industrielles», «relations du travail» et «gestion des ressources humaines».

2. En vous inspirant du modèle de Dunlop, choisissez un secteur précis du travail (une entreprise ou une industrie) et identifiez quatre règles propres au domaine des relations du travail (deux de ces règles doivent être substantives ou porter sur le contenu, les deux autres doivent porter sur les processus).

3. Dressez une liste de cinq activités propres au domaine des relations du travail et définissez ensuite chacun de vos cinq termes.

4. Expliquez le paradoxe qui veut qu'en relations du travail, le conflit a été choisi comme mécanisme d'obtention de la paix industrielle.

5. Établissez un lien entre les conflits de travail et les valeurs occidentales de démocratie et de liberté. Quelle est la limite fondamentale à l'expression des libertés individuelles et collectives?

6. Identifiez trois des cinq événements importants qui, selon le groupe du MIT, seraient survenus dans la société américaine et auraient remis en question la conception traditionnelle des relations du travail. Expliquez ensuite en quoi ces événements constituent des «anomalies».

7. Quelles sont les deux variables clés qui, selon le groupe du MIT, permettent à une direction d'entreprise, ou l'en empêchent, de faire certains choix stratégiques en relations du travail? Expliquez la relation entre ces variables et les choix stratégiques privilégiés dans certaines industries.

8. Il semble bien que s'ils avaient le choix, la large majorité des employeurs éviteraient la syndicalisation de leurs employés. Compte tenu de ce que vous savez des conséquences de la syndicalisation, ce choix des employeurs est-il logique et rationnel? En d'autres termes, les craintes des employeurs sont-elles fondées? Expliquez votre réponse.

BIBLIOGRAPHIE

ANDERSON, J.C., « The strategic management of labour relations », dans ANDERSON, J.C., GUNDERSON, M. et PONAK, A. (dir.), *Union-Management Relations in Canada*, 2ᵉ éd., Addison-Wesley Publishers, 1989, p. 99-124.

BAUER, J., « Patrons et patronat au Québec », *Revue canadienne de science politique*, 9, 3, septembre 1976, extraits de *Les employeurs et leurs associations face aux syndicats et aux pouvoirs publics au Québec*, thèse de doctorat non publiée, présentée à l'Université de Paris (Sorbonne) le 29 mai 1974.

BOIVIN, J. et GUILBAULT, J., *Les relations patronales–syndicales*, 2ᵉ éd., Boucherville, Gaëtan Morin Éditeur, 1989, p. 23.

BOIVIN, J. et GUILBAULT, J., *Les relations patronales–syndicales au Québec*, Chicoutimi, Gaëtan Morin Éditeur, 1982, p. 23-130.

BRETT, J.M., « Why employees want unions », dans MARTIN, J.E., KEAVENY, T.J. et ALLEN, R.E., *Readings and Cases in Labor Relations and Collective Bargaining*, Reading (Mass.), Addison-Wesley, 1985, p. 97-103.

CRAIG, A.W.J., *The System of Industrial Relations in Canada*, 2ᵉ éd., Prentice-Hall, 1986, p. 57.

D'AOUST, C., LECLERC, L. et TRUDEAU, G., *Les mesures disciplinaires: étude jurisprudentielle et doctrinale*, Université de Montréal, École de relations industrielles, monographie n° 13, 1982, p. 33.

DION, G., *Dictionnaire canadien des relations du travail*, 2ᵉ éd., Québec, Fondation Gérard Dion et Les Presses de l'Université Laval, 1986, p. 123-496.

DUFOUR, G., « Les acteurs: l'organisation patronale », dans MALLETTE, N. (dir.), *La gestion des relations du travail au Québec*, Montréal, McGraw-Hill, 1980, p. 365-387.

DUNLOP, J.T., *Industrial Relations Systems*, New York, Henry Holt and Co., 1958, p. 5.

DYER, L. et HOLDER, G.W., « A strategic perspective of human resources management », *Human Resources Management Evolving Roles and Responsibilities*, Bureau of National Affairs, 1988, p. 1-46.

FLEURY, G., « Un aperçu de l'état du syndicalisme au Québec en 1988 », *Le marché du travail*, Direction des communications, ministère du Travail, Gouvernement du Québec, 10, 1, janvier 1989, p. 16-17.

FOSSUM, J.A., « Strategic issues in labor relations », dans FOMBRUN, C.J., TICHY, N.M. et DEVANNA, M.A. (dir.), *Strategic Human Resource Management*, New York, John Wiley, 1984, p. 343-360.

FULMER, W.E., *Problems in Labor Relations: Text and Cases*, Homewood (Ill.), R.D. Irwin Inc., 1980, p. 60.

GRANT, M. et MALLETTE, N., «La gestion des relations du travail», dans MIL-LER, R. (dir.), *La direction des entreprises: concepts et applications*, Montréal, McGraw-Hill, 1985, p. 606-641.

HARBISON, F.H. et COLEMAN, J.R., *Goals and Strategies in Collective Bargaining*, New York, Harper & Row, 1951, p. 21-144.

KOCHAN, T.A., *Collective Bargaining and Industrial Relations*, Georgetown, Irwin-Dorsey Ltd., 1980, p. 144.

KOCHAN, T.A., KATZ, H.C. et McKERSIE, R.B., *The Transformation of American Industrial Relations*, New York, Basic Books Inc., 1986, p. 17.

KOCHAN, T.A., McKERSIE, R.B. et CAPPELLI, P., «Strategic choice and industrial relations theory», *Industrial Relations*, 1984, p. 16-39.

LAWLER, E.E. et MOHRMAN, S.A., «Unions and the new management», *Academy of Management Executive*, 1987, p. 293-300.

PHILLIPS, G.E., *Labour Relations and Collective Bargaining*, Butterworth (Tor.), 1977, p. 46-48.

ROUSSEAU, A., «Le contrat individuel de travail», dans MALLETTE, N. (dir.), *La gestion des relations du travail au Québec*, Montréal, McGraw-Hill, 1980, p. 13-33.

SELEKMAN, B.M., FULLER, S.H., KENNEDY, T. et BAITSELL, J.M., *Problems in Labor Relations*, New York, McGraw-Hill, 1964.

STATISTIQUE CANADA, *Rapport annuel du ministre de l'Industrie, des Sciences et de la Technologie 1988*, Ottawa, ministère des Approvisionnements et Services, cat. 71-202, 1990.

STATISTIQUE CANADA, *Annual Report of the Minister of Supply and Services*, Ottawa, 1984, p. 60.

TRAVAIL CANADA, *Répertoire des organisations de travailleurs et travailleuses du Canada 1990-91*, Ottawa, ministère des Approvisionnements et Services, 1990.

TRAVAIL CANADA, *Répertoire des organisations de travailleurs au Canada 1985*, Ottawa, ministère des Approvisionnements et Services, 1985.

TRAVAIL CANADA, *Répertoire des organisations de travailleurs au Canada 1981*, Ottawa, ministère des Approvisionnements et Services, 1981.

WERTHER, W.B. Jr., DAVIS, K. et LEE-GOSSELIN, H., *La gestion des ressources humaines*, Montréal, McGraw-Hill, 1985, p. 571.

CHAPITRE 13

LA NÉGOCIATION COLLECTIVE ET L'APPLICATION DE LA CONVENTION COLLECTIVE

par André Petit

OBJECTIFS

Après l'étude de ce chapitre, vous devriez être en mesure:

- d'expliquer le processus d'accréditation et d'identifier les droits et les obligations qui y sont reliés;
- d'expliquer les principales dispositions légales relatives au déroulement d'une négociation collective;
- de définir une négociation collective, ses buts, ses étapes et ses stratégies;
- d'identifier un éventail de décisions relatives à la négociation collective et susceptibles d'être stratégiques;
- d'identifier le contenu type d'une convention collective et les étapes de l'arbitrage des griefs;
- d'expliquer la relation d'influence susceptible d'exister entre les principes de justice et l'imposition de mesures disciplinaires et non disciplinaires;
- d'identifier les principaux effets du partage des responsabilités entre les responsables hiérarchiques et le service des ressources humaines en matière de relations du travail et d'administration des mesures disciplinaires.

MISE EN SITUATION

CONFLIT AU ZOO :
PLAINTE DU SYNDICAT CONTRE L'EMPLOYEUR

Grève ou lock-out au Jardin zoologique de Granby ? Employeur et syndicat tiennent chacun mordicus à leur interprétation du conflit de travail qui perdure depuis la mi-juin. Et c'est vraisemblablement le Tribunal du travail qui aura à trancher l'épineuse question, mais pas avant quelques semaines encore.

« Le tribunal n'aura pas le choix, j'ai déposé mercredi après-midi une plainte pénale au palais de justice de Granby en vertu de l'article 58 du Code du travail, et l'audition devant le Tribunal du travail a été fixée au 12 septembre prochain, à 10 h », indique Marcel Jutras, conseiller syndical à la CSN.

L'article sur lequel il a fondé sa plainte mentionne que la partie qui déclare une grève ou un lock-out doit en informer le ministre par écrit dans un délai de 48 heures. Si elle ne se conforme pas à cette exigence, elle se retrouve dans une situation d'illégalité.

« C'est vrai que le syndicat a envoyé par bélino le 20 juin un avis au service de la conciliation du ministère du Travail, mais il ne concernait que la tenue d'une journée d'étude, qui s'est déroulée le 19 juin. Et il n'y a eu aucune autre communication de notre part », précise Marcel Jutras.

Le conseiller souligne qu'en exerçant ce moyen de pression, les travailleurs syndiqués ont posé une action légale, prévue au Code du Travail. « Le lendemain, le personnel s'est présenté au travail, mais le directeur général, Pierre Cartier, lui a refusé l'entrée du zoo. Si ce n'est pas un lock-out, qu'est-ce que c'est alors ? », interroge-t-il.

Le 20 juin en soirée, les salariés réunis en assemblée générale ont pris unanimement un vote de grève. « C'est une mesure habituelle quand un syndicat a à faire face à un lock-out décrété par la partie patronale. Si on ne le faisait pas, on laisserait à l'employeur l'initiative de la situation. En tout temps, il aurait pu mettre fin à son lock-out, sans pour autant que les points en litige aient fait l'objet de discussions, de négociations. Nous rentrerons quand nous aurons décroché une convention collective qui se tienne debout», souligne-t-il.

Quant à la partie patronale, elle a, depuis les tout débuts du conflit, toujours nié avoir décrété un lock-out, alléguant que si elle avait refusé au personnel syndiqué l'accès au jardin zoologique, c'est parce qu'il n'arborait simplement pas la tenue vestimentaire obligatoire, prévue dans le contrat de travail. Allant à l'encontre d'une directive formelle émise par la direction, les travailleurs s'exposaient à une mesure disciplinaire.

Source: *La Voix de l'Est*, Granby, 2 août 1991.

QUESTIONS

1. Dans cet article, quel sens la partie patronale semble-t-elle donner à l'expression «mesure disciplinaire»? Commentez.

2. Jusqu'à quel point les décisions des parties de s'engager dans un conflit ouvert (lock-out et grève) correspondent-elles, à votre avis, à une approche stratégique de négociations?

13.1 INTRODUCTION

Les négociations collectives peuvent être définies comme un processus de détermination des conditions de travail consignées dans un document appelé une convention collective, qui implique des tractations entre une partie patronale et une partie syndicale. Depuis 1935 aux États-Unis, et 1944 au Canada et au Québec, les pouvoirs publics ont imposé aux employeurs l'obligation de négocier «de bonne foi» avec le syndicat repésentant la majorité de l'ensemble ou d'un groupe particulier des salariés d'une entreprise.

Les négociations collectives représentent donc un type très particulier de négociations, premièrement parce que c'est un processus réservé exclusivement à des «associations accréditées», d'où l'importance du processus d'accréditation que nous expliquerons dans la prochaine section de ce chapitre. Deuxièmement, les négociations collectives sont très particulières en ce qu'elles sont influencées par des considérations de droit, que nous examinerons dans la troisième section. Outre l'aspect juridique, les négociations collectives présentent toute une série d'autres caractéristiques que nous réviserons brièvement dans la quatrième section de ce chapitre. La cinquième section sera consacrée à présenter quelques notions relatives à l'administration des conventions collectives. Finalement, la sixième section traitera de la gestion de la discipline, puisqu'une bonne partie des problèmes d'administration des conventions collectives porte sur les mesures disciplinaires.

13.2 LE PROCESSUS D'ACCRÉDITATION

13.2.1 LE DROIT D'ASSOCIATION ET LES PRATIQUES INTERDITES

L'article 3 du *Code du travail du Québec* énonce de la façon suivante le principe du droit d'association des salariés: «Tout salarié a droit d'appartenir à une association de salariés de son choix et de participer à la formation de cette association, à ses activités et à son administration». Pour protéger ce droit, les articles 12, 13 et 14 prohibent formellement les pratiques interdites telles que l'ingérence, la domination, l'entrave ou le financement d'une association de salariés par un employeur, le recours à l'intimidation ou aux menaces pour influencer le choix des salariés de se joindre ou non à telle association ou, d'une façon plus générale, le recours à tout moyen de contrainte, sous forme de menace ou de sanction, en vue d'amener un salarié à s'abstenir ou à cesser de participer à une association de salariés. Il est également illégal pour un employeur de refuser d'employer une personne parce qu'elle est ou a été membre d'une association de salariés.

Selon l'article 16 du code, «le salarié qui croit avoir été illégalement congédié, suspendu ou déplacé à cause de l'exercice d'un droit lui résultant du présent Code doit [...] soumettre sa plainte par écrit à la Commission dans les 30 jours du congédiement, de la suspension ou du déplacement». Par ailleurs, l'article 17 stipule qu'il y aura présomption en faveur du plaignant et que l'employeur aura le fardeau de la preuve si les quatre conditions suivantes sont remplies:

1. le plaignant possède le statut de salarié au sens du code;

2. il a exercé un droit lui résultant du code (c'est-à-dire une activité syndicale légitime);

3. il a été congédié, suspendu, déplacé ou soumis à une autre sanction par l'employeur;

4. il y a concomitance entre l'activité syndicale du plaignant et la mesure patronale dont il se plaint.

En ayant le fardeau de la preuve, l'employeur (ou son représentant) doit démontrer que le salarié a commis une faute, que c'est cette faute qui a été la cause de la sanction, et qu'il s'agit d'une cause sérieuse, par opposition à un prétexte. La preuve de l'employeur n'a pas à être hors de tout doute raisonnable, mais seulement prépondérante pour renverser la présomption.

Si la plainte d'un salarié est accueillie, la Commission des relations du travail dispose, en vertu de l'article 15 du *Code du travail*, d'un pouvoir de redressement de la situation, dont la nature varie évidemment selon le geste posé par l'employeur. Ainsi, la Commission peut émettre une ordonnance d'annulation de la sanction ou de cessation des mesures dont se plaignait le salarié. Elle peut aussi «ordonner à l'employeur de réintégrer ce salarié dans son emploi avec tous ses droits et privilèges dans les huit jours de la signification de la décision et de lui verser, à titre d'indemnité, l'équivalent du salaire et des autres avantages dont l'a privé le congédiement, la suspension ou le déplacement».

13.2.2 *L'ACCRÉDITATION PROPREMENT DITE ET SES EFFETS*

Comme le stipule le paragraphe *b* de l'article 1, une association accréditée est «l'association reconnue par décision de la Commission comme représentant de l'ensemble ou d'un groupe des salariés d'un employeur». Pour profiter des droits conférés par le *Code du travail*, un syndicat doit absolument être accrédité, d'où l'importance de ce processus qui occupe d'ailleurs une large place dans le *Code du travail*.

Selon l'article 21 du code, «le droit à l'accréditation existe à l'égard de la totalité des salariés de l'employeur ou de chaque groupe desdits salariés qui forme un groupe distinct. [...] De plus, un seul salarié peut former un groupe aux fins du présent article». Un groupe distinct est soit celui sur lequel l'association de salariés et l'employeur se sont entendus, soit celui que la Commission établit en cas de désaccord entre les parties. Les critères généralement utilisés par les commissaires pour déterminer le caractère approprié d'une unité d'accréditation (et éventuellement de négociation) sont les suivants (Gagnon, 1985, p. 62-65):

- la communauté d'intérêts sur le plan des relations de travail entre les salariés;
- l'historique des relations de travail dans l'entreprise et les précédents dans les entreprises du même secteur;
- le désir manifesté par les salariés en cause;
- la géographie de l'entreprise, c'est-à-dire sa structure physique;
- l'intérêt pour la paix industrielle, en évitant de créer une multiplicité indue d'unités de négociation dans une entreprise.

Une fois qu'un groupe distinct a été défini (ou que le **caractère approprié d'une unité de négociation** a été déterminé), la question à se poser pour le processus d'accréditation est celle du **caractère représentatif de l'association requérante**. Pour obtenir l'accréditation, l'association requérante doit être majoritaire (ou obtenir la majorité) à l'intérieur de l'unité définie. Voilà la première dimension du concept de «représentativité». La deuxième dimension concerne l'habileté du syndicat à représenter les salariés concernés et, en particulier, le respect des règles relatives aux pratiques interdites (articles 12, 13 et 14).

Pour vérifier la première dimension du caractère représentatif de l'association requérante, le *Code du travail* prévoit deux moyens: le calcul des effectifs syndicaux par rapport à l'ensemble des personnes visées par l'accréditation et, au besoin, le recours au scrutin secret.

Le calcul des effectifs est soumis aux règles stipulées à l'article 36.1. Ainsi, pour qu'une personne soit reconnue membre de l'association requérante, elle doit satisfaire aux conditions suivantes:

a) *elle est un salarié compris dans l'unité de négociation visée par la requête;*

b) *elle a signé une formule d'adhésion dûment datée et qui n'a pas été révoquée avant le dépôt de la requête en accréditation ou la demande de vérification du caractère représentatif;*

c) *elle a payé personnellement à titre de cotisation syndicale une somme d'au moins 2 $ dans les 12 mois précédant soit la demande de vérification du caractère représentatif, soit le dépôt de la requête en accréditation ou sa mise à la poste par courrier recommandé ou certifié;*

d) *elle a rempli les conditions a), b) et c) soit le ou avant le jour de la demande de vérification du caractère représentatif, soit le ou avant le jour du dépôt de la requête en accréditation ou de sa mise à la poste par courrier recommandé ou certifié.*

Comme le stipule l'article 21, l'association accréditée sera celle qui obtiendra «la majorité absolue des voix des salariés de l'employeur qui ont droit de vote» (plus de la moitié). Il est aussi possible, en vertu du deuxième alinéa de l'article 37.1, que la majorité simple des voix exprimées suffise si les associations requérantes obtiennent ensemble la majorité absolue des voix des salariés habilités à voter. Les autres modalités du vote sont prévues non pas au *Code du travail*, mais aux articles 12 à 25 du *Règlement sur l'exercice du droit d'association*.

En vertu du deuxième paragraphe de l'article 32 du *Code du travail*, l'employeur n'est pas considéré comme «partie intéressée» en ce qui a trait à la vérification du caractère représentatif de l'association requérante, c'est-à-dire qu'on ne lui permet pas d'intervenir, sauf pour manifester son désaccord sur l'inclusion dans l'unité de négociation de certaines personnes visées par la requête en accréditation.

Si un groupe de salariés n'est pas déjà représenté par une association accréditée, l'accréditation peut être demandée en tout temps. Cependant, depuis le 1er septembre 1983, l'article 27.1 établit la règle dite du premier dépôt, qui rend irrecevable toute requête chevauchant en totalité ou en partie, même infime, une première requête qui lui est antérieure.

Pour les salariés déjà représentés par une association accréditée, une requête en accréditation ne peut être recevable que dans les cas bien précis suivants.

1. **L'association accréditée mais inopérante**: En ce cas, l'accréditation peut être demandée six mois après l'expiration des délais pour l'acquisition du droit à la grève prévus à l'article 58, si une convention collective n'a pas été conclue et si le différend n'a pas été soumis à l'arbitrage ou ne fait pas l'objet d'une grève ou d'un lock-out permis par le code.

2. **La période de maraudage**: Entre le 90e et le 60e jour précédant la date d'expiration d'une convention collective ou de son renouvellement, ou l'expiration d'une sentence arbitrale en tenant lieu, une association rivale peut adresser une requête visant à déloger un syndicat en place.

3. **Le défaut de déposer une convention collective**: L'article 72 du code stipule en effet que si 60 jours après la signature d'une convention collective, il n'y a pas eu dépôt de la convention (ou des modifications qu'on y a apportées) à la Commission des relations du travail, toute autre association pourra procéder à l'envoi d'une requête en accréditation à l'égard du groupe de salariés concernés.

Pour ce qui est de la forme, une requête en accréditation doit respecter les règles prévues aux articles 25 et 26 du code ainsi qu'à l'article 9 du *Règlement sur l'exercice du droit d'association*.

Dès le dépôt d'une requête en accréditation, les relations du travail entre un employeur et les salariés visés se trouvent modifiées. En vertu de l'article 25, l'employeur doit, dans les cinq jours de la réception d'une requête, afficher dans un endroit bien en vue la liste complète des salariés de l'entreprise visés par la requête, avec la mention de leur fonction respective. Il doit aussi transmettre sans délai une copie de cette liste à l'association requérante. Si un vote est requis, l'article 38 stipule que l'employeur est tenu de faciliter la tenue du scrutin. Finalement, l'article 59 indique que «à compter du dépôt d'une requête en accréditation [...], un employeur ne doit pas modifier les conditions de travail de ses salariés sans le consentement écrit de chaque association requérante et, le cas échéant, de l'association accréditée». Si l'employeur ne respecte pas cette règle, l'association peut, en vertu de l'article 100.10 du code, se prévaloir de la procédure d'arbitrage de griefs, ou adresser une plainte à la Commission des relations du travail.

Tout employeur doit également savoir que, selon l'article 45 du *Code du travail*, la vente ou l'aliénation totale ou partielle d'une entreprise autrement que par vente en justice (c'est-à-dire à la suite d'une faillite) n'invalide aucune accréditation. «Sans égard à la division, à la fusion ou au changement de structure juridique de l'entreprise, le nouvel employeur est lié par l'accréditation ou la convention collective comme s'il y était nommé et devient par le fait même partie à toute procédure s'y rapportant, aux lieu et place de l'employeur précédent.»

Lorsque l'association est accréditée, l'employeur hérite encore d'autres obligations. Par exemple, il doit prélever à la source la cotisation syndicale ou son équivalent et en rendre compte à l'association accréditée (article 47). Il devra s'attendre (et se préparer en conséquence) à ce qu'en vertu des articles 100 et 100.13, ses décisions relatives aux conditions de travail ou aux statuts des salariés puissent faire l'objet de griefs susceptibles d'être soumis à l'arbitrage d'une personne externe à l'entreprise. Il devra également savoir que s'il est impliqué dans une grève ou un lock-out, non seulement n'aura-t-il pas le droit de recourir aux services de briseurs de grève (article 109.1), mais il devra aussi, à la fin du conflit, reprendre les salariés à son service au fur et à mesure de ses besoins et sans discrimination (articles 110 et 110.1).

L'accréditation confère à l'association accréditée l'exclusivité de représentation à l'égard du groupe de salariés aux fins de la négociation et de l'application d'une convention collective. L'association accréditée doit cependant (article 47.2) défendre d'une façon juste, loyale et sans négligence les intérêts de tous les salariés compris dans l'unité de négociation, qu'ils soient membres ou non. Chaque année, elle doit aussi divulguer à ses membres ses états financiers (article 47.1). Elle doit procéder par scrutin secret pour élire ses officiers, pour déclarer une grève ou pour signer une convention collective (articles 20.1, 20.2 et 20.3).

Pour chaque salarié de l'unité, l'accréditation entraîne aussi toute une série de conséquences. Comme le signale Morin (1982, p. 298):

> *Il est tenu de participer au financement du syndicat en place (art. 47), il est lié par la seule convention collective conclue par ce syndicat (art. 67), il ne peut valablement renoncer à l'application de la convention collective conclue par ce syndicat (art. 69, 70 et 100), il est contraint de respecter les décisions collectives quant à l'exercice du droit de grève (art. 109.1). [En retour, il] a droit à un traitement juste et loyal de la part du syndicat (art. 47.2) et bénéficie d'un recours spécial pour en assurer le respect en certains cas (art. 47.3).*

13.3 LE DÉROULEMENT D'UNE NÉGOCIATION COLLECTIVE: L'ASPECT JURIDIQUE

Seule une association accréditée a le pouvoir légal de forcer un employeur à participer à des négociations collectives. Voyons maintenant de quelle façon cela se déroule.

13.3.1 L'AVIS DE NÉGOCIATION

Comment les négociations entre un employeur et une association accréditée s'amorcent-elles? L'article 53 du *Code du travail* indique que la phase des négociations commence à partir du moment où un avis de négociation a été donné suivant l'article 52, ou est réputé avoir été donné suivant l'article 52.2.

L'avis de négociation doit être écrit et transmis à l'autre partie au moins huit jours avant la rencontre prévue; il doit indiquer la date, l'heure et le lieu de son déroulement. La partie qui donne un avis doit en envoyer une copie au ministre du Travail le même jour. Ce geste prend tout son sens à la lecture de l'article 58 qui stipule que «le droit à la grève ou au lock-out est acquis 90 jours après la réception par le ministre de la copie de l'avis qui lui a été transmise [...] ou qu'il est réputé avoir reçue». La date de réception par le ministre de la copie de l'avis de négociation marque donc le point de départ du délai d'acquisition du droit de grève ou de lock-out.

Lorsque les parties négocient leur première convention collective, l'avis de négociation peut être donné en tout temps à partir de la date de l'accréditation. Une association nouvellement accréditée qui néglige de donner un avis de négociation sera réputée l'avoir donné 90 jours après la date de l'obtention de l'accréditation, et la copie de l'avis sera réputée avoir été reçue par le ministre le même jour.

Lors du renouvellement d'une convention collective ou d'une sentence arbitrale en tenant lieu, l'avis de négociation peut être donné dans les 90 jours précédant l'expiration de la convention collective ou de la sentence arbitrale en tenant lieu. Si aucun avis n'est donné, l'avis sera réputé avoir été donné le jour de l'expiration de la convention collective ou de la sentence arbitrale.

13.3.2 *La conciliation*

Les articles 54, 55 et 56 traitent de la conciliation. Cette phase des négociations avait auparavant beaucoup d'importance, parce que le législateur avait lié le droit à la grève ou au lock-out à la demande, par l'une des parties, de désigner un conciliateur pour les aider à résoudre leur différend. La conciliation n'est plus une condition d'obtention du droit à la grève. Elle constitue cependant, dans le cadre de la négociation d'une première convention collective (article 93.1), une étape obligatoire avant que l'une des parties puisse demander au ministre de soumettre leur différend à l'arbitrage.

Un conciliateur est un fonctionnaire du ministère du Travail. Le seul pouvoir dont il dispose est de forcer les parties à assister à toutes les réunions auxquelles il les convoque (article 56). Selon Gagnon (1985, p. 151-152), «des parties ont déjà été poursuivies et condamnées suite à leur défaut d'assister à une réunion convoquée par un conciliateur». L'intervention d'un conciliateur dans le processus de négociation peut faire débloquer certaines situations entre les parties et faciliter l'atteinte d'un accord.

13.3.3 *Le droit à la grève ou au lock-out*

En vertu du *Code du travail du Québec*, seuls les policiers et les pompiers à l'emploi d'une municipalité ou d'une régie intermunicipale n'ont formellement pas le droit « en toute circonstance » de recourir à la grève. D'autres lois rendent également la grève interdite pour des groupes déterminés. Ainsi, la *Loi sur la fonction publique* interdit toute grève aux agents de la paix, aux gardiens de prison, aux gardes-chasse et aux inspecteurs d'autoroutes. Les membres de la Sûreté du Québec n'ont pas le droit de faire la grève en vertu de la *Loi sur le régime syndical applicable à la Sûreté du Québec*.

Pour tous les autres salariés membres de syndicats accrédités en vertu du *Code du travail*, le recours à la grève légale est possible, sauf qu'il faut, en chaque cas, respecter toute une série de conditions imposées par le législateur. La principale condition concerne le respect du délai prévu à l'article 58 (*voir aussi l'article 106*). Une autre condition importante concerne les caractéristiques du vote de grève par les salariés (article 20.2). Le scrutin doit être secret, et son résultat doit indiquer une majorité calculée sur la base du nombre de membres « de l'association accréditée qui sont compris dans l'unité de négociation et qui exercent leur droit de vote ». Les membres doivent être adéquatement informés de la tenue d'un vote de grève au moins 48 heures à l'avance. Si le vote est positif, l'association doit « en informer par écrit le ministre dans les 48 heures qui suivent le scrutin ».

La section II du chapitre V.I du *Code du travail* soumet les « services publics » (*voir la liste à l'article 111.0.16*) à deux conditions additionnelles d'exercice du droit de grève : le maintien des services essentiels (articles 111.0.17 à 111.0.26) et l'avis préalable de grève (article 111.0.23).

Notons que la participation à une grève illégale (ou à un lock-out illégal) peut donner lieu à des poursuites pénales (article 142). Elle peut également donner lieu à des actions en dommages et intérêts sur la base des règles générales de la responsabilité civile. Certains groupes (par exemple, des patients d'un hôpital et des élèves d'une école) ont même déjà obtenu l'autorisation d'exercer un recours collectif contre un syndicat et des syndiqués engagés dans une grève illégale.

13.3.4 LES BRISEURS DE GRÈVE

Depuis le 1er février 1978, plusieurs dispositions du *Code du travail du Québec* restreignent considérablement la liberté de manœuvre des employeurs dont les salariés sont en grève ou en lock-out. Malgré les hauts cris des employeurs et du Conseil du patronat, le législateur a (presque) imposé l'arrêt des opérations dans une unité de négociation en grève ou en lock-out. Il a banni le recours à ce qu'on appelle des «briseurs de grève».

Dorénavant, la seule marge de manœuvre laissée à l'employeur par l'article 109.1 du code pour remplacer des salariés en grève ou en lock-out se résume de la façon suivante. Dans l'établissement touché par la grève ou le lock-out, l'employeur ne pourra utiliser les seuls services des cadres de cet établissement ou d'un autre établissement auquel appartiennent des salariés de l'unité de négociation en grève ou en lock-out que si ces cadres ont été embauchés avant le début de la phase de négociation. Hors de l'établissement touché par la grève ou le lock-out, l'employeur pourra recourir aux services :

– d'un salarié de l'entreprise embauché avant le début de la phase de négociation et qui n'est pas compris dans l'unité de négociation en grève ou en lock-out ;

– d'un cadre de l'entreprise embauché avant le début de la phase de négociation ;

– d'un entrepreneur ou des employés d'un autre employeur.

Dans ce dernier cas (utilisation des services d'un entrepreneur ou des employés d'un autre employeur), les spécialistes soulèvent le risque posé par l'article 45 du *Code du travail*. En vertu de cet article, très décrié et dénoncé par les représentants du monde patronal, l'entrepreneur qui accepte de se mêler à une grève ou à un lock-out en tant que sous-traitant court le risque de voir transportés chez lui le dossier de la négociation et l'état de grève, le cas échéant.

13.3.5 L'ARBITRAGE POSSIBLE D'UN DIFFÉREND

Un différend est, comme l'indique l'alinéa *e* de l'article 1 du *Code du travail*, «une mésentente relative à la négociation ou au renouvellement d'une convention collective ou à sa révision par les parties en vertu d'une clause la permettant expressément». Donc, lorsqu'elles négocient, les parties patronale et syndicale tentent de régler leur différend. En cas d'échec de la négociation, elles peuvent, ou doivent, confier leur différend à un arbitre.

Un arbitre de différend n'est ni un fonctionnaire ni un juge, et il agit sur une base ponctuelle. Un arbitre de différend peut être choisi par les parties d'un commun accord, et nommé ensuite par le ministre du Travail. Si les parties ne s'entendent pas, le ministre nommera alors un arbitre de son choix, à partir d'une liste dressée annuellement par lui après consultation du Conseil consultatif du travail et de la main-d'œuvre (article 77). À moins d'une entente contraire entre les parties, l'arbitre de différend sera assisté de deux « assesseurs » désignés par chacune des deux parties. Un greffier nommé par le ministre est également à la disposition du « tribunal » ainsi constitué.

En ce qui concerne la conduite des séances d'arbitrage, l'article 83 du code spécifie que l'arbitre a tous les pouvoirs d'un juge de la Cour supérieure, sauf qu'il ne peut imposer l'emprisonnement. En fait, son mandat est d'élaborer ou de déterminer le contenu d'une convention collective pour et à la place des parties. Dans le cas d'un arbitrage de différend, la sentence rendue constitue le contenu d'une convention collective déterminé par une tierce partie. Cette sentence a d'ailleurs, selon les termes de l'article 93, « l'effet d'une convention collective signée par les parties ». Ces dernières peuvent cependant s'entendre pour en modifier le contenu en tout ou en partie. À défaut d'entente contraire, les parties sont liées par la sentence arbitrale pour une durée d'au moins un an et d'au plus deux ans, selon la décision de l'arbitre.

Le régime général d'arbitrage des différends prévoit que les parties sont, sauf exceptions, libres de recourir ou non à ce mécanisme, en ce sens qu'il faut le consentement des deux parties pour que la demande écrite adressée au ministre (article 74) soit valide. Le libre choix a ensuite des conséquences très sérieuses : les parties perdent alors le droit de faire marche arrière et de récupérer leur droit de grève ou de lock-out (article 58). On comprend sans doute mieux pourquoi le recours libre ou facultatif à l'arbitrage des différends n'est pas très populaire. Les syndicats sont habituellement très réticents à perdre leur droit de faire la grève si nécessaire, et les employeurs hésitent à confier à une tierce personne le pouvoir de déterminer à leur place plusieurs importantes règles de fonctionnement et d'allocation des ressources.

L'arbitrage du différend peut devenir obligatoire dans le cas de la négociation d'une première convention collective d'un groupe de salariés visés par une accréditation. Il faut alors, selon les articles 93.1 à 93.9 :

— que l'intervention d'un conciliateur se soit avérée infructueuse ;

— que l'une des parties ait demandé au ministre de soumettre le différend à un arbitre ;

— que la demande au ministre ait été faite par écrit avec copie à l'autre partie.

Le ministre a alors la discrétion de disposer de la demande ; il ne peut cependant prendre l'initiative de nommer directement un arbitre.

En vertu de l'article 93.4, la première tâche d'un arbitre dans de telles circonstances est de décider s'il devra ou non déterminer le contenu de cette première convention collective. Quelle que soit sa décision, il doit ensuite la communiquer aux parties et au ministre. Si cette décision est positive (l'arbitre annonce qu'il déterminera les conditions de travail), cela entraîne immédiatement les deux effets suivants, prévus à l'article 93.5 : la fin d'une grève ou d'un lock-out en cours, et le maintien ou le rétablissement des conditions de travail prévues à l'article 59 du code.

Le recours à l'arbitrage, en cas d'échec de la négociation, est aussi obligatoire dans tout différend mettant en cause des policiers et des pompiers municipaux (article 94). Le différend sera déféré par le ministre à un arbitre, à la demande d'une seule des deux parties et au moment où il le juge opportun, même si aucune des parties ne lui en a encore fait la demande. Les articles 97 et 98 permettent même au ministre de déférer à l'arbitrage, comme s'il s'agissait d'un différend, toute mésentente autre qu'un différend ou un grief entre les parties, après l'intervention d'un conciliateur. Une telle mésentente (article 102) concerne normalement une condition de travail non prévue dans une convention collective. Par ailleurs, l'article 105 interdit expressément le recours à la grève aux policiers et aux pompiers municipaux.

13.4 LES NÉGOCIATIONS COLLECTIVES : UNE PERSPECTIVE STRATÉGIQUE

Les négociations collectives constituent un phénomène varié et complexe. En utilisant un cliché, on pourrait dire que les aspects juridiques ne correspondent qu'à la pointe de l'iceberg en ce domaine. Cependant, comme le signalent Boivin et Guilbault (1989, p. 211), «la compréhension du processus de négociation demeure très problématique», et ce, malgré les très nombreuses recherches effectuées sur le sujet par des chercheurs de diverses disciplines.

Utilisé dans le contexte d'une négociation collective, le concept de stratégie (Carrier, 1980) a reçu le sens de «plan d'opération» où diverses tactiques peuvent être utilisées à différentes étapes de la négociation.

13.4.1 LE DÉROULEMENT DE LA NÉGOCIATION COLLECTIVE

Selon Carrier (1980), les négociations collectives comprennent habituellement les trois phases suivantes :

1. l'ouverture des négociations;
2. la négociation proprement dite;
3. la phase finale menant à un règlement et à la signature d'un accord.

L'OUVERTURE DES NÉGOCIATIONS

Selon Ouellet (1980, p. 458), «la première séance de négociation est presque symbolique». Il y est surtout question de s'entendre sur l'organisation de l'ensemble du déroulement des rencontres ultérieures de négociation. Cette première séance se termine généralement par le dépôt des demandes syndicales et, s'il y a lieu, des demandes patronales. La phase initiale des négociations se poursuit par l'expression et l'exploration des revendications initiales. Au cours de cette phase, chaque partie présente à tour de rôle le raisonnement qui sous-tend chacune de ses demandes. Les tactiques utilisées sont d'abord **l'information** et **l'écoute**, puis **la persuasion**, c'est-à-dire qu'en s'appuyant sur des faits, des données comparatives ou des principes, on essaie de convaincre l'autre partie du bien-fondé de ses revendications.

Un élément essentiel de succès, à cette phase des négociations, est l'existence d'un écart «stratégique» entre les revendications initiales des parties et leurs préférences réelles, de façon qu'il reste une marge de manœuvre et que des concessions éventuelles soient possibles. Mais même si les demandes comportent un certain gonflement, elles doivent pouvoir se justifier pleinement.

LA NÉGOCIATION PROPREMENT DITE

Cette deuxième phase des négociations collectives débute au moment où chacune des parties a terminé la présentation de ses revendications initiales. La stratégie mise en œuvre au cours de cette phase des négociations consiste justement à amener l'autre partie à faire des concessions sur ses demandes initiales comme sur ses préférences réelles, tout en réussissant à concéder soi-même le moins possible.

Les tactiques utilisées au cours de cette phase des négociations sont d'abord **la persuasion**, puis **la coercition**, dont les deux principaux moyens sont **le bluff** et **l'engagement**. Le but des tactiques de coercition est de réussir à convaincre l'autre partie qu'il vaut mieux pour elle qu'elle fasse des concessions, parce qu'autrement, elle court le risque de subir les coûts reliés à une rupture des négociations et à un possible arrêt de travail. **L'engagement** consiste généralement à signifier à l'autre partie que sur telle revendication, aucune autre concession ne sera faite et qu'à défaut de l'obtenir, il y aura rupture des négociations. Une partie peut même rendre cet engagement encore plus formel en le dévoilant publiquement ou même en le publicisant largement.

Mais cette tactique est dangereuse, et «les négociateurs expérimentés ne l'utilisent d'habitude qu'avec beaucoup de parcimonie et de prudence» (Carrier, 1980, p. 487), car cela peut contribuer à bloquer les négociations plutôt qu'à les faire progresser.

Le **bluff** est une autre tactique de coercition communément utilisée, qui se présente sous la forme d'une menace ou d'une allusion à peine voilée à l'usage possible de moyens de pression, mais qui ne se rend pas jusqu'à l'engagement ferme, puisqu'on n'a pas nécessairement l'intention de donner suite à la menace. Le bluff ne peut fonctionner que si la menace est crédible.

LA PHASE FINALE MENANT À UN RÈGLEMENT ET À LA SIGNATURE D'UN ACCORD

La phase finale des négociations peut prendre deux formes. Dans le premier cas, les négociateurs, surtout s'ils sont expérimentés, sentent qu'en raison des concessions réciproques subtilement annoncées, ils ont atteint une «zone de contrat» et qu'un accord final est possible. Il reste à s'engager de façon prudente et réfléchie dans le dernier bout droit des négociations qui représente un cycle délicat de concessions à manipuler avec soin. Cette façon de faire est la plus répandue, puisqu'au Québec, 90 % des négociations collectives mènent à des accords sans que surviennent des arrêts de travail.

Dans le deuxième cas, cependant, les négociateurs peuvent conclure qu'aucune zone de contrat n'est perceptible, et que le conflit est presque inévitable. Alors, les grands moyens (ultimatums, délais limites, arrêt de travail) pourront être utilisés pour que les négociations aboutissent. Notons, cependant, que l'utilisation prématurée ou abusive des moyens de pression serait souvent provoquée par la présence, à la table des négociations, de négociateurs intransigeants ou inexpérimentés.

L'étape finale implique donc fondamentalement la proposition judicieuse de concessions. C'est une manœuvre délicate, puisque chaque partie veut éviter de faire une concession prématurée, insuffisante ou mal faite. On procède donc le plus souvent par signes, c'est-à-dire qu'au lieu de faire franchement une concession, on utilise des moyens détournés, des allusions, des symboles. Par exemple, l'une des parties pourra déclarer à l'autre que «s'il y a entente sur le reste, il devrait y avoir moyen de s'entendre sur ce point». L'usage des signes peut graduellement permettre qu'une véritable stratégie de coopération s'instaure entre les parties et qu'on puisse conclure les négociations.

Les négociations collectives ne représentent donc pas seulement (ni surtout) une épreuve de force ; c'est également une épreuve de savoirfaire. Un praticien québécois des négociations collectives, Jean-Paul Lalancette, résume, dans les termes suivants, l'art des négociations collectives :

> *Ce qui fait la force d'un négociateur, c'est l'utilisation, à son propre compte, de toutes les connaissances de l'art de négocier et la fertilité de son imagination. Si son pouvoir de négociation peut lui être apporté en partie par le contexte, c'est l'utilisation qu'il fera de ce contexte, des tactiques et stratégies qui lui donneront ce pouvoir de négociation.*

13.4.2 LE POUVOIR DE NÉGOCIATION

Le pouvoir de négociation, ou pouvoir de marchandage, est un autre concept que les spécialistes des négociations collectives ont longuement étudié. On peut le définir comme étant la capacité d'une partie à amener l'autre partie à s'entendre sur ses propres termes. Selon les principaux analystes de ce concept (Chamberlain et Kuhn, 1965), les parties à une négociation collective en viendront à un accord lorsque chacune des deux sera convaincue que **les coûts reliés à la mésentente sont** ou **risquent d'être supérieurs aux coûts reliés à l'entente**. Sur la base de cette prémisse, on soutient que ce qui donne à l'une ou l'autre des parties un pouvoir de marchandage ou de négociation élevé, c'est tout ce qui peut contribuer à faire en sorte que l'autre partie perçoive ou ressente des coûts élevés reliés au désaccord, et des coûts relatifs moins élevés reliés au fait de s'entendre. Un ingrédient important du pouvoir de négociation en relations du travail concerne la capacité relative des parties de subir, sans trop de conséquences négatives, un arrêt de travail. L'idéologie du rapport de force et une compréhension simpliste du pouvoir de marchandage (utilisé par certains comme une fin en soi plutôt que comme un moyen) amènent les parties à déployer toute une batterie de moyens pour, du côté syndical, faire en sorte qu'un conflit de travail soit le plus efficace possible et provoque le maximum de coûts à la partie patronale et, du côté patronal, que les coûts d'un désaccord soient surtout ressentis par les salariés.

Un grand nombre de variables, tels les circonstances économiques, les facteurs politiques, les facteurs technologiques, influencent le pouvoir de négociation et illustrent en même temps le caractère fluide et ambigu de ce concept. De plus, comme le signalent Fisher et Williams (1989, p. 196), la situation où une partie possède à un moment donné un pouvoir de négociation plus grand que l'autre partie peut rapidement se transformer au profit de l'autre partie. Ce qu'on sait, c'est que d'une façon générale, les syndicats et les employés ont un pouvoir de négociation plus grand en période de prospérité économique, mais que les employeurs seraient plus favorisés en période de récession. Boivin et Guilbault (1989, p. 232) tirent des conclusions qui vont dans le même sens, puisque, selon eux :

> *Les circonstances ou les considérations qui peuvent modifier, influencer ou déplacer le pouvoir de négociation que possède chaque partie en présence sont innombrables, et il n'existe pas de mesure connue qui permette de quantifier et d'évaluer l'effet que chacun de ces facteurs peut avoir sur le pouvoir de négociation.*

13.4.3 LES CONDITIONS DE SUCCÈS DU PROCESSUS DE NÉGOCIATION COLLECTIVE

UNE CONCEPTION ÉLARGIE DES NÉGOCIATIONS COLLECTIVES

Le fait de trop se concentrer sur le pouvoir de marchandage ou sur le rapport de force par un certain nombre de négociateurs tant syndicaux que patronaux est, à notre avis, responsable de bien des échecs en négociations collectives. Ces négociateurs ont oublié ou décidé de ne pas considérer qu'une négociation collective n'est pas seulement l'établissement d'un rapport de force entre deux parties opposées, dont les intérêts sont divergents. Toute négociation collective implique une situation à la fois de conflits et de convergence d'intérêts. Même si les intérêts divergents font ressortir le caractère inévitable du conflit, c'est la prise de conscience des intérêts convergents qui force finalement un règlement quelconque auquel on parvient par un exercice plus ou moins élaboré de marchandage comprenant des compromis et des concessions.

Dans l'un des meilleurs textes portant sur les négociations collectives, les auteurs Walton et McKersie (1965) rappellent cette réalité en insistant sur le fait que toute négociation collective présente des enjeux d'ordre distributif (où les intérêts des parties sont divergents) et des enjeux d'ordre intégratif (où les intérêts des parties sont convergents).

Si le premier type d'enjeux peut facilement s'accommoder des stratégies d'affrontement du type «je gagne, tu perds», les enjeux d'ordre intégratif devraient plutôt forcer les parties à mettre de l'avant des stratégies où toutes deux peuvent être gagnantes. Dans un tel contexte, aucune des deux parties ne devrait essayer d'écraser l'autre. Les négociations collectives pourraient alors constituer un mécanisme de résolution de problèmes où, dans le respect mutuel, les parties acceptent de faire des compromis pour formuler des solutions imaginatives à des problèmes communs, des solutions qui pourraient être satisfaisantes pour les deux parties.

LA RECHERCHE DE SOLUTIONS AUX PROBLÈMES RELIÉS AUX FACTEURS HUMAINS

Une autre cause fondamentale d'échec possible des négociations collectives consiste à vouloir faire de ce processus légaliste le mécanisme par excellence de solution aux problèmes de fonctionnement de l'organisation reliés aux facteurs humains. Au contraire, les négociations collectives seront d'autant plus faciles et efficaces dans les situations où, **en dehors du cadre des négociations collectives**, les dirigeants auront déployé des efforts pour trouver et utiliser des solutions efficaces et satisfaisantes à ces problèmes avant même qu'ils ne fassent l'objet de revendications syndicales.

UNE PRÉPARATION ADÉQUATE DES PARTIES

Pour que des négociations collectives se déroulent bien, il est essentiel que la phase préparatoire ait été planifiée soigneusement et suivie dans ses moindres détails. On peut distinguer deux sortes de préparation: celle à long terme et celle à court terme.

La **préparation à long terme** commence le lendemain même où la dernière négociation se termine. Déjà, chacune des parties connaît divers problèmes qui n'ont pas été réglés par la négociation et qui, si on ne s'en occupe pas autrement, vont sans doute revenir à la prochaine ronde de négociations. Également, les personnes appelées à représenter les parties doivent prendre diverses initiatives pour se maintenir au fait de l'évolution des contextes juridique, économique, social et politique. Ouellet (1980, p. 449-478) propose un cheminement critique illustrant les préparatifs patronaux à la négociation collective. Ce cheminement comprend 76 rubriques, et ce n'est qu'à la 46e que se situe la première séance de négociation.

Dans ce qui constitue sans doute l'un des meilleurs livres écrits sur le sujet des négociations collectives, Kochan (1980) démontre l'influence des variables externes sur les négociations collectives et sur le système de relations du travail en général. Il regroupe ces variables selon les contextes suivants : économique, politique (institutionnel et juridique), démographique, social et technologique. En ce qui concerne, par exemple, le contexte économique, il retient trois variables macro-économiques (niveau d'inflation, taux de chômage, rythme de croissance–décroissance) qui influencent considérablement les attentes et les objectifs des parties à une négociation. Les négociateurs doivent donc posséder les capacités intellectuelles, les connaissances et les informations requises pour tenir compte adéquatement de ces diverses variables.

Plus près de nous, Hébert et Vincent (1980) ont aussi élaboré un modèle illustrant que le déroulement d'une négociation est influencé non seulement par des variables associées à la personnalité des négociateurs, mais aussi par de nombreuses variables d'environnement.

Comme **préparation à court terme**, les négociateurs doivent d'abord connaître à fond la convention collective actuelle, s'il y en a une. La deuxième démarche consiste à se procurer les conventions collectives du secteur ou de l'industrie et celles d'entreprises de la région, et d'en faire une analyse comparative. La troisième démarche recommandée est de procéder à une cueillette de données tant à l'intérieur de l'organisation (problèmes de gestion posés par la convention) qu'à l'extérieur de l'organisation (synthèse de données économiques, sociales et politiques). Finalement, avant que ne débutent les négociations, il est important que, de part et d'autre, les négociateurs aient réfléchi à l'orientation générale que devrait prendre la négociation, et qu'ils aient obtenu un mandat le plus clair possible, de façon à ne pas devoir revenir trop souvent devant leur mandant.

LES PRINCIPES FAVORABLES À UNE APPROCHE POSITIVE

Les auteurs qui ont sans doute apporté la meilleure contribution à l'identification des principes adéquats d'une négociation réussie sont Fisher et Ury (1982). Les principes de négociation formulés par ces chercheurs sont très près de ce que recommandaient Walton et McKersie (1965) sous l'appellation de « négociation intégrative » :

1. se concentrer sur les problèmes à résoudre et éviter le plus possible les questions de personnalité;

2. mettre l'accent sur les intérêts des parties derrière les enjeux, et s'abstenir le plus possible de formuler prématurément des positions qui figeraient les attitudes des parties;

3. rechercher des solutions susceptibles d'être perçues comme étant justes et satisfaisantes pour les deux parties.

Dans le domaine des négociations collectives, de tels principes ne sont sans doute applicables que là où le climat général des relations patronales–syndicales est relativement positif.

LES QUALITÉS D'UN BON NÉGOCIATEUR

Finalement, une dernière série de conditions reliées au succès des négociations collectives concerne la personnalité même des négociateurs. On retrouve dans de nombreux textes de longues listes de qualités requises et de comportements appropriés à de bons négociateurs. Ces listes ont une valeur relative, mais elles touchent plusieurs points importants. Voici donc la liste que nous vous recommandons:

– surmonter les situations de stress, de conflit et d'ambiguïté;

– rester calme, se montrer patient, maîtriser ses émotions et traiter l'autre partie avec respect;

– posséder un sens élevé de l'intégrité personnelle et disposer du courage nécessaire à l'expression claire de ses convictions;

– s'exprimer et écrire avec précision, écouter attentivement, posséder un esprit créatif et savoir inspirer confiance (Boivin et Guilbault, 1989, p. 184);

– ne pas faire d'attaque personnelle, être poli, positif, confiant et traiter l'autre partie d'égal à égal, sans la défier inutilement;

– en plus de posséder l'expertise du contenu, faire preuve de «synchronisme» pour dire les choses au moment opportun.

En conclusion, mentionnons que si les conditions énumérées ci-dessus étaient un peu plus souvent respectées, le processus de négociation collective serait peut-être mieux perçu par la population, parce qu'on arriverait plus facilement et de façon plus satisfaisante au résultat recherché: la signature d'une convention collective.

13.5 L'ADMINISTRATION D'UNE CONVENTION COLLECTIVE

13.5.1 LE CONTENU TYPE DE LA CONVENTION COLLECTIVE

L'aboutissement normal du processus de négociation collective, y compris le recours aux moyens de pression, est la signature d'une convention collective, que l'article 1 du *Code du travail* définit comme «une entente écrite relative aux conditions de travail conclue entre une ou plusieurs associations accréditées et un ou plusieurs employeurs ou associations d'employeurs». Notons que le législateur s'est abstenu de définir la notion de condition de travail, de sorte qu'il n'y a à peu près pas de restrictions quant aux clauses que les parties peuvent inclure dans une convention collective.

En vertu de l'article 62 du *Code du travail*, «la convention collective peut contenir toute disposition relative aux conditions de travail qui n'est pas contraire à l'ordre public ni prohibée par la loi».

L'article 64 du *Code du travail* indique que la nullité d'une ou de plusieurs des clauses d'une convention collective n'invalide pas l'ensemble de la convention. L'article 65 indique que la durée minimale prévue d'une convention collective est de un an et que la durée maximale est de trois ans; une convention qui ne comporte pas de terme fixe et certain est présumée en vigueur pour un an (article 66). Quant au début de cette durée, l'article 72 en traite en spécifiant d'abord une condition fondamentale de validité d'une convention collective, soit son dépôt à la Commission des relations du travail.

Une convention collective devient exécutoire à compter de la date de ce dépôt, qui a un effet rétroactif à la date prévue dans la convention collective pour son entrée en vigueur ou, à défaut, à la date de sa signature. Le défaut d'effectuer le dépôt dans le délai de 60 jours après la signature de la convention collective donne la possibilité à une association rivale de déposer une requête en accréditation.

En vertu de l'article 59, une convention collective, même expirée, continue d'avoir un effet, soit le maintien des conditions de travail, tant que le droit au lock-out n'est pas acquis ou qu'une sentence arbitrale (de différend) n'a pas été prononcée. Le troisième paragraphe suggère même aux parties de prévoir dans la convention collective que les conditions de travail qu'elle contient continuent d'être appliquées par l'employeur jusqu'à la signature d'une nouvelle convention.

En vertu de l'article 67, la convention collective lie tous les salariés «actuels et futurs» visés par l'accréditation. Comme il n'est pas fait mention des anciens employés, les salariés qui ne sont plus à l'emploi de l'entreprise au moment de l'entrée en vigueur de la convention ne peuvent réclamer, par exemple, qu'on leur verse des sommes rétroactives, sauf si la convention contient une clause prévoyant expressément une telle obligation de l'employeur.

Quant aux divers types de clauses contenues dans la convention collective, une classification commode retient entre autres les catégories suivantes:
- les clauses relatives à la structure des relations entre les parties: but de la convention, durée et procédure de règlement des griefs (de la procédure interne jusqu'à l'arbitrage);
- les clauses relatives aux droits des parties: droits de gérance, sécurité syndicale, etc.;
- les clauses salariales: tout ce qui a trait à la rémunération et aux avantages sociaux;
- les clauses relatives à la sécurité d'emploi: tout ce qui a trait aux mouvements internes de personnel (embauche, promotion, transfert, etc.) et aux mouvements externes (licenciements et congédiements), listes d'ancienneté, etc.;
- les clauses relatives aux méthodes de travail, aux normes de rendement et aux conditions physiques de travail.

13.5.2 LES ACTIVITÉS INHÉRENTES À L'ADMINISTRATION D'UNE CONVENTION COLLECTIVE

Une fois signée, la convention collective constitue un ensemble de dispositions générales et particulières qui encadrent les décisions prises par la direction et ses représentants. Les clauses d'une convention collective soulèvent inévitablement des problèmes d'application et d'interprétation qui nécessitent, au minimum, une clarification des responsabilités entre les chefs de service et les spécialistes d'un service de relations du travail. Même si, en principe, les chefs de service sont censés détenir l'autorité dite «line» et si les spécialistes en relations du travail ne sont censés être que des conseillers détenant une autorité de type « staff », les conseillers sont, en pratique, souvent appelés à formuler des « conseils » qui doivent absolument être suivis. Les raisons le plus souvent évoquées pour justifier cette situation sont le souci de cohérence et d'uniformité dans l'application des dispositions d'une convention collective. Il ne peut y avoir « deux poids, deux mesures », et les chefs de service ne sont donc pas libres d'appliquer et d'interpréter la convention collective comme bon leur semble, d'autant plus que ces décisions peuvent faire l'objet de griefs dont le règlement engendre des coûts parfois élevés.

Même s'ils ont une série de règles et de consignes à respecter, et même s'ils peuvent (et doivent en certains cas) faire appel aux « conseils » des spécialistes en relations du travail, les chefs de service continuent cependant d'exercer leur rôle de gestionnaire, ce qui implique qu'ils doivent prendre des décisions sur toute une série de sujets dont certains peuvent être traités dans la convention collective.

Lorsqu'un employé se sent lésé dans ses droits de salarié syndiqué, du fait qu'un chef de service applique ou interprète la convention collective d'une certaine manière, c'est généralement auprès de ce même chef de service que le salarié syndiqué est invité à formuler une plainte formelle, appelée un « grief ». Cela correspond à la première étape habituelle de la procédure interne de règlement des griefs. Après consultation (ou non) et à l'intérieur d'un certain délai, le chef de service a la responsabilité de communiquer « sa » décision au salarié concerné. Cette décision peut prendre deux formes : ou bien le gestionnaire maintient sa décision (et il doit alors la justifier de façon qu'idéalement, le salarié en comprenne et en accepte le bien-fondé), ou bien il annonce au salarié qu'il s'est trompé (il doit alors expliquer comment les conséquences de cette erreur seront possiblement corrigées). Si la décision rendue est jugée insatisfaisante par le salarié (ou le syndicat), le grief peut être soumis à une deuxième étape de la procédure de règlement des griefs, sinon à une troisième étape. Si, après avoir franchi toutes les étapes prévues à la convention, un grief n'a toujours pas été résolu à la satisfaction du syndicat, il pourra être soumis à l'arbitrage.

En contexte de syndicalisation, les décisions des chefs de service peuvent donc être renversées (ou modifiées) non seulement par le responsable des relations du travail, mais aussi par un arbitre de griefs, c'est-à-dire un tiers extérieur à l'organisation investi de pouvoirs quasi judiciaires très considérables.

De nombreux chefs de service arrivent difficilement à comprendre ou à accepter une telle situation. D'autres auraient plutôt tendance, s'ils avaient le choix, à ne pas accorder d'importance au contenu de la convention collective et à continuer de gérer comme si de rien n'était. L'administration d'une convention collective exige donc de former (en plus de les informer!) tous les chefs de service au modèle organisationnel de gestion des clauses de la convention collective. On doit les amener à prendre connaissance du nouveau contrat et des modifications apportées, et s'assurer qu'ils possèdent les connaissances et les habiletés requises pour le rôle qu'on souhaite leur voir jouer.

13.5.3 L'ARBITRAGE POSSIBLE DES GRIEFS

Comme le spécifie l'alinéa *f* de l'article 1, un grief concerne «toute mésentente relative à l'interprétation ou à l'application d'une convention collective». À cet égard, rappelons que la sentence d'un arbitre de différend a le même effet qu'une convention collective signée par les parties (article 93) et qu'elle peut tout aussi bien donner lieu à des griefs.

Comme la grève et le lock-out sont interdits pendant la durée d'une convention collective, à moins d'une clause particulière à l'effet contraire (articles 107 et 109), il a fallu établir un mécanisme de résolution des divergences d'opinion sur la signification des diverses clauses d'une convention collective ou de leur application. Ce mécanisme est la procédure de résolution ou de règlement des griefs, dont l'étape ultime, si nécessaire, est l'arbitrage.

Dans la pratique, un grief est d'abord une plainte formulée par un employé, selon laquelle l'employeur ou l'un de ses représentants interprète mal ou applique mal telle ou telle disposition de la convention collective. La plupart des conventions collectives prévoient une ou plusieurs étapes, assorties de délais, où ladite plainte pourra être examinée et où l'employeur pourra soit maintenir sa décision, soit la changer en donnant raison à l'employé, totalement ou partiellement. À l'une ou l'autre de ces étapes, l'employé peut décider de retirer sa plainte ou de poursuivre.

Il faut cependant noter que, sauf si la convention collective contient une clause explicite à l'effet contraire, un grief appartient à l'association accréditée. Même si un employé décide de retirer sa plainte, le syndicat peut, en vertu des articles 69 et 100 du *Code du travail*, continuer de pousser le grief à travers les étapes de la procédure jusqu'à l'arbitrage. À l'inverse, cependant, il est impossible pour les salariés d'obtenir la nomination d'un arbitre par le ministre du Travail sans le concours de l'association accréditée, à moins que la Commission des relations du travail n'en soit arrivée à la conclusion (article 47.5) que l'association accréditée a violé l'article 47.2, qui traite de l'obligation d'une association accréditée de représenter équitablement tous les salariés de l'unité de négociation.

Si une convention collective ne prévoit pas de procédure interne de résolution des griefs, ou si on ne peut différencier l'étape initiale du dépôt du grief de celle de son envoi à l'arbitrage, le seul avis formel de grief transmis par une partie à l'autre, à l'intérieur des délais prévus, a pour effet de soumettre légalement le grief à l'arbitrage et d'enclencher le mécanisme de nomination d'un arbitre selon les modes prévus à l'article 100 du *Code du travail*. Comme dans le cas d'un arbitre de différend, un arbitre de grief peut être choisi d'un commun accord par les parties ou, à défaut d'entente entre les parties, choisi par le ministre à même la liste prévue à l'article 77 du code. L'arbitre peut être secondé par des assesseurs si, dans les 15 jours de sa nomination, il y a entente à cet effet entre les parties.

Comme le souligne Morin (1982, p. 474), «l'arbitrage des griefs devient, dans la pratique quotidienne, un mécanisme de contrôle externe des décisions prises par l'employeur». Tout grief non résolu et auquel l'une ou l'autre des parties désire donner suite doit être soumis à l'arbitrage; les parties n'ont pas la liberté de choisir un autre mécanisme de résolution. C'est ainsi que le recours à l'arbitrage, en cas de grief, est obligatoire. Dès que les droits sur lesquels une partie s'appuie découlent exclusivement d'une convention collective, seul un arbitre de grief a juridiction pour agir en tant que troisième partie neutre dans tout cas de violation alléguée de la convention collective.

L'article 101 du *Code du travail* prévoit que «la sentence arbitrale est sans appel, lie les parties et, le cas échéant, tout salarié concerné». Ces termes indiquent bien qu'en matière de grief, la juridiction arbitrale est vraiment exclusive. L'article 139 du *Code du travail* précise cette question en statuant que «sauf sur une question de compétence, aucun des recours extraordinaires prévus aux articles 834 à 850 du *Code de procédure civile* (chapitre C-25) ne peut être exercé ni aucune injonction accordée contre un arbitre».

Un arbitre de grief dispose de toute une série de pouvoirs, dont plusieurs sont énumérés aux articles 100.1 à 100.16:

- convoquer d'office les parties pour procéder à l'audition;
- procéder à l'audition, même en l'absence d'un intéressé dûment convoqué;

- ordonner le huis clos;
- assigner des témoins;
- poser à un témoin les questions qu'il croit utiles;
- visiter les lieux et interroger les personnes qui s'y trouvent;
- interpréter certaines lois et certains règlements afférents;
- ordonner la réouverture d'une enquête;
- fixer les modalités de remboursement d'une somme qu'un employeur a versée en trop à un salarié;
- ordonner le paiement d'un intérêt au taux courant sur les sommes dues en vertu de la sentence;
- fixer, à la demande d'une partie, le montant dû en vertu d'une sentence qu'il a rendue;
- corriger en tout temps une décision entachée d'erreurs d'écriture ou de calcul, ou de quelque autre erreur matérielle;
- en matière disciplinaire, confirmer, modifier ou annuler la décision de l'employeur et, le cas échéant, y substituer la décision qui lui paraît juste et raisonnable, compte tenu de toutes les circonstances de l'affaire (si la convention collective prévoit une sanction déterminée pour la faute reprochée, l'arbitre ne peut que confirmer ou annuler la décision de l'employeur, ou, le cas échéant, la modifier pour la rendre conforme à la sanction prévue à la convention collective).

Retenons également que la sentence d'un arbitre de grief doit être fondée sur la preuve (article 100.11), c'est-à-dire sur les faits et les documents qui lui sont présentés par les représentants de chacune des parties. Sauf en matière disciplinaire, son rôle se limite à interpréter la convention collective. Un grief sera normalement rejeté si l'arbitre juge conforme à la convention collective la décision de l'employeur qui est en cause. Lorsqu'un grief est accueilli, cela signifie normalement que l'arbitre considère que l'employeur a mal interprété ou mal appliqué une disposition d'une convention collective.

Une autre cause fréquente de rejet d'un grief est le non-respect des délais; on dit alors qu'il y a prescription, c'est-à-dire cessation d'un droit. L'article 71 du *Code du travail* stipule que «les droits et recours qui naissent d'une convention collective se prescrivent par six mois à compter du jour où la cause de l'action a pris naissance» (ce qui a été interprété comme le jour où le plaignant a pris connaissance des faits à l'origine du grief). La convention collective peut prévoir des délais plus courts, qui doivent avoir été respectés. Le nouvel article 100.0.1 stipule cependant qu'un arbitre ne peut rejeter un grief soumis à l'autre partie dans les 15 jours de la date où la cause de l'action a pris naissance, pour la seule raison que le délai prévu à la convention collective (en supposant qu'il soit plus court) n'a pas été respecté.

Selon Morin (1982), ce sont des raisons de célérité, d'objectivité et d'efficacité qui ont amené les parties et le législateur à confier les griefs à un groupe particulier de «juges d'occasion» plutôt qu'aux tribunaux de droit commun. Une évaluation sérieuse du régime actuel d'arbitrage des griefs serait nécessaire pour vérifier jusqu'à quel point il continue d'atteindre ses objectifs. Dans l'attente d'une telle évaluation, on peut encore mieux saisir les particularités des tribunaux d'arbitrage des griefs en les comparant aux tribunaux de droit commun; c'est ce que présente le tableau 13.1.

Selon un rapport publié en 1987 par le Conseil consultatif du travail et de la main-d'œuvre, les faits saillants de l'arbitrage des griefs au Québec, pour l'année 1985-1986, étaient les suivants:

— au cours de l'année, 4 478 dossiers ont été soumis à l'arbitrage;

— 2 652 décisions ont été rendues sur le fond;

— des règlements hors cours sont intervenus dans 1 826 dossiers, soit une proportion de 40,8 %;

TABLEAU 13.1 LA COMPARAISON ENTRE LES TRIBUNAUX D'ARBITRAGE DES GRIEFS ET LES TRIBUNAUX DE DROIT COMMUN

Tribunaux d'arbitrage des griefs	Tribunaux de droit commun
— L'arbitre se rend sur les lieux	— Les parties se rendent au Palais de justice
— Les parties restent liées après l'audition et la sentence	— Après l'audition, les parties partent généralement chacune de leur côté
— L'arbitre est un itinérant, un occasionnel de la justice	— Le juge est permanent, généralement stationnaire
— L'arbitre peut être choisi par les parties	— La personne du juge est imposée aux justiciables
— Les parties à la convention collective peuvent ensemble se soustraire à une sentence arbitrale qui les embarrasse	— Le justiciable est lié par le jugement, sous réserve de l'exercice de son droit d'appel

Source: MORIN, F., *Rapports collectifs du travail*, Université de Montréal, Thémis inc., 1982, p. 475-476.

– les arbitres uniques ont rendu 82,5 % de l'ensemble des décisions;

– à peine 6 % des sentences ont été rendues par des arbitres qui n'étaient pas inscrits à la *Liste annotée d'arbitres de griefs*;

– les griefs ont été rejetés dans 59,1 % des cas et maintenus dans 33,2 % des cas, et la demande a été modifiée dans 7,7 % des cas;

– dans le secteur privé, le délai moyen de l'audition à la décision a été de 54,2 jours, alors que dans le secteur public, il a été de 88,9 jours.

13.6 *LES MESURES DISCIPLINAIRES*

Comme l'indique le très important ouvrage publié par les auteurs D'Aoust, Leclerc et Trudeau (1982), les mesures disciplinaires constituent un secteur fondamental d'exercice, par un employeur, de son droit de gérer ses ressources humaines de la façon qu'il juge appropriée. C'est aussi, cependant, l'un des plus intéressants sujets où des réclamations (ou griefs) portées en arbitrage entraînent un certain contrôle des décisions patronales.

13.6.1 *LA DÉFINITION ET L'ILLUSTRATION DU CONCEPT DE MESURE DISCIPLINAIRE*

Une mesure disciplinaire est la décision prise par un employeur ou l'un de ses représentants d'imposer une sanction à un salarié à la suite d'un manquement volontaire de ce dernier à l'une ou l'autre de ses responsabilités. Selon D'Aoust, Leclerc et Trudeau (1982, p. 102), «la sanction disciplinaire est avant tout répressive; elle vise à punir l'individu pour son comportement répréhensible au sein de l'organisation. Accessoirement, elle doit inciter le contrevenant à amender sa conduite pour la rendre compatible avec la poursuite des activités de l'organisation à laquelle il appartient».

Placées en ordre croissant de sévérité, les mesures disciplinaires auxquelles un employeur peut recourir sont:

– l'avertissement, la réprimande ou l'avis disciplinaire;

– la rétrogradation;

– la coupure de salaire ou l'amende;

– la privation d'ancienneté;

–   la suspension (définie par D'Aoust, Leclerc et Trudeau (1982, p. 117) comme «l'interruption temporaire de la prestation de travail du salarié et de la rémunération qui en est sa contrepartie»);

–   le congédiement (cessation définitive de l'emploi du salarié à la suite d'un manquement de ce dernier);

–   d'autres mesures disciplinaires (toute décision patronale dont les conséquences pour le salarié visé sont négatives, et qui est présumément prise pour «corriger» un employé considéré par l'employeur comme volontairement fautif).

Malgré les subtiles distinctions établies par Gérard Dion (1986, p. 47), l'avertissement, la réprimande ou l'avis (verbal ou écrit) constituent les formes les plus légères de mesures disciplinaires. La mesure prend son importance en relation avec la notion de «juste cause» par laquelle les arbitres de grief ont imposé aux employeurs le principe de la progressivité des sanctions, c'est-à-dire qu'à moins que le salarié ait commis une faute très grave, l'employeur doit d'abord recourir (par exemple, lors d'une première offense) à une sanction légère pour permettre au salarié fautif de s'amender.

L'avertissement peut d'abord être verbal et ne consister qu'en un rappel au salarié (en présence ou non d'un représentant syndical) des comportements attendus et une spécification des comportements reprochés. Le but est de fournir au salarié une première occasion de prendre conscience de la situation et de s'amender. S'il y a récidive, on suggère aux gestionnaires d'avoir avec le salarié une «entrevue disciplinaire» pendant laquelle on informe à nouveau le salarié des règles à respecter et de la faute reprochée, et où on lui permet de donner sa version des faits qui l'ont incité à adopter les comportements jugés répréhensibles par la direction. Par la suite, un avis écrit pourra (ou non) être expédié au salarié pour lui signifier qu'il s'expose à des sanctions plus sévères s'il persiste dans ses comportements déviants.

La rétrogradation est généralement considérée par les arbitres comme une décision inacceptable s'il s'agit d'une mesure disciplinaire, sauf si la convention collective l'autorise expressément. La pratique de la rétrogradation ne serait valide et acceptable que dans un contexte non disciplinaire, c'est-à-dire pour un manquement «involontaire» du salarié relié, par exemple, à son incapacité d'effectuer correctement le travail (par manque de compétence), ou parce qu'il n'y a pas suffisamment de travail.

La coupure de salaire ou l'amende ainsi que la privation d'ancienneté sont, elles aussi, généralement considérées comme des mesures disciplinaires inacceptables, à moins d'être expressément autorisées dans la convention collective. La coupure de salaire n'est permise, affirment D'Aoust, Leclerc et Trudeau (1982, p. 113), «que si la prestation de travail n'a pas été rendue», dans le cas, par exemple, «d'absences non autorisées, d'arrêt de travail, de journée d'étude ou encore de gel de cours dans le secteur de l'éducation». En de tels cas, la coupure de salaire est une mesure non disciplinaire qui découle simplement du caractère bilatéral du contrat de travail. L'employeur peut cependant imposer une sanction disciplinaire parallèle à la sanction non disciplinaire, s'il considère que le manquement est volontaire.

La suspension est la sanction disciplinaire qui offre le plus de flexibilité. Selon sa durée et en fonction de la faute reprochée, elle s'avère tantôt bénigne, tantôt très grave. À moins qu'une convention collective l'interdise expressément, le pouvoir de suspendre est généralement reconnu à tout employeur. N'entraînant aucune rupture du lien contractuel avec l'entreprise, elle favorise la correction du comportement fautif du salarié. Le contrôle arbitral de cette mesure disciplinaire consiste à évaluer la durée de la suspension à la lumière de la gravité de la faute reprochée. La suspension peut aussi être utilisée comme mesure non disciplinaire (ou administrative) lorsque, par exemple, le salarié est temporairement incapable de fournir une prestation normale de travail pour une raison qui lui échappe. Une suspension à durée indéterminée peut aussi être imposée par un employeur en tant que «mesure administrative» pour lui permettre de rassembler et d'analyser toutes les informations relatives à certains comportements du salarié. Si, après l'examen du dossier, il n'y a pas matière à sanction disciplinaire, le salarié est réintégré sans perte salariale et il est présumé n'avoir jamais été suspendu; si l'enquête révèle des manquements suffisamment graves, la mesure administrative pourra se transformer en mesure disciplinaire. Lorsqu'un salarié est cité à un procès pour une infraction criminelle reliée au travail, de telle façon que la condamnation du salarié causerait un tort certain à l'employeur, on considère également comme justifié le fait de suspendre le salarié concerné. Il s'agit alors d'une mesure non disciplinaire qui vise à permettre à l'employeur de minimiser le préjudice que pourraient lui causer le procès et la condamnation éventuelle du salarié.

Le congédiement est la décision prise unilatéralement par un employeur de rompre définitivement le contrat individuel de travail à la suite d'un manquement du salarié. La situation est cependant très différente s'il s'agit d'un salarié régulier ou s'il s'agit d'un salarié à l'essai. Si un salarié est en période d'essai (ou en probation), il est extrêmement facile pour un employeur de le congédier puisque, à moins qu'une convention collective ne spécifie le contraire, la période d'essai ou de probation est généralement considérée comme le prolongement du processus de sélection. Habituellement, un employeur peut mettre fin à la période d'essai (ou à la probation) d'un salarié n'importe quand avant la fin de cette période, s'il juge que ce dernier ne répond pas aux normes établies, ou s'il est considéré comme négligent ou peu efficace. Certains arbitres vont même jusqu'à soutenir qu'un employeur n'aurait pas à justifier le congédiement (ou le licenciement) d'un salarié en période d'essai, à condition de ne pas être suspecté d'utiliser des motifs discriminatoires ou complètement déraisonnables.

Pour le salarié régulier, nous avons déjà constaté que la rupture unilatérale, par l'employeur, du contrat de travail peut survenir d'abord pour des motifs d'ordre interne à l'entreprise (par exemple, la réorganisation administrative) ou des raisons économiques (manque de travail). La mise à pied du salarié est alors définie comme un licenciement. Lorsque l'employeur rompt le contrat de travail à la suite d'un manquement involontaire du salarié (par exemple, incapacité physique ou mentale et incompétence du salarié à faire le travail), il s'agit d'un congédiement administratif (ou non disciplinaire). Le congédiement n'est disciplinaire que s'il réprime un manquement volontaire du salarié. Mais qu'il soit disciplinaire ou non, le congédiement donne généralement lieu à un grief. En un tel cas, le contrôle arbitral de la décision patronale s'appuie essentiellement sur la notion de «cause juste». L'arbitre est donc amené à se poser la question suivante: «Est-ce que les motifs à la source de la mesure corrective (administrative ou disciplinaire) justifient la mesure utilisée?» Il existe là-dessus une imposante et très riche jurisprudence que nous allons maintenant évoquer brièvement en identifiant les principaux motifs de recours aux mesures disciplinaires et administratives.

13.6.2 LES MOTIFS ADMINISTRATIFS ET DISCIPLINAIRES

Les motifs non disciplinaires ou administratifs identifiés par D'Aoust, Leclerc et Trudeau (1982) sont d'abord l'incapacité physique ou mentale du salarié, y compris les cas où l'alcoolisme amène le salarié à s'absenter souvent du travail ou à fournir un rendement insuffisant. Les autres motifs non disciplinaires sont reliés à l'incompétence du salarié soit par manque de connaissances, soit par manque des qualités requises, consécutivement à l'action d'un tiers (par exemple, un assureur, le propriétaire d'une entreprise cliente, un syndicat ou l'incarcération du salarié).

Au sujet de l'incapacité physique ou mentale, voici la synthèse à laquelle en arrivent D'Aoust, Leclerc et Trudeau (p. 281):

> *La jurisprudence arbitrale reconnaît qu'un employeur n'est pas tenu de garder à son emploi un salarié physiquement ou mentalement inapte de façon permanente, qui ne peut rendre sa prestation de travail d'une façon constante et satisfaisante ou dont le rendement est constamment inférieur à la moyenne.*

De plus, sauf disposition contraire d'une convention collective, un employeur n'est pas tenu de reclasser le salarié handicapé dans une autre fonction ou d'en créer de nouvelles.

Pour les cas d'alcoolisme, la situation est beaucoup plus complexe: la jurisprudence arbitrale a donné lieu à trois écoles de pensée. Selon la première école, les manquements du salarié dus à l'alcoolisme devraient être strictement abordés selon l'angle disciplinaire, ce qui revient à dire qu'on considère l'alcoolique entièrement responsable de ses actes et de ses comportements. Les partisans de la deuxième école s'appuient sur la conviction que l'alcoolisme est une maladie dont l'individu est en partie responsable; dans ce cas, on recommande d'accorder au salarié l'occasion de se soigner, de se réadapter, à défaut de quoi on recourra aux mesures disciplinaires ou administratives. Enfin, la troisième école est très permissive; elle considère l'alcoolisme strictement comme une maladie susceptible de réadaptation, dont l'individu n'est pas responsable. La position soutenue par D'Aoust, Leclerc et Trudeau (p. 294) est que même si l'alcoolisme doit être considéré comme une maladie, «il doit y avoir une limite au-delà de laquelle le contrat de travail peut être rompu [...] l'employeur, dans sa tolérance envers le salarié, n'a pas à attendre des mois et des mois que la réadaptation soit complète».

Quant aux motifs d'incompétence par manque de connaissances (ou incapacité de maîtriser les connaissances nécessaires à l'exécution normale du travail), on reconnaît à l'employeur le droit de prendre des mesures correctives, allant de la rétrogradation au renvoi. L'employeur devra cependant s'attendre à devoir assumer le fardeau de la preuve pour démontrer l'incapacité du salarié à fournir un rendement normal. La situation est plus complexe dans les cas d'intervention de tierces parties (D'Aoust, Leclerc et Trudeau, p. 298 et 308), de telle sorte que, faute d'espace, cette jurisprudence ne sera pas résumée ici.

Les motifs disciplinaires les plus fréquemment invoqués pour imposer aux salariés des mesures visant à corriger la situation sont:

— les fautes de négligence ou de piètre qualité dans l'exécution d'un travail;

— les mauvaises attitudes du salarié rendues explicites soit par de fréquentes absences non justifiées, soit par de l'insubordination sur les lieux de travail;

— les mauvais comportements personnels sur les lieux de travail ou à l'extérieur des lieux de travail (violation des règlements et des directives de l'employeur, cas de déloyauté, de vol, de fraude, de sabotage, de dommage à la propriété de l'employeur, de falsification du formulaire d'embauche, de conflit d'intérêts, de corruption, d'emploi secondaire et de concurrence envers l'employeur, de conduite répréhensible à l'égard d'autres salariés ou de tiers et, finalement, de consommation d'alcool ou de drogue au travail);

— les manquements à caractère collectif reliés, par exemple, aux activités syndicales dans l'entreprise.

Nous ne ferons ici que quelques commentaires sur la jurisprudence relative à ces motifs disciplinaires, puisqu'un traitement exhaustif du sujet exigerait trop d'espace. Ainsi, la négligence d'un salarié, en particulier lorsqu'il a reçu préalablement plusieurs avertissements, peut justifier des mesures disciplinaires allant jusqu'au congédiement. En matière d'insubordination, la jurisprudence établit les mérites de la doctrine dite *work now, grieve later* (c'est-à-dire obéir d'abord, se plaindre ensuite), selon laquelle le salarié n'a pas, en règle générale, le droit de se faire justice lui-même. Cependant, le devoir d'obéissance du salarié (issu de la subordination juridique) est limité, entre autres, par les règles suivantes:

— l'ordre doit être légitime, c'est-à-dire conforme aux directives relatives à l'exécution du travail;

— l'ordre doit être clair, non équivoque, bien compris du salarié, et avoir été transmis au salarié par une personne investie de l'autorité patronale;

— il est nécessaire que le salarié ait opposé un véritable refus;

— l'ordre doit aussi être légal et non contraire à l'ordre public ni aux bonnes mœurs;

— l'ordre ne doit pas déraisonnablement exposer le salarié ou une autre personne à un danger pour la santé, la sécurité ou l'intégrité physique du salarié ou d'une autre personne;

– l'ordre ne doit pas constituer une violation manifeste et évidente de la convention collective, et son exécution ne doit pas porter au salarié un préjudice qui ne pourrait être corrigé ni compensé adéquatement par la procédure des griefs.

Parmi les autres comportements susceptibles d'entraîner des mesures disciplinaires, le vol et la fraude sont sans doute ceux qui sont les plus réprouvés par les employeurs et, subséquemment, par les arbitres de grief. Ces deux actions sont généralement considérées comme des fautes graves qui méritent une sanction exceptionnelle, tel le congédiement, mais pas nécessairement dans tous les cas.

13.6.3 LES PRINCIPES DE JUSTICE RELATIFS À L'IMPOSITION DE MESURES DISCIPLINAIRES ET NON DISCIPLINAIRES

Au début du présent siècle, le pouvoir patronal d'imposer aux salariés un système disciplinaire arbitraire, le plus souvent sans appel et fondé avant tout sur la crainte des salariés de perdre leur emploi, était total. Une telle situation ne correspond plus aux valeurs de notre société; de nos jours, la discipline industrielle se caractérise par l'existence de règles de justice que l'employeur doit connaître et respecter, sinon ses mesures disciplinaires risquent d'être annulées ou atténuées par les arbitres de grief. Ces règles sont complexes et nombreuses; aussi, nous n'en mentionnerons que quelques-unes:

– avis préalable et progressivité de la sanction;

– règle des facteurs atténuants (par exemple, défaut par l'employeur de déterminer et d'appliquer uniformément des règlements d'entreprise dont le caractère est raisonnable);

– règle de la non-discrimination dans la sanction;

– règle de la non-provocation de la part d'un supérieur;

– règle du respect des formes prescrites dans la convention collective concernant les étapes et les délais propres au recours interne;

– obligation de motiver la mesure disciplinaire retenue;

– principe du fardeau de la preuve;

– prohibition de la double sanction;

– doctrine de l'incident culminant (qui consiste à dire que si la dernière infraction d'un employé mérite une sanction disciplinaire, c'est souvent à la lumière du dossier antérieur du salarié que la sanction peut se justifier ou non);

– règle des circonstances atténuantes ou aggravantes;

– règle de la proportionnalité entre la faute et la sanction.

13.6.4 LE PARTAGE DES RESPONSABILITÉS EN MATIÈRE DISCIPLINAIRE

Le recours possible à des mesures disciplinaires, dans quelque organisation que ce soit, illustre très clairement le caractère inadéquat des distinctions traditionnelles entre le pouvoir des responsables hiérarchiques (les détenteurs de l'autorité «line» qui, en principe, doivent prendre les décisions et autoriser les mesures qu'ils jugent nécessaires) et le pouvoir des spécialistes d'un service de gestion des ressources humaines ou de relations du travail (qui, en principe également, ne sont censés détenir qu'une autorité dite «staff», soit celle de donner des avis).

À ceux qui accordent encore du crédit ou de la valeur à la traditionnelle distinction «line–staff», rappelons que dès 1948, McGregor (p. 7) qualifiait les pratiques reposant sur cette distinction de «psychologiquement absurdes et, en pratique, non applicables». Un autre grand penseur de la gestion, Drucker (1954, p. 241-243) a déjà écrit que les efforts de différenciation entre l'autorité des responsables hiérarchiques et celle des spécialistes d'un service-conseil étaient insensés et devraient être abandonnés.

En matière disciplinaire comme dans plusieurs autres facettes de la gestion des ressources humaines (par exemple, en sélection, en évaluation du rendement ou en rémunération), il est totalement inadéquat de laisser croire aux responsables hiérarchiques qu'ils doivent être les «décideurs ultimes». Ces décisions sont trop importantes et entraînent trop de conséquences pour qu'une direction d'entreprise accepte de les laisser à la discrétion de chaque responsable hiérarchique. Ce sont fondamentalement des décisions de direction générale que les spécialistes de gestion des ressources humaines ou de relations du travail sont appelés à véhiculer auprès des autres cadres. Cependant, ces spécialistes peuvent se retrouver dans une position très inconfortable si la direction générale n'a pas clairement procédé à cette délégation d'autorité, et si les conceptions surannées des autorités «line» et «staff» continuent d'être utilisées dans l'entreprise.

13.7 Conclusion

Le *Code du travail du Québec* accorde le droit d'association aux salariés et prohibe toute forme d'ingérence, de domination, d'entrave ou de financement par un employeur concernant cette association. L'association de salariés doit être accréditée et posséder un caractère représentatif, c'est-à-dire voulue par la majorité du groupe défini, pour profiter des droits conférés par le *Code du travail*. Une requête en accréditation peut être demandée en tout temps si un groupe de salariés n'est pas déjà représenté par une association accréditée. Sinon, une requête sera recevable si l'association accréditée est inopérante pendant la période de maraudage prévue par la loi ou s'il y a eu défaut de déposer une convention collective. L'accréditation d'une association de salariés entraîne des obligations autant pour l'employeur que pour le syndicat et pour les salariés représentés.

La négociation collective est le processus de détermination des conditions de travail consignées dans un document appelé convention collective, à la suite d'une période de tractations entre les parties patronale et syndicale. Les négociations collectives commencent à partir du moment où un avis de négociation est donné. Le déroulement s'effectue en trois phases : l'ouverture des négociations, la négociation proprement dite, et la phase finale menant à un règlement et à la signature d'un accord. Les négociateurs utilisent différentes tactiques pour faire progresser les négociations : l'information et l'écoute, la persuasion, la coercition, dont le bluff et l'engagement.

L'une ou l'autre des parties, au cours des négociations, peut demander l'intervention d'un conciliateur pour l'aider à résoudre un différend. Le conciliateur peut obliger les parties à assister à toutes les réunions auxquelles il les convoque. Son intervention peut faciliter l'atteinte d'un accord entre les parties. La grève ou le lock-out sont possibles, moyennant le respect de toute une série de conditions prévues par le code. Par contre, le recours aux briseurs de grève est banni. En cas d'échec de la négociation, les parties peuvent soumettre leur différend à un arbitre. Elles sont alors liées au jugement rendu, à moins qu'elles s'entendent pour en modifier le contenu en tout ou en partie. En choisissant cette procédure, l'employeur et le syndicat perdent leur droit à la grève ou au lock-out.

Le succès du processus de négociation collective repose sur :
- la perception des négociations collectives comme un mécanisme de résolution de problèmes dans le respect mutuel des parties, ce qui

amène ces dernières à faire des compromis pour en arriver à une entente qui peut être satisfaisante pour les deux;

– le fait qu'en dehors du contexte des négociations, les gestionnaires auront déployé des efforts pour trouver des solutions efficaces et satisfaisantes aux nombreux problèmes qui concernent les droits des salariés;

– une bonne préparation des parties en cause;

– une approche positive de la négociation en mettant l'accent sur les problèmes à résoudre, les intérêts en jeu et la recherche de solutions justes et satisfaisantes pour les deux parties;

– les qualités personnelles des négociateurs.

L'aboutissement normal des négociations mène à la signature d'une convention collective. Les clauses constituent un ensemble de dispositions générales et particulières qui encadrent les décisions prises par la direction. Ces clauses entraînent des problèmes d'application et d'interprétation, d'où la nécessité de clarifier les responsabilités entre les chefs de service et les spécialistes des relations du travail.

Les mesures disciplinaires constituent un secteur fondamental d'exercice, par la partie patronale, de ses droits de gérance. La discipline se caractérise aujourd'hui par une série de règles de justice qui doivent être connues et respectées par l'employeur, sinon les mesures disciplinaires risquent d'être annulées ou atténuées par les arbitres de grief. Les décisions en matière de discipline devraient relever de la direction générale et être véhiculées par le service des ressources humaines auprès des autres cadres.

QUESTIONS

1. Quelle est la différence entre une «association de salariés» et une «association accréditée», et quelles sont les deux conditions requises pour être un «salarié» au sens du *Code du travail du Québec*?

2. Qu'appelle-t-on «pratiques interdites», et quel est le sens général (ou la raison d'être) des trois articles du *Code du travail du Québec* qui portent sur ce sujet?

3. Si un salarié a été congédié, qu'il porte plainte dans les délais prescrits et qu'il peut démontrer qu'il exerçait un droit lui

résultant du *Code du travail du Québec*, on dit alors qu'il y a «présomption en faveur du salarié» et que l'employeur a «le fardeau de la preuve». Que signifient ces deux expressions?

4. Lors d'une requête en accréditation, pourquoi un employeur pourrait-il refuser son accord sur le «groupe distinct» susceptible de constituer une «unité de négociation»? De quelle façon et à quel moment doit-il agir s'il veut qu'on tienne compte de sa position?

5. Nommez deux des principaux effets d'une accréditation pour chacun des groupes suivants:

   a) les salariés concernés;

   b) l'employeur;

   c) la nouvelle association accréditée.

6. *a)* Dans le cas du renouvellement d'une convention collective, à quel moment l'avis de négociation peut-il être donné à l'autre partie?

   b) Si aucun avis n'est donné, à quel moment sera-t-il présumé avoir été donné?

   c) À quel moment cette association obtiendra-t-elle le droit de déclencher une grève?

7. Expliquez sommairement le mécanisme prévu par le *Code du travail* pour le recours possible à l'arbitrage d'un différend dans chacun des cas suivants.

   a) La négociation d'une première convention collective pour une association accréditée regroupant des salariés autres que des policiers ou des pompiers d'une municipalité.

   b) Le renouvellement d'une convention collective pour un groupe autre que des policiers ou des pompiers.

   c) Le renouvellement d'une convention collective pour une association accréditée de policiers ou de pompiers d'une municipalité.

8. Quelle est la conséquence immédiate de la décision des parties de porter leur différend à l'arbitrage ou de se le faire imposer?

9. Après la signature d'une convention collective qui ne contient aucune clause concernant la nourriture servie à la cafétéria, un salarié se plaint que les repas sont infects. S'agit-il d'un

grief, d'un différend ou d'une mésentente? Comment ce problème pourrait-il être réglé?

BIBLIOGRAPHIE

BOIVIN, J. et GUILBAULT, J., *Les relations patronales–syndicales*, 2ᵉ éd., Gaëtan Morin Éditeur, 1989, p. 211 et 232.

CARRIER, D., «La stratégie des négociations collectives», dans MALLETTE, N. (dir.), *La gestion des relations du travail au Québec*, Montréal, McGraw-Hill, 1980, p. 479-495.

CHAMBERLAIN, N.W. et KUHN, J.W., *Collective Bargaining*, 2ᵉ éd., New York, McGraw-Hill, 1965.

CONSEIL CONSULTATIF DU TRAVAIL ET DE LA MAIN-D'ŒUVRE, *Liste annotée d'arbitres des griefs*, 18ᵉ éd., en vigueur du 1ᵉʳ juillet 1987 au 31 mars 1988, Gouvernement du Québec, ministère du Travail, 1987.

D'AOUST, C., LECLERC, L. et TRUDEAU, G., *Les mesures disciplinaires: étude jurisprudentielle et doctrinale*, monographie n° 13, École de relations industrielles, Université de Montréal, 1982, p. 102-308.

DION, G., *Dictionnaire canadien des relations du travail*, 2ᵉ éd., Québec, Fondation Gérard Dion et Les Presses de l'Université Laval, 1986, p. 47.

DRUCKER, P., *The Practice of Management*, New York, Harper & Row, 1954, p. 241-243.

FISHER, E.G. et WILLIAMS, C.B., «Negociating the union–management agreement», dans ANDERSON, J.C., GUNDERSON, M. et PONAK, A., *Union Management Relations in Canada*, 2ᵉ éd., Addison-Wesley Publishers, 1989, p. 185-207.

FISHER, R. et URY, W., *Comment réussir une négociation*, Paris, Éditions du Seuil pour la traduction française, 1982.

GAGNON, R.P., *Droit du travail*, cours de la formation professionnelle du Barreau du Québec, Cowansville, Yvon Blais inc., 1985, p. 62-65 et 151-152.

HÉBERT, G. et VINCENT, J., *L'environnement et le jeu des personnalités dans la négociation collective*, Université de Montréal, École de relations industrielles, monographie n° 7, 1980.

KOCHAN, T.A., *Collective Bargaining and Industrial Relations, from Theory to Policy and Practice*, Homewood (Ill.), R.D. Irwin, 1980.

LALANCETTE, J.-P., document non daté, p. 2.

McGREGOR, D.C., «The staff function in human relations», *The Journal of Social Issues*, été 1948, p. 7.

MORIN, F., *Rapports collectifs du travail*, Faculté de droit, Université de Montréal, Thémis inc., 1982, p. 298 et 475-476.

OUELLET, J.E., «La préparation au processus de la négociation collective: une approche patronale», dans MALLETTE, N. (dir.), *La gestion des relations du travail au Québec*, Montréal, McGraw-Hill, 1980, p. 449-478.

WALTON, R.E. et McKERSIE, R.B., *A Behavioral Theory of Labor Negociations: An Analysis of a Social Interaction System*, New York, McGraw-Hill, 1965.

WATSON, T.J., *The Personnel Managers: A Study in the Sociology of Work and Employment*, London, Routhledge and Kegan, 1977, p. 172-173.

CHAPITRE 14

LA SANTÉ ET LA SÉCURITÉ AU TRAVAIL

par André Petit

OBJECTIFS

Après l'étude de ce chapitre, vous devriez être en mesure:

- de situer et d'expliquer les principales étapes historiques de l'élaboration du système actuel d'indemnisation et de prévention en matière de SST;
- de mentionner les données pertinentes relatives à la fréquence et aux coûts des problèmes de SST;
- d'élaborer des explications cohérentes sur les principaux éléments de la législation québécoise en matière de SST;
- d'expliquer un modèle des déterminants d'une gestion stratégique des problèmes de SST;
- de présenter et d'expliquer les composantes de programmes organisationnels cohérents en matière de SST.

MISE EN SITUATION

DÉFICIT DE 262 M$: LA CSST A DÉPASSÉ SES PRÉVISIONS DE COÛTS DE 300 M$ EN 1990

La Commission de la santé et de la sécurité du travail (CSST) a dépassé ses prévisions de coûts de quelque

300 M$ en 1990. Ce résultat fait dire à Jean Perron, président de l'Association des entrepreneurs en construction du Québec (AECQ), que «la CSST semble avoir perdu le contrôle de son processus d'indemnisation».

La CSST a subi une perte de 262 M$ en 1990, alors qu'elle avait prévu réaliser un surplus d'environ 60 M$. En 1989, elle avait réalisé un surplus de 213 M$.

Or, ce revirement de 475 M$ s'est produit malgré une baisse de 5 % du nombre des accidents, qui sont passés de 216 000 en 1989 à 206 000 en 1990.

Quatre grandes causes

Selon Ghislain Dufour, président du Conseil du patronat du Québec, il y a quatre grandes raisons aux dépassements de coûts de la CSST:

1. les déboursés (sic) pour l'indemnisation des victimes d'accidents du travail se sont accrus en 1990 de 400 M$ ou de 32 % sur ceux de 1989, soit un niveau beaucoup plus élevé que ce qu'elle avait prévu lorsqu'elle a établi ses taux de cotisation pour 1990;

2. les coûts du programme de retrait préventif de la femme enceinte ou qui allaite ont augmenté de 45 % à 79 M$; c'est 40 % de plus que ce que prévoyait le budget de la CSST. Selon M. Dufour, la hausse de 24 M$ du coût de ce programme est imputable à certaines directives qui ont ouvert les vannes de la CSST (acceptation automatique des certificats médicaux, non-contestation de la CSST en arbitrage commercial, préjugé favorable, etc.);

3. le nombre de jours moyens indemnisés par la CSST est passé de 47,1 jours en 1989 à 59,1 jours en 1990;

4. le gouvernement a transféré à la CSST un certain nombre de programmes pour lesquels il payait auparavant; ces programmes coûtent environ 125 M$ à la CSST;

5. la récession économique incite les bénéficiaires à demeurer plus longtemps sous la couverture des divers programmes.

La CSST a accru ses dépenses d'administration de 12 % en 1990 même si le nombre d'accidents a baissé.

Hausse de 7,7 % des frais en 1991

Par ailleurs, la CSST haussera ses frais d'administration de 7,7 % en 1991, révélait récemment un bulletin du Conseil du patronat du Québec (CPQ). Ces frais seront cette année de 258 M$. Ils incluent près de 20 M$ au titre du financement de la Commission d'appel en matière de lésions professionnelles.

L'indexation des programmes de stabilisation économique et sociale coûtera plus cher que prévu.

Selon une résolution présentée par le président de la CSST en 1990, l'indexation des programmes de stabilisation devait débuter à compter du 1er janvier 1989 et coûter 95 M$. Or, sous la pression de l'ex-ministre responsable de la CSST, Yves Séguin, le président de la CSST a dû présenter une autre résolution prévoyant l'indexation des programmes de stabilisation rétroactivement à janvier 1986, ce qui en porte le coût à 108 M$. De cette somme, un montant de 100 M$ a été imputé aux dépenses de 1990.

Les représentants patronaux ont voté contre cette résolution, mais ils ont perdu face aux votes réunis des représentants syndicaux et du président de la CSST, qui jouit d'un vote prépondérant lorsqu'il y a égalité des votes. La partie patronale et la partie syndicale ont sept représentants chacune au conseil de la CSST. Si la résolution suit son cours normal, un projet de loi sera déposé à l'Assemblée nationale afin de modifier la Loi sur les accidents du travail et les maladies professionnelles.

Le président du CPQ estime que le déficit de la CSST n'a rien à voir avec la baisse du taux de cotisation pour 1990. Cette baisse du taux moyen de cotisation des employeurs, qui est passé de 2,75 $ par 100 $ de masse salariale assurable en 1989 à 2,50 $ en 1990, devait laisser un surplus de 60 M$ pour 1990 selon M. Dufour. Quant au taux de capitalisation, il était de 65 % à la fin de 1990. Le taux de capitalisation indique le pourcentage des engagements futurs de la CSST pour lesquels l'organisme a accumulé des réserves financières.

La baisse du taux de cotisation à 2,32 $ du 100 $ de masse salariale assurable en 1991 ne devrait pas contribuer à réduire sensiblement le déficit de la CSST cette année.

Les employeurs n'ont qu'à investir dans la prévention, répliquent la CSN et la FTQ

Si les employeurs trouvent que les accidents du travail coûtent trop cher, ils devraient investir dans la prévention, plutôt que de laisser entendre que les accidentés abusent du système. Il n'est pas question que les travailleurs cèdent des droits pour diminuer les coûts de la CSST.

C'est le message qu'ont livré hier deux représentants syndicaux rejoints par la Presse canadienne et qui siègent à la Commission de la santé et de la sécurité du travail (CSST).

M. Clément Godbout, secrétaire général de la FTQ, et Mme Céline Lamontagne, vice-présidente de la CSN responsable du dossier santé et sécurité, répliquaient ainsi au président du Conseil du patronat Ghislain Dufour, qui se plaignait du déficit « désastreux » de la CSST, qui atteindrait les 400 millions $ cette année.

En juin dernier, on a annoncé que la cotisation des employeurs allait passer de 2,32 $ du 100 $ de masse salariale à 2,50 $ en 1992. Les employeurs trouvent que la CSST leur coûte cher.

D'une seule voix, M. Godbout et Mme Lamontagne ont suggéré aux employeurs d'investir davantage en prévention, s'ils veulent que les accidents du travail, à moyen terme, leur coûtent moins cher en indemnisations. « Quand la prévention est négligée, ça coûte plus cher en réparations », souligne le secrétaire général de la FTQ.

Mme Lamontagne craint qu'à force d'être ainsi dénoncée par le patronat, la CSST se mette à être plus restrictive et que les travailleurs accidentés en subissent les conséquences.

De son côté, M. Godbout fait valoir que si les coûts de la CSST ont augmenté, c'est aussi parce que la masse salariale globale a diminué, puisqu'il y a moins d'emplois, à cause de la récession.

Dans une entrevue accordée au Journal de Montréal, *M. Dufour se plaignait notamment du fait qu'en temps de récession, les accidents du travail sont indemnisés durant une période de temps plus longue. Selon lui, cela contribue grandement à la croissance des coûts.*

Les deux syndicalistes n'apprécient guère ce sous-entendu de M. Dufour. « Ça frise l'accusation », lance M. Godbout.

« C'est tendancieux », réplique Mme Lamontagne. « Si cela est vrai, il y a sûrement une raison autre qu'un abus volontaire de la part des accidentés. »

Source: GAGNÉ, J.-P., *Les Affaires*, 4 mai 1991.

QUESTIONS

1. À partir des données fournies dans les rapports annuels de la CSST, quel a été, au cours des 20 dernières années, le rythme annuel moyen d'évolution de la cotisation patronale et des dépenses de la CSST en matière de réparation et de prévention? Comment, selon vous, une telle évolution s'explique-t-elle?

2. Si les dépenses de la CSST devaient absolument être réduites de 20 %, quelles seraient vos recommandations sur les façons d'atteindre cet objectif?

3. En supposant que les coûts indirects soient cinq fois plus élevés que les coûts directs (assurés), comment cette information pourrait-elle être utilisée pour justifier économiquement (ou financièrement) l'investissement en prévention?

14.1 INTRODUCTION

Au cours des 15 dernières années, le thème abordé dans le présent chapitre, soit la gestion des problèmes reliés à la santé et à la sécurité des ressources humaines en milieu de travail, s'est imposé à de nombreux dirigeants d'entreprise comme un défi à relever. En fait, compte tenu de l'évolution des coûts en ce domaine, plusieurs dirigeants se sont sans doute demandé s'il est vraiment possible de gérer adéquatement le dossier de la santé et de la sécurité du travail (SST) sans compromettre la position concurrentielle de leur entreprise.

Tous ceux qui s'intéressent de près à la gestion des ressources humaines ont pu noter que les problèmes de SST sont devenus très importants au sein des organisations, non seulement à cause des coûts de plus en plus élevés qu'ils génèrent, mais aussi à cause des nombreuses initiatives prises, par exemple, par les gouvernements, qui ont adopté plusieurs lois importantes en ce domaine. Les médias accordent également une importance accrue à cette facette du fonctionnement des organisations: des incidents spectaculaires mais malheureux, comme ceux de Tchernobyl (explosion d'un réacteur nucléaire), de Bhopâl (contamination d'une région de l'Inde à la suite d'une fuite de gaz toxique dans une usine de la Union Carbide) ou du large des côtes de Terre-Neuve (naufrage de la plate-forme de forage *Ocean Ranger*), contribuent à maintenir cet intérêt. Les experts en gestion des ressources humaines ou en relations industrielles participent massivement à des colloques, à des congrès ou à des sessions d'étude sur le thème de la SST. Les universités, les unes après les autres, ont élaboré des programmes d'études spécialisées en ce domaine. Finalement, les parties syndicale et patronale en font régulièrement l'objet de leurs prises de position.

Compte tenu de ses dimensions obligatoirement réduites, le présent chapitre ne constituera donc qu'une introduction à ce vaste et complexe domaine qu'est la SST. Les points suivants seront abordés:

1. un bref retour en arrière;
2. un examen sommaire de la situation actuelle;
3. les principaux éléments de la législation québécoise en matière de SST;
4. une amorce de développement des déterminants et des composantes d'une gestion stratégique en SST.

14.2 QUELQUES JALONS HISTORIQUES

C'est au cours du XIXe siècle et au début du XXe siècle, à cause de l'effet combiné de la révolution industrielle et du libéralisme économique, que se développa le contexte propice à l'émergence des premiers mécanismes de contrôle et de gestion des accidents du travail, suivis éventuellement (ou précédés dans certains milieux) de lois sur le travail en ce domaine.

Pendant de très nombreuses années, le travailleur victime d'un accident du travail était la plupart du temps considéré comme responsable de son propre malheur. Il pouvait sans doute engager une poursuite contre son employeur, mais il devait alors prouver que ce dernier était responsable de l'accident. Généralement, l'employeur avait beau jeu et pouvait facilement démontrer: 1. que le travail à faire impliquait un risque normal que l'employé avait accepté; 2. que l'accident était dû à la négligence du travailleur lui-même; 3. que l'accident était dû à des circonstances ou à des personnes hors de son pouvoir.

Certains employeurs contribuèrent à la création des premières associations pour la prévention des accidents dans les usines et pour l'échange de données d'expérience sur les questions de sécurité (BIT, 1961, p. 15), mais le contexte juridique continua d'être celui du droit civil ou du droit coutumier (*common law*).

Dans tous les pays industriellement développés, des législations apparurent pour corriger les principaux abus de ce système. **Le grand changement fut qu'on présumerait dorénavant que l'employeur, et non l'employé, était responsable de l'accident** (on peut facilement imaginer les difficultés des législateurs à faire accepter aux industriels un tel revirement). Aux États-Unis, il fallut également interdire (ou rendre illégal) le contrat particulier par lequel certains employeurs exigeaient de leurs employés qu'ils les dégagent de toute poursuite possible en rapport avec quelque accident du travail que ce soit (Chamberlain, 1965, p. 541-542). Comme le signale Tobin (1987, p. 253), c'est en 1910 que le législateur québécois adopta la *Loi régissant la responsabilité et les indemnités pour les accidents du travail*. Cette loi prévoyait, entre autres, qu'en cas d'accident du travail un employeur pouvait recourir à une assurance-responsabilité, que les indemnités à payer étaient fixées à un maximum de 1 000 $ par année (c'est-à-dire 50 % du salaire annuel du salarié pour un maximum assurable de 2 000 $ par année), mais que le travailleur accidenté devait quand même intenter un recours devant le tribunal approprié.

Dans ce contexte de responsabilité patronale **individuelle**, les compagnies d'assurances, appelées à intervenir, imposèrent graduellement des approches basées sur la prévention. Des inspecteurs privés firent leur apparition, effectuèrent des visites dans les différents établissements couverts et commencèrent à accumuler une expertise en matière de sécurité et de prévention. Il fallut de toute façon établir des taux pour les primes à exiger des employeurs. On chercha également à minimiser les risques d'accidents, donc les éventuels paiements à effectuer.

Les principales lacunes de ce système devinrent rapidement évidentes (Tobin, 1987, p. 254): obligation du recours judiciaire, multiplication des intermédiaires (avocats, compagnies d'assurances), retards parfois considérables dans le paiement des indemnités, etc.

À la suite des pressions surtout syndicales et des travaux d'une Commission d'enquête sur le système d'indemnisation lors d'accidents du travail mise sur pied en 1923, le législateur québécois adopta, en 1931, la *Loi des accidents du travail*. Dorénavant (et c'est encore le cas aujourd'hui), le système d'indemnisation serait administré par une agence gouvernementale, soit la Commission des accidents du travail (CAT) maintenant appelée la Commission sur la santé et la sécurité du travail (CSST), et **les employeurs seraient collectivement responsables** des accidents du travail et de certaines maladies professionnelles.

Nous traiterons, plus loin dans ce texte, des principaux éléments du cadre juridique actuel en matière de santé et de sécurité au travail. Examinons maintenant quelques données sur la situation actuelle et récente en matière de SST.

14.3 LA SITUATION ACTUELLE

Parmi toutes les statistiques disponibles, nous ne présenterons que celles portant sur la fréquence des accidents du travail et des maladies professionnelles, et sur les coûts du système.

14.3.1 LA FRÉQUENCE DES ACCIDENTS DU TRAVAIL ET DES MALADIES PROFESSIONNELLES

Selon les statistiques publiées par la CSST, dont certains éléments sont rapportés au tableau 14.1, 185 décès consécutifs à des accidents du travail ou à des maladies professionnelles sont survenus en 1990, contre 181 en 1989. En 1981, en 1985 et en 1986, le nombre respectif de

TABLEAU 14.1 LA FRÉQUENCE ET LA GRAVITÉ DES ACCIDENTS DU TRAVAIL ET DES MALADIES PROFESSIONNELLES, QUÉBEC, 1989 ET 1990

	1989	1990
Ouverture de dossiers à la suite de lésions professionnelles	251 557	241 426
Cas d'accidents avec interruption de travail acceptés et indemnisés	214 720	205 048
Autres accidents*	29 056	27 771
Cas de maladies professionnelles avec interruption de travail acceptés et indemnisés	4 010	4 196
Autres maladies professionnelles*	3 771	4 411
Décès survenus	181	185
Applications du droit de refus	308	314

* Cette catégorie comprend principalement des lésions sans interruption de travail, des demandes refusées et des demandes encore en traitement.

Source : CSST, *Rapport annuel 1990*, Québec, 1991, p. 2.

demandes de prestations pour décès s'élevait à 232, 160 et 171. Il s'agit donc d'une statistique qui tendrait heureusement à se stabiliser, même si la situation demeure dramatique.

Au Québec, en 1989 et en 1990, la CSST a enregistré respectivement 214 720 et 205 048 cas d'accidents avec interruption de travail acceptés et indemnisés. Il y aurait eu également, pour les deux mêmes années, 4 010 et 4 196 cas de maladies professionnelles avec interruption de travail acceptés et indemnisés. En 1986, la CSST avait accepté et indemnisé 208 486 cas d'accidents du travail et 4 825 cas de maladies professionnelles, ce qui représentait une augmentation de 7,6 % par rapport à l'année 1985, laquelle affichait une hausse de 11,6 % par rapport à 1984. Le nombre de lésions professionnelles indemnisées a augmenté de 70 % entre 1976 et 1985, à un rythme moyen de 6 % par année. Pendant la même période (1976-1985), le nombre total de travailleurs assurés n'a augmenté en moyenne que de 1,9 % par année.

Mentionnons également que la durée moyenne de l'interruption de travail consécutive à une lésion professionnelle était de 27 jours ouvrables pour les personnes qui ont conservé des séquelles permanentes (environ 7,5 % des cas), alors qu'elle était de 14 jours pour les personnes qui n'ont pas subi de séquelles permanentes. Globalement, environ cinq millions de jours de travail sont ainsi perdus chaque année, au Québec, à cause des accidents du travail et des maladies professionnelles.

14.3.2 *LES COÛTS DU SYSTÈME*

Les tableaux 14.2 et 14.3 fournissent quelques données financières relatives à la SST au Québec, pour les années 1989 et 1990. On peut y constater qu'**en 1990 les dépenses totales de la CSST ont dépassé le cap des deux milliards de dollars,** et ce malgré une baisse relative de la cotisation des employeurs. Ce sont les programmes de réparation (ou d'indemnisation) qui accaparent la plus forte proportion des dépenses de la CSST, mais les programmes de prévention entraînent tout de même des dépenses de près de 70 millions de dollars.

Nous reviendrons plus loin sur les coûts engendrés par le système de SST. Examinons maintenant la législation québécoise en ce domaine.

14.4 *LA LÉGISLATION QUÉBÉCOISE EN MATIÈRE DE SST*

Au Canada, le pouvoir de légiférer en matière de SST, comme en matière de relations du travail, appartient principalement aux provinces.

*Tableau 14.2 Les données financières relatives à la SST,
Québec, 1989 et 1990*

	1989	1990
Nombre total de travailleurs et travailleuses couverts	2 468 732	2 401 359
Nombre total de dossiers d'employeurs	182 322	180 758
Maximum du salaire annuel assurable	38 000 $	40 000 $
Taux moyen de cotisation (pour chaque 100 $ de masse salariale)	2,75 $	2,50 $
Cotisation des employeurs (en milliers de $)	1 530 181	1 445 347
Coût des programmes de réparation (en milliers de $)	1 293 247	1 718 377
Coût des programmes de prévention (en milliers de $)	67 421	69 753
Dépenses totales* de la CSST (en milliers de $)	1 753 213	2 037 128

* Excluant les frais imputés aux gouvernements du Québec et du Canada et aux
employeurs tenus personnellement au paiement des prestations.

Source : CSST, *Rapport annuel 1990*, Québec, 1991, p. 2.

Même s'il existe plusieurs lois fédérales relatives à la SST, elles ne
s'appliquent, sauf exception, qu'aux entreprises et aux employés reconnus comme étant de juridiction fédérale en vertu de la Constitution
canadienne.

Au Québec, après presque 50 ans d'une relative stabilité en ce
domaine, l'Assemblée nationale a adopté coup sur coup deux importantes lois qui constituent maintenant l'essentiel de la législation québécoise en matière de SST. Il s'agit de la *Loi sur la santé et la sécurité
du travail*, adoptée le 21 décembre 1979 et mise en vigueur le 10 janvier
1980, et de la *Loi sur les accidents du travail et les maladies professionnelles*, en vigueur depuis le 19 août 1985.

14.4.1 La Loi sur la santé et la sécurité du travail

Selon les termes mêmes de son article 2, la *Loi sur la santé et la sécurité
du travail* (LSST) poursuit l'ambitieux objectif de «l'élimination à la
source même des dangers pour la santé, la sécurité et l'intégrité physique des travailleurs». De même, à l'article 9, on réaffirme le droit

TABLEAU 14.3 LES COÛTS DES PROGRAMMES DE LA CSST EN MATIÈRE DE RÉPARATION (OU D'INDEMNISATION) ET DE PRÉVENTION, 1989 ET 1990

	1989	1990
	(en milliers de $)	
Programmes de réparation		
Assistance médicale et frais de réadaptation	156 181	182 825
Incapacité temporaire (indemnités)	49 717	41 476
Remplacement du revenu	444 427	594 475
Dommages corporels	91 563	109 407
Incapacité permanente	175 275	176 018
Prestations de décès	56 576	46 624
Programmes de prévention		
Services de santé au travail et autres	36 912	37 401
Subvention à l'IRSST	14 069	15 155
Subventions aux associations sectorielles paritaires	11 280	11 679
Subventions aux associations syndicales et patronales	5 150	5 518
Retraits préventifs de la travailleuse enceinte ou qui allaite (prestations)	49 777	69 317

Source: CSST, *Rapport annuel 1990*, Québec, 1991, p. 36.

du travailleur «à des conditions de travail qui respectent sa santé, sa sécurité et son intégrité physique».

Malgré son envergure (338 articles), cette loi ne concerne que l'une des trois facettes fondamentales des questions de SST. Ces trois facettes sont l'indemnisation (ou la «compensation»), la réadaptation et la prévention. La *Loi sur la santé et la sécurité du travail* ne traite donc que de prévention, et comme le souligne Marcel Simard (1984, p. 36) «tous les moyens prévus dans cette loi ne visent pas à promouvoir la prévention, mais il apparaît néanmoins que bon nombre d'entre eux n'ont de sens que dans une perspective préventive». L'objectif de la prévention n'avait jamais reçu autant d'attention de la part du législateur.

Le chapitre III de la *Loi sur la santé et la sécurité du travail* (articles 9 à 67 incl.) énumère les droits et les obligations des travailleurs, des employeurs et des fournisseurs en matière de SST. Si les travailleurs ont certaines obligations (article 49) découlant de cette loi, ils se voient surtout reconnaître plusieurs droits nouveaux, dont celui de refuser d'exécuter un travail s'ils ont des motifs raisonnables de croire que l'exécution de ce travail les expose à un danger. Un autre droit est celui du retrait préventif général ou particulier à la travailleuse enceinte ou qui allaite. Quant aux employeurs, le texte de loi insiste surtout sur leurs responsabilités et leurs obligations (articles 51 à 62 incl.), dont les plus importantes sont sans doute les suivantes:

1. s'assurer que l'organisation du travail, les méthodes et les techniques utilisées sont sécuritaires;

2. dresser et maintenir à jour un registre des caractéristiques des différents postes de travail identifiant notamment les contaminants et les matières dangereuses qui y sont présents, et un registre des caractéristiques concernant le travail exécuté par chaque travailleur;

3. faire en sorte qu'un programme de prévention soit mis en application si l'établissement de l'employeur appartient à une catégorie identifiée à cette fin par règlement;

4. informer la CSST de tout événement entraînant soit le décès d'un travailleur, soit des blessures à un ou plusieurs travailleurs, soit des dommages matériels.

Les fournisseurs (articles 63 à 67 incl.) doivent, quant à eux, respecter les normes prescrites par règlement et relatives à la vente, à la location, à la distribution ou à l'installation d'un produit, d'un équipement ou de matériel dangereux, d'un contaminant ou de toute autre matière dangereuse. Ils doivent faire effectuer une expertise sur tout produit susceptible d'être dangereux et, finalement, étiqueter convenablement, c'est-à-dire conformément aux normes, toute matière dangereuse.

Les chapitres suivants de la *Loi sur la santé et la sécurité du travail* traitent respectivement des comités paritaires de SST (chapitre IV), du représentant à la prévention (chapitre V), des associations sectorielles de prévention (chapitre VI) et des associations syndicales et patronales de sécurité et de prévention susceptibles d'être subventionnées par la Commission (chapitre VII). Les chapitres VIII, IX et X traitent respectivement des mécanismes prévus pour promouvoir la santé au travail (articles 107 à 136 incl.), de la CSST elle-même, et de l'inspection des lieux de travail. Le long chapitre XI traite ensuite du cas spécial des chantiers de construction. Le chapitre XII énumère les points sur lesquels la Commission a le droit d'établir des règlements (article 223). Les derniers chapitres, enfin, traitent de diverses dispositions administratives: recours, infractions, financement, dispositions transitoires et finales.

Comme l'ont déjà noté Gérard Hébert (1979, p. 6) et Marcel Simard (1984, p. 37 et *seq.*), ce qu'il y a de vraiment nouveau, dans la *Loi sur la santé et la sécurité du travail*, c'est la décision du législateur d'imposer des mécanismes paritaires (patronal–syndical) à presque tous les niveaux, depuis le conseil d'administration de la CSST, jusqu'aux comités d'établissement, en passant par les associations sectorielles. Auparavant, signale entre autres Marcel Simard, «la législation québécoise [...] consacrait essentiellement la responsabilité des employeurs et définissait les pouvoirs des inspecteurs». En somme, le «paritarisme», ou, plus largement, le principe de la prise en charge des problèmes de SST par les travailleurs et leurs associations, est l'une des grandes caractéristiques de cette loi à laquelle les employeurs ont appris qu'ils n'avaient le choix que de s'y intéresser de très près.

14.4.2 *LA* LOI SUR LES ACCIDENTS DU TRAVAIL ET LES MALADIES PROFESSIONNELLES

La *Loi sur les accidents du travail et les maladies professionnelles* (LATMP), encore plus volumineuse que la première, remplace l'ancienne *Loi sur les accidents du travail* et a pour objet la «réparation» des lésions professionnelles, ce qui comprend, selon l'article 1 de la Loi, «la fourniture des soins nécessaires à la consolidation d'une lésion, la réadaptation physique, sociale et professionnelle du travailleur victime d'une lésion, le paiement d'indemnités de remplacement du revenu, d'indemnités pour dommages corporels et, le cas échéant, d'indemnités de décès».

En vertu de la *Loi des accidents du travail* de 1931, les employeurs assumaient déjà la responsabilité financière des lésions professionnelles à l'intérieur d'un régime d'assurance obligatoire sans égard à la responsabilité civile. Selon Ghislain Dufour (1987, p. 265), les termes du contrat social de l'époque étaient les suivants: «D'une part, l'ouvrier obtenait l'assurance de toucher automatiquement une partie de son salaire si un accident du travail entraînait une incapacité de plus de sept jours. D'autre part, l'employeur était dorénavant à l'abri des poursuites civiles».

Pendant plus de 50 ans, la Commission des accidents du travail (CAT), devenue la CSST, administra ce régime d'assurance en disposant d'une grande marge d'autorité. Selon les termes de Denis-Émile Giasson (1987), «elle régnait en maîtresse absolue sur tous les aspects de la gestion financière, administrative et légale de la réparation des lésions professionnelles».

Évidemment, les décisions de la CAT–CSST soulevaient inévitablement du mécontentement, et les pressions sur le gouvernement pour changer ce système étaient devenues de plus en plus fortes. Une réforme en profondeur était «demandée et promise depuis plus de 25 ans par au moins cinq gouvernements de trois couleurs différentes» (Giasson, 1987, p. 13).

Le texte de la LATMP comporte 596 articles, regroupés en 16 chapitres et augmentés de 9 annexes, sans compter les règlements. Nous tenterons de résumer cette loi en fonction des trois thèmes suivants:

1. de nouveaux droits pour les travailleurs;

2. de nouveaux mécanismes de prise de décision et d'appel;

3. un nouveau régime de financement et de prise en charge des coûts.

DE NOUVEAUX DROITS POUR LES TRAVAILLEURS

Les présomptions favorables aux travailleurs

La loi de 1985 introduit toute une série de présomptions qui permettent aux travailleurs un accès élargi aux prestations prévues. Les plus importantes de ces présomptions sont les suivantes:

Une blessure qui arrive sur les lieux du travail alors que le travailleur est à son travail est présumée une lésion professionnelle. (LATMP, art. 28.)

Le travailleur atteint d'une maladie visée dans l'annexe I est présumé atteint d'une maladie professionnelle s'il a exercé un travail correspondant à cette maladie d'après l'annexe. (LATMP, art. 29.)

Le travailleur est présumé incapable d'exercer son emploi tant que la lésion professionnelle dont il a été victime n'est pas consolidée. (LATMP, art. 46.)

Si le travailleur a été l'objet d'une sanction ou d'une mesure de représailles quelconque dans les six mois de la date où il a été victime d'une lésion professionnelle [...] cette sanction est présumée lui avoir été imposée à cause de l'exercice de ses droits ou parce qu'il a été victime d'une lésion professionnelle. (LATMP, art. 255.)

La sécurité du revenu

Au chapitre III portant sur les indemnités, la nouvelle loi innove totalement. Ainsi, dès qu'il devient incapable d'exercer son emploi, le travailleur victime d'une lésion professionnelle reçoit une indemnité de remplacement du revenu correspondant à 90 % du revenu net qu'il tire habituellement de son emploi. La procédure est la suivante :

1. le jour où survient la lésion professionnelle, l'employeur doit verser le plein salaire ;

2. les 14 jours suivants, l'employeur doit encore verser au salarié l'indemnité de remplacement du revenu, laquelle sera remboursée par la CSST ;

3. si la lésion professionnelle n'est pas consolidée et empêche le salarié d'exercer son travail, la CSST continuera de verser l'indemnité prévue à partir du 15e jour, à moins qu'une convention collective ne prévoie des règles différentes.

La loi prévoit en outre des indemnités pour dommages corporels, c'est-à-dire des sommes forfaitaires versées au salarié pour compenser une atteinte permanente à son intégrité physique ou psychique. Finalement, des indemnités de décès sont, s'il y a lieu, versées aux personnes à charge ou aux bénéficiaires du travailleur décédé des suites d'une lésion professionnelle.

Le droit à la réadaptation

Selon Lionel Bernier (1987, p. 185), « l'inscription dans la loi du droit à la réadaptation, longtemps revendiquée par les travailleurs et leurs représentants, constitue sans doute l'une des grandes victoires du monde ouvrier en accidents du travail ». De fait, tous les analystes s'accordent pour dire que la réadaptation constitue l'une des préoccupations majeures découlant de la nouvelle loi. Ce droit implique que si un travailleur, en raison d'une lésion professionnelle, subit une atteinte permanente à son intégrité physique ou psychique et éprouve des difficultés de réinsertion sociale ou professionnelle, la CSST doit élaborer un plan individualisé de réadaptation répondant adéquatement aux besoins du travailleur. Selon Lionel Bernier (1987, p. 186) « certaines mesures précises de réadaptation [...] ont un caractère social très progressiste, sans équivalent dans les autres régimes publics et même privés ». De plus, l'employeur (contrairement aux pratiques passées) est maintenant incité à participer de façon systématique à la réadaptation de ses employés blessés. Son inaction risque d'entraîner une hausse substantielle des coûts reliés à la réadaptation, qui seront imputés à son dossier et non plus au fonds général de la CSST alimenté par tous les employeurs.

Le droit de retour au travail

Ce nouveau droit vise à protéger l'emploi du travailleur victime d'une lésion professionnelle. Il accorde la priorité au travailleur qui, à la suite d'une absence due à une lésion professionnelle, redevient capable d'exercer son emploi. En principe donc, le travailleur peut réintégrer son emploi ou un emploi équivalent, tout en conservant le même salaire et les avantages sociaux dont il aurait bénéficié s'il avait continué d'exercer son emploi antérieur. Notons toutefois que ces droits prennent fin après une absence continue de un ou deux ans, selon que l'établissement concerné regroupe plus ou moins de 20 travailleurs.

DE NOUVEAUX MÉCANISMES DE PRISE DE DÉCISION ET D'APPEL

Le désengagement partiel de la CSST

Au premier chef, la CSST est responsable de tout le processus d'indemnisation et du cheminement administratif de chaque dossier. Cependant, la loi de 1985 a amené des modifications importantes aux pratiques passées, où la CSST assumait seule presque toute la responsabilité des dossiers. Derrière l'euphémisme de la «prise en charge par les parties», un désengagement considérable de la Commission s'est effectué. Ainsi, comme le signale Denis-Émile Giasson (1987, p. 16):

> L'ancienne procédure de réclamation forçait la Commission à consentir 80 % de ses ressources humaines au service de 80 % des réclamations responsables d'à peine 20 % des dépenses. [...] La nouvelle loi modifie fondamentalement cette réalité. [...] L'employeur reçoit du travailleur la première attestation médicale qui lui permet d'accepter la réclamation ou d'en contester le bien-fondé auprès de la Commission. L'employeur verse les premières indemnités; il consigne les faits dans ses propres registres. Il informe la Commission et reçoit remboursement.

Le transfert de la responsabilité médicale

Une autre transformation radicale s'est effectuée au sujet de la responsabilité médicale. La CSST s'est également vue retirer la tâche ardue et très souvent contestée de décider des questions d'ordre médical. Dorénavant, le travailleur accidenté ou victime d'une maladie professionnelle a le libre choix de son médecin, et l'opinion de ce dernier est prioritaire. C'est **le médecin choisi par le salarié** qui a pleine autorité pour décider de la nature et de la durée des traitements, de même que de la date prévue de consolidation de la lésion. Ce rapport du médecin traitant peut être contesté par l'employeur ou par la CSST. En ce cas, il faut recourir à **un autre médecin, engagé par l'employeur à cet effet ou employé par la CSST.** Dans les cas où les opinions médicales sont divergentes, le litige devra être tranché par **un autre médecin** portant, cette fois-ci, le statut **d'arbitre médical.** Cet arbitre médical, indépendant de la CSST, aura été désigné à partir d'une liste de professionnels de la santé dressée par le Conseil consultatif du travail et de la main-d'œuvre.

Les nouveaux mécanismes d'appel

Dorénavant, toute décision de la CSST, y compris les avis de classification, de cotisation et d'imputation, peut faire l'objet d'une contestation. Le litige est d'abord entendu par de nouveaux **bureaux de révision** qui ont juridiction sur toutes les questions, à l'exclusion des questions médicales. Ces bureaux de révision sont constitués de trois membres : un président choisi parmi les fonctionnaires de la Commission, un représentant des employeurs et un représentant des travailleurs. Les décisions rendues par ces bureaux de révision, d'une part, et par les arbitres médicaux, d'autre part, peuvent être réexaminées, en dernière instance, par la **Commission d'appel en matière de lésions professionnelles** (CAMLP) qui, relevant du ministre de la Justice, est un autre organisme externe et indépendant de la CSST.

UN NOUVEAU RÉGIME DE FINANCEMENT ET DE PRISE EN CHARGE DES COÛTS

En ce qui concerne le financement du régime, la LATMP perpétue en partie les règles antérieures, en ce sens que le fardeau financier incombe aux employeurs. Comme par le passé, la loi accorde à la CSST de vastes pouvoirs pour déterminer les cotisations, imputer les coûts et classifier les employeurs dans des groupes particuliers, en fonction des activités de l'entreprise et du nombre, de la gravité et des coûts des lésions professionnelles qui y surviennent. Depuis 1989, quelques modifications législatives ont été apportées au régime de financement (L.Q. 1989, c. 74). Les cotisations exigibles des employeurs les plus importants ont été davantage particularisées, de façon que ces derniers puissent bénéficier plus rapidement et dans une plus large mesure des résultats d'une prévention efficace.

14.5 UNE GESTION STRATÉGIQUE EN MATIÈRE DE SST

Comme en font foi les extraits d'articles parus dans les journaux et présentés au début de ce chapitre, l'évolution récente (depuis les 15 dernières années) des coûts du régime soulève un débat acerbe (presqu'un dialogue de sourds!) entre les représentants des salariés et ceux des employeurs.

Ainsi, selon Gérald Larose, président de la CSN (1987, p. 259), si, au cours des dix dernières années, les coûts de la réparation ont augmenté en moyenne de 15 % par année, c'est d'abord à cause de l'inflation et de la hausse du niveau du salaire assurable qui sert de base au calcul des prestations. De son côté, Edmund Tobin (1987, p. 253) signale que «en seulement trois ans, de 1984 à 1987, la cotisation des employeurs à la CSST a augmenté de 33 %, son budget a augmenté de 46 % et celui de la réparation de 45 %».

Dans une analyse approfondie des fondements du régime établi au Québec en matière de SST, Lionel Bernier (1987, p. 177-211) explique que durant 40 ans, soit de 1931 à 1971, l'aspect financier du régime a été gardé sous contrôle, l'évolution des coûts étant relativement stable et strictement justifiée par la hausse du coût de la vie et quelques changements socio-économiques. Cependant, en 1974, en 1979 et en 1985, le législateur a bouleversé les règles traditionnelles de financement du régime, d'abord **en revalorisant rétroactivement les rentes** versables aux accidentés du travail, puis en ajoutant au régime de nombreuses autres mesures «sociales» dont les coûts totalisent annuellement des centaines de millions de dollars. Ces coûts sont assumés par les employeurs qui considèrent de plus en plus la cotisation payable à la CSST comme une surtaxe déguisée imposée aux entreprises et qui nuit à leur capacité concurrentielle.

> *Si on fait le compte, la surtaxe totale à l'industrie imposée en onze ans aux employeurs pour améliorer le sort d'accidentés qui n'ont généralement plus aucun lien juridique ou économique avec la génération actuelle d'employeurs, s'élève, en capital seulement, à 520 millions de dollars. [...] Les employeurs dénoncent l'iniquité d'un tel système.*

Bernard Brody (1987, p. 246-252), pour sa part, signale que plutôt que de critiquer les coûts élevés du système, les employeurs devraient promouvoir la prévention comme moyen de réduire les coûts de la réparation. Selon ce spécialiste, les coûts indirects des accidents du travail représentent des sommes colossales puisqu'elles «peuvent représenter une proportion de 4 à 30 fois les coûts directs». Le faible investissement en prévention s'expliquerait, selon Brody, par «l'illusion du syndrome de l'iceberg», c'est-à-dire l'ignorance, par les employeurs, de l'ampleur des coûts indirects (ou non assurés). Cette ignorance mènerait à une «sous-estimation de la rentabilité de la prévention et, par le fait même, à un sous-investissement en ce domaine». À cela, Lionel Bernier (1987, p. 201) rétorque que la hausse des coûts a été telle au cours des dernières années, que l'effet a été «de décourager les entreprises qui ont investi, et continuent d'investir, en prévention, en annulant, avec des hausses continuelles de cotisations, les retours prévus et attendus sur leurs investissements».

14.5.1 *LES DÉTERMINANTS D'UNE GESTION STRATÉGIQUE EN SST*

L'évolution des coûts constitue l'une des raisons d'inciter les dirigeants d'entreprise à adopter, en matière de SST, une perspective stratégique, c'est-à-dire de se donner des objectifs à atteindre, de choisir divers moyens d'action en fonction de ces objectifs, et de réfléchir également sur les meilleures façons d'ajuster leurs initiatives en SST en fonction des stratégies de gestion des ressources humaines et des stratégies générales de l'entreprise. À cet égard, la figure 14.1 illustre les variables à prendre en considération. On constatera à nouveau l'importance de l'environnement externe et de l'environnement interne reliés aux divers paliers de stratégies.

Dans le présent chapitre, nous ne procéderons pas à une analyse exhaustive de ce modèle. Les tableaux 14.4 et 14.5 complètent cependant la réflexion stratégique en présentant d'abord une liste d'approches stratégiques possibles en SST, puis en identifiant des niveaux et des éléments de contenu de ces stratégies.

14.5.2 *LES COMPOSANTES D'UNE GESTION STRATÉGIQUE EN SST*

À la lumière de ce qui précède, on constate que les employeurs ont intérêt à gérer d'une façon systématique et rigoureuse les questions de

FIGURE 14.1 UN MODÈLE DES DÉTERMINANTS D'UNE GESTION STRATÉGIQUE DE LA SST

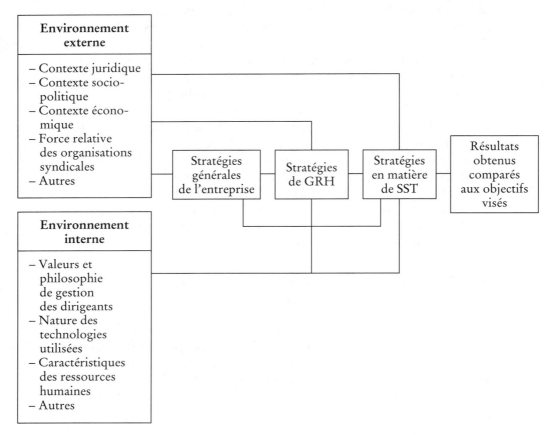

SST, à défaut de quoi ils devront payer des cotisations (frais directs) de plus en plus élevées, sans compter les coûts indirects.

La réaction face à l'augmentation des coûts a varié énormément d'une entreprise à l'autre. Certains employeurs sont demeurés impuissants devant cette réalité; d'autres ont limité leurs interventions aux conséquences des lésions professionnelles et se sont mis à rechercher des coupables plutôt que de s'attaquer aux causes. D'autres organisations ont commencé timidement à sortir la SST de la marginalité en nommant, par exemple, une personne responsable de ce dossier.

Les expériences accumulées et les recherches effectuées sur le sujet (entre autres par Simard, Lévesque et Bouteiller, 1988) démontrent pourtant clairement que pour être gérés d'une façon efficace, les dossiers de SST doivent être abordés comme tout autre important problème

Tableau 14.4 Les approches stratégiques possibles en SST

0. Absence d'objectifs en matière de SST
1. Respect minimal des règles imposées
2. Faire en sorte que les coûts soient le moins élevés possible
3. Tenter de «contrôler» les employés qui voudraient abuser du système
4. Tenter de mettre en place des programmes d'intervention dont les bénéfices (à court, à moyen ou à long termes) seraient supérieurs aux coûts
5. Tenter de réduire le nombre et la gravité des accidents du travail en s'attaquant aux causes reliées à l'environnement physique du travail et aux comportements
6. Tenter de réduire l'incidence et la gravité des problèmes de santé au travail:
   – par une approche axée sur la réadaptation des employés affectés par des problèmes de santé au travail
   – par une approche axée sur la prévention, en mettant sur pied un programme de promotion de la santé au travail

Tableau 14.5 Les niveaux et les éléments de contenu de stratégies possibles en SST

Niveaux	Éléments de contenu
Niveau social et politique (externe à l'entreprise)	– Lobby auprès des instances gouvernementales – Présence dans les organismes paritaires – Représentation auprès des médias
Niveau de la direction de l'entreprise	– Choix des orientations majeures à privilégier – Autorisation d'effectuer des investissements majeurs – Évaluation des résultats
Niveau du service des RH ou du service responsable de la SST	– Analyse de l'environnement – Choix stratégiques et tactiques à effectuer quant à la gestion de la SST en fonction des objectifs poursuivis
Niveau de la relation entre chaque employé et son responsable hiérarchique	– Préoccupations pour la SST introduites dans l'organisation du travail, la direction et l'évaluation des résultats obtenus

de gestion. Pour reprendre les termes de Marcel Simard (1990, p. 1 et 2), «l'expérience de nombreuses entreprises montre que le dossier SST est non seulement gérable, mais que les entreprises qui le gèrent efficacement en retirent divers avantages intéressants au plan économique et concurrentiel».

La question pertinente à se poser concerne les caractéristiques des entreprises qui ont réussi à mettre au point une approche efficace en matière de SST. Sans prétendre traiter cette question d'une façon exhaustive, nous retiendrons et nous expliquerons sommairement les cinq éléments suivants:

– une conception intégrée de la SST;

– un engagement clair de la haute direction;

– une responsabilité clarifiée et partagée;

– une compréhension des liens entre la SST et les autres facettes de la gestion des ressources humaines;

– un ensemble adéquat de mécanismes de gestion.

Une conception intégrée de la SST

Selon Simard et Bouteiller (1990, p. 9), une conception intégrée de la sécurité au travail est «une attitude qui consiste à voir les accidents du travail comme résultant d'une combinaison de facteurs (techniques, organisationnels et humains) et qui conçoit la solution à ces problèmes par des interventions sur ces différentes causes d'accident». Nous élargissons ce commentaire pour englober les questions de santé au travail.

Une conception traditionnelle des lésions professionnelles consistait à en attribuer la responsabilité aux employés eux-mêmes en blâmant l'accidenté ou le malade, plutôt qu'à essayer de comprendre le processus menant à l'accident ou à la maladie. Aujourd'hui, les experts soutiennent qu'au moins 80 % des lésions professionnelles subies par les employés au travail impliquent directement ou indirectement des gestionnaires, qui sont souvent les seuls capables d'apporter des solutions véritables aux causes fondamentales menant aux problèmes de SST.

Un engagement clair de la haute direction

Toutes les entreprises qui ont réussi à mettre au point une approche efficace en matière de SST se caractérisent par un engagement clair et ferme pris à cet égard par les membres de la haute direction de l'entreprise. Cet engagement peut se manifester de plusieurs façons. Un premier et très important signe de cet engagement concerne la formulation et la diffusion d'**une politique formelle de gestion de la SST** par laquelle on accorde la plus haute priorité possible à ces questions. Un deuxième indice de cet engagement est relié aux **ressources consacrées à la gestion**, en particulier le statut accordé à la personne nommée responsable de ce dossier. Un troisième élément concerne les attitudes et les comportements des membres de la haute direction; s'ils ne respectent pas les règles de sécurité et d'hygiène et n'en font pas la promotion, il sera à peu près impossible de convaincre les chefs de service et les employés d'accorder de l'importance à ces mêmes questions (Zohar, 1980, p. 97).

UNE RESPONSABILITÉ CLARIFIÉE ET PARTAGÉE

Dans toute entreprise, quelle qu'en soit la taille, une personne précise doit être identifiée comme étant responsable de planifier, de coordonner et d'évaluer l'ensemble des démarches et des facettes relatives à ce dossier.

Dans la majorité des entreprises, le responsable patronal du dossier SST est d'abord un spécialiste de la gestion des ressources humaines, et le service SST est rattaché administrativement à la direction des ressources humaines de l'établissement, où le responsable aura à coordonner diverses interventions, dont certaines sont médicales ou techniques, mais dont la plupart sont surtout administratives.

Si la responsabilité doit être claire (une personne précise est responsable), elle doit en même temps être partagée, c'est-à-dire que le gestionnaire responsable du dossier doit partager son pouvoir d'intervention avec plusieurs autres intervenants, au premier rang desquels on doit retrouver les chefs de service, les employés eux-mêmes et les membres du comité de SST (Simard et Bouteiller, 1990, p. 11). Le responsable du dossier SST ne doit donc pas se comporter comme un «superspécialiste» qui détiendrait la vérité et le droit exclusif d'intervenir dans les questions relevant de sa juridiction, mais plutôt comme un véritable gestionnaire, c'est-à-dire comme un animateur des interventions de plusieurs personnes engagées de diverses façons dans la prévention et la résolution des problèmes de SST, et comme un coordonnateur de ressources dans des processus orientés vers la résolution de problèmes et l'atteinte d'objectifs.

UNE COMPRÉHENSION DES LIENS ENTRE LA SST ET LES AUTRES FACETTES DE LA GRH

Comme l'illustre la figure 14.2, neuf autres facettes de la gestion des ressources humaines peuvent être examinées sous l'angle de leurs rela-

FIGURE 14.2 *LES RELATIONS ENTRE LA SST ET D'AUTRES FACETTES DE LA GRH*

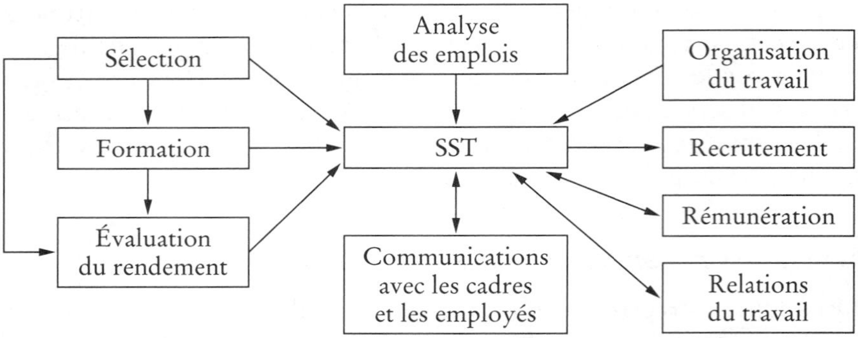

Source: Adaptation d'une figure de: STONE, T.H. et MELTZ, N.W., *Human Resources Management in Canada*, 2e éd., 1988, p. 504.

tions avec la SST. Pour ne pas allonger indûment ce chapitre, nous ne mentionnerons que les facettes de la GRH dont les relations avec la SST sont soit unilatérales, soit bilatérales. Il s'agit de l'organisation du travail, de l'analyse des emplois, du recrutement, de la sélection, de la formation, de l'évaluation du rendement, de la rémunération, des communications avec les cadres et les employés et, finalement, des relations du travail.

UN ENSEMBLE ADÉQUAT DE MÉCANISMES DE GESTION

Le tableau 14.6 illustre quelques-unes des activités typiques en matière de SST dans 54 entreprises américaines.

On y constate que 89 % de ces entreprises possèdent une politique formelle et écrite de SST, que 83 % ont élaboré des programmes de formation en SST, que 87 % procèdent à des inspections régulières des lieux de travail, que 93 % utilisent des affiches et des tableaux et 68 % distribuent des publications pour stimuler les employés à adopter des comportements sécuritaires. Par ailleurs, il apparaît que les activités reliées à la promotion de la santé en milieu de travail sont beaucoup plus rares.

Le tableau 14.7 présente certains résultats d'une recherche effectuée en 1982 aux États-Unis (Gricar et Hopkins, 1983). On y regroupe les activités de SST en quatre volets, soit les aspects juridiques et politiques, les aspects techniques, les aspects administratifs et les aspects informationnels. Les auteurs de cette recherche soutiennent que ce sont

TABLEAU 14.6 LES ACTIVITÉS TYPIQUES EN MATIÈRE DE SST DANS 54 ENTREPRISES AMÉRICAINES

Activités	Pourcentage d'entreprises
Politique formelle et écrite de SST	89 %
Programmes de formation en matière de SST	83 %
Fréquence des sessions de formation	
– Une fois par mois	30 %
Identification des risques	
– Inspections régulières	87 %
– Analyse des postes sous l'angle de la sécurité	43 %
– Inspections spéciales	17 %
Utilisation de méthodes pour stimuler des comportements sécuritaires	
– Affiches et tableaux	93 %
– Publications distribuées aux employés	68 %
– Concours de sécurité	39 %
– Incitations spéciales	39 %
Promotion de la santé au travail	
– Installations sur place pour faire des exercices	7 %
– Programmes antitabagisme ou de réduction de poids	26 %

Source : LEVINE, H.Z., « Consensus : safety and health programs », *Personnel*, mai-juin 1983, p. 4-9.

les aspects techniques et administratifs qui se sont avérés les plus importants pour expliquer les succès relatifs ou l'efficacité des entreprises en matière de SST et que parmi les aspects administratifs, les éléments explicatifs les plus importants ont été les suivants : le climat général de sécurité, le statut de la fonction SST, le comité de SST et, finalement, l'existence de mécanismes de surveillance du respect des règles relatives à la SST.

Ces résultats sont très compatibles avec ceux obtenus dans la recherche effectuée au Québec par le professeur Marcel Simard et les membres de son équipe. Ces derniers ont constaté que les entreprises qui ont obtenu les meilleurs résultats en SST ne négligent pas l'aspect contrôle des dossiers d'accidents, mais ne se contentent pas d'agir uniquement en cette matière : « elles ont même tendance à utiliser moins que la moyenne certains de ces contrôles, notamment la contestation

Tableau 14.7 Le regroupement des responsabilités en matière de SST

Aspects juridiques et politiques :

– Aspects juridiques
  - recours à des contre-expertises
  - contestation de certains dossiers devant les bureaux de révision ou devant la CALP
  - connaissance de l'évolution des lois et des règlements
– Aspects politiques
  - représentations auprès des instances politiques pour obtenir des changements

Aspects techniques :

– Entretien des lieux, des outils et des équipements
– Vérifications périodiques
– Changements et adaptation
– Choix des équipements de protection

Aspects administratifs :

– Structures
  - statut du responsable du dossier SST
  - pouvoir, rôle et fonctionnement du comité de SST
– Procédures, politiques et programmes particuliers
– Dossiers financiers (cotisations, imputation des coûts, etc.)

Aspects informationnels :

– Formation des chefs de service et des employés
– Analyse de données et planification

Source : Adaptation d'un tableau de : GRICAR, B.G. et HOPKINS, H.D., « How does your company respond to OSHA ? », *Personnel Administrator*, 28, 4, p. 54.

devant la CSST » (Simard, 1990, p. 9). Les stratégies les plus efficaces comprendraient plutôt les éléments suivants : inspections régulières et systématiques des lieux de travail, analyse des postes de travail, enquêtes d'accident approfondies, entretien préventif de l'équipement, actions correctives sur la machinerie, formation des contremaîtres et des employés aux comportements sécuritaires et à l'utilisation des protecteurs individuels, etc. Les comités de SST sont aussi présentés comme un mécanisme susceptible d'apporter une contribution significative à la gestion efficace du dossier SST si les trois conditions suivantes sont remplies :

*Tableau 14.8 Les mécanismes de prévention mis en place
dans les établissements comptant 21 travailleurs ou plus
qui appartiennent aux groupes identifiés comme prioritaires,
Québec, 1990, données au 1ᵉʳ mars 1991*

	Programme de prévention initial[1]	Programme de santé reçu[2]	Comité de santé et de sécurité[3]	Représentant à la prévention[4]
Groupe I				
Bâtiment et travaux publics	318	205	14	2
Industrie chimique	111	85	45	29
Forêts et scieries	317	277	169	79
Mines, carrières et puits de pétrole	89	88	56	40
Fabrication de produits en métal	224	245	118	54
Total partiel	**1 059**	**900**	**402**	**204**
Groupe II				
Industrie du bois (sans scieries)	115	160	62	23
Industrie du caoutchouc et des produits en matière plastique	121	133	56	26
Fabrication d'équipement de transport	84	76	52	21
Première transformation des métaux	60	35	49	29
Fabrication des produits minéraux non métalliques	79	66	50	25
Total partiel	**459**	**470**	**269**	**124**
Groupe III				
Administration publique	617	6	0	0
Industrie des aliments et boissons	274	24	0	0
Industrie du meuble et des articles d'ameublement	122	20	0	0
Industrie du papier et activités connexes	101	7	0	0
Transport et entreposage	333	10	0	0
Total partiel	**1 447**	**67**	**0**	**0**
Total	**2 965**	**1 437**	**671**	**328**

(1) Même si tous les établissements des secteurs prioritaires sont tenus d'élaborer un programme de prévention, seuls ceux qui comptent 21 travailleurs ou plus doivent le transmettre à la CSST.

(2) Données fournies par le CH-DSC. Le programme de santé fait partie du programme de prévention ; il est élaboré par le médecin responsable des services de santé de l'établissement, aux termes des contrats entre la Commission et les CH-DSC.

(3) Comités de santé et de sécurité formés en vertu de la loi, et dont la formation a fait l'objet d'un avis transmis à la Commission.

(4) Représentants à la prévention nommés en vertu de la loi, et dont la nomination a fait l'objet d'un avis transmis à la Commission par les établissements ayant ou non un comité de santé et de sécurité.

Source : CSST, *Rapport annuel 1990*, Québec, 1991, p. 57.

1. les membres du comité n'en bloquent pas le fonctionnement par des attitudes de rigidité ;
2. le comité reçoit de solides appuis de la direction, des chefs de service et du syndicat, s'il y en a un ;
3. le comité est engagé dans les principaux volets de la stratégie de prévention.

Le tableau 14.8 illustre certains de ces mécanismes.

Notons cependant qu'en gestion de la SST, les approches participatives (du genre comités paritaires) ont leurs limites. Lionel Bernier (1987, p. 10) le souligne en rappelant qu'«avant même de songer au paritarisme, les gestionnaires doivent avoir assumé l'intégralité de leurs responsabilités et avoir le contrôle de leur gestion».

14.6 CONCLUSION

Malgré les milliards de dollars qui se dépensent annuellement au Québec en matière de SST, ce domaine continue de donner lieu à des évaluations plutôt négatives. Selon Arsenault (1990, p. 1122), il se serait créé, au cours des dernières années, «une large brèche idéologique dans les intentions d'un législateur devenu entre-temps plus partisan de la compétitivité et de la performance économique que de l'amélioration des conditions de vie et de travail».

Le malaise est persistant. Selon les réformateurs et les syndicalistes, peut-être un peu nostalgiques du climat des années 79 à 85 où tous les espoirs semblaient être permis, il faudrait encore plus de règles, de normes et d'inspecteurs pour faire prévaloir une situation menant à une meilleure protection des droits des travailleurs dans des milieux de travail exempts de risques pour leur santé et leur sécurité. Du côté patronal, on dénonce les coûts du système qu'on estime excessifs, et surtout l'ensemble des mesures dites «sociales» (par exemple, le retrait préventif de la travailleuse enceinte) imposées par le législateur et qui, selon les représentants patronaux, n'ont rien à voir avec les accidents du travail et les maladies contractées en situation de travail.

On assiste donc à un dialogue de sourds. Il est vrai que la surdité représente la maladie professionnelle la plus répandue...

QUESTIONS

1. Expliquez le changement de mentalité survenu dans le dossier de la santé et de la sécurité au travail au fil des années.

2. Comment peut-on expliquer le taux d'augmentation des accidents du travail et des maladies professionnelles au cours des dernières années et, plus particulièrement, après l'instauration de la *Loi sur les accidents du travail et les maladies professionnelles* ?

3. Qu'est-ce que la *Loi sur la santé et la sécurité du travail* a de si particulier?

4. Nommez deux droits et deux obligations des travailleurs et des employeurs selon la *Loi sur la santé et la sécurité du travail*.

5. Selon la *Loi sur les accidents du travail et les maladies professionnelles*, résumez les nouveaux droits pour les travailleurs.

6. La *Loi sur les accidents du travail et les maladies professionnelles* a introduit toute une série de présomptions favorables aux travailleurs. Expliquez ce qu'est une présomption, et de quelles façons ces dernières favorisent les travailleurs.

7. Quelles sont les sources de financement de la Commission de la santé et de la sécurité du travail? Comment expliquer que les employés ne participent pas au financement?

8. Comment est-il possible de gérer adéquatement le dossier de la santé et de la sécurité au travail sans compromettre la position concurrentielle de l'entreprise?

9. Nommez 12 interventions constituant des pratiques efficaces en matière de santé et de sécurité au travail.

10. Dans quelles conditions les comités de santé et de sécurité au travail sont-ils susceptibles de contribuer à une bonne gestion de la santé et de la sécurité au travail?

BIBLIOGRAPHIE

ARSENAULT, A., «Réflexions sur l'évolution du dossier santé et sécurité du travail au cours de la dernière décennie», dans BLOUIN, R. (dir.), *Vingt-cinq ans de pratique en relations industrielles au Québec*, Éditions Yvon Blais inc., 1990, p. 1117-1130.

BERNIER, L., *La gestion intégrée de la santé et de la sécurité du travail dans les hôpitaux*, intervention prononcée au colloque de l'Association des hôpitaux du Québec, Québec, le 12 mai 1987, et Montréal, le 21 mai 1987.

BERNIER, L., «Équité, indemnisation des victimes de lésions professionnelles et coûts à l'entreprise», dans BLOUIN, R., BOULARD, R., FERLAND, G., MUR-

RAY, G. et PÉRUSSE, M. (dir.), *Les lésions professionnelles*, Département des relations industrielles, Québec, Les Presses de l'Université Laval, 1987, p. 177-211.

BRODY, B., « Le processus de gestion des risques, les lésions professionnelles et la CSST », dans BLOUIN, R., BOULARD, R., FERLAND, G., MURRAY, G. et PÉRUSSE, M. (dir.), *Les lésions professionnelles*, Département des relations industrielles, Québec, Les Presses de l'Université Laval, 1987, p. 246-252.

BUREAU INTERNATIONAL DU TRAVAIL, *La prévention des accidents*, cours d'éducation ouvrière, Genève, BIT, 1961, p. 15.

CHAMBERLAIN, N.W., *The Labour Sector*, McGraw-Hill, 1965, p. 541-542.

CSST, *Rapport annuel 1990*, Québec, 1991, p. 2.

DUFOUR, G., « Table ronde : Financement de la santé et paritarisme », dans BLOUIN, R., BOULARD, R., FERLAND, G., MURRAY, G. et PÉRUSSE, M. (dir.), *Les lésions professionnelles*, Département des relations industrielles, Québec, Les Presses de l'Université Laval, 1987, p. 264-273.

GIASSON, D.-É., « Synopsis sur le nouveau régime », dans BLOUIN, R., BOULARD, R., FERLAND, G., MURRAY, G. et PÉRUSSE, M. (dir.), *Les lésions professionnelles*, Québec, Les Presses de l'Université Laval, 1987, p. 9-19.

GRICAR, B.G. et HOPKINS, H.D., « How does your company respond to OSHA ? », *Personnel Administrator*, 28, 4, 1983, p. 53-57.

HÉBERT, G., « Vue d'ensemble du projet de loi 17 », document de travail n° 3, École de relations industrielles, Université de Montréal, 1979, p. 1-33.

LAROSE, G., « Table ronde : Financement de la santé et paritarisme », dans BLOUIN, R., BOULARD, R., FERLAND, G., MURRAY, G. et PÉRUSSE, M. (dir.), *Les lésions professionnelles*, Département des relations industrielles, Québec, Les Presses de l'Université Laval, 1987, p. 257-264.

LEVINE, H.Z., « Consensus : safety and health programs », *Personnel*, mai-juin 1983, p. 4-9.

SIMARD, M., *Gestion de la sécurité au travail : quelles sont les stratégies gagnantes ?*, notes pour la conférence prononcée à l'Association des gestionnaires en ressources humaines de l'Estrie (AGRHE), Université de Montréal, 25 avril 1990.

SIMARD, M., « Priorités en santé et sécurité du travail – secteur public et secteur privé », dans BLOUIN, R., BOULARD, R., DESCHÊNES, J.-P. et PÉRUSSE, M. (dir.), *Régimes de santé et sécurité et relations de travail*, Département des relations industrielles, Québec, Les Presses de l'Université Laval, 1984, p. 33-50.

SIMARD, M. et BOUTEILLER, D., *Gestion de la santé-sécurité du travail : quelles sont les stratégies gagnantes ?*, conférence prononcée au colloque de la CSST, direction régionale de l'Estrie, 17 octobre 1990.

SIMARD, M., LÉVESQUE, C. et BOUTEILLER, D., *L'efficacité en gestion de la sécurité du travail : principaux résultats d'une recherche dans l'industrie manufacturière*, document de recherche, octobre 1988.

STONE, T.H. et MELTZ, N.W., *Human Resources Management in Canada*, 2e éd., 1988, p. 500-537.

TOBIN, E., « Table ronde : Financement de la santé et paritarisme », dans BLOUIN, R., BOULARD, R., FERLAND, G., MURRAY, G. et PÉRUSSE, M. (dir.), *Les lésions professionnelles*, Département des relations industrielles, Québec, Les Presses de l'Université Laval, 1987, p. 253-257.

ZOHAR, D., « Safety climate in industrial organizations : theoritical and applied implications », *Journal of Applied Psychology*, 65, 1, 1980, p. 96-102.

PARTIE *IV*

CONCLUSION

CHAPITRE 15

L'ÉVALUATION DE LA GESTION DES RESSOURCES HUMAINES

par Jean-Louis Bergeron

OBJECTIFS

Après l'étude de ce chapitre, vous devriez être en mesure:

• d'expliquer ce qu'est l'évaluation de la gestion des ressources humaines (GRH) et de résumer les raisons pour lesquelles les entreprises évaluent ou non leur GRH;

• de démontrer que la décision d'évaluer la GRH entraîne une série d'autres décisions souvent difficiles à prendre concernant la définition du concept d'excellence en GRH, les objectifs réels de l'évaluation, l'accent à mettre sur l'efficacité ou l'efficience, le choix des critères, des normes et des indicateurs, etc.

• de présenter un modèle qui regroupe en neuf catégories les principaux éléments pouvant faire l'objet d'une évaluation en GRH;

• d'expliquer l'essentiel des sept méthodes utilisées pour évaluer la qualité de la gestion des ressources humaines dans les organisations;

• d'énumérer les étapes de l'implantation d'un programme d'évaluation à l'intérieur d'un service des ressources humaines.

MISE EN SITUATION

Depuis quelques années, l'importance d'une «bonne» gestion des ressources humaines pour le succès de l'entreprise est reconnue et proclamée par la très grande majorité des gestionnaires. Puisque toutes les entreprises pratiquent nécessairement une certaine gestion de leurs ressources humaines, on s'attendrait donc à ce qu'elles consacrent des efforts considérables à évaluer la qualité de cette gestion.

Les quelques études qui ont porté sur ce sujet démontrent clairement que ce n'est pas le cas: la majorité des entreprises ne font aucun effort systématique pour évaluer formellement la façon dont elles gèrent leurs ressources humaines. Certains gestionnaires en ressources humaines déclarent même qu'une telle évaluation ne serait pas une bonne chose:

– «Les spécialistes en ressources humaines risquent de perdre leurs énergies à mesurer ce qu'ils font (par exemple, nombre d'entrevues par mois) et d'oublier les grands objectifs qu'ils doivent atteindre.»

– «Notre image n'est déjà pas très bonne dans l'entreprise: pourquoi donner des arguments à ceux qui ne nous apprécient pas?»

– «La collecte de toutes ces données prend un temps considérable et est inutile: nous savons intuitivement si notre gestion des ressources humaines est bonne ou mauvaise.»

– «Pour savoir si la gestion des ressources humaines est bien faite, il suffit de regarder les états financiers de l'entreprise.»

Source: Propos recueillis par TSUI et GOMEZ-MEJIA, 1988.

QUESTIONS

Que pensez-vous de ces affirmations? Devrait-on consacrer beaucoup de temps et d'efforts à évaluer la qualité de la gestion des ressources humaines? Si oui, comment cela peut-il se faire?

15.1 INTRODUCTION

Cette introduction portera sur les points suivants:

1. la définition de l'expression «évaluation de la gestion des ressources humaines»;

2. l'état de la situation en ce qui concerne l'évaluation qui se fait (ou qui ne se fait pas…) actuellement dans les entreprises;
3. les raisons pour lesquelles plusieurs entreprises n'évaluent pas leur gestion des ressources humaines;
4. les raisons qui justifieraient une telle évaluation.

15.1.1 L'ÉVALUATION DE LA GRH

Dans cette expression, deux éléments doivent retenir notre attention: d'abord le concept et le processus de l'évaluation, ensuite l'objet de l'évaluation, c'est-à-dire la gestion des ressources humaines.

LE PROCESSUS D'ÉVALUATION

Évaluer, c'est comparer ce qui est avec ce qui devrait être, c'est-à-dire poser un jugement sur l'écart qui existe entre le monde réel et le monde idéal, dans un domaine particulier. La première étape du processus consiste donc à élaborer et à utiliser des méthodes et des instruments de mesure qui permettront de décrire l'état actuel des choses d'une façon valide et fidèle. On peut facilement comprendre qu'en GRH, cette description de la réalité ne sera pas chose facile. Quel est le coût et le gain réel d'un nouveau programme de gestion participative? Les employés sont-ils satisfaits de leurs supérieurs? Comment décrire et qualifier le climat actuel des relations patronales–syndicales? Comment se déroulent les entrevues au cours desquelles les patrons évaluent le rendement de leurs employés? C'est le genre de questions auxquelles il faudrait répondre pour décrire la situation de la GRH dans une entreprise.

Si on arrive à dépeindre la réalité avec exactitude, il faudra alors passer à l'autre étape qui consiste à identifier un idéal dans chacun des domaines propres à la GRH et à mesurer l'écart qui nous sépare de celui-ci. Encore une fois, on peut imaginer toutes les difficultés qui vont surgir. Qui va établir l'idéal? Existe-t-il des façons de faire qui devraient se retrouver dans toutes les entreprises? Quel niveau d'excellence peut être perçu comme réaliste dans telle situation? Nous reviendrons sur ces problèmes, mais il est déjà évident que le processus d'évaluation en GRH demandera beaucoup d'efforts et de créativité.

L'OBJET DE L'ÉVALUATION

Certains auteurs établissent des distinctions assez subtiles entre «l'efficacité», «la qualité», «l'excellence», «le succès» ou «la performance» de la fonction GRH; mais, pour ne pas alourdir le texte, nous ne les suivrons pas sur ce chemin. Ces termes sont presque synonymes et l'utilisation de l'un par rapport aux autres dépend le plus souvent des modes du moment que d'une véritable différence conceptuelle. En 1985, par exemple, on n'entendait que le mot «excellence»; en 1990, ce mot a été largement remplacé par «qualité totale», mais il n'est pas du tout certain que nous soyons en présence de deux réalités vraiment différentes.

Nous conserverons donc simplement l'expression «évaluation de la GRH», définie comme un processus formel et systématique visant à décrire les politiques, les programmes et les activités de GRH élaborés et mis en place par le service des ressources humaines ou par les supérieurs hiérarchiques, et à comparer ensuite ces efforts et leurs résultats avec des normes reconnues et des objectifs réalistes. Pour ce qui est des autres expressions énumérées plus haut, nous les utiliserons au besoin, avec une préférence cependant pour «l'évaluation de l'efficacité en GRH», une expression assez neutre pour durer longtemps et qui ouvre les portes d'une immense documentation consacrée à «l'efficacité organisationnelle», un concept évidemment très proche de celui qui nous intéresse.

15.1.2 L'ÉTAT DE LA SITUATION

En 1967, un auteur, qui avait étudié l'évaluation de la GRH telle qu'elle se pratiquait alors dans les 100 plus grandes entreprises du temps, arrivait à la conclusion que la plupart d'entre elles ne procédaient à aucune évaluation systématique et formelle dans ce domaine; elles évaluaient simplement «à l'œil» ou par intuition (Rabe, 1967). Bien des années plus tard, en 1984, une spécialiste du domaine (Tsui, 1984, p. 196) émettait l'hypothèse que la situation n'avait pas tellement changé:

> L'efficacité du service du personnel comme entité administrative est mal connue. Il y a un manque de théories à ce sujet et peu de recherches scientifiques; celles-ci reposent souvent sur des méthodologies qui manquent de rigueur.

Plusieurs autres personnes ont exprimé le même avis; mais plutôt que de spéculer, il vaut mieux examiner les résultats d'une recherche assez récente faite aux États-Unis (Tsui et Gomez-Mejia, 1988). Un questionnaire a été envoyé à 900 spécialistes en GRH, membres d'une association professionnelle, l'American Society for Personnel Administration; les répondants (on ne donne pas leur nombre, mais ils étaient beaucoup moins nombreux que les non-répondants) provenaient de 70 organisations. Voici quelques résultats concernant l'évaluation de la GRH.

1. L'évaluation de la GRH se fait de façon plutôt informelle et irrégulière; à peine 9 % des 70 entreprises répondantes utilisent l'une ou l'autre des méthodes formelles dont nous parlerons dans ce chapitre. Dans la majorité des cas, on utilise l'évaluation du rendement des employés comme indice de la qualité de la GRH («les employés travaillent bien, c'est donc que la GRH doit être bonne!»).

2. Les entreprises qui évaluent leur GRH sont plus dynamiques, plus grosses et sont dans une meilleure situation financière que celles qui ne le font pas.

3. Dans les entreprises qui évaluent leur GRH, le service des ressources humaines compte plus de personnel, est plus puissant, donc mieux intégré à la haute direction de l'entreprise.

4. Dans les entreprises qui évaluent leur GRH, cette responsabilité est le plus souvent partagée entre la haute direction et les cadres supérieurs du service des ressources humaines.

5. Pour ce qui est de l'évaluation du service des ressources humaines, le critère le plus utilisé est le niveau de satisfaction de la clientèle de ce service, c'est-à-dire la direction, les cadres de tous les niveaux, les employés, etc.

6. L'évaluation de la GRH sert surtout à améliorer les programmes (embauche, rémunération, etc.), à fixer des objectifs, à évaluer le service des ressources humaines et les spécialistes en GRH, et à attribuer les budgets à l'intérieur du service.

7. Une lettre envoyée à tous ceux qui avaient été sollicités pour cette enquête et qui n'avaient pas répondu la première fois a révélé que l'évaluation de la GRH fait encore l'objet de beaucoup de scepticisme auprès des spécialistes eux-mêmes. Les raisons de cette hésitation sont expliquées dans la prochaine section.

15.1.3 LES RAISONS DE NE PAS ÉVALUER LA GRH

Les organisations qui ne veulent pas évaluer leur GRH ne manquent pas d'arguments. Ceux-ci peuvent être classés en quatre catégories: les difficultés reliées au concept, les difficultés reliées aux critères et aux normes, les difficultés reliées aux méthodes et les difficultés reliées aux individus.

LES DIFFICULTÉS RELIÉES AU CONCEPT

Pour évaluer une chose, il faut pouvoir la définir et la distinguer des autres «choses» qui lui ressemblent. Dans le cas qui nous concerne, la chose que nous voulons évaluer s'appelle performance, efficacité, qualité, excellence, etc. ; dans ce domaine, les définitions sont presque aussi nombreuses que les auteurs. Certains ont même suggéré que l'efficacité organisationnelle cesse de faire l'objet de recherches scientifiques, à cause de la multiplicité des définitions conceptuelles sur lesquelles on ne parvient pas à s'entendre (Bluedorn, 1984); le même raisonnement pourrait s'appliquer à l'efficacité de la GRH. Pour comprendre cette difficulté, pensons simplement à la réaction des syndicats et de certains groupes communautaires devant une définition du concept «efficacité en GRH» qui ne parlerait que de la contribution de cette fonction au succès financier et à la croissance économique de l'entreprise.

Contrairement à ce qu'on pourrait croire, l'excellence, la performance, le succès, etc. ne sont pas des concepts objectifs, neutres, mathématiques. Ce sont surtout des concepts politiques et culturels, dont la définition varie selon l'évaluateur, la région et l'époque (Kanter et Brinkerhoff, 1981; Tsui, 1984). Pour le propriétaire de l'entreprise, l'excellence en GRH inclut certainement une contribution aux profits; pour la Commission des droits de la personne, l'excellence en GRH implique nécessairement la non-discrimination dans le processus d'embauche; pour le syndicat, l'excellence en GRH se définit principalement par le respect de la convention collective; pour l'employé, l'excellence en GRH signifie la qualité de vie au travail. Comme on peut le constater, chacun a sa propre définition d'une «bonne» GRH et celle-ci coïncide étrangement avec la position hiérarchique ou les intérêts personnels de celui qui porte le jugement.

LES DIFFICULTÉS RELIÉES AUX CRITÈRES ET AUX NORMES

Le concept de performance en GRH étant ambigu, il sera également difficile de s'entendre sur les critères et les indicateurs qui doivent être mesurés lors d'une évaluation de la GRH. L'effort consenti par les employés est-il un bon critère de la qualité de la GRH? Qu'en est-il de l'absentéisme, du nombre de suggestions soumises par les employés, de la croissance des profits, du nombre de griefs, de la quantité d'avantages sociaux? Et si nous arrivons à nous entendre sur les critères d'excellence en GRH (par exemple, le niveau d'absentéisme dans l'entreprise), parviendrons-nous à un accord sur les normes d'excellence? Par exemple, trois absences par employé par mois en moyenne, est-ce le signe d'une excellente, d'une bonne ou d'une mauvaise GRH? Il y a là de quoi en décourager plusieurs, d'autant plus que l'approche «contingente», qui est tellement à la mode depuis quelques années, donne l'impression qu'il n'y a plus de normes absolues: tout dépend de la situation!

LES DIFFICULTÉS RELIÉES AUX MÉTHODES

Il s'agit ici des méthodes de recherche qui permettraient de mesurer correctement l'état de la GRH dans une entreprise et d'attribuer les causes de cette situation aux facteurs appropriés. Sans exagérer l'aspect technique de ces démarches, il faut tout de même un minimum de connaissances en statistique et certaines notions concernant les devis de recherche expérimentaux ou quasi expérimentaux. Jusqu'à récemment, de telles connaissances ne faisaient pas nécessairement partie de la formation des gestionnaires en ressources humaines, et cette carence a certainement contribué à retarder les efforts d'évaluation en GRH (Petersen et Malone, 1975; Fitz-Enz, 1980).

LES DIFFICULTÉS RELIÉES AUX INDIVIDUS

Nous parlons ici des gens qui ne veulent pas évaluer la qualité de la GRH qui se pratique dans leur entreprise, même s'ils le pourraient. Il y a d'abord ceux qui croient que tout ce qui touche aux humains ne s'évalue pas, surtout financièrement. Il y a également ceux qui ont peur des résultats qui pourraient être obtenus et divulgués lors d'une telle évaluation; cette attitude se retrouve assez fréquemment dans les organisations où le service des ressources humaines a déjà une piètre réputation: «Pourquoi donner des armes à ceux qui ne nous aiment pas?» Il y a finalement ceux qui considèrent que le temps, les efforts et l'argent requis pour faire une bonne évaluation dépassent largement les bénéfices que l'on pourrait en tirer. Voyons maintenant quels sont ces bénéfices potentiels.

15.1.4 LES RAISONS D'ÉVALUER LA GRH

Il existe une dizaine de bonnes raisons d'évaluer la GRH, que l'on peut classer en trois catégories: savoir, améliorer et convaincre.

SAVOIR

– Contrairement à ce qu'ils pensaient il y a quelques années, la grande majorité des dirigeants d'entreprise sont maintenant convaincus qu'une «bonne» gestion des ressources humaines peut faire toute la différence entre le succès ou l'échec de l'entreprise. Ceci les amène naturellement à vouloir découvrir si la GRH qui se pratique chez eux correspond bien aux normes d'excellence que l'on retrouve ailleurs (dans les meilleures entreprises et particulièrement chez leurs concurrents), d'où la nécessité d'un diagnostic dans ce domaine.

— L'ampleur des sommes consacrées à la GRH est une autre raison qui amène les chefs d'entreprise à se préoccuper des résultats obtenus. Comme le soulignait l'Association des hôpitaux du Québec (1988, p. 19):

Les sommes d'argent importantes et le temps consacrés entre autres à la formation, à la santé et à la sécurité, aux salaires et aux avantages sociaux, à la mise en place de systèmes de gestion... sont trop lourds de conséquences pour que les gestionnaires se permettent des appréciations vagues du type «ça semble aider», ou «les participants ont apprécié leur formation», ou encore «le programme a contribué à améliorer le climat dans l'organisation».

— Pour les deux raisons mentionnées ci-dessus et pour bien d'autres, les cadres supérieurs de l'organisation voudront évaluer la performance des spécialistes de la GRH. L'époque où ceux-ci évitaient toute évaluation sous prétexte que «la GRH concerne les êtres humains et ne peut donc pas être chiffrée» est complètement révolue. Un bon diagnostic de la qualité de la GRH peut donc servir à évaluer les spécialistes eux-mêmes, et cela est tout à fait normal.

— Il n'y a pas que les supérieurs hiérarchiques qui veulent «savoir»: il y a aussi les spécialistes de la GRH eux-mêmes. Parce qu'ils sont au service de l'entreprise, il est normal qu'ils se préoccupent de mesurer la satisfaction de leurs clients (ou «constituants» comme nous les appellerons plus loin). Ceux-ci sont fort nombreux: cadres supérieurs et intermédiaires, employés, syndicats, contremaîtres, etc.; collectivement, ils peuvent exercer un pouvoir considérable sur le service des ressources humaines, et celui-ci a tout intérêt à évaluer régulièrement leurs réactions face aux services reçus.

— Finalement, le service des ressources humaines doit exercer un certain contrôle sur l'application des politiques de GRH par les cadres hiérarchiques. Ceux-ci pratiquent-ils le genre de gestion participative désiré par la haute direction? Rencontrent-ils leurs employés tous les six mois pour une évaluation formelle du rendement? Ont-ils un comportement qui permet d'éviter les griefs syndicaux? Pour répondre à des dizaines de questions comme celles-là, il faut évaluer la GRH pratiquée par les cadres de tous les niveaux.

AMÉLIORER

– Il est évident qu'il ne suffit pas de savoir comment se pratique la GRH dans une entreprise, ni même de connaître l'ampleur du fossé entre ce qui est et ce qui devrait être. Il faut aussi agir et améliorer. Une première façon d'améliorer la GRH consiste à fixer des objectifs précis dans les domaines que l'évaluation a permis de reconnaître comme prioritaires, compte tenu des stratégies organisationnelles, des forces et des faiblesses actuelles de l'entreprise.

– Il faut également choisir les moyens les plus appropriés pour atteindre les objectifs. Cela exige, par exemple, d'interrompre des programmes peu utiles ou trop coûteux, de modifier des systèmes plus ou moins efficaces, d'encourager des activités importantes mais négligées. Sans une bonne évaluation de la GRH, on ne saurait quoi abolir, modifier, mettre en place pour améliorer la situation.

CONVAINCRE

– Les spécialistes de la GRH sont souvent les premiers à vouloir convaincre les cadres hiérarchiques de la nécessité de mesurer la productivité des services ou des divisions de l'entreprise et la performance des individus qui y travaillent. Des progrès remarquables ont été faits dans ce domaine, mais le message passerait mieux si le service des ressources humaines pratiquait lui-même ce qu'il prêche aux autres, ce qui n'est pas toujours le cas.

– La réputation de la GRH en général et des services des ressources humaines en particulier a longtemps laissé à désirer dans de nombreuses entreprises. La situation s'est améliorée énormément depuis quelques années, et pour que cela continue, il faut prouver à la direction que la GRH et le service des ressources humaines contribuent de façon importante au succès de l'organisation. Cette preuve sera vraiment convaincante lorsque les politiques, les systèmes, les programmes et les activités de GRH feront l'objet d'une évaluation systématique des coûts et des résultats tangibles.

– Comme le laisse entendre la phrase ci-dessus, il est important que les spécialistes de la GRH parlent le langage des dirigeants d'entreprise et cessent d'évaluer le résultat de leurs efforts en n'utilisant que des concepts comme satisfaction, coopération, climat, culture, engagement, qualité de vie au travail, éthique, respect des droits, responsabilité sociale. Tout cela est excellent et ne doit pas être sous-estimé, mais il faut, en plus, utiliser le langage des affaires, c'est-à-dire l'argent. Une bonne évaluation de la GRH peut démontrer non seulement que tel programme a amélioré le climat des relations de travail, mais que cette amélioration s'est traduite par une épargne de 42 000 $ en 1992 par rapport à 1991 : voilà un langage que tout le monde comprend!

15.2 LES DÉCISIONS À PRENDRE

La décision d'évaluer la GRH dans une entreprise est probablement la plus facile de toutes celles qui doivent être prises avant, pendant et même après le processus d'évaluation. Toutes ces décisions ont été regroupées en neuf catégories distinctes, mais il est évident qu'il y a une certaine interdépendance entre plusieurs de ces catégories, telle décision à une étape antérieure entraînant nécessairement telle autre décision à une étape future.

15.2.1 LA DÉFINITION DU CONCEPT

Comme nous l'avons mentionné dans une section précédente, la tâche de définir l'efficacité ou l'excellence en GRH n'est pas facile, et elle en a découragé plusieurs. Pensons simplement à la définition de l'efficacité en GRH que pourrait donner un membre de l'école classique de gestion, pour qui l'idéal organisationnel est principalement une question de structure : rationalité, hiérarchie, ordre, centralisation, normes et procédures, programmation des activités, objectifs précis, contrôles serrés. Comparons maintenant cette définition de l'efficacité en GRH avec celle que proposerait un adepte de l'école des relations humaines, pour qui l'idéal organisationnel est d'abord une question de processus : communication, résolution des conflits par le dialogue, prise de décisions collective, consultation et gestion participative, création d'un climat de bonne entente, travail en équipe, écoute et satisfaction des besoins humains. Peut-on espérer que ces deux individus en arrivent à poser un même diagnostic sur la qualité des politiques et des programmes de GRH dans telle entreprise? Il faudra pourtant établir une définition acceptable par plusieurs si on veut poursuivre le processus de l'évaluation.

Si on parle d'évaluer non pas la GRH en général dans une entreprise, mais bien le service des ressources humaines, la définition du concept d'efficacité ou d'excellence sera grandement influencée par l'une ou l'autre des deux orientations suivantes: primauté à l'organisation ou primauté à l'individu. Dans le premier cas, le service des ressources humaines sera considéré comme excellent s'il contribue à accroître au maximum le succès de l'entreprise, lequel se mesure ordinairement en termes économiques; dans le deuxième cas, il sera considéré comme excellent s'il contribue à protéger, à satisfaire et à développer l'individu. On peut évidemment espérer que le service des ressources humaines puisse refléter ces deux orientations de façon optimale (et plus ou moins égale), mais ce n'est pas toujours possible; il faut parfois choisir, et c'est alors que la véritable orientation refait surface.

15.2.2 LES CONSIDÉRATIONS POLITIQUES

Sous ce titre, il faut inclure toutes les décisions qui concernent le pourquoi et le pour qui de l'évaluation. Est-elle faite pour permettre au directeur du service des ressources humaines d'améliorer les programmes d'aide qu'il offre aux employés, ou parce que la haute direction veut réduire le budget consacré à la GRH et veut savoir où couper? Veut-on prouver à la Commission des normes du travail que l'on respecte bien les lois, ou démontrer au syndicat que les contremaîtres n'abusent pas de leur autorité? Les résultats de l'évaluation seront-ils transmis aux cadres supérieurs, aux chefs syndicaux, aux membres du service des ressources humaines ou aux employés en général? Comment utilisera-t-on ces résultats et à quoi serviront-ils? Ces questions sont difficiles, car elles risquent de modifier la répartition du pouvoir dans l'entreprise, ce qui est toujours délicat. L'usage que l'on veut faire des résultats peut également atténuer la qualité et surtout la véracité des résultats que l'on va obtenir.

15.2.3 L'UNITÉ VISÉE PAR L'ÉVALUATION

Il s'agit de déterminer si l'évaluation portera sur le service des ressources humaines comme unité administrative ou sur la GRH pratiquée dans l'ensemble de l'organisation par les dirigeants et les cadres. Dans le premier cas, l'évaluation pourrait considérer le service des ressources humaines comme un système ouvert et en analyser les intrants (par exemple, le personnel du service, les ressources financières qu'il utilise), les activités et les extrants, c'est-à-dire les résultats obtenus. On pourrait également établir toutes sortes de ratios extrants–intrants et mesurer ainsi la productivité du service : par exemple, le nombre de cadres dont on a assuré la formation pendant une année, divisé par les dépenses engagées dans cette formation pendant la même période. D'autres aspects du service pourraient être évalués, comme sa structure (organigramme, division du travail, règles de fonctionnement) ou ses processus internes (communication, prise de décisions, résolution de conflits).

Si on veut évaluer la GRH en général dans toute l'entreprise, la cible de l'évaluation sera plus diffuse et plus ambiguë : tout le monde « fait » de la GRH dans une organisation, du président-directeur général qui planifie une réorganisation des services, jusqu'au contremaître qui distribue le travail le lundi matin, sans oublier évidemment le directeur des ressources humaines qui prépare un programme de prévention des accidents. Dans ce cas, l'évaluation peut porter sur l'un ou l'autre des quatre points suivants :

1. la concordance entre les stratégies concurrentielles et les stratégies de ressources humaines ;

2. la qualité des politiques, des programmes et des pratiques de GRH que l'on retrouve dans l'entreprise ;

3. le coût des comportements et des attitudes des employés (par exemple, le coût de l'absentéisme ou d'un mauvais climat) ;

4. l'empressement plus ou moins grand des supérieurs hiérarchiques à mettre en application les politiques de GRH décidées en haut lieu (par exemple, un style de leadership participatif).

15.2.4 *Le niveau hiérarchique de la GRH*

Il peut être utile de distinguer trois niveaux hiérarchiques en GRH : le niveau stratégique, le niveau managérial et le niveau opérationnel.

En ce qui concerne le premier niveau (que certains appellent le niveau corporatif), l'évaluation porte sur l'intégration de la GRH aux stratégies organisationnelles et sur la contribution des politiques et des pratiques de GRH à l'atteinte des grands objectifs de l'entreprise. Au deuxième niveau, les préoccupations ont pour objet le contrôle des dépenses et l'analyse des résultats : l'évaluation porte donc sur l'analyse coûts–bénéfices des programmes de GRH (les coûts et les gains d'un programme de formation, par exemple). Finalement, l'évaluation faite au niveau opérationnel consiste à vérifier jusqu'à quel point les clients ou les utilisateurs sont satisfaits des services qu'ils obtiennent en GRH; elle permet également de vérifier l'application concrète et quotidienne des politiques de GRH par les superviseurs de premier niveau.

Cette définition des trois niveaux est empruntée à Tsui et Gomez-Mejia (1988); pour connaître d'autres façons de concevoir ces trois niveaux, voir Biles et Schuler, 1986, ou Gosselin, 1989.

15.2.5 *L'EFFICACITÉ OU L'EFFICIENCE*

La distinction qui s'impose ici concerne les résultats et les moyens. Dans le premier cas, l'évaluation portera sur la qualité des objectifs visés en GRH, et sur la capacité des spécialistes et des politiques et programmes qu'ils implantent à atteindre ces objectifs. C'est la **notion d'efficacité**, que les Américains désignent par l'expression *doing the right things*. Ces objectifs peuvent être très nombreux, mais on peut ordinairement les classifier en deux grandes catégories: les objectifs économiques (augmenter la productivité) et les objectifs sociaux (augmenter la satisfaction). Ce type d'évaluation pourrait porter sur les critères suivants, par exemple: le pourcentage de nouveaux employés considérés comme excellents après six mois; le taux d'accidents, d'absentéisme ou de roulement; le niveau de satisfaction des employés de bureau; le nombre de cadres capables d'être promus à un niveau supérieur.

Dans le deuxième cas (l'évaluation des moyens, des processus ou des activités), il s'agit de poser un jugement sur les efforts accomplis pour atteindre les objectifs mentionnés plus tôt. Ces efforts sont ordinairement évalués selon l'un ou l'autre des quatre critères suivants: la quantité, la qualité, les coûts, le temps. C'est la **notion d'efficience**, résumée par l'expression *doing things right*. Ce type d'évaluation pourrait porter sur les critères suivants, par exemple: le temps et l'argent requis pour embaucher 15 mécaniciens; la qualité technique d'un nouveau système d'évaluation des postes et le nombre de postes évalués en un an; le nombre d'heures de formation accordées aux contremaîtres depuis six mois; la rapidité et la courtoisie avec lesquelles les spécialistes du service des ressources humaines répondent aux demandes provenant des autres secteurs de l'entreprise.

Notons que la différence entre les objectifs ou les résultats, d'une part, et les moyens ou les processus, d'autre part, n'est pas toujours évidente et dépend souvent de la philosophie de gestion des cadres supérieurs: la satisfaction des employés est-elle un objectif en soi ou

simplement un moyen d'atteindre le véritable objectif qui est d'accroître
le rendement, donc les profits?

15.2.6 LES MÉTHODES ET LES TECHNIQUES D'ÉVALUATION

Il y a des dizaines de décisions à prendre concernant les méthodes et
les techniques d'évaluation, mais nous ne pouvons en donner qu'un
aperçu général. En ce qui concerne le devis de recherche pour évaluer
l'effet d'un programme, par exemple, il faut décider si l'on fera appel
à une méthode vraiment expérimentale (avec un groupe de contrôle et
la désignation des sujets au hasard), ou à l'une des techniques quasi
expérimentales (comme le fait de prendre plusieurs mesures successives
avant et après la mise en place du programme), ou encore à une
approche non expérimentale (comme la comparaison subséquente de
deux groupes dont l'un a bénéficié du programme).

En ce qui concerne la cueillette des données, il faut choisir entre le
questionnaire, l'entrevue individuelle ou de groupe, l'analyse des budgets, l'étude des activités par observation, l'examen des dossiers, etc.
Il faut également décider qui fera l'évaluation (un consultant, le directeur du service des ressources humaines, un membre de la haute direction) et quelles seront les personnes appelées à fournir les données
requises (les cadres, les chefs syndicaux, tous les employés ou un échantillon de ceux-ci). Si on ajoute toutes les décisions concernant les techniques d'analyse statistique, on comprend que le bloc de décisions
reliées à la méthodologie de l'évaluation est relativement important.

15.2.7 LES CRITÈRES ET LES INDICATEURS

Les choix à effectuer seront évidemment influencés par des décisions
antérieures, comme la définition du concept d'efficacité en GRH ou
l'identification de l'unité visée, mais les possibilités de critères et d'indicateurs sont tellement nombreuses qu'il faudra encore faire des choix
difficiles. Par exemple, pour évaluer le service des ressources humaines,
on peut choisir, parmi plusieurs possibilités, le critère «Réputation du
service auprès des clients ou constituants». Parmi tous les indicateurs
susceptibles de renseigner sur ce critère, on devra encore faire des
choix: le nombre de conseils demandés par les contremaîtres en une
année, le nombre de plaintes soumises à la haute direction concernant
le service des ressources humaines, la présence ou non du vice-président

des ressources humaines au comité de direction de l'entreprise, le niveau de satisfaction exprimé par les employés lors d'un sondage annuel, etc.

15.2.8 *LES NORMES OU LES STANDARDS*

Puisqu'il n'y a pas d'évaluation sans la comparaison d'une réalité avec un idéal, il faut trouver une façon de déterminer cet idéal, et cela nous amène encore à faire des choix difficiles. Si 10 % des cadres supérieurs sont des femmes, est-ce excellent, bon ou médiocre ? Qu'en est-il d'un taux d'absentéisme de 2,6 % par mois ou d'un niveau de satisfaction de 74 % ? Dépenser en moyenne 1 852 $ pour embaucher un ingénieur, est-ce bon ou mauvais ? Les normes et les standards avec lesquels on se compare sont internes ou externes, historiques ou actuels. Si on compare le taux de roulement du personnel actuel avec celui de l'an dernier, il s'agit évidemment d'une norme interne et historique ; si on compare les coûts de main-d'œuvre en 1992 avec ceux de l'industrie pour la même année, la norme est externe et actuelle.

Les choses ne sont malheureusement pas toujours aussi simples que dans l'exemple ci-dessus. Si nous revenons aux 10 % de femmes cadres, le président-directeur général peut se croire «excellent» parce que c'est 2 % de plus qu'il y a cinq ans et 1 % de plus que la moyenne de l'industrie, mais il sera peut-être évalué malgré tout comme «médiocre» par divers groupes de femmes... et par la Commission des droits de la personne. Il est évident que le choix d'une norme ou d'un standard dépend beaucoup de nos valeurs et de notre culture, et que ces choix feront donc l'objet de discussions parfois serrées dans l'entreprise.

15.2.9 *LE SUIVI*

Nous terminons cette section avec les décisions qui concernent l'utilisation des résultats obtenus lors de l'évaluation de la GRH. Quel sera le contenu des plans d'action élaborés pour pallier les faiblesses actuelles de la GRH dans l'entreprise ? Qui sera responsable de l'introduction des changements nécessaires et du contrôle des résultats ? Si l'on veut que l'évaluation soit le début d'un processus de développement organisationnel, les réponses à ces questions sont évidemment très importantes.

15.3 Un modèle pour guider l'évaluation de la GRH

L'objectif de cette section est de présenter une vue d'ensemble des principaux éléments qui peuvent faire l'objet d'une évaluation en GRH et des relations entre ces éléments. C'est une façon de répondre aux nombreuses questions soulevées dans la section précédente et de faciliter la compréhension des diverses approches et méthodes d'évaluation qui seront abordées plus loin. La figure 15.1 est assez explicite sur ce point, mais nous en reprendrons les composantes essentielles. Les sous-sections qui suivent renvoient aux chiffres que l'on retrouve dans la figure.

15.3.1 La concordance avec l'environnement externe

Il s'agit ici de vérifier jusqu'à quel point les objectifs et les programmes de GRH tiennent compte de certains éléments importants de l'environnement externe, comme la législation concernant les droits de la personne. Cet environnement peut être examiné au passé, au présent et au futur; il faut donc observer non seulement la situation actuelle, mais aussi les changements dans la composition de la main-d'œuvre ou la popularité grandissante des congés sabbatiques, par exemple. Il existe plusieurs façons de «découper» l'environnement externe, mais les caté-

FIGURE 15.1 *Les éléments à considérer dans l'évaluation de la GRH*

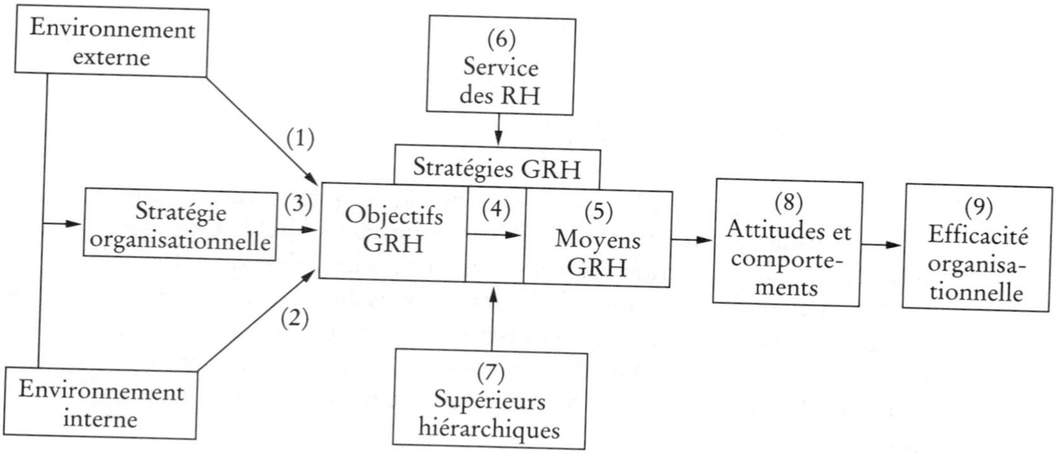

gories suivantes sont souvent utilisées: l'environnement économique, politique, social, démographique, technologique. Plusieurs auteurs ont exploré l'influence de l'environnement externe sur la GRH, et les mécanismes par lesquels l'entreprise peut «garder un œil» sur ce qui se passe dans la société; la présence de ces mécanismes dans l'entreprise fait également l'objet du diagnostic que l'on pose ici (Bourbonnais et Gosselin, 1988; Schrenk, 1988; Hays, 1989).

15.3.2 LA CONCORDANCE AVEC L'ENVIRONNEMENT INTERNE

La concordance entre la situation dans l'entreprise elle-même et la GRH retient notre attention dans ce deuxième volet. L'environnement interne comprend des facteurs tels que la philosophie de gestion, la structure, la technologie, la culture, le climat des relations de travail, les caractéristiques de la main-d'œuvre (âge, sexe, niveau d'instruction, ancienneté, etc.). Ici également il faut regarder dans l'avenir et prévoir l'évolution de la situation, en particulier en ce qui concerne l'offre interne de travail. Il est évidemment essentiel que la GRH repose sur une analyse approfondie de l'environnement interne (Murray et Dimick, 1978).

15.3.3 LA CONCORDANCE AVEC LA STRATÉGIE ORGANISATIONNELLE

Les relations entre la stratégie organisationnelle et la stratégie de GRH retiennent l'attention de l'évaluateur dans cette troisième phase. La question majeure est évidemment la suivante: les objectifs et les programmes de GRH sont-ils nettement orientés vers le soutien des objectifs de l'entreprise et la réussite de ses stratégies concurrentielles? Une deuxième question est souvent posée: le domaine de la GRH a-t-il été suffisamment considéré lors de l'élaboration des stratégies organisationnelles? C'est autour de ces deux questions que le diagnostic peut s'élaborer.

15.3.4 LA CONCORDANCE ENTRE LES OBJECTIFS ET LES MOYENS

La relation entre les objectifs de GRH et les divers moyens mis en œuvre pour les atteindre fait l'objet de ce quatrième élément d'évaluation. Plusieurs classifications des objectifs de la GRH ont été proposées, et ces objectifs concernent principalement les niveaux que l'on veut atteindre dans des domaines comme le nombre et le type d'employés, leur compétence, leur motivation, leur engagement envers l'organisation, leur flexibilité, leur capacité de prendre des risques, leur préoccupation pour la qualité (Dyer et Holder, 1988 ; Schuler, 1987). Quant aux moyens mis en place pour atteindre ces objectifs, ils consistent en une série de politiques, de systèmes, de programmes, de procédures et d'activités que l'on regroupe ordinairement en une dizaine de fonctions (embauche, rémunération, etc.) ou en quelques catégories comme acquérir, conserver, mobiliser et développer les ressources humaines. Sur ces regroupements, une dizaine de typologies pourraient être consultées, mais ces études ne nous concernent pas en ce moment (Fombrun, Tichy et Devanna, 1984 ; Ulrich, 1987). Ce qui nous intéresse, par contre, c'est l'adéquation entre les moyens et les objectifs, ou la capacité des programmes de GRH à atteindre les buts pour lesquels ils ont été créés: si l'on veut parvenir à un haut niveau de motivation au travail (objectif), les programmes d'enrichissement des tâches et de partage des profits que l'on a mis sur pied sont-ils un bon moyen d'y arriver? On peut voir, par cet exemple, que ce volet de l'évaluation comprend également l'étude de la concordance entre eux des divers moyens utilisés pour atteindre un objectif.

15.3.5 *LA QUALITÉ TECHNIQUE ET L'EFFICIENCE DES MOYENS*

La qualité technique et l'efficience des moyens (systèmes et programmes) mis en place constituent un cinquième critère possible pour l'évaluation de la GRH. Les méthodes de recrutement et de sélection sont-elles adéquates sur le plan technique? Les systèmes d'évaluation des postes et de mesure de la performance font-ils appel aux connaissances les plus récentes? Les programmes de formation reposent-ils sur une étude scientifique des besoins en ce domaine? Il y a maintenant assez d'expertise technique accumulée en GRH pour pouvoir porter un jugement sur les pratiques d'une entreprise en ce domaine. Il faut également mesurer l'efficience de tous ces programmes, c'est-à-dire le rapport coûts–bénéfices. Est-ce que l'entreprise en a «pour son argent»?

15.3.6 *LE SERVICE DES RESSOURCES HUMAINES*

Ce sixième volet concerne l'évaluation du service des ressources humaines comme entité distincte, partiellement responsable de l'élaboration et de l'application des politiques et des programmes de GRH. Comme nous l'avons déjà mentionné, cette évaluation peut porter sur plusieurs points : la structure du service, la compétence de ses spécialistes, l'influence de ses dirigeants lors de l'élaboration des stratégies organisationnelles, son efficience et sa productivité, la satisfaction de ses multiples constituants.

15.3.7 LES SUPÉRIEURS HIÉRARCHIQUES

Le service des ressources humaines peut élaborer des politiques et des programmes de grande qualité, mais il ne faut pas oublier que ceux-ci sont le plus souvent mis en application quotidiennement par les supérieurs hiérarchiques des différents niveaux, allant du président au contremaître. L'évaluation dont nous parlons dans ce septième volet consiste donc à vérifier jusqu'à quel point les chefs hiérarchiques appliquent les politiques et les programmes «officiels» de GRH dans leur gestion quotidienne. Cette vérification ressemble un peu à une vérification comptable et, en anglais, elle porte le même nom : un «audit».

15.3.8 LES RÉSULTATS SOCIAUX: ATTITUDES ET COMPORTEMENTS

Les objectifs immédiats d'une bonne GRH portent principalement sur les attitudes et les comportements que l'on espère retrouver chez les cadres et les employés. Ce que l'on recherche, ce sont des personnes qui s'attachent à l'organisation, qui sont satisfaites des divers aspects de leur environnement de travail, qui acceptent de travailler fort et bien, qui œuvrent dans un climat de collaboration avec les dirigeants. Il s'agit donc de vérifier plusieurs indices de succès, comme un faible taux de roulement, d'absentéisme, de retards, d'accidents, de griefs. On peut mesurer également la satisfaction, le sentiment d'appartenance, la motivation au travail, le nombre de suggestions faites pour améliorer la performance de l'organisation, le climat, la coopération. Tous ces facteurs sont évidemment perçus comme des indices d'une bonne GRH.

15.3.9 LES RÉSULTATS ÉCONOMIQUES: EFFICACITÉ ORGANISATIONNELLE

Finalement, puisque l'un des objectifs ultimes de la GRH est de contribuer au succès de l'organisation, le dernier volet de l'évaluation peut porter sur divers aspects de l'efficacité organisationnelle : la productivité, le chiffre d'affaires, les profits, la croissance, l'innovation, la réputation de l'entreprise. Ajoutons la simple survie qui, à certaines époques et dans certaines industries, peut être un signe de performance exceptionnelle ! Il est évident que les critères mentionnés ici ne sont pas parfaits pour évaluer la GRH, car ils sont « contaminés » par bien d'autres causes possibles : l'ampleur et le bien-fondé des investissements, la qualité de la technologie, la modernité des bâtiments, la localisation de l'usine, l'attitude du syndicat en place et même... la chance ! Il n'en demeure pas moins qu'aucune évaluation de la GRH ne serait complète sans un examen de ce type de facteurs.

À notre avis, une évaluation complète de la GRH doit porter sur les neuf volets mentionnés ci-dessus, ce qui représente évidemment un défi assez considérable. Pour y arriver, on peut faire appel à plusieurs approches, méthodes ou techniques d'évaluation, qui feront l'objet de la section suivante.

15.4 LES MÉTHODES ET LES TECHNIQUES D'ÉVALUATION

Plusieurs typologies ont été suggérées pour classifier les méthodes et les techniques disponibles servant à évaluer l'efficacité de la GRH ou encore l'efficacité organisationnelle (Morin, 1989 ; Association des hôpitaux du Québec, 1988 ; Kanter et Brinkerhoff, 1981 ; Ulrich, 1989 ; Tsui et Gomez-Mejia, 1988). À l'aide de ces auteurs, nous classifions ces méthodes et ces techniques de la façon suivante : 1. la vérification interne (audit) ; 2. les indices et les ratios ; 3. la comptabilisation des ressources humaines ; 4. l'analyse du travail ; 5. la réaction des multiples constituants ; 6. la recherche expérimentale ; 7. l'analyse de l'utilité.

Les trois premières méthodes peuvent servir à évaluer le service des ressources humaines aussi bien que l'ensemble de la fonction GRH ; les méthodes 4 et 5 concernent plus particulièrement le service des ressources humaines ; les approches 6 et 7 servent à évaluer l'efficacité et l'efficience des programmes de GRH mis en place dans l'entreprise.

15.4.1 LA VÉRIFICATION INTERNE

La vérification interne, appelée *audit* par les Américains, est probablement la méthode le plus utilisée pour évaluer la GRH (Hercus et

Oades, 1982 ; Biles et Schuler, 1986 ; Sheibar, 1974 ; Mathis et Cameron, 1981 ; Gomez-Mejia, 1985 ; West, 1978 ; Keene, 1976 ; Bolar, 1970). Le terme est défini de façon différente par les divers auteurs, mais il s'agit principalement de vérifier si les politiques et les procédures prévues pour la GRH sont effectivement respectées par les spécialistes du service des ressources humaines, et surtout par les supérieurs hiérarchiques.

Pour ce faire, on élabore ordinairement une longue liste de vérification (tableau 15.1), et on demande à un individu ou à une équipe de

*TABLEAU 15.1 UNE LISTE DE VÉRIFICATION POUR ÉVALUER LA **GRH***

A. Planification des ressources humaines (RH)
1. La planification stratégique tient compte des RH.
2. Le programme d'embauche repose sur une planification des RH.
3. L'entreprise dispose d'un bon système d'information sur les RH.
4. Les besoins en RH sont prévus au moins un an à l'avance.
5. Tous les cadres ont un plan de carrière révisé régulièrement.

B. Relations patronales–syndicales
1. Les supérieurs hiérarchiques sont consultés avant les négociations.
2. La direction accepte et reconnaît le syndicat.
3. Les conflits de travail sont réglés rapidement.
4. Les négociateurs patronaux sont compétents et respectés.
5. Les superviseurs connaissent bien la convention collective.

C. Évaluation du rendement
1. La période de probation se termine par une évaluation formelle.
2. L'évaluation du rendement détermine une partie du salaire.
3. Tous les évaluateurs ont reçu une formation adéquate.
4. L'évaluation est discutée avec l'employé en entrevue.

D. Divers
1. Toutes les descriptions de postes sont révisées aux deux ans.
2. Le formulaire d'embauche respecte la *Charte des droits et libertés*.
3. Les tests de sélection ont été validés dans l'entreprise.
4. La satisfaction des employés est mesurée régulièrement.
5. Tous les employés qui quittent sont interviewés.
6. Les employés savent ce qu'on attend d'eux.
7. Les employés sont informés des projets de l'entreprise.
8. On aide les employés à corriger leurs faiblesses.
9. Le comité de santé–sécurité se réunit régulièrement.
10. Les possibilités de promotion sont connues de tous.

l'intérieur ou de l'extérieur de l'entreprise d'indiquer jusqu'à quel point l'idéal prévu sur la liste est réellement respecté, selon une échelle graduée de 1 (pas du tout) à 5 (tout à fait). Aux fins de notre présentation et en accord avec la plupart des auteurs, nous distinguons cette méthode, plutôt qualitative, de la méthode des indices ou des ratios, qui repose entièrement sur des données quantitatives. Tous ne font cependant pas cette distinction.

15.4.2 LES INDICES ET LES RATIOS

Il est relativement facile d'imaginer 100 ou 200 indices et ratios qui pourraient servir à évaluer la GRH, et plusieurs auteurs se sont lancés dans cette voie (Gray, 1965; Odiorne, 1986; Lapointe, 1983; Fitz-Enz, 1980; Rabe, 1967). Ces indices quantitatifs peuvent mesurer aussi bien l'atteinte de certains objectifs particuliers (pourcentage d'employés jugés très compétents par rapport à l'ensemble des employés) que l'efficience ou la qualité des moyens mis en œuvre pour atteindre les objectifs (coût moyen des programmes de formation par employé par année). Quelques exemples de ces indices sont présentés au tableau 15.2.

Tous les indices dont nous parlons ici ne sont utiles que s'ils sont comparés avec un standard ou une norme extérieure quelconque (par exemple, le taux moyen d'absentéisme dans la même industrie et la même région), ou encore avec les résultats internes de l'entreprise elle-même (le «score» de l'an dernier ou l'indice du service Y par rapport au service X).

Cette méthode d'évaluation est excellente parce qu'elle fait appel à des mesures quantitatives. La principale difficulté consiste non pas à suggérer des indices, mais à ne retenir que ceux qui reflètent bien la mission et les objectifs essentiels du service ou de la fonction GRH. Il est assez facile d'obtenir des données sur le pourcentage d'employés qui participent aux activités sociales organisées par l'entreprise; il est moins facile de décider si cet indicateur mesure un aspect important de la GRH et mérite donc d'être retenu et comptabilisé d'année en année. Encore ici, nous revenons aux grandes questions fondamentales: qu'est-ce que l'efficacité ou l'excellence en GRH, et par quels critères peut-elle être mesurée?

15.4.3 LA COMPTABILISATION DES RESSOURCES HUMAINES

Il y a maintenant 25 ans que les premières tentatives ont été faites pour comptabiliser les ressources humaines, c'est-à-dire pour donner à

TABLEAU 15.2 QUELQUES INDICES POUR ÉVALUER LA GRH

A. Embauche

1. Temps moyen requis pour combler un poste.
2. Nombre de candidats valables par poste ouvert.
3. Temps écoulé entre la candidature et la décision d'embauche.
4. Coût moyen du recrutement par poste.
5. Pourcentage d'employés jugés satisfaisants après un an.

B. Rémunération

1. Nombre d'employés qui quittent pour un meilleur salaire.
2. Pourcentage des heures supplémentaires par rapport aux heures régulières.
3. Nombre de griefs concernant le salaire.
4. Nombre annuel de mises à jour dans les descriptions de postes.
5. Coût des avantages sociaux par rapport aux salaires.

C. Formation

1. Pourcentage d'employés prêts pour une promotion.
2. Coût moyen de la formation par employé.
3. Nombre d'heures de formation accordées en un an.
4. Pourcentage du chiffre d'affaires consacré à la formation.
5. Pourcentage des contremaîtres inscrits à un programme de formation.

D. Divers

1. Taux de roulement, d'absentéisme, d'accidents.
2. Pourcentage d'employés évalués formellement en un an.
3. Pourcentage de femmes parmi les cadres supérieurs.
4. Nombre de consultations effectuées sur demande.
5. Nombre de suggestions par 100 employés.
6. Pourcentage d'employés capables de remplir plusieurs postes.
7. Pourcentage d'employés évalués « excellents » par leur patron.
8. Nombre de jours perdus pour conflits de travail.
9. Pourcentage de cas gagnés en arbitrage.
10. Temps moyen requis pour régler les plaintes des employés.

celles-ci une valeur monétaire qui pourrait apparaître dans les états financiers, au même titre que la valeur des bâtiments ou des machines (Brummet, Flamholtz et Pyle, 1968). Si on arrivait à mettre ainsi un chiffre assez précis sur la valeur des ressources humaines, cette mesure pourrait servir à évaluer la qualité globale de la GRH qui se pratique d'une année à l'autre dans une entreprise.

L'idée est évidemment très attirante, d'autant plus que tout le monde (ou presque) sait maintenant que la valeur réelle d'une entreprise, même d'un point de vue strictement financier, dépend beaucoup plus de la valeur de ses ressources humaines (leur expertise, leur motivation, leur sentiment d'appartenance) que de la valeur de rachat de ses équipements ou même de la valeur de son achalandage. Les comptables qui déterminent la valeur des entreprises pour un acheteur éventuel n'en donnent donc qu'une image bien imparfaite, puisque cette image néglige l'essentiel: la valeur actuelle et future des ressources humaines.

Les problèmes reliés à cette méthode d'évaluation de la GRH sont considérables et n'ont pas encore été vraiment résolus. Faut-il traiter les montants consacrés aux ressources humaines comme des dépenses qui doivent être soustraites des revenus courants, ou comme des investissements qui doivent être dépréciés tout au long de leur période utile? Les premières tentatives dans ce domaine (réalisées chez Barry Corporation, dans l'Ohio) relèvent de la seconde approche: on calculait les coûts d'acquisition et de formation des cadres et on amortissait ces coûts sur la durée probable de l'emploi. Parmi les problèmes reliés à la méthode des coûts historiques, notons les suivants:

1. on ne tient pas compte de la fluctuation du dollar;

2. le jugement quant à la durée probable de l'emploi est très incertain;

3. les actifs (les cadres concernés) ne peuvent être vendus et on ne peut donc pas vérifier leur valeur réelle sur le marché;

4. on ne mesure que les coûts d'acquisition, d'entretien et d'amélioration des actifs: on ne sait pas vraiment ce qu'ils rapportent.

Une autre méthode a donc vu le jour, basée non pas sur les coûts historiques, mais sur les coûts de remplacement: combien en coûterait-il aujourd'hui à l'entreprise pour remplacer ses cadres et ses employés (recrutement, sélection, formation, perte de revenu pendant les premiers mois, etc.)? Cette méthode a également été jugée inadéquate, car elle ne fait que mettre à jour les données de la méthode des coûts historiques.

Une troisième approche a été utilisée, soit la méthode de la valeur présente des gains futurs. On suppose que l'employé vaut aujourd'hui ce qu'il coûtera à l'entreprise et on actualise la somme des salaires et des bénéfices qui lui seront accordés dans les années futures, selon son espérance moyenne de vie dans l'organisation. La difficulté provient de ce que l'employé peut valoir beaucoup plus (ou moins) que ce qu'il coûtera. De plus, avec cette méthode, un programme de formation qui ne conduit pas à des augmentations de salaire pour les participants ne vaut rien, car il ne change pas la somme des gains futurs (Cascio, 1987).

Devant toutes ces difficultés, l'approche basée sur les investissements a laissé la place à diverses tentatives de mesurer non pas les coûts des individus, mais bien ceux de leurs comportements : coûts de l'absentéisme, des grèves, des retards, de l'insatisfaction, de la mauvaise qualité, etc. Une GRH qui diminue ces coûts est donc considérée comme bonne ou rentable (Mirvis et Macy, 1976 ; Macy et Mirvis, 1976 ; Mirvis et Lawler, 1977).

15.4.4 L'ANALYSE DU TRAVAIL

L'analyse du travail regroupe plusieurs techniques dont l'objectif est de connaître les activités auxquelles les membres du service des ressources humaines consacrent leur temps. Cela s'apparente un peu à l'analyse des temps et mouvements que l'on pratique dans les usines auprès des travailleurs manuels, sauf qu'ici, l'analyse est beaucoup moins détaillée et la période d'observation est beaucoup plus longue. Parmi les techniques disponibles, mais qui posent problème, mentionnons :

1. l'observation continue (coûteuse et «dérangeante»);

2. l'entrevue (peu valide parce qu'elle dépend de la mémoire des sujets);

3. le journal tenu par chaque employé (méthode lourde et qui demande beaucoup de temps).

À cause de ces difficultés, certains auteurs recommandent plutôt l'utilisation d'une technique d'observation basée sur l'échantillonnage des activités. C'est donc à partir d'observations faites à des moments déterminés par le hasard que l'on tentera de porter un jugement sur l'utilisation globale que l'employé fait de son temps de travail, et de déterminer à quelles activités ou blocs d'activités il alloue ce temps.

Dans une expérience de ce type rapportée par Carroll (1960), la journée de travail avait été divisée en demi-heures. À un signal donné à un moment imprévu de chaque demi-heure (quelqu'un fermait les lumières et les rallumait aussitôt), tous les employés, qui dans ce cas-ci étaient leurs propres observateurs, indiquaient sur un formulaire l'activité accomplie à ce moment précis, la personne avec qui ils travaillaient et l'objectif de l'activité en question. Ainsi, 2 000 observations ont été consignées sur neuf cadres et employés pendant une période de trois semaines ; on a donc pu établir que ce service du personnel consacrait 36 % de son temps à l'administration des avantages sociaux, 14 % à l'embauche et... 0 % à la formation.

Cette technique, qui s'est beaucoup raffinée depuis l'expérience rapportée ici, peut permettre d'évaluer un service des ressources humaines en comparant l'allocation qu'il fait de son temps avec celle qu'il devrait faire, pourvu qu'on arrive à s'entendre sur cet idéal. Cette méthode comporte évidemment certaines faiblesses, comme le fait d'exiger la collaboration des employés (si on veut qu'ils soient également observateurs) et de ne pas renseigner sur la nécessité ou la qualité du travail accompli à tel moment, ni sur l'intensité de l'effort déployé à ce moment-là par l'employé.

15.4.5 *LA RÉACTION DES MULTIPLES CONSTITUANTS*

L'approche des multiples constituants, après avoir été utilisée pour évaluer l'efficacité organisationnelle (Connolly, Conlon et Deutsch, 1980), sert depuis quelques années à l'évaluation des services des ressources humaines.

On conçoit ici l'organisation ou l'entreprise comme un système ouvert composé de plusieurs parties interdépendantes, qui sont souvent en concurrence dans un environnement dynamique pour l'obtention de ressources organisationnelles relativement rares. Le service des ressources humaines est l'une de ces parties, et son environnement est composé de plusieurs constituants, c'est-à-dire d'individus et de groupes internes ou externes à l'entreprise, qui relèvent de ce service et qui peuvent l'influencer à leur tour.

Selon cette approche, l'efficacité du service des ressources humaines se mesure à sa capacité d'établir des relations harmonieuses avec ses constituants et, en particulier, de répondre à leurs attentes et d'en obtenir des ressources. Comme exemples de constituants, pensons aux gérants et aux contremaîtres, aux cadres supérieurs de l'entreprise, aux divers groupes d'employés, aux syndicats, à certains organismes communautaires (une association qui recherche des emplois pour les personnes handicapées, par exemple), à certains organismes publics ou parapublics (Commission des normes du travail ou des droits de la personne). Ces groupes seront appelés à évaluer le service des ressources humaines.

Il faut évidemment reconnaître que tous ces groupes ont des attentes très variées et ne sont pas motivés uniquement, ou même principalement, par le succès de l'entreprise (ils seraient d'ailleurs bien incapables de s'entendre sur une définition commune de «succès de l'entreprise»). Il y a là des groupes de pression préoccupés par un idéal ou une cause, mais aussi par leurs intérêts personnels. Il y a aussi des cadres et des employés dont les besoins sont différents selon le poste, l'âge, le sexe, etc. Le jeune cadre évaluera peut-être le service des ressources humaines à sa capacité de développer des plans de carrière; l'employé âgé examinera les programmes de préretraite, alors que le dirigeant syndical considérera la rapidité avec laquelle le service règle les griefs; le directeur de l'usine suivra l'évolution du taux d'absentéisme.

Puisque les constituants n'ont pas les mêmes besoins face au service des ressources humaines, ils n'en attendront pas les mêmes objectifs ou les mêmes activités, ils n'utiliseront pas les mêmes critères d'évaluation ni les mêmes normes ou standards d'excellence (cinq accidents par mois, est-ce «bon» ou «mauvais»?). Idéalement, il faudrait donc trouver un métacritère, c'est-à-dire un critère qui permet de choisir parmi tous les critères d'évaluation proposés par les constituants. Au moins cinq solutions à ce problème ont été proposées; on pourrait adopter les critères (et les normes): 1. du groupe le plus nombreux; 2. du groupe le plus puissant; 3. du groupe le plus faible (dans un esprit de justice sociale); 4. sur lesquels tout le monde s'entend; 5. qui font l'objet d'un certain consensus parmi la coalition dominante, c'est-à-dire les quelques constituants qui sont plus importants que les autres. Les deux dernières méthodes sont les plus utilisées.

Selon l'approche des constituants multiples, on considère donc que le diagnostic d'efficacité ou d'excellence posé à propos d'un service des ressources humaines est en partie un jugement subjectif, qui dépend beaucoup des buts, des valeurs, des intérêts et des attentes de l'observateur. C'est en combinant, d'une façon ou d'une autre, les opinions de plusieurs groupes portant sur plusieurs activités du service et utilisant plusieurs critères distincts que l'on parviendra à la meilleure évaluation possible; il s'agit donc d'une approche «tripartite» (Tsui, 1984).

Les recherches effectuées selon cette approche ont donné des résultats intéressants (Tsui, 1987; Tsui et Milkovich, 1987). Dans un cas, 35 représentants de huit groupes de constituants se sont entendus à 100 % (par la méthode Delphi) sur 17 activités qui devraient être accomplies par un service des ressources humaines d'une usine, et sur 12 critères d'évaluation; ils étaient cependant en désaccord total ou partiel sur 105 autres activités et sur 78 autres critères! Dans une autre étude, 805 personnes choisies parmi deux groupes de constituants (les patrons et les employés) dans cinq entreprises ont eu à se prononcer sur l'importance de 101 activités d'un service des ressources humaines (regroupées en huit dimensions) et sur la pertinence de 60 critères d'évaluation (regroupés en cinq dimensions). Dans ce cas, les jugements des deux groupes de constituants furent remarquablement semblables, ce qui ne se produit pas toujours. Une troisième recherche, utilisant comme constituants cinq types de cadres de différents niveaux hiérarchiques (1 100 cadres dans trois entreprises), a démontré que ces cinq groupes avaient des attentes, des critères, donc des niveaux de satisfaction bien différents quant à leur service des ressources humaines. Notons que dans ce cas-ci, la «capacité de développer une image positive de l'entreprise chez les employés» fut l'un des très rares critères acceptés par les cinq blocs de répondants comme étant excellent pour juger d'un service des ressources humaines.

La principale force de cette approche est sans doute de rappeler au service des ressources humaines qu'il est justement un «service» et que sa performance ne peut être évaluée sans tenir compte du niveau de satisfaction de ses divers clients. Cette méthode fait également reposer l'évaluation sur un grand nombre d'activités et de critères, ce qui est bon, compte tenu de la richesse du concept «performance» lorsqu'il est appliqué à un service des ressources humaines. Par contre, il faut bien admettre que ce qui est bon pour certains constituants peut être néfaste pour l'entreprise (la sécurité d'emploi absolue, par exemple), et que la pondération des opinions divergentes des divers constituants peut être une tâche très ardue, car elle nécessite souvent un choix entre des valeurs économiques et des valeurs sociales.

15.4.6 *La recherche expérimentale*

Cette méthode permet de mesurer l'effet d'un programme de GRH sur les attitudes et les comportements de ceux qui ont profité de ce programme. L'approche expérimentale «pure» serait idéale; elle consisterait:

1. à désigner des individus au hasard pour faire partie de l'un ou l'autre des groupes expérimental ou de contrôle;

2. à mesurer les deux groupes sur une variable dépendante susceptible d'être affectée par le programme que l'on veut implanter (un programme de gestion participative, par exemple);

3. à introduire le programme dans le groupe expérimental et à attendre qu'il «fasse effet»;

4. à mesurer à nouveau la variable dépendante (satisfaction ou motivation, par exemple) dans les deux groupes;

5. à comparer les modifications observées dans le groupe expérimental avec celles observées dans le groupe de contrôle.

Comme les conditions requises pour réaliser une telle recherche ne sont presque jamais réunies dans les entreprises (on ne peut pas assigner les employés au hasard à un service ou à un autre, pas plus qu'on ne peut contrôler toutes les influences autres que le programme concerné), on parle plus souvent de recherche «quasi expérimentale». Cela revient à dire que l'on fait ce que l'on peut pour se rapprocher du modèle idéal. Un devis très valable, par exemple, serait de mesurer dans un seul groupe la variable dépendante (disons la motivation au travail) à plusieurs reprises avant, et à plusieurs reprises après l'introduction du programme. Un saut brusque et permanent dans le niveau de motivation correspondant au moment de l'introduction du programme serait évidemment attribué à celui-ci.

Toutes les méthodes expérimentales et quasi expérimentales ont le mérite de démontrer qu'un programme de GRH peut avoir un certain effet. La valeur monétaire de cet effet n'est cependant pas toujours évidente: c'est ici qu'intervient la méthode de l'analyse de l'utilité.

15.4.7 L'ANALYSE DE L'UTILITÉ

L'analyse de l'utilité est l'une des formes que peut prendre l'analyse coûts–bénéfices. Dans ce cas-ci, l'objectif est d'évaluer les conséquences financières d'un programme de GRH (une nouvelle méthode de sélection ou un programme de formation, par exemple) en mesurant, avec autant de précision que possible, les montants épargnés ou gagnés grâce à ce programme. On peut vouloir comparer un programme avec une absence de programme, ou encore comparer deux programmes entre eux pour trouver le meilleur, financièrement parlant. Dans tous les cas, il s'agit simplement d'évaluer les gains engendrés par un programme et d'en soustraire les coûts, mais en fait, l'analyse de l'utilité est un processus beaucoup plus complexe qu'il n'apparaît à première vue.

La complexité provient de ce que les éléments qui font partie de l'équation ne sont pas facilement identifiables ou mesurables. Prenons, par exemple, le cas d'un programme de formation dont on voudrait mesurer l'utilité financière. En ce qui concerne les coûts du programme, la difficulté n'est pas trop grande, mais il ne faut pas oublier de considérer:

1. les dépenses reliées à l'analyse des besoins;
2. l'élaboration et l'approbation des objectifs, du contenu et des méthodes du programme;
3. la réservation des salles;
4. le matériel audiovisuel et les documents écrits;
5. les salaires et les compensations financières des professeurs et des participants;
6. les coûts de remplacement de ces derniers ou les pertes de production découlant de leur absence;
7. le logement, les repas et les déplacements.

Pour ce qui est des gains engendrés par le programme, le calcul est plus difficile, car il faut tenir compte des éléments suivants:

1. l'augmentation moyenne de rendement résultant de la formation (par comparaison avec le rendement antérieur des gens que l'on a formés ou avec le rendement d'un groupe de contrôle non formé);
2. la valeur monétaire de cette différence de rendement;
3. la durée de l'effet de la formation (après quelques années, ou quelques mois dans les entreprises de haute technologie, les employés qui ont été formés seront à nouveau dépassés);
4. le nombre de personnes formées;
5. le roulement parmi les personnes formées, car celles qui partent tout de suite après le programme ne représentent que des coûts.

Certains auteurs ont développé et testé des modèles mathématiques intéressants qui tiennent compte de toutes ces variables (Schmidt, Hunter et Perlman, 1982). D'autres sont allés encore plus loin et ont tenté d'inclure des facteurs additionnels comme:

1. les coûts variables reliés à un accroissement de productivité (s'ils produisent plus, les employés formés utiliseront peut-être plus de matières premières et recevront une augmentation de salaire ou une prime);
2. la partie de l'accroissement des profits résultant du programme de formation qui entraînera une augmentation des impôts et qui, de ce fait, ne constituera pas un gain réel;
3. la valeur escomptée des coûts et des bénéfices futurs (les coûts sont souvent immédiats, mais les bénéfices sont différés);
4. le nombre de fois qu'un même programme peut être réutilisé auprès d'autres employés (Cascio et Ramos, 1986; Mathieu et Leonard, 1987; Boudreau, 1983, 1984).

Boudreau essaie d'établir mathématiquement une sorte de point mort qui indiquerait, pour chaque programme particulier, l'accroissement minimal de performance qu'il devra produire pour être rentable ou « utile ».

Le principal avantage de cette approche est évidemment d'aller à l'essentiel, du point de vue de l'entreprise et des cadres supérieurs : les conséquences financières des programmes de GRH. Le spécialiste en GRH parle ainsi un langage qui plaît, et il augmente donc son pouvoir dans l'entreprise tout en évitant de mettre sur pied ou de maintenir des programmes qui seraient à la mode, mais déficitaires. La principale difficulté vient de ce qu'il faut recueillir et analyser une masse considérable de données souvent peu disponibles pour chaque programme à évaluer. Il faut donc s'assurer de n'évaluer que des programmes critiques, ceux qui font la différence entre une bonne et une mauvaise gestion des ressources humaines (Ulrich, 1989).

15.5 LA MISE EN PLACE D'UN PROGRAMME D'ÉVALUATION

Comme tous les changements majeurs, la mise en place d'un programme d'évaluation de la GRH doit être planifiée et exécutée avec un soin considérable. Tous les principes de l'introduction du changement dans l'entreprise et du développement organisationnel s'appliquent ici, mais nous ne pouvons même pas tenter de résumer cette énorme documentation. Ce que nous pouvons faire cependant, c'est de suggérer que le service des ressources humaines donne l'exemple en s'évaluant lui-même, à l'aide de l'une ou l'autre des approches participatives proposées par certains experts en mesure de la productivité (Riggs et Felix, 1983 ; Sink, 1985). Ce processus pourrait suivre les étapes proposées ci-dessous.

Étape 1 : Choisir un système organisationnel et en délimiter les frontières. Dans ce cas-ci, le système serait le service des ressources humaines. Il faudrait cependant déterminer sur quel plan on veut travailler, si l'entreprise comporte plusieurs de ces services allant du niveau stratégique au niveau opérationnel.

Étape 2 : Identifier les fournisseurs et surtout les clients du système, et déterminer les attentes de ces derniers. Comme nous l'avons souvent indiqué, ceux-ci peuvent être fort nombreux, et leurs besoins très divers. Ces besoins doivent être analysés avec soin ; il existe plusieurs techniques pour susciter la participation des clients eux-mêmes dans ce processus.

Étape 3: Préciser la mission et les objectifs du système. Pourquoi existe-t-il? Plusieurs questions fondamentales doivent être débattues à cette étape.

Étape 4: Énumérer les intrants, les opérations et les extrants du système. De quelles ressources disposons-nous? À quelles activités ces ressources sont-elles utilisées? Quels résultats obtenons-nous?

Étape 5: Énumérer, analyser et choisir quelques critères de performance. Ces critères doivent être pertinents à la mission du service des ressources humaines et couvrir les opérations et les résultats qui font toute la différence entre un service excellent et un service médiocre. Par exemple: contribution aux objectifs de l'entreprise, respect des lois du travail, niveau de compétence et de motivation du personnel de l'entreprise, etc.

Étape 6: Énumérer, analyser et choisir quelques indicateurs clés pour chacun des critères retenus plus haut. Ces indicateurs devraient posséder un certain nombre de caractéristiques bien connues, comme être observables et mesurables, permettre d'exercer une discrimination entre les niveaux de performance, être valides, fidèles, utiles, faciles à recueillir, être acceptables par les usagers, etc.

Étape 7: Prendre le pouls actuel du service des ressources humaines sur chacun des indicateurs: où en sommes-nous actuellement quant à la performance, à la qualité, à la productivité?

Étape 8 : Établir des objectifs à long, à moyen et à court termes pour chacun des indicateurs.

Étape 9 : Discuter des moyens à prendre et des plans d'action à établir pour atteindre les objectifs. Qui fera quoi, quand, comment?

Étape 10 : Appliquer les plans prévus à l'étape précédente.

Étape 11: Mesurer les résultats, c'est-à-dire l'effet des plans d'action sur les indicateurs choisis à l'étape 6.

Toutes ces étapes doivent être réalisées avec la participation des membres du service des ressources humaines ou de leurs multiples constituants. Plusieurs techniques peuvent être utilisées, en particulier le groupe nominal et la matrice des objectifs (Riggs et Felix, 1983; Sink, 1985).

QUESTIONS

1. Donnez quatre arguments que vous utiliseriez pour convaincre un dirigeant de PME d'évaluer la qualité de la GRH qui se pratique dans son entreprise.

2. Expliquez pourquoi il est difficile d'arriver à un consensus sur la définition du concept d'«excellence de la GRH».

3. En utilisant plusieurs exemples, expliquez la différence entre l'évaluation de l'efficacité et l'évaluation de l'efficience dans le cas d'un service des ressources humaines.

4. Expliquez la différence entre un critère, un indicateur et une norme, en ce qui concerne l'évaluation de la GRH.

5. Décrivez une situation où certains éléments de la GRH d'une entreprise ne seraient pas en concordance avec la stratégie organisationnelle.

6. Rédigez cinq phrases que pourrait contenir un questionnaire de vérification sur la rémunération.

7. Trouvez cinq indices ou ratios qui pourraient être utilisés pour déterminer l'excellence d'un système d'évaluation du rendement.

8. Résumez quelques arguments pour et contre la comptabilisation des ressources humaines.

9. Dites en quoi l'analyse du travail pourrait être (ou ne pas être) utile pour l'évaluation d'un service de ressources humaines.

10. Malgré qu'on ne peut espérer un consensus parmi les multiples constituants qui pourraient être appelés à évaluer un service des ressources humaines, expliquez en quoi cette approche peut quand même être utile.

BIBLIOGRAPHIE

ASSOCIATION DES HÔPITAUX DU QUÉBEC, *Guide pour l'évaluation globale de la qualité en matière de gestion des ressources humaines*, janvier 1988.

BILES, G.E. et SCHULER, R.S., *Audit Handbook of Human Resource Management Practices*, Alexandria (Virg.), The American Society for Personnel Administration, 1986.

BLUEDORN, A.C., « Cutting the gordian knott : a critique of the effectiveness tradition in organizational research », *Sociology and Social Research*, 64, 1984, p. 477-496.

BOLAR, M., « Measuring effectiveness of personnel policy implementation », *Personnel Psychology*, 23, 1970, p. 463-480.

BOUDREAU, J.W., « Decision theory contributions to HRM research and practice », *Industrial Relations*, 23, 1984, p. 198-217.

BOUDREAU, J.W., « Effects of employee flows on utility analysis of human resource productivity improvement programs », *Journal of Applied Psychology*, 68, 1983, p. 396-406.

BOURBONNAIS, J.-P. et GOSSELIN, A., « Les défis de la gestion des ressources humaines pour les années 90 : un tour d'horizon », *Gestion*, février 1988, p. 23-29.

BRUMMET, R.L., FLAMHOLTZ, E. et PYLE, W., « Human resource accounting : a challenge for accountants », *Accounting Review*, 43, 1968, p. 217-224.

CARROLL, S.J., « Measuring the work of a personnel department », *Personnel*, juillet-août 1960, p. 49-56.

CASCIO, W.F., *Costing Human Resources : The Financial Impact of Behavior in Organizations*, Boston, PWS-Kent Publishing Company, 1987.

CASCIO, W.F. et RAMOS, R.A., « Development and application of a new method for assessing job performance in behavioral/economic terms », *Journal of Applied Psychology*, 71, 1986, p. 20-28.

CONNOLLY, T., CONLON, E.J. et DEUTSCH, S.J., « Organizational effectiveness : a multiple constituency approach », *Academy of Management Review*, 5, 1980, p. 211-217.

DYER, L. et HOLDER, G.W., « A strategic perspective of human resource management », dans DYER, L. (dir.), *Human Resource Management : Evolving Roles and Responsibilities*, Washington, Bureau of National Affairs, 1988.

FITZ-ENZ, J., *How to Measure Human Resource Management*, New York, McGraw-Hill, 1984.

FITZ-ENZ, J., « Quantifying the human resources function », *Personnel*, mars-avril 1980, p. 41-52.

FOMBRUN, C., TICHY, N.M. et DEVANNA, M.A., *Strategic Human Resource Management*, New York, John Wiley, 1984.

GOMEZ-MEJIA, L.R., « Dimensions and correlates of the personnel audit as an organizational assessment tool », *Personnel Psychology*, 38, 1985, p. 293-308.

GOSSELIN, A., « Les priorités de la GRH à l'aube des années 1990 », conférence prononcée devant l'Association des gestionnaires en ressources humaines de l'Estrie, septembre 1989.

GRAY, R.D., « Evaluating the personnel department », *Personnel*, 42, 1965, p. 43-52.

HAYS, S.W., « Environmental change and the personnel function : a review of the research », *Public Personnel Management*, 18, 1989, p. 110-126.

HERCUS, T. et OADES, D., « The human resource audit : an instrument for change », *Human Resource Planning*, 1982, p. 43-51.

KANTER, R.M. et BRINKERHOFF, D., « Organizational performance : recent development in measurements », *Annual Review of Sociology*, 7, 1981, p. 321-349.

KEENE, C.M., « Personnel management reviews in a multicampus state university », *Public Personnel Management*, mars-avril 1976, p. 120-131.

LAPOINTE, J.R., « Human resource performance indexes », *Personnel Journal*, juillet 1983, p. 545-553.

MACY, B.A. et MIRVIS, P.H., « A methodology for assessment of quality of work life and organizational effectiveness in behavioral-economic terms », *Administrative Science Quarterly*, 21, 1976, p. 212-226.

MATHIEU, J.E. et LEONARD, R.L., «Applying utility concepts to a training program in supervisory skills: a time-based approach», *Academy of Management Journal*, 30, 1987, p. 316-335.

MATHIS, R.L. et CAMERON, G., «Auditing personnel practices in smaller-sized organizations: a realistic approach», *Personnel Administrator*, avril 1981, p. 45-49.

MIRVIS, P.H. et LAWLER, E.E., «Measuring the financial impact of employee attitudes», *Journal of Applied Psychology*, 62, 1977, p. 1-8.

MIRVIS, P.H. et MACY, B.A., «Human resource accounting: a measurement perspective», *Academy of Management Review*, avril 1976, p. 74-83.

MORIN, E., *Vers une mesure de l'efficacité organisationnelle: exploration conceptuelle et empirique des représentations*, thèse de doctorat, Département de psychologie, Université de Montréal, 1989.

MURRAY, V.V. et DIMICK, D.E., «Contextual influences on personnel policies and programs: an explanatory model», *Academy of Management Review*, octobre 1978, p. 750-761.

ODIORNE, G.S., «Evaluating the human resources program», dans FAMULARO, J.J., *Handbook of Human Resource Administration*, New York, McGraw-Hill, 1986.

PETERSEN, D.J. et MALONE, R.L., «The personnel effectiveness grid (PEG): a new tool for estimating personnel department effectiveness», *Human Resource Management*, hiver 1975, p. 10-21.

RABE, W.F., «Yardsticks for measuring personnel department effectiveness», *Personnel*, 44, 1967, p. 56-62.

RIGGS, J.L. et FELIX, G.H., *Productivity by Objectives*, Englewood Cliffs (N.J.), Prentice-Hall, 1983.

SCHMIDT, F.L., HUNTER, J.E. et PERLMAN, K., «Assessing the economic impact of personnel programs on workforce productivity», *Personnel Psychology*, 35, 1982, p. 333-347.

SCHRENK, L.P., «Environmental scanning», dans DYER, L. (dir.), *Human Resource Management: Evolving Roles and Responsibilities*, Washington (D.C.), The Bureau of National Affairs, 1988, p. 88-124.

SCHULER, R.S., «Personnel and human resource management choices and organizational strategy», *Human Resource Planning*, 10, 1987, p. 1-17.

SHEIBAR, P., «Personnel practices review: a personnel audit activity», *Personnel Journal*, mars 1974, p. 211-217.

SINK, D.S., *Productivity Management: Planning, Measurement and Evaluation, Control and Improvement*, New York, John Wiley & Sons, 1985.

TSUI, A.S., «Defining the activities and effectiveness of the human resource department: a multiple constituency approach», *Human Resource Management*, 26, 1987, p. 35-68.

TSUI, A.S., «Personnel department effectiveness: a tripartite approach», *Industrial Relations*, 23, 1984, p. 184-197.

TSUI, A.S. et GOMEZ-MEJIA, L.R., «Evaluating human resource effectiveness», dans DYER, L. (dir.), *Human Resource Management: Evolving Roles and Responsibilities*, Washington (D.C.), The Bureau of National Affairs, 1988, p. 187-227.

TSUI, A.S. et MILKOVICH, G.T., «Personnel department activities: constituency perspectives and preferences», *Personnel Psychology*, 40, 1987, p. 519-537.

ULRICH, D., «Assessing human resource effectiveness: stakeholder, utility and relationship approaches», *Human Resource Planning*, 12, 1989, p. 301-315.

ULRICH, D., «Organizational capability as a competitive advantage: human resource professionals as strategic partners», *Human Resource Planning*, 10, 4, 1987, p. 169-184.

WEST, W.K., «A self-audit for affirmative action programs», *Personnel Journal*, décembre 1978, p. 688-690.

INDEX

En vue d'alléger le texte, nous avons utilisé les abréviations suivantes:
RH pour ressources humaines
DRH pour direction de ressources humaines
GRH pour gestion des ressources humaines
SST pour santé et sécurité au travail

Achevé   Imprimerie
d'imprimer Gagné Ltée
au Canada Louiseville